# LEGADO DE CINZAS

TIM WEINER

# LEGADO DE CINZAS

Tradução de
BRUNO CASOTTI

EDITORA RECORD
RIO DE JANEIRO • SÃO PAULO

2008

CIP-Brasil. Catalogação-na-fonte
Sindicato Nacional dos Editores de Livros, RJ.

Weiner, Tim, 1956-
W444L    Legado de cinzas / Tim Weiner; [tradução Bruno Casotti]. –
Rio de Janeiro: Record, 2008.

      Tradução de: Legacy of ashes
      Inclui índice
      ISBN 978-85-01-08101-8

      1. Estados Unidos. Central Intelligence Agence – História. 2.
Serviço de Inteligência – Estados Unidos – História. 3. Estados
Unidos – História – 1945-. I. Título.

                    CDD – 327.1273009
08-0738            CDU – 327.8(73)

Título original em inglês:
LEGACY OF ASHES

Direitos exclusivos de publicação em língua portuguesa para o Brasil
adquiridos pela
EDITORA RECORD LTDA.
Rua Argentina 171 – Rio de Janeiro, RJ – 20921-380 – Tel.: 2585-2000
que se reserva a propriedade literária desta tradução

Impresso no Brasil

ISBN 978-85-01-08101-8

PEDIDOS PELO REEMBOLSO POSTAL
Caixa Postal 23.052
Rio de Janeiro, RJ – 20922-970

EDITORA AFILIADA

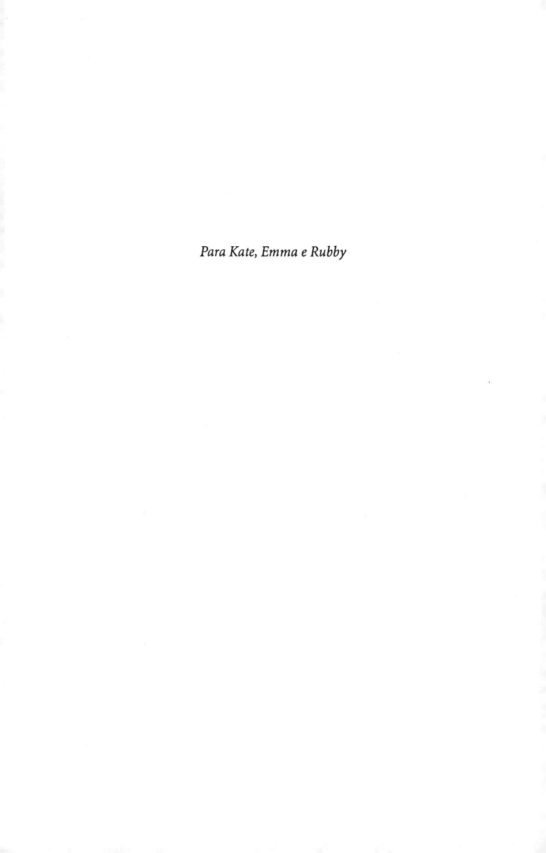

*Para Kate, Emma e Rubby*

Não há segredo que o tempo não revele.

Jean Racine — *Britânico* (1669)

# SUMÁRIO

## PARTE SEIS | *O acerto de contas*
A CIA sob Clinton e George W. Bush, 1993 a 2007

# NOTA DO AUTOR

*Legado de cinzas* é o registro dos primeiros sessenta anos da Agência Central de Inteligência. Descreve como o país mais poderoso da história da civilização ocidental fracassou na criação de um serviço de espionagem de primeira linha. Esse fracasso constitui um perigo para a segurança nacional dos Estados Unidos.

A espionagem consiste em ações secretas com o objetivo de compreender ou mudar o que acontece no exterior. O presidente Dwight D. Eisenhower chamou-a de "uma necessidade detestável, mas vital". Uma nação que quer proteger seu poder além de suas fronteiras precisa enxergar além do horizonte, saber o que está se aproximando, impedir ataques a seu povo. Precisa prevenir contra surpresas. Sem um serviço de espionagem forte, astuto, afiado, tanto presidentes quanto generais podem se tornar cegos e incapacitados. Mas ao longo de sua história de superpotência, os Estados Unidos não têm contado com esse tipo de serviço.

A história, escreveu Edward Gibbon em *Declínio e queda do império romano*, é "pouco mais do que o registro de crimes, atos de estupidez e infortúnios da espécie humana". Os anais da Agência Central de Inteligência estão cheios de estupidez e infortúnios, juntamente com atos de coragem e astúcia. Estão repletos de sucessos passageiros e fracassos duradouros no exterior. Internamente, estão marcados por batalhas políticas e lutas pelo poder. Os acertos da agência pouparam algum sangue e dinheiro. Seus erros desperdiçaram as duas coisas. Provaram ser fatais para legiões de soldados americanos e agentes estrangeiros; para cerca de três mil americanos que morreram em Nova York,

Washington e Pensilvânia em 11 de setembro de 2001; e para outros três mil que morreram desde então no Iraque e no Afeganistão. O único crime de conseqüências duradouras tem sido a incapacidade da CIA de cumprir sua missão central: informar ao presidente o que está acontecendo no mundo.

Os Estados Unidos não tinham uma espionagem digna de nota quando a Segunda Guerra Mundial começou, e praticamente nenhuma inteligência poucas semanas depois do fim do conflito. A insana pressa da desmobilização deixou para trás algumas centenas de homens que tinham alguns anos de experiência no mundo dos segredos e vontade de continuar lutando contra um novo inimigo. "Todas as grandes potências, exceto os Estados Unidos, há muito tempo têm serviços de espionagem permanentes espalhados pelo mundo, que se reportam diretamente aos mais altos escalões de seus governos", informou o general William J. Donovan, comandante do Escritório de Serviços Estratégicos em tempo de guerra, ao presidente Truman em agosto de 1945. "Antes da atual guerra, os Estados Unidos não tinham qualquer serviço secreto de inteligência. Nunca tiveram e não têm agora um sistema de espionagem coordenado." Tragicamente, até hoje não têm.

Esperava-se que a CIA se tornasse esse sistema. Mas o projeto para a agência foi elaborado às pressas. Não representou uma cura para a crônica fraqueza americana: sigilo e simulação não eram o nosso forte. O colapso do império britânico deixou os Estados Unidos como a única força capaz de se opor ao comunismo soviético, e os EUA precisavam desesperadamente conhecer aqueles inimigos, fornecer prognósticos aos presidentes e combater fogo com fogo quando chamados à luta. Acima de tudo, a missão da CIA era manter o presidente prevenido contra um ataque surpresa, um segundo Pearl Harbor.

Os quadros da agência foram preenchidos por milhares de patriotas americanos nos anos 1950. Muitos eram corajosos e tinham experiência em batalhas. Alguns tinham sabedoria. Poucos conheciam realmente o inimigo. Não havia acordo, presidentes ordenavam à CIA que mudasse o curso da história por meio de ações secretas. "A condução da guerra política e psicológica em tempo de paz era uma nova arte", escreveu Gerald Miller, na época chefe das operações secretas da CIA na Europa Ocidental. "Algumas técnicas eram conhecidas, mas faltava doutrina e experiência." As operações secretas da CIA em geral eram tiros cegos no escuro. A única conduta da agência era aprender fazendo — cometendo erros durante a batalha. Então a CIA escondeu falhas que cometeu no exterior, mentindo para os presidentes Eisenhower e Kennedy. Contou essas mentiras para preservar sua posição em Washington. A verdade, disse Don Gregg, um habilidoso chefe de posto na guerra fria, era que, no auge de seu poder, a agência tinha uma ótima reputação e uma atuação terrível.

Assim como o público americano, a agência divergiu durante a Guerra do Vietnã, para sua lástima. Assim como a imprensa americana, descobriu que seus relatos eram rejeitados se não se adequassem às pressuposições dos presidentes. A CIA foi repreendida e desprezada pelos presidentes Johnson, Nixon, Ford e Carter. Nenhum deles entendeu como a agência trabalhava. Eles assumiam o governo "na expectativa de que a espionagem pudesse resolver cada problema, ou que não era capaz de fazer nada direito, e depois passavam a ter uma opinião oposta", observa um ex-vice-diretor da central de inteligência, Richard J. Kerr. "Então eles se acalmavam e vacilavam entre um extremo ao outro."

Para sobreviver como instituição em Washington, a agência tinha sobretudo que ser ouvida pelo presidente. Mas logo aprendeu que era perigoso dizer o que ele não queria ouvir. Os analistas da CIA aprenderam a marchar no passo do governo, adequando-se ao conhecimento convencional. Interpretaram mal as intenções e a capacidade de nossos inimigos, calcularam mal a força do comunismo e avaliaram mal a ameaça do terrorismo.

O objetivo supremo da CIA durante a guerra fria era roubar segredos soviéticos recrutando espiões, mas a CIA nunca teve um único espião que penetrasse profundamente no trabalho do Kremlin. O número de espiões soviéticos com informações importantes para revelar — todos eles voluntários, e não recrutados — podia ser contado nos dedos de duas mãos. E todos morreram, capturados e executados por Moscou. Quase todos foram traídos por agentes da divisão soviética da CIA que espionavam para o outro lado nos governos dos presidentes Reagan e George H. W. Bush. Com Reagan, a CIA realizou missões equivocadas no Terceiro Mundo, vendendo armas à Guarda Revolucionária do Irã para financiar uma guerra na América Central, violando a lei e desperdiçando o resto da confiança que era depositada nela. Mais grave ainda: não detectou a fraqueza fatal de seu principal inimigo.

Baseou-se em máquinas, e não em homens, para compreender o outro lado. Enquanto a tecnologia de espionagem expandia seus horizontes, a visão da CIA se tornava cada vez mais míope. Satélites espiões permitiam à CIA contar as armas soviéticas, mas não forneceram a informação crucial de que o comunismo estava desmoronando. Os mais destacados especialistas da CIA nunca viram o inimigo antes do término da guerra fria. A agência exauriu os soviéticos despejando bilhões de dólares em armas no Afeganistão, para ajudar a combater as forças de ocupação do Exército Vermelho. Foi um épico sucesso. Mas não conseguiu ver que os guerreiros islâmicos que apoiava logo se voltariam contra os Estados Unidos. E quando teve essa compreensão, a agência falhou em agir. Foi um fracasso monumental.

A unidade de objetivos que manteve a CIA estruturada durante a guerra fria foi desfeita nos anos 1990, no governo do presidente Clinton. A agência ainda tinha pessoas que se esforçavam para compreender o mundo, mas seus quadros foram muito reduzidos. Ainda havia agentes talentosos que se dedicavam a servir aos Estados Unidos no exterior, mas eram pouquíssimos. O FBI tinha mais agentes em Nova York do que a CIA no exterior. No fim do século, a agência já não era um serviço de espionagem independente e em pleno funcionamento. Tornava-se um escritório de campo de segundo escalão para o Pentágono, determinando táticas para batalhas que nunca aconteceram, e não estratégias para iminentes conflitos. Não teve poder para impedir o segundo Pearl Harbor.

Depois dos ataques em Nova York e Washington, a agência enviou um pequeno grupo de agentes secretos experientes ao Afeganistão e ao Paquistão para caçar líderes da al-Qaeda. E então perdeu seu papel de fonte confiável de informações secretas quando entregou à Casa Branca falsos relatórios sobre a existência de armas de destruição em massa no Iraque. Produziu uma tonelada de relatórios baseados em alguns gramas de informação. Em troca, o presidente George W. Bush e seu governo usaram de maneira imprópria a agência outrora orgulhosamente comandada por seu pai, transformando-a numa força policial paramilitar no exterior e, internamente, numa burocracia paralisada. Bush casualmente decretou uma sentença de morte política para a CIA em 2004, quando disse que a agência estava "apenas fazendo suposições" sobre o curso da guerra no Iraque. Jamais um presidente desdenhara da CIA publicamente daquela maneira.

A posição central da agência no governo americano teve fim com a dissolução do escritório do diretor da central de inteligência, em 2005. Agora a CIA precisa ser reconstruída para sobreviver. Essa tarefa levará anos. O desafio de compreender o mundo como ele é consumiu três gerações de funcionários da CIA. Poucos da nova geração dominam as complexidades das terras estrangeiras, e menos ainda a cultura política de Washington. Por sua vez, quase todos os presidentes, quase todos os Congressos e quase todos os diretores da central de inteligência desde os anos 1960 provaram ser incapazes de entender os mecanismos da CIA. A maioria deixou a agência em pior estado do que a encontrou. Suas falhas outorgaram a futuras gerações, nas palavras do presidente Eisenhower, "um legado de cinzas". Voltamos a onde estávamos quando começamos sessenta anos atrás, um estado de desordem.

*Legado de cinzas* mostra como os Estados Unidos foram privados da inteligência de que necessitarão nos próximos anos. É extraído de palavras, idéias e ações que constam dos arquivos do sistema de segurança nacional americano. Eles registram o que nossos líderes realmente disseram, realmente quiseram e realmente fizeram quando projetaram seu poder no exterior. Este livro se baseia numa leitura que fiz de mais de 50 mil documentos, principalmente arquivos da CIA, da Casa Branca e do Departamento de Estado; em mais de dois mil depoimentos gravados de agentes da inteligência, soldados e diplomatas americanos; e em mais de trezentas entrevistas realizadas a partir de 1987 com funcionários e veteranos da CIA, incluindo dez diretores da central de inteligência. Extensas notas finais ampliam o texto.

Este livro se baseia em registros oficiais — não há nenhuma fonte anônima, nenhuma citação anônima, nenhum boato. Trata-se da primeira história da CIA reunida inteiramente a partir de reportagens em primeira mão e documentos originais. Por sua natureza, é incompleto: nenhum presidente, nenhum diretor da central de inteligência e certamente ninguém de fora pode saber tudo sobre a agência. O que escrevo aqui não é a verdade completa, mas, até onde minha capacidade permite, é a pura verdade.

Espero que possa servir como uma advertência. Nenhuma república da história durou mais de trezentos anos, e pode ser que esta nação não dure muito tempo mais como uma grande potência, a não ser que encontre olhos para ver as coisas no mundo como elas são. Esta foi um dia a missão da Agência Central de Inteligência.

# PARTE UM

---

*"No começo, não sabíamos nada"*

A CIA sob Truman

1945 a 1953

---

# 1 "A INTELIGÊNCIA PRECISA SER GLOBAL E TOTALITÁRIA"

Tudo o que Harry Truman queria era um jornal.

Catapultado à Casa Branca pela morte do presidente Franklin D. Roosevelt em 12 de abril de 1945, Truman nada sabia sobre o desenvolvimento da bomba atômica ou sobre as intenções de seus aliados soviéticos. Precisava de informações para usar seu poder.

"Quando assumi o governo", escreveu ele numa carta a um amigo anos depois, "o presidente não tinha qualquer meio para coordenar as informações que vinham do mundo." Roosevelt instituiu o Escritório de Serviços Estratégicos, sob o comando do general William J. Donovan, como uma agência de espionagem dos EUA em tempo de guerra. Mas o OSS[1] de Donovan nunca foi criado para durar. Quando a nova Agência Central de Inteligência surgiu de suas cinzas, Truman desejava que ela lhe servisse somente como um serviço de notícias internacionais, produzindo boletins diários. "Não havia a intenção de ser uma 'Unidade de Espionagem!'", escreveu ele. "O objetivo era ser simplesmente um centro para manter o presidente informado sobre o que acontecia no mundo." Ele insistiu que nunca quis que a CIA "agisse como uma organização de espiões. Esta nunca foi a intenção quando ela foi organizada."

Sua visão foi subvertida desde o início.

---

[1] Office of Strategic Services, Escritório de Serviços Estratégicos na sigla em inglês. (*N. do T.*)

"Numa guerra global e totalitária", acreditava o general Donovan, "a inteligência precisa ser global e totalitária." Em 18 de novembro de 1944, ele escreveu ao presidente Roosevelt propondo que os Estados Unidos criassem um "Serviço Central de Inteligência" para tempos de paz. Começara a traçar seu plano no ano anterior, a pedido do tenente-general Walter Bedell Smith, chefe de gabinete do general Dwight D. Eisenhower, que queria saber como o OSS se tornaria parte do sistema militar americano. Donovan disse ao presidente que poderia descobrir "a capacidade, as intenções e as atividades de nações estrangeiras" realizando "operações subversivas no exterior" contra inimigos dos EUA. O OSS nunca tivera mais do que 13 mil membros, sendo menor que uma única divisão do exército. Mas o serviço que Donovan idealizava seria seu próprio exército, uma força com capacidade para combater o comunismo, defender os EUA de ataques e oferecer segredos à Casa Branca. Ele exortou o presidente a "lançar o barco ao mar de uma vez", e seu objetivo era ser o capitão.

Apelidado de "Wild Bill" por causa de um arremessador rápido — mas de má pontaria — que comandava o time de beisebol New York Yankees de 1915 a 1917, Donovan era um velho e bravo soldado — ganhara a Medalha de Honra do Congresso por heroísmo nas trincheiras da França durante a Primeira Guerra Mundial — mas um mau político. Pouquíssimos generais e almirantes confiavam nele. Eles ficaram horrorizados com sua idéia de criar um serviço de espionagem a partir de uma coleção dispersa de corretores de Wall Street, intelectuais da Ivy League,[2] mercenários, homens de propaganda, homens da notícia, dublês, gatunos e trapaceiros.

O OSS havia desenvolvido um grupo americano único de analistas de inteligência, mas Donovan e seu funcionário de maior destaque, Allen W. Dulles, eram fascinados por espionagem e sabotagem, habilidades em que os americanos eram amadores. Donovan dependia da inteligência britânica para treinar seus homens nas artes escusas. Os homens mais corajosos do OSS, aqueles que inspiraram lendas, eram os que saltavam sobre as linhas inimigas, brandindo armas, explodindo pontes, conspirando contra os nazistas juntamente com os movimentos de resistência da França e dos Bálcãs. No último ano da guerra, com forças espalhadas por Europa, África do Norte e Ásia, Donovan quis despejar seus agentes diretamente na Alemanha. Ele o fez, e eles morreram. Das 21 equipes de dois homens que entraram no país, só se ouviu falar novamente

---

[2]Grupo de universidades e faculdades americanas conhecido pelo alto nível acadêmico. (*N. do T.*)

de uma. Era com esse tipo de missão que o general Donovan sonhava diariamente — às vezes missões ousadas, às vezes equivocadas.

"Sua imaginação era ilimitada", disse seu braço direito, David K. E. Bruce,
mais tarde embaixador americano na França, na Alemanha e na Inglaterra.
"Idéias eram sua diversão. A excitação o fazia relinchar como um cavalo de
corrida. Pobre do agente que rejeitasse um projeto que lhe parecesse ridículo,
ou pelo menos incomum. Durante dolorosas semanas, sob suas ordens testei a
possibilidade de usar morcegos retirados de cavernas ocidentais para destruir
Tóquio" — soltando os animais no espaço com bombas incendiárias amarradas às costas. Este era o espírito do OSS.

O presidente Roosevelt sempre teve suas dúvidas em relação a Donovan. No
início de 1945, ordenou a seu principal assessor militar na Casa Branca, o coronel Richard Park Jr., que fizesse uma investigação secreta sobre as operações do
OSS em tempo de guerra. Quando Park deu início ao trabalho, vazamentos da
Casa Branca renderam manchetes em Nova York, Chicago e Washington, advertindo que Donovan queria criar uma "Gestapo americana". Quando as histórias
vieram a público, o presidente exortou Donovan a empurrar seus planos para
baixo do tapete. Em 6 de março de 1945, o Estado-Maior Conjunto os engavetou
formalmente.

Eles queriam um novo serviço de espionagem para servir ao Pentágono, e
não ao presidente. O que tinham em mente era uma agência centralizadora
formada por coronéis e burocratas, destilando informações obtidas por adidos, diplomatas e espiões, em benefício de comandantes de quatro estrelas.*
Assim começou uma batalha pelo controle da inteligência americana que continuaria por três gerações.

## "ALGO EXTREMAMENTE PERIGOSO"

O OSS tinha pouca autoridade na Casa Branca, e menos ainda dentro do
Pentágono. A organização era impedida de ver as mais importantes comunicações interceptadas do Japão e da Alemanha. Altos oficiais militares americanos achavam que um serviço de espionagem civil independente comandado por
Donovan, com acesso direto ao presidente, seria "algo extremamente perigoso

*As quatro estrelas são emblema das patentes de general ou almirante. (N. da E.)

numa democracia", nas palavras do major-general Clayton Bissell, principal assistente de gabinete para inteligência militar.

Muitos desses homens eram os mesmos que dormiram no ponto durante Pearl Harbor. Bem antes do amanhecer de 7 de dezembro de 1941, as forças americanas decifraram alguns códigos do Japão. Sabiam que um ataque poderia estar prestes a acontecer, mas nunca imaginaram que o Japão faria uma aposta tão desesperada. O código decifrado era secreto demais para ser compartilhado com comandantes em campo. Rivalidades dentro das forças militares significavam que as informações eram divididas, escondidas e fragmentadas. Como ninguém tinha todas as peças do quebra-cabeça, ninguém viu a imagem completa. Foi apenas depois do fim da guerra que o Congresso investigou como a nação fora apanhada de surpresa, e só então ficou claro que o país precisava de uma nova maneira de se defender.

Antes de Pearl Harbor, a inteligência americana que cobria grandes faixas do planeta podia ser encontrada numa pequena fila de armários de madeira no Departamento de Estado. Sua única fonte de informação era uma dúzia de embaixadores e adidos militares. Na primavera de 1945, os Estados Unidos sabiam praticamente nada sobre a União Soviética, e pouco mais sobre o resto do mundo.

Franklin Roosevelt era o único homem que poderia reviver o sonho de Donovan de criar um serviço de espionagem americano poderoso e capaz de enxergar longe. Quando Roosevelt morreu, em 12 de abril, Donovan se desesperou com o futuro. Depois de passar metade da noite em luto, ele desceu as escadas do Ritz Hotel, seu refúgio favorito na Paris libertada, e tomou um triste café-da-manhã com William J. Casey, oficial do OSS e futuro diretor da central de inteligência.

"O que você acha que isso significa para a organização?", perguntou Casey.

"Temo que provavelmente seja o fim", disse Donovan.

No mesmo dia, o coronel Park submeteu seu relatório ultra-secreto sobre o OSS ao novo presidente. O relatório, que só seria divulgado completamente depois do fim da guerra fria, era uma arma política assassina, amolada pelos militares e afiada por J. Edgar Hoover, diretor do FBI desde 1924; Hoover desprezava Donovan e acalentava suas próprias ambições de liderar um serviço de inteligência mundial. O trabalho de Park destruiu a possibilidade de que o OSS continuasse sendo parte do governo americano, apunhalou os mitos românticos que Donovan criara para proteger seus espiões e incutiu em Harry

Truman uma profunda e permanente descrença nas operações de inteligência secretas. O OSS causara "sérios danos aos cidadãos, aos interesses comerciais e aos interesses nacionais dos Estados Unidos", dizia o relatório.

Park não relatou qualquer exemplo importante em que o OSS tivesse ajudado a vencer a guerra; apenas listou impiedosamente os casos em que ele havia falhado. O treinamento de seus agentes fora "grosseiro e frouxamente organizado". Comandantes da inteligência britânica consideravam os espiões americanos uma "massa de modelar em suas mãos". Na China, o líder nacionalista Chiang Kai-shek manipulara o OSS para seus próprios objetivos. Espiões alemães haviam penetrado em operações do OSS em toda a Europa e todo o norte da África. A embaixada japonesa em Lisboa descobriu os planos de agentes do OSS de roubar seus livros de códigos — e como conseqüência os japoneses mudaram seus códigos, o que "resultou num completo blecaute de informações militares vitais" no verão de 1943. Um dos informantes de Park disse, "Não se sabe quantas vidas americanas no Pacífico representam o custo dessa estupidez por parte do OSS". Inteligência equivocada fornecida pelo OSS depois da queda de Roma, em junho de 1944, levou milhares de soldados franceses a uma armadilha nazista na ilha de Elba, escreveu Park, e "como resultado destes erros do OSS e de seus cálculos malfeitos sobre as forças inimigas, cerca de 1.100 soldados franceses foram mortos".

O relatório atacava Donovan pessoalmente. Dizia que, num coquetel em Bucareste, o general perdera uma pasta de documentos que foi "entregue à Gestapo por uma dançarina romena". A contratação e promoção de altos oficiais por Donovan se baseavam não em mérito, mas numa rede de conexões com antigos companheiros de Wall Street e do Registro Social.[3] Ele enviara destacamentos de homens a postos avançados isolados, como a Libéria, e esqueceu-os lá. Despejara comandos equivocadamente na neutra Suécia. Enviara guardas para proteger um depósito de munição alemã apreendido na França e depois o explodiu.

O coronel Park reconheceu que os homens de Donovan haviam realizado algumas bem-sucedidas missões de sabotagem e resgate de pilotos americanos derrubados. Disse que o setor de pesquisas e análises do OSS fizera "um trabalho excepcional" e concluiu que os analistas poderiam encontrar lugar no Departamento de Estado depois da guerra. Mas o resto do OSS teria que acabar. "O

---

[3] Lista de nomes importantes da sociedade americana. (*N. do T.*)

comprometimento quase inútil do pessoal do OSS", advertiu, "torna inconcebível seu uso como agência de inteligência secreta no mundo pós-guerra."

Depois do Dia da Vitória na Europa, Donovan voltou a Washington para tentar salvar seu serviço de espionagem. Um mês de luto pelo presidente Roosevelt começava a abrir caminho para uma louca disputa de poder em Washington. Em 14 de maio, no Salão Oval, Harry Truman ouviu por menos de quinze minutos enquanto Donovan fazia sua proposta para manter o comunismo sob controle minando o Kremlin. O presidente o dispensou sumariamente.

Durante todo o verão, Donovan reagiu lutando no Congresso e na imprensa. Finalmente, em 25 de agosto, disse a Truman que o presidente teria que escolher entre o conhecimento e a ignorância. Os Estados Unidos "não têm hoje um sistema de inteligência coordenada", advertiu. "Os defeitos e os perigos dessa situação têm sido amplamente reconhecidos."

Donovan achou que bajulando Truman, um homem que ele sempre tratara com arrogante desdém, conseguiria convencê-lo a criar a CIA. Mas interpretou equivocadamente seu próprio presidente. Truman concluíra que o plano de Donovan tinha características da Gestapo. Em 20 de setembro de 1945, seis semanas depois de lançar bombas atômicas americanas sobre o Japão, o presidente dos Estados Unidos demitiu Donovan e ordenou que o OSS fosse dissolvido em dez dias. O serviço americano de espionagem foi abolido.

# 2 "A LÓGICA DA FORÇA"

No verão de 1945, nos escombros de Berlim, Allen Dulles, oficial do OSS na Alemanha, encontrou uma mansão esplêndida e bem-dotada de funcionários para sua nova sede. Seu tenente favorito, Richard Helms, começou a tentar espionar os soviéticos.

"O que você tem que lembrar", disse Helms meio século depois, "é que no começo não sabíamos nada. Nosso conhecimento sobre o que o outro lado pretendia fazer, suas intenções, sua capacidade, era nulo, ou quase isso. Se você aparecia com uma agenda telefônica ou um mapa de um campo de pouso, aquilo era material quentíssimo. Estávamos no escuro em relação a grande parte do mundo."

Helms estava feliz por voltar a Berlim, onde, aos 23 anos, fez seu nome como repórter de serviço telegráfico ao entrevistar Hitler nas Olimpíadas de 1936. Ficou chocado com o fim do OSS. No centro de operações da unidade em Berlim — uma fábrica de vinho espumante desapropriada — a raiva e o álcool fluíram livremente na noite em que chegou a ordem do presidente. Não haveria qualquer sede central da inteligência americana, conforme Dulles idealizara. Apenas uma equipe mínima permaneceria no exterior. Helms simplesmente não conseguia acreditar que a missão chegava ao fim. Foi reanimado poucos dias depois, quando chegou uma mensagem da sede do OSS em Washington dizendo-lhe para manter o forte.

## "A CAUSA SAGRADA DA CENTRAL DE INTELIGÊNCIA"

A mensagem vinha do vice de Donovan, o brigadeiro-general John Magruder, um nobre soldado que estava no exército desde 1910. Ele acreditava firmemente que, sem um serviço de espionagem, a nova supremacia dos EUA no mundo ficaria à mercê do acaso, ou em dívida com os britânicos. Em 26 de setembro de 1945, seis dias depois que o presidente Truman aboliu o OSS, o general Magruder percorreu os intermináveis corredores do Pentágono. O momento era oportuno: o secretário de Guerra, Henry Stimson, renunciara naquela semana, e Stimson se opusera inflexivelmente à idéia da CIA. "Parece-me bastante desaconselhável", dissera ele a Donovan poucos meses antes. Agora, o general Magruder aproveitava a abertura deixada pela saída de Stimson.

Ele se sentou com um velho amigo de Donovan, o secretário-assistente de Guerra John McCloy, uma pessoa de grande influência em Washington. Juntos, os dois contrariaram as ordens do presidente.

Naquele dia, Magruder deixou o Pentágono com uma ordem de McCloy que dizia, "as operações contínuas do OSS precisam ser realizadas para serem preservadas". Aquele pedaço de papel mantinha viva a esperança de uma Agência Central de Inteligência. Os espiões permaneceriam atuando, sob um novo nome, Unidade de Serviços Estratégicos, a SSU (Strategic Services Unit). McCloy pediu então a seu bom amigo Robert A. Lovett, secretário-assistente para guerra aérea e futuro secretário de defesa, que criasse uma comissão secreta para planejar o curso da inteligência americana — e para dizer a Harry Truman o que precisava ser feito. Confiantemente, Magruder informou a seus homens que "a causa sagrada da central de inteligência" prevaleceria.

Incentivado pela prorrogação, Helms se dedicou ao trabalho em Berlim. Exonerou funcionários que haviam mergulhado no mercado negro de Berlim, onde tudo e todos estavam à venda — duas dúzias de caixas de Camels, adquiridas por US$ 12 no posto militar americano, compravam um Mercedes-Benz 1939. Procurou cientistas e espiões alemães para investigar para o Ocidente, com o objetivo de afastar suas habilidades dos soviéticos e colocá-los a serviço dos Estados Unidos. Mas essas tarefas logo ficaram em segundo plano diante da luta para enxergar o novo inimigo. Em outubro, "estava bastante claro que nosso objetivo principal seria descobrir o que os russos estavam tramando", lembrou Tom Polgar, na época um oficial de 23 anos na base em Berlim. Os soviéticos estavam tomando ferrovias e cooptando partidos políticos da Alemanha Oriental. De início, o melhor que os espiões americanos podiam fazer era tentar rastrear o movimento dos transportes militares soviéticos para Berlim, dando ao Pentágono a sensação de que alguém estava tentando ficar de olho no Exército Vermelho. Furioso com o recuo de Washington diante do avanço soviético, e trabalhando contra a resistência dos mais graduados militares americanos posicionados em Berlim, Helms e seus homens começaram a tentar recrutar policiais e políticos alemães para estabelecer redes de espionagem no leste. Em novembro, "assistíamos ao total domínio russo sobre o sistema da Alemanha Oriental", disse Peter Sichel, outro agente da SSU de 23 anos em Berlim.

O Estado-Maior Conjunto e o poderoso secretário da marinha, James V. Forrestal, começavam agora a temer que os soviéticos, assim como os nazistas antes deles, se mobilizariam para ocupar toda a Europa — e em seguida rumariam para leste do Mediterrâneo, Golfo Pérsico, norte da China e Coréia. Um passo em falso poderia levar a um confronto que ninguém poderia conter. E à medida que o medo de uma nova guerra aumentava, os futuros líderes da inteligência americana se dividiam em dois campos rivais.

Um dos campos acreditava no lento e paciente acúmulo de informação secreta através da espionagem. O outro acreditava na guerra secreta — levar a batalha ao inimigo através de ações clandestinas. A espionagem busca conhecer o mundo. Este era Richard Helms. A ação secreta busca mudar o mundo. Este seria Frank Wisner.

Wisner era um encantador filho da elite latifundiária do Mississippi, um brilhante advogado corporativo num elegante uniforme militar. Em setembro de 1944, ele voou para Bucareste, Romênia, como novo chefe de posto do OSS. O Exército Vermelho e uma pequena missão militar americana haviam assumido o controle na capital, e a ordem de Wisner era ficar de olho nos russos. Ele estava vivendo sua glória, conspirando com o jovem rei Michael, planejando o resgate dos pilotos dos Aliados derrubados e requisitando a mansão de trinta cômodos de um barão da cerveja de Bucareste. À luz de seus cintilantes candelabros, agentes russos se misturavam a americanos, brindando uns com os outros com champanhe. Wisner estava esfuziante — era um dos primeiros homens do OSS a erguer um brinde com os russos — e relatou orgulhosamente à sede que fizera um contato bem-sucedido com o serviço de espionagem soviético.

Ele havia sido espião americano durante menos de um ano. Os russos estavam no jogo havia mais de dois séculos. Já tinham agentes bem instalados no

OSS, que rapidamente se infiltraram no círculo interno de aliados e agentes romenos de Wisner. Em meados do inverno, tomaram o controle da capital, reuniram milhares de romenos que tinham ascendência alemã e enviaram-nos para leste, para escravidão ou morte. Wisner viu 27 vagões cheios de carga humana saindo da Romênia. A lembrança o assombrou por toda a vida.

Wisner era um homem profundamente abalado quando chegou à sede do OSS na Alemanha, onde ele e Helms se tornaram desconfortáveis aliados. Os dois voaram juntos para Washington em dezembro de 1945, e enquanto conversavam durante a viagem de dezoito horas, perceberam que não tinham certeza alguma de que os Estados Unidos teriam um serviço clandestino depois que chegassem.

### "UMA ORGANIZAÇÃO APARENTEMENTE ILEGÍTIMA"

Em Washington, a batalha pelo futuro da inteligência americana estava se tornando feroz. O Estado-Maior Conjunto lutava por um serviço que ficasse firmemente sob seu controle. O exército e a marinha exigiam seu próprio serviço. J. Edgar Hoover queria que o FBI fizesse espionagem internacional. O Departamento de Estado buscava sua dominação. Até o diretor-geral dos correios marcava posição.

O general Magruder definiu o problema: "Operações de inteligência clandestinas envolvem um constante rompimento de todas as regras", escreveu ele. *Grosso modo*, essas operações são necessariamente extralegais e às vezes ilegais." Ele argumentou, convincentemente, que o Pentágono e o Departamento de Estado não podiam se arriscar a comandar essas missões. Um novo serviço clandestino teria que se encarregar da tarefa.

Mas não restou quase ninguém para preencher os quadros. "O esforço para coleta de inteligência chegou mais ou menos a um impasse", disse o coronel Bill Quinn, oficial executivo do general Magruder na Unidade de Serviços Estratégicos. Cinco de cada seis veteranos do OSS haviam voltado às suas antigas vidas. Eles viam o que restava da inteligência americana como "transparentemente rudimentar e transitório", disse Helms, "uma organização aparentemente ilegítima com uma expectativa de vida imprevisível". O número de funcionários foi reduzido em quase dez mil em três meses, chegando a 1.967 no fim de 1945. Os postos de Londres, Paris, Roma, Viena, Madri, Lisboa e Estocolmo perderam quase todos os seus agentes. Quinze dos 23 postos avançados na Ásia fecharam as portas. No quarto aniversário de Pearl Harbor, convencido de que Truman tirara dos trilhos a inteligência americana, Allen Dulles voltou para sua mesa no escritório de advocacia Sullivan and Cromwell, em Nova York, do qual seu irmão John Foster Dulles era sócio. Frank Wisner seguiu seu exemplo e voltou para sua própria banca de advocacia em Nova York, Carter, Ledyard.

Os analistas de informação restantes foram despachados para formar um novo escritório de pesquisa no Departamento de Estado. Foram tratados como pessoas desalojadas. "Acho que nunca houve nem poderia haver um período mais triste e atormentado em minha vida", escreveu Sherman Kent, mais tarde um dos fundadores do diretório de inteligência da CIA. Os mais talentosos logo foram embora, sem esperança, voltando para suas universidades e seus jornais. Não se providenciou qualquer substituição. Não haveria mais relatórios de inteligência coerentes durante muitos anos.

O presidente Truman confiara em seu diretor de orçamento, Harold D. Smith, para supervisionar o desmantelamento ordenado da máquina de guerra americana. Mas a desmobilização estava se tornando desintegração. No dia em que o presidente desmembrou o OSS, Smith o advertiu de que os Estados Unidos corriam o risco de voltar ao estado de inocência que vigorava antes de Pearl Harbor. Ele temia que a inteligência americana estivesse "completamente acabada". Num encontro na Casa Branca convocado às pressas, em 9 de janeiro de 1946, o almirante William D. Leahy, irritadiço chefe do gabinete militar de Truman, disse asperamente ao presidente que "a inteligência estava sendo tratada de maneira deplorável".

Truman viu que havia criado uma confusão, e decidiu desfazê-la. Convocou o vice-diretor da inteligência naval, contra-almirante Sidney W. Souers. Reservista, Souers era um bastião do Partido Democrata do Missouri, e um rico empresário que ganhara dinheiro com seguros de vida e com as lojas Piggly Wiggly, os primeiros supermercados *self-service* do país. Havia integrado uma comissão pós-guerra que estudava o futuro da inteligência, criada pelo secretário da marinha, James Forrestal, mas suas vistas não se concentravam em nada mais grandioso que um rápido retorno a Saint Louis.

Souers descobriu, para sua decepção, que o presidente faria dele o primeiro diretor da central de inteligência. O almirante Leahy registrou o momento de sua posse em seu diário oficial, em 24 de janeiro de 1946. "Em almoço hoje na Casa Branca, apenas para membros da equipe, o contra-almirante Sidney

Souers e eu fomos presenteados com capas pretas, chapéus pretos e espadas de madeira"* por Truman. Em seguida, o presidente nomeou Souers como chefe do "Grupo de Bisbilhoteiros Clandestinos" e "Diretor da Bisbilhotice Centralizada". Esse ato de vaudeville pôs o perplexo reservista no comando da organização bastarda e de vida curta chamada Grupo Central de Inteligência. Souers agora era responsável por quase dois mil agentes de inteligência e uma equipe de apoio que controlava arquivos e dossiês sobre 400 mil indivíduos. Muitos deles não tinham a menor idéia do que estavam fazendo, ou do que deveriam fazer. Alguém perguntou a Souers, depois de seu juramento, o que *ele* queria fazer. "Quero ir para casa", disse ele.

Como todos os diretores da central de inteligência que vieram depois dele, Souers recebeu uma grande responsabilidade sem ter a autoridade equivalente. Não recebia qualquer direção da Casa Branca. O problema era que ninguém sabia realmente o que o presidente queria — muito menos o próprio presidente. Truman disse que precisava apenas de uma sinopse diária da inteligência para não ter que ler uma pilha de telegramas de meio metro toda manhã. Para os membros do Grupo Central de Inteligência, parecia que aquele era o único aspecto de seu trabalho que ele chegou a levar em consideração.

Outras pessoas viam a missão de forma muito diferente. O general Magruder sustentava que havia uma compreensão tácita na Casa Branca de que o Grupo Central de Inteligência faria um serviço clandestino. Se era assim, nenhuma palavra sobre isso apareceu em papel. O presidente nunca falou sobre isso, portanto quase ninguém mais no governo reconheceu a legitimidade do novo grupo. O Pentágono e o Departamento de Estado se recusavam a falar com Souers e sua gente. O exército, a marinha e o FBI os tratavam com o mais profundo desdém. Souers durou parcos cem dias como diretor, embora tenha continuado a servir ao presidente como assessor. Deixou para trás apenas uma nota importante, um memorando confidencial com o seguinte pedido: "Há uma necessidade urgente de desenvolver uma inteligência com a maior qualidade possível sobre a URSS no menor tempo possível."

As únicas percepções americanas sobre o Kremlin naqueles dias vinham do recém-nomeado embaixador americano em Moscou e futuro diretor cen-

---

*Alusão à literatura teatral de gênero "capa e espada", caracterizada por estes trajes e situações de duelos, mistério e desenganos amorosos. (*N. da E.*)

tral de inteligência, general Walter Bedell Smith, e de seu principal assessor na Rússia, George Kennan.

## "O QUE A UNIÃO SOVIÉTICA QUER?"

Bedell Smith era filho de um lojista de Indiana e passou de soldado a general sem o verniz de West Point[4] ou formação universitária. Como chefe do Estado-Maior de Eisenhower na Segunda Guerra Mundial, analisara a fundo cada batalha no norte da África e na Europa. Seus colegas o respeitavam e temiam; ele era o homem carrancudo que fazia o trabalho sujo para Ike.[5] Trabalhava além da exaustão. Depois de receber transfusões de sangue devido a uma úlcera perfurada — que o fez desmaiar ao fim de um jantar com Eisenhower e Winston Churchill — saiu esbravejando de um hospital britânico para assumir seu posto de comando. Sentava-se à mesa com militares russos, participando de difíceis jantares no posto de comando dos Aliados em Argel para planejar operações conjuntas contra os nazistas. Recebera pessoalmente a rendição dos nazistas que pôs fim à guerra na Europa, encarando com desprezo o comando alemão na pequena e depredada escola vermelha em Rheims, França, que serviu de quartel-general americano avançado. No dia da vitória na Europa, 8 de maio de 1945, encontrara-se por alguns fugazes minutos com Allen Dulles e Richard Helms em Rheims. Dulles, que sofria de gota, mancava e usava muletas, estava ali para ver Eisenhower e obter sua aprovação para a criação de um todo-poderoso centro de inteligência americana em Berlim. Ike não teve tempo para Dulles naquela manhã — um mau presságio.

Bedell Smith chegou a Moscou em março de 1946 para ser instruído por George Kennan, *chargé d'affaires* na embaixada americana. Kennan passara muitos anos na Rússia, e muitas horas sombrias tentando decifrar Joseph Stalin. O Exército Vermelho havia ocupado quase metade da Europa na guerra, um prêmio obtido ao preço terrível de 20 milhões de vidas russas. Suas forças libertaram nações do domínio nazista, mas agora a sombra do Kremlin asso-

---

[4]Academia militar americana. (*N. do T.*)
[5]Apelido de Eisenhower. (*N. do T.*)

mava sobre mais de cem milhões de pessoas além das fronteiras da Rússia. Kennan previu que os soviéticos conservariam suas conquistas pela força bruta. Aconselhou a Casa Branca a se preparar para um confronto.

Alguns dias antes de Bedell Smith chegar a Moscou, Kennan enviou o telegrama mais famoso da história da diplomacia americana, o "longo telegrama", um retrato da paranóia soviética em oito mil palavras. Todos os leitores de Kennan — de início poucos, e com o tempo milhões — pareciam se deter numa única linha: os soviéticos eram impermeáveis à lógica da razão mas altamente sensíveis à "lógica da força". Rapidamente, Kennan ganharia fama como o maior kremlinologista do governo americano. "Nós nos acostumamos, por meio da experiência em tempo de guerra, a ter um grande inimigo diante de nós", refletiu Kennan muitos anos depois. "O inimigo precisa ser sempre um centro. Precisa ser totalmente maligno."

Bedell Smith chamou Kennan de "o melhor tutor que um chefe de missão recém-chegado poderia ter".

Numa noite fria e estrelada de abril de 1946, Bedell Smith dirigia uma limusine em que tremulava uma bandeira americana até a fortaleza do Kremlin. Nos portões, oficiais da inteligência soviética checaram sua identidade. Seu carro passou pelas antigas catedrais russas e pelo enorme sino quebrado aos pés de uma torre alta dentro dos muros do Kremlin. Soldados com botas de couro preto e calças com listras vermelhas bateram continência e o conduziram ao interior do prédio. Smith chegara sozinho. Eles o conduziram por um longo corredor e atravessaram grandes portas duplas acolchoadas e forradas com couro verde-escuro. Finalmente, numa sala de conferências de teto alto, o general encontrou o generalíssimo.

Bedell Smith disparou uma pergunta de cano duplo para Stalin: "O que a União Soviética quer, e até onde a Rússia pretende ir?"

Stalin fitava a distância, tragando um cigarro e rabiscando corações tortos e pontos de interrogação com um lápis vermelho. Ele negou ter planos para qualquer outra nação. Condenou a advertência de Winston Churchill, feita num discurso poucas semanas antes no Missouri, sobre a cortina de ferro que caíra sobre a Europa.

Stalin disse que a Rússia conhecia seus inimigos.

"Será possível que você realmente acredita que os Estados Unidos e a Grã-Bretanha estão unidos numa aliança para deter a Rússia?", perguntou Bedell Smith.

"*Da*", disse Stalin.

O general repetiu: "Até onde a Rússia pretende ir?"

Stalin encarou-o diretamente e disse: "Não vamos muito além."

Quanto além? Ninguém sabia. Qual era a missão da inteligência americana diante da nova ameaça soviética? Ninguém sabia ao certo.

## "UM APRENDIZ DE MALABARISTA"

Em 10 de junho de 1946, o general Hoyt Vandenberg se tornou o segundo diretor da central de inteligência. Piloto bonitão que comandara a guerra aérea tática de Eisenhower na Europa, ele agora dirigia uma unidade clandestina instalada num grupo de prédios de concreto medíocres no fim de Foggy Bottom, no alto de um pequeno penhasco com vista para o Potomac. Seu posto de comando ficava na E Street 2.430, a velha sede do OSS, cercada de estações de gás abandonadas, uma fábrica de cerveja em forma de torre e um rinque de patinação.

Faltavam a Vandenberg três ferramentas essenciais: dinheiro, poder e pessoas. O Grupo Central de Inteligência ficava à margem da lei, na avaliação de Lawrence Houston, consultor jurídico geral da Central de Inteligência de 1946 a 1972. O presidente não podia legalmente criar do nada uma agência federal. Sem o consentimento do Congresso, a Central de Inteligência não poderia legalmente gastar dinheiro. Nenhum dinheiro significava nenhum poder.

Vandenberg agiu para colocar os Estados Unidos de volta no ramo da inteligência. Criou um novo Escritório de Operações Especiais para conduzir espionagem e subversão no exterior e obteve US$ 15 milhões por baixo dos panos com um punhado de congressistas para realizar essas missões. Queria saber tudo sobre as forças soviéticas na Europa Oriental e Central — seus movimentos, sua capacidade, suas intenções — e ordenou a Richard Helms que descobrisse rápido. Helms, encarregado da espionagem em Alemanha, Áustria, Suíça, Polônia, Tchecoslováquia e Hungria, com 228 funcionários no exterior em sua lista de plantão, disse que se sentiu como um "aprendiz de malabarista tentando manter no ar uma bola de praia inflada, uma garrafa de leite aberta e uma metralhadora carregada". Em toda a Europa, "uma legião de exilados políticos, ex-oficiais de inteligência, ex-agentes e diversos tipos de empreendedores estavam se transformando em magnatas da inteligência, intermediando a venda de informações fabricadas segundo a demanda". Quanto mais seus espiões gastavam comprando informações, menos valiosa a informação ficava. "Se há algum exemplo mais cristalino de injeção de dinheiro num problema que não foi bem analisado, nenhum me vem à mente", escreveu ele. O que era tido como informações sobre os soviéticos e seus satélites era um monte de fraudes produzidas por mentirosos talentosos.

Mais tarde, Helms determinou que pelo menos metade das informações sobre a União Soviética e a Europa Oriental nos arquivos da CIA eram pura falsidade. Seus postos em Berlim e Viena haviam se tornado fábricas de falsa inteligência. Poucos de seus oficiais ou analistas conseguiam separar fato de ficção. Este sempre foi um problema presente: mais de meio século depois, a CIA enfrentou o mesmo tipo de fabricação de informação quando tentou descobrir armas de destruição em massa no Iraque.

Desde o primeiro dia em que assumiu o cargo, Vandenberg ficou abalado com relatos assustadores vindos do exterior. Seus boletins diários geravam calor, mas pouca luz. Era impossível determinar se as advertências eram verdadeiras, mas independentemente disso elas chegavam ao alto da cadeia de comando. Telegrama 1: um agente soviético bêbado alardeou que a Rússia atacaria sem avisar. Telegrama 2: o comandante das forças soviéticas nos Bálcãs estava brindando ao próximo outono em Istambul. Telegrama 3: Stalin estava pronto para invadir a Turquia, cercar o Mar Negro e tomar o Mediterrâneo e o Oriente Médio. O Pentágono determinou que a melhor maneira de impedir o avanço soviético era cortar as linhas de suprimento do Exército Vermelho na Romênia. Altos membros da equipe sob o comando do Estado-Maior começaram a esboçar planos de batalha.

Eles disseram a Vandenberg para preparar a primeira operação secreta da guerra fria. Numa tentativa de cumprir essa ordem, Vandenberg mudou a missão do Grupo Central de Inteligência. Em 17 de julho de 1946, enviou dois de seus assessores para um encontro com o consultor jurídico de Truman na Casa Branca, Clark Clifford. Eles argumentaram que "agora o conceito original do Grupo Central de Inteligência deveria ser alterado" para torná-lo uma "agência operante". Sem qualquer autoridade legal, o grupo se tornou uma agência operante. Naquele mesmo dia, Vandenberg pediu pessoalmente ao secretário de Guerra, Robert Patterson, e ao secretário de Estado, James Byrnes, que liberassem para ele mais US$ 10 milhões em fundos secretos para financiar o trabalho de "agentes de inteligência em todo o mundo". Eles liberaram.

O Escritório de Operações Especiais de Vandenberg agiu para criar uma força de resistência clandestina na Romênia. Frank Wisner havia deixado para trás, em Bucareste, uma rede de agentes desesperados para trabalhar com os americanos, mas profundamente infiltrados pela inteligência soviética. Charles W. Hostler, o primeiro chefe de posto do Escritório de Operações Especiais em Bucareste, viu-se cercado de "conspiração, intriga, sujeira, duplicidade, desonestidade e assassinatos ocasionais" entre fascistas, comunistas, monarquistas, industriais, anarquistas, moderados, intelectuais e idealistas — "um ambiente social e político para o qual os jovens oficiais americanos estavam precariamente preparados".

Vandenberg ordenou ao tenente Ira C. Hamilton e ao major Thomas R. Hall, baseados numa minúscula missão militar americana em Bucareste, que organizassem o Partido Nacional dos Camponeses, na Romênia, para torná-lo uma força de resistência. O major Hall, que servira como agente do OSS nos Bálcãs, falava um pouco de romeno. O tenente Hamilton não falava nada. Seu guia era o único agente importante que Wisner recrutara dois anos antes: Theodore Manacatide, que tinha sido sargento da equipe de inteligência do exército romeno e agora trabalhava na missão militar americana, de dia como tradutor e à noite como espião. Manacatide levou Hamilton e Hall a um encontro com líderes do Partido Nacional dos Camponeses. Os americanos ofereceram o apoio clandestino dos Estados Unidos — armas, dinheiro e informações. Em 5 de outubro, trabalhando com o novo posto da Central de Inteligência na Viena ocupada, os americanos contrabandearam para a Áustria o ex-ministro do Exterior da Romênia e mais cinco membros do que seria o exército de libertação, sedando-os, colocando-os em sacos de correspondência e enviando-os via aérea para um porto seguro.

A inteligência soviética e a polícia secreta romena só precisaram de algumas semanas para detectar os espiões. Os americanos e seu agente-chefe fugiram para salvar suas vidas enquanto as forças de segurança comunistas esmagavam o centro da resistência romena. Os líderes do Partido dos Camponeses foram acusados de traição e aprisionados. Manacatide, Hamilton e Hall foram condenados à revelia num julgamento público, depois de testemunhas jurarem que eles se haviam apresentado como agentes de um novo serviço de inteligência americano.

Frank Wisner abriu o *New York Times* em 20 de novembro de 1946 e leu um pequeno artigo na página dez relatando que seu antigo agente Manacatide, "anteriormente empregado pela Missão dos Estados Unidos", havia sido condenado à prisão perpétua "por ter acompanhado um certo tenente Hamilton da Missão Militar americana num Congresso Nacional dos Camponeses". Ao fim do inverno, quase todos os romenos que haviam trabalhado para Wisner durante a guerra estavam na cadeia ou mortos; seu secretário pessoal cometera suicídio. Uma ditadura brutal assumiu o controle da Romênia, sua ascensão ao poder tendo sido precipitada pelo fracasso da ação secreta americana.

Wisner deixou seu escritório de advocacia e foi para Washington, assegurando um posto no Departamento de Estado, de onde supervisionava as zonas ocupadas de Berlim, Viena, Tóquio, Seul e Trieste. Tinha ambições maiores. Estava convencido de que os Estados Unidos precisavam aprender a lutar de uma maneira nova, com as mesmas habilidades e o mesmo sigilo de seus inimigos.

# 3 "COMBATER FOGO COM FOGO"

Washington era uma cidade pequena administrada por pessoas que acreditavam que viviam no centro do universo. Sua cidade dentro da cidade era Georgetown, um enclave de 2,5 quilômetros quadrados de ruas de paralelepípedos, enfeitadas de magnólias. Em seu coração, na P Street 3.327, ficava uma agradável casa de quatro andares construída em 1820, com um jardim inglês nos fundos e uma sala de jantar formal com janelas altas. Frank e Polly Wisner fizeram dela sua casa. Nas noites de domingo de 1947, aquela casa se tornou o centro do emergente sistema de segurança nacional americano. A política externa dos Estados Unidos foi moldada à mesa dos Wisner.

Eles iniciaram uma tradição em Georgetown, uma ceia informal aos domingos. O prato principal eram as bebidas, já que todos haviam navegado para fora da Segunda Guerra Mundial numa maré de álcool. O filho mais velho dos Wisner, que também se chamava Frank, e que com o tempo subiu a altos escalões da diplomacia americana, considerou as ceias dominicais "acontecimentos de importância extraordinária. Não eram apenas encontros sociais triviais. Tornaram-se a própria força vital do modo como o governo pensava, lutava, trabalhava, comparava notas, tomava decisões e chegava a consensos". Depois do jantar, na tradição britânica, as damas se retiravam, os cavalheiros permaneciam e as idéias arrojadas e as brincadeiras de bêbado varavam a noite. Entre os convidados de uma noite qualquer poderiam estar David Bruce, amigo íntimo de Wisner e um veterano do OSS a caminho de se tornar embaixador americano em Paris; Chip Bohlen, consultor jurídico do secretário de Estado e futuro embaixador em Moscou; o subsecretário de Estado Robert Lovett e o futuro secretário de Estado Dean Acheson; e o novo eminente kremlinologista

George Kennan. Esses homens acreditavam que tinham o poder de mudar o curso dos acontecimentos humanos, e sua grande discussão era sobre como impedir a tomada da Europa pelos soviéticos. Stalin estava consolidando seu controle sobre os Bálcãs. Guerrilheiros de esquerda combatiam uma monarquia de direita nas montanhas da Grécia. Distúrbios causados por escassez de comida explodiam na Itália e na França, onde políticos comunistas convocavam greves gerais. Soldados e espiões britânicos abandonavam seus postos em todo o mundo, deixando grandes áreas do mapa abertas aos comunistas. O sol estava se pondo para o império britânico; e o tesouro público não conseguia impedir isso. Os Estados Unidos teriam que liderar o mundo livre sozinhos.

Wisner e seus convidados ouviam Kennan atentamente. Haviam absorvido seu "longo telegrama" vindo de Moscou e compartilhavam sua opinião sobre a ameaça soviética. Era o que fazia também o secretário da Marinha James Forrestal, que logo se tornaria o primeiro secretário de Defesa, um menino de ouro de Wall Street que considerava o comunismo uma fé fanática a ser combatida com ainda mais profunda convicção. Forrestal se tornara patrono político de Kennan, instalando-o numa mansão de general no National War College e fazendo de seu trabalho leitura obrigatória para milhares de oficiais militares. Vandenberg, diretor da Central de Inteligência, discutia com Kennan como espionar o trabalho de Moscou com bombas atômicas. O novo secretário de Estado, George C. Marshall, chefe do exército dos EUA na Segunda Guerra Mundial, determinou que a nação precisava reformular sua política externa e, na primavera, tornou Kennan responsável pela nova Equipe de Planejamento Estratégico do Departamento de Estado.

Kennan traçava um plano de batalha para a recém-batizada guerra fria. No curso de seis meses, as idéias desse obscuro diplomata deram origem a três forças que moldaram o mundo: a Doutrina Truman, uma advertência política a Moscou para que interrompesse a subversão de nações estrangeiras; o Plano Marshall, um bastião global para a influência americana contra o comunismo; e o serviço clandestino da Agência Central de Inteligência.

## "O MAIOR SERVIÇO DE INTELIGÊNCIA DO MUNDO"

Em fevereiro de 1947, o embaixador britânico advertira o secretário de Estado em exercício, Dean Acheson, que a ajuda militar e econômica da Inglaterra à

Grécia e à Turquia teria que ser interrompida em seis semanas. Os gregos precisariam de algo em torno de um bilhão de dólares durante os próximos quatro anos para combater a ameaça do comunismo. De Moscou, Walter Bedell Smith enviou sua avaliação de que as tropas britânicas eram a única força que impedia a Grécia de cair na órbita soviética.

Em casa, o medo do comunismo aumentava. Pela primeira vez desde a Grande Depressão, os republicanos controlavam agora as duas casas do Congresso, com homens como o senador Joseph McCarthy, de Wisconsin, e o congressista Richard Nixon, da Califórnia, ganhando poder. A popularidade de Truman despencava; seu índice de aprovação nas pesquisas de opinião públicas havia caído 50 pontos desde o fim da guerra. Ele mudara de idéia em relação a Stalin e aos soviéticos. Estava agora convencido de que eles eram um mal espalhando-se no mundo.

Truman e Acheson convocaram o senador Arthur Vandenberg, presidente republicano da Comissão de Relações Exteriores. (Naquele dia os jornais indicaram que Hoyt, sobrinho do senador, logo seria afastado do cargo de diretor da central de inteligência, depois de apenas oito meses no poder.) Acheson explicou que uma cabeça-de-praia comunista na Grécia ameaçaria toda a Europa Ocidental. Os Estados Unidos teriam que encontrar uma maneira de salvar o mundo livre — e o Congresso teria que pagar a conta. O senador Vandenberg pigarreou e se dirigiu a Truman. "Senhor presidente", disse ele, "a única maneira que o senhor tem de conseguir isso é fazendo um discurso e aterrorizando o país."

Em 12 de março de 1947, Truman fez o discurso, advertindo numa sessão conjunta do Congresso que o mundo enfrentaria um desastre se os Estados Unidos não combatessem o comunismo no exterior. Centenas de milhões de dólares teriam que ser enviados em apoio à Grécia, agora "ameaçada pelas atividades terroristas de vários milhares de homens armados", disse o presidente. Sem a ajuda americana, "a desordem poderá se espalhar no Oriente Médio", o desespero aumentaria nas nações da Europa e a escuridão poderia se abater sobre o mundo livre. Seu credo era algo novo: "Acredito que a política dos Estados Unidos deve ser de apoio aos povos livres que estão resistindo a tentativas de dominação de minorias armadas ou de pressões externas." Qualquer ataque lançado por um inimigo dos Estados Unidos contra qualquer nação do mundo era um ataque aos Estados Unidos. Esta era a Doutrina Truman. O Congresso se levantou para uma longa ovação.

Milhões de dólares começaram a fluir para a Grécia — juntamente com navios de guerra, soldados, armas, munição, napalm e espiões. Logo, Atenas se tornou um dos maiores postos da inteligência americana no mundo. A decisão de Truman de combater o comunismo no exterior foi a primeira direção clara que os espiões americanos receberam da Casa Branca. Ainda lhes faltava um comandante forte. O general Vandenberg estava contando os dias para poder assumir o comando da nova força aérea, mas deu um testemunho secreto a um punhado de membros do Congresso em seus últimos dias como diretor da central de inteligência, dizendo que a nação enfrentava ameaças externas como nunca antes. "Os oceanos encolheram, a ponto de hoje a Europa e a Ásia fazerem fronteira com os Estados Unidos quase como o Canadá e o México", disse ele, num jogo de palavras que sinistramente seria repetido pelo presidente Bush depois do 11 de Setembro.

Na Segunda Guerra Mundial, disse Vandenberg, "tivemos que nos apoiar cega e confiantemente no sistema de inteligência superior dos britânicos", mas "os Estados Unidos nunca deveriam ficar de chapéu na mão, implorando a governos estrangeiros por olhos — a inteligência externa — para enxergar". Mas a CIA sempre dependeria de serviços de inteligência estrangeiros para vigiar terras e idiomas que não entendia. Vandenberg terminou dizendo que demoraria pelo menos cinco anos para se formar uma equipe profissional de espiões americanos. A advertência foi repetida palavra por palavra meio século depois, em 1997, pelo diretor da Central de Inteligência, George J. Tenet. E Tenet diria o mesmo ao renunciar, em 2004. Um grande serviço de espionagem sempre esteve a cinco anos do horizonte.

O sucessor de Vandenberg, terceiro homem a ocupar o cargo em quinze meses, foi o contra-almirante Roscoe Hillenkoetter, que prestou juramento no Dia do Trabalho em 1947. Hilly, como todos o chamavam, foi uma escolha equivocada. Exalava insignificância. Como seus predecessores, nunca quis ser diretor da central de inteligência — "e provavelmente nunca deveria ter sido", diz uma anedota da CIA da época.

Em 27 de junho de 1947, uma comissão do Congresso realizou audiências secretas que levaram à criação formal da CIA no fim do verão. Foi extremamente significativo que não Hillenkoetter, mas sim Allen Dulles — um advogado de prática privada — tenha sido escolhido para conduzir um seminário de inteligência secreta para um grupo seleto de membros do Congresso.

Allen Dulles tinha um senso de dever patriótico do tipo "Avante, soldados cristãos". Nasceu na melhor família de Watertown, Nova York, em 1893. Seu pai era o pastor presbiteriano da cidade; seu avô e seu tio haviam sido secretários de Estado. O presidente de sua faculdade, Princetown, era Woodrow Wilson, que mais tarde seria presidente dos Estados Unidos. Dulles tinha sido um diplomata novato depois da Primeira Guerra Mundial e advogado de elite em Wall Street durante a Depressão. Graças a sua reputação cuidadosamente cultivada de mestre da espionagem americana, construída quando ele foi chefe do OSS na Suíça, era considerado pelos líderes republicanos o diretor da central de inteligência em exílio, enquanto seu irmão John Foster Dulles, principal porta-voz de política externa do partido, era visto como um secretário de Estado na sombra. Allen era extremamente simpático, com um olhar expressivo, uma risada solta, e uma malícia quase brincalhona. Mas era também um homem de duas caras, um adúltero crônico e implacavelmente ambicioso. Era capaz de enganar o Congresso e seus colegas, ou mesmo seu comandante-em-chefe.

A sala 1501 do Longworth Office Building estava isolada por guardas armados; todas as pessoas em seu interior haviam jurado segredo. Soltando fumaça de seu cachimbo, e agindo como um empolado diretor de escola instruindo seus alunos indisciplinados, Allen Dulles descrevia uma CIA que seria "dirigida por um corpo de homens relativamente pequeno, mas de elite, com paixão pelo anonimato". Seu diretor precisaria de uma "grande capacidade de discernimento" — um homem não muito diferente de Allen Dulles. Seus principais assessores, se fossem militares, deveriam "despir-se de suas patentes de soldados, marinheiros ou pilotos, e 'vestir a camisa' do serviço de inteligência".

Os americanos tinham "a matéria-prima para construir o maior serviço de inteligência do mundo", disse Dulles. "O quadro de pessoal não precisa ser muito numeroso" — algumas centenas de bons homens dariam conta do recado. "A operação do serviço não precisa ser nem ostensiva nem excessivamente coberta de mistério e abracadabra como o detetive amador gosta de presumir", assegurou ele aos membros do Congresso. "Tudo que é preciso para o sucesso é trabalho duro, capacidade de discernimento e bom senso."

Dulles nunca disse o que realmente queria: ressuscitar as operações secretas do OSS em tempo de guerra.

A criação de um novo serviço clandestino americano estava próxima. O presidente Truman revelou a nova arquitetura da guerra fria assinando a Lei de Segurança Nacional de 1947 em 26 de julho. A lei tornava a força aérea um serviço separado, comandado pelo general Vandenberg, e um novo Conselho de Segurança Nacional seria a central da Casa Branca para as decisões presidenciais. A lei criou também o cargo de secretário de Defesa: seu primeiro ocupante, James Forrestal, recebeu ordens para unificar as forças americanas. ("Esse cargo", escreveu Forrestal alguns dias depois, "provavelmente será o maior cemitério de companheiros descartados da história.")

E, em seis parágrafos curtos e superficiais, a lei criou a Agência Central de Inteligência em 18 de setembro.

A CIA nasceu com defeitos devastadores. Desde o início, enfrentou opositores ferozes e incansáveis dentro do Pentágono e do Departamento de Estado — as agências cujos relatórios deveria coordenar. A CIA não era a supervisora dessas agências, mas sim uma enteada. Seus poderes estavam vagamente definidos. Nenhum alvará formal nem fundos destinados pelo Congresso apareceriam durante quase dois anos. A sede da CIA sobreviveria nesse período com um fundo de subsistência mantido por alguns membros do Congresso.

E seu sigilo sempre entraria em conflito com a abertura da democracia americana. "Tive os piores presságios sobre essa organização", escreveu Dean Acheson, que logo se tornaria secretário de Estado, "e adverti o presidente de que, conforme ela foi criada, nem ele, nem o Conselho de Segurança Nacional e nem qualquer outra pessoa teria condições de saber o que ela está fazendo ou de controlá-la."

A Lei de Segurança Nacional nada dizia sobre operações secretas no exterior. Instruía a CIA a correlacionar, avaliar e disseminar inteligência — e realizar "outras funções e tarefas relacionadas à inteligência que digam respeito à segurança nacional". Embutidos nessas palavras estavam os poderes que o general Magruder preservara ao driblar o presidente dois anos antes. Com o tempo, centenas de grandes ações secretas — 81 delas durante o segundo mandato de Truman — seriam realizadas através dessa brecha.

As ações secretas exigiam a autoridade direta ou implícita do Conselho de Segurança Nacional. Naquela época, o NSC[6] era o presidente Truman, o secretário de Defesa, o secretário de Estado e os chefes militares. Mas era um organismo evanescente. Quase nunca se reunia e, quando o fazia, Truman raramente estava à mesa.

---

[6]Conselho de Segurança Nacional na sigla em inglês. (*N. do T.*)

Truman compareceu ao primeiro encontro, em 26 de setembro, assim como um muito cauteloso Roscoe Hillenkoetter. O consultor jurídico da CIA, Lawrence Houston, advertira o diretor contra os crescentes pedidos por ações secretas. Disse que a agência não tinha qualquer autoridade legal para realizá-las sem o consentimento expresso do Congresso. Hilly tentou limitar as missões da CIA no exterior à obtenção de informações. Fracassou. Decisões importantes eram tomadas em segredo, freqüentemente durante o café-da-manhã das quartas-feiras na casa do secretário de Defesa, Forrestal.

Em 27 de setembro, Kennan enviou a Forrestal um documento detalhado pedindo a criação de uma "unidade militar de guerra de guerrilha". Kennan achava que, embora o povo americano talvez nunca aprovasse esses métodos, "pode ser essencial para nossa segurança combater fogo com fogo". Forrestal concordou fervorosamente. Juntos, eles puseram o serviço clandestino americano em movimento.

## "A INAUGURAÇÃO DA GUERRA POLÍTICA ORGANIZADA"

Forrestal chamou Hillenkoeter ao Pentágono para discutir "a atual crença disseminada de que nosso Grupo de Inteligência é inteiramente inapto". Ele tinha bons motivos. A discrepância entre a capacidade da CIA e as missões para as quais era convocada a realizar era espantosa.

O novo comandante do Escritório de Operações Especiais da CIA, coronel Donald "Wrong-Way" Galloway, era um homem exigente e empertigado que chegara ao ápice de seu talento como oficial da cavalaria de West Point ensinando etiqueta eqüestre a cadetes. Seu vice, Stephen Penrose, que comandara a divisão Oriente Médio do OSS, renunciou por frustração. Num amargo memorando a Forrestal, Penrose advertiu que "a CIA está perdendo seus profissionais e não está adquirindo novos funcionários competentes" no exato momento "em que, quase como nunca antes, o governo precisa de um serviço de inteligência eficiente, em expansão e profissional".

Entretanto, em 14 de dezembro de 1947, o Conselho de Segurança Nacional deu suas primeiras ordens confidenciais à CIA. A agência realizaria "operações psicológicas secretas com o objetivo de impedir atividades soviéticas e de inspiração soviética". Com esse rufar marcial de tambores, a CIA começou a atacar os Vermelhos nas eleições italianas, marcadas para abril de 1948.

A CIA disse à Casa Branca que a Itália se tornaria um Estado policial totalitário. Se os comunistas vencessem nas urnas, dominariam "o lugar mais antigo
da cultura ocidental. Em particular, católicos devotos em toda parte ficariam seriamente preocupados com a segurança da Santa Sé". A perspectiva de um governo ateu cercando o papa na mira de uma arma era terrível demais para ser
considerada. Kennan achou que uma guerra seria melhor a deixar os comunistas
tomarem o poder legalmente — mas as ações secretas tendo como modelo as
técnicas comunistas de subversão eram a melhor escolha à vista.

F. Mark Wyatt, da CIA, que participou dessa operação, lembrou que ela
começou semanas antes que o Conselho de Segurança Nacional a autorizasse
formalmente. É claro que o Congresso nunca deu seu aval. A missão foi ilegal
desde o início. "Na CIA, na sede, estávamos absolutamente aterrorizados, mortos de medo", disse Wyatt, e com bons motivos. "Estávamos agindo além de
nossas diretrizes."

Dinheiro, muito dinheiro, seria necessário para ajudar a derrotar os comunistas. A melhor hipótese do chefe do posto da CIA em Roma, James J.
Angleton, era de US$ 10 milhões. Parcialmente educado na Itália, Angleton
trabalhara ali para o OSS e ali ficara; ele disse à sede que penetrara no serviço
secreto italiano tão profundamente que praticamente o comandava. Usaria
integrantes desse serviço para distribuir o dinheiro. Mas de onde viria o dinheiro? A CIA ainda não tinha qualquer orçamento independente nem qualquer fundo de contingência para operações secretas.

James Forrestal e seu bom amigo Allen Dulles recorreram a seus amigos e
colegas de Wall Street e Washington — homens de negócios, banqueiros e políticos — mas nunca era o suficiente. Forrestal procurou então um antigo
companheiro, John W. Snyder, secretário do Tesouro e um dos aliados mais
próximos de Harry Truman. Ele convenceu Snyder a utilizar o Fundo de Estabilização de Câmbio criado na Depressão para sustentar o valor do dólar no
exterior através do comércio de moeda a curto prazo, e transformado durante
a Segunda Guerra Mundial num depósito para espólios capturados do Eixo. O
fundo tinha US$ 200 milhões destinados à reconstrução da Europa. Distribuiu
milhões de dólares nas contas bancárias de ricos cidadãos americanos, muitos
deles ítalo-americanos, que então enviaram o dinheiro para frentes políticas re-
cém-formadas, criadas pela CIA. Os doadores foram instruídos a colocar um
código especial em seus formulários de imposto de renda juntamente com suas
"doações de caridade". Os milhões de dólares foram entregues a políticos ita-

lianos e a padres da Ação Católica, um braço político do Vaticano. Malas cheias de dinheiro mudaram de mãos no Hassler Hotel, de quatro estrelas. "Gostaríamos de ter feito isso de uma maneira mais sofisticada", disse Wyatt. "Repassar malas pretas para interferir numa eleição política não é de fato algo incrivelmente atraente." Mas funcionou: os democratas cristãos da Itália venceram com uma margem de votos confortável e formaram um governo que excluía os comunistas. Teve início um longo romance entre o partido e a agência. A prática da CIA de comprar eleições e políticos com malas de dinheiro se repetiu na Itália — e em muitas outras nações — durante os 25 anos seguintes.

Mas nas semanas anteriores à eleição, os comunistas tiveram outra vitória. Ocuparam a Tchecoslováquia, iniciando uma série brutal de prisões e execuções que durou quase cinco anos. O chefe do posto da CIA em Praga, Charles Katek, trabalhou para que cerca de trinta tchecos — agentes e suas famílias — atravessassem a fronteira e chegassem a Munique. O principal entre eles era o chefe da inteligência tcheca. Katek conseguiu que ele fosse contrabandeado para fora do país, imprensado entre o radiador e a grade do radiador de um *roadster*.[7]

Em 5 de março de 1948, enquanto a crise tcheca explodia, um telegrama aterrorizante chegou ao Pentágono, enviado pelo general Lucius D. Clay, chefe das forças de ocupação americanas em Berlim. O general disse que tinha uma profunda sensação de que um ataque soviético poderia acontecer a qualquer momento. O Pentágono vazou o telegrama e Washington foi tomada pelo medo. Embora a base da CIA em Berlim tenha enviado um relatório assegurando ao presidente que não havia qualquer sinal de ataque iminente, ninguém a ouviu. No dia seguinte, Truman compareceu a uma sessão conjunta do Congresso para advertir que a União Soviética e seus agentes ameaçavam causar um cataclismo. Ele pediu e recebeu aprovação imediata à grande empreitada que ficou conhecida como Plano Marshall.

O plano ofereceu bilhões de dólares ao mundo livre para consertar os danos causados pela guerra e criar uma barricada econômica e política americana contra os soviéticos. Em dezenove capitais — dezesseis na Europa e três na Ásia — os Estados Unidos ajudariam a reconstruir a civilização, segundo o modelo americano. George Kennan e James Forrestal estavam entre os principais autores do plano. Allen Dulles atuou como consultor.

---

[7] Antigo carro conversível com espaço para duas pessoas. (*N. do T.*)

Eles ajudaram a elaborar um adendo secreto que dava à CIA a capacidade de realizar guerras políticas. Isto permitiu à agência extrair do plano milhões de dólares não-declarados.

O mecanismo era surpreendentemente simples. Depois de aprovar o Plano Marshall, o Congresso se apropriou de cerca de US$ 13,7 bilhões ao longo de cinco anos. Uma nação que recebia ajuda do plano tinha que reservar a soma equivalente em sua própria moeda. Cinco por cento desses fundos — US$ 685 milhões no total — foram disponibilizados à CIA através dos escritórios do plano no exterior.

Foi um esquema de lavagem de dinheiro global que permaneceu secreto até bem depois do fim da guerra fria. Onde o plano florescia na Europa e na Ásia, os espiões americanos também floresciam. "Nós fingíamos que não víamos e dávamos uma pequena ajuda", disse o coronel R. Allen Griffin, que comandou a divisão Extremo Oriente do Plano Marshall. "Diga-lhes que podem pôr a mão em nossos bolsos."

Os fundos secretos foram o coração das operações secretas. Agora a CIA tinha uma fonte inesgotável de dinheiro que não podia ser rastreado.

Num documento confidencial enviado a talvez duas dúzias de pessoas no Departamento de Estado, na Casa Branca e no Pentágono em 4 de maio de 1948, Kennan proclamou "a inauguração de uma guerra política organizada" e pediu a criação de um novo serviço clandestino para realizar operações secretas ao redor do mundo. Ele afirmou claramente que o Plano Marshall, a Doutrina Truman e as operações secretas da CIA eram partes interligadas de uma grande estratégia contra Stalin.

O dinheiro que a CIA desviava do Plano Marshall financiaria uma rede de frentes falsas — uma fachada de comissões e conselhos públicos chefiados por distintos cidadãos. Os comunistas tinham organizações de fachada em toda a Europa: editoras, jornais, grupos estudantis, sindicatos. Agora a CIA teria suas próprias organizações de fachada. Elas recrutariam agentes estrangeiros — emigrantes da Europa Oriental, refugiados da Rússia. Esses estrangeiros, sob controle da CIA, criariam grupos políticos clandestinos nas nações livres da Europa. E os clandestinos passariam a tocha para "todos os movimentos de libertação" existentes atrás da cortina de ferro. Se a guerra fria entrasse em ebulição, os Estados Unidos teriam uma força de combate nas linhas de frente.

As idéias de Kennan se propagaram rapidamente. Seus planos foram aprovados pelo Conselho de Segurança Nacional numa ordem secreta, em 18 de junho de 1948. A diretriz 10/2 do NSC pedia operações secretas para atacar os soviéticos no mundo.

A força de ataque que Kennan concebeu para realizar aquela guerra secreta recebeu o nome mais suave que se pode imaginar — Escritório de Coordenação Política (OPC). Era uma fachada, que servia para esconder o trabalho do grupo. Ficava dentro da CIA, mas seu chefe se reportava aos secretários de Defesa e Estado, porque o diretor da central de inteligência era muito fraco. O Departamento de Estado queria que o escritório cuidasse de "disseminação de rumores, suborno, a organização de frentes não-comunistas", segundo um relatório do Conselho de Segurança Nacional divulgado em 2003. Forrestal e o Pentágono queriam "movimentos de guerrilha... exércitos clandestinos... sabotagem e assassinatos".

## "UM HOMEM PRECISA SER O CHEFE"

O maior campo de batalha era Berlim. Frank Wisner trabalhou incessantemente para organizar a política americana na cidade ocupada. Exortou seus superiores no Departamento de Estado a elaborar um estratagema com o objetivo de subverter os soviéticos introduzindo uma nova moeda alemã. Moscou certamente rejeitaria a idéia, de modo que os acordos de divisão de poder pós-guerra em Berlim iriam desmoronar. Uma nova dinâmica política faria os russos recuarem.

Em 23 de junho, as potências ocidentais instituíram a nova moeda. Em resposta imediata, os soviéticos bloquearam Berlim. Enquanto os Estados Unidos faziam uma ponte aérea para vencer o bloqueio, Kennan passou longas horas no gabinete de crise — o centro de comunicações com o exterior, com tranca dupla, no quinto andar do Departamento de Estado — desesperado, enquanto telegramas e telex pipocavam, chegando de Berlim.

A base da CIA em Berlim tentara sem sucesso, durante mais de um ano, obter informações sobre o Exército Vermelho na Alemanha ocupada e na Rússia, e rastrear o progresso de Moscou em armas nucleares, caças, mísseis e guerra biológica. Seus oficiais tinham agentes na polícia e entre políticos de Berlim — e, mais importante, uma linha direta com a sede da inteligência soviética em Karlshorst, Berlim Oriental. Essa linha vinha de Tom Polgar, refugiado húngaro que estava provando ser um dos melhores da CIA. Polgar tinha um mordomo, e seu mordomo tinha um irmão que trabalhava para um oficial do exército soviético em Karlshorst. Confortos materiais como amendoins salgados eram enviados em profusão a Karlshorst por Polgar. As informações fluíam de volta. Polgar tinha um segundo agente, uma teletipista na seção soviética de comunicação na sede da polícia de Berlim. Sua irmã era amante de um tenente policial que era íntimo dos russos. Os amantes se encontravam no apartamento de Polgar. "Aquilo me deu fama e glória", relembrou ele. Polgar entregou informações cruciais que chegaram à Casa Branca. "Eu estava completamente certo, no bloqueio de Berlim, de que os soviéticos não se moveriam", disse ele. Relatos da CIA nunca duvidaram daquela avaliação: nem os militares soviéticos nem seus aliados na recém-criada Alemanha Oriental estavam preparados para uma batalha. A base em Berlim fez sua parte para que a guerra fria continuasse fria naqueles meses.

Wisner estava pronto para uma guerra quente. Argumentou que os Estados Unidos deveriam lutar para abrir caminho em Berlim com tanques e artilharia. Suas idéias foram rejeitadas, mas seu espírito de luta foi adotado.

Kennan insistira que operações secretas não poderiam ser comandadas por comissões. Elas precisavam de um alto comandante com apoio total do Pentágono e do Departamento de Estado. "Um homem precisa ser o chefe", escreveu ele. Forrestal, Marshall e Kennan concordaram que Wisner era esse homem.

Ele estava perto dos quarenta anos e tinha uma aparência enganosamente refinada. Fora um homem bonitão na juventude, mas seu cabelo começava a rarear e seu rosto e torso começavam a inchar devido a sua sede de álcool. Tinha menos de três anos de experiência como espião em tempo de guerra e criptodiplomata. Agora tinha que criar um serviço clandestino do zero.

Richard Helms observou que Wisner ardia com "zelo e intensidade que lhe impunham, inquestionavelmente, uma pressão anormal". Sua paixão pelas ações secretas alteraria para sempre o lugar dos EUA no mundo.

# 4 "A COISA *MAIS* SECRETA"

Frank Wisner assumiu o comando das ações secretas americanas em 1º de setembro de 1948. Sua missão: empurrar os soviéticos de volta às antigas fronteiras da Rússia e libertar a Europa do controle comunista. Seu posto de comando era um barraco com telhado de lata, caindo aos pedaços, que ficava numa longa fila de prédios provisórios do Departamento de Guerra flanqueando o espelho d'água entre o Memorial Lincoln e o Monumento de Washington. Insetos e outros bichos circulavam pelos corredores. Seus homens chamavam o lugar de Palácio dos Ratos.

Ele trabalhava num frenesi controlado, doze ou mais horas por dia, seis dias por semana, e exigia o mesmo de seus funcionários. Raramente dizia ao diretor da central de inteligência o que estava fazendo. Decidia sozinho se suas missões secretas estavam de acordo com a política externa americana.

Sua organização logo cresceu mais que todos os outros setores da agência combinados. As operações secretas se tornaram a força dominante da agência, com a maioria das pessoas, a maior parte do dinheiro e o maior poder. E assim permaneceu por mais de vinte anos. A missão declarada da CIA era fornecer ao presidente informações secretas essenciais para a segurança nacional dos Estados Unidos. Mas Wisner não tinha nenhuma paciência para espionagem e nenhum tempo para peneirar e pesar segredos. Era muito mais fácil planejar um golpe ou subornar um político do que penetrar no Politburo — e para Wisner, muito mais urgente.

Em um mês, Wisner havia traçado planos de batalha para os cinco anos seguintes. Ele começou a criar um conglomerado de mídia multinacional para propaganda. Tentava travar uma guerra econômica com os soviéticos falsificando dinheiro e manipulando mercados. Gastou milhões de dólares tentando mover a balança política de capitais em várias partes do mundo. Queria recrutar legiões de exilados — russos, albaneses, ucranianos, poloneses, húngaros, tchecos, romenos — para grupos de resistência armada que penetrariam a cortina de ferro. Wisner acreditava que havia 700 mil russos à deriva na Alemanha que poderiam abraçar a causa. Queria reunir mil deles para transformá-los numa tropa de choque política. Conseguiu dezessete.

Por ordem de Forrestal, Wisner criou redes de agentes *stay-behind** — estrangeiros que lutariam contra os soviéticos nos primeiros dias da Terceira Guerra Mundial. O objetivo era retardar o avanço de centenas de milhares de soldados do Exército Vermelho na Europa Ocidental. Ele queria armas, munição e explosivos estocados em depósitos secretos em toda a Europa e todo o Oriente Médio para explodir pontes, depósitos e campos de petróleo árabes diante do avanço soviético. O general Curtis LeMay, novo chefe do Comando Aéreo Estratégico e responsável pelo controle das armas nucleares americanas, sabia que seus bombardeiros ficariam sem combustível depois de lançar suas armas sobre Moscou, e nos vôos de volta seus pilotos e tripulantes teriam que saltar em algum lugar a leste da cortina de ferro. LeMay disse a Franklin Lindsay, braço direito de Wisner, para montar um esquema de fuga dentro da União Soviética — uma rota de retirada para que seus homens escapassem por terra. Coronéis da força aérea ladravam ordens a seus colegas na CIA: roubar um caça bombardeiro soviético, de preferência com seu piloto enfiado num saco; infiltrar agentes com rádios em cada campo de pouso entre Berlim e os Urais; sabotar cada pista de decolagem militar na União Soviética ao primeiro sinal de guerra. Não eram pedidos. Eram ordens.

Acima de tudo, Wisner precisava de milhares de espiões americanos. Assim como hoje, a procura por talentos era uma crise constante. Ele iniciou uma ação de recrutamento que ia desde o Pentágono até a Park Avenue, passando por Yale, Harvard e Princeton, onde professores e treinadores eram pagos para identificar talentos. Contratou advogados, banqueiros, universitários, velhos amigos da escola e veteranos à deriva. "Eles tiravam pessoas das ruas, qualquer

---

*As divisões *stay-behind* eram redes clandestinas posicionadas em países estratégicos do lado capitalista durante a guerra fria, com o objetivo de fomentar um movimento de resistência caso houvesse um avanço soviético. "Retaguarda" em tradução livre. (*N. da E.*)

criatura de sangue quente capaz de dizer sim ou não, ou mexer braços e pernas", disse Sam Halpern, da CIA. O objetivo de Wisner era abrir pelo menos 36 postos no exterior em seis meses; conseguiu 47 em três anos. Quase toda cidade onde montou instalações tinha dois chefes de posto da CIA — um deles trabalhava em ações secretas para Wisner e o outro trabalhava em espionagem para o Escritório de Operações Especiais da CIA. Inevitavelmente eles enganavam um ao outro, roubavam agentes um do outro e lutavam pela supremacia. Wisner atraiu centenas de funcionários do Escritório de Operações Especiais oferecendo salários mais altos e a promessa de maiores glórias.

Ele se apoderou de aviões, armas, munição, pára-quedas e uniformes extras do Pentágono e de suas bases em zonas ocupadas da Europa e da Ásia. Logo estava controlando um estoque militar no valor de um quarto de um bilhão de dólares. "Wisner podia requisitar funcionários de qualquer agência do governo, e o apoio que quisesse", disse James McCargar, um dos primeiros homens do Escritório de Coordenação Política que Wisner contratou. "A CIA era, claro, uma agência publicamente conhecida cujas operações eram secretas. Não só as operações do OPC eram secretas, a própria existência da organização também era secreta. Na verdade, foi secreta durante seus primeiros anos, e isso precisa ser enfatizado, uma vez que poucas pessoas hoje parecem ter consciência disso; era a coisa *mais* secreta do governo dos EUA depois das armas nucleares." E assim como as primeiras armas nucleares, cujas explosões em testes foram mais fortes do que os planejadores previam, a oficina de ações secretas de Wisner cresceu mais velozmente e chegou mais longe do que qualquer pessoa imaginava.

Durante a Segunda Guerra Mundial, McCargar trabalhara para o Departamento de Estado na União Soviética, onde descobriu rapidamente que "os únicos métodos que ajudavam a fazer o trabalho eram clandestinos". Ele retirou sozinho líderes políticos húngaros de Budapeste, colocando-os num esconderijo em Viena montado por Al Ulmer, o primeiro chefe de posto da CIA naquela capital ocupada. Os dois se tornaram amigos, e quando se viram em Washington no verão de 1948, Ulmer convidou McCargar para um encontro com seu novo chefe. Wisner levou ambos para um café-da-manhã no Hay-Adams Hotel, o mais elegante de Washington, do outro lado do Lafayette Park, partindo da Casa Branca. McCargar foi contratado ali como homem da sede, tornando-se responsável por sete nações — Grécia, Turquia, Albânia, Hungria, Romênia, Bulgária e Iugoslávia. Quando se apresentou para o trabalho em outubro de 1948, "éramos apenas dez, incluindo Wisner, um punhado de oficiais, as secretárias e eu — dez pessoas", disse McCargar. "Em um ano, éramos 450, e alguns anos depois havia muitos milhares."

## "ÉRAMOS VISTOS COMO REIS"

Wisner enviou Al Ulmer a Atenas, onde ele começou a cobrir dez nações ao longo do Mediterrâneo, do Adriático e do Mar Negro. O novo chefe de posto comprou uma mansão no alto de uma colina, com vista para a cidade. Era uma propriedade cercada de muros, com uma sala de jantar de dezoito metros de comprimento e importantes diplomatas como vizinhos. "Estávamos no comando", disse Ulmer muitos anos depois. "Dirigíamos as coisas. Éramos vistos como reis."

A CIA começou a canalizar apoio clandestino político e financeiro para os mais ambiciosos oficiais militares e da inteligência da Grécia, recrutando jovens promissores que poderiam algum dia liderar a nação. Os contatos que cultivavam poderiam pagar grandes dividendos no futuro. Primeiro em Atenas e Roma, e depois em toda a Europa, políticos, generais, chefes de espionagem, editores de jornais e chefes de sindicatos, organizações culturais e associações religiosas começaram a procurar a agência em busca de dinheiro e assistência. "Indivíduos, grupos e serviços de inteligência rapidamente passaram a ver que havia uma força externa no mundo em torno da qual poderiam se reunir", relatou uma crônica secreta da CIA sobre os primeiros anos de Wisner no poder.

Os chefes do posto de Wisner precisavam de dinheiro. Wisner voou para Paris em meados de novembro de 1948 para discutir esse problema com Averell Harriman, diretor do Plano Marshall. Eles se encontraram numa suíte luxuosa do Hotel Talleyrand, outrora lar do ministro do Exterior de Napoleão. Sob o olhar de um busto de mármore de Benjamin Franklin, Harriman disse a Wisner para mergulhar tão fundo quanto precisasse na bolsa de dólares do plano. Munido dessa autoridade, Wisner voltou a Washington para se encontrar com Richard Bissell, administrador-chefe do Plano Marshall. "Eu o havia encontrado socialmente, conhecia Wisner e confiava nele", relembrou Bissell. "Ele participava bastante de nosso círculo interno de pessoas." Wisner foi diretamente ao ponto. Bissell de início ficou confuso, mas "Wisner com o tempo conseguiu reduzir pelo menos algumas de minhas preocupações, assegurando-me que Harriman aprovara a ação. Quando comecei a pressioná-lo sobre como o dinheiro seria usado, ele replicou que eu não podia saber". Com o tempo, Bissell descobriria. Uma década depois, ele assumiu o cargo de Wisner.

Wisner propôs romper a influência comunista sobre as maiores federações de comércio na França e na Itália, com dinheiro do plano; Kennan autorizou pessoalmente essas operações. Wisner escolheu dois talentosos líderes trabalhistas para realizar a primeira dessas operações no fim de 1948: Jay Lovestone, ex-presidente do Partido Comunista Americano, e Irving Brown, seu devotado seguidor; ambos eram anticomunistas dedicados, transformados pelas amargas batalhas ideológicas dos anos 1930. Lovestone era secretário-executivo da Comissão de Sindicatos Livres, uma ramificação da Federação de Trabalho Americana; Brown, principal representante na Europa. Eles distribuíram pequenas fortunas provenientes da CIA a grupos trabalhistas apoiados por democratas cristãos e pela Igreja Católica. Propinas nos portos sujos de Marselha e Nápoles garantiram que armas e material militar americanos fossem descarregados por estivadores simpatizantes. O dinheiro e o poder da CIA fluíram para as mãos escorregadias dos gângsteres da Córsega que sabiam como romper uma greve à força.

Uma das tarefas mais refinadas de Wisner foi endossar uma associação secreta que se tornou uma influente frente da CIA durante vinte anos: o Congresso para Liberdade Cultural. Ele vislumbrou "um amplo projeto que tinha como alvo os intelectuais — 'a batalha pela mente de Picasso', se preferir", na frase elegante de Tom Braden, da CIA, veterano do OSS e freqüentador das ceias de domingo à noite. Foi uma guerra de palavras, lutada com pequenas revistas, livros de bolso e conferências para intelectuais. "Acho que o orçamento do Congresso para Liberdade Cultural num ano em que fui responsável por ele foi de cerca de US$ 800 mil, US$ 900 mil", disse Braden. Isso incluía os fundos iniciais para a revista intelectual mensal chamada *Encounter*, que criou uma onda de influência nos anos 1950 sem vender mais do que 40 mil exemplares de uma edição. Este era o tipo de trabalho missionário que atraía os grandes nomes das artes liberais recém-chegados à agência. Era uma vida boa, gerenciar um pequeno jornal ou uma editora em Paris ou Roma — o primeiro ano da inteligência americana no exterior.

Wisner, Kennan e Allen Dulles identificaram uma maneira muito melhor de aproveitar o fervor político e a energia intelectual dos exilados da Europa Oriental e canalizá-los novamente para trás da cortina de ferro — a Rádio Europa Livre. O plano teve início em fins de 1948 e início de 1949, mas demorou mais de dois anos para que as rádios entrassem no ar. Dulles se tornou o fundador da Comissão Nacional para uma Europa Livre, uma das muitas organizações de fachada financiadas pela CIA nos Estados Unidos. A diretoria da

Europa Livre incluía o general Eisenhower; Henry Luce, presidente da *Time*, da *Life* e da *Fortune*; e Cecil B. DeMille, produtor de Hollywood — todos eles recrutados por Dulles e Wisner como testas-de-ferro da verdadeira administração. As rádios se tornariam uma arma poderosa na guerra política.

### "NO CALOR DA CONFUSÃO"

Wisner tinha grandes esperanças de que Allen Dulles se tornasse o próximo diretor da central de inteligência. E o próprio Dulles também.

No início de 1948, Forrestal pediu a Dulles que fizesse uma investigação secreta sobre as fraquezas estruturais da CIA. Como o dia da eleição se aproximava, Dulles estava dando os toques finais no relatório que usaria em seu discurso inaugural na agência. Estava confiante de que Truman seria derrotado pelo republicano Thomas Dewey, e que o novo presidente o promoveria ao cargo que ele merecia.

O relatório, que permaneceu confidencial durante cinqüenta anos, era uma acusação detalhada e brutal. Acusação Um: a CIA estava produzindo uma grande quantidade de documentos contendo poucos fatos, ou nenhum, sobre a ameaça comunista. Acusação Dois: a agência não tinha nenhum espião entre os soviéticos e seus satélites. Acusação Três: Roscoe Hillenkoetter era um fracasso como diretor. A CIA ainda não era "um serviço de inteligência adequado", dizia o relatório, e a tarefa de transformá-la exigiria "anos de trabalho paciente". O que era preciso agora era um novo líder destemido — e sua identidade não era segredo algum. Hillenkoetter observou amargamente que a Allen Dulles só faltou gravar seu nome na porta do diretor. Mas quando o relatório aterrissou, em janeiro de 1949, Truman havia sido reeleito, e Dulles estava tão associado ao Partido Republicano que sua nomeação era politicamente inconcebível. Hillenkoetter permaneceu, deixando a agência efetivamente sem liderança. O Conselho de Segurança Nacional ordenou a Hillenkoetter que implementasse o relatório, mas ele nunca o fez.

Dulles começou a dizer a seus amigos em Washington que se algo drástico não fosse feito na CIA, o presidente enfrentaria um desastre no exterior. Um coro de vozes o acompanhou. Dean Acheson, agora secretário de Estado, ouviu que a CIA estava "derretendo no calor da confusão e do ressentimento". Seu informante era Kermit "Kim" Roosevelt, neto do presidente Theodore

Roosevelt, primo de Franklin Roosevelt e futuro chefe da divisão Oriente Próximo e Sul da Ásia, da CIA. O assessor de inteligência de Forrestal, John Ohly, advertiu seu chefe: "A maior fraqueza da CIA decorre do tipo e da qualidade de seus funcionários e dos métodos pelos quais eles são recrutados." Ele observou "uma completa deterioração do moral entre alguns dos mais bem qualificados civis que gostariam de fazer carreira na CIA e uma perda de muitos indivíduos capazes que simplesmente não conseguiram agüentar a situação". Pior ainda, "a maioria das pessoas capazes que restam na agência decidiu que se não houver mudanças nos próximos meses, com certeza irá embora. Perdendo estes quadros de qualidade, a agência vai afundar numa lama da qual será difícil, se não impossível, retirá-la". A CIA se tornaria então "uma operação de inteligência de fraca a medíocre, perpetuando-se na prática". Essas mensagens poderiam ter sido escritas meio século depois. Descreveriam com precisão as angústias da agência na década posterior à queda do comunismo soviético. A equipe de espiões americanos capacitados foi reduzida, e o número de agentes estrangeiros talentosos caiu a quase zero.

A capacidade da CIA não era o único problema. As pressões da guerra fria estavam fraturando os novos líderes do sistema de segurança nacional.

James Forrestal e George Kennan foram os criadores e comandantes das operações secretas da CIA. Mas se provaram incapazes de controlar a máquina que tinham posto em funcionamento. Kennan estava exausto, buscando isolamento em seu refúgio na Biblioteca do Congresso. Forrestal chegou além de seus limites. Renunciou ao cargo de secretário de Defesa em 28 de março de 1949. Em seu último dia no escritório, teve um ataque de nervos, lamentando que havia meses não dormia. O dr. William C. Menninger, o mais proeminente psiquiatra dos Estados Unidos, encontrou Forrestal no meio de um episódio psicótico e o encaminhou a uma unidade de psiquiatria do Bethesda Naval Hospital.

Após cinqüenta noites de pavor, nas horas finais de sua vida, Forrestal estava copiando um poema grego, "O Coro de Ajax", e parou no meio da palavra *nightingale*.[8] Escreveu "night" e se jogou para a morte de uma janela no 16º andar. *Nightingale* era o codinome de uma força de resistência ucraniana que Forrestal autorizara a fazer uma guerra secreta contra Stalin. Os líderes dessa força incluíam colaboradores nazistas que haviam assassinado milhares de pessoas por trás das linhas alemãs durante a Segunda Guerra Mundial. Seus membros se lançaram de pára-quedas atrás da cortina de ferro, para a CIA.

---

[8] Rouxinol. (*N. do T.*)

# 5 "UM HOMEM RICO E CEGO"

Na Segunda Guerra Mundial, os Estados Unidos tiveram no combate aos fascistas uma causa comum com os comunistas. Na guerra fria, a CIA usou fascistas para combater comunistas. Americanos patriotas assumiram essas missões em nome dos Estados Unidos. "Não se pode operar as ferrovias", disse Allen Dulles num jogo de palavras infeliz, "sem levar alguns membros do Partido Nazista."

Mais de dois milhões de pessoas ficaram sem direção na Alemanha ocupada pelos americanos. Muitos deles eram refugiados desesperados que fugiam da sombra do regime soviético. Frank Wisner enviou seus agentes diretamente aos campos de refugiados para recrutá-los para uma missão que definiu como "incentivar movimentos de resistência no mundo soviético e conseguir contatos com a clandestinidade". Argumentou que a CIA tinha que "utilizar refugiados do mundo soviético pelos interesses nacionais dos EUA".

Passando por cima das objeções do diretor da central de inteligência, ele queria enviar armas e dinheiro para tais homens. Os exilados soviéticos eram bastante solicitados como "uma reserva para uma possível emergência de guerra", registrou a agência, embora estivessem "infelizmente divididos em grupos com objetivos, filosofias e composição étnica opostos".

As ordens de Wisner levaram ao surgimento da primeira missão paramilitar da agência — a primeira de muitas que enviaram milhares de agentes estrangeiros para a morte. A história completa começou a se revelar numa história da CIA que veio à luz pela primeira vez em 2005.

## "QUANTO MENOS FALARMOS SOBRE ESSE PROJETO DE LEI, MELHOR"

As ambições de Wisner enfrentaram um enorme obstáculo no início de 1949. Faltava à agência a autoridade legal para realizar ações secretas contra qualquer nação. Ela não tinha nenhuma carta de direitos constitucional do Congresso e nenhum fundo legalmente autorizado para essas missões. Ainda operava à margem das leis dos Estados Unidos.

No início de fevereiro de 1949, o diretor da central de inteligência teve uma conversa particular com Carl Vinson, democrata da Geórgia e presidente da Comissão de Serviços Armados da Câmara. Hillenkoetter advertiu que logo que possível o Congresso tinha que aprovar uma legislação formal abençoando a CIA e dando a ela um orçamento. A agência estava abarrotada de operações até o pescoço e precisava de cobertura legal. Depois de confidenciar suas preocupações a alguns outros membros da Câmara e do Senado, Hillenkoetter enviou-lhes a Lei da Agência Central de Inteligência, para que examinassem. Eles se reuniram durante aproximadamente meia hora em segredo para avaliá-la.

"Só precisamos dizer à Câmara que eles terão que aceitar nossa avaliação e não podemos responder a muitas perguntas que possam vir a ser feitas", disse Vinson a seus colegas. Dewey Short, do Missouri, o principal republicano da Comissão de Serviços Armados da Câmara, concordou que seria "uma suprema estupidez" debater a lei em público. "Quanto menos falarmos sobre esse projeto de lei, melhor para todos nós."

A Lei da CIA foi empurrada no Congresso em 27 de maio de 1949. Com sua aprovação, o Congresso deu à agência os mais amplos poderes concebíveis. Uma geração depois, virou moda condenar espiões dos EUA por crimes contra a Constituição. Mas durante os 25 anos entre a aprovação da Lei da CIA e o despertar de um espírito de cão de guarda no Congresso, a CIA só foi impedida de atuar como força policial secreta dentro dos Estados Unidos. A lei deu à agência a capacidade de fazer quase tudo o que ela queria, contanto que o Congresso fornecesse dinheiro num pacote anual. A aprovação do orçamento secreto por uma pequena subcomissão de serviços armados era compreendida por aqueles que estavam por dentro do assunto como uma autorização legal a todas as operações secretas. Um dos congressistas que votou "sim" resumiu essa compreensão tácita muitos anos depois, quando era presidente dos Estados Unidos. Se é secreto, é legal, disse Richard M. Nixon.

Agora a CIA tinha rédeas livres: fundos não-declarados — dinheiro que não podia ser rastreado, enterrado sob itens falsos do orçamento do Pentágono — significavam licença ilimitada.

Uma cláusula-chave da lei de 1949 permitia à CIA levar cem estrangeiros todo ano para os Estados Unidos em nome da segurança nacional, dando-lhes "residência permanente sem considerar sua inadmissibilidade sob as leis de imigração ou quaisquer outras". No mesmo dia em que o presidente Truman sancionou a Lei da CIA de 1949, Willard G. Wyman, general de duas estrelas que hoje dirige o Escritório de Operações Especiais da agência, disse a funcionários da imigração americana que um ucraniano chamado Mikola Lebed estava "prestando valiosa assistência a esta Agência na Europa". Sob proteção da lei recém-aprovada, a CIA contrabandeou Lebed para os Estados Unidos.

Os próprios arquivos da agência descreviam a facção ucraniana liderada por Lebed como "uma organização terrorista". O próprio Lebed fora preso pelo assassinato de um ministro do Interior polonês em 1936 e escapou quando a Alemanha atacou a Polônia, três anos depois. Via os nazistas como aliados naturais. Os alemães recrutaram homens de Lebed para dois batalhões, inclusive um homem chamado Nightingale, que lutou nos Cárpatos, sobreviveu à guerra e permaneceu nas florestas da Ucrânia para assombrar o secretário de Defesa, Forrestal. Lebed se instalou em Munique, autoproclamando-se ministro do Exterior, e ofereceu seus aliados ucranianos à CIA para missões contra Moscou.

O Departamento de Justiça determinou que ele era um criminoso de guerra que havia massacrado ucranianos, poloneses e judeus. Mas todas as tentativas de deportá-lo foram interrompidas depois que Allen Dulles escreveu para o comissário federal de imigração dizendo que Lebed era "de valor inestimável para esta Agência" e estava ajudando em "operações de importância primordial".

A CIA "tinha poucos métodos para obter informações sobre a União Soviética e se sentia compelida a explorar cada oportunidade, por menor que fosse a possibilidade de sucesso e por mais repugnante que fosse o agente", observa a história secreta da agência sobre as operações ucranianas. "Grupos de emigrantes, mesmo aqueles que tinham passado dúbio, eram freqüentemente a única alternativa a não fazer nada." Portanto, "o histórico de guerra por vezes brutal de muitos grupos de emigrantes era apagado à medida que eles se tornavam mais necessários para a CIA". Em 1949, os Estados Unidos estavam prontos para trabalhar com praticamente qualquer filho-da-puta contra Stalin. Lebed se encaixava no perfil.

## "NÃO QUERÍAMOS TOCAR NAQUILO"

O general Reinhard Gehlen também se encaixava.

Durante a Segunda Guerra Mundial, o general Gehlen tentara espionar os soviéticos a partir do front oriental como líder do Abwehr, o serviço de inteligência militar de Hitler. Era um homem arrogante e astuto, que jurava ter uma rede de "bons alemães" para espionar para os Estados Unidos por trás das fileiras russas.

"Desde o início", disse Gehlen, "eu estava motivado pelas seguintes convicções: um confronto entre o Leste e o Oeste é inevitável. Todo alemão tem a obrigação de contribuir com sua parte, de modo que a Alemanha esteja pronta para cumprir as missões que lhe são atribuídas para a defesa comum da Civilização Cristã Ocidental." Os Estados Unidos precisavam "dos melhores homens alemães como co-trabalhadores... queremos proteger a Cultura Ocidental". A rede de inteligência que ele ofereceu aos americanos era um grupo de "excelentes cidadãos alemães que são bons alemães mas também estão ideologicamente do lado das democracias ocidentais".

O exército, incapaz de controlar a organização de Gehlen, apesar de financiar generosamente suas operações, tentou repetidamente transferi-la para a CIA. Muitos dos oficiais de Richard Helms foram terminantemente contra isso. Um deles registrou sua repulsa a trabalhar com uma rede de "pessoal da SS com conhecido histórico nazista". Outro advertiu que "a inteligência americana é um homem rico e cego que usa o Abwehr como um cão-guia. O único problema é que a correia que prende o cão é muito longa". O próprio Helms manifestou um temor bem fundamentado: "não há dúvida de que os russos sabem que essa operação está acontecendo."

"Não queríamos tocar naquilo", disse Peter Sichel, na época chefe das operações alemãs na sede da CIA. "Não tinha nada a ver com moral ou ética, e tudo a ver com segurança."

Mas em julho de 1949, sob permanente pressão do exército, a CIA assumiu o grupo de Gehlen. Abrigado numa antiga sede nazista nos arredores de Munique, Gehlen recebia dezenas de proeminentes criminosos de guerra em seu círculo. Como Helms e Sichel temiam, os serviços de inteligência da Alemanha Oriental e da URSS penetraram nos mais altos níveis do grupo de Gehlen. O pior dos agentes duplos foi desmascarado muito tempo depois que o grupo de Gehlen se transformou no serviço de inteligência nacional da Ale-

manha Ocidental. O homem que durante muito tempo fora chefe da contra-
inteligência de Gehlen havia trabalhado para Moscou o tempo todo.

Steve Tanner, um jovem agente da CIA baseado em Munique, disse que Gehlen
convencera funcionários da inteligência americana de que podia realizar missões
tendo como alvo o coração do poder soviético. "E, considerando o quanto isso
era difícil para nós", refletiu Tanner, "parecia estupidez não tentar."

## "NÃO FICARÍAMOS QUIETOS"

Tanner era um veterano da inteligência do exército saído de Yale, contratado por
Richard Helms em 1947, e um dos primeiros duzentos funcionários da CIA a
entrar para o serviço sob juramento. Em Munique, sua missão era recrutar agentes para obter informações para os Estados Unidos atrás da cortina de ferro.

Quase todas as principais nacionalidades da União Soviética e da Europa
Oriental tinham pelo menos um grupo de emigrantes supostamente importante que buscava ajuda da CIA em Munique e Frankfurt. Alguns dos homens de
Tanner avaliados como espiões em potencial eram europeus orientais que haviam
apoiado a Alemanha contra a Rússia. Estes incluíam "pessoas com um passado
fascista tentando salvar suas carreiras tornando-se úteis para os americanos", afirmou Tanner. E ele era cauteloso com eles. Os não-russos "odiavam os russos violentamente", disse Tanner, "e estavam automaticamente do nosso lado". Outros
que haviam fugido de repúblicas periféricas da União Soviética exageravam seu
poder e influência. "O principal objetivo desses grupos de emigrantes era convencer o governo dos EUA de sua importância e sua capacidade de ajudá-lo, de
modo a obter apoio de um jeito ou de outro", disse ele.

Na falta de diretrizes de Washington, Tanner escreveu as suas próprias: para
receber apoio da CIA, os grupos de emigrantes tinham que estar baseados em
solo nativo, e não num café de Munique. Tinham que ter contato com grupos
anti-soviéticos em seu país. Não poderiam estar comprometidos por colaboração íntima com os nazistas. Em dezembro de 1948, depois de uma longa e
cuidadosa avaliação, Tanner acreditava que havia encontrado um bando de
ucranianos que merecia o apoio da CIA. O grupo se auto-intitulava Conselho
Supremo para Libertação da Ucrânia. Seus membros em Munique atuavam
como representantes políticos dos rebeldes de seu país. O Conselho Supremo,
relatou Tanner à sede, era moral e politicamente seguro.

Tanner passou a primavera e o verão de 1949 preparando seus ucranianos para infiltrá-los atrás da cortina de ferro. Os homens haviam saído dos Cárpatos como emissários meses antes, carregando mensagens da resistência ucraniana escritas em finas folhas de papel dobradas como bolinhas e costuradas juntas. Essas migalhas eram vistas como sinal de um forte movimento de resistência que poderia fornecer informações sobre acontecimentos na Ucrânia e advertir de um ataque soviético na Europa Ocidental. Na sede, as esperanças eram ainda maiores. A CIA acreditava que "a existência desses movimentos poderia ter influência sobre o curso de um conflito aberto entre os Estados Unidos e a URSS".

Tanner contratou uma audaciosa tripulação aérea húngara, que havia seqüestrado um avião comercial e voado para Munique alguns meses antes. O general Wyman, chefe de operações especiais da CIA, aprovou formalmente a missão em 26 de julho. Tanner supervisionou o treinamento do grupo em código Morse e armas, planejando lançar dois deles de volta à sua pátria, de modo que a CIA pudesse se comunicar com simpatizantes. Mas a CIA não tinha ninguém em Munique com experiência em agentes pára-quedistas por trás de linhas inimigas. Tanner finalmente encontrou alguém. "Um colega servo-americano que havia pulado de pára-quedas na Iugoslávia na Segunda Guerra Mundial ensinou meus homens a pular e aterrissar. E foi uma loucura! Como você consegue virar uma cambalhota para trás na hora do salto com uma carabina amarrada na lateral?" Mas esse era o tipo de operação que fizera a fama do OSS.

Tanner advertiu contra grandes expectativas. "Percebemos que nas matas do oeste da Ucrânia era provável que eles não conseguissem saber o que passava pela cabeça de Stalin, as grandes questões políticas", disse ele. "Pelo menos eles conseguiriam documentos, conseguiriam obter material escrito, roupas, sapatos." Para criar uma verdadeira rede de espiões dentro da União Soviética, a CIA teria que fornecer-lhes elementos de disfarce — o detrito diário da vida soviética. Mesmo que as missões nunca produzissem muitas informações importantes, disse Tanner, teriam grande valor simbólico: "Elas mostravam a Stalin que não ficaríamos quietos. E isso era importante, porque "até então não tínhamos feito nenhuma operação em seu país".

Em 5 de setembro de 1949, os homens de Tanner decolaram num C-47 pilotado pelos húngaros que haviam seqüestrado um avião para chegar a Munique. Cantando uma melodia marcial, eles mergulharam na escuridão da noite dos Cárpatos, aterrissando próximo à cidade de Lvov. A inteligência americana havia penetrado na União Soviética.

A história da CIA liberada em 2005 oferece um resumo conciso do que aconteceu em seguida: "Os soviéticos eliminaram os agentes rapidamente."

## "O QUE FIZEMOS DE ERRADO?"

A operação provocou, porém, uma enorme onda de entusiasmo na sede da CIA. Wisner começou a traçar planos de enviar mais homens para recrutar redes de dissidentes, criar forças de resistência apoiadas pelos americanos e enviar antecipadamente à Casa Branca advertências sobre um ataque militar soviético. A CIA despachou dezenas de agentes ucranianos por ar e por terra. Quase todos foram capturados. Oficiais da inteligência soviética usaram os prisioneiros para retornar desinformações — está tudo bem, enviem mais armas, mais dinheiro, mais homens. Em seguida, mataram-nos. Depois de cinco anos de "missões abortadas", afirma a história da agência, "a CIA interrompeu essa abordagem".

"A longo prazo", conclui, "o esforço da Agência para penetrar na Cortina de Ferro usando agentes ucranianos foi desastroso e trágico."

Wisner não se intimidou. Iniciou novas aventuras paramilitares em toda a Europa.

Em outubro de 1949, quatro semanas depois do primeiro vôo para a Ucrânia, Wisner se associou aos britânicos para enviar rebeldes à Albânia comunista, a nação mais pobre e isolada da Europa. Viu naquele solo árido dos Bálcãs um terreno fértil para uma resistência armada formada por monarquistas e legalistas modestos exilados em Roma e Atenas. Um navio que partiu de Malta levou nove albaneses em sua primeira missão de comando. Três homens foram mortos imediatamente e a polícia secreta caçou e eliminou os outros. Wisner não tinha tempo nem tendência para introspecção. Enviou mais recrutas albaneses a Munique para treinamento de pára-quedismo, e em seguida os enviou para o posto de Atenas, que tinha seu próprio aeroporto, uma frota de aviões e alguns pilotos poloneses durões.

Eles saltaram na Albânia e caíram nos braços da polícia secreta. A cada missão que fracassava, os planos se tornavam mais frenéticos, o treinamento mais descuidado, os albaneses mais desesperados e sua captura mais certa. Os agentes que sobreviviam eram presos e suas mensagens para o posto de Atenas eram controladas por seus captores.

"O que fizemos de errado?", refletiu John Limond Hart, da CIA, que lidava com os albaneses em Roma. Demorou anos para que a CIA compreendesse que os soviéticos conheciam cada aspecto da operação desde o início. Os campos de treinamento na Alemanha estavam infiltrados. As comunidades de exilados albaneses em Roma, Atenas e Londres estavam cheias de traidores. E James J. Angleton — o homem da sede responsável pela segurança das operações secretas, o guardião que protegia a CIA contra agentes duplos — havia coordenado a operação com seu melhor amigo na inteligência britânica: o espião soviético Kim Philby, que era o contato de Londres com a agência.

Philby trabalhava para Moscou numa sala segura do Pentágono, adjacente ao Estado-Maior Conjunto. Sua amizade com Angleton era selada com o beijo frio do gim e o abraço caloroso do uísque. Ele bebia bastante, entornando quase um litro por dia, e Angleton estava a caminho de se tornar o campeão do álcool na CIA, título conquistado numa dura competição. Durante mais de um ano, antes e depois de um almoço regado a bebidas, Angleton dava a Philby as coordenadas para as áreas onde cada agente da CIA pularia de pára-quedas na Albânia. Apesar de fracasso após fracasso, morte após morte, os vôos continuaram por quatro anos. Cerca de duzentos agentes estrangeiros da CIA morreram. Quase ninguém no governo americano soube. Era algo absolutamente secreto.

Angleton foi promovido a chefe da contra-inteligência quando as operações foram encerradas. Ficou vinte anos no cargo. Bêbado depois do almoço, sua mente numa confusão impenetrável, sua caixa de correios vazia como um buraco negro, ele fazia um exame de cada operação e cada agente que a CIA enviava contra os soviéticos. Passou a acreditar que uma grande conspiração soviética controlava as percepções americanas sobre o mundo, e que ele e somente ele compreendia a fundo o ardil. Levou as missões da CIA contra Moscou a um labirinto escuro.

## "FUNDAMENTALMENTE, FOI UMA MÁ IDÉIA"

No início de 1950, Wisner ordenou um novo ataque à cortina de ferro. O trabalho foi encaminhado a um outro homem de Yale em Munique, chamado Bill Coffin, um novo recruta com o especial fervor anticomunista de um ardente socialista. "Os fins nem sempre justificam os meios", disse Coffin, referindo-se a seus anos na CIA. "Mas são a única coisa que pode justificar."

Coffin chegou à CIA através de uma conexão familiar, recrutado por seu cunhado, Frank Lindsay, agente de Wisner para operações na Europa Oriental. "Eu lhes disse quando entrei na CIA, 'não quero fazer trabalho de espionagem, quero fazer trabalho político clandestino'", lembrou ele em 2005. "A questão era: os russos conseguem operar clandestinamente? E para mim aquilo parecia moralmente bem aceitável na época." Coffin passara os últimos dois anos da Segunda Guerra Mundial como contato do exército dos EUA com comandantes soviéticos. Fizera parte do cruel processo pós-guerra por meio do qual soldados soviéticos foram forçosamente repatriados. Ficara com uma grande carga de culpa, o que influenciou sua decisão de entrar para a CIA.

"Vi que de vez em quando Stalin conseguia fazer Hitler parecer um menino escoteiro", disse Coffin. "Eu era muito anti-soviético, mas muito pró-russos."

Wisner pôs seu dinheiro nos Solidaristas, um grupo russo que mantinha uma posição tão à direita quanto possível na Europa depois de Hitler. Somente um punhado de funcionários da CIA que falava russo, como Bill Coffin, podia trabalhar com eles. Primeiro a CIA e os Solidaristas contrabandearam folhetos de propaganda para os quartéis soviéticos na Alemanha Oriental. Depois, lançaram balões com milhares de panfletos. Em seguida, enviaram missões de quatro pára-quedistas em aviões sem identificação que conseguiam chegar tão a leste quanto as fronteiras de Moscou. Um a um, os agentes dos Solidaristas aterrissaram na Rússia; um a um, foram caçados, capturados e mortos. Mais uma vez a CIA entregava seus agentes à polícia secreta.

"Fundamentalmente, foi uma má idéia", disse Coffin muito tempo depois de deixar a CIA e se tornar conhecido como reverendo William Sloane Coffin, capelão de Yale e uma das vozes mais entusiasmadas contra a guerra nos anos 1960 nos EUA. "Fomos bastante ingênuos em relação ao uso do poder americano." Quase uma década se passou até a agência admitir, com suas próprias palavras, que "o auxílio dos emigrantes para a eventualidade de uma guerra ou revolução dentro da URSS foi ilusório".

No total, centenas de agentes estrangeiros da CIA foram enviados para morrer em Rússia, Polônia, Romênia, Ucrânia e países bálticos durante os anos 1950. Seu destino não foi registrado; não houve qualquer prestação de contas nem qualquer punição para as falhas. Suas missões foram vistas como uma questão de sobrevivência para os Estados Unidos. Apenas poucas horas antes de os homens de Tanner partirem para seu primeiro vôo, em setembro de 1949, uma tripulação da força aérea que partira do Alasca detectou traços de radiatividade na atmosfera. Enquanto os resultados eram analisados, em 20 de setembro a CIA declarou confiantemente que a União Soviética não fabricaria uma arma atômica pelo menos nos próximos quatro anos.

Três dias depois, Truman disse ao mundo que Stalin tinha a bomba.

Em 29 de setembro, o chefe de inteligência científica da CIA relatou que seu escritório era incapaz de cumprir sua missão. Faltava capacidade de rastrear os esforços de Moscou para fabricar armas de destruição em massa. O trabalho da agência sobre armas atômicas soviéticas foi um "fracasso quase total" em todos os níveis, relatou ele; seus espiões não tinham qualquer dado científico ou técnico sobre a bomba soviética, e seus analistas haviam recorrido a estimativas baseadas em suposições. Ele advertiu que os Estados Unidos enfrentavam "conseqüências catastróficas" como resultado desse fracasso.

Em pânico, o Pentágono comandou a CIA na colocação de agentes em Moscou com o objetivo de roubar os planos militares do Exército Vermelho. "Na época", refletiu Richard Helms, "a possibilidade de recrutar e conduzir esse pessoal era tão improvável quanto colocar espiões residentes no planeta Marte."

Então, sem aviso prévio, em 25 de julho de 1950 os Estados Unidos enfrentaram um ataque surpresa que parecia o início da Terceira Guerra Mundial.

# 6 "ERAM MISSÕES SUICIDAS"

A Guerra da Coréia foi o primeiro grande teste para a CIA. Deu à agência seu primeiro líder verdadeiro: o general Walter Bedell Smith. O presidente Truman o chamara para salvar a CIA antes do início da guerra. Mas depois de servir como embaixador americano em Moscou, o general retornara para casa com uma úlcera que quase o matou. Quando a notícia da invasão coreana chegou, ele estava no Walter Reed Army Hospital, onde dois terços de seu estômago foram removidos. Truman implorou a ele, mas ele pediu uma dispensa de um mês para ver se sobreviveria. Então o convite virou uma ordem, e Bedell Smith se tornou o quarto diretor da central de inteligência em quatro anos.

A missão do general era descobrir os segredos do Kremlin, e ele tinha uma boa noção sobre suas chances. "Só há duas personalidades que eu conheço que poderiam fazer isso", disse ele aos cinco senadores que o confirmaram no cargo, numa audiência em 24 de agosto na qual ele exibiu recém-adquiridas quatro estrelas, um prêmio do presidente. "Uma delas é Deus e a outra é Stalin, e não tenho certeza se Deus poderia fazer isso, porque não sei se ele é íntimo o suficiente de Uncle Joe[9] para saber o que ele está falando." Quanto ao que o aguardava na CIA, ele disse: "Espero o pior, e tenho certeza de que não vou ficar desapontado." Imediatamente depois de assumir o cargo em outubro, ele descobriu que havia herdado uma terrível bagunça. "É interessante ver todos vocês, companheiros, aqui", disse ele enquanto olhava ao redor da mesa para sua primeira equipe reunida. "Vai ser ainda mais interessante ver quantos de vocês estarão aqui dentro de alguns meses."

---

[9] Tio Joe. Apelido de Stalin na mídia ocidental. (*N. do T.*)

Bedell Smith era ferozmente autoritário, devastadoramente sarcástico e não tolerava imperfeições. As operações desordenadas de Wisner o deixaram bufando de raiva. "Nelas todo o dinheiro foi gasto", disse ele, e "todo o resto da Agência tinha suspeitas a respeito." Em sua primeira semana de trabalho, ele descobriu que Wisner se reportava ao Departamento de Estado e ao Pentágono, e não ao diretor da central de inteligência. Furioso, informou ao chefe das operações secretas que seus dias de independência haviam acabado.

### "UMA TAREFA IMPOSSÍVEL"

Para servir ao presidente, o general tentou salvar o lado analítico da casa, que ele chamava de "o coração e a alma da CIA". Fez uma revisão dos procedimentos da agência para redação de relatórios de inteligência e acabou convencendo Sherman Kent, que deixara Washington nos tristes primeiros dias do Grupo Central de Inteligência, a voltar para Yale para criar um sistema de estimativas nacionais, reunindo as melhores informações disponíveis vindas de todo o governo. Kent chamava seu trabalho de "uma tarefa impossível". Afinal de contas, disse ele, "estimar é o que você faz quando não sabe".

Dias depois de Bedell Smith assumir o cargo, Truman preparava-se para se encontrar com o general Douglas MacArthur em Wake Island, no Pacífico. O presidente queria as melhores informações da CIA sobre a Coréia. Queria saber, sobretudo, se os comunistas chineses entrariam na guerra. Levando seus soldados para as profundezas da Coréia do Norte, MacArthur insistiu que a China nunca atacaria.

A CIA não sabia quase nada sobre o que acontecia na China. Em outubro de 1949, na época em que Mao Tsé-tung expulsou as forças nacionalistas de Chiang Kai-shek e proclamou a República Popular, apenas um punhado de espiões americanos na China havia fugido para Hong Kong ou Taiwan. Já prejudicada por Mao, a CIA foi paralisada por MacArthur, que odiava a agência e fez o que pôde para banir seus agentes do Extremo Oriente. Embora a CIA trabalhasse freneticamente para ficar de olho na China, as redes de agentes estrangeiros que herdara do OSS eram fracas demais. Como eram também a pesquisa e os relatórios da agência. Quatrocentos analistas da CIA trabalhavam para o presidente Truman em boletins de inteligência diários no início da Guerra da

Coréia, mas 90% de seus relatos eram arquivos do Departamento de Estado reescritos; a maioria do resto era de comentários sem importância.

Os aliados da CIA no teatro da guerra eram os serviços de inteligência de dois líderes corruptos e não confiáveis: o presidente da Coréia do Sul, Syngman Rhee, e o chefe nacionalista chinês, Chiang Kai-shek. A primeira impressão mais forte que os agentes da CIA tiveram ao chegar às capitais Seul e Taipé foi o cheiro de fezes humanas usadas como fertilizantes nos campos próximos. As informações confiáveis eram tão escassas quanto a eletricidade e a água encanada. A CIA se viu manipulada por amigos desonestos, enganada por inimigos comunistas e à mercê de exilados famintos por dinheiro que fabricavam informações. Fred Schultheis, chefe do posto de Hong Kong em 1950, passou os seis anos seguintes vasculhando o lixo que refugiados chineses venderam à agência durante a Guerra da Coréia. A CIA sustentava um mercado livre de fabricantes de documentos controlado por charlatães.

As únicas verdadeiras fontes de inteligência no Extremo Oriente desde os últimos dias da Segunda Guerra Mundial até o fim de 1949 foram os magos da inteligência de sinais americana. Eram capazes de interceptar e decifrar telegramas e comunicados que circulavam entre Moscou e o Extremo Oriente. Mas o silêncio se abateu no momento exato em que o líder norte-coreano, Kim Il-sung, consultava-se com Stalin e Mao sobre sua intenção de atacar. A capacidade dos EUA de escutar os planos militares soviéticos, chineses e norte-coreanos desapareceu subitamente.

Na véspera da Guerra da Coréia, um espião soviético penetrou no nervo central dos decifradores de código: Arlington Hall, uma escola feminina reformada, a um pulo do Pentágono. Tratava-se de William Wolf Weisband, lingüista que traduzia do russo para o inglês mensagens interceptadas. Recrutado como espião por Moscou nos anos 1930, Weisband arruinou sozinho a capacidade dos Estados Unidos de ler as mensagens secretas soviéticas. Bedell Smith reconheceu que algo terrível havia acontecido com a inteligência de sinais americana e alertou a Casa Branca. O resultado foi a criação da Agência de Segurança Nacional, serviço de inteligência de sinais que cresceu para reduzir a CIA em tamanho e poder. Meio século depois, a Agência de Segurança Nacional considerou o caso Weisband "talvez a perda de inteligência mais significativa da história dos EUA".

## "NENHUMA INDICAÇÃO CONVINCENTE"

O presidente partiu para Wake Island em 11 de outubro de 1950. A CIA assegurou-lhe que não via "nenhuma indicação convincente de uma verdadeira intenção entre os comunistas chineses de recorrer a uma intervenção em grande escala na Coréia... exceto em caso de uma decisão soviética de guerra global". A agência chegou a essa avaliação apesar de dois alertas de seu posto em Tóquio, ocupado por três homens. Primeiro, o chefe do posto, George Aurell, relatou que um oficial nacionalista chinês da Manchúria advertia que Mao havia concentrado 300 mil soldados perto da fronteira coreana. A sede deu pouca atenção. Depois, Bill Duggan, mais tarde chefe do posto em Taiwan, insistiu que os comunistas chineses entrariam em breve na Coréia do Norte. O general MacArthur respondeu ameaçando prender Duggan. As advertências nunca chegaram a Wake Island.

Na sede, a agência continuava avisando a Truman que a China não entraria numa guerra de escala significativa. Em 18 de outubro, quando os soldados de MacArthur avançaram no norte em direção ao rio Yalu e à fronteira chinesa, a CIA relatou que "a aventura coreana soviética terminou em fracasso". Em 20 de outubro, a CIA disse que as forças chinesas detectadas em Yalu estavam ali para proteger usinas hidroelétricas. Em 28 de outubro, informou à Casa Branca que aqueles soldados chineses eram voluntários dispersos. Em 30 de outubro, depois que forças americanas foram atacadas e sofreram pesadas baixas, a CIA reafirmou que uma grande intervenção chinesa era improvável. Alguns dias depois, agentes da CIA que falavam chinês interrogaram vários prisioneiros capturados durante o confronto e determinaram que eles eram soldados de Mao. Mas a sede da CIA afirmou ainda mais uma vez que a China não entraria à força. Dois dias depois, 300 mil soldados chineses lançaram um ataque tão brutal que quase empurrou os americanos para o mar.

Bedell Smith ficou horrorizado. Ele acreditava que a tarefa da CIA era proteger a nação de surpresas militares. Mas a agência havia interpretado incorretamente todas as crises globais no ano anterior: a bomba atômica soviética, a Guerra da Coréia, a invasão chinesa. Em dezembro de 1950, enquanto o presidente Truman decretava emergência nacional e voltava a convocar o general Eisenhower para o serviço militar, Bedell Smith avançou em sua própria guerra para tornar a CIA um serviço de inteligência profissional. Primeiramente, procurou alguém para controlar Frank Wisner.

## "UM PERIGO DIFERENTE"

Apenas um nome se apresentou.

Em 4 de janeiro de 1951, Bedell Smith se curvou diante do inevitável e nomeou Allen Dulles vice-diretor da CIA para planejamento (o título era um disfarce, o cargo era de chefe de operações secretas). Os dois homens rapidamente provaram ser uma combinação ruim, como verificou Tom Polgar, da CIA, ao observá-los juntos na sede. "Bedell claramente não gosta de Dulles, e não é difícil entender por quê", contou ele. "Um oficial do exército recebe uma ordem e a executa. Um advogado encontra uma maneira de escapar. Na CIA, da forma como a coisa se desenvolveu, uma ordem é um ponto de partida para uma discussão."

As operações de Wisner haviam quintuplicado desde o início da guerra. Bedell Smith viu que os Estados Unidos não tinham qualquer estratégia para lidar com esse tipo de disputa. Ele apelou ao presidente Truman e ao Conselho de Segurança Nacional. A agência deveria realmente apoiar revoluções armadas na Europa Oriental? Na China? Na Rússia? O Pentágono e o Departamento de Estado responderam: sim, tudo isso e mais. O diretor imaginou como. Wisner contratava centenas de universitários todo mês, pondo-os durante algumas semanas numa escola de treinamento militar, enviando-os ao exterior por seis meses, retirando-os de lá e enviando mais recrutas inexperientes para substituí-los. Tentava construir uma máquina militar mundial sem qualquer traço de treinamento, logística ou comunicação profissionais. Bedell Smith se sentava à sua mesa, mastigando os biscoitos e tomando o mingau quente com os quais sobrevivia a uma operação de estômago, e sua raiva se misturava ao desespero.

Seu subordinado, o vice-diretor da central de inteligência, Bill Jackson, renunciou por frustração, dizendo que as operações da CIA eram uma confusão impossível. Bedell Smith não teve outra escolha a não ser promover Dulles a vice-diretor e Wisner a chefe de operações secretas. Quando viu o primeiro orçamento da CIA proposto pelos dois, explodiu. Era de US$ 587 milhões, onze vezes maior que o de 1948. Mais de US$ 400 milhões eram para as operações secretas de Wisner — o triplo dos custos com espionagem e análises combinados.

Aquilo representava "um perigo diferente para a CIA como agência de inteligência", disse Smith, furioso. "O rabo operacional vai acabar balançando o cachorro da inteligência", advertiu ele. "As pessoas mais importantes serão forçadas a dedicar todo o seu tempo às operações e necessariamente vão negligenciar a inteligência." Foi então que o general começou a suspeitar que Dulles e Wisner estavam escondendo alguma coisa dele. Em seus encontros diários com vice-diretores da CIA e sua equipe, registrados em documentos liberados depois de 2002, ele constantemente comparava seus relatórios com o que estava acontecendo no exterior. Mas suas perguntas diretas recebiam inexplicavelmente respostas vagas — ou nenhuma resposta. Ele os advertiu a não "segurar" nem "minimizar incidentes infelizes ou erros sérios". Ordenou que fizessem uma prestação de contas detalhada de suas missões paramilitares — codinomes, descrições, objetivos, custos. Eles nunca obedeceram. "Exasperado, ele os castigou com as mais violentas manifestações de ira que já havia dirigido a alguém", escreveu seu representante pessoal na equipe do NSC, Ludwell Lee Montague. Bedell Smith não sentia muito medo. Mas ficou furioso e assustado com a idéia de que Dulles e Wisner estavam levando a CIA a "uma aventura mal concebida e desastrosa", escreveu Montague. "Ele temia que algum erro estúpido no exterior chegasse a conhecimento público."

## "NÃO SABÍAMOS O QUE ESTÁVAMOS FAZENDO"

As histórias secretas da CIA sobre a Guerra da Coréia revelam o que Bedell Smith temia.

Elas dizem que as operações paramilitares da agência foram "não apenas ineficientes, mas provavelmente moralmente repreensíveis pelo número de vidas perdidas". Milhares de agentes coreanos e chineses recrutados foram jogados na Coréia do Norte durante a guerra para nunca mais voltar. "A quantidade de tempo e dinheiro gasta foi enormemente desproporcional ao que se obteve", concluiu a agência. Nada se ganhou com "as substanciais somas gastas e os inúmeros coreanos sacrificados". Outras centenas de agentes chineses morreram depois de serem lançados no território continental em operações por terra, ar e mar mal concebidas.

"A maioria dessas missões não era enviada para obter informações. Era enviada para suprir grupos de resistência não existentes ou fictícios", disse Peter Sichel, que viu aquela série de fracassos revelar-se depois que se tornou chefe do posto em Hong Kong. "Eram missões suicidas. Suicidas e irresponsáveis." Elas continuaram nos anos 1960. Legiões de agentes foram enviadas para a morte perseguindo sombras.

Nos primeiros dias da guerra, Wisner enviou mil oficiais à Coréia e trezentos a Taiwan, com ordens de penetrar na fortaleza murada de Mao e na ditadura militar de Kim Il-sung. Esses homens foram lançados na luta com pouca preparação e treinamento. Um deles era Donald Gregg, recém-saído do Williams College. Quando a guerra explodiu, seu primeiro pensamento foi: "Onde diabos fica a Coréia?" Depois de um curso rápido de operações paramilitares, ele foi despachado para um novo posto avançado da CIA no meio do Pacífico. Wisner estava construindo uma base de operações secretas na ilha de Saipan, a um custo de US$ 28 milhões. Ainda coberta pelos ossos dos mortos da Segunda Guerra Mundial, Saipan se tornou um campo de treinamento para as missões paramilitares da CIA em Coréia, China, Tibete e Vietnã. Gregg arregimentou fortes rapazes coreanos do interior, homens bravos mas indisciplinados que não falavam uma palavra de inglês, arrancados de campos de refugiados, para transformá-los instantaneamente em agentes da inteligência americana. A CIA os enviou em missões grosseiramente planejadas que resultaram em pouca coisa além de uma crescente lista de vidas perdidas. As lembranças permaneceram com Gregg enquanto ele subia de nível na Divisão Extremo Oriente para se tornar chefe do posto da CIA em Seul, depois embaixador dos EUA na Coréia do Sul e finalmente principal assistente de segurança nacional do presidente George H. W. Bush.

"Estávamos seguindo os passos do OSS", disse Gregg. "Mas as pessoas contra as quais estávamos nos erguendo tinham completo controle. Não sabíamos o que estávamos fazendo. Eu perguntava a meus superiores qual era a missão e eles não me diziam. Não sabiam qual era a missão. Era fanfarrice da pior espécie. Estávamos treinando coreanos, chineses e muitas outras pessoas estranhas, jogando coreanos na Coréia do Norte, jogando chineses na China, logo ao norte da fronteira coreana. Jogávamos essas pessoas lá dentro e nunca mais ouvíamos falar delas.

"O resultado na Europa foi ruim", disse ele. "O resultado na Ásia foi péssimo. A agência teve resultados terríveis em seus primeiros dias — uma grande reputação e uma atuação terrível."

## "A CIA ESTAVA SENDO ENGANADA"

Bedell Smith advertiu Wisner repetidamente para que prestasse atenção em informações falsas fabricadas pelo inimigo. Mas alguns dos oficiais de Wisner eram eles próprios fabricantes — inclusive o chefe de posto e o chefe de operações que ele enviou à Coréia.

Em fevereiro, março e abril de 1951, mais de 1.200 exilados norte-coreanos foram reunidos na ilha de Yong-do, no Porto de Pusan, sob o comando do chefe de operações, Hans Tofte, um veterano do OSS com talento maior para enganar seus superiores do que seus inimigos. Tofte formou três brigadas — White Tiger, Yellow Dragon e Blue Dragon — com equipes de 44 guerrilheiros. A missão deles era tripla: atuar como agentes infiltrados para obter informações, como esquadrões de guerrilheiros em luta e como tripulações de escape-e-evasão para resgatar pilotos e tripulações americanos derrubados.

A White Tiger desembarcou na costa da Coréia do Norte no fim de abril de 1951 com 104 homens, reforçados por mais 36 agentes lançados de pára-quedas. Antes de deixar a Coréia, quatro meses depois, Tofte enviou relatórios animadores sobre suas conquistas. Mas, em novembro, os guerrilheiros da White Tiger, em sua maioria, estavam mortos, capturados ou desaparecidos. A Blue Dragon e a Yellow Dragon tiveram destinos semelhantes. As poucas equipes de infiltração que sobreviveram foram capturadas e forçadas, sob pena de morte, a enganar seus oficiais americanos com falsas mensagens por rádio. Nenhum dos guerrilheiros sobreviveu. A maioria das equipes de escape-e-evasão se perdeu ou foi massacrada.

Na primavera e no verão de 1952, os oficiais de Wisner lançaram mais de 1.500 agentes coreanos na Coréia do Norte. Os agentes enviaram por rádio uma enxurrada de detalhados relatos sobre o movimento dos militares comunistas norte-coreanos e chineses. Foram elogiados pelo chefe do posto da CIA em Seul, Albert R. Haney, um coronel do exército falante e ambicioso que se gabava abertamente de ter milhares de homens trabalhando para ele em operações de guerrilha e missões de inteligência. Haney contava que supervisionara pessoalmente o recrutamento e treinamento de centenas de coreanos. Alguns de seus companheiros americanos achavam que ele era um tolo perigoso. William W. Thomas Jr., oficial da inteligência política do Departamento de Estado em Seul, suspeitava que o chefe do posto tinha uma folha de pagamento cheia de pessoas que eram "controladas pelo outro lado".

John Limond Hart, que substituiu Haney como chefe do posto em Seul em setembro de 1952, também suspeitava. Depois de uma série de dolorosas experiências com fabricantes de informações na Europa durante seus primeiros quatro anos na CIA, e com sua cota de exilados albaneses se esgotando em Roma, Hart tinha bastante consciência dos problemas de engodos e desinformações, e decidiu dar "uma olhada atenta nas conquistas milagrosas alegadas por meus antecessores".

Haney comandara mais de duzentos funcionários da CIA em Seul, e nenhum deles falava coreano. O posto dependia de agentes coreanos recrutados que supervisionavam as operações de guerrilha e missões da CIA para obtenção de informações no norte. Depois de três meses averiguando, Hart concluiu que quase todo agente coreano que herdara tinha inventado seus relatos ou trabalhava em segredo para os comunistas. Cada mensagem que o posto enviara à sede da CIA do front nos dezoito meses anteriores era deliberadamente falsa.

"Um relatório em particular está vivo em minha memória", contou Hart. "Afirmava ser um registro de todas as unidades chinesas e norte-coreanas ao longo da linha de combate, citando a força e a designação numérica de cada unidade." Comandantes militares americanos o haviam considerado "um dos mais notáveis relatórios de inteligência na guerra". Hart concluiu que era totalmente inventado.

Ele seguiu em frente e descobriu que todos os agentes coreanos importantes que Haney havia recrutado — não alguns, todos — eram "trapaceiros que durante algum tempo viveram felizes com os generosos pagamentos da CIA teoricamente enviados a colaboradores na Coréia do Norte. Quase todos os relatórios que recebemos de seus agentes fictícios vieram de nossos inimigos".

Muito tempo depois do fim da Guerra da Coréia, a CIA concluiu que Hart estava certo: quase todas as informações secretas que a agência obteve durante a guerra haviam sido fabricadas pelos serviços de segurança norte-coreano e chinês. A inteligência fictícia foi repassada ao Pentágono e à Casa Branca. As operações paramilitares da agência na Coréia haviam sofrido infiltrações e traições antes mesmo de começarem.

Hart disse à sede que o posto deveria interromper as operações até que a contabilidade fosse esclarecida e os danos desfeitos. Um serviço de inteligência infiltrado pelo inimigo era pior do que nenhum serviço. Em vez disso, Bedell Smith enviou um emissário a Seul para dizer a Hart que "a CIA, por ser uma organização nova cuja reputação ainda não havia sido firmada, simplesmente não podia admitir para outras ramificações do governo — sobretudo para os serviços de inteligência militar dos EUA, altamente competitivos — sua incapacidade de obter informações sobre a Coréia do Norte". O mensageiro era o vice-diretor de inteligência, Loftus Becker. Após ser enviado por Bedell Smith numa viagem para inspecionar todos os postos asiáticos da CIA em novembro de 1952, Becker voltou para casa e apresentou sua demissão. Ele concluiu que a situação era irremediável: a capacidade da CIA em obter informações no Extremo Oriente era "quase desprezível". Antes de renunciar, ele confrontou Frank Wisner: "Operações estouradas indicam falta de sucesso", disse a Wisner, "e ultimamente têm havido muitas."

Os relatos de Hart e as fraudes de Haney foram enterrados. A agência havia caminhado para uma emboscada e a apresentou como uma manobra estratégica. Dulles disse a membros do Congresso que "a CIA estava controlando consideráveis elementos de resistência na Coréia do Norte", afirmou o coronel da força aérea James G. L. Kellis, que foi diretor de operações paramilitares de Wisner. Na época, Dulles foi advertido de que "'guerrilheiros da CIA' na Coréia do Norte estavam sob controle do inimigo"; na verdade, "a CIA não tinha esses espiões" e "a CIA estava sendo enganada", relatou Kellis numa carta de denúncia que enviou à Casa Branca depois do fim da guerra.

A habilidade de apresentar fracassos como sucessos estava se tornando uma tradição da CIA. A falta de vontade da agência de aprender com seus erros se tornou parte permanente de sua cultura. As operações secretas da CIA nunca incluíram estudos sobre "lições aprendidas". Mesmo hoje, existem poucas regras ou procedimentos para produzi-los, se é que existem.

"Todos nós temos consciência de que nossas operações no Extremo Oriente estão longe de ser o que gostaríamos que fossem", admitiu Wisner numa reunião na sede. "Simplesmente não tivemos tempo para formar a quantidade e o tipo de agentes de que precisamos para realizar com sucesso os pesados fardos que têm sido postos sobre nós." A incapacidade de penetrar na Coréia do Norte continua sendo o fracasso da inteligência mais duradouro na história da CIA.

## "É PRECISO QUE ALGUMAS PESSOAS MORRAM"

A agência abriu uma segunda frente de batalha na Guerra da Coréia em 1951. Os oficiais da seção China da agência, enlouquecidos com a entrada de Mao na guerra, convenceram-se de que um milhão de guerrilheiros nacionalistas do Kuomintang estavam esperando pela ajuda da CIA dentro da China Vermelha.

Esses relatos foram fabricados em gráficas de Hong Kong, produzidos por conivência política em Taiwan, ou nasceram de desejos em Washington? Seria inteligente para a CIA fazer uma guerra contra Mao? Não havia tempo para refletir sobre isso. "Não há no governo uma estratégia básica aprovada para esse tipo de guerra", disse Bedell Smith a Dulles e Wisner. "Sequer temos uma política para Chiang Kai-shek."

Dulles e Wisner fizeram sua própria política. Primeiro, tentaram alistar americanos para saltar de pára-quedas na China comunista. Um recruta em potencial, Paul Kreisberg, estava ansioso para ingressar na CIA até que "eles testaram minha lealdade e meu comprometimento me perguntando se eu estaria disposto a pular de pára-quedas em Szechuan. Meu objetivo seria organizar um grupo de soldados anticomunistas do Kuomintang que permaneciam nas colinas de Szechuan, trabalhar com eles em várias operações e depois ir embora, se necessário, pela Birmânia.[10] Eles me olharam e disseram, 'Você estaria disposto a fazer isso?'" Kreisberg refletiu a respeito e ingressou no Departamento de Estado. Na falta de voluntários americanos, a CIA lançou no território continental centenas de agentes chineses recrutados, freqüentemente jogando-os às cegas, com ordem de encontrar o caminho para uma vila. Quando se perdiam, eram considerados um custo da guerra secreta.

A CIA achou também que poderia minar o poder de Mao com cavaleiros muçulmanos, os clãs Hui do extremo noroeste da China, comandados por Ma Pu-fang, um líder tribal que tinha ligações políticas com os nacionalistas chineses. A CIA lançou toneladas de armas, munição, rádios e muitos agentes chineses no oeste da China e depois tentou encontrar americanos para segui-los. Entre os homens que tentou recrutar estava Michael D. Coe, mais tarde um dos maiores arqueólogos do século XX, o homem que decifrou os hieróglifos

---

[10]Atual Mianmar. (*N. do T.*)

maias. Coe era um estudante de pós-graduação em Harvard e tinha 22 anos no outono de 1950, quando um professor o levou para almoçar e fez a pergunta que milhares de membros da Ivy League ouviriam durante a década seguinte: "Você gostaria de trabalhar para o governo numa atividade realmente interessante?" Ele foi para Washington e recebeu um pseudônimo selecionado aleatoriamente numa lista telefônica de Londres. Foi informado de que se tornaria um agente da inteligência de uma entre duas operações clandestinas. Ou seria lançado de pára-quedas no extremo oeste da China para apoiar guerreiros muçulmanos, ou seria enviado para uma ilha próxima à costa chinesa para realizar incursões.

"Por sorte", disse Coe, "foi a segunda opção." Ele passou a integrar a Western Enterprises, a frente de batalha da CIA em Taiwan, criada para subverter a China de Mao. Passou oito meses numa ilha minúscula chamada Cachorro Branco. A única operação de inteligência importante na ilha foi a descoberta de que o principal assessor do comandante nacionalista era um espião comunista. De volta a Taipé, nos meses próximos à Guerra da Coréia, ele notou que a Western Enterprises não era mais clandestina que os bordéis chineses que seus colegas freqüentavam. "Construíram uma comunidade totalmente cercada, com sua própria cantina e um clube de oficiais", disse ele. "O espírito ali havia mudado. Era um incrível desperdício de dinheiro." Coe concluiu que "os nacionalistas tinham vendido gato por lebre à CIA, dizendo que havia uma enorme força de resistência dentro da China. Estávamos desperdiçando nossas energias. Toda a operação foi uma perda de tempo".

Para minimizar o risco de sua aposta nos chineses nacionalistas, a CIA decidiu que precisava ter uma "Terceira Força" na China. De abril de 1951 até o fim de 1952, a agência gastou cerca de US$ 100 milhões comprando armas e munição suficientes para 200 mil guerrilheiros, sem encontrar a elusiva Terceira Força. Aproximadamente metade do dinheiro e das armas foi para um grupo de refugiados chineses baseado em Okinawa, que vendeu à CIA a idéia de que um grande grupo de soldados anticomunistas no território continental o apoiava. Era mentira. Ray Peers, veterano do OSS que dirigiu a Western Enterprises, disse que se algum dia encontrasse um verdadeiro soldado da Terceira Força iria matá-lo, embalsamá-lo e despachá-lo para a Smithsonian Institution.[11]

---

[11]Instituição de ensino e pesquisa americana que administra dezesseis museus e um jardim zoológico. (*N. do T.*)

A CIA ainda buscava as elusivas forças de resistência quando lançou uma equipe de quatro guerrilheiros chineses na Manchúria, em julho de 1952. Quatro meses depois, a equipe pediu ajuda pelo rádio. Era uma armadilha: eles haviam sido capturados por chineses e forçados a se voltar contra a CIA. A agência autorizou uma missão de resgate usando uma recém-inventada funda projetada para recolher os homens perdidos. Dois jovens agentes da CIA, Dick Fecteau e Jack Downey, foram enviados em sua primeira operação a um paredão de tiro ao alvo. Seu avião caiu em meio a uma tempestade de tiros de metralhadoras chinesas. Os pilotos morreram. Fecteau passou dezenove anos numa prisão chinesa e Downey, recém-saído de Yale, passou mais de vinte. Mais tarde Pequim divulgou o placar da Manchúria: a CIA havia lançado 212 agentes estrangeiros; 101 foram mortos e 111 capturados.

O espetáculo final da CIA na Guerra da Coréia aconteceu na Birmânia. No início de 1951, enquanto os comunistas chineses perseguiam soldados do general MacArthur no sul, o Pentágono achou que os nacionalistas chineses poderiam reduzir um pouco a pressão sobre MacArthur abrindo uma segunda frente de batalha. Cerca de 1.500 seguidores de Li Mi, um general nacionalista, ficaram em dificuldades no norte da Birmânia, perto da fronteira chinesa. Li Mi pediu armas e dinheiro americanos. A CIA começou a enviar soldados nacionalistas chineses de avião para a Tailândia, treinando-os, equipando-os e lançando-os com armas e munição no norte da Birmânia. Desmond FitzGerald, recém-chegado à agência com excelentes credenciais legais e sociais, lutara na Birmânia durante a Segunda Guerra Mundial. Ele assumiu a operação de Li Mi, que rapidamente se tornou uma farsa, e depois uma tragédia.

Quando os soldados de Li Mi entraram na China, as forças de Mao os fizeram em pedaços. Agentes de espionagem da CIA descobriram que o operador de rádio de Li Mi em Bangcoc era um agente comunista chinês. Mas os homens de Wisner continuaram pressionando. Os soldados de Li Mi recuaram mas se reagruparam. Quando FitzGerald despejou mais armas e munição na Birmânia, os homens de Li Mi não lutaram. Estabeleceram-se nas montanhas conhecidas como Triângulo Dourado, cultivaram papoula de ópio e se casaram com mulheres locais. Vinte anos depois, a CIA teve que iniciar outra pequena guerra na Birmânia para destruir os laboratórios de heroína que eram a base do império mundial de drogas de Li Mi.

"Não faz sentido lamentar oportunidades perdidas... nem tentar encontrar álibis para fracassos passados", escreveu Bedell Smith em carta ao general

Matthew B. Ridgway, sucessor de MacArthur na chefia do Comando Extremo Oriente. "Descobri, através de experiências dolorosas, que as operações secretas são um trabalho para profissionais, e não para amadores."

Um pós-escrito das calamidades coreanas da CIA apareceu logo depois do armistício de julho de 1953. A agência considerou o presidente Syngman Rhee da Coréia do Sul um caso perdido, e durante anos buscou maneiras de substituí-lo. Quase o matou a tiros por engano.

Numa tarde ensolarada no fim do verão, um iate navegava lentamente pelo mar junto à praia de Yong-do, o acampamento da ilha onde a CIA treinava seus comandos coreanos. O presidente Rhee estava a bordo, numa festa com amigos. Os oficiais e guardas responsáveis pela área de treinamento não haviam sido informados de que o presidente Rhee passaria por ali. E abriram fogo. Milagrosamente, ninguém se feriu, mas o presidente ficou irritado. Telefonou para o embaixador americano e o informou que o grupo paramilitar da CIA tinha 72 horas para deixar o país. Logo depois, o azarado chefe do posto, John Hart, teve que começar tudo de novo, recrutando, treinando e lançando agentes de pára-quedas na Coréia do Norte, de 1953 a 1955. Todos eles, até onde ele soube, foram capturados e executados.

A agência falhou em todas as frentes de batalha na Coréia. Falhou ao deixar de fazer advertências, falhou por não fornecer análises e falhou em seu precipitado deslocamento de agentes recrutados. Em conseqüência, morreram milhares de americanos e aliados asiáticos.

Uma geração depois, militares americanos veteranos chamaram a Guerra da Coréia de "a guerra esquecida". Na agência, foi uma amnésia deliberada. O desperdício de US$ 152 milhões em armas para guerrilheiros fantasmas foi ajustado no balanço financeiro. O fato de que grande parte da inteligência na Guerra da Coréia era falsa ou fabricada foi mantido em segredo. A pergunta sobre seu custo em termos de vidas perdidas não foi feita nem respondida.

Mas o secretário-assistente de Estado para o Extremo Oriente, Dean Rusk, farejou um cheiro de podridão. E chamou John Melby, um habilidoso funcionário do Departamento de Estado com conhecimento sobre a China, para investigar. Melby havia trabalhado lado a lado com os primeiros espiões americanos na Ásia de meados dos anos 1940 em diante, e conhecia os personagens. Foi para a região e fez uma análise longa e atenta. "Nossa inteligência está tão ruim que quase chega a ser maléfica", disse Rusk num relato confidencial que de algum modo foi parar na mesa do diretor da central de inteligência.

Melby foi chamado à sede da CIA para receber uma clássica repreensão de Bedell Smith, enquanto o vice-diretor Allen Dulles ficou sentado em silêncio.

Para Dulles, a Ásia sempre foi um coadjuvante. Ele acreditava que a verdadeira guerra da civilização ocidental estava na Europa. Esta era a luta que convocava as "pessoas que estão prontas e dispostas a se erguer e agüentar as conseqüências", disse ele a alguns de seus amigos e colegas mais íntimos numa conferência secreta em Princeton Inn, em maio de 1952. "Afinal de contas, tivemos cem mil baixas na Coréia", disse ele, de acordo com uma transcrição liberada em 2003. "Se nos dispusemos a aceitar essas baixas, não me preocuparia se houvesse algumas baixas de alguns mártires por trás da cortina de ferro... Acho que não se pode esperar até termos todos os soldados e a certeza de que vamos vencer. É preciso começar e ir em frente."

"Alguns mártires são necessários", disse Dulles. "É preciso que algumas pessoas morram."

# 7

## "UM VASTO CAMPO DE ILUSÕES"

Allen Dulles pediu a seus colegas em Princeton Inn para pensar na melhor maneira de destruir a capacidade de Stalin de controlar seus Estados satélites. Acreditava que o comunismo podia ser destruído com ações secretas. A CIA estava pronta para fazer a Rússia voltar a suas antigas fronteiras.

"Se vamos entrar e fazer a ofensiva, a Europa Oriental é o melhor lugar para começar", disse ele. "Não quero uma batalha sangrenta", disse, "mas gostaria de ver as coisas começarem."

Chip Bohlen se pronunciou. Bohlen, que logo seria nomeado embaixador americano em Moscou, estava no jogo desde o início. As sementes do programa de guerra política da CIA foram plantadas pela primeira vez nas ceias dominicais das quais ele participara cinco anos antes. "Estamos fazendo uma guerra política?", perguntou ele a Dulles, retoricamente. "Temos feito isso desde 1946. Muita coisa tem acontecido. Se isso tem sido eficiente, ou se tem sido feito da melhor maneira, é outra questão."

"Quando você pergunta, 'Devemos continuar com a ofensiva?', vejo um vasto campo de ilusões", disse Bohlen.

Enquanto a guerra na Coréia continuava, o Estado-Maior Conjunto ordenou a Frank Wisner e à CIA que fizessem "uma grande ofensiva secreta contra a União Soviética", mirando o "coração do sistema de controle comunista". Wisner tentou. O Plano Marshall estava sendo transformado em pactos que proviam armas aos aliados americanos, e Wisner viu nisso uma chance de armar forças secretas para que combatessem os soviéticos no caso de uma guerra. Estava preparando o terreno em toda a Europa. Em montanhas e florestas de Escandinávia, França, Alemanha, Itália e Grécia, seus homens jogavam lingotes de ouro em lagos e enterravam depósitos de armas para a batalha que viria. Em pântanos e colinas da Ucrânia e dos países bálticos, seus pilotos lançavam agentes para a morte.

Na Alemanha, mais de mil de seus oficiais estavam infiltrando panfletos em Berlim Oriental, fazendo selos postais com um retrato do líder da Alemanha Oriental, Walter Ulbricht, com uma corda de enforcamento em torno do pescoço, e planejando missões paramilitares na Polônia. Nada disso forneceu uma idéia da natureza da ameaça soviética. As operações para sabotar o império soviético continuaram sobrepujando os planos de espioná-lo.

## "DONO DE SEU CORPO E ALMA"

Profundamente desconfiado, Walter Bedell Smith despachou um general de três estrelas confiável, Lucian K. Truscott — um oficial com ligações impecáveis e distinto histórico de guerra — para assumir o comando das operações da CIA na Alemanha e descobrir o que os homens de Wisner estavam fazendo. O general Truscott recebeu ordens de suspender todos os esquemas que ele considerasse dúbios. Ao chegar, ele escolheu Tom Polgar, da base da CIA em Berlim, para principal assistente.

Eles encontraram várias bombas-relógio armadas. Entre elas havia um segredo muito obscuro, descrito em documentos da CIA da época como um programa de "interrogatórios no exterior".

A agência instalara prisões clandestinas para arrancar confissões de supostos agentes duplos. Uma delas ficava na Alemanha e outra no Japão. A terceira, e maior, ficava na Zona do Canal do Panamá. "Como Guantánamo", disse Polgar em 2005. "Valia tudo."

A zona era um mundo à parte, ocupada pelos Estados Unidos na virada do século, em meio às selvas que cercavam o Canal do Panamá. Numa base naval da zona, o escritório de segurança da CIA havia criado um complexo de celas de blocos de cimento dentro de um navio da marinha usado normalmente para abrigar marinheiros bêbados e desordeiros. Nessas celas, a agência fazia experiências secretas de duros interrogatórios, usando técnicas que beiravam a tortura, controle da mente induzido por drogas e lavagem cerebral.

O projeto remontava a 1948, quando Richard Helms e seus oficiais na Alemanha perceberam que estavam sendo enganados por agentes duplos. O esforço começou como um programa intensivo em 1950, quando a Guerra da Coréia explodiu e a CIA foi tomada por um senso de emergência. No fim daquele verão, quando a temperatura se aproximava de 37º no Panamá, dois emigrantes russos que tinham sido entregues à Zona do Canal pela Alemanha receberam injeções de drogas e foram brutalmente interrogados. Juntamente com quatro supostos agentes duplos norte-coreanos submetidos ao mesmo tratamento numa base militar comandada pela CIA no Japão, eles estavam entre as primeiras cobaias humanas conhecidas de um programa que recebeu o codinome de Projeto Artichoke.* Era uma parte pequena, mas significativa, de uma pesquisa de quinze anos da CIA para encontrar maneiras de controlar a mente humana.

Muitos dos russos e alemães orientais que a agência recrutara como agentes e informantes na Alemanha se corromperam. Depois de entregar o pouco conhecimento que tinham, eles começavam a enganar e chantagear para prolongar suas curtas carreiras. Vários deles eram suspeitos de trabalhar em segredo para os soviéticos. A questão se tornou urgente quando funcionários da CIA perceberam que a inteligência e os serviços de segurança comunistas eram bem maiores e significativamente mais sofisticados do que a agência.

Richard Helms disse certa vez que os agentes da inteligência americana eram treinados para acreditar que não poderiam contar com um agente estrangeiro, "a não ser que você seja dono de seu corpo e alma". A necessidade de encontrar uma maneira de dominar a alma de um homem levou à pesquisa de drogas para controlar a mente e às prisões secretas onde foram testadas. Dulles, Wisner e Helms foram pessoalmente responsáveis por essas empreitadas.

Em 15 de maio de 1952, Dulles e Wisner receberam um relatório sobre o Projeto Artichoke, explicando o esforço de quatro anos da agência para testar heroína, anfetaminas, pílulas para dormir, o recém-descoberto LSD e outras "técnicas especiais de interrogatório da CIA". Parte do projeto buscava encontrar uma técnica de interrogatório tão forte que "o indivíduo sob sua influência terá dificuldade de sustentar uma invenção ao ser questionado". Alguns meses depois, Dulles aprovou um novo programa ambicioso com o codinome Ultra.

---

*Alcachofra. (*N. da E.*)

Por meio desse programa, sete prisioneiros de uma penitenciária federal em Kentucky foram mantidos sob efeito de LSD durante 77 dias consecutivos. Quando a CIA deu a mesma droga a um funcionário civil do exército, Frank Olson, ele se jogou da janela de um hotel em Nova York. Assim como os supostos agentes duplos enviados para as celas secretas no Panamá, esses homens foram recrutas sacrificados na batalha para derrotar os soviéticos.

Importantes funcionários da CIA, incluindo Helms, destruíram quase todos os registros desses programas temendo que eles se tornassem públicos. As provas que restam são fragmentadas, mas indicam fortemente que o uso de prisões secretas para os interrogatórios de agentes suspeitos induzidos por drogas continuou ao longo dos anos 1950. Membros do serviço clandestino, o escritório de segurança da agência e cientistas e médicos da CIA se reuniram mensalmente para discutir o progresso do Projeto Artichoke até 1956. "Essas discussões incluíam o planejamento de interrogatórios no exterior", como mostram os arquivos da agência, e o uso de técnicas de "interrogatório especial" continuou por vários anos depois disso.

A intenção de penetrar na cortina de ferro levou a CIA a adotar as táticas do inimigo.

## "UM PLANO BEM ELABORADO, EXCETO..."

Entre as operações da CIA que o general Truscott encerrou estava um projeto de apoio a um grupo chamado Jovens Alemães. Muitos dos líderes desse grupo eram membros da Juventude Hitlerista que amadureceram. O número de membros chegou a mais de 20 mil em 1952. Com entusiasmo, eles recebiam armas, rádios, câmeras e dinheiro da CIA e os enterravam em todo o país. Começaram também a formular uma longa lista de importantes políticos democratas da Alemanha Ocidental a serem assassinados quando a hora chegasse. Os Jovens Alemães se tornaram tão descarados que sua existência e sua lista de inimigos vieram à tona num escândalo público.

"Aquilo se tornou um motivo de grande preocupação e foi um grande golpe quando o segredo foi descoberto", disse John McMahon, futuro vice-diretor da central de inteligência, na época um jovem agente da CIA na equipe de Truscott.

No mesmo dia em que Dulles fez seu pronunciamento no Princeton Inn, Henry Hecksher escreveu um emocionado apelo à sede da CIA. Durante anos,

Hecksher — que logo se tornaria chefe da base em Berlim — cultivara um único agente na Alemanha Oriental: Horst Erdmann, que dirigia uma expressiva organização chamada Comissão de Juristas Livres. Os Juristas Livres eram um grupo clandestino de jovens advogados e assistentes jurídicos que desafiavam o regime comunista em Berlim Oriental. Eles reuniram dossiês sobre os crimes cometidos pelo Estado. Um Congresso Internacional de Juristas aconteceria em Berlim Ocidental em julho de 1952, e os Juristas Livres poderiam desempenhar um papel político importante num palco mundial.

Wisner queria assumir o controle dos Juristas Livres e torná-los um grupo armado clandestino. Hecksher protestou. Aqueles homens eram fontes da inteligência, argumentou ele, e, se fossem forçados a ter um papel paramilitar, iriam se tornar bucha de canhão. Hecksher foi voto vencido. Os oficiais de Wisner em Berlim escolheram um dos oficiais do general Reinhard Gehlen para transformar o grupo numa força de combate formada por células de três homens. Mas cada membro de cada célula criada conhecia a identidade de cada outro membro de cada outra célula — uma falha de segurança clássica. Depois que soldados soviéticos seqüestraram e torturaram um dos líderes do grupo na véspera da conferência internacional, cada um dos Juristas Livres da CIA foi preso.

No fim de 1952, nos últimos meses do mandato de Smith como diretor da central de inteligência, outras das operações apressadamente improvisadas de Wisner começaram a desmoronar. A desintegração deixou uma impressão duradoura num recém-contratado oficial da CIA chamado Ted Shackley, que iniciou uma sobrecarregada carreira na agência como segundo-tenente depois de ser arrancado de seu trabalho de treinar policiais militares em Virgínia Ocidental. Sua primeira missão foi familiarizar-se com uma grande operação de Wisner em apoio a um exército de libertação polonês, o Movimento Liberdade e Independência, conhecido como WIN.

Wisner e seus homens haviam despejado cerca de US$ 5 milhões em barras de ouro, submetralhadoras, fuzis, munição e *walkie-talkies* na Polônia. Haviam estabelecido contatos confiáveis com o "WIN do lado de fora", um punhado de emigrantes na Alemanha e em Londres. Acreditavam que o "WIN do lado de dentro" era uma força poderosa — quinhentos soldados na Polônia, vinte mil partidários armados e cem mil simpatizantes — todos preparados para lutar contra o Exército Vermelho.

Era uma ilusão. A polícia secreta polonesa, apoiada pelos soviéticos, exterminara o WIN em 1947. O "WIN do lado de dentro" era um fantasma, um truque comunista. Em 1950, um mensageiro ingênuo foi enviado para alertar os emigrantes poloneses em Londres. Sua mensagem era de que o WIN estava vivo e florescia em Varsóvia. Os emigrantes entraram em contato com os homens de Wisner, que se animaram com a chance de formar um grupo de resistência por trás das linhas inimigas e lançaram de pára-quedas na Polônia tantos patriotas quanto foi possível. Na sede, os líderes da CIA acharam que finalmente haviam derrotado os comunistas em seu próprio jogo. "A Polônia representa uma das áreas mais promissoras para o desenvolvimento de resistência clandestina", disse Bedell Smith numa reunião com seus assessores em agosto de 1952. Wisner afirmou a ele: "Agora o WIN está por cima."

Os serviços de inteligência soviético e polonês haviam passado anos montando suas armadilhas. "Estavam bem conscientes de nossas operações aéreas", disse McMahon. "Antes de lançarmos agentes lá dentro, eles faziam contato com pessoas que sabíamos que nos ajudariam. E os polacos e a KGB estavam esperando por eles e os eliminavam. Portanto, foi um plano bem elaborado, exceto que estávamos recrutando agentes da União Soviética. Acabou sendo um desastre monumental. Pessoas morreram." Talvez trinta, talvez mais, tenham sido perdidas.

Shackley disse que nunca esqueceu a visão de seus companheiros oficiais percebendo que cinco anos de planejamento e milhões de dólares tinham sido jogados pelo ralo. A pior dor deve ter sido a descoberta de que os poloneses enviaram uma boa parte do dinheiro da CIA para o Partido Comunista da Itália.

"A CIA claramente pensava que poderia atuar na Europa Oriental do modo como o OSS havia atuado na Europa Ocidental durante a guerra", disse Henry Loomis, da CIA, futuro chefe da Voz da América. "Isso era obviamente impossível."

Em Washington, Frank Lindsay, que dirigira operações na Europa Oriental da sede, renunciou angustiado. Disse a Dulles e Wisner que os meios científicos e técnicos de espionar os soviéticos teriam que substituir as ações secretas como estratégia da CIA contra o comunismo. Missões paramilitares quixotescas em apoio a movimentos de resistência imaginários não poderiam expulsar os russos da Europa.

Na Alemanha, McMahon passara meses lendo todos os telegramas que chegavam ao posto. Chegou a uma triste conclusão. "Não tínhamos qualquer capacidade lá", disse ele anos depois. "Nossa compreensão sobre a União Soviética era zero."

## "O FUTURO DA *AGÊNCIA*"

A CIA era agora uma força mundial de 15 mil pessoas, meio bilhão de dólares em fundos secretos para gastar a cada ano e mais de cinqüenta postos no exterior. Por pura força de vontade, Bedell Smith a transformou numa organização que se parecia muito com o que ela seria nos cinqüenta anos seguintes. Ele reuniu o Escritório de Coordenação Política e o Escritório de Operações Especiais num único serviço clandestino para atuar no exterior, criou um sistema unificado para análises em casa e conquistou uma boa dose de respeito à CIA na Casa Branca.

Mas nunca tornou a CIA um serviço de inteligência profissional. "Não conseguimos pessoas qualificadas", lamentou ele em seus últimos dias como diretor da central de inteligência. "Elas simplesmente não existem." E ele nunca conseguiu que Allen Dulles e Frank Wisner se curvassem a sua autoridade. Uma semana antes da eleição presidencial de 1952, Bedell Smith tentou controlá-los pela última vez.

Em 27 de outubro, ele reuniu numa conferência os 26 funcionários mais importantes da CIA e proclamou: "até que a CIA consiga formar uma reserva de pessoas bem treinadas, terá que manter suas atividades com um número limitado de operações que possa realizar bem, em vez de tentar cobrir uma área ampla com atuação ruim" de "pessoal mal treinado ou inferior". Estimulado pelas investigações de Truscott na Alemanha, o general ordenou a formação de um "Painel de Assassinato", um júri que poderia exterminar o que havia de pior nas operações secretas da CIA. Wisner reagiu imediatamente. Disse que a eliminação de operações dúbias seria um processo longo e doloroso, e que demoraria muitos e muitos meses — chegando ao governo seguinte — para que as ordens de Bedell Smith fossem cumpridas. O general foi derrotado e o Painel de Assassinato esquecido.

Dwight D. Eisenhower conquistou a presidência com uma plataforma de segurança nacional que convocava o mundo livre a libertar os satélites soviéticos, um roteiro escrito por seu assessor de política externa mais íntimo, John Foster Dulles. Seus planos de vitória incluíam um novo diretor para a central de inteligência. Escolhido sob protestos de Bedell Smith, confirmado sem oposição no Senado e festejado pela imprensa, Allen Dulles finalmente ganhou o cargo que cobiçava.

Richard Helms conhecia bem Dulles havia oito anos, desde que eles viajaram juntos para a pequena escola vermelha na França onde Bedell Smith aceitara a rendição incondicional do Terceiro Reich. Helms agora tinha quarenta
anos e era um homem seguro, bem relacionado, sem um fio de cabelo fora do
lugar nem papéis desarrumados sobre sua mesa quando a noite caía. Aos sessenta anos, Dulles arrastava no tapete as sandálias que calçava privadamente
para aliviar a gota. Era o professor absorto de sempre. Não muito tempo depois da vitória de Eisenhower, Dulles levou Helms ao escritório do diretor e os
dois se sentaram para uma conversa.

"Uma palavrinha sobre o futuro", disse Dulles, enchendo o ar com grandes
nuvens de fumaça de cachimbo. "O futuro da *Agência*."

"Você se lembra da conivência e do derramamento de sangue que aconteceu quando tentávamos organizar as coisas em 1946? Qual seria a responsabilidade da Central de Inteligência? Deveria existir enquanto serviço?" Dulles
queria que Helms entendesse que, enquanto ele fosse diretor da central de inteligência, a agência seria exatamente um serviço dedicado a missões ousadas,
difíceis, perigosas.

"Quero ter certeza absoluta de que você compreende o quanto as operações
de ações secretas são importantes neste exato momento", disse Dulles. "A Casa Branca e este governo têm um *grande interesse* em cada aspecto das *ações secretas.*"

Durante os oito anos seguintes, por meio de sua dedicação às ações secretas, seu desdém por detalhes de análises e sua perigosa prática de enganar o
presidente dos Estados Unidos, Allen Dulles causou danos tremendos à agência que ajudara a criar.

# PARTE DOIS

---

*"Um tipo estranho de gênio"*

A CIA sob Eisenhower

1953 a 1961

---

# 8 "NÃO TEMOS PLANO ALGUM"

Allen Dulles era diretor da central de inteligência havia uma semana quando, em 5 de março de 1953, Joseph Stalin morreu. "Não temos qualquer informação interna confiável sobre o que se pensa dentro do Kremlin", lamentou a agência alguns dias depois. "Nossas estimativas sobre os planos e intenções soviéticos a longo prazo são especulações baseadas em provas inadequadas." O novo presidente dos Estados Unidos não estava satisfeito. "Desde 1946", bufou Eisenhower, "todos os assim chamados especialistas vêm falando sobre o que aconteceria quando Stalin morresse e o que nós, como nação, deveríamos fazer diante disso. Bem, ele está morto. E vocês podem revirar os arquivos de nosso governo de cima a baixo, em vão, procurando por algum plano deixado. Não temos plano algum. Sequer temos certeza se sua morte faz alguma diferença."

A morte de Stalin intensificou os temores dos americanos em relação às intenções soviéticas. A pergunta para a CIA era se os sucessores de Stalin — quem quer que fossem — lançariam uma guerra preventiva. Mas as especulações da agência sobre os soviéticos eram reflexos num espelho distorcido. Stalin nunca teve um plano mestre para dominar o mundo, nem meios para executá-lo. O homem que acabou assumindo o controle da União Soviética depois de sua morte, Nikita Kruschev, lembrou que Stalin "tremia" e "se perturbava" diante da perspectiva de um combate global com os EUA. "Ele tinha medo de guerra", disse Kruschev. "Stalin nunca fez coisa alguma para provocar uma guerra com os Estados Unidos. Ele sabia de sua fraqueza."

❖

Uma das falhas fundamentais do Estado soviético era que cada faceta da rotina estava subordinada à segurança nacional. Stalin e seus sucessores eram doentios em relação a suas fronteiras. Napoleão invadira vindo de Paris, e Hitler, de Berlim. A única política externa coerente de Stalin no pós-guerra foi transformar a Europa Oriental num enorme escudo humano. Enquanto ele dedicava sua energia a assassinar seus inimigos internos, o povo soviético fazia filas intermináveis para comprar um saco de batatas. Os americanos começavam a viver oito anos de paz e prosperidade sob o governo de Eisenhower. Mas a paz teve como custo uma corrida armamentista acelerada, uma caça às bruxas política e uma permanente economia de guerra.

O desafio de Eisenhower era confrontar a União Soviética sem iniciar a Terceira Guerra Mundial ou sem subverter a democracia americana. Ele temia que o custo da guerra fria debilitasse os Estados Unidos; se seus generais e almirantes tivessem a chance, consumiriam o tesouro. Ele decidiu basear sua estratégia em armas secretas: bombas nucleares e ações confidenciais. Era bem mais barato do que as frotas de caças e flotilhas de porta-aviões de muitos bilhões de dólares. Com suficiente poder de fogo nuclear, os Estados Unidos poderiam impedir que os soviéticos iniciassem uma nova guerra mundial — ou vencer a guerra se ela ocorresse. Com uma campanha global de ações secretas, os Estados Unidos poderiam impedir a disseminação do comunismo — ou, como proclamava publicamente a política de Einsenhower, fazer os russos recuarem.

Ike apostou o destino da nação em seu arsenal nuclear e seu serviço de espionagem. Perguntas sobre como usá-los da melhor forma surgiam em quase todas as reuniões do Conselho de Segurança Nacional no início de seu governo. O NSC, criado em 1947 para administrar o uso do poder americano no exterior, raramente se reunia no governo de Truman. Eisenhower o ressuscitou e o conduziu como um bom general comanda suas tropas. Toda semana, Allen Dulles saía dos confins ligeiramente modestos de seus escritórios e entrava em sua limusine preta; passava pelo decadente Temporaries, onde Wisner e seus agentes secretos trabalhavam; e atravessava os portões da Casa Branca. Sentava-se à grande mesa oval da Sala do Gabinete, diante de seu irmão Foster, secretário de Estado, bem como do secretário de Defesa, do presidente do Estado-Maior Conjunto, do vice-presidente Richard M. Nixon e do presidente. Allen geralmente abria a reunião fazendo um passeio pelos lugares onde havia mais distúrbios do mundo. Em seguida, a conversa se voltava para as estratégias da guerra secreta.

## "PODERÍAMOS ARRASAR O MUNDO INTEIRO"

Eisenhower se preocupava o tempo todo com um Pearl Harbor nuclear, e a CIA não conseguia tranqüilizá-lo. Na reunião do Conselho de Segurança Nacional de 5 de junho de 1953, Allen Dulles lhe disse que a agência não poderia lhe dar "qualquer advertência prévia pelos canais da inteligência sobre um ataque furtivo dos soviéticos". Alguns meses depois, a CIA se aventurou a supor que os soviéticos não seriam capazes de lançar um míssil balístico intercontinental nos Estados Unidos antes de 1969. A estimativa provou estar errada em uma dúzia de anos.

Em agosto de 1953, quando a União Soviética testou suas primeiras armas de destruição em massa — exatamente uma bomba termonuclear, mas quase isso — a agência não tinha pista alguma e não fez qualquer advertência. Seis semanas depois, quando Allen Dulles conversou com o presidente sobre o teste soviético, Eisenhower cogitou se deveria lançar um ataque nuclear total contra Moscou antes que fosse tarde demais. Disse que parecia que "a hora da decisão estava à mão, e deveríamos naquele momento enfrentar realmente a pergunta sobre se deveríamos ou não lançar tudo de uma vez contra o inimigo", diz a minuta do NSC liberada. "Ele levantou aquela terrível pergunta porque não fazia sentido simplesmente tremermos diante da capacidade do inimigo", especialmente quando os Estados Unidos não conseguiam saber se Moscou tinha uma ou mil armas nucleares. "Estávamos comprometidos com a defesa de um modo de vida, e o maior perigo era que, ao defender esse modo de vida, terminássemos recorrendo a métodos que ameaçassem esse próprio modo de vida. O verdadeiro problema, conforme a visão do presidente, era desenvolver métodos para responder à ameaça soviética e adotar controles, se necessário, que não nos transformassem num Estado policial. A coisa toda era um paradoxo, disse o presidente."

Quando Dulles advertiu o presidente que "os russos poderiam lançar um ataque atômico contra os Estados Unidos amanhã", Eisenhower respondeu que "não achava que ninguém aqui era da opinião de que o custo de vencer uma guerra global contra a União Soviética fosse um preço tão alto a ser pago". Mas o preço da vitória poderia ser a destruição da democracia americana. O presidente observou que o Estado-Maior Conjunto lhe disse que "deveríamos fazer o que fosse necessário, mesmo que o resultado fosse mudar o modo de vida americano. Poderíamos arrasar o mundo todo... se estivéssemos dispostos a adotar o sistema de Adolf Hitler".

Eisenhower pensou que poderia enfrentar o paradoxo com ações secretas. Mas uma amarga batalha em Berlim Oriental revelou a incapacidade da CIA de enfrentar o comunismo de frente. Em 16 e 17 de junho de 1953, quase 370 mil alemães orientais tomaram as ruas. Milhares de estudantes e trabalhadores atacaram violentamente seus opressores, incendiando prédios soviéticos e do Partido Comunista da Alemanha Oriental, destruindo carros de polícia e tentando parar os tanques soviéticos que esmagavam seus espíritos. A rebelião foi bem maior do que a CIA percebera inicialmente, mas a agência nada podia fazer para salvar os rebeldes. Embora tenha analisado os riscos de tentar armar os berlinenses orientais, Frank Wisner hesitou. Seus exércitos de libertação provaram ser inúteis. Em 18 de junho, ele disse que a CIA "nada deveria fazer nesse momento para incitar os alemães orientais a novas ações". A rebelião foi esmagada.

Na semana seguinte, Eisenhower deu ordem à CIA de "treinar e equipar organizações clandestinas capazes de lançar ataques em grande escala ou guerra contínua" na Alemanha Oriental e em outros satélites soviéticos. A ordem também instava a CIA a "incentivar a eliminação de cruciais agentes fantoches" nos Estados aprisionados. Eliminação era o que o texto dizia. Mas a ordem foi um gesto vazio. O presidente estava descobrindo os limites da capacidade da CIA. Naquele verão, no Solário da Casa Branca, Eisenhower reuniu os homens nos quais ele mais confiava na esfera da segurança nacional — entre eles Walter Bedell Smith, George Kennan, Foster Dulles e o tenente-general da força aérea reformado James R. Doolittle, o piloto que liderara o bombardeio em Tóquio em 1942 — e pediu-lhes que redefinissem a estratégia nacional americana para os soviéticos. Ao fim do projeto Solário, a idéia de fazer a Rússia recuar por meio de ações secretas foi declarada morta, aos cinco anos.

O presidente começou a redirecionar a agência. A CIA combateria o inimigo em Ásia, Oriente Médio, África e América Latina — e onde quer que os impérios coloniais desmoronassem. No governo de Eisenhower, a agência realizou 170 novas ações secretas importantes em 48 nações — missões políticas, psicológicas e paramilitares em países onde espiões americanos sabiam pouco sobre a cultura, o idioma ou a história do povo.

Freqüentemente, Eisenhower tomava suas decisões iniciais sobre ações secretas em conversas privadas com os irmãos Dulles. Em geral, Allen conversava com Foster sobre uma proposta de operação e Foster conversava com o presidente tomando um aperitivo no Salão Oval. Foster voltava a Allen com a aprovação e a advertência do presidente: não se deixar apanhar. Os irmãos planejavam o curso da ação secreta em conversas privadas em suas respectivas sedes, pelo telefone, ou aos domingos, junto à piscina da irmã, Eleanor, funcionária do Departamento de Estado. Foster acreditava firmemente que os Estados Unidos deveriam fazer tudo o que estivesse a seu alcance para alterar ou abolir qualquer regime que não fosse abertamente aliado dos EUA. Allen concordava incondicionalmente. Com a bênção de Eisenhower, eles planejavam refazer o mapa do mundo.

### "UMA SITUAÇÃO SE DETERIORANDO RAPIDAMENTE"

Desde os seus primeiros dias no poder, Allen Dulles poliu a imagem pública da CIA, cultivando os mais poderosos editores e homens de TVs e rádios dos EUA, seduzindo senadores e congressistas, cortejando colunistas de jornais. Considerava a publicidade digna muito mais adequada do que o silêncio discreto.

Dulles mantinha contato estreito com os homens que dirigiam o *New York Times,* o *Washington Post* e as principais revistas semanais da nação. Podia pegar o telefone e editar um furo de reportagem, assegurar-se de que um correspondente estrangeiro irritante fosse afastado, ou contratar os serviços de homens como o chefe do escritório da *Time* em Berlim e o correspondente da *Newsweek* em Tóquio. Era costume de Dulles plantar histórias na imprensa. As redações americanas eram dominadas por veteranos do braço de propaganda do governo em tempo de guerra, o Escritório de Informações sobre Guerra, antes parte dos domínios de Wild Bill Donovan. Os homens que respondiam ao chamado da CIA incluíam Henry Luce e seus editores na *Time,* na *Look* e na *Fortune;* revistas populares como *Parade, Saturday Review* e *Reader's Digest;* e os executivos mais poderosos da CBS News. Dulles construiu uma máquina de relações públicas e propaganda que chegou a incluir mais de cinquenta organizações de notícias, uma dúzia de editoras e promessas pessoais de apoio de homens como Axel Springer, o mais poderoso barão da imprensa na Alemanha Ocidental.

Dulles queria ser visto como o mestre astuto de um serviço de espionagem profissional. A imprensa obedientemente refletia essa imagem. Mas os arquivos da CIA contam uma história diferente.

As minutas das reuniões diárias de Dulles e seus assessores descrevem uma agência que se movia de crises internacionais para calamidades internas — alcoolismo desenfreado, irregularidades financeiras, renúncias em massa. O que fazer com um funcionário da CIA que matou um colega britânico e enfrentava um julgamento por homicídio? Por que o ex-chefe do posto na Suíça cometera suicídio? O que fazer com a falta de talento no serviço clandestino? O novo inspetor-geral da agência, Lyman Kirkpatrick, tornou-se aquele que constantemente suportava as marés ruins relacionadas à qualidade do treinamento de pessoal e da atuação da CIA. Ele advertiu Dulles de que centenas de oficiais militares competentes que a CIA contratara durante a Guerra da Coréia estavam se demitindo, e "era bastante evidente que um percentual alto demais destes homens estava partindo com uma atitude hostil em relação à CIA".

No fim da guerra, um grupo de funcionários da CIA iniciantes e de nível médio, alarmado com o moral baixo na sede, pediu e recebeu permissão para realizar uma pesquisa interna sobre seus colegas. Entrevistaram 115 funcionários da CIA e escreveram um relatório longo e detalhado, concluído no fim do primeiro ano de Dulles como diretor. Descreveram "uma situação se deteriorando rapidamente": frustração generalizada, confusão e falta de objetivo. Pessoas brilhantes e patrióticas haviam sido recrutadas com promessas de serviços estimulantes no exterior — "uma impressão completamente falsa" — e ficaram presas a cargos sem futuro, como datilógrafos e mensageiros. Centenas de funcionários voltaram de missões no exterior para ficar vagando na sede durante meses, procurando sem sucesso por novas missões. "Os danos acumulados na Agência por práticas de funcionários inertes crescem em progressão geométrica, e não aritmética", relataram. "Para cada funcionário capaz que a Agência perde por descontentamento e frustração, há talvez mais dois ou três homens competentes (com a mesma formação educacional, profissional ou social) que a Agência jamais terá a oportunidade de empregar... Os danos causados são irreparáveis."

Os jovens funcionários da CIA trabalhavam para "pessoas demais em posições de responsabilidade que aparentemente não sabem o que estão fazendo". Viam "uma quantidade impressionante de dinheiro" sendo desperdiçada em missões fracassadas no exterior. Um dos agentes de Frank Wisner escreveu que as operações nas quais trabalhava eram "amplamente ineficientes e bastante caras. Algumas são direcionadas a alvos dificilmente lógicos — que dirá legítimos. Assim, para proteger empregos e prestígio, tanto aqui quanto em

campo, a missão da sede é ocultar o orçamento operacional e justificar programas com declarações exageradas, para dizer o mínimo". Eles concluíram que "a
Agência está repleta de mediocridade e coisas sem importância".

Esses jovens funcionários viam um serviço de inteligência que mentia para si
próprio. Eles descreviam uma CIA em que pessoas incompetentes recebiam grande poder e novatos capazes ficavam paralisados como lenha nos corredores.

Allen Dulles abafou o relatório. Nada mudou. Quarenta e três anos depois,
em 1996, uma investigação do Congresso concluiu que a CIA "continua a enfrentar uma grande crise de funcionários que, até agora, não tratou de maneira coerente... Hoje, a CIA ainda não tem agentes suficientemente qualificados
para trabalhar em muitos de seus postos no mundo".

## "ALGUÉM PARA FAZER O TRABALHO SUJO"

Eisenhower queria tornar a CIA um instrumento eficiente do poder presidencial. Tentou impor uma estrutura de comando na agência por meio de Walter
Bedell Smith. Nos dias que se seguiram à vitória eleitoral de Eisenhower, o general esperava ser nomeado chefe do Estado-Maior Conjunto. Ficou arrasado
com a decisão de Eisenhower de torná-lo subsecretário de Estado. Bedell Smith
não queria ser o segundo no comando de Foster Dulles, um homem que ele
considerava convencido e arrogante. Mas Ike queria Bedell Smith — e precisava dele — para atuar como um intermediário honesto entre o presidente e os
irmãos Dulles.

Bedell Smith descarregou sua raiva com o vice-presidente Nixon, seu vizinho em Washington. De vez em quando, o general aparecia para uma visita,
relembrou Nixon, e "alguns drinques soltavam sua língua um pouco, de maneira incomum... E me lembro que uma noite estávamos sentados tomando
um uísque com soda, Bedell ficou muito emotivo e disse, 'Quero lhe falar uma
coisa sobre Ike... Eu era apenas o garoto de recados de Ike... Ike tem que ter
alguém para fazer o trabalho sujo que ele não quer fazer, para que possa parecer o bom sujeito'".

Bedell Smith fazia esse trabalho, supervisionando as ações secretas para Ike.
Atuava como ligação crucial entre a Casa Branca e as operações secretas da CIA.
Como força impulsora do recém-criado Grupo de Coordenação de Operações,

cumpria as diretrizes secretas do presidente e do Conselho de Segurança Nacional e supervisionava a execução dessas ordens pela CIA. Os embaixadores escolhidos por ele desempenhavam papéis centrais na execução dessas missões.

Durante os dezenove meses em que Bedell Smith atuou como procônsul do presidente para ações secretas, a agência realizou os dois únicos golpes de Estado vitoriosos de sua história. Os registros mais tarde divulgados desses golpes mostram que eles foram bem-sucedidos por meio de suborno, coerção e força bruta, e não por meio de sigilo, discrição e esperteza. Mas criaram a lenda de que a CIA era uma bala de prata no arsenal da democracia. Deram à agência a aura que Dulles cobiçava.

# 9 "O MAIOR TRIUNFO DA CIA"

Em janeiro de 1953, dias antes da posse de Eisenhower, Bedell Smith chamou Kim Roosevelt à sede da CIA e perguntou: "Quando a sua maldita operação vai acontecer?"

Dois meses antes, no início de novembro de 1952, Roosevelt, chefe de operações da CIA no Oriente Próximo, visitara Teerã para limpar uma bagunça de seus amigos da inteligência britânica. O primeiro-ministro do Irã, Mohammad Mossadeq, surpreendeu os britânicos tentando derrubá-lo. Expulsou todo mundo da embaixada britânica, inclusive os espiões. Roosevelt chegou para preservar e recompensar uma rede de agentes iranianos que trabalhara para os britânicos mas estava feliz com as doações americanas. A caminho de casa, ele parou em Londres para se reportar a seus colegas britânicos.

Soube que o primeiro-ministro Winston Churchill queria que a CIA ajudasse a derrubar o governo iraniano. O petróleo do Irã impulsionara Churchill ao poder e à glória quarenta anos antes. Agora, Sir Winston o queria de volta.

Às vésperas da Primeira Guerra Mundial, Churchill, como primeiro lorde do Almirantado Britânico, transformou os navios da Marinha Real movidos a carvão em navios movidos a petróleo. Promoveu a compra pelos britânicos de 51% da nova Anglo-Persian Oil Company, que havia descoberto o primeiro poço de petróleo do Irã cinco anos antes. Os britânicos ficaram com a maior parte. Não só o petróleo do Irã abastecia a nova armada de Churchill como seus lucros pagavam por ela. O petróleo se tornou a fonte da vitalidade do tesouro britânico. Enquanto a Bretanha governava os mares, soldados britânicos, russos e turcos invadiram o norte do Irã, destruindo grande parte da agricultura da nação e espalhando uma fome que matou talvez dois milhões de pessoas. Desse caos surgiu um comandante cossaco, Reza Khan, que tomou o poder com trapaças e força. Em 1925, ele foi proclamado xá do Irã. Um político nacionalista chamado Mohammad Mossadeq era um dos quatro membros do parlamento iraniano, o Majlis, que se opunha a Khan.

O Majlis logo descobriu que o gigante britânico do petróleo, hoje Anglo-Iranian Oil Company, enganava sistematicamente seu governo em bilhões. O ódio aos britânicos e o medo dos soviéticos aumentou tanto no Irã nos anos 1930 que os nazistas fizeram profundas incursões no país — tão profundas que Churchill e Stalin invadiram o Irã em agosto de 1941. Eles exilaram Reza Khan e instalaram no poder seu dócil e ingênuo filho de 21 anos, Mohammad Reza Shah Pahlavi.

Enquanto os exércitos soviético e britânico ocupavam o Irã, forças americanas usaram os aeroportos e as estradas do país para transportar cerca de US$ 18 bilhões em ajuda militar a Stalin. O único americano de influência no Irã durante a Segunda Guerra Mundial era o general Norman Schwarzkopf, que organizou a Gendarmaria do Irã, a polícia rural (seu filho e homônimo foi o comandante da guerra no Iraque em 1991, a Operação Tempestade no Deserto). Roosevelt, Churchill e Stalin fizeram uma conferência de guerra em Teerã em dezembro de 1943, mas os aliados deixaram para trás uma nação morrendo de fome, onde os operários do setor de petróleo ganhavam 50 centavos por dia e o jovem xá mantinha o poder por meio de fraude eleitoral. Depois da guerra, Mossadeq apelou ao Majlis para renegociar a concessão de petróleo britânica. A Anglo-Iranian Oil controlava as maiores reservas do mundo conhecidas. Sua refinaria na costa de Abadan era a maior do planeta. Enquanto executivos e técnicos britânicos de petróleo se divertiam em clubes particulares e piscinas, os trabalhadores iranianos do setor de petróleo viviam em barracos sem água corrente, eletricidade ou esgotos; a injustiça alimentou o apoio ao Partido Tudeh comunista do Irã, que dizia na época ter cerca de 2.500 membros. A renda dos britânicos com o petróleo era o dobro da renda dos iranianos. Agora o Irã exigia uma divisão meio a meio. Os britânicos recusaram. Tentaram influenciar as opiniões subornando políticos, editores de jornais e o diretor da rádio estatal, entre outros.

O chefe da inteligência britânica em Teerã, Christopher Montague Woodhouse, advertiu seus compatriotas de que eles estavam cultivando um desastre. Este aconteceu em abril de 1951, quando o Majlis aprovou a nacionalização da produção de petróleo no Irã. Dias depois, Mohammad Mossadeq se tornou primeiro-ministro do Irã. No fim de junho, navios de guerra britânicos estavam ao largo da costa do Irã. Em julho, o embaixador americano, Henry Grady, relatou que os britânicos, num ato de "total estupidez", estavam tentando derrubar Mossadeq. Em setembro, os britânicos consolidaram um boicote internacional ao petróleo iraniano, num ato de guerra econômica com o objetivo de destruir Mossadeq. Em seguida, Churchill voltou ao poder como primeiro-ministro. Tinha 76 anos; Mossadeq tinha 69. Ambos eram velhos teimosos que conduziam os assuntos de Estado de pijamas. Comandantes britânicos traçaram planos para que 70 mil soldados tomassem os campos de petróleo do Irã e a refinaria de Abadan. Mossadeq levou o caso às Nações Unidas e à Casa Branca, apostando no encanto em público enquanto advertia Truman privadamente que um ataque britânico poderia deflagrar a Terceira Guerra Mundial. Truman disse a Churchill sem rodeios que os Estados Unidos nunca apoiariam uma invasão. Churchill respondeu que o preço pelo apoio militar britânico na Guerra da Coréia era o apoio político americano a sua posição no Irã. Chegaram a um impasse no verão de 1952.

## "A CIA FAZ POLÍTICA POR CONTA PRÓPRIA"

O espião britânico Monty Woodhouse voou para Washington para se encontrar com Walter Bedell Smith e Frank Wisner. Em 26 de novembro de 1952, eles discutiram como "derrubar Mossadeq". A conspiração começou no crepúsculo de uma transição presidencial — enquanto o poder de Truman se apagava, o plano de golpe florescia. Como disse Wisner quando a conspiração estava no auge, em alguns momentos "a CIA faz política por conta própria". A política externa oficial dos Estados Unidos era apoiar Mossadeq. Mas a CIA estava se preparando para depô-lo sem permissão da Casa Branca.

Em 18 de fevereiro de 1953, o recém-empossado chefe do Serviço Britânico de Inteligência Secreta chegou a Washington. Sir John Sinclair, um escocês de voz suave conhecido publicamente como "C" e entre seus amigos como "Sinbad", reuniu-se com Allen Dulles e propôs que Kim Roosevelt fosse o comandante em campo do golpe. Os britânicos deram a seu plano o título prosaico de Operação Bota. Roosevelt usava um nome mais grandioso: Operação Ajax, devido ao herói mitológico da Guerra de Tróia (uma escolha estranha, já que a lenda diz que

Ajax ficou louco, abateu um rebanho de ovelhas achando que eram guerreiros e se matou de vergonha depois de recuperar a consciência).

Roosevelt comandou o show com habilidade. Trabalhava havia dois anos em operações políticas, de propaganda e paramilitares para combater uma temida invasão do Irã pelos soviéticos. Oficiais da CIA já tinham dinheiro e armas suficientes acumulados para apoiar dez mil guerreiros tribais durante seis meses. Ele tinha autoridade para atacar o Tudeh, o pequeno, influente e ilegal partido comunista iraniano. Agora mudava o alvo, buscando minar o apoio a Mossadeq dentro dos principais partidos políticos e religiosos do Irã.

Roosevelt começou com uma campanha de suborno e subversão. Os oficiais da agência e seus agentes iranianos compraram a lealdade de políticos influentes, autoridades religiosas e gângsteres. Contrataram os serviços de gangues de rua que dissolviam comícios do Tudeh usando os próprios punhos e de mulás que criticavam Mossadeq em mesquitas. A CIA não tinha décadas de experiência no Irã como os britânicos, e nem de perto a quantidade de agentes iranianos recrutados. Mas tinha mais dinheiro para desembolsar: pelo menos US$ 1 milhão por ano, uma fortuna grande num dos países mais pobres do mundo.

A CIA conseguiu suas pistas da rede de compra de influência controlada pela inteligência britânica. Era dirigida pelos irmãos Rashidian, três filhos de um iraniano anglófilo que controlavam navios, bancos e imóveis. Os Rashidian tinham o respaldo de membros do parlamento iraniano e influência entre os principais comerciantes, que eram os legisladores não-oficiais de Teerã. Eles subornaram senadores, oficiais militares importantes, editores, grupos de capangas e pelo menos um membro do gabinete de Mossadeq. Compraram informações com latas de biscoito cheias de dinheiro. O círculo incluía até o principal criado do xá. O estratagema provaria ser um catalisador do golpe.

Allen Dulles seguiu para a reunião do Conselho de Segurança Nacional de 4 de março de 1953 com sete páginas de informações que tinham como foco as "conseqüências do domínio soviético" no Irã. O país enfrentava "uma armadilha revolucionária em maturação" e caso se tornasse comunista todos os dominós do Oriente Médio cairiam. A perda desastrosa "esvaziaria seriamente nossas reservas para a guerra", advertiu Dulles; o petróleo e a gasolina teriam que ser racionados nos Estados Unidos. O presidente não engoliu uma palavra daquilo. Achou que seria melhor oferecer a Mossadeq um empréstimo de US$ 100 milhões, para estabilizar seu governo, do que derrubá-lo.

Habilmente, Monty Woodhouse sugeriu a seus colegas americanos na CIA que eles poderiam adotar uma abordagem diferente ao apresentarem o problema a Eisenhower. Não poderiam sustentar que Mossadeq era comunista. Mas poderiam argumentar que quanto mais tempo ele ficasse no poder, maior o perigo de que os soviéticos invadissem o Irã. Kim Roosevelt refinou a mensagem para os ouvidos do presidente: se Mossadeq se inclinasse para a esquerda, o Irã cairia nas mãos dos soviéticos. Mas se ele fosse empurrado para a direita, a CIA poderia assegurar que o governo ficaria sob controle americano.

Mossadeq caiu diretamente nessa armadilha. Num blefe mal calculado, ele se referiu ao fantasma da ameaça soviética na embaixada americana em Teerã. Esperava ser "salvo pelos americanos", disse John H. Stutesman, diplomata americano que conhecia bem Mossadeq e trabalhava como funcionário do Departamento de Estado encarregado dos assuntos iranianos em 1953. "Mossadeq achou que se expulsasse os britânicos e ameaçasse os americanos com a hegemonia russa, nós entraríamos. Não estava completamente errado."

Em 18 de março de 1953, Frank Wisner informou a Roosevelt e Woodhouse que tinham um sinal verde de Allen Dulles. Em 4 de abril, a sede da CIA enviou US$ 1 milhão para o posto em Teerã. Mas Eisenhower ainda tinha dúvidas, assim como outros jogadores importantes no plano de derrubar o governo do Irã.

O presidente fez um discurso eloqüente alguns dias depois, chamado "A Chance para a Paz", no qual declarou que "o direito de toda nação de formar um governo e um sistema econômico de sua própria escolha é inalienável" e "a tentativa de qualquer nação de ditar a outras nações sua forma de governo é indefensável". Essas idéias tiveram impacto sobre o chefe do posto da CIA em Teerã, Roger Goiran, que perguntou à sede por que os Estados Unidos se interessariam em se aliar às tradições do colonialismo britânico no Oriente Médio. Era um erro histórico, argumentou ele, um desastre para os interesses americanos a longo prazo. Allen Dulles o chamou de volta a Washington e o demitiu do cargo de chefe do posto. O embaixador dos EUA no Irã, Loy Henderson, que estava por dentro dos planos desde o início, opôs-se fortemente à escolha britânica de um major-general reformado, Fazlollah Zahedi, para ser o testa-de-ferro do golpe. Mossadeq havia dito ao embaixador que sabia que Zahedi era um traidor apoiado pelos britânicos.

Apesar disso, os britânicos nomearam Zahedi com apoio da CIA. Era o único homem considerado pró-EUA que se oferecia abertamente para tomar o poder. No fim de abril, ele se escondeu depois do seqüestro e assassinato do chefe da polícia nacional do Irã. Tinha bons motivos, já que os supostos assassinos eram seus próprios aliados. Só reapareceu onze semanas depois.

Em maio, a conspiração ganhou força, embora ainda faltasse o apoio do presidente. Estava agora em seu rascunho final. Zahedi, armado com US$ 75 mil da CIA, formaria um secretariado militar e escolheria coronéis para preparar o golpe. Um grupo de fanáticos religiosos chamado Guerreiros do Islã — uma "gangue terrorista", diz a história da CIA sobre o golpe — ameaçaria a vida de aliados políticos e pessoais de Mossadeq dentro e fora do governo. Produziriam violentos ataques a líderes religiosos respeitados como se fosse obra dos comunistas. A CIA preparou panfletos e cartazes como parte de uma campanha de propaganda de US$ 150 mil para controlar a imprensa e o público do Irã, proclamando que "Mossadeq favorece o Partido Tudeh e a URSS... Mossadeq é inimigo do Islã... Mossadeq está deliberadamente destruindo o moral do Exército... Mossadeq está deliberadamente levando o país a um colapso econômico... Mossadeq está sendo corrompido pelo poder". No Dia D, os articuladores do golpe, liderados pelo secretariado militar de Zahedi, ocupariam o quartel-general do exército, a Rádio Teerã, a casa de Mossadeq, o banco central, a sede da polícia e os escritórios de telefone e telégrafo. Prenderam Mossadeq e seu gabinete. Mais dinheiro — US$ 11 mil por semana — foi imediatamente enviado para comprar membros do Majlis em número suficiente para assegurar que uma maioria proclamasse Zahedi como o novo primeiro-ministro. Esse último detalhe teria a vantagem de dar ao golpe uma aparência de legalidade. Em troca, Zahedi juraria lealdade ao xá e restauraria sua monarquia.

Será que aquele xá sem força de vontade desempenharia seu papel? O embaixador Henderson não acreditava que ele tinha determinação para apoiar o golpe. Mas Roosevelt achou que seria impossível avançar sem ele.

Em 15 de junho, Roosevelt foi a Londres para mostrar o plano aos cérebros da inteligência britânica. Eles se reuniram numa sala de conferência na sede que tinha uma placa indicando "Contenha Seus Convidados". Nenhuma objeção foi levantada. Afinal de contas, os americanos estavam pagando a conta. Os britânicos tinham concebido o golpe, mas seus líderes não poderiam desempenhar um papel de comando na execução. Em 23 de junho, o ministro do Exterior, Anthony Eden, foi submetido a uma grande cirurgia abdominal em Boston. No mesmo dia, Winston Churchill sofreu um derrame grave e quase morreu; a notícia foi mantida em tamanho segredo que a CIA não soube de nada.

Durante as duas semanas seguintes, a agência preparou uma cadeia de comando em duas frentes. Uma cuidaria do secretariado de Zahedi. A outra controlaria a guerra política e a campanha de propaganda. Ambos se reportariam diretamente a Frank Wisner. Kim Roosevelt decidiu voar para Beirute, seguir de carro para o Irã passando pela Síria e pelo Iraque, e fazer uma conexão com os irmãos Rashidian. A CIA esperou pelo sinal verde do presidente dos Estados Unidos, que chegou em 11 de julho. E daquele momento em diante, quase tudo deu errado.

### "O SENHOR PRIMEIRO, SUA MAJESTADE"

O sigilo da missão foi rompido antes do primeiro dia. Em 7 de julho, a CIA monitorou uma transmissão por rádio do Partido Tudeh. A rádio clandestina advertira os iranianos de que o governo americano, juntamente com vários "espiões e traidores", inclusive o general Zahedi, estava trabalhando "para liquidar o governo Mossadeq". Mossadeq tinha suas próprias fontes de inteligência militares e políticas, independentes do Tudeh, e sabia o que enfrentava.

Então a CIA descobriu que seu golpe não tinha soldado algum. O general Zahedi não tinha um único soldado sob seu controle. A agência não tinha qualquer mapa da situação militar em Teerã, qualquer lista de nomes do exército iraniano. Kim Roosevelt recorreu ao brigadeiro-general Robert A. McClure, pai das forças de operações especiais dos EUA. McClure havia sido oficial-chefe de inteligência de Eisenhower durante a Segunda Guerra Mundial, dirigira a Divisão de Guerra Psicológica do exército durante a Guerra da Coréia e se especializara em supervisionar operações conjuntas com a CIA. Trabalhara lado a lado com Dulles e Wisner, e não confiava em nenhum dos dois.

O general McClure foi a Teerã para dirigir o grupo consultivo de assistência militar americana, estabelecido em 1950 para fornecer a promissores oficiais iranianos apoio, treinamento e assessoria militar. Como parte da guerra de nervos da CIA, ele cortou o contato americano com comandantes pró-Mossadeq. Roosevelt confiava inteiramente em McClure para ter um retrato das forças iranianas e da lealdade política de seus oficiais mais graduados. O presidente Eisenhower insistiu pessoalmente para que McClure recebesse uma segunda estrela depois do golpe, destacando suas "relações muito boas com o xá e outras pessoas importantes nas quais estamos interessados". A CIA recru-

tou um coronel que havia atuado como o contato iraniano do grupo de assistência militar de McClure para ajudar a realizar o golpe. Secretamente, ele ali-
ciou cerca de quarenta colegas.

Agora, tudo o que faltava era o xá.

Um coronel da CIA, Stephen J. Meade, voou para Paris para apanhar a obs-
tinada e impopular irmã gêmea do xá, a princesa Ashraf. O roteiro da CIA previa que ela voltaria do exílio e convenceria o xá a apoiar o general Zahedi. Mas
a princesa Ashraf não foi encontrada em lugar algum. O agente da inteligência
britânica, Asadollah Rashidian, localizou-a na Riviera Francesa. Demorou mais
dez dias para convencê-la a embarcar num vôo comercial para Teerã. Os incentivos incluíram uma grande soma de dinheiro e um casaco de pele de mar-
ta vindos do serviço de inteligência britânico, além da promessa do coronel
Meade de que os Estados Unidos financiariam a família real se o golpe fracassasse. Depois de um explosivo confronto cara a cara com seu irmão gêmeo, ela
deixou Teerã em 30 de julho, equivocadamente segura de que o convencera.
Em 1º de agosto, a CIA enviou o general Norman Schwarzkopf para apoiar o
xá. Este, temendo que houvesse escutas clandestinas em seu palácio, conduziu
o general para o grande salão de bailes, puxou uma pequena mesa para o centro e sussurrou que não participaria do golpe. Não tinha a menor confiança de
que o exército o apoiaria.

Kim Roosevelt passou a semana seguinte entrando e saindo do palácio do
xá, pressionando-o impiedosamente e advertindo-o de que, se não ouvisse a CIA,
o Irã poderia se tornar um país comunista ou "uma segunda Coréia" — qualquer uma das duas situações seria uma sentença de morte para a monarquia e
sua família. Apavorado, o xá voou para seu refúgio de férias no Mar Cáspio.

Roosevelt improvisou furiosamente. Encomendou um decreto real demitindo Mossadeq e nomeando o general Zahedi primeiro-ministro. Ordenou
ao coronel que comandava a guarda imperial do xá que apresentasse uma cópia assinada desse documento legalmente duvidoso a Mossadeq sob a mira de
uma arma e o prendesse se ele o desafiasse. Em 12 de agosto, o coronel foi atrás
do xá no balneário cáspio e voltou na noite seguinte com cópias do decreto
assinadas. Agora, os agentes iranianos de Roosevelt tomavam as ruas de Teerã.
Jornalistas e gráficas vomitavam propaganda: Mossadeq era comunista, Mossadeq era judeu. Posando como membros do Partido Tudeh, as gangues de rua
da CIA atacaram mulás e profanaram uma mesquita. Mossadeq contra-ata-
cou fechando o Majlis — de acordo com a lei, somente o Majlis poderia demi-

ti-lo, e não o xá — tornando inúteis senadores e deputados cujos votos tinham sido comprados pela CIA.

Roosevelt seguiu adiante. Enviou um telegrama para a sede em 14 de agosto, com um pedido urgente de mais US$ 5 milhões para respaldar o general Zahedi. O golpe estava preparado para aquela noite — e Mossadeq sabia disso. Ele mobilizou a guarnição do exército iraniano em Teerã e cercou sua casa de tanques e soldados. Quando o guarda imperial do xá chegou para prender o primeiro-ministro, oficiais leais o apanharam. Zahedi se refugiou num esconderijo da CIA, protegido por um dos oficiais de Roosevelt, um novato chamado Rocky Stone. O grupo de coronéis iranianos apressadamente reunido pela CIA se desintegrou.

Às 5h45 de 16 de agosto, a Rádio Teerã entrou no ar anunciando que o golpe havia fracassado. A sede da CIA não sabia o que fazer em seguida. Allen Dulles saíra de Washington uma semana antes para férias prolongadas na Europa, alegremente confiante de que estava tudo bem. Não foi localizado. Frank Wisner estava sem idéias. Roosevelt, por conta própria, decidiu tentar convencer o mundo de que foi Mossadeq quem armou o golpe fracassado. Precisava que o xá comprasse essa história, mas o monarca havia fugido do país. O embaixador americano no Iraque, Burton Berry, soube algumas horas depois que o xá estava em Bagdá, implorando por ajuda. Roosevelt passou o esboço de um roteiro para Berry, que aconselhou o xá a transmitir por rádio uma declaração dizendo que ele fugira devido a uma rebelião da esquerda. Ele fez o que foi instruído a fazer. Em seguida, disse a seu piloto para preparar um plano de vôo para a capital mundial dos monarcas exilados: Roma.

Na noite de 16 de agosto, um dos oficiais de Roosevelt entregou US$ 50 mil a agentes iranianos do posto e lhes disse para formar uma multidão que posasse de mercenários comunistas. Na manhã seguinte, centenas de agitadores pagos encheram as ruas de Teerã, saqueando, incendiando e destruindo os símbolos do governo. Membros verdadeiros do Partido Tudeh se juntaram a eles, mas logo perceberam "que uma ação secreta estava sendo encenada", conforme relatou o posto da CIA, e "tentaram convencer os manifestantes a ir para casa". Depois da segunda noite sem dormir, Roosevelt recebeu o embaixador Loy Henderson, que chegou de Beirute em 17 de agosto. A caminho de encontrá-lo no aeroporto, membros da embaixada americana passaram por uma estátua de bronze do pai do xá derrubada, da qual apenas as botas restavam em pé.

Henderson, Roosevelt e o general McClure reuniram durante quatro horas um conselho de guerra dentro do prédio da embaixada. O resultado foi um novo plano para criar anarquia. Graças a McClure, oficiais militares iranianos foram enviados a guarnições distantes para alistar soldados que apoiassem o golpe. Os agentes iranianos da CIA foram orientados a pagar por novos distúrbios nas ruas. Emissários religiosos foram enviados para convencer o supremo aiatolá xiita do Irã a declarar uma guerra santa.

Contudo, na sede, Wisner se desesperava. Naquele dia, ele leu a avaliação dos melhores analistas da CIA: "O fracasso do golpe militar em Teerã e a fuga do xá para Bagdá enfatizam que o primeiro-ministro Mossadeq continua a comandar a situação e prenunciam novas ações drásticas por parte dele para eliminar toda a oposição." Tarde da noite de 17 de agosto, Wisner enviou uma mensagem a Teerã dizendo que, na falta de fortes recomendações em contrário vindas de Roosevelt e Henderson, o golpe contra Mossadeq deveria ser encerrado. Algumas horas mais tarde, em algum momento depois das 2h, Wisner deu um telefonema histérico para John Waller, que dirigia a seção iraniana na sede da CIA.

O xá tinha voado para Roma e se hospedado no Excelsior Hotel, relatou Wisner. E então "uma coincidência terrível, terrível, aconteceu", disse Wisner. "Você consegue adivinhar o que foi?"

Waller não conseguia imaginar.

"Pense na pior coisa que você consegue imaginar", disse Wisner.

"Ele foi atropelado por um táxi e morreu", respondeu Waller.

"Não, não, não, não", reagiu Wisner. "John, talvez você não saiba que Dulles decidiu prolongar suas férias indo para Roma. Agora você consegue imaginar o que aconteceu?"

Waller rebateu: "Ele foi atropelado por Dulles e morreu?"

Wisner não achou graça.

"Os dois chegaram à recepção do Excelsior exatamente no mesmo momento", disse Wisner. "E Dulles teve que dizer, 'O senhor primeiro, sua majestade.'"

## "UM ABRAÇO APAIXONADO"

Ao amanhecer de 19 de agosto, a multidão contratada pela agência se reuniu em Teerã, pronta para iniciar distúrbios. Ônibus e caminhões cheios de membros de tribos do sul, cujos líderes tinham sido pagos pela CIA, chegaram à capital. William Rountree, subchefe de missão do embaixador Henderson, descreveu o que aconteceu em seguida como "uma revolução quase espontânea".

"Começou com uma manifestação pública de um clube de saúde ou clube de ginástica — levantamento de halteres, correntes, esse tipo de coisa", relembrou ele. Eram halterofilistas e homens fortes de circo recrutados pela CIA para aquele dia. "Eles começaram gritando palavras de ordem anti-Mossadeq e pró-xá, e continuaram a marchar pelas ruas. Muitos outros se juntaram a eles, e logo havia uma manifestação de peso a favor do xá e contra Mossadeq. Gritos de 'longa vida ao xá!' se espalharam pela cidade e a multidão seguiu na direção do prédio que abrigava o gabinete de Mossadeq", onde atacaram membros importantes do governo, incendiaram quatro escritórios de jornais e saquearam a sede política de um partido pró-Mossadeq. Dois homens da multidão eram líderes religiosos. Um deles era o aiatolá Ahmed Kashani. A seu lado estava seu seguidor, o aiatolá Ruhollah Musavi Khomeini, de 51 anos, futuro líder do Irã.

Roosevelt disse a seus agentes iranianos para atacar o escritório do telégrafo, o ministério de Propaganda e as sedes da polícia e do exército. À tarde, depois de um distúrbio em que pelo menos três pessoas foram mortas, os agentes da CIA estavam no ar, na Rádio Teerã. Roosevelt procurou Zahedi em seu esconderijo, numa casa mantida por Rocky Stone, da CIA, e lhe disse para ficar pronto para se autoproclamar primeiro-ministro. Zahedi estava tão assustado que Stone teve que abotoar seu uniforme militar. Naquele dia, pelo menos cem pessoas morreram nas ruas de Teerã.

Pelo menos mais duzentas pessoas foram mortas depois que a CIA dirigiu a Guarda Imperial do xá no ataque à casa de Mossadeq, fortemente defendida. O primeiro-ministro escapou, mas se rendeu no dia seguinte. Passou os três anos seguintes encarcerado e mais uma década sob prisão domiciliar antes de morrer. Roosevelt deu a Zahedi US$ 1 milhão em dinheiro vivo, e o novo primeiro-ministro tratou de esmagar toda a oposição e fazer milhares de prisioneiros políticos.

"A CIA se saiu muito bem criando uma situação em que, nas circunstâncias e atmosfera apropriadas, uma mudança pôde ser realizada", recordou o embaixador Rountree, mais tarde secretário-assistente de Estado para o Oriente Próximo. "Claramente, as coisas não aconteceram como eles planejavam ou esperavam, mas no fim das contas funcionaram."

Em seu momento de glória, Kim Roosevelt voou para Londres. Em 26 de agosto, às duas horas da tarde, foi recebido em Downing Street 10 pelo primeiro-ministro. Winston Churchill se via "em má forma", relatou Roosevelt. Sua fala era incompreensível, sua visão estava obstruída e sua memória falhava. "As iniciais CIA nada significavam para ele, mas ele tinha uma vaga idéia de que Roosevelt estava ligado de alguma maneira a seu velho amigo Bedell Smith."

Roosevelt foi saudado como herói na Casa Branca. A fé na magia das ações secretas aumentou. "Fofocas românticas sobre o 'golpe' no Irã se espalharam em Washington como fogo", relembrou Ray Cline, um dos mais destacados analistas da CIA. "Allen Dulles se deleitou com a glória da proeza." Mas nem todo mundo na sede viu a queda de Mossadeq como um triunfo. "O problema com aquele sucesso aparentemente brilhante" foi "a visão exagerada do poder da CIA que ele criou", escreveu Cline. "Aquilo não provava que a CIA poderia derrubar governos e colocar governantes no poder; foi um caso único em que se forneceu a quantidade exata de assistência marginal, da maneira certa e na hora certa." Comprando a lealdade de soldados e gangues de rua, a CIA criou um grau de violência suficiente para orquestrar um golpe. O dinheiro mudou de mãos e essas mãos mudaram um regime.

O xá retornou ao trono e fraudou as eleições parlamentares seguintes, usando as gangues de rua da CIA como agitadores. Ele decretou três anos de lei marcial e reforçou o controle sobre o país. Recorreu à agência e à missão militar americana no Irã para ajudá-lo a manter o poder criando um novo serviço de inteligência, que se tornou conhecido como Savak. A CIA queria que o Savak funcionasse como seus olhos e ouvidos contra os soviéticos. O xá queria uma polícia secreta que protegesse seu poder. Treinado e equipado pela CIA, o Savak impôs seu domínio por mais de vinte anos.

O xá se tornou uma peça central da política externa americana no mundo islâmico. Durante os anos que se seguiram, era o chefe do posto, e não o embaixador americano, quem falava com o xá em nome dos Estados Unidos. A CIA se entrelaçou com a cultura política do Irã, presa em "um abraço apaixonado com o xá", disse Andrew Killgore, oficial político do Departamento de Estado subordinado ao embaixador americano de 1972 a 1976 — Richard Helms.

O golpe "foi considerado o maior triunfo da CIA", disse Killgore. "Foi alardeado como uma grande vitória nacional americana. Havíamos mudado todo o curso de um país aqui." Uma geração de iranianos cresceu sabendo que a CIA instalara o xá. Com o tempo, o caos que a agência criara nas ruas de Teerã voltaria para assombrar os Estados Unidos.

A ilusão de que a CIA podia derrubar uma nação com um truque de mágica era sedutora. Levou a agência a uma batalha na América Central que se prolongou pelos quarenta anos seguintes.

# 10 "BOMBA REPITO BOMBA"

Dias depois do Natal de 1953, o coronel Al Haney estacionou seu novo Cadillac junto a uma base aérea decrépita em Opa-Locka, Flórida, caminhou até a pista de decolagem e analisou seus novos domínios: três prédios militares de dois andares na periferia de Everglades. O coronel Haney enterrou os destroços humanos que criara como chefe do posto na Coréia do Sul sob uma mortalha ultra-secreta. Em seguida, abriu caminho para um novo comando. Um simpático malandro de 39 anos, recém-divorciado, com um uniforme do exército impecável sobre uma estrutura muscular de quase 1,90m, Haney acabava de ser nomeado por Allen Dulles como seu assessor especial para a Operação Sucesso, o plano da CIA para derrubar o governo da Guatemala.

Os planos para um golpe contra o presidente Jacobo Arbenz vinham circulando pela agência havia quase três anos. Foram ressuscitados no momento em que Kim Roosevelt voltou triunfante do Irã. Um exultante Allen Dulles pediu-lhe que liderasse a operação na América Central. Roosevelt respeitosamente declinou. Depois de estudar o assunto, concluiu que a agência agiria às escuras. Não tinha qualquer espião na Guatemala, nem qualquer percepção sobre o desejo do exército e do povo. Seriam os militares leais a Arbenz? Essa lealdade poderia ser rompida? A CIA não fazia a menor idéia.

Haney tinha ordens para descobrir um caminho para levar ao poder um coronel guatemalteco expulso, escolhido pela sede da CIA: Carlos Castillo Armas. Mas sua estratégia não passava de um esboço bem elaborado. Dizia apenas que a CIA iria treinar e equipar uma força rebelde e apontá-la para o palácio presidencial na Cidade da Guatemala. Wisner enviou o rascunho ao Departamento de Estado para receber um reforço do general Walter Bedell Smith, colocou a postos um novo time de embaixadores americanos para a operação.

## "O GRANDE PORRETE"

Jack Peurifoy era um sujeito que andava armado e fizera seu nome livrando o Departamento de Estado de esquerdistas e liberais em 1950. Em sua primeira permanência no exterior, como embaixador na Grécia de 1951 a 1953, trabalhou intimamente com a CIA para estabelecer canais secretos de poder americano em Atenas. Ao chegar a seu novo posto, Peurifoy telegrafou para Washington: "Cheguei à Guatemala para usar o grande porrete[12]." Ele se encontrou com o presidente Arbenz e relatou: "Estou definitivamente convencido de que se o presidente não é comunista, ele certamente será quando algum aparecer."

Bedell Smith escolheu Whiting Willauer, fundador da Civil Air Transport, empresa aérea asiática que Frank Wisner comprou em 1949, para ser embaixador em Honduras. Willauer convocou pilotos da sede da CAT em Taiwan, com instruções para ficarem quietos e aguardarem ordens em Miami e Havana. O embaixador Thomas Whelan foi para a Nicarágua para trabalhar com o ditador Anastasio Somoza, que ajudava a CIA a construir uma base de treinamento para os homens de Castillo Armas.

Em 9 de dezembro, de 1953, Allen Dulles aprovou formalmente a Operação Sucesso e autorizou um orçamento de US$ 3 milhões. Nomeou Al Haney comandante em campo e Tracy Barnes chefe da guerra política.

Dulles acreditava na idéia romântica do espião cavalheiro. Tracy Barnes era um exemplo. O bem-educado senhor Barnes tinha o currículo clássico da CIA nos anos 1950 — Groton, Yale, direito em Harvard. Foi criado na chácara Whitney, em Long Island, com seu próprio campo particular de golfe. Foi herói do OSS na Segunda Guerra Mundial e ganhou uma Estrela de Prata por capturar uma guarnição alemã. Tinha vigor, segurança e o orgulho que precede a queda, e passou a representar o que havia de pior no serviço clandestino. "Assim como aqueles que, não importa o quanto se esforcem, parecem condenados a nunca dominar

---

[12]Em inglês, *big stick*, termo que expressa o estilo de diplomacia do presidente Theodore Roosevelt (1901-1909), decorrente da Doutrina Monroe, segundo a qual os Estados Unidos deveriam assumir o papel de polícia internacional no Ocidente. (*N. do T.*)

uma língua estrangeira, Barnes provou ser incapaz de aprender a lidar com as operações secretas", refletiu Richard Helms. "Pior ainda: graças aos constantes elogios e incentivos de Allen Dulles, Tracy aparentemente continuou sem ter consciência de seu problema." Continuou a trabalhar como chefe de posto na Alemanha e na Inglaterra, até a operação Baía dos Porcos.

Em 29 de janeiro de 1954, Barnes e Castillo Armas voaram para Opa-Locka, onde começaram a aprimorar seus planos com o coronel Haney. Acordaram no dia seguinte para descobrir que seu plano havia estourado retumbantemente. Todos os grandes jornais do hemisfério ocidental publicaram acusações do presidente Arbenz sobre uma "conspiração contra-revolucionária" patrocinada por um "governo do norte", liderada por Castillo Armas e tendo como base um campo de treinamento rebelde na fazenda de Somoza, na Nicarágua. O vazamento viera de telegramas e documentos secretos que um agente da CIA — o contato do coronel Haney com Castillo Armas — havia deixado num quarto de hotel na Cidade da Guatemala. O infeliz agente foi chamado a Washington e aconselhado a aceitar um emprego de guarda-florestal em algum lugar nas profundezas das florestas do Pacífico Noroeste.

A crise rapidamente revelou Al Haney como uma das piores armas do arsenal da CIA. Ele buscou maneiras de afastar os guatemaltecos dos relatos sobre a conspiração plantando notícias falsas na imprensa local. "Se possível, fabricar grandes histórias de interesse humano, como discos voadores, nascimento de sêxtuplos numa área remota", recomendou, num telegrama à sede da CIA. Ele visionava manchetes: Arbenz estava forçando todos os soldados católicos a ingressarem numa nova igreja que venerava Stalin! Um submarino soviético estava a caminho para entregar armas à Guatemala! Esta última idéia atiçou a imaginação de Tracy Barnes. Três semanas depois, ele usou sua equipe na CIA para plantar um esconderijo de armas soviéticas na costa da Nicarágua. Eles inventaram histórias sobre soviéticos que estavam armando esquadrões da morte comunistas na Guatemala. Mas pouca gente na imprensa e no público comprou o que Barnes estava vendendo.

A carta de direitos da CIA exigia que as ações secretas fossem conduzidas de maneira tão sutil que a mão americana não fosse percebida. Isso pouco importava para Wisner. "Não há a menor dúvida de que se a operação for realizada, muitos latino-americanos verão nela a mão dos EUA", disse ele a Dulles. Mas se a Operação Sucesso for restringida "pelo fato de que a mão dos EUA aparece claramente", argumentou Wisner, "levanta-se uma questão séria sobre se alguma operação desse tipo pode ser apropriadamente incluída entre as armas da guerra fria dos EUA, não importando o tamanho da provocação ou quão favoráveis sejam os auspícios". Wisner achava que uma operação era clandestina contanto que não fosse admitida pelos Estados Unidos e que fosse mantida em segredo para o povo americano.

Wisner convocou o coronel Haney à sede para uma reunião de catequização. "Nenhuma operação é considerada tão importante quanto essa e não há operação alguma em que a reputação da Agência esteja tão em jogo", disse ele a Haney. "O chefe tem que estar seguro de que estamos bem preparados", disse Wisner, mas "a sede nunca recebeu uma declaração clara e concisa sobre quais são os planos para o que vai acontecer no dia D." O esquema do coronel Haney era uma série de cronogramas combinados rabiscados num rolo de um metro e meio de papel de açougue e preso na parede do quartel de Opa-Locka. Ele explicou a Wisner que só era possível entender a operação estudando os rabiscos nos papéis de Opa-Locka.

Wisner começou a "perder a confiança no bom senso e no comedimento de Haney", recordou Richard Bissell. Bissell, um homem intensamente racional, mais um produto de Groton e Yale, outrora conhecido como o Senhor Plano Marshall, acabava de embarcar na CIA. Fora contratado como "aprendiz de Dulles", como ele dizia, com promessas de grandes responsabilidades pela frente. O diretor imediatamente pediu-lhe que organizasse a logística cada vez mais complicada da Operação Sucesso.

Bissell e Barnes eram o cérebro e o coração da CIA de Allen Dulles. Embora não tivessem experiência alguma em dirigir ações secretas, foi um sinal da fé de Dulles que eles recebessem ordens de descobrir o que Al Haney era capaz de fazer em Opa-Locka.

Bissell disse que ele e Barnes gostaram bastante do hipercinético coronel: "Barnes era bastante pró-Haney e entusiasmado com a operação. Eu achava que Haney era o homem certo para o trabalho porque a pessoa encarregada de uma operação desse tipo tinha que ser um ativista e um líder forte. Barnes e eu gostávamos de Haney e aprovávamos a maneira como ele fazia as coisas. Não há dúvida de que a operação de Haney deixou uma impressão positiva em mim, porque eu montei um escritório de projetos semelhante ao dele durante os preparativos para a invasão da Baía dos Porcos."

## "O QUE QUERÍAMOS FAZER ERA UMA CAMPANHA DE TERROR"

O "destemido mas incompetente" Castillo Armas (para citar Barnes), juntamente com suas forças rebeldes, "extremamente pequenas e mal treinadas" (para citar Bissell), esperaram um sinal dos americanos para atacar, sob o olhar atento do homem de Haney, Rip Robertson, que dirigira algumas das mais desastrosas operações de guerrilha da CIA na Coréia.

Ninguém sabia o que aconteceria quando Castillo Armas e suas poucas centenas de rebeldes atacassem as forças guatemaltecas de cinco mil homens. A CIA subsidiou um movimento estudantil anticomunista na Cidade da Guatemala, com várias centenas de integrantes. Mas eles atuaram principalmente, nas palavras de Wisner, como um "bando de pistoleiros", e não como um exército de resistência. Então Wisner cobriu a aposta e abriu uma segunda frente na guerra contra Arbenz. Enviou um dos melhores oficiais da CIA, Henry Hecksher, chefe da base em Berlim, para a Cidade da Guatemala, com ordem de convencer importantes oficiais militares a se rebelarem contra o governo. Hecksher foi autorizado a gastar mais de US$ 10 mil por mês em subornos, e logo comprou a lealdade de um ministro sem pasta no gabinete de Arbenz, o coronel Elfego Monzon. A esperança era de que mais dinheiro dividisse um corpo de oficiais que já começava a rachar sob as pressões combinadas de um embargo de armas imposto pelos Estados Unidos e uma ameaça de invasão americana.

Mas Hecksher logo se convenceu de que somente um verdadeiro ataque dos Estados Unidos incentivaria os militares guatemaltecos a derrubar Arbenz. Hecksher escreveu a Haney: "A 'centelha crucial' tem que ser gerada por calor — calor dos Estados Unidos" — na forma de bombardeios na capital.

A sede da CIA enviou então a Haney uma lista de cinco páginas com 58 guatemaltecos a serem assassinados. A matança direcionada foi aprovada por Wisner e Barnes. A lista incluía "grandes líderes do governo e de organizações" suspeitos de terem tendência comunista e "aqueles poucos indivíduos em cruciais cargos no governo e posições de importância nas forças armadas, cuja remoção por motivos psicológicos, organizacionais e outros é obrigatória para o sucesso da ação militar". Castillo Armas e a CIA concordaram que os assassinatos aconteceriam durante ou imediatamente depois de sua chegada triunfal à Cidade da Guatemala. Eles enviariam uma mensagem enfatizando a seriedade da intenção dos rebeldes.

Um dos muitos mitos sobre a Operação Sucesso, plantado por Allen Dulles na imprensa americana, foi de que seu triunfo final não se deveu à violência, mas a um brilhante trabalho de espionagem. Conforme Dulles contou a história, o alarme foi acionado por um espião americano na cidade polonesa de Stettin, no Mar Báltico — o limite norte da cortina de ferro — que posava de observador de pássaros. Ele viu com seus binóculos que um navio cargueiro chamado *Alfhem* estava transportando armas tchecas para o governo de Arbenz. Então enviou uma carta com uma mensagem em microponto — "Meu Deus, meu Deus, por que me abandonaste?" — a um agente da CIA bem disfarçado numa loja de peças de automóveis em Paris, que transmitiu por ondas curtas o sinal codificado a Washington. Conforme Dulles contou a história, outro agente da CIA inspecionou secretamente o conteúdo do navio quando este atracava no Canal de Kiel, que liga o Báltico ao Mar do Norte. A CIA sabia, portanto, desde o momento em que o *Alfhem* partiu da Europa, que ele seguia para a Guatemala levando armas.

Foi uma história maravilhosa, repetida em muitos livros de história, mas uma mentira deslavada — uma notícia de primeira página que disfarçou um sério erro operacional. Na verdade, a CIA dormiu no ponto.

Arbenz estava desesperado para romper o embargo de armas americano na Guatemala. Achou que poderia assegurar a lealdade de suas unidades militares armando-as. Henry Hecksher relatou que o Banco da Guatemala havia transferido US$ 4,86 milhões para um depósito de armas tcheco, através de uma conta na Suíça. Mas a CIA perdeu o rastro. Seguiram-se quatro semanas de busca frenética antes que o *Alfhem* atracasse com sucesso em Puerto Barrios, Guatemala. Só depois de o navio ser descarregado chegou à embaixada dos EUA a informação sobre o desembarque de um carregamento de fuzis, metralhadoras, obuses e outras armas.

A chegada das armas — muitas delas enferrujadas e inúteis, algumas ostentando um selo com uma suástica, indicando sua idade e sua origem — criou uma inesperada propaganda para os Estados Unidos. Exagerando grosseiramente o tamanho e a importância militar da carga, Foster Dulles e o Departamento de Estado anunciaram que a Guatemala participava agora de uma conspiração soviética para subverter o hemisfério ocidental. O presidente da Câmara dos Representantes, John McCormack, descreveu a carga como uma bomba atômica plantada no quintal dos EUA.

O embaixador Peurifoy disse que os Estados Unidos estavam em guerra. "Nada, a não ser uma intervenção militar direta, terá sucesso", telegrafou ele a Wisner em 21 de maio. Três dias depois, navios de guerra e submarinos da marinha dos EUA bloquearam a Guatemala, violando as leis internacionais.

Em 26 de maio, um avião da CIA sobrevoou o palácio presidencial e lançou panfletos sobre a sede da guarda presidencial, que representava a elite das unidades do exército na Cidade da Guatemala. "Lute contra o ateísmo comunista!", dizia a mensagem. "Lute ao lado de Castillo Armas!" Foi em vão. "Acho que realmente não importa o que dizem os panfletos", disse Tracy Barnes a Al Haney. Ele estava certo. O que importava era que a CIA havia feito um vôo rasante e lançado uma arma num país que nunca antes fora bombardeado.

"O que queríamos fazer era uma campanha de terror para assustar particularmente Arbenz, assustar seus soldados, em grande parte como os bombardeiros Stuka alemães assustaram as populações da Holanda, da Bélgica e da Polônia no início da Segunda Guerra Mundial", disse E. Howard Hunt, da CIA, que trabalhou no setor de guerra política da operação.

Durante quatro semanas, a partir do Dia do Trabalho de 1954, a CIA promoveu uma guerra psicológica na Guatemala através de uma estação de rádio pirata chamada Voz da Libertação, dirigida por um funcionário contratado pela CIA, um ator amador e dramaturgo de talento chamado David Atlee Phillips. Num tremendo golpe de sorte, a rádio estatal guatemalteca saiu do ar em meados de maio, para uma substituição de antena já planejada. Phillips entrou em sua freqüência e ouvintes que procuravam a programação estatal encontraram a Rádio CIA. A agitação da população se transformou em histeria quando a rádio rebelde transmitiu em ondas curtas relatos sobre rebeliões imaginárias, deserções e conspirações para envenenar poços e recrutar crianças.

Em 5 de junho, um chefe da força aérea guatemalteca reformado voou para a fazenda de Somoza, na Nicarágua, de onde partiam as transmissões. Os homens de Phillips o abasteceram com uma garrafa de uísque e o induziram a falar sobre seus motivos para fugir da Guatemala. Depois que a fita foi cortada e remendada no estúdio de campo da CIA, a gravação soou como uma emocionada convocação para uma revolta.

## "CONSIDERAM A REBELIÃO UMA FARSA"

Quando Arbenz ouviu falar da transmissão, na manhã seguinte, sua mente rachou ao meio. Ele se tornou o ditador que a CIA havia descrito. Criou sua própria força aérea, temendo que seus pilotos desertassem. Em seguida, invadiu a casa de um líder estudantil anticomunista que trabalhava intimamente com a CIA e encontrou provas da conspiração americana. Suspendeu as liberdades civis e começou a prender centenas de pessoas, atingindo mais duramente o grupo estudantil da CIA. Pelo menos 75 pessoas foram torturadas, mortas e enterradas em covas coletivas.

"Pânico se espalhando em círculos do governo", telegrafou o posto da CIA na Guatemala em 8 de junho. Era exatamente o que Haney queria ouvir. Ele enviou ordens para atiçar os ânimos com mais mentiras: "Um grupo de comissários, oficiais e assessores políticos soviéticos, liderado por um membro do Politburo de Moscou, desembarcou... Além de alistamento militar obrigatório, os comunistas vão introduzir um alistamento para o trabalho. Um decreto já está sendo impresso. Todos os meninos e meninas de dezesseis anos serão convocados para um ano de trabalho em campos especiais, principalmente para doutrinação política e para romper a influência da família e da igreja nos jovens... Arbenz já deixou o país. Os anúncios feitos por ele no Palácio Nacional são na verdade emitidos por um dublê, providenciado pela inteligência soviética."

Haney começou a enviar bazucas e metralhadoras de avião para o sul, por iniciativa própria, dando ordens não autorizadas para armar camponeses e exortá-los a matar policiais guatemaltecos. "Questionamos fortemente... que os campesinos sejam encorajados a matar a Guarda Civil", telegrafou Wisner a Haney. "Isso equivale a incitar guerra civil... desacreditar o movimento como grupo terrorista e irresponsável querendo sacrificar vidas inocentes."

O coronel Monzon, agente da CIA no gabinete de Arbenz, pediu bombas e gás lacrimogêneo para deslanchar o golpe. "Vital importância que isso seja feito", disse o posto da CIA a Haney. Foi dito a Monzon que "é melhor ele andar rápido. Ele concordou... Disse que Arbenz, comunistas e inimigos serão executados". O posto da CIA na Guatemala implorou novamente por um ataque. "Pedimos urgentemente que bomba seja jogada, mostrar força, que todos os aviões disponíveis sejam enviados, mostrar a exército e capital que a hora da decisão é agora."

Em 18 de junho, Castillo Armas lançou seu ataque muito esperado, em preparação por mais de quatro anos. Uma força de 198 rebeldes atacou Puerto Barrios, na costa atlântica. Foi derrotada por policiais e trabalhadores do cais do porto. Outros 122 rebeldes marcharam em direção à guarnição do exército guatemalteco em Zacapa. Apenas trinta escaparam de ser mortos ou capturados. Uma terceira força de sessenta rebeldes partiu de El Salvador apenas para ser presa pela polícia local. O próprio Castillo Armas, com uma jaqueta de couro e dirigindo um carro particular surrado, conduziu cem homens de Honduras até três vilas guatemaltecas levemente defendidas. Acampou a alguns quilômetros da periferia, pedindo à CIA mais comida, mais homens, mais armas — contudo, 72 horas depois, mais da metade de seus homens estavam mortos, capturados ou à beira da derrota.

Na tarde de 19 de junho, o embaixador Peurifoy confiscou a linha de comunicação segura da CIA na embaixada americana e escreveu diretamente a Allen Dulles: "Bomba repito bomba", implorou. Haney tomou uma decisão menos de duas horas depois com uma mensagem furiosa a Wisner: "Vamos ficar parados e ver a última esperança de libertar o povo da Guatemala submergir nas profundezas da opressão e das atrocidades comunistas até enviarmos uma força armada americana contra o inimigo?... Nossa intervenção agora, nessas circunstâncias, não seria muito mais palatável do que uma pelos fuzileiros navais? Este é o mesmo inimigo que combatemos na Coréia e que talvez venhamos a combater amanhã na Indochina."

Wisner congelou. Uma coisa era enviar legiões de estrangeiros para a morte. Outra bastante diferente era enviar pilotos americanos para explodir uma capital nacional.

Na manhã de 20 de junho, o posto da CIA na Cidade da Guatemala relatou que o governo de Arbenz estava "recuperando sua força". A capital estava "muito quieta, lojas fechadas. Pessoas esperando apaticamente, consideram rebelião uma farsa".

A tensão na sede da CIA era quase insuportável. Wisner se tornou fatalista. Telegrafou para Haney e para o posto da CIA: "Estamos prontos a autorizar uso de bombas; no momento estamos convencidos de que aumentaria substancialmente a probabilidade de sucesso sem danos desastrosos aos interesses dos Estados Unidos... Tememos que bombardeio de instalações militares mais provavelmente consolide exército contra a rebelião do que induza deserção e estamos convencidos de que ataques contra alvos civis, que derramariam sangue de inocentes, se adequariam perfeitamente à linha de propaganda comunista e tenderiam a alienar todos os elementos da população."

Bissell disse a Dulles que "o resultado do esforço para derrubar o regime do presidente Arbenz, da Guatemala, permanece duvidoso". Na sede da CIA, "não sabíamos mais o que fazer para prosseguir", escreveu anos depois. "Lutando contra uma desordem contínua, tínhamos absoluta consciência do quanto estávamos perigosamente próximos do fracasso." Dulles limitou Castillo Armas a três caças-bombardeiros Thunderbolt F-47, em nome da capacidade de negar acusações. Dois deles estavam fora de uso. Agora, "a reputação da agência e do próprio Dulles estavam em jogo", recordou Bissell em suas memórias.

Dulles autorizou secretamente mais um ataque aéreo à capital enquanto se preparava para um encontro com o presidente. Na manhã de 22 de junho, o único avião que ainda voava para a CIA causou um incêndio num pequeno tanque de óleo nos arredores da cidade. O fogo foi apagado em vinte minutos. "Impressão pública é de que os ataques mostram incrível fraqueza, falta de decisão e esforço tímido", vociferou Haney. "Esforços de Castillo Armas amplamente descritos como farsa. Moral antigoverno e anticomunista perto de desaparecer." Ele telegrafou diretamente para Dulles, exigindo mais aviões imediatamente.

Dulles pegou o telefone e ligou para William Pawley — um dos homens de negócios mais ricos dos Estados Unidos, presidente dos Democratas por Eisenhower, um dos maiores patrocinadores de Ike nas eleições de 1952, e consultor da CIA. Se alguém poderia fornecer uma força aérea secreta, esse alguém era Pawley. Em seguida, Dulles enviou Bissell para se encontrar com Walter Bedell Smith — com quem a CIA se consultara diariamente para a Operação Sucesso — e o general aprovou o pedido de aeronaves pelos meios de comunicação secretos. Mas, no último minuto, o secretário-assistente de Estado para a América Latina, Henry Holland, opôs-se violentamente, pedindo que eles fossem ver o presidente.

Às 14h15 de 22 de junho, Dulles, Pawley e Holland entraram no Salão Oval. Eisenhower perguntou quais eram as chances de sucesso da rebelião naquele momento. Zero, confessou Dulles. E se a CIA tivesse mais aviões e bombas? Talvez 20%, supôs Dulles.

O presidente e Pawley registraram a conversa de maneiras quase idênticas em suas memórias — com uma exceção. Eisenhower apagou Pawley da história, e o motivo é claro: ele fez um acordo secreto com seu patrocinador político. "Ike se voltou para mim", escreveu Pawley, "e disse: 'Bill, vá em frente e arrume os aviões'."

Pawley telefonou para o Riggs Bank, a um quarteirão da Casa Branca. Em seguida, telefonou para o embaixador nicaragüense nos Estados Unidos. Obteve US$ 150 mil em espécie e levou o embaixador de carro ao Pentágono. Pawley deu o dinheiro a um oficial militar, que prontamente transferiu a posse dos três Thunderbolts para o governo da Nicarágua. Naquela noite, os aviões chegaram, completamente armados, ao Panamá, vindos de Porto Rico.

Os aviões voaram para o combate ao amanhecer, deslanchando um ataque contra as mesmas forças do exército guatemalteco cuja lealdade era a chave do plano para derrubar Arbenz. Os pilotos da CIA bombardearam trens que transportavam soldados para a frente de batalha. Lançaram bombas, dinamite, granadas de mão e coquetéis Molotov. Explodiram uma estação de rádio dirigida por missionários cristãos americanos e afundaram um navio cargueiro britânico atracado na costa do Pacífico.

Em terra, Castillo Armas não conseguiu avançar um centímetro. Voltando atrás, ele fez contato com a CIA por rádio, implorando por mais poder aéreo. A Voz da Libertação — com seu sinal vindo de um transmissor no alto da embaixada americana — transmitiu histórias astuciosamente inventadas de que milhares de soldados rebeldes estavam convergindo para a capital. Alto-falantes no telhado da embaixada transmitiram o som gravado em fita de caças P-38 voando na noite. O presidente Arbenz, embriagando-se em estupor, viu em meio a sua confusão que estava sob ataque dos Estados Unidos.

Na tarde de 25 de junho, a CIA bombardeou a praça de armas do maior acampamento militar da Cidade da Guatemala. Isso interferiu na vontade da unidade de oficiais. Arbenz convocou seu gabinete naquela noite e disse a seus integrantes que o exército estava em revolta. Era verdade: um punhado de oficiais decidira secretamente ficar do lado da CIA e derrubar o presidente.

O embaixador Peurifoy se reuniu com conspiradores do golpe em 27 de junho, com a vitória a seu alcance. Mas então Arbenz cedeu o poder ao coronel Carlos Enrique Diaz, que formou uma junta e prometeu combater Castillo Armas. "Fomos traídos", telegrafou Peurifoy. Al Haney enviou uma mensagem a todos os postos da CIA identificando Diaz como um "agente comunista". Ordenou a um persuasivo agente da CIA, Enno Hobbing, chefe do escritório da *Time* em Berlim antes de ingressar na agência, que tivesse uma pequena conversa com

Diaz ao amanhecer do dia seguinte. Hobbing entregou a mensagem a Diaz: "Coronel, o senhor não é conveniente para a política externa americana."

A junta se dissolveu instantaneamente, para ser substituída, em rápida sucessão, por outras quatro, cada uma delas cada vez mais pró-americanos. O embaixador Peurifoy pedia agora à CIA que se retirasse. Wisner telegrafou com as próprias mãos, em 30 de junho, dizendo que era hora de "os cirurgiões recuarem e as enfermeiras cuidarem do paciente". Peurifoy fez manobras durante mais dois meses antes de Castillo Armas assumir a presidência. Ele recebeu uma saudação de 21 tiros e um jantar de Estado na Casa Branca, onde o vice-presidente ofereceu o seguinte brinde: "Nós nos Estados Unidos estamos vendo o povo da Guatemala registrar em sua história um episódio profundamente significativo para todos os povos", disse Richard Nixon. "Guiados pelo soldado corajoso que é nosso convidado esta noite, o povo guatemalteco se revoltou contra o regime comunista, que está sucumbindo, como está sendo claramente demonstrado, à sua própria superficialidade, falsidade e corrupção." A Guatemala iniciava um período de quarenta anos de governantes militares, esquadrões da morte e repressão armada.

## "INCRÍVEL"

Os líderes da CIA criaram um mito sobre a Operação Sucesso, assim como fizeram com o golpe no Irã. O discurso era de que a missão era uma obra magistral. Na verdade, "não achávamos realmente que fosse um sucesso", disse Jake Esterline, que no fim do verão se tornou o novo chefe do posto na Guatemala. O golpe deu certo em grande parte por meio de força bruta e sorte cega. Mas a CIA contou outra história numa conversa formal com o presidente na Casa Branca, em 29 de julho de 1954. Na noite anterior, Allen Dulles convidou Frank Wisner, Tracy Barnes, Dave Phillips, Al Haney, Henry Hecksher e Rip Robertson a sua casa em Georgetown, para um ensaio geral. Ele ouviu horrorizado quando Haney começou a tropeçar num discurso com um longo preâmbulo sobre suas proezas heróicas na Coréia.

"Nunca ouvi uma besteira como essa", disse Dulles. Ele ordenou a Phillips que reescrevesse o discurso.

Na Ala Leste da Casa Branca, numa sala escurecida para uma apresentação de slides, a CIA vendeu a Eisenhower uma versão aprimorada da Operação

Sucesso. Quando as luzes foram acesas, a primeira pergunta do presidente foi ao paramilitar Rip Robertson.

"Quantos homens Castillo Armas perdeu?", perguntou Ike.

"Somente um", respondeu Robertson.

"Incrível", disse o presidente.

Pelo menos 43 homens de Castillo Armas foram mortos durante a invasão, mas ninguém contradisse Robertson. Era uma mentira descarada.

Isto foi um divisor de águas na história da CIA. As histórias falsas exigidas para encobrir as ações secretas no exterior eram agora parte da política da agência em Washington. Bissell declarou francamente: "Muitos de nós que entramos para a CIA não nos sentíamos obrigados, nas ações que realizávamos como membros da equipe, a seguir todas as regras éticas." Ele e seus colegas estavam prontos para mentir ao presidente para proteger a imagem da Agência. E suas mentiras tiveram conseqüências duradouras.

# 11 "E ENTÃO TEREMOS UMA TEMPESTADE"

"Agora o sigilo encobre tudo sobre a CIA — seus custos, sua eficiência, seus sucessos, seus fracassos", disse o senador Mike Mansfield, de Montana, em março de 1954.

Allen Dulles respondia a pouquíssimos membros do Congresso. Eles protegiam a CIA do escrutínio público através de serviços armados informais e subcomitês de orçamento. Regularmente, ele pedia a seus assessores que lhe fornecessem "histórias de sucesso da CIA que possam ser usadas na audiência para o próximo orçamento". Não tinha nenhuma escondida na manga. Em raras ocasiões estava preparado para ser honesto. Duas semanas depois da crítica de Mansfield, Dulles enfrentou três senadores numa audiência a portas fechadas. Suas anotações para o encontro diziam que a rápida expansão das operações secretas da CIA pode ter sido "arriscada ou mesmo imprudente para o longo esforço da Guerra Fria". Admitiam que "operações não planejadas, urgentes, excepcionais, não só fracassaram com freqüência, como também atrapalharam e até destruíram nossas cuidadosas preparações para atividades de alcance maior".

Aquele tipo de segredo podia ser mantido em segurança no Capitólio. Mas um senador representava uma ameaça grave e crescente para a CIA: Joseph McCarthy, caçador de comunistas. McCarthy e sua equipe formaram uma rede clandestina com informantes, furiosos, que haviam se demitido da agência ao fim da Guerra da Coréia. Meses depois da eleição de Eisenhower, os arquivos de McCarthy estavam cheios de alegações de que "a CIA contratou sem saber um grande número de agentes duplos — indivíduos que, embora trabalhassem para a CIA, eram na verdade agentes comunistas cuja missão era plantar dados imprecisos", como relembrou seu conselheiro-chefe, Roy Cohn. Diferentemente de muitas acusações de McCarthy, esta era verdade. A agência não tinha estrutura para resistir a um mínimo de escrutínio nessa questão, e Allen Dulles sabia disso. Se o povo americano tivesse descoberto, no calor do medo do comunismo, que a Agência fora enganada em toda a Europa e Ásia pelos serviços de inteligência soviético e chinês, a CIA estaria destruída.

Quando McCarthy disse privadamente a Dulles, cara a cara, "que a CIA não era sagrada nem estava imune a investigações", o diretor sabia que a sobrevivência da Agência estava em jogo. Foster Dulles abriu as portas para os cães de caça de McCarthy numa demonstração pública de falsidade que devastou o Departamento de Estado durante uma década. Mas Allen reagiu. Repeliu a tentativa do senador de citar judicialmente Bill Bundy, da CIA, que, pelos velhos laços de lealdade, havia contribuído com US$ 400 para o fundo de defesa de Alger Hiss, suspeito de espionar para os comunistas. Allen se recusou a permitir que o senador açoitasse a CIA.

Sua postura pública era íntegra, mas ele também realizou uma operação secreta perversa contra McCarthy. A campanha clandestina foi descrita no testemunho secreto de um funcionário da CIA diante da comissão de McCarthy no Senado e de seu consultor jurídico de 28 anos, Robert F. Kennedy. O testemunho foi liberado em 2003 e está detalhado numa história da CIA liberada em 2004.

Depois de seu confronto privado com McCarthy, Dulles organizou uma equipe de agentes da CIA para penetrar no escritório do senador com um espião ou um microfone secreto, preferencialmente as duas coisas. A metodologia era exatamente como a de J. Edgar Hoover: reunir sujeira e depois espalhá-la. Dulles instruiu James Angleton, seu czar da contra-inteligência, a encontrar uma maneira de alimentar McCarthy e sua equipe com desinformações, para desacreditá-lo. Angleton convenceu James McCargar — um dos primeiros oficiais contratados por Wisner — a divulgar relatos falsos a um conhecido membro dos subterrâneos de McCarthy na CIA. McCargar foi bem-sucedido: a CIA penetrou no Senado.

"Você salvou a República", disse-lhe Allen Dulles.

## "ESSA FILOSOFIA FUNDAMENTALMENTE REPUGNANTE"

Mas a ameaça à CIA cresceu enquanto o poder de McCarthy começava a diminuir, em 1954. O senador Mansfield e 34 de seus colegas estavam apoiando um projeto de lei para criar uma comissão de supervisão e para ordenar à Agência que mantivesse o Congresso completamente informado sobre seu trabalho. (O projeto de lei não seria aprovado durante vinte anos.) Uma força-tarefa do Congresso, liderada pelo general Mark Clark, confiável colega de Eisenhower, estava se preparando para investigar a Agência.

Em fins de maio de 1954, o presidente dos Estados Unidos recebeu uma extraordinária carta de seis páginas de um coronel da força aérea. Era uma reclamação exaltada do primeiro delator saído de dentro da CIA. Eisenhower a leu e a guardou.

O autor, Jim Kellis, era um dos fundadores da Agência. Veterano do OSS que participara da guerra de guerrilha na Grécia, ele servira na China e trabalhara como primeiro chefe do posto em Xangai para a Unidade de Serviços Estratégicos. Quando a CIA nasceu, era um dos poucos com experiência em China. Voltou para a Grécia como investigador a serviço de Wild Bill Donovan, que, como cidadão privado, recebera um pedido para investigar o assassinato de um repórter da CBS em 1948. Ele concluiu que a morte tinha a mão de aliados de direita dos EUA em Atenas, e que não havia sido ordenada pelos comunistas, como em geral se acreditava. Suas descobertas foram suprimidas. Ele voltou para a CIA e, durante a Guerra da Coréia, foi encarregado de operações paramilitares e forças de resistência da CIA em todo o mundo. Walter Bedell Smith o enviou para investigações problemáticas na Ásia e na Europa. Ele não gostou do que viu. Alguns meses depois de Allen Dulles assumir o comando, Kellis se demitiu, indignado.

"A Agência Central de Inteligência é um estado podre", avisou o coronel Kellis a Eisenhower. "Hoje, a CIA dificilmente tem alguma operação por trás da Cortina de Ferro que valha a pena. Em seus relatos, eles apresentam um quadro cor-de-rosa às pessoas de fora, mas a terrível verdade permanece sob o rótulo de ULTRA-SECRETO da Agência."

A verdade era que "a CIA, conscientemente ou não, entregou um milhão de dólares a um serviço de segurança comunista". (Esta foi uma operação do WIN na Polônia; é improvável que Dulles tenha contado ao presidente os feios detalhes da operação, que estourou três semanas antes da posse de Eisenhower.)

"Inconscientemente, a CIA organizou uma rede de inteligência para os comunistas", escreveu Kellis, referindo-se ao desastre criado pelo posto de Seul durante a Guerra da Coréia. Dulles e seus assessores, "temendo qualquer efeito colateral em sua reputação", mentiram ao Congresso sobre as operações da agência na Coréia e na China. Kellis investigara pessoalmente a questão numa viagem ao Extremo Oriente em 1952. Concluíra que "a CIA estava sendo enganada".

Dulles vinha plantando histórias na imprensa, lustrando sua imagem de "missionário cristão afável e culto, o excelente especialista em inteligência do país", escreveu Kellis. "Alguns de nós que têm visto o outro lado de Dulles não vêem muitos traços cristãos. Eu pessoalmente o considero um administrador do governo cruel, ambicioso e absolutamente incompetente." Kellis suplicava ao presidente que tomasse "a atitude drástica necessária para limpar" a CIA.

Eisenhower queria neutralizar as ameaças ao serviço clandestino e limpar seus problemas em segredo. Em julho de 1954, pouco depois da conclusão da Operação Sucesso, o presidente encarregou o general Jimmy Doolittle, que trabalhara no projeto Solário, e seu bom amigo William Pawley, o milionário que providenciara os caças-bombardeiros para o golpe da Guatemala, de avaliar a capacidade da CIA para ações secretas.

Doolittle tinha dez semanas para apresentar seus relatórios. Ele e Pawley se reuniram com Dulles e Wisner, viajaram para postos da CIA na Alemanha e em Londres e entrevistaram altos oficiais militares e diplomatas que trabalhavam em contato com seus colegas da CIA. Também conversaram com Bedell Smith, que lhes disse que "Dulles era emocional demais para estar nesse cargo crucial" e que "seu emocionalismo era muito pior do que parecia superficialmente".

Em 19 de outubro de 1954, Doolittle foi ver o presidente na Casa Branca. Relatou que a agência "inchou e se tornou uma organização vasta e dispersa, formada por um grande número de pessoas, algumas delas de competência duvidosa". Dulles se cercava de pessoas incapazes e indisciplinadas. O assunto delicado da "relação familiar" com Foster Dulles surgiu. Doolittle achava que seria melhor para todos os envolvidos se a ligação pessoal não fosse uma ligação profissional: "isso leva à proteção de um pelo outro ou à influência de um pelo outro". Uma comissão independente de civis confiáveis deveria supervisionar a CIA para o presidente.

O relatório de Doolittle advertia que o serviço clandestino de Wisner estava "cheio de pessoas com pouco ou nenhum treinamento para seus trabalhos". Em suas seis equipes distintas, sete divisões geográficas e mais de quarenta braços, existem "pessoas inúteis em praticamente todos os níveis". O relatório recomendava uma "reorganização completa" do império de Wisner, que sofria com sua "rápida expansão" e "tremendas pressões para aceitar compromissos além de sua capacidade de atuação". Observava que "em operações secretas, qualidade é mais importante do que quantidade. Um pequeno número de pessoas competentes pode ser mais útil do que um grande número de incompetentes".

Dulles estava bastante consciente de que o serviço clandestino estava fora de controle. Os oficiais da CIA realizavam operações pelas costas de seus comandantes. Dois dias depois de Doolittle apresentar seu relatório, o diretor disse a Wisner que estava preocupado porque "operações sensíveis e/ou delicadas são realizadas em níveis mais baixos, sem a devida atenção do assessor apropriado, o Vice-Diretor da Central de Inteligência ou o Diretor da Central de Inteligência".

Mas Dulles lidou com o relatório Doolittle da mesma maneira como geralmente lidava com as más notícias, enterrando-o. Não deixaria que os oficiais mais importantes da CIA o vissem — nem mesmo Wisner.

Embora o relatório completo tenha sido confidencial até 2001, seu prefácio se tornou público 25 anos antes. Continha uma das passagens mais sombrias da guerra fria:

> Agora está claro que estamos enfrentando um inimigo implacável cujo objetivo declarado é a dominação do mundo por quaisquer meios e a qualquer custo. Não há regra alguma nesse jogo. Até agora, normas aceitáveis de conduta humana não são aplicadas. Se os Estados Unidos querem sobreviver, antigos conceitos americanos de "jogo limpo" precisam ser reconsiderados. Temos que desenvolver serviços de espionagem e contra-espionagem capazes, e aprender a subverter, sabotar e destruir nossos inimigos com métodos mais inteligentes, mais sofisticados e mais eficientes do que aqueles que são usados contra nós. Pode ser que o povo americano tenha que se familiarizar com essa filosofia fundamentalmente repugnante, compreendê-la e apoiá-la.

O relatório dizia que a nação precisava de "uma organização secreta psicológica, política e paramilitar mais agressiva, mais eficiente, mais exclusiva e, se necessário, mais cruel do que aquela empregada pelo inimigo". Pois a CIA nunca havia solucionado "o problema da infiltração de agentes humanos", dizia. "Quando se atravessa fronteiras — de pára-quedas ou qualquer outro meio

— escapar da detecção é extremamente difícil." E concluía: "As informações que temos obtido através desse método de aquisição têm sido insignificantes e o custo em esforço, dólares e vidas humanas, proibitivo."

O documento considerava a maior prioridade da espionagem obter informações sobre os soviéticos. Enfatizava que nenhum preço era alto demais para ter esse conhecimento.

## "NÃO LEVANTÁVAMOS AS QUESTÕES CERTAS"

Dulles estava desesperado para pôr um espião americano dentro da cortina de ferro.

Em 1953, o primeiro agente da CIA que ele enviou a Moscou foi seduzido por sua empregada russa — ela era coronel da KGB —, fotografado em flagrante delito, chantageado e demitido pela agência por suas indiscrições. Em 1954, um segundo agente foi apanhado em ato de espionagem, preso e deportado logo depois de chegar. Pouco depois, Dulles chamou um de seus assistentes especiais, John Maury, que viajara pela Rússia antes da Segunda Guerra Mundial e passara grande parte do período da guerra na embaixada americana em Moscou representando o Serviço de Inteligência Naval. Ele pediu a Maury que ingressasse no serviço clandestino e treinasse para uma missão em Moscou.

Nenhum dos oficiais de Wisner já havia estado na Rússia, disse Dulles: "Eles nada sabem sobre o alvo."

"Eu nada sei sobre operações", respondeu Maury.

"Acho que eles também não", retrucou Dulles.

Esses homens dificilmente poderiam fornecer ao presidente a inteligência que ele mais queria: advertência estratégica contra um ataque nuclear. Quando o Conselho de Segurança Nacional se reuniu para conversar sobre o que fazer se esse ataque acontecesse, o presidente se virou para Dulles e disse: "Não vamos deixar que outro Pearl Harbor aconteça." Aquela foi a tarefa que o presidente designou à segunda comissão de inteligência secreta que ele criou em 1954.

Eisenhower disse a James R. Killian, presidente do Instituto de Tecnologia de Massachusetts, para liderar um grupo que buscasse maneiras de impedir que um raio soviético caísse do céu. Ele pressionou para que fossem adotadas técnicas que o relatório Doolittle recomendava fortemente: "comunicações e vigilância eletrônica" para fornecer "advertências antecipadas sobre ataques iminentes".

A CIA redobrou seus esforços para escutar o inimigo. Teve sucesso, à sua própria maneira.

No sótão da sede da base em Berlim, um jogador de beisebol fracassado transformado em advogado e tornado espião, Walter O'Brien, havia fotografado documentos furtados da agência de correios de Berlim Oriental. Os documentos descreviam as rotas clandestinas dos novos cabos de telecomunicações usados por oficiais soviéticos e da Alemanha Oriental. Esse golpe da espionagem se tornou o projeto Túnel de Berlim.

O túnel foi considerado na época o maior triunfo público da CIA. A idéia — e sua destruição — veio da inteligência britânica. Em 1951, os britânicos informaram à CIA que estavam fazendo escuta pelos cabos de telecomunicações soviéticos através de uma rede de túneis nas zonas ocupadas de Viena desde pouco depois do fim da Segunda Guerra Mundial. Eles sugeriram fazer a mesma coisa em Berlim. Graças aos projetos roubados, isso se tornou uma possibilidade real.

Uma história secreta da CIA sobre o túnel de Berlim, escrita em agosto de 1967 e liberada em fevereiro de 2007, apresentou três perguntas enfrentadas por William K. Harvey, um ex-agente do FBI beberrão, que andava armado e assumiu a chefia da base em Berlim em 1952: A agência conseguiria cavar um túnel de 450 metros na zona soviética de Berlim Oriental e atingir um alvo de cinco centímetros de diâmetro — e 68 centímetros abaixo de uma grande rodovia — sem ser apanhada? Como conseguiria se livrar dos despojos — cerca de três mil toneladas de solo arenoso — em segredo? E que tipo de história falsa seria usada para disfarçar a construção de uma instalação para a obra num esquálido distrito de barracos de refugiados na periferia da zona americana?

Em dezembro de 1953, Allen Dulles e seu equivalente britânico, sir John Sinclair, combinaram os termos de referência para uma série de conferências sobre a operação túnel, que teria o codinome de JOINTLY.[13] As conversas levaram a um plano de ação para o verão seguinte. Uma construção cobrindo um quarteirão inteiro seria erguida em meio a escombros, com antenas assomando do telhado, e os soviéticos seriam levados a acreditar que era uma estação para interceptar sinais de inteligência na atmosfera — o truque mágico de desviar os olhos. Os americanos cavariam o túnel a leste, até um ponto abaixo dos cabos. Os britânicos, valendo-se de sua experiência em Viena, fariam uma

---

[13]Juntos, em conjunto. (*N. do T.*)

passagem vertical do fim do túnel até os cabos e então instalariam a escuta. Um escritório de Londres, que chegou a ter 317 oficiais, processaria as conversas gravadas pela CIA. Em Washington, a agência contaria com 350 funcionários para trabalhar transcrevendo as transmissões interceptadas no túnel em teletipo. O Corpo de Engenheiros do Exército fez as escavações, com assistência técnica dos britânicos. O maior problema, como sempre, acabou sendo a tradução das palavras interceptadas pela operação. "Nunca conseguimos a quantidade de lingüistas de que precisávamos", observou a história da CIA, porque era grave a falta de habilidade da agência com o idioma russo e até mesmo com o alemão.

O túnel foi concluído no fim de fevereiro de 1955, e os britânicos começaram a instalar a escuta um mês depois. As informações começaram a fluir em maio. Chegaram a dezenas de milhares de horas de conversas e teletipos, incluindo detalhes preciosos sobre as forças soviéticas nucleares e convencionais na Alemanha e na Polônia, percepções dentro do Ministério de Defesa soviético em Moscou e a arquitetura das operações da contra-inteligência soviética em Berlim. O esquema forneceu retratos da confusão e indecisão política entre funcionários soviéticos e alemães orientais, e os nomes ou identidades secretas de várias centenas de oficiais da inteligência soviética. Distribuía notícias — mesmo que a tradução demorasse semanas ou meses — a um custo de US$ 6,7 milhões. Quando foi descoberto — como a CIA previa que algum dia seria — o túnel foi visto como um sinal de que "os EUA, país considerado quase universalmente um neófito incompetente em assuntos de espionagem, foram capazes de realizar um golpe contra a União Soviética, que há muito tempo era reconhecida como mestre nesses assuntos", relatou incisivamente a história da CIA.

A agência não esperava que a operação fosse descoberta tão rapidamente. Durou menos de um ano — até o mês de abril seguinte, quando o túnel foi revelado. O Kremlin sabia do túnel desde o início, antes que a primeira pá de terra fosse removida. O plano foi descoberto por um espião duplo soviético na inteligência britânica, George Blake, que trocara de lado quando prisioneiro de guerra na Coréia do Norte e que pôs os soviéticos a par do segredo no final de 1953. Os soviéticos valorizavam tanto Blake que Moscou deixou a operação túnel continuar por onze meses antes de expô-la numa pesada onda de publicidade. Anos depois, mesmo após perceber que o outro lado sabia do túnel desde o início, a CIA ainda acreditava que havia cavado uma mina de ouro. Até hoje, a pergunta permanece: Moscou alimentou deliberadamente o túnel com informações enganadoras? As provas sugerem que as escutas renderam à CIA dois tipos de conhecimento inestimáveis e não contaminados. A agência descobriu uma planta dos sistemas de segurança soviético e alemão oriental; e nunca captou um vestígio de advertência de que Moscou pretendia ir à guerra.

"Aqueles de nós que sabíamos um pouco sobre a Rússia a víamos como um país de Terceiro Mundo atrasado que queria se desenvolver nos moldes do Ocidente", disse Tom Polgar, da CIA, um veterano da base em Berlim. Mas essa visão era rejeitada nos níveis mais altos de Washington. A Casa Branca e o Pentágono presumiam que as *intenções* do Kremlin eram idênticas às suas: destruir o inimigo no primeiro dia da Terceira Guerra Mundial. Sua missão era, portanto, identificar a *capacidade* militar soviética e destruí-la primeiro. Eles não tinham fé alguma de que espiões americanos pudessem fazer isso.

Mas talvez as máquinas americanas pudessem.

O relatório Killian foi o início do triunfo da tecnologia e o eclipse da espionagem à moda antiga na CIA. "Conseguimos poucas informações significativas com as operações secretas clássicas dentro da Rússia", disse o relatório a Eisenhower. "Mas podemos usar o que há de mais moderno em ciência e tecnologia para melhorar nossa obtenção de inteligência." O documento exortava Eisenhower a fabricar aviões espiões e satélites espaciais para pairar sobre a União Soviética e fotografar seus arsenais.

A tecnologia estava ao alcance dos EUA já havia dois anos. Dulles e Wisner estavam ocupados demais com questões operacionais para prestar atenção a um memorando de julho de 1952 de seu colega Loftus Becker, na época vicediretor de inteligência, sobre uma proposta de desenvolver "um veículo de satélite para reconhecimento" — uma câmera de televisão lançada num foguete para observar a União Soviética das profundezas do espaço. A chave era fabricar a câmera. Edwin Land, ganhador do Nobel que inventara a Polaroid, estava certo de que conseguiria fazer isso.

Em novembro de 1954, com o Túnel de Berlim sendo construído, Land, Killian e Dulles se reuniram com o presidente e receberam sua aprovação para fabricar o avião espião U-2, um planador motorizado com uma câmera em sua barriga que colocaria os olhos americanos atrás da cortina de ferro. Eisenhower deu o sinal verde juntamente com uma triste previsão. Um dia, disse ele, "uma dessas máquinas será apanhada, e então teremos uma tempestade".

Dulles entregou a tarefa de fabricar o avião a Dick Bissell, que nada sabia sobre aviões mas habilidosamente criou uma burocracia governamental secreta que protegeu o programa U-2 da exposição pública e ajudou a acelerar a criação do avião. "Nossa Agência é o último refúgio de privacidade organizacional disponível ao governo dos EUA", disse orgulhosamente a uma turma de iniciantes da CIA alguns anos depois.

Bissell caminhava pelos corredores da CIA a passos largos. Era um homem desajeitado com grandes ambições. Acreditava que algum dia seria o próximo diretor da central de inteligência, porque Dulles lhe dissera isso. Desprezava cada vez mais a espionagem e desdenhava Richard Helms e seus oficiais de inteligência. Os dois homens se tornaram rivais burocráticos e depois inimigos amargos. Personificaram a batalha entre espiões e máquinas que começou há cinqüenta anos e continua até hoje. Bissell via o U-2 como uma arma — um golpe agressivo contra a ameaça soviética. Se Moscou "nada podia fazer para impedir alguém" de violar o espaço aéreo soviético e espionar as forças soviéticas, isso por si só minaria o orgulho e o poder soviético. Ele formou uma célula muito pequena e secreta de oficiais da CIA para realizar o programa, e designou James Q. Reber, diretor-assistente para coordenação de inteligência na CIA, para decidir o que o avião deveria fotografar dentro da União Soviética. Reber ascendeu para se tornar durante muito tempo presidente da comissão que escolhia os alvos soviéticos dos aviões U-2 e dos satélites espiões que os sucederam. Mas, no fim, o Pentágono sempre determinava os pedidos de reconhecimento: Quantos bombardeiros os soviéticos têm? Quantos mísseis nucleares? Quantos tanques?

Mais tarde, Reber disse que a guerra fria bloqueou mentalmente a própria idéia de fotografar qualquer outra coisa.

"Não levantávamos as questões certas", disse Reber. Se a CIA tivesse desenvolvido um retrato maior da vida dentro da União Soviética, teria descoberto que os soviéticos estavam pondo pouco dinheiro nos recursos que realmente tornavam uma nação forte. Era um inimigo fraco. Se os líderes da CIA tivessem sido capazes de realizar operações de inteligência eficientes dentro da União Soviética, poderiam ter visto que os russos eram incapazes de produzir as necessidades da vida. A idéia de que as batalhas finais da guerra fria seriam econômicas, e não militares, estava além da imaginação deles.

## "HÁ CERTAS COISAS QUE ELE NÃO DIZ AO PRESIDENTE"

Os esforços do presidente para investigar a capacidade da CIA levaram a um salto de tecnologia que revolucionou a obtenção de inteligência. Mas nunca chegaram à raiz do problema. Sete anos depois da criação da agência, não havia qualquer supervisão ou controle da CIA. Seus segredos eram compartilhados com base num princípio de que era preciso saber, e Allen Dulles decidia quem precisava saber.

Não restou ninguém para observar a agência depois que Walter Bedell Smith deixou o governo, em outubro de 1954. Por pura força de sua personalidade, Bedell Smith tentara controlar Allen Dulles. Mas, quando saiu, a capacidade de Eisenhower de controlar as ações secretas foi embora com ele.

Em 1955, o presidente mudou as regras, criando o "Grupo Especial": três representantes nomeados da Casa Branca e dos departamentos de Estado e Defesa encarregados de analisar as operações secretas da CIA. Mas eles não tinham capacidade alguma de aprovar ações secretas antecipadamente. Se quisesse, Dulles poderia mencionar seus planos em almoços informais com o Grupo Especial — o novo subsecretário de Estado, o subsecretário de Defesa e o assistente de segurança nacional do presidente. Mas era mais comum que ele não mencionasse. Uma história da CIA em cinco volumes sobre a carreira de Dulles como diretor da central de inteligência observou que ele não acreditava na necessidade de que o grupo soubesse das ações secretas. Eles não estavam em posição de julgá-lo, e nem à agência. Dulles achava que suas decisões "não precisavam de qualquer política de aprovação".

O diretor, seus assessores e seus chefes de postos no exterior permaneceram livres para impor suas próprias políticas, planejar suas próprias operações e avaliar sozinhos os resultados, em segredo. Dulles fazia advertências à Casa Branca quando considerava adequado. "Há certas coisas que ele não diz ao presidente", confidenciou sua irmã a um colega do Departamento de Estado. "É melhor que ele não saiba."

# 12 "NÓS O DIRIGIMOS DE UMA MANEIRA DIFERENTE"

Uma arma que a CIA usava com habilidade excepcional era o dinheiro vivo. A agência sabia muito bem como comprar serviços de políticos estrangeiros. O primeiro lugar onde fisgou o futuro líder de uma potência mundial foi o Japão.

Dois dos mais influentes agentes já recrutados pelos Estados Unidos ajudaram a realizar a missão da CIA de controlar o governo. Eles tinham sido companheiros de cela, acusados de crimes de guerra, e passaram três anos presos em Tóquio depois do fim da Segunda Guerra Mundial, sob ocupação americana. Ganharam a liberdade no fim de 1948, um dia antes do enforcamento de muitos de seus companheiros na prisão.

Com ajuda da CIA, Nobusuke Kishi se tornou primeiro-ministro do Japão e chefe de seu partido governante. Yoshio Kodama conseguiu sua liberdade e sua posição de gângster número um do país ajudando a inteligência americana. Juntos, eles moldaram a política do Japão pós-guerra. Na guerra contra o fascismo, haviam representado tudo o que os EUA odiavam. Na guerra contra o comunismo, eram exatamente do que os EUA precisavam.

Nos anos 1930, Kodama liderara um grupo jovem de direita que tentou assassinar o primeiro-ministro. Foi condenado à prisão, mas o governo do Japão o usou para obter espiões e metais estratégicos para a iminente batalha. Depois de cinco anos dirigindo um dos maiores mercados negros na China ocupada, Kodama ostentava o título de contra-almirante e possuía uma fortuna pessoal avaliada em cerca de US$ 175 milhões. Ao ser libertado da prisão,

Kodama começou a destinar parte de sua fortuna às carreiras dos políticos mais conservadores do Japão, e se tornou um membro-chave de uma operação da CIA que ajudou a levá-los ao poder. Trabalhou com homens de negócios americanos, veteranos do OSS e ex-diplomatas para levar a cabo uma audaciosa operação secreta financiada pela CIA, durante a Guerra da Coréia.

Os militares americanos precisavam de tungstênio, um metal estratégico escasso usado para fortalecer mísseis. A rede de Kodama contrabandeou toneladas de tungstênio das instalações militares japonesas para os Estados Unidos. O Pentágono pagou US$ 10 milhões por isso. A CIA forneceu US$ 2,8 milhões em financiamento para assegurar a operação. A rede de contrabando de tungstênio faturou mais de US$ 2 milhões. Mas a operação deixou Kodama com uma imagem ruim no posto da CIA em Tóquio. "Ele é um mentiroso profissional, um gângster, um charlatão e um descarado ladrão", relatou o posto em 10 de setembro de 1953. "Kodama é completamente incapaz de fazer operações de inteligência e não tem interesse algum que não seja lucro." O relacionamento foi interrompido e a CIA voltou sua atenção para alimentar e cuidar de políticos japoneses promissores — incluindo Kishi — que ganharam cadeiras na Dieta, o parlamento japonês, nas primeiras eleições depois do fim da ocupação americana.

## "AGORA SOMOS TODOS DEMOCRATAS"

Kishi se tornou líder do ascendente movimento conservador no Japão. Um ano depois de ser eleito para a Dieta, usando o dinheiro de Kodama e suas próprias e consideráveis habilidades políticas, ele controlava a maior facção dos deputados eleitos do Japão. Uma vez em seu posto, construiu o partido governante que liderou a nação durante quase meio século.

Kishi assinara a declaração de guerra aos Estados Unidos em 1941 e liderara o Ministério de Munição do Japão durante a Segunda Guerra Mundial. Mesmo quando estava preso, depois da guerra, Kishi tinha aliados bem situados nos Estados Unidos, entre eles Joseph Grew, embaixador americano em Tóquio quando os japoneses atacaram Pearl Harbor. Em 1941, Grew estava sob detenção em Tóquio quando Kishi, como membro do gabinete de guerra, libertou-o para jogar uma partida de golfe. Os dois se tornaram amigos. Dias depois de Kishi ser libertado, Grew se tornou o primeiro presidente da Comissão Nacional por uma Europa Livre, a frente da CIA criada para apoiar a Rádio Europa Livre e outros programas da guerra política.

Ao ser libertado, Kishi foi diretamente para a residência do primeiro-ministro, onde seu irmão, Eisaku Sato, secretário-chefe do gabinete sob ocupação, deu-lhe um terno de homem de negócios para substituir seu uniforme de prisioneiro.

"Estranho, não é?", disse Kishi a seu irmão. "Agora somos todos democratas."

Sete anos de paciente planejamento transformaram Kishi de prisioneiro em primeiro-ministro. Ele estudou inglês com o chefe da sucursal da *Newsweek* em Tóquio e foi apresentado a políticos americanos pelo editor de assuntos internacionais da *Newsweek*, Harry Kern, amigo íntimo de Allen Dulles e mais tarde um canal da CIA para o Japão. Kishi cultivou oficiais da embaixada americana como se fossem orquídeas raras. De início, agiu com cautela. Ainda era um homem de má fama, rotineiramente seguido pela polícia.

Em maio de 1954, ele encenou uma estréia política no Teatro Kabuki, em Tóquio. Convidou Bill Hutchinson — veterano do OSS que trabalhava com a CIA no Japão como funcionário de informação e propaganda da embaixada americana — para ir ao teatro com ele. Desfilou com Hutchinson pelo saguão enfeitado do Kabuki-za durante o intervalo, exibindo-o para seus amigos da elite japonesa. Foi um gesto altamente incomum na época, mas puro teatro político, sua maneira de anunciar em público que estava de volta à arena internacional — e nas boas graças dos Estados Unidos.

Durante um ano, Kishi se reuniu em segredo com oficiais da CIA e do Departamento de Estado na sala de estar de Hutchinson. "Estava claro que ele queria pelo menos o apoio tácito do governo dos Estados Unidos", relembrou Hutchinson. As conversas firmaram a base para os quarenta anos seguintes de relações entre Japão e Estados Unidos.

Kishi disse aos americanos que sua estratégia era destruir o Partido Liberal governante, renomeá-lo, reconstruí-lo e dirigi-lo. O novo Partido Democrático Liberal, sob seu comando, não seria nem liberal nem democrático, mas um clube de direita formado por líderes feudais surgidos das cinzas do Japão imperial. De início ele trabalharia nos bastidores, enquanto estadistas mais importantes o precederiam como primeiros-ministros, e depois assumiria o poder. Ele prometeu mudar a política externa do Japão para se adequar aos desejos dos americanos. Os Estados Unidos manteriam suas bases militares no Japão e ali guardariam armas nucleares, um assunto um tanto delicado no Japão. Tudo o que ele pedia em troca era apoio político secreto dos EUA.

Foster Dulles se encontrou com Kishi em agosto de 1955, e o secretário de Estado americano lhe disse cara a cara que ele poderia contar com esse apoio — se os conservadores japoneses se unificassem para ajudar os Estados Unidos a combater o comunismo.

Todos entenderam qual seria o apoio americano.

Kishi disse a Sam Berger, o principal oficial político na embaixada americana, que para ele seria melhor lidar diretamente com um homem mais jovem e menos importante, desconhecido no Japão, como seu principal contato com os Estados Unidos. A tarefa foi dada a Clyde McAvoy, da CIA, um fuzileiro naval veterano que sobrevivera ao ataque a Okinawa e ingressara na agência depois de um período como repórter de jornal. Logo depois de McAvoy chegar ao Japão, Sam Berger o apresentou a Kishi. Nascia assim um dos relacionamentos mais fortes que a CIA já cultivou com um líder político estrangeiro.

### "UM GRANDE GOLPE"

A mais crucial interação entre a CIA e o Partido Democrático Liberal era a troca de informações por dinheiro. Este era usado para apoiar o partido e recrutar informantes dentro dele. Os americanos estabeleceram relações pagas com jovens promissores que se tornaram, uma geração depois, membros do parlamento, ministros e os estadistas mais antigos. Juntos, eles promoveram o PDL e subverteram o Partido Socialista do Japão e sindicatos trabalhistas. Quando passou a financiar políticos estrangeiros, a agência se tornou mais sofisticada do que tinha sido sete anos antes na Itália. Em vez de repassar malas cheias de dinheiro em hotéis quatro estrelas, a CIA usava homens de negócios americanos confiáveis como intermediários para entregar o dinheiro que beneficiaria seus aliados. Entre estes havia executivos da Lockheed, a empresa aérea que na época fabricava o U-2 e negociava a venda de aviões de guerra para as novas forças de defesa japonesas que Kishi pretendia formar.

Em novembro de 1955, Kishi unificou os conservadores japoneses sob a bandeira do Partido Democrático Liberal. Como líder do partido, permitiu à CIA recrutar e dirigir seus seguidores políticos cadeira por cadeira no parlamento japonês. Enquanto manobrava para chegar ao topo, ele prometia trabalhar com a agência criando um novo tratado de segurança entre os Estados Unidos e o Japão. Como agente de Kishi, Clyde McAvoy, da CIA, podia informar sobre — e influenciar — a política externa que surgia no Japão pós-guerra.

Em fevereiro de 1957, no dia em que Kishi seria empossado como primeiro-ministro, foi marcada uma crucial votação sobre o tratado de segurança na Dieta, onde o PDL tinha a maioria dos votos. "Nós dois demos um grande golpe naquele dia", relembrou McAvoy. "Os Estados Unidos e o Japão estavam se aproximando desse acordo. O Partido Comunista japonês o considerava especialmente ameaçador. No dia da votação, os comunistas planejavam uma rebelião na Dieta. Descobri isso através de um socialista de esquerda membro do secretariado que era meu agente. Kishi se encontraria com o imperador naquele dia. Pedi uma reunião de emergência. Ele compareceu — chegou à porta de nosso esconderijo de cartola, calça listrada e casaca — e embora eu não tivesse autorização alguma para isso, contei-lhe sobre o plano dos comunistas de armar uma confusão na Dieta. Era costume que os membros do parlamento fizessem um intervalo para ir aos estandes de comida e bebida próximos à Dieta às 10h30 ou 11h. Kishi disse a seu próprio partido: não façam o intervalo. E depois que todos, menos os membros do PDL, saíram, eles correram para a Dieta e aprovaram o projeto de lei."

Em junho de 1957, quase oito anos depois de se livrar de seu uniforme de prisioneiro, Kishi viajou aos Estados Unidos para um visita triunfal. Foi ao Yankee Stadium e lançou a primeira bola cerimonial. Jogou uma partida de golfe num clube campestre só para brancos com o presidente dos Estados Unidos. O vice-presidente Nixon o apresentou ao Senado como um grande e leal amigo do povo americano. Kishi disse ao novo embaixador americano no Japão, Douglas MacArthur II, sobrinho do general, que o novo tratado de segurança seria aprovado e que a crescente maré esquerdista poderia ser contida se os EUA o ajudassem a consolidar seu poder. Kishi queria uma fonte permanente de apoio financeiro da CIA em vez de uma série de pagamentos furtivos. Convenceu o enviado americano de que "se o Japão se tornasse comunista seria difícil que o resto da Ásia não seguisse o exemplo", relembrou o embaixador MacArthur. Foster Dulles concordou. Argumentou que os Estados Unidos tinham que fazer uma grande aposta no Japão e que Kishi era a melhor aposta que os Estados Unidos tinham.

O próprio presidente Eisenhower decidiu que o apoio político japonês ao tratado de segurança e o apoio financeiro americano a Kishi eram a mesma coisa. Autorizou uma série contínua de pagamentos da CIA a membros-chave do PDL. Aos políticos que desconheciam o papel da CIA foi dito que o dinheiro vinha de corporações gigantes americanas. O dinheiro fluiu durante pelo menos quinze anos, sob os governos de quatro presidentes americanos, e ajudou a consolidar o regime de partido único no Japão pelo resto da guerra fria.

Outros japoneses seguiram os passos de Kishi. Okinori Kaya havia sido ministro das Finanças no gabinete japonês em tempo de guerra. Condenado como criminoso de guerra, recebeu uma sentença de prisão perpétua. Depois de ganhar condicional em 1955 e o perdão em 1957, tornou-se um dos assessores mais próximos de Kishi e um membro-chave da comissão de segurança interna do PDL.

Kaya se tornou um agente recrutado da CIA imediatamente antes ou depois de ser eleito para a Dieta, em 1958. Depois de seu recrutamento, quis viajar para os Estados Unidos e se encontrar pessoalmente com Allen Dulles. A CIA, nervosa com o que poderia parecer um encontro de um criminoso de guerra condenado com o diretor da central de inteligência, manteve o encontro em segredo por quase cinqüenta anos. Mas em 6 de fevereiro de 1959, Kaya visitou Dulles na sede da CIA e pediu ao diretor um acordo formal para compartilhar inteligência com sua comissão de segurança interna. "Todos concordaram que a cooperação entre a CIA e os japoneses no que diz respeito à contra-subversão era muito desejável e que o assunto era de grande interesse da CIA", diz a minuta da conversa entre os dois. Dulles considerou Kaya seu agente e seis meses depois escreveu-lhe para dizer: "Estou muito interessado em conhecer suas opiniões tanto sobre assuntos internacionais que afetam as relações entre nossos países quanto sobre a situação dentro do Japão."

As relações intermitentes de Kaya com a CIA chegaram ao auge em 1968, quando ele era o principal assessor político do primeiro-ministro Eisaku Sato. A maior questão política interna do Japão naquele ano era a enorme base militar americana em Okinawa, um território crucial para o bombardeio do Vietnã e um depósito de armas nucleares americanas. Okinawa estava sob controle americano, mas as eleições regionais estavam marcadas para 10 de novembro e políticos da oposição ameaçavam forçar os Estados Unidos a sair da ilha. Kaya teve um papel crucial nas ações secretas da CIA destinadas a fomentar a vitória do PDL, que perdeu por pouco. Okinawa voltou à administração japonesa em 1972, mas as forças americanas permanecem lá até hoje.

Os japoneses chamavam o sistema político criado com apoio da CIA de *kozo oshoku* — "corrupção estrutural". Os pagamentos da CIA continuaram nos anos 1970. A corrupção estrutural da vida política no Japão continuou por muito tempo depois.

"Nós dirigimos o Japão durante a ocupação e o dirigimos de uma maneira diferente nos anos posteriores à ocupação", disse Horace Feldman, da CIA, que trabalhou como chefe do posto em Tóquio. "O general MacArthur tinha suas maneiras. Nós tínhamos as nossas."

# 13 "CEGUEIRA DESEJADA"

Fascinado por ações secretas, Allen Dulles parou de se concentrar em sua missão principal de fornecer informações ao presidente.

Ele tratava a maioria dos analistas da CIA e grande parte de seu trabalho com deliberado desprezo. Dulles os deixava esperando por horas quando eles chegavam para prepará-lo para a reunião do dia seguinte na Casa Branca. Quando a noite caía, disparava porta afora e passava direto por eles, correndo para um jantar marcado.

Ele adquiriu "o hábito de avaliar os informes pelo peso", disse Dick Lehman, um importante analista da CIA durante três décadas e mais tarde o homem que preparava os informes diários do presidente. "Ele pesava e decidia, sem ler, se os aceitava ou não."

Um analista que tivesse permissão para entrar no gabinete privado no meio da tarde para assessorar Dulles na crise do momento poderia encontrar o diretor assistindo a um jogo de beisebol dos Washington Senators na televisão de seu escritório. Repousando em sua cadeira reclinável, os pés sobre um pufe, Dulles acompanhava o jogo enquanto o infeliz assessor ficava diante dele, mas atrás do aparelho de TV. Enquanto o assessor chegava a pontos cruciais, Dulles analisava o jogo.

Dulles tornou-se desatento às questões de vida ou morte que chegavam a suas mãos.

## "INDICIAR TODO O SISTEMA SOVIÉTICO"

Juntos, Dulles e Wisner lançaram mais de duzentas grandes ações secretas no exterior ao longo de cinco anos, despejando fortunas americanas nas políticas de França, Alemanha, Itália, Grécia, Egito, Paquistão, Japão, Tailândia, Filipinas e Vietnã. A agência derrubara nações. Conseguia fazer ou desfazer presidentes e primeiros-ministros. Mas não conseguia compreender o inimigo.

No fim de 1955, o presidente Eisenhower mudou as atribuições da CIA. Reconhecendo que as ações secretas não conseguiam minar o Kremlin, ele reavaliou as regras redigidas no início da guerra fria. A nova ordem, batizada de NSC 5412/2 e datada de 28 de dezembro de 1955, permaneceu em vigor durante quinze anos. Os novos objetivos eram "criar e explorar problemas incômodos para o Comunismo Internacional", "retaliar qualquer ameaça de um partido ou indivíduos direta ou indiretamente receptivos ao controle comunista" e "fortalecer a orientação dos povos do mundo livre na direção dos Estados Unidos" — grandes ambições, porém mais modestas e diferentes daquelas que Dulles e Wisner queriam alcançar.

Algumas semanas depois, o líder soviético, Nikita Kruschev, criou mais problemas para o comunismo internacional do que a CIA sonhava que fosse possível. Em seu discurso de fevereiro de 1956 no 20º Congresso do Partido Comunista da União Soviética, ele condenou Stalin, morto havia menos de três anos, como "um egoísta e sádico supremo, capaz de sacrificar tudo e todos pelo bem de seu próprio poder e glória". A CIA levantou rumores sobre o discurso em março. Meu reino por uma cópia, disse Allen Dulles a seus homens. Conseguiria a agência finalmente obter alguma inteligência vinda de dentro do Politburo?

Tanto na época como agora, a CIA dependia muito de serviços de inteligência estrangeiros, pagando por segredos que não conseguia descobrir sozinha. Em abril de 1956, espiões de Israel entregaram o texto a James Angleton, que se tornou o contato da CIA com o Estado judeu. O canal produziu grande parte da inteligência da agência sobre o mundo árabe, mas a um custo — uma crescente dependência americana de Israel para explicar acontecimentos no Oriente Médio. A perspectiva israelense coloriu as percepções americanas por décadas a fio.

Em maio, depois que George Kennan e outros julgaram o texto como sendo verdadeiro, um grande debate surgiu dentro da CIA.

Tanto Wisner quanto Angleton queriam manter o texto em segredo em relação ao mundo livre, mas queriam vazá-lo seletivamente no exterior, para semear a discórdia entre os partidos comunistas no mundo. Angleton achou que combinando o texto com propaganda, "poderia utilizá-lo com tanta vantagem que confundiria os russos e seus serviços de segurança, e talvez usaria alguns daqueles grupos de emigrantes que na época ainda esperávamos ativar, para libertar os ucranianos ou algo assim", disse Ray Cline, um dos mais confiáveis analistas de inteligência de Dulles na época.

Mas, sobretudo, queriam utilizá-lo como isca para atrair espiões soviéticos, de modo a salvar uma das operações mais longas e menos eficientes de Wisner: Red Cap [Boné Vermelho].

Programa mundial que teve início em 1952, e que tomou seu nome emprestado de carregadores de malas de estações de trem, a Red Cap tinha como objetivo induzir os soviéticos a abandonar seu país e trabalhar para a CIA. Em condições ideais, eles atuariam como "desertores *in loco*", permanecendo em seus cargos no governo e espionando para os EUA. Se falhassem, fugiriam para o Ocidente e revelariam seus conhecimentos sobre o sistema soviético. Mas o número de fontes soviéticas importantes obtidas durante a Red Cap foi zero na época. A divisão soviética do serviço clandestino da CIA era dirigida por um egresso de Harvard de visão limitada chamado Dana Durand, que mantinha sua posição graças a uma combinação de acaso, comodismo e aliança com Angleton. A divisão era deficiente, de acordo com o relatório de um inspetor-geral feito em junho de 1956 e liberado em 2004. A divisão soviética não conseguia produzir "uma declaração confiável de suas missões e funções", e muito menos compreender o que acontecia dentro da União Soviética. O relatório continha uma lista dos vinte agentes que a CIA "controlava" na Rússia em 1956. Um deles era um oficial de baixa patente da engenharia naval. Outro era a mulher de um cientista que pesquisava mísseis guiados. Os outros foram listados como operário, técnico para conserto de telefones, vigia de garagem, veterinário, professor de segundo grau, serralheiro, funcionário de restaurante e desempregado. Nenhum deles podia ter a menor idéia do que o Kremlin fazia.

Na manhã do primeiro sábado de junho de 1956, Dulles chamou Ray Cline ao escritório do diretor. "Wisner diz que você acha que devemos divulgar o discurso secreto de Kruschev", disse Dulles.

Cline expôs seu argumento: aquilo era uma fantástica revelação dos "verdadeiros sentimentos de todos esses sujeitos que tiveram que trabalhar sob o domínio do velho bastardo Stalin durante muitos anos".

"Pelo amor de Deus", disse ele a Dulles, "vamos soltar isso."

Dulles segurava uma cópia do discurso em seus dedos trêmulos e tortos devido à artrite e à gota. O velho pôs seus pés com chinelos sobre a mesa, reclinou-se, levantou os óculos para a testa e disse: "Caramba, acho que vou tomar uma decisão política!", recordou Cline. Ele ligou para Wisner pelo sistema de comunicação interno "e, meio timidamente, falou com Frank de um jeito que ele não pôde discordar da divulgação, e usou o mesmo tipo de argumento que eu usei, que aquilo era uma grande chance histórica para, como eu acho que lhe disse para falar, 'indiciar todo o sistema soviético'".

Em seguida, Dulles apanhou o telefone e ligou para seu irmão. O texto foi vazado pelo Departamento de Estado e chegou três dias depois ao *New York Times*. A decisão levou a acontecimentos que a CIA nunca havia imaginado.

## "A CIA REPRESENTAVA UM GRANDE PODER"

Durante os meses que se seguiram, o discurso secreto foi transmitido por trás da cortina de ferro pela Rádio Europa Livre, a máquina de mídia da CIA de US$ 100 milhões. Mais de três mil emigrantes radialistas, escritores, engenheiros e seus supervisores americanos puseram rádios no ar em oito línguas, dominando suas ondas durante mais de dezenove horas por dia. Teoricamente, eles deveriam apresentar notícias e propaganda. Mas Wisner queria usar palavras como armas. Sua interferência criou uma cisão no sinal da Rádio Europa Livre.

Nas rádios, os locutores emigrantes vinham implorando a seus chefes americanos que lhes dessem uma mensagem clara para divulgar. Ali estava ela: o discurso foi recitado no ar noite e dia.

As conseqüências foram imediatas. Os melhores analistas da CIA haviam concluído alguns meses antes que nenhuma revolta popular era provável na Europa Oriental nos anos 1950. Em 28 de junho, depois que o discurso foi transmitido, trabalhadores poloneses começaram a se rebelar contra seus governantes comunistas. Revoltaram-se contra uma redução de salários e destruíram a estação que interferia nas transmissões da Rádio Europa Livre. Mas a CIA não podia fazer coisa alguma além de alimentar-lhes a ira — não quando um marechal de campo soviético comandava o exército da Polônia e oficiais da inteligência soviética supervisionavam a polícia secreta, que matou 53 poloneses e prendeu centenas.

O conflito polonês levou o Conselho de Segurança Nacional a buscar uma falha na arquitetura do controle soviético. O vice-presidente Nixon argumentou que seria bom para os interesses americanos se os soviéticos oprimissem outro novo Estado satélite, como a Hungria, fornecendo uma fonte de propaganda anticomunista global. Aproveitando-se desse tema, Foster Dulles ganhou a aprovação do presidente para novos esforços em promover "manifestações espontâneas de descontentamento" nas nações cativas. Allen Dulles prometeu incentivar um programa da Rádio Europa Livre que levasse balões para o leste, além da cortina de ferro, carregando panfletos e "Medalhas da Liberdade" — emblemas de alumínio com slogans e o Sino da Liberdade gravados.

Em seguida, Dulles partiu para uma viagem de 57 dias pelo mundo, circulando pelo planeta num uniforme de vôo com zíper, a bordo de um DC-6 de quatro motores especialmente adaptado. Visitou os postos da CIA em Londres, Paris, Frankfurt, Viena, Roma, Atenas, Istambul, Teerã, Daran, Délhi, Bangcoc, Cingapura, Tóquio, Seul, Manila e Saigon. A jornada era um segredo aberto: Dulles foi recebido como chefe de Estado e deleitou-se por ser o centro das atenções. Foi "uma das viagens clandestinas mais divulgadas que já houve", disse Ray Cline, que acompanhou o diretor. Disfarçada mas exibida — esta era a CIA de Allen Dulles. Era um lugar onde "práticas realmente clandestinas eram comprometidas" enquanto "as análises eram envoltas numa atmosfera de sigilo desnecessária, freqüentemente contraproducente e a longo prazo prejudicial", refletiu Cline. Ao observar líderes estrangeiros bajulando Dulles em jantares com honras de Estado, ele aprendeu mais uma lição: "A CIA representava um grande poder. Isso era um pouco assustador."

## "CEGUEIRA DESEJADA"

Em 22 de outubro de 1956, logo depois que Dulles voltou para Washington, um Frank Wisner profundamente cansado desligou as luzes de seu escritório, caminhou pelos corredores de tapetes surrados e paredes descascadas do Temporary Building L, foi para sua elegante casa em Georgetown e arrumou as malas para sua própria viagem pelos maiores postos da CIA na Europa.

Nem Wisner nem seu chefe tinham a menor idéia sobre os dois grandes acontecimentos em curso no mundo. Planos de guerra eram traçados em Londres e Paris, enquanto uma revolução popular estava prestes a explodir na Hungria. Durante duas semanas cruciais, Dulles interpretaria e descreveria equivocadamente cada aspecto dessas crises em seus relatos ao presidente.

Wisner cruzou o Atlântico no escuro. Depois de um vôo noturno para Londres, seu primeiro compromisso de trabalho foi um jantar havia muito marcado com sir Patrick Dean, um importante agente da inteligência britânica. Eles discutiriam seus planos para derrubar o líder egípcio, Gamal Abdel Nasser, que chegara ao poder três anos antes num golpe militar. A questão estava sendo discutida fazia meses. Sir Patrick estivera em Washington poucas semanas antes, e os dois concordaram que, de um jeito ou de outro, seus objetivos exigiam o afastamento de Nasser do poder.

De início a CIA apoiara Nasser, dando-lhe milhões de dólares, construindo para ele uma poderosa estação de rádio estatal e prometendo-lhe ajuda militar e econômica americana. Mas a agência foi surpreendida por acontecimentos no Egito, embora a proporção entre oficiais da CIA e oficiais do Departamento de Estado fosse de quatro para um na embaixada americana no Cairo. A maior surpresa foi que Nasser não continuou vendido: usou parte dos US$ 3 milhões em suborno que a CIA lhe dera sorrateiramente para construir um minarete no Cairo, numa ilha em frente ao Nile Hilton. O minarete ficou conhecido como *el wa'ef rusfel* — a ereção de Roosevelt. Como Roosevelt e a CIA não puderam cumprir sua promessa de enviar ajuda militar americana, Nasser concordou em vender algodão egípcio para a União Soviética em troca de armas. Em seguida, em julho de 1956, Nasser desafiou o legado do colonialismo ao nacionalizar a Suez Canal Company, corporação criada pelos britânicos e franceses para administrar a rota do comércio marítimo de produtos manufaturados do Oriente Médio. Londres e Paris rugiram indignadas.

Os britânicos propuseram assassinar Nasser e cogitaram desviar o rio Nilo para destruir a esperança do Egito na autonomia econômica. Eisenhower disse que seria "um erro crasso" usar força letal. A CIA era a favor de uma longa e lenta campanha de subversão contra o Egito.

Este era o assunto que Wisner tinha que resolver com sir Patrick Dean. Ele ficou primeiramente perplexo e depois furioso quando sir Patrick não compareceu ao encontro marcado com tanta antecedência. O espião britânico tinha outro compromisso: estava numa mansão nos arredores de Paris, dando os retoques finais num plano de ataque militar coordenado de Grã-Bretanha, França e Israel contra o Egito. O objetivo era destruir o governo de Nasser e recuperar o Suez à força. Primeiro, Israel atacaria o Egito e depois Grã-Bretanha e França agiriam, posando de pacificadoras enquanto tomavam o canal.

A CIA nada sabia sobre isso. Dulles assegurou a Eisenhower que relatos sobre um plano militar conjunto de Israel, Reino Unido e França eram absurdos. Recusou-se a dar atenção ao analista-chefe de inteligência da CIA e ao adido militar americano em Tel Aviv, ambos convencidos de que Israel estava prestes a iniciar uma guerra contra o Egito. Também não ouviu um velho amigo, Douglas Dillon, embaixador americano em Paris, que lhe telefonou para advertir que a França participava da conspiração. Em vez disso, o diretor preferiu ouvir Jim Angleton e seus contatos israelenses. Depois de ganhar sua eterna gratidão com a cópia do discurso secreto de Kruschev, os israelenses cegaram Dulles e Angleton com desinformações, advertindo que havia problemas em outros lugares do Oriente Médio. Em 26 de outubro, o diretor transmitiu as mentiras deles ao presidente, na reunião do Conselho de Segurança Nacional: O rei da Jordânia foi assassinado! O Egito está prestes a atacar o Iraque!

O presidente pôs de lado essas manchetes. Declarou que "a notícia imprescindível continuava sendo a Hungria".

Uma grande multidão se concentrara no Parlamento de Budapeste dois dias antes, liderada por estudantes que se manifestavam contra o governo comunista. A odiada polícia de segurança do Estado enfrentou uma segunda multidão na estação de rádio do governo, onde um funcionário do partido denunciava os protestos. Alguns estudantes estavam armados. Um tiro foi disparado do prédio da rádio, a polícia de segurança abriu fogo e os manifestantes enfrentaram a polícia por toda a noite. No Parque da Cidade de Budapeste, uma terceira multidão arrancou uma estátua de Stalin de seu pedestal, arrastou-a até a frente do Teatro Nacional e a reduziu a cacos. Soldados e tanques do Exército Vermelho entraram em Budapeste na manhã seguinte e os manifestantes convenceram pelo menos um punhado de jovens soldados soviéticos a abraçar sua causa. Rebeldes seguiram para o Parlamento em tanques soviéticos, agitando a bandeira húngara. Comandantes russos entraram em pânico e, num terrível momento na Praça Kossuth, teve início um intenso tiroteio. Pelo menos cem pessoas morreram.

Na Casa Branca, Allen Dulles tentava explicar ao presidente o significado da revolta húngara. "Os dias de Kruschev podem estar contados", disse. Seu cálculo estava errado em sete anos.

Dulles entrou em contato com Wisner em Londres no dia seguinte, 27 de outubro. O chefe das ações secretas queria fazer tudo que pudesse para ajudar a revolta. Rezara por um momento como aquele durante oito anos.

O Conselho de Segurança Nacional ordenou-lhe que mantivesse a esperança acesa na Hungria. "Fazer menos", dizia sua ordem, "seria sacrificar a base moral para a liderança dos EUA sobre os povos livres." Ele disse à Casa Branca que criaria um movimento clandestino nacional para uma guerra política e paramilitar por meio da Igreja Católica Romana, de grupos de camponeses, agentes recrutados e grupos de exilados. Fracassou completamente. Os exilados que enviou pela fronteira da Áustria foram presos. Os homens que tentou recrutar eram mentirosos e ladrões. Seus esforços para criar uma rede clandestina de informações dentro da Hungria foram por água abaixo. Ele mandara enterrar armas em toda a Europa, mas, quando a crise começou, ninguém conseguia encontrá-las.

Não havia qualquer posto da CIA na Hungria em outubro de 1956. Não havia qualquer seção de operações húngaras no serviço clandestino da sede, e quase ninguém falava a língua. Wisner tinha um homem em Budapeste quando a revolta começou: Geza Katona, um húngaro americano que passava 95% de seu tempo fazendo seu trabalho oficial de pequeno funcionário burocrata do Departamento de Estado. Enviava cartas, comprava selos e material de escritório, arquivava documentos. Quando a revolta começou, ele era o dono dos únicos olhos e ouvidos confiáveis que a CIA tinha em Budapeste.

Durante as duas semanas da revolução húngara, a agência nada soube além do que lia nos jornais. Não tinha a menor idéia de que a revolta aconteceria, ou de como ela floresceu, ou de que os soviéticos a esmagariam. Se a Casa Branca tivesse concordado em enviar armas, a agência não saberia para onde enviá-las. Uma história secreta da CIA sobre a revolta húngara disse que o serviço clandestino estava num estado de "cegueira desejada".

"Em nenhum momento", disse a história, "tivemos alguma coisa que pudesse ou devesse ser confundida com uma operação de inteligência."

### "A FEBRE DOS TEMPOS"

Em 28 de outubro, Wisner voou para Paris e reuniu alguns membros confiáveis de uma delegação americana que participava de uma conferência da Otan sobre a questão da Europa Oriental. Entre os membros da delegação estava Bill

Griffith, o principal assessor político da sede da Rádio Europa Livre em Munique. Exultante com uma revolta verdadeira contra o comunismo sendo formada, Wisner pressionou Griffith a estimular a propaganda. Suas exortações produziram um memorando do diretor da Rádio Europa Livre em Nova York para os funcionários húngaros em Munique. "Todas as restrições acabaram", dizia o documento. "Nenhuma ação impedida. Repetindo: nenhuma ação impedida." A partir daquela noite, a Rádio Europa Livre exortou os cidadãos húngaros a sabotar ferrovias, destruir linhas telefônicas, armar partidários, explodir tanques e combater os soviéticos até a morte. "Esta é a REL, a Voz da Hungria Livre", anunciou a rádio. "Em caso de ataque de tanques, todas as armas leves devem abrir fogo contra a mira dos canhões." Os ouvintes foram aconselhados a lançar "um coquetel Molotov... uma garrafa de vinho de um litro cheia de gasolina... contra a abertura de ventilação gradeada sobre o motor". A mensagem final era "Liberdade ou Morte!".

Naquela noite, Imre Nagy, ex-primeiro-ministro que fora expulso do Partido Comunista por linhas-duras, foi à estação de rádio estatal denunciar "os erros e crimes terríveis desses últimos dez anos". Disse que os soldados russos deixariam Budapeste, que as velhas forças de segurança estatais seriam dissolvidas e que "um novo governo, baseado no poder do povo", lutaria pela autogestão democrática. Em 72 horas, Nagy formou um governo de coalizão atuante, aboliu o regime de partido único, rompeu com Moscou, declarou a Hungria um país neutro e buscou a ajuda das Nações Unidas e dos Estados Unidos. Mas quando Nagy assumiu o poder e tentou desmantelar o controle soviético sobre a Hungria, Allen Dulles o considerou um fracasso. Disse ao presidente que o homem do Vaticano na Hungria, o cardeal Mindszenty, recém-libertado da prisão domiciliar, poderia e deveria liderar a nação. Esta se tornou a diretriz da Rádio Europa Livre: "Uma Hungria renascida e o líder designado e enviado por Deus encontraram-se nas últimas horas."

As rádios da CIA acusaram Nagy falsamente de convidar as tropas soviéticas a entrar em Budapeste. Acusaram-no de traidor, mentiroso, assassino. Ele tinha sido comunista e, portanto, estava amaldiçoado para sempre. Três novas freqüências da CIA estavam no ar nessa hora. De Frankfurt, russos exilados solidários disseram que um exército de combatentes da liberdade estava seguindo para a fronteira húngara. De Viena, a CIA ampliou as transmissões de baixa voltagem de partidários húngaros e as enviou de volta a Budapeste. De Atenas, os guerreiros psicológicos da CIA sugeriram que os russos fossem levados à forca.

O diretor estava em êxtase quando informou Eisenhower sobre a situação em Budapeste na reunião seguinte do Conselho de Segurança Nacional, em 1º de novembro. "O que aconteceu lá foi um milagre", disse Dulles ao presidente. "Devido ao poder da opinião pública, não foi possível usar efetivamente as forças armadas. Aproximadamente 80% do exército húngaro desertaram para o lado dos rebeldes e forneceram-lhes armas."

Mas Dulles estava completamente errado. Os rebeldes não tinham armas. O exército húngaro não trocara de lado. Era esperar para ver de que lado soprava o vento vindo de Moscou. Os soviéticos estavam enviando mais de 200 mil soldados e cerca de 2.500 tanques e veículos blindados para a batalha pela Hungria.

Na manhã da invasão soviética, o locutor da Rádio Europa Livre, Zoltan Thury, disse a seus ouvintes que "a pressão sobre o governo dos EUA para enviar ajuda militar aos guerreiros da liberdade vai se tornar irresistível". Enquanto dezenas de milhares de refugiados frenéticos e furiosos atravessavam a fronteira da Áustria durante as semanas seguintes, muitos falavam daquela transmissão como "a promessa de que a ajuda viria". Nenhuma veio. Allen Dulles insistiu que as rádios da CIA nada tinham feito para encorajar os húngaros. O presidente acreditou nele. Foram necessários quarenta anos para que as transcrições das transmissões fossem desenterradas.

Em quatro dias brutais, as tropas soviéticas esmagaram os opositores em Budapeste, matando dezenas de milhares e transportando outros milhares para morrer em prisões siberianas.

O massacre soviético começou em 4 de novembro. Naquela noite, refugiados húngaros começaram a se concentrar na embaixada americana em Viena, implorando aos EUA que fizessem alguma coisa. Eles faziam perguntas espinhosas, disse o chefe do posto da CIA, Peer de Silva. "Por que não ajudamos? Não sabíamos que os húngaros estavam contando com a nossa assistência?" Ele não tinha respostas.

Foi bombardeado por ordens da sede para reunir legiões inexistentes de soldados soviéticos que estavam jogando fora suas armas e seguindo para a fronteira austríaca. Dulles contou ao presidente sobre essas deserções em massa. Elas eram uma ilusão. De Silva só podia supor que "a sede estava sendo acometida pela febre dos tempos".

## "COISAS ESTRANHAS TENDEM A ACONTECER"

Em 5 de novembro, Wisner chegou ao posto da CIA em Frankfurt, comandado por Tracy Barnes. Estava tão perturbado que mal conseguia falar. Enquanto tanques russos massacravam adolescentes em Budapeste, Wisner passou uma noite sem dormir na residência de Barnes, distraindo-se com trens de brinquedo. Ele não se alegrou nem um pouco com a reeleição de Eisenhower no dia seguinte. O presidente também não gostou de acordar e receber uma informação fresca, mas falsa, de Allen Dulles de que os soviéticos estavam prontos para enviar 250 mil soldados ao Egito para defender o Canal de Suez contra os britânicos e franceses. Também não ficou feliz com a incapacidade da CIA de relatar o verdadeiro ataque soviético na Hungria.

Em 7 de novembro, Wisner voou para o posto de Viena, a 48 quilômetros da fronteira húngara. Observou sem nada poder fazer enquanto os opositores húngaros enviavam suas mensagens finais ao mundo livre pelos cabos telegráficos da Associated Press: "ESTAMOS SOB FOGO CERRADO DE METRALHADORAS... ADEUS AMIGOS. QUE DEUS SALVE NOSSAS ALMAS."

Ele partiu de Viena e voou para Roma. Naquela noite, jantou com os espiões americanos do posto da CIA em Roma, entre eles William Colby, futuro diretor da central de inteligência. Furioso, Wisner disse que pessoas estavam morrendo enquanto a agência hesitava. Queria "levar ajuda aos combatentes da liberdade", recordou Colby. "Aquela era exatamente a finalidade para a qual a capacidade paramilitar da agência era programada. E é possível argumentar que eles podiam ter feito isso sem envolver os Estados Unidos numa guerra mundial com a União Soviética." Mas Wisner não conseguiu apresentar um argumento coerente. "Estava claro que ele estava à beira de um colapso nervoso", recordou Colby.

Wisner seguiu viagem e foi para Atenas, onde o chefe do posto da CIA, John Richardson, o viu "transtornado, em velocidade e intensidade extremas". Ele acalmava os nervos com cigarros e álcool. Bebia uísque na garrafa, numa embriaguez de aflição e raiva.

Em 14 de dezembro, ele estava de volta à sede, ouvindo Allen Dulles discutir as chances da CIA de fazer uma guerra urbana na Hungria. "Estamos bem equipados para um combate de guerrilha nas florestas", disse Dulles, mas "há uma séria falta de armas para combates nas ruas e corpo-a-corpo, e em particular de equipamentos antitanques." Ele queria que Wisner lhe dissesse quais eram "as melhores armas para pôr nas mãos dos húngaros" e dos "combatentes da liberdade de outros países da cortina de ferro que possam vir a se revoltar contra os comunistas". Wisner lhe deu uma resposta pomposa: "As feridas dos comunistas da Rússia causadas pelos recentes acontecimentos no mundo são consideráveis e algumas são bastante profundas", disse ele. "Os Estados Unidos e o mundo livre parecem estar bem fora das florestas." Alguns de seus companheiros oficiais acharam que era um caso de fadiga de batalha. Os mais próximos de Wisner viram algo pior. Em 20 de dezembro, ele estava numa cama de hospital, delirando, com uma doença mal diagnosticada por seus médicos.

Naquele mesmo dia, na Casa Branca, o presidente Eisenhower recebeu um relatório formal de uma investigação secreta sobre o serviço clandestino da CIA. Se esse documento tivesse se tornado público, teria destruído a agência.

O embaixador David K. E. Bruce era o principal autor do relatório, e David Bruce era um dos melhores amigos de Frank Wisner em Washington — íntimo o suficiente para correr até a casa de Wisner para tomar banho e se barbear numa manhã em que faltou água quente em sua magnífica mansão em Georgetown. Era um aristocrata americano, o número dois de Wild Bill Donovan no OSS em Londres, o embaixador de Truman na França, o predecessor de Walter Bedell Smith como secretário de Estado e candidato a diretor da central de inteligência em 1950. Sabia bastante sobre as operações da CIA no país e no exterior. Diários pessoais de Bruce mostram que entre 1949 e 1956 ele se encontrou com Allen Dulles e Frank Wisner para dezenas de cafés-da-manhã, almoços, jantares, drinques e conversas discretas em Paris e Washington. Ele registrou sua "grande admiração e afeto" por Dulles, que pessoalmente recomendou que Bruce trabalhasse no novo grupo de consultores de inteligência do presidente.

Eisenhower queria ficar de olho na agência. Em janeiro de 1956, seguindo uma recomendação secreta do relatório Doolittle, ele anunciou publicamente a criação do grupo do presidente. Escreveu em seu diário que queria que a cada seis meses os consultores o informassem sobre o valor do trabalho da CIA.

O embaixador Bruce requisitou e recebeu autorização do presidente para examinar de perto as operações secretas da CIA — o trabalho de Allen Dulles e Frank Wisner. Sua afeição pessoal e a consideração profissional pelos dois tiveram um peso imensurável sobre suas palavras. Seu relatório ultra-secreto nunca foi liberado — e os próprios historiadores internos da CIA questionaram publicamente se algum dia existiu. Mas suas descobertas cruciais apareceram num registro de 1961 feito pelo grupo de inteligência e obtido pelo autor. Algumas de suas passagens são reproduzidas aqui pela primeira vez.

"Estamos certos de que aqueles que apoiaram a decisão em 1948 de lançar esse governo numa guerra psicológica positiva e num programa paramilitar não poderiam ter previsto as ramificações das operações que resultaram desta ação", dizia o relatório. "Ninguém além daquelas pessoas na CIA imediatamente envolvidas com suas operações diárias tem qualquer conhecimento detalhado sobre o que está acontecendo."

O planejamento e a aprovação de operações secretas bastante delicadas e extremamente sensíveis estavam "tornando-se cada vez mais um negócio exclusivo da CIA — respaldado intensamente por fundos da CIA não-declarados. A CIA, ocupada, endinheirada e privilegiada, gosta de sua responsabilidade de 'fazer reis' (a intriga é fascinante; uma considerável auto-satisfação, às vezes com aplausos, deriva do sucesso; não é feita qualquer cobrança sobre 'fracassos'; e o negócio todo é muito mais simples do que obter informações secretas sobre a URSS pelos métodos habituais da CIA!)."

O relatório continuava:

Há uma grande preocupação no Departamento de Estado com o impacto das guerras psicológicas e das atividades paramilitares da CIA sobre nossas relações exteriores. As pessoas do Departamento de Estado sentem que talvez a maior contribuição que esse grupo poderia ter seria chamar a atenção do presidente para as influências significativas, quase unilaterais, das guerras psicológicas e atividades paramilitares da CIA sobre a atual formação de nossa política externa e nossas relações com nossos "amigos"...

O apoio da CIA e a maneira como ela manobra a mídia de notícias local, grupos trabalhistas, figuras e partidos políticos e outras atividades — o que pode ter, a qualquer momento, os mais significativos impactos sobre as responsabilidades do embaixador local — são às vezes completamente desconhecidos ou apenas vagamente reconhecidos por ele... Muito freqüentemente, diferenças de opinião sobre a atitude dos EUA em relação a figuras ou organizações locais se desenvolvem, especialmente entre a CIA e o Departamento de Estado... (Por vezes, a relação fraterna entre secretário de Estado e DCI[14] pode arbitrariamente definir "a posição dos EUA")...

---

[14]Diretor da Central de Inteligência, na sigla em inglês. (N. do T.)

As guerras psicológicas e as operações paramilitares (freqüentemente surgidas do envolvimento maior em assuntos internos de outras nações por funcionários jovens, inteligentes, altamente qualificados, que precisam fazer alguma coisa o tempo todo para justificar sua existência) são hoje conduzidas mundialmente por uma horda de representantes da CIA [*apagado*] muitos dos quais, pela própria natureza da situação do pessoal [*apagado*] são politicamente imaturos. (A partir de suas "negociações" com personagens enganosos, mutáveis, de suas aplicações de "temas" sugeridos pela sede ou desenvolvidos por eles em campo — às vezes por sugestão de oportunistas locais — coisas estranhas tendem a acontecer, e de fato acontecem.)

As operações secretas da CIA eram realizadas "de maneira autônoma e livre, em áreas altamente críticas, envolvendo a condução de relações exteriores", disse um relatório que se seguiu, do grupo de inteligência do presidente, em janeiro de 1957. "Em alguns lugares, isso leva a situações quase inacreditáveis."

Durante seus quatro anos seguintes na Casa Branca, o presidente Eisenhower tentou mudar a maneira como a CIA era dirigida. Mas disse estar cônscio de que não poderia mudar Allen Dulles. Nem poderia pensar em qualquer outra pessoa para dirigir a agência. A CIA era "um dos tipos de operação mais peculiares que qualquer governo pode ter", disse ele, e "provavelmente precisa de um tipo estranho de gênio para dirigi-la".

Allen não aceitou nenhum supervisor. Um sinal silencioso de Foster era suficiente. Nunca houvera uma equipe como os irmãos Dulles no governo americano, mas a idade e a exaustão estavam desgastando os dois. Foster era sete anos mais velho que Allen, e estava morrendo. Sabia que tinha um câncer fatal, que o matou lentamente ao longo dos dois anos seguintes. Ele lutou bravamente, voando por todo o mundo, brandindo cada sabre do arsenal americano. Mas definhava, e isso criou um desequilíbrio perturbador no diretor da central de inteligência. Ele perdia o brilho vital à medida que seu irmão enfraquecia. Suas idéias e seu senso de ordem se tornaram tão evanescentes quanto a fumaça de seu cachimbo.

Enquanto Foster começava a fraquejar, Allen levou a CIA a novas batalhas na Ásia e no Oriente Médio. A guerra fria na Europa pode estar num impasse, disse ele a seus líderes, mas a luta deveria seguir em frente com uma nova intensidade, do Pacífico ao Mediterrâneo.

# 14 "OPERAÇÕES DESASTRADAS DE TODOS OS TIPOS"

"Se você for até lá e viver com esses árabes, descobrirá que eles simplesmente não conseguem entender nossas idéias de liberdade e dignidade humana", disse o presidente Eisenhower a Allen Dulles e aos membros do Conselho de Segurança Nacional reunidos. "Eles vivem há tanto tempo sob ditaduras de uma espécie ou de outra, como podemos esperar que conduzam com sucesso um governo livre?"

A CIA buscou responder a essa pergunta tentando converter, coagir ou controlar governos na Ásia e no Oriente Médio. Viu-se disputando com Moscou pela lealdade de milhões de pessoas, lutando para obter influência política e econômica sobre as nações que, por um acaso geológico, produziam bilhões de barris de petróleo. A nova linha de batalha era um grande arco que começava na Indonésia, atravessava o Oceano Índico, passava pelos desertos do Irã e do Iraque e chegava às antigas capitais do Oriente Médio.

A agência via cada chefe político muçulmano que não jurava lealdade aos Estados Unidos como "um alvo de ação política da CIA legalmente autorizado pelo estatuto", disse Archie Roosevelt, chefe do posto na Turquia e primo de Kim Roosevelt, o czar da CIA no Oriente Próximo. Muitos dos homens mais poderosos do mundo islâmico recebiam dinheiro e conselhos da CIA. A agência os influenciava quando podia. Mas poucos oficiais da CIA falavam a língua das pessoas que procuravam apoiar ou subornar, não conheciam seus hábitos nem as compreendiam.

O presidente disse que queria promover a idéia de uma jihad islâmica contra o comunismo ateu. "Devemos fazer tudo que for possível para enfatizar o aspecto de 'guerra santa'", disse ele numa reunião na Casa Branca em 1957, da qual participaram Frank Wisner, Foster Dulles, o secretário-assistente de Estado para o Oriente Próximo, William Rountree, e membros do Estado-Maior Conjunto. Foster Dulles propôs "uma força-tarefa secreta", sob cujos auspícios a CIA entregaria armas, dinheiro e inteligência americana ao rei Saud, da Arábia Saudita; ao rei Hussein, da Jordânia; ao presidente Camille Chamoun, do Líbano; e ao presidente Nuri Said, do Iraque.

"Esses quatro vira-latas deveriam ser nossa defesa contra o comunismo e o excesso de nacionalismo árabe no Oriente Médio", disse Harrison Symmes, que trabalhou intimamente com a CIA como braço direito de Rountree e mais tarde foi embaixador na Jordânia. O único legado duradouro da "força-tarefa secreta" foi o cumprimento da proposta de Frank Wisner de pôr o rei Hussein, da Jordânia, na folha de pagamento da CIA. A agência criou um serviço de inteligência jordaniano, que hoje representa sua ligação com grande parte do mundo árabe. O rei recebeu subsídios secretos durante os vinte anos seguintes.

Se arsenais não conseguissem comprar lealdades no Oriente Médio, a CIA ainda tinha como arma secreta o todo-poderoso dólar. Dinheiro vivo para guerra política e poder sempre era bem-vindo. Se ele pudesse ajudar a criar um império americano em terras árabes e asiáticas, Foster era totalmente favorável ao recurso. "Vamos colocar da seguinte maneira", disse o embaixador Symmes. "John Foster Dulles assumira a visão de que tudo o que pudéssemos fazer para derrubar aqueles neutralistas — antiimperialistas, anticolonialistas, regimes nacionalistas ao extremo — deveria ser feito."

"Ele autorizou Allen Dulles a fazer isso... E é claro que Allen Dulles simplesmente deu rédea solta ao pessoal." Como resultado "fomos apanhados em tentativas de golpes, operações desastradas de todos os tipos". Ele e seus companheiros diplomatas tentaram "ficar de olho em alguns daqueles truques sujos que estavam sendo planejados no Oriente Médio, de modo que se fosse completamente impossível executá-los, nós os eliminaríamos antes que fossem adiante. E tivemos sucesso nisso em alguns casos. Mas não podíamos acabar com todos".

## "PRONTO PARA UM GOLPE DE ESTADO MILITAR"

Um desses "truques sujos" prosseguiu durante uma década: a conspiração para derrubar o governo da Síria.

Em 1949, a CIA fez de um coronel pró-americano, Adib Shishakli, o líder sírio. Ele obteve assistência militar americana direta, juntamente com ajuda financeira secreta. O chefe do posto da CIA em Damasco, Miles Copeland, chamou o coronel de "um transgressor agradável" que "nunca, até onde eu sei, se curvou diante de uma imagem idólatra. Mas cometera sacrilégio, blasfêmia, assassinato, adultério e roubo". Durou quatro anos antes de ser derrubado pelo Partido Ba'ath, políticos comunistas e oficiais militares. Em março de 1955, Allen Dulles previu que o país estava "pronto para um golpe de Estado militar" apoiado pela agência. Em abril de 1956, Kim Roosevelt, da CIA, e seu correspondente no Serviço Secreto de Inteligência (SIS) britânico, sir George Young, tentaram mobilizar oficiais de direita no exército sírio; a CIA entregou meio milhão de libras sírias aos líderes da conspiração. Mas o fiasco de Suez envenenou o clima político no Oriente Médio, empurrou a Síria para perto dos soviéticos e forçou os americanos e britânicos a adiar seu plano no fim de outubro de 1956.

Na primavera e no verão de abril de 1957, eles ressuscitaram o plano. Um documento descoberto em 2003 entre papéis particulares de Duncan Sandys, secretário de Defesa do primeiro-ministro Harold Macmillan, explica esse esforço em detalhes.

A Síria tinha que "aparecer como patrocinadora de conspirações, sabotagem e violência contra governos vizinhos", dizia o documento. A CIA e o SIS fabricariam "conspirações nacionais e diversas atividades violentas" em Iraque, Líbano e Jordânia, e culparia a Síria por elas. Criariam facções paramilitares e semeariam revoltas dentro da Irmandade Muçulmana em Damasco. A aparência de instabilidade abalaria o governo; confrontos na fronteira fomentados pelas inteligências americana e britânica serviriam como pretexto para a invasão dos exércitos pró-Ocidente do Iraque e da Jordânia. A CIA e o SIS previam que qualquer novo regime que instalassem provavelmente "dependeria primeiramente de medidas repressivas e do exercício arbitrário de poder" para sobreviver.

Roosevelt identificou Abdul Hamid Serraj, por muito tempo chefe do serviço de inteligência sírio, como o homem mais poderoso em Damasco. Serraj seria assassinado, assim como o chefe do Estado-Maior Conjunto sírio e o chefe do Partido Comunista.

A CIA enviou Rocky Stone — que havia adquirido experiência na operação Irã — para ser o novo chefe do posto em Damasco. Credenciado como diplomata, e sendo um segundo-secretário na embaixada americana, ele usou promessas de milhões de dólares e poder político ilimitado para se aproximar de oficiais do exército sírio. Descreveu seus recrutas em relatórios à sede como um excelente grupo para um golpe apoiado pelos americanos.

Em questão de semanas, Abdul Hamid Serraj estava enxergando quem era Stone.

Os sírios armaram uma ação secretamente. "Os oficiais com os quais Stone estava lidando apanharam seu dinheiro e depois foram à televisão anunciar que haviam recebido o dinheiro de 'americanos corruptos e sinistros' que tentavam derrubar o governo legítimo da Síria", disse Curtis F. Jones, funcionário do Departamento de Estado enviado para limpar a bagunça deixada para trás por Stone. As forças de Serraj cercaram a embaixada americana em Damasco, detiveram Stone e o interrogaram duramente. Stone lhes disse tudo que sabia. Os sírios o identificaram publicamente como um espião americano que posava de diplomata e um veterano do golpe da CIA no Irã que conspirava com oficiais do exército sírio e diplomatas para derrubar o governo em troca de milhões de dólares em ajuda americana.

A revelação dessa "conspiração particularmente desajeitada da CIA", nas palavras do embaixador dos EUA na Síria, Charles Yost, teve conseqüências que reverberam até hoje. O governo sírio rotulou Rocky Stone formalmente como *persona non grata*. Era a primeira vez que um diplomata americano de qualquer nível — fosse ele um espião trabalhando clandestinamente ou um autêntico oficial do Departamento de Estado — era expulso de uma nação árabe. Em troca, os Estados Unidos expulsaram o embaixador sírio em Washington. Foi a primeira expulsão de um diplomata estrangeiro em Washington desde a Primeira Guerra Mundial. Os Estados Unidos denunciaram "fabricações" e "difamações" da Síria. Os sírios que conspiraram com Stone — inclusive o ex-presidente Adib Shishakli — foram condenados à morte. Seguiu-se o afastamento de cada oficial militar que estivera algum dia associado à embaixada americana.

Dessa confusão política nasceu uma aliança entre Síria e Egito: a República Árabe Unida. Era a sede do sentimento antiamericano no Oriente Médio. Enquanto a reputação dos EUA afundava em Damasco, a influência política e militar soviética crescia. Depois do golpe fracassado, nenhum americano conseguiu conquistar a confiança dos líderes cada vez mais tirânicos da Síria.

Um dos problemas das operações descobertas, como essa, era que elas "não podiam ser 'plausivelmente negadas'", advertira o relatório de David Bruce ao presidente Eisenhower. A mão americana estava evidente para todo mundo. Não havia qualquer estimativa sobre "o custo imediato das decepções (Jordânia, Síria, Egito etc.)?", perguntou o relatório. Quem estava "calculando o impacto sobre nossa posição internacional"? A CIA "estaria provocando distúrbios e levantando as dúvidas que hoje existem sobre nós em muitos países do mundo hoje em dia? E os efeitos sobre nossas atuais alianças? Onde estaremos amanhã?"

## "CHEGAMOS AO PODER NUM TREM DA CIA"

Em 14 de maio de 1958, Allen Dulles convocou seus assessores para a habitual reunião matinal. Atacou Wisner, aconselhando-o a fazer "algum exame de consciência" sobre a atuação da agência no Oriente Médio. Para coroar o golpe fracassado na Síria, distúrbios antiamericanos explodiram sem aviso prévio em Beirute e Argel. Seriam parte de uma conspiração global? Dulles e seus assessores especularam que "os comunistas estavam na verdade mexendo os pauzinhos" no Oriente Médio e no mundo. À medida que o medo de uma invasão soviética aumentava, o objetivo de criar uma barreira de nações pró-EUA no flanco sul da URSS se tornou mais urgente.

Os oficiais da CIA no Iraque tinham ordens de trabalhar com líderes políticos, comandantes militares, ministros de Defesa e pessoas influentes, oferecendo dinheiro e armas em troca de alianças anticomunistas. Mas em 14 de julho de 1958, quando um grupo de oficiais do exército derrubou a monarquia iraquiana pró-EUA de Nuri Said, o posto de Bagdá estava dormindo profundamente. "Fomos apanhados em total surpresa", disse o embaixador Robert C. F. Gordon, na época oficial político na embaixada.

O novo regime, liderado pelo general Abdul Karim Kassem, vasculhou velhos arquivos do governo. Estes tinham provas de que a CIA estivera profundamente ligada ao governo monarquista do Iraque, subornando os líderes da velha guarda. Um americano que trabalhava para a CIA sob contrato, posando de escritor para uma frente da agência, a American Friends of the Middle East, foi preso num hotel e desapareceu sem deixar rastros. Os oficiais do posto da CIA fugiram.

Allen Dulles começou a chamar o Iraque de "o lugar mais perigoso do mundo". O general Kassem começou a permitir a entrada de delegações políticas, econômicas e culturais soviéticas no Iraque. "Não temos prova alguma de que Kassem é comunista", avisou a CIA à Casa Branca, "mas a menos que seja tomada uma atitude para conter o comunismo, ou que os comunistas cometam um grande erro tático, o Iraque provavelmente será transformado num Estado controlado por comunistas." Os líderes da agência reconheceram entre si que não tinham a menor idéia do que fazer com aquela ameaça. "A única força eficiente e organizada no Iraque capaz de conter o comunismo é o Exército. Nossa inteligência básica sobre a situação atual do Exército é muito fraca." Depois de perder uma batalha na Síria e outra no Iraque, a CIA se atormentava quanto ao que fazer para impedir que o Oriente Médio se tornasse vermelho.

Depois do fracasso no Iraque, Kim Roosevelt, chefe da divisão Oriente Médio da CIA desde 1950, renunciou para buscar sua fortuna como consultor particular de empresas de petróleo americanas. Foi substituído por James Critchfield, durante muito tempo contato da agência com o general Reinhard Gehlen, na Alemanha.

Critchfield rapidamente se interessou pelo Partido Ba'ath do Iraque, depois que seus capangas tentaram matar Kassem numa atrapalhada troca de tiros. Seus oficiais fizeram uma nova conspiração de assassinato fracassada, usando um lenço envenenado, idéia endossada por toda a cadeia de comando da CIA. Foram necessários mais cinco anos até que a agência finalmente apoiasse um golpe bem-sucedido no Iraque, em nome da influência americana.

"Chegamos ao poder num trem da CIA", disse Ali Saleh Sa'adi, ministro do Interior do Partido Ba'ath nos anos 1960. Um dos passageiros desse trem era um promissor assassino chamado Saddam Hussein.

# 15 "UMA GUERRA MUITO ESTRANHA"

A visão americana do mundo do Mediterrâneo ao Pacífico era em preto-e-branco: uma firme mão americana era necessária em cada capital, de Damasco a Jacarta, para impedir que os dominós caíssem. Mas, em 1958, o esforço da CIA para derrubar o governo da Indonésia saiu antes do tempo tão violentamente pela culatra que fomentou o surgimento do maior partido comunista do mundo fora da Rússia e da China. Seria preciso uma verdadeira guerra, em que centenas de milhares de pessoas morreram, para derrotar tal força.

A Indonésia lutou para se libertar do regime colonial holandês depois da Segunda Guerra Mundial e venceu a batalha em fins de 1949. Os Estados Unidos apoiaram a independência da Indonésia sob seu novo líder, o presidente Sukarno. A CIA passou a ficar de olho na nação depois da Guerra da Coréia, quando a agência percebeu que a Indonésia tinha talvez 20 bilhões de barris de petróleo inexplorado, um líder que não queria se alinhar com os Estados Unidos e um crescente movimento comunista.

A agência acionou o alarme para a Indonésia pela primeira vez num relatório entregue ao Conselho de Segurança Nacional em 9 de setembro de 1953. Depois de ouvir o terrível relato da CIA sobre a situação, Harold Stassen, na época diretor da Agência de Segurança Mútua — a organização de ajuda militar e econômica que substituiu o Plano Marshall —, disse ao vice-presidente Nixon e aos irmãos Dulles que eles "deveriam pensar em medidas desse governo que causem a queda do novo regime da Indonésia, já que obviamente se trata de um governo bastante ruim. Se ele está sendo infiltrado por comunistas como a CIA parece acreditar, seria mais sensato tentar se livrar dele do que apoiá-lo". Mas quando Nixon conversou com oficiais da CIA em Washington quatro meses depois, após se reunir com Sukarno durante uma viagem pelo mundo, relatou que o líder indonésio tinha "um tremendo controle sobre o povo; é completamente não-comunista; e não há dúvida alguma de que ele é a principal 'carta' dos Estados Unidos".

Os irmãos Dulles duvidaram seriamente de Nixon. Sukarno anunciou ser não-combatente na guerra fria, e aos olhos dos Dulles ninguém era neutro.

A CIA cogitou seriamente matar Sukarno na primavera de 1955. "Havia planos para essa possibilidade", recordou Richard Bissell. "Os planos progrediram até a identificação de um colaborador" — um assassino — "que poderia ser recrutado com esse objetivo. O plano nunca foi adiante, nunca foi aperfeiçoado a ponto de parecer plausível. A dificuldade estava relacionada à possibilidade de criar uma situação em que o potencial agente tivesse acesso ao alvo."

## "SUBVERSÃO PELO VOTO"

Enquanto a agência cogitava assassiná-lo, Sukarno reuniu 29 chefes de Estado asiáticos, africanos e árabes numa conferência internacional em Bandung, Indonésia. Eles propuseram um movimento global de nações livres para traçar seus próprios caminhos, nem alinhadas com Moscou nem com Washington. Dezenove dias depois da conferência de Bandung, a CIA recebeu da Casa Branca uma nova ordem de ação secreta, registrada como NSC 5518 e liberada ao público em 2003.

A ordem autorizava a agência a usar "todos os meios secretos possíveis" — incluindo subornos para comprar eleitores e políticos, guerra política com o objetivo de conquistar amigos e subverter potenciais inimigos, e força paramilitar — para impedir a Indonésia de se inclinar à esquerda.

Seguindo as disposições da ordem, a CIA injetou cerca de US$ 1 milhão nos cofres do mais forte inimigo político de Sukarno, o Partido Masjumi, nas eleições parlamentares nacionais de 1955, as primeiras eleições realizadas na Indonésia pós-colonial. A operação fracassou: o partido de Sukarno venceu, o Masjumi ficou em segundo lugar e o PKI — o Partido Comunista Indonésio — ficou em quarto lugar, com 16% dos votos. Esses resultados preocuparam Washington. A CIA continuou a financiar os partidos políticos que escolheu e "inúmeras figuras políticas" da Indonésia, como relembrou Bissell num relato.

Em 1956, o alerta vermelho foi dado novamente quando Sukarno visitou Moscou e Pequim, além de Washington. A Casa Branca ouvira Sukarno dizer que admirava muito a forma de governo americana. Sentiu-se traída uma vez que ele não adotou a democracia ocidental como modelo de governo na Indonésia, um arquipélago que se estendia por mais de 4.800 quilômetros, englobando quase mil ilhas inabitadas e treze grandes grupos étnicos numa população predominantemente islâmica de mais de 80 milhões de pessoas — a quinta maior nação do mundo nos anos 1950.

Sukarno era um orador cativante, que falava em público três ou quatro vezes por semana, atraindo seu povo com gritos patrióticos, tentando unificar sua nação. Os poucos americanos na Indonésia que conseguiam entender seus discursos públicos relatavam que um dia ele citava Thomas Jefferson e no dia seguinte despejava teoria comunista. A CIA nunca entendeu Sukarno. Mas a autoridade da agência sob a ordem NSC 5518 era tão ampla que podia justificar praticamente qualquer ação contra ele.

O novo chefe da divisão Extremo Oriente da CIA, Al Ulmer, gostava desse tipo de liberdade. Era por isso que adorava a Agência. "Íamos ao mundo todo e fazíamos o que queríamos", disse ele quarenta anos depois. "Meu Deus, nós nos divertíamos."

Segundo seu próprio relato, Ulmer vivera cheio de poder durante seu longo período como chefe do posto em Atenas, com um status de algo entre uma estrela de Hollywood e um chefe de Estado. Ajudara Allen Dulles a gozar de uma paixão romântica pela rainha Frederika, da Grécia, e dos prazeres de passear de iate com magnatas da navegação. A divisão Extremo Oriente foi sua recompensa.

Ulmer disse numa entrevista que quase nada sabia sobre a Indonésia quando assumiu a chefia da divisão. Mas tinha a plena confiança de Allen Dulles. E se lembrava claramente de uma conversa com Frank Wisner em fins de 1956, pouco antes do colapso de Wisner. Recordava-se de Wisner dizendo que era hora de esquentar as coisas e aumentar a pressão sobre Sukarno.

O chefe do posto em Jacarta, Val Goodell, disse a Ulmer que a Indonésia estava pronta para a subversão comunista. Goodell era um magnata da indústria de borracha com uma atitude firmemente colonialista. A essência dos telegramas inflamados que ele disparou de Jacarta foi expressa em anotações que

Allen Dulles levou a suas reuniões semanais na Casa Branca nos primeiros quatro meses de 1957: Situação crítica... Sukarno um comunista secreto... Enviar armas. Oficiais do exército rebeldes na ilha de Sumatra eram a chave para futuro da nação, disse Goodell à sede. "Habitantes de Sumatra preparados para lutar", telegrafou ele, "mas têm poucas armas."

Em julho de 1957, o resultado de eleições locais mostrou que o PKI saía da quarta posição para se tornar o terceiro partido político mais poderoso da Indonésia. "Sukarno insiste em participação de comunistas" no governo da Indonésia, relatou Goodell, "devido aos seis milhões de indonésios que votaram no partido comunista." A CIA descreveu esse crescimento como "ganhos espetaculares" que davam aos comunistas "enorme prestígio". Agora Sukarno se voltaria para Moscou e Pequim? Ninguém tinha a menor idéia.

O chefe do posto discordou firmemente do embaixador americano demissionário na Indonésia, Hugh Cumming, que disse que Sukarno ainda estava aberto à influência americana. Desde o início, Goodell combateu o novo embaixador, John M. Allison, que trabalhara como enviado americano ao Japão e secretário-assistente de Estado para o Extremo Oriente. Logo os dois chegaram a um impasse furioso. Os Estados Unidos usariam influência diplomática ou força letal na Indonésia?

Ninguém parecia saber qual era a política externa dos Estados Unidos para aquela questão. Em 19 de julho de 1957, o vice-diretor da Central de Inteligência, Charles Pearre Cabell, "recomendou que o diretor tente novamente descobrir qual é a política do Departamento de Estado na Indonésia", diz a minuta da reunião de chefes da CIA. "O diretor concordou com isso."

A Casa Branca e a CIA enviaram emissários a Jacarta para avaliar a situação. Allen Dulles despachou Al Ulmer; o presidente Eisenhower enviou F. M. Dearborn Jr., seu assistente especial para operações de segurança. Dearborn avisou relutantemente a Eisenhower que quase todos os aliados dos EUA no Extremo Oriente estavam inseguros. Chiang Kai-shek liderava "uma ditadura" em Taiwan. O presidente Diem comandava "sozinho o espetáculo" no Vietnã do Sul. Os líderes do Laos eram corruptos. Syngman Rhee, da Coréia do Sul, era profundamente impopular.

Mas o problema na Indonésia de Sukarno era diferente, relatou o homem do presidente: era uma "subversão pelo voto" — um dos perigos da democracia participativa.

Al Ulmer acreditava que tinha que encontrar as forças anticomunistas mais poderosas da Indonésia e apoiá-las com armas e dinheiro. Ele e Goodell discutiram furiosamente com o embaixador Allison durante "uma longa e infrutífera tarde" na varanda da residência da embaixada em Jacarta. Os homens da CIA não aceitavam o fato de que quase toda liderança do exército indonésio permanecia profissionalmente leal ao governo, pessoalmente anticomunista e politicamente pró-EUA. Acreditavam que o apoio da CIA a oficiais do exército rebeldes poderia salvar a Indonésia de uma tomada de poder comunista. Com o apoio da agência, eles criariam um governo indonésio separado na Sumatra e depois tomariam a capital. Ulmer retornou a Washington denunciando Sukarno como "irremediável" e Allison como "suave com o comunismo". Convenceu os irmãos Dulles das duas coisas.

Alguma semanas depois, por recomendação da CIA, o embaixador Allison — um dos homens com maior experiência em Ásia no Departamento de Estado — foi afastado de seu cargo e rapidamente reinstalado na Tchecoslováquia.

"Eu tinha grande consideração por Foster e Allen Dulles", observou Allison. "Mas eles não conheciam bem os asiáticos e sempre tendiam a julgá-los por parâmetros ocidentais." Na questão da Indonésia, "os dois eram ativistas e insistiram em fazer algo imediatamente". Foram convencidos por relatos do posto de que os comunistas estavam subvertendo e controlando o exército indonésio — e que a agência poderia impedir a ameaça. A CIA endereçou a si mesma um convite à insurreição.

## "OS FILHOS DE EISENHOWER"

Na reunião do Conselho de Segurança Nacional de 1º de agosto de 1957, o relato da CIA provocou uma explosão contida. Allen Dulles disse que Sukarno "chegou a um ponto que não tem volta" e "de agora em diante faria o jogo dos comunistas". O vice-presidente Nixon abordou o tema e propôs que "os Estados Unidos deveriam trabalhar através da organização militar da Indonésia para mobilizar a oposição ao comunismo". Frank Wisner disse que a CIA podia apoiar uma rebelião, mas que ele não podia garantir "controle absoluto" uma vez que esta fosse iniciada: "resultados explosivos são sempre possíveis". No dia seguinte, disse a seus colegas que "a deterioração da situação na Indonésia está sendo analisada com a máxima seriedade nos círculos mais altos do governo dos EUA".

Foster Dulles apostou todas as suas fichas num golpe. Tornou o ex-embai-xador Hugh Cumming — que estava fora da Indonésia havia cinco meses — encarregado de uma comissão dirigida por oficiais da CIA e do Pentágono. O grupo apresentou suas recomendações em 13 de setembro de 1957. Exortou os Estados Unidos a fornecer secretamente ajuda militar e econômica a oficiais do exército que buscavam poder.

Mas também levantou questões fundamentais sobre as conseqüências de ações secretas americanas. Armar oficiais rebeldes "poderia aumentar a pro-babilidade de um desmembramento da Indonésia, um país criado com apoio e assistência dos EUA", observaram membros do grupo de Cumming. "Como os EUA tiveram um papel importante na criação de uma Indonésia indepen-dente, não estariam se arriscando a perder uma grande parte da Ásia e do resto do mundo se a Indonésia se dividir, e particularmente se nossa participação nesse rompimento acabar se tornando conhecida, como parece inevitável?" A pergunta ficou sem resposta.

Em 25 de setembro, o presidente Eisenhower ordenou à agência que der-rubasse o governo da Indonésia, de acordo com registros da CIA obtidos pelo autor. Ele estabeleceu três missões. Primeiro: fornecer "armas e outros tipos de ajuda militar" a "comandantes militares anti-Sukarno" em toda a Indonésia. Segundo: "fortalecer a determinação, a vontade e a coesão" dos oficiais milita-res rebeldes nas ilhas de Sumatra e Sulawesi. Terceiro: apoiar e "estimular à ação, isoladamente ou em uníssono, elementos não-comunistas e anticomunistas" de partidos políticos em Java, a principal ilha.

Três dias depois, o semanário indiano *Blitz* — uma publicação controlada pela inteligência soviética — publicou uma grande reportagem com um título provocativo: CONSPIRAÇÃO AMERICANA PARA DERRUBAR SUKARNO. A imprensa indonésia obteve a história e a divulgou. A ação secreta permaneceu secreta por cerca de 72 horas.

Richard Bissell enviou U-2 para sobrevoar o arquipélago e tramou a en-trega de armas e munição aos rebeldes por mar e ar. Nunca tinha dirigido ope-rações paramilitares nem preparado planos militares. Achou aquilo fascinante.

O planejamento da operação demorou três meses. Wisner voou para o pos-to da CIA em Cingapura, logo do outro lado do Estreito de Málaga, a partir do norte da Sumatra, para montar operações de guerra política. Ulmer criou postos de comando militar na Base Clark da Força Aérea e no posto naval da Baía de Subic, nas Filipinas. Eram as duas maiores bases americanas na região. John

Mason, chefe de operações de Ulmer no Extremo Oriente, reuniu uma pequena equipe de oficiais paramilitares nas Filipinas; muitos eram veteranos das operações da CIA na Guerra da Coréia. Eles fizeram contato com um punhado de rebeldes do exército indonésio em Sumatra e com outro contingente de comandantes que buscavam poder na ilha de Sulawesi, a nordeste de Java. Mason trabalhou com o Pentágono para preparar um pacote de metralhadoras, carabinas, fuzis, lança-foguetes, morteiros, granadas de mão e munição suficiente para oito mil soldados; e fez planos para suprir os rebeldes de Sumatra e Sulawesi por mar e ar. O primeiro carregamento de armas chegou à Baía de Subic no USS *Thomaston,* que partiu para Sumatra em 8 de janeiro de 1958. Mason acompanhou o navio num submarino, o USS *Bluegill.* As armas chegaram na semana seguinte ao porto de Padang, no norte da Sumatra, cerca de 360 quilômetros ao sul de Cingapura. O desembarque aconteceu sem o menor sigilo. Atraiu uma grande multidão.

Em 10 de fevereiro, os rebeldes indonésios fizeram um perturbador desafio a Sukarno, transmitido por uma estação de rádio financiada pela CIA e recém-instalada em Padang. Exigiram um novo governo e a proibição do comunismo em cinco dias. Sem nada ouvir de Sukarno — que se divertia em bares de gueixas e casas de banho em Tóquio — eles anunciaram o estabelecimento de um governo revolucionário cujo ministro do Exterior, escolhido e pago pela CIA, era o coronel Maludin Simbolon, um cristão que falava inglês. Lendo suas exigências na rádio, eles advertiram potências estrangeiras a não interferir em assuntos internos da Indonésia. Enquanto isso, a CIA preparava novos carregamentos de armas nas Filipinas e esperava os primeiros sinais de uma rebelião popular nacional contra Sukarno.

O posto da CIA em Jacarta disse à sede para esperar um período de manobras políticas longo, lento e lânguido, com "todas as facções procurando evitar a violência". Oito dias depois, em 21 de fevereiro, a força aérea indonésia bombardeou as estações de rádio dos revolucionários no centro de Sumatra, transformando-as em escombros, e a marinha indonésia bloqueou posições de rebeldes ao longo da costa. Agentes indonésios da CIA e seus assistentes americanos recuaram para a selva.

A agência parecia esquecer que alguns dos mais poderosos comandantes do exército indonésio tinham sido treinados nos Estados Unidos e se referiam a si próprios como "os filhos de Eisenhower". Estes eram os homens que estavam combatendo os rebeldes. O exército, liderado por anticomunistas, estava em guerra contra a CIA.

## "O MELHOR PESSOAL QUE PODERÍAMOS REUNIR"

Horas depois que as primeiras bombas caíram em Sumatra, os irmãos Dulles conversaram ao telefone. Foster disse que era "a favor de se fazer algo, mas é difícil imaginar o que ou por quê". Se os Estados Unidos se "envolvessem numa guerra civil" do outro lado do mundo, disse ele, como se justificariam ao Congresso e ao povo americano? Allen respondeu que as forças que a CIA reunira eram "o melhor pessoal que poderíamos reunir", e advertiu que "não há muito tempo para considerar tudo o que precisamos considerar".

Quando o Conselho de Segurança Nacional se reuniu naquela semana, Allen Dulles disse ao presidente que "os Estados Unidos enfrentavam problemas muito difíceis" na Indonésia.

A minuta do NSC diz que "Dulles fez um resumo dos últimos acontecimentos, a maioria dos quais já havia sido exposta nos jornais", e em seguida advertiu que "se esse movimento dissidente fosse por água abaixo, ele tinha quase certeza de que a Indonésia passaria para o lado dos comunistas". Foster Dulles disse: "Não podemos permitir que isso aconteça." O presidente concordou que "teremos que entrar se realmente houver uma ameaça de ocupação comunista". Os falsos alarmes da CIA eram a base da crença naquela ameaça.

Allen Dulles disse a Eisenhower que as forças de Sukarno "não estavam muito animadas a atacar Sumatra". Horas depois, relatos vindos da Indonésia começaram a chegar à sede da CIA dizendo que essas mesmas forças haviam "bombardeado e bloqueado redutos de dissidentes no primeiro esforço para esmagar a rebelião com todos os meios disponíveis" e "planejavam ações aéreas e anfíbias contra o centro de Sumatra".

Navios de guerra americanos se concentraram perto de Cingapura, a dez minutos de jato da costa de Sumatra. O *USS Ticonderoga*, um porta-aviões com dois batalhões de fuzileiros navais a bordo, lançou âncora, além de dois torpedeiros e um cruzador pesado. Em 9 de março, enquanto o grupo da batalha naval se reunia, Foster Dulles fez uma declaração pública defendendo abertamente uma revolta contra o "despotismo comunista" do governo de Sukarno. O general Nasution, chefe do exército de Sukarno, respondeu enviando dois batalhões de soldados numa frota de oito navios, acompanhados de uma unidade da força aérea. Eles se reuniram ao largo da costa norte de Sumatra, a 19 quilômetros do porto de Cingapura.

O novo embaixador dos EUA na Indonésia, Howard Jones, telegrafou para o secretário de Estado dizendo que o general Nasution era um anticomunista confiável e que os rebeldes não tinham chance alguma de vitória. Talvez também tenha posto a mensagem numa garrafa e atirado no mar.

O chefe de operações do general Nasution, coronel Ahmed Yani, era um dos "filhos de Eisenhower" — dedicadamente pró-americano; graduado no curso de Comando e Estado-Maior do Exército dos EUA, em Fort Leavenworth; e amigo do major George Benson, o adido militar americano em Jacarta. Preparando uma grande ofensiva contra os rebeldes em Sumatra, o coronel pediu ao major Benson mapas para ajudá-lo em sua missão. O major, sem saber da operação secreta da CIA, ficou feliz por fornecê-los.

Na Base Clark da Força Aérea, nas Filipinas, os comandantes da CIA convocaram uma equipe de 22 aeronautas liderados por pilotos poloneses que trabalhavam para a agência desde a fracassada operação albanesa, oito anos antes. Seu primeiro vôo levou cinco toneladas de armas e munição, além de maços de dinheiro para os rebeldes em Sumatra. Foi detectado por uma das patrulhas do general Nasution instantes depois de entrar no espaço aéreo indonésio. Pára-quedistas de Nasution apanharam com prazer cada um dos caixotes jogados pelos pilotos da CIA.

A leste, em Sulawesi, a guerra da CIA acontecia de forma semelhante. Pilotos da marinha dos EUA partiram em missão de reconhecimento, identificando potenciais alvos em Sulawesi. Os rebeldes apoiados pelos americanos mostraram sua coragem usando metralhadoras de calibre 50 fornecidas pela Agência para atirar no avião. A equipe americana escapou por pouco de uma queda, aterrissando 320 quilômetros ao norte, nas Filipinas. Os pilotos poloneses da CIA receberam novos alvos para um vôo de reconhecimento. Dois aviões com tripulações de dois homens chegaram ao espaço aéreo de Sulawesi. Seus B-26 adaptados eram equipados com seis bombas de 226 quilos e pesadas metralhadoras. Um dos aviões atacou com sucesso um campo de pouso militar indonésio. O segundo caiu ao decolar. Dois bravos poloneses voltaram para suas esposas britânicas dentro de sacos de cadáveres; uma elaborada história de fachada disfarçou suas mortes.

A última esperança da CIA estava com os rebeldes de Sulawesi e suas ilhas remotas, no extremo nordeste do arquipélago. Isso porque nos últimos dias de abril soldados de Sukarno destruíram os rebeldes em Sumatra. Os cinco oficiais da CIA na ilha fugiram para salvar suas vidas. Seguiram para o sul, num jipe, até ficarem sem combustível. Então caminharam pela selva até a costa, sustentando-se com alimentos roubados de pequenas lojas em vilas isoladas. Quando chegaram ao oceano, apoderaram-se de um barco de pesca e informaram por rádio sua posição ao posto da CIA em Cingapura. Um submarino da marinha, o *USS Tang*, chegou para resgatá-los.

A missão em Sumatra "praticamente desmoronou", relatou com tristeza Allen Dulles a Eisenhower em 25 de abril. "As forças dissidentes na ilha parecem não ter qualquer vontade de lutar", disse o diretor ao presidente. "Os líderes dissidentes não conseguiram passar a seus soldados qualquer idéia sobre o motivo pelo qual lutavam. Foi uma guerra muito estranha."

## "ELES ME CONDENARAM POR ASSASSINATO"

Eisenhower queria que aquela operação pudesse ser negada. Ordenou que nenhum americano estivesse passível de ser implicado "em qualquer operação de caráter militar na Indonésia". Dulles desobedeceu.

Os pilotos da CIA começaram a bombardear e metralhar ilhas limítrofes da Indonésia em 19 de abril de 1958. Num informe por escrito da CIA à Casa Branca e ao presidente dos Estados Unidos, a força aérea da Agência foi descrita como "aviões dissidentes" — aviões indonésios pilotados por indonésios, e não aviões americanos pilotados por funcionários da agência. Um dos americanos que voou naqueles aviões era Al Pope. Aos 25 anos, ele era um veterano de quatro anos em perigosas missões secretas. Recebera distinções por bravura e fervor.

"Eu gostava de matar comunistas", disse ele em 2005. "Eu gostava de matar comunistas de qualquer modo que eu conseguisse pegá-los."

Pope voou em sua primeira missão na Indonésia em 27 de abril. Durante as três semanas seguintes, ele e seus companheiros pilotos da CIA atingiram alvos militares e civis nas vilas e portos do nordeste da Indonésia. No Dia do Trabalho, Allen Dulles disse a Eisenhower que aqueles ataques aéreos haviam sido "quase eficientes demais, uma vez que resultaram no afundamento de um cargueiro britânico e outro panamenho". Centenas de civis morreram, relatou a embaixada americana. Quatro dias depois, Dulles contou nervosamente ao Conselho de Segurança Nacional que os bombardeios haviam "provocado uma grande ira" entre os indonésios, porque pilotos americanos eram acusados de estar no controle. As acusações eram verdadeiras, mas o presidente dos Estados Unidos e o secretário de Estado negaram publicamente.

A embaixada americana e o almirante Felix Stump, comandante das forças americanas no Pacífico, alertaram Washington de que a operação da CIA era um fracasso transparente. O presidente pediu ao diretor da central de inteligência que se explicasse. Uma equipe de oficiais da sede da CIA se mobilizou para fazer uma cronologia da operação na Indonésia. Observaram que embora a "complexidade" e a "delicadeza" da operação fossem imensas, exigindo "cuidadosa coordenação", ela havia sido improvisada "dia a dia". Devido a seu tamanho e seu alvo, "não pôde ser realizada como uma operação completamente secreta". O fracasso do sigilo violava a carta de direitos da Agência e as ordens diretas do presidente.

Al Pope passou as primeiras horas de domingo, 18 de maio, sobre a cidade de Ambon, no leste da Indonésia, afundando um navio da marinha, bombardeando um mercado e destruindo uma igreja. O número oficial de mortos era de seis civis e dezessete oficiais militares. Em seguida, Pope começou a perseguir um navio de sete mil toneladas que transportava mais de mil soldados indonésios. Mas seu B-26 estava na linha de fogo dos canhões antiaéreos do navio. Também foi seguido por um caça da força aérea indonésia. Atingido por trás e por baixo, o avião de Pope começou a pegar fogo a 1.800 metros de altitude. Pope ordenou a seu operador de rádio indonésio que pulasse, lançou ao mar o teto de sua cabine, alcançou o mecanismo de ejeção de seu assento e conseguiu escapar do avião. Quando foi jogado para fora, sua perna bateu na cauda do avião. Sua coxa se despedaçou na altura do quadril. Sua última bomba caiu a aproximadamente doze metros do navio de soldados, poupando centenas de vidas. Ele caiu lentamente sobre o solo, contorcendo-se de dor na ponta de seu pára-quedas. No bolso com zíper de seu uniforme de vôo, Pope tinha registros pessoais, seus relatos de vôo pós-ação e um cartão de sócio do clube de oficiais de Clark Field. Os documentos o identificavam como o que de fato era: um oficial americano bombardeando a Indonésia sob ordens de seu governo. Ele poderia ter sido morto na hora. Mas foi preso.

"Eles me condenaram por assassinato e me sentenciaram à pena de morte", disse ele. "Disseram que eu não era um prisioneiro de guerra e não tinha direito à Convenção de Genebra."

A notícia de que Pope desaparecera em combate chegou à sede da CIA na noite daquele mesmo domingo. O diretor da central de inteligência confabulou com seu irmão. Eles concordaram que haviam perdido a guerra.

Em 19 de maio, Allen Dulles enviou um telegrama a seus oficiais em Indonésia, Filipinas, Taiwan e Cingapura: suspendam, cortem o dinheiro, fechem o canal de armas, queimem provas e retirem-se. Os minutos daquela reunião matinal na sede refletem a fúria de Dulles pela "óbvia confusão".

Para os Estados Unidos, era hora de trocar de lado. Tão rapidamente quanto possível, a política externa americana inverteu o curso. Os relatos da CIA refletiram instantaneamente a mudança. A Agência disse à Casa Branca em 21 de maio que o exército indonésio estava suprimindo o comunismo e que Sukarno estava falando e agindo de maneira favorável aos Estados Unidos. Agora eram os ex-amigos da CIA que ameaçavam os interesses americanos.

"É claro que a operação foi um fracasso completo", disse Richard Bissell. Pelo resto de seus dias no poder, Sukarno raramente deixou de mencioná-la. Ele sabia que a CIA havia tentado derrubar seu governo, seu exército sabia e o sistema político da Indonésia também sabia. O efeito final foi fortalecer os comunistas da Indonésia, cuja influência e poder aumentaram nos sete anos seguintes.

"Eles *disseram* que a Indonésia foi um fracasso", refletiu Pope com amargura. "Mas quebramos a cara deles. Matamos milhares de comunistas, embora metade deles provavelmente nem soubesse o que significava comunismo."

O único registro da época sobre o serviço de Pope na Indonésia é uma linha de um relatório da CIA à Casa Branca, datado de 21 de maio de 1958. É uma mentira, e na íntegra diz: "Avião B-26 dissidente derrubado durante ataque a Ambon em 18 de maio."

## "NOSSOS PROBLEMAS ESTAVAM AUMENTANDO A CADA ANO"

A Indonésia foi a última operação de Frank Wisner como chefe do serviço clandestino. Ele voltou do Extremo Oriente em junho de 1958 no limite de sua sanidade, e no fim do verão ficou louco. O diagnóstico foi "mania psicótica". Os sintomas estavam ali havia anos — o desejo de mudar o mundo por força de vontade, os discursos inflamados, as missões suicidas. Psiquiatras e os novos psicofármacos não ajudaram. O tratamento foi eletrochoque. Durante seis meses, sua cabeça foi apertada por um torninho e submetida a uma corrente suficiente para acender uma lâmpada de cem watts. Wisner saiu dali menos lúcido e menos destemido, e foi chefiar o posto em Londres.

Depois que a operação Indonésia degringolou, Dulles vagou por uma série de reuniões do Conselho de Segurança Nacional fazendo advertências vagas e sinistras sobre a ameaça de Moscou. O presidente começou a questionar abertamente se a CIA sabia o que estava fazendo. Certa vez ele perguntou, espantado: Allen, você está querendo me assustar para que eu inicie uma guerra?

Na sede, Dulles perguntava a seus principais oficiais aonde exatamente ele tinha que ir para encontrar informações sobre a União Soviética. Numa reunião de assessores em 23 de junho de 1958, ele disse que estava "confuso quanto a que componente da Agência poderia procurar quando desejasse informações específicas sobre a URSS". A agência não tinha nenhum. Seus relatos sobre os soviéticos eram vazios.

Abbot Smith, um dos melhores analistas da CIA e mais tarde chefe do Serviço de Estimativas Nacionais da Agência, fez uma retrospectiva do trabalho de uma década em fins de 1958 e escreveu: "Pintamos para nós mesmos um retrato da URSS, e qualquer coisa que acontecesse por lá tinha que ser adaptada àquele retrato. Os especialistas em estimativas de inteligência dificilmente podem cometer um pecado mais abominável."

Em 16 de dezembro, Eisenhower recebeu um relatório de seu grupo de consultores de inteligência aconselhando-o a reformular a CIA. Seus membros temiam que a Agência fosse "incapaz de fazer avaliações objetivas de suas próprias informações de inteligência, bem como de suas próprias operações". Liderados pelo ex-secretário de Defesa Robert Lovett, eles imploraram ao presidente que tirasse as operações secretas das mãos de Allen Dulles.

Como sempre, Dulles rejeitou todos os esforços para mudar a CIA. Assegurou ao presidente que não havia nada de errado na Agência. Ao voltar para a sede, disse a seus principais assessores: "nossos problemas estavam aumentando a cada ano." Prometeu ao presidente que a substituição de Wisner consertaria as missões e a organização do serviço clandestino. Ele já tinha o homem perfeito para esse trabalho.

# 16 "ELE ESTAVA RELAXANDO E MENTINDO"

Em 1º de janeiro de 1959, Richard Bissell se tornou o chefe do serviço clandestino. No mesmo dia, Fidel Castro assumiu o poder em Cuba. Uma história secreta da CIA revelada em 2005 descreve com detalhes como a agência enfrentou a ameaça.

A agência avaliou Fidel longa e duramente. Não sabia o que fazer com ele. "Muitos observadores sérios acham que seu regime vai desmoronar em questão de meses", previu Jim Noel, chefe do posto da CIA cujos oficiais tinham passado um bocado de tempo enviando relatos do Havana Country Club. Na sede, alguns argumentaram que Castro merecia as armas e o dinheiro da agência. Al Cox, chefe da divisão paramilitar, propôs "fazer contato secreto com Castro" e oferecer-lhe armas e munição para que ele estabelecesse um governo democrático. Cox disse a seus superiores que a CIA poderia enviar armas para Castro num navio de tripulação cubana. Mas "o meio mais seguro de ajuda seria dar o dinheiro a Castro, que poderia comprar suas próprias armas", escreveu Cox a seus superiores. "Uma combinação de armas e dinheiro provavelmente seria a melhor opção." Cox era alcoólatra, e pode ser que seus pensamentos estivessem confusos, porém vários de seus oficiais pensavam da mesma maneira. "Minha equipe e eu éramos todos fidelistas" na época, disse muitos anos depois Robert Reynolds, chefe da seção de operações caribenhas da CIA.

Em abril e maio de 1959, quando o recém-vitorioso Castro visitou os Estados Unidos, um agente da CIA conversou cara a cara com ele em Washington.

Descreveu Fidel como "um novo líder espiritual das forças democráticas e anti-ditatoriais latino-americanas".

## "NOSSAS MÃOS NÃO DEVEM APARECER"

O presidente ficou furioso ao descobrir que a CIA avaliara Castro erroneamente. "Embora nossos especialistas em inteligência tenham vacilado durante meses", escreveu Eisenhower em suas memórias, "os acontecimentos gradualmente os levaram à conclusão de que, com a chegada de Castro, o comunismo penetrara neste hemisfério."

Em 11 de dezembro de 1959, ao chegar a essa conclusão, Richard Bissell enviou a Allen Dulles um memorando sugerindo que "se considere cuidadosamente a *eliminação* de Fidel Castro". Dulles escreveu a lápis uma correção crucial à proposta. Riscou a palavra *eliminação*, que indicava assassinato, substituiu-a por *sua remoção de Cuba* e deu sua aprovação.

Em 8 de janeiro de 1960, Dulles pediu a Bissell para organizar uma força-tarefa especial para derrubar Castro. Bissell escolheu pessoalmente muitas das mesmas pessoas que haviam destruído o governo da Guatemala seis anos antes — e que enganaram abertamente o presidente Eisenhower em relação ao golpe. Escolheu o incompetente Tracy Barnes para a guerra política e psicológica, o talentoso David Phillips para a propaganda, o entusiasmadíssimo Rip Robertson para o treinamento militar e o terrivelmente medíocre E. Howard Hunt para coordenar os grupos da frente política.

O chefe seria Jake Esterline, que dirigira em Washington a "sala de guerra" da Operação Sucesso. Esterline era chefe do posto na Venezuela quando pôs pela primeira vez os olhos em Fidel Castro, no início de 1959. Vira o jovem *comandante* passeando por Caracas, logo depois de seu triunfo sobre o ditador Fulgêncio Batista no dia de Ano-Novo, e ouvira as multidões saudando Castro como um conquistador.

"Eu vi — caramba, qualquer pessoa com olhos podia ver — que uma força nova e poderosa estava atuando no hemisfério", disse Esterline. "Era preciso lidar com ela."

Esterline voltou para a sede da CIA em janeiro de 1960 para ser nomeado chefe da força-tarefa para Cuba. O grupo tomou a forma de uma célula secreta dentro da CIA. Todo o dinheiro, todas as informações e todas as decisões para a força-tarefa cubana passavam por Bissell. Ele tinha pouco interesse no trabalho de seus espiões, e muito menos ainda na obtenção de informações dentro de Cuba. Nunca parou para analisar o que aconteceria se o golpe contra Castro fosse bem-sucedido — ou se fracassasse. "Acho que esse tipo de coisa nunca foi pensado em profundidade", disse Esterline. "Acho que a primeira reação deles foi, meu Deus, temos um possível comunista aqui; é melhor que nós o tiremos da mesma maneira que tiramos Arbenz" na Guatemala.

Bissell quase nunca falava de Cuba com Richard Helms, seu segundo no comando no serviço clandestino. Os dois não se gostavam e desconfiavam intensamente um do outro. Helms chegou a considerar uma idéia surgida na força-tarefa para Cuba. Era uma conspiração de propaganda: um agente cubano, treinado pela CIA, apareceria numa praia de Istambul dizendo ser um prisioneiro político que acabara de pular de um navio soviético. Proclamaria que Castro estava escravizando milhares de cubanos e enviando-os para a Sibéria. O plano ficou conhecido como "O Cubano Molhado". Helms o enterrou.

Em 2 de março de 1960 — duas semanas antes de o presidente Eisenhower aprovar uma ação secreta contra Castro — Dulles conversou com o vice-presidente Nixon sobre operações já em curso. Lendo um documento de sete páginas com as iniciais de Bissell, intitulado "O Que Estamos Fazendo em Cuba", Dulles especificou ações de guerra econômica, sabotagem, propaganda política e um plano para usar "uma droga, que, se for colocada na comida de Castro, fará com que ele se comporte de uma maneira tão irracional que uma aparição pública poderia ter resultados muito nocivos a ele". Nixon era completamente a favor.

Dulles e Bissell apresentaram seus planos a Eisenhower e Nixon na Casa Branca, numa reunião dos quatro, às 14h30, em 17 de março de 1960. Eles não propuseram invadir a ilha. Disseram a Eisenhower que poderiam derrubar Castro num passe de mágica. Criariam "uma oposição cubana responsável, atraente e unida", liderada por agentes recrutados. Uma estação de rádio clandestina transmitiria propaganda para Havana para deflagrar uma rebelião. Oficiais da CIA no campo de treinamento para guerra na selva do exército dos EUA, no Panamá, treinariam sessenta cubanos para infiltrá-los na ilha. A CIA lhes daria armas e munição.

Fidel cairia dentro de seis a oito meses, prometeu Bissell. O prazo era extremamente delicado: a eleição americana aconteceria dali a sete meses e meio. O senador John F. Kennedy e o vice-presidente Nixon venceram com amplas vantagens as primárias presidenciais de New Hampshire uma semana antes.

O secretário de gabinete de Eisenhower, general Andrew Goodpaster, fez anotações sobre a reunião. "O presidente diz não saber de nenhum plano melhor... Os grandes problemas são vazamento e segurança... Todos precisam estar preparados para jurar que ele não ouviu falar disso... Nossas mãos não devem aparecer em nada do que for feito." A agência não precisava ser lembrada de que, de acordo com sua carta de direitos, *todas* as ações secretas exigiam sigilo tal que nenhuma prova pudesse conduzir ao presidente. Mas Eisenhower queria assegurar que a CIA faria de tudo para manter aquela ação em segredo.

## "PAGARÍAMOS POR AQUELA MENTIRA"

O presidente e Dick Bissell estavam presos numa luta cada vez mais intensa pelo controle de um dos maiores segredos de todos — o avião espião U-2. Eisenhower não permitiu qualquer vôo sobre o território soviético desde sua conversa com Kruschev em Camp David seis meses antes. Kruschev voltara de Washington elogiando a coragem do presidente em buscar uma coexistência pacífica; Eisenhower desejava que o "espírito de Camp David" fosse seu legado.

Bissell lutava o máximo possível para reiniciar as missões secretas. O presidente estava dividido. Queria realmente as informações que o U-2 obtinha.

Ele ansiava por acabar com "o vazio de mísseis" — a falsa alegação da CIA, da força aérea, de empreiteiros militares e de políticos dos dois partidos de que os soviéticos tinham uma ampla liderança em armamentos nucleares. As estimativas formais da CIA sobre a força militar soviética não se baseavam em informações, mas em política e suposições. Desde 1957, a CIA enviava a Eisenhower relatos assustadores de que o desenvolvimento soviético de mísseis balísticos nucleares intercontinentais era muito mais rápido e maior que o do arsenal americano. Em 1960, a agência projetou uma ameaça mortal aos Estados Unidos: disse ao presidente que em 1961 os soviéticos teriam quinhentos mísseis balísticos intercontinentais prontos para atacar. O Comando Aéreo Estratégico usou essa estimativa como base para um plano secreto de atacar primeiro, usando mais de três mil ogivas nucleares para destruir cada cidade e cada posto militar de Varsóvia a Pequim. Mas na época Moscou não tinha quinhentos mísseis nucleares apontados para os Estados Unidos. Tinha quatro.

Havia cinco anos e meio que o presidente temia que o próprio U-2 pudesse iniciar a Terceira Guerra Mundial. Se o avião caísse na União Soviética, poderia levar consigo a chance de paz. No mês seguinte aos diálogos com Kruschev em Camp David, o presidente rejeitou uma recém-proposta missão do U-2 na União Soviética; disse a Allen Dulles mais uma vez, claramente, que desvendar as intenções soviéticas por meio de espionagem era mais importante para ele do que descobrir detalhes sobre sua capacidade militar. Somente espiões, e não aparelhos, poderiam informar sobre uma intenção soviética de ataque.

Sem esse conhecimento, disse o presidente, os vôos do U-2 eram "uma alfinetada provocativa, e podem dar a impressão de que estamos seriamente fazendo planos para destruir suas instalações" com um ataque furtivo.

Eisenhower tinha uma reunião de cúpula com Kruschev marcada para 16 de maio de 1960, em Paris. Temia que seu maior bem — sua reputação de honestidade — fosse desperdiçado se um U-2 caísse enquanto os Estados Unidos estivessem, segundo suas próprias palavras, "envolvidos em deliberações aparentemente sinceras" com os soviéticos.

Teoricamente, só o presidente tinha o poder de ordenar uma missão do U-2. Mas Bissell dirigia o programa, e era petulante na elaboração de seus planos de vôo. Ele tentou se esquivar da autoridade do presidente buscando secretamente terceirizar vôos para os britânicos e os nacionalistas chineses. Em suas memórias, escreveu que Allen Dulles ficara horrorizado ao descobrir que o primeiro vôo do U-2 havia passado diretamente sobre Moscou e Leningrado. O diretor jamais soube; Bissell nunca achou adequado dizer a ele.

Durante semanas ele discutiu com a Casa Branca, até Eisenhower finalmente ceder e concordar com um vôo sobre a União Soviética, partindo do Paquistão, em 9 de abril de 1960. Mas os soviéticos souberam que seu espaço aéreo tinha sido novamente violado, e entraram em alerta máximo. Bissell brigou por mais um vôo. O presidente estabeleceu um prazo até 25 de abril. O dia chegou e terminou com nuvens cobrindo os alvos soviéticos. Bissell implorou por mais tempo, e Eisenhower lhe deu uma prorrogação de seis dias. O domingo seguinte era o último dia para o vôo antes da cúpula de Paris. Então Bissell tentou driblar a Casa Branca procurando o secretário de Defesa e o chefe do Estado-Maior Conjunto para obter seu apoio a *mais um* vôo. Em seu entusiasmo, ele negligenciou o planejamento para o caso de um desastre.

No Dia do Trabalho, conforme o presidente temia, o U-2 foi derrubado no centro da Rússia. O piloto da CIA, Francis Gary Powers, foi capturado com vida. C. Douglas Dillon era o secretário de Estado em exercício naquele dia. "O presidente me disse para trabalhar com Allen Dulles", relembrou Dillon. "Tínhamos que fazer algum tipo de anúncio." Os dois homens ficaram chocados quando a Nasa anunciou que um avião para previsão de tempo havia desaparecido na Turquia. Aquela era a história de fachada da CIA. Ou o diretor da central de inteligência nunca soube dela ou a esqueceu completamente.

"Não conseguíamos entender como aquilo havia acontecido", disse Dillon. "Mas tínhamos que nos livrar do problema."

O que provou ser difícil. Apegando-se à história de fachada, a Casa Branca e o Departamento de Estado enganaram o povo americano em relação ao vôo durante uma semana. Suas mentiras ficaram cada vez mais evidentes. A última delas foi divulgada em 7 de maio: "Não havia qualquer autorização para esse vôo." Aquilo alquebrou o ânimo de Eisenhower. "Ele não podia deixar que Allen Dulles levasse toda a culpa, porque isso daria a impressão de que o presidente não sabia o que estava acontecendo em seu governo", disse Dillon.

No dia 9 de maio, Eisenhower caminhou até o Salão Oval e disse em voz alta: "Eu gostaria de renunciar." Pela primeira vez na história dos Estados Unidos, milhões de cidadãos entenderam que seu presidente podia enganá-los em nome da segurança nacional. A doutrina da negação plausível[15] estava morta. A cúpula com Kruschev estava arruinada e o breve degelo da guerra fria tornou a congelar. O avião espião da CIA destruiu a idéia de trégua durante quase uma década. Eisenhower havia aprovado a última missão na esperança de pôr a culpa no vazio de mísseis. Mas o encobrimento do acidente o exibiu como um mentiroso. Durante sua aposentadoria, Eisenhower disse que o maior arrependimento que tinha de seu governo era "a mentira que dissemos sobre o U-2. Não percebi quão alto era o preço que pagaríamos por aquela mentira".

O presidente sabia que não conseguiria deixar o poder com um espírito de paz internacional e reconciliação. Agora ele pretendia policiar tantas partes do planeta quanto possível antes de deixar o poder.

O verão de 1960 se tornou uma estação de crises incessantes para a CIA. Setas vermelhas indicando áreas de conflito no Caribe, na África e na Ásia se multiplicaram nos mapas que Allen Dulles e seus homens levavam à Casa Branca. A decepção com a derrubada do U-2 abriu caminho para uma ira assassina.

---

[15]*Plausible deniability*: termo que se refere à criação de cadeias de comando livres e informais no governo, de modo que, caso assassinatos, operações clandestinas e outras ações ilegais se tornassem públicos, autoridades poderiam negar qualquer ligação ou alegar desconhecimento. (*N. do T.*)

Primeiro Dick Bissell reforçou os planos da CIA para derrubar o governo de Cuba. Estabeleceu um novo posto da CIA em Coral Gables, Flórida, com o codinome Wave. Disse ao vice-presidente Nixon que para conduzir a luta precisaria de uma força de quinhentos exilados cubanos treinados — além dos sessenta homens de algumas semanas antes. Mas o centro do exército para guerra na selva, no Panamá, não podia lidar com mais centenas de recrutas inexperientes. Então Bissell enviou Jake Esterline à Guatemala, onde este negociou pessoalmente um acordo secreto com o presidente Manuel Ydigoras Fuentes, general reformado e um habilidoso negociador. O lugar que Esterline conseguiu se tornou o principal campo de treinamento para a Baía dos Porcos, com seu próprio aeroporto, seu próprio bordel e seus próprios códigos de conduta. Os cubanos da CIA o consideraram "completamente insatisfatório", relatou o capitão-de-mar-e-guerra Jack Hawkins, principal planejador paramilitar de Esterline. Eles viviam "em condições de campo de prisioneiros", o que gerou "complicações políticas" com as quais a CIA teve "muita dificuldade de lidar". Embora o campo fosse isolado, o exército guatemalteco sabia muito bem de sua existência, e a presença de uma força estrangeira em seu território quase levou a um golpe militar contra o presidente.

Então, em meados de agosto, o refinado e encantador Dick Bissell fez um contrato de máfia contra Fidel Castro. Procurou o coronel Sheffield Edwards, chefe de segurança da CIA, e lhe pediu para colocá-lo em contato com um gângster que pudesse cometer um assassinato. Desta vez ele consultou Dulles, que lhe deu sua aprovação. Um historiador da agência concluiu: "Bissell provavelmente acreditava que Castro estaria morto nas mãos do assassino patrocinado pela CIA antes que a Brigada chegasse à praia" da Baía dos Porcos.

Sem nada saber sobre o plano mafioso, os homens de Bissell trabalhavam numa segunda conspiração para assassinato. A questão era: como pôr um matador treinado pela CIA a uma distância adequada para atirar em Fidel? "Podemos colocar um Rip Robertson perto dele? Podemos encontrar um cubano realmente perigoso — quero dizer, um cubano corajoso?", perguntou Dick Drain, chefe de operações da força-tarefa para Cuba. A resposta era sempre não. Miami estava cheia de milhares de exilados cubanos prontos para participar da operação secreta da CIA cada vez mais conhecida, mas havia muitos espiões de Castro entre eles, e Fidel descobriu um bocado sobre os planos da CIA. Depois de passar alguns meses ouvindo cubanos de língua solta em cafés e bares de Miami, um agente do FBI chamado George Davis deu a um agente da CIA no posto Wave um conselho de amigo: seria impossível derrubar Castro com aqueles exilados cubanos tagarelas. A única esperança era enviar fuzileiros navais. Seu colega da CIA transmitiu a mensagem à sede. A mensagem foi ignorada.

Em 18 de agosto de 1960, Dulles e Bissell discutiram sobre a força-tarefa para Cuba com o presidente Eisenhower, em particular, durante menos de vinte minutos. Bissell pediu mais US$ 10,75 milhões para iniciar um treinamento paramilitar de quinhentos cubanos na Guatemala. Eisenhower aprovou, com uma condição: "Contanto que o Estado-Maior, a Defesa, o Estado e a CIA considerem que temos uma boa chance de sucesso" em "libertar os cubanos desse pesadelo". Quando Bissell tentou levantar a idéia de criar uma força militar americana para liderar os cubanos na batalha, Dulles o interrompeu duas vezes, evitando discussão e divergências.

O presidente — o homem que liderara a maior invasão secreta da história dos EUA — advertiu os líderes da CIA para "o perigo de dar passos em falso" ou "iniciar algo antes de estarmos prontos".

### "PARA EVITAR OUTRA CUBA"

Mais tarde, naquele mesmo dia, numa reunião do Conselho de Segurança Nacional, o presidente ordenou ao diretor da central de inteligência que eliminasse o homem que a CIA considerava o Fidel da África — Patrice Lumumba, primeiro-ministro do Congo.

Lumumba tinha sido eleito por voto livre, e apelou aos Estados Unidos por assistência enquanto seu país se livrava de um brutal regime colonial da Bélgica e declarava sua independência no verão de 1960. A ajuda americana nunca chegou, porque a CIA considerava Lumumba um fantoche comunista desnorteado pelas drogas. Assim, quando pára-quedistas belgas chegaram de avião para reassumir o controle da capital, Lumumba aceitou aviões, caminhões e "técnicos" soviéticos para fortalecer seu governo que mal funcionava.

Na semana em que os soldados belgas chegaram, Dulles enviou Larry Devlin, chefe do posto em Bruxelas, para assumir o posto da CIA na capital do Congo e avaliar Lumumba como alvo de uma ação secreta. Em 18 de agosto, após seis semanas no país, Devlin telegrafou para a sede da CIA: "CONGO VIVENDO CLÁSSICO ESFORÇO COMUNISTA PARA TOMADA DE PODER... QUER LUMUMBA

SEJA COMUNISTA DE VERDADE OU FAZENDO JOGO COMUNISTA QUER NÃO... PODE RESTAR POUCO TEMPO PARA TOMAR MEDIDAS PARA EVITAR OUTRA CUBA." Allen Dulles informou a essência dessa mensagem numa reunião do NSC no mesmo dia. De acordo com um testemunho secreto ao Senado prestado anos depois pelo notário do NSC, Robert Johnson, o presidente Eisenhower se voltou então para Dulles e disse sem rodeios que Lumumba deveria ser eliminado. Depois de um sepulcral silêncio de cerca de quinze segundos, a reunião continuou. Dulles telegrafou para Devlin oito dias depois: "EM ALTO ESCALÃO AQUI É CLARA CONCLUSÃO DE QUE SE LLL CONTINUAR EM ALTO CARGO, O RESULTADO INEVITÁVEL SERÁ NA MELHOR DAS HIPÓTESES CAOS E NA PIOR PAVIMENTAR CAMINHO PARA OCUPAÇÃO COMUNISTA DO CONGO... CONCLUÍMOS QUE SUA REMOÇÃO DEVE SER UM OBJETIVO URGENTE E PRIMORDIAL E QUE NAS CONDIÇÕES EXISTENTES ISTO SERIA ALTA PRIORIDADE DE NOSSA AÇÃO SECRETA. PORTANTO QUEREMOS DAR A VOCÊ MAIOR AUTORIDADE."

Sidney Gottlieb, mestre da química na CIA, que tinha um pé torto, levou para o Congo uma bolsa de mão de companhia aérea contendo frascos de toxinas letais e a entregou ao chefe do posto. A bolsa tinha também uma seringa hipodérmica para injetar substâncias letais em comida, bebida ou num tubo de pasta de dente. O trabalho de Devlin era provocar a morte de Lumumba. Os dois homens tiveram uma tensa conversa no apartamento de Devlin na noite de 10 de setembro, ou numa data próxima. "Perguntei de quem eram as ordens com essas instruções", disse Devlin sob juramento, num testemunho secreto liberado em 1998. A resposta foi "o presidente".

Devlin testemunhou que trancou as toxinas em seu cofre no escritório e ficou agoniado quanto ao que fazer. Lembrou-se de ter pensado o seguinte: estarei perdido se deixar *isso* por aí. Mais tarde, levou os frascos de veneno para a margem do rio Congo e os enterrou. Disse que se envergonhava da ordem de matar Lumumba. Sabia que havia outros meios à disposição da CIA.

A agência já tinha escolhido o próximo líder do Congo: Joseph Mobutu, "o único homem no Congo capaz de agir com firmeza", conforme Dulles disse ao presidente na reunião do NSC de 21 de setembro. No início de outubro, a CIA deu a Mobutu US$ 250 mil, acompanhados de carregamentos de armas e munição em novembro. Mobutu capturou Lumumba e, nas palavras de Devlin, entregou-o às mãos de um "inimigo jurado". A base da CIA em Elizabethville, nas profundezas do coração do Congo, relatou que "um oficial belga de origem flamenga executou Lumumba com uma rajada de tiros de submetralhadora" duas noites antes que o novo presidente dos Estados Unidos assumisse o poder. Com inabalável apoio da CIA, Mobutu finalmente obteve controle total do Congo, depois de cinco anos de luta pelo poder. Ele era o aliado favorito da agência na África e o ponto de apoio das ações secretas americanas em todo o continente durante a guerra fria. Governou durante três décadas como um dos ditadores mais brutais e corruptos do mundo, roubando bilhões de dólares da renda obtida com os enormes depósitos de diamantes, minerais e metais estratégicos da nação, e massacrando multidões para preservar seu poder.

### "UMA POSIÇÃO ABSOLUTAMENTE INDEFENSÁVEL"

Enquanto as eleições de 1960 se aproximavam, ficou claro para o vice-presidente Nixon que a CIA estava longe de estar pronta para atacar Cuba. No fim de setembro, Nixon nervosamente instruiu a força-tarefa: "Não façam nada agora; esperem até depois das eleições." O adiamento deu a Fidel Castro uma margem de tempo crucial. Seus espiões lhe disseram que uma invasão apoiada pelos EUA podia ser iminente, e ele aumentou suas forças militares e de inteligência, reprimindo duramente dissidentes políticos que a CIA esperava que formassem tropas de choque para o golpe. A resistência interna a Castro começou a desaparecer naquele verão, embora a CIA nunca tenha prestado muita atenção ao que realmente estava acontecendo na ilha. Privadamente, Tracy Barnes encomendou uma pesquisa de opinião pública em Cuba, e esta mostrou que o povo apoiava Castro maciçamente. Desgostando dos resultados, ele os descartou.

O esforço da agência para jogar armas para os rebeldes na ilha foi um fiasco. Em 28 de setembro, uma carga com metralhadoras, fuzis e Colts 45 para cem combatentes caiu no território cubano, lançada por um avião da CIA vindo da Guatemala. O avião errou o alvo em onze quilômetros. As forças de Castro apreenderam as armas, capturaram o agente cubano da CIA que as receberia e o mataram. O piloto se perdeu no caminho de volta e aterrissou no sul do México, onde a polícia local apreendeu seu avião. Ao todo, trinta missões aéreas foram enviadas; no máximo três foram bem-sucedidas.

No início de outubro, a CIA percebeu que quase nada sabia sobre as forças anti-Castro dentro de Cuba. "Não tínhamos qualquer confiança de que elas não estavam infiltradas" por espiões de Castro, disse Jake Esterline. Agora ele estava certo de que Castro não poderia ser derrubado por uma subversão sutil.

"Fizemos um grande esforço de infiltração e reabastecimento, e esses esforços não foram bem-sucedidos", relembrou Bissell. Ele decidiu que "o que era preciso era uma ação de choque" — uma invasão em grande escala.

A CIA não tinha nem a aprovação do presidente nem os soldados necessários para executar aquela missão. Os quinhentos homens em treinamento na Guatemala eram "um número ridiculamente inadequado", disse Bissell a Esterline. Os dois perceberam que somente uma força bem maior poderia ter sucesso contra Castro, que tinha um exército de seis mil homens com tanques e artilharia, além de um serviço de segurança interna cada vez mais cruel e eficiente.

Bissell tinha a Máfia numa linha telefônica e a Casa Branca em outra. A eleição presidencial se aproximava. Em algum momento durante a primeira semana de novembro de 1960, o conceito central da operação em Cuba rachou sob pressão. Esterline declarou que o plano era impraticável, e Bissell sabia que ele estava certo. Mas não disse a ninguém. Nos meses, semanas e dias anteriores à invasão, ele se recolheu em sua farsa.

"Ele estava relaxando e mentindo" — disse Jake Esterline — relaxando em relação à força-tarefa da CIA para Cuba e mentindo para o presidente e o novo presidente eleito.

John Kennedy derrotou Nixon em novembro por menos de 120 mil votos. Alguns republicanos acharam que a eleição tinha sido fraudada na região de Chicago. Outros indicaram compra de votos em Virgínia Ocidental. Richard Nixon culpou a CIA. Estava equivocadamente convencido de que "liberais de Georgetown" como Dulles e Bissell tinham ajudado Kennedy secretamente com informações internas sobre Cuba antes do crucial debate presidencial na televisão.

O presidente eleito Kennedy anunciou imediatamente as renomeações de J. Edgar Hoover e Allen Dulles. A decisão foi de seu pai, e tomada por motivo de proteção política e pessoal. Hoover conhecia alguns dos segredos mais profundos da família Kennedy — inclusive o envolvimento sexual do presidente eleito com uma suposta espiã nazista durante a Segunda Guerra Mundial — e compartilhara essa informação com Dulles. Kennedy sabia disso tudo porque seu pai, ex-membro do grupo de consultores em inteligência externa de Eisenhower, havia lhe contado com autoridade no assunto.

Em 18 de novembro, o presidente eleito se encontrou com Dulles e Bissell no refúgio de seu pai em Palm Beach, Flórida. Três dias antes, Bissell recebera um relatório conclusivo de Esterline sobre a operação em Cuba. "Nosso conceito original agora é considerado inalcançável devido ao controle que Castro instituiu", disse Esterline. "Não haverá a insurreição interna antes considerada possível, nem as defesas permitirão o tipo de ataque primeiramente planejado. Nosso segundo conceito (uma força de 1.500 a 3 mil homens para dominar uma praia com pista de decolagem) também é considerado agora inalcançável, exceto como uma ação conjunta Agência/DOD[16]."

Em outras palavras, para derrubar Castro, os Estados Unidos teriam que enviar os fuzileiros navais.

"Eu me sentei no meu escritório da CIA", recordou Esterline, "e disse', 'Diabos, espero que Bissell tenha coragem de dizer a John Kennedy o que está acontecendo'." Mas Bissell nunca disse uma palavra. O plano inalcançável se tornou uma missão possível.

A conversa em Palm Beach pôs os líderes da CIA em "uma posição completamente insustentável", disse Bissell a um historiador da agência. Suas anotações para a reunião mostram que eles pretendiam discutir vitórias passadas — particularmente a Guatemala — e uma série de operações secretas em andamento em Cuba, República Dominicana, Américas Central e do Sul e Ásia. Mas não discutiram. Antes do encontro, o presidente Eisenhower determinou que se limitassem a "uma agenda enxuta"; eles interpretaram a ordem como uma proibição de discutir qualquer coisa que tivesse sido exalada em reuniões do Conselho de Segurança Nacional. Como resultado, informações cruciais sobre as operações secretas da CIA se perderam na transição de um presidente para outro.

Eisenhower jamais aprovou a invasão de Cuba. Mas Kennedy não soube disso. O que soube foi o que Dulles e Bissell disseram a ele.


### "UMA DERROTA DE OITO ANOS"

Durante oito anos, Allen Dulles repelira todos os esforços de pessoas de fora para mudar a CIA. Tinha fama de protetor — da Agência e de si próprio. Negando tudo, admitindo nada, ele escondera a verdade para ocultar as falhas de suas operações secretas.

---

[16]Sigla em inglês do Departamento de Defesa. (*N. do T.*)

Desde pelo menos 1957, ele evitava as vozes da razão e da moderação, ignorava as recomendações cada vez mais urgentes dos consultores de inteligência do presidente, punha de lado relatórios de seu próprio inspetor-geral, tratava seus subordinados com desprezo. "Ele era, àquela altura, um velho cansado" cuja conduta profissional "podia ser, e em geral era, extremamente exasperante", disse Dick Lehman, um dos melhores analistas que a agência já teve. "A maneira como ele nos tratava refletia seu senso de valores. Ele estava errado, é claro, mas tínhamos que conviver com isso."

Em seus últimos dias no governo, o presidente Eisenhower passou a compreender que não tinha um serviço de espionagem digno desse nome. Chegou a essa conclusão depois de ler uma grande pilha de relatórios que havia encomendado na esperança de mudar a CIA.

O primeiro relatório, de 15 de dezembro de 1960, era um trabalho do Grupo de Estudos Conjuntos, que ele criara depois da derrubada do U-2 para analisar o cenário da inteligência americana. Era um quadro terrível de falta de rumo e desordem. Dizia que Dulles nunca considerou a questão de um ataque surpresa dos soviéticos. Jamais coordenou a inteligência militar com a análise civil. Nunca criou a capacidade de fazer advertências numa crise. Dulles passou oito anos acumulando operações secretas, em vez de comandar a inteligência americana.

Então, em 5 de janeiro de 196. o Grupo de Consultores do Presidente em Atividades de Inteligência Externa emitiu suas recomendações finais. Pediu "uma reavaliação completa" das ações secretas. "Não somos capazes de concluir que, no cômputo geral, todos os programas de ações secretas executados pela CIA até hoje valeram o risco do grande gasto de mão-de-obra, dinheiro e outros recursos envolvidos." Advertiu que "a concentração da CIA em ações secretas políticas, psicológicas e afins tendeu a afastá-la substancialmente da execução de sua principal missão de reunir inteligência".

O grupo exortou o presidente a considerar a "separação completa" entre a CIA e o diretor da central de inteligência. Disse que Dulles era incapaz de dirigir a agência e ao mesmo tempo cumprir seus deveres de coordenar a inteligência americana — a atividade de criar códigos e decifrar códigos da Agência de Segurança Nacional; a nascente capacidade de satélites espiões e foto-reconhecimento do espaço; as intermináveis disputas do exército, da marinha e da força aérea.

"Lembrei ao presidente que muitas vezes ele mesmo havia tratado desse problema geral", escreveu seu assessor de segurança nacional, Gordon Gray, depois de analisar o relatório com Eisenhower. Eu sei, reagiu Ike. Eu tentei. Não consigo mudar Allen Dulles.

"Muitas coisas foram realizadas", insistiu Dulles para o presidente nas reuniões finais do Conselho de Segurança Nacional de Eisenhower. Tudo está sob controle, disse ele. Consertei o serviço clandestino. A inteligência americana nunca foi tão ágil e competente. A coordenação e a cooperação estão melhores que nunca. As propostas do grupo de inteligência do presidente eram ridículas, disse ele. Eram loucas, ilegais. Sou responsável, de acordo com a lei, pela coordenação da inteligência, lembrou ele ao presidente. Não posso delegar essa responsabilidade. Sem minha liderança, disse ele, a inteligência americana seria "um corpo flutuando no vazio".

No final, Eisenhower explodiu de raiva e frustração. "A estrutura de nossa organização de inteligência é defeituosa", disse ele a Dulles. "Não faz nenhum sentido, precisa ser reorganizada e deveríamos ter feito isso há muito tempo." Nada mudara desde Pearl Harbor. "Sofri uma derrota de oito anos nisso", afirmou o presidente dos Estados Unidos. Ele disse que iria "deixar um legado de cinzas" para seu sucessor.

# PARTE TRÊS

---

*Causas perdidas*

A CIA sob Kennedy e Johnson

1961 a 1968

---

# 17 "NINGUÉM SABIA O QUE FAZER"

O legado foi transmitido na manhã de 19 de janeiro de 1961, quando o velho general e o jovem senador se reuniram a sós no Salão Oval. Com um mau pressentimento, Eisenhower deu a Kennedy uma noção sobre os estratagemas da segurança nacional: armas nucleares e operações secretas.

Os dois saíram e se reuniram na Sala do Gabinete com os novos e antigos secretários de Estado, Defesa e Tesouro. "O senador Kennedy pediu uma avaliação do presidente sobre o apoio dos Estados Unidos às operações de guerrilha em Cuba, mesmo que esse apoio envolva os Estados Unidos publicamente", registrou um funcionário que tomava notas naquela manhã. "O presidente respondeu Sim, uma vez que não podemos deixar o atual governo de Cuba continuar... O presidente também advertiu que a situação poderia melhorar se pudéssemos lidar com a República Dominicana ao mesmo tempo" A idéia de Eisenhower de que um golpe caribenho poderia contrabalançar o outro era uma equação que ninguém em Washington havia resolvido.

Quando Kennedy subiu à tribuna na manhã seguinte para fazer seu juramento, o corrupto líder de direita da República Dominicana, o generalíssimo Rafael Trujillo, já estava no poder havia trinta anos. O apoio do governo dos EUA e da comunidade de negócios americana ajudara a mantê-lo no cargo. Ele governava por meio de força, fraudes e medo; sentia prazer em pendurar seus inimigos em ganchos de açougue. "Ele tinha suas câmaras de tortura, tinha seus assassinatos políticos", disse o cônsul-geral Henry Dearborn, o principal diplomata americano na República Dominicana no início de 1961. "Mas mantinha a lei e a ordem, limpava o lugar, saneava-o, fazia obras públicas e não perturbava os Estados Unidos. Então isso era bom para nós." Mas Trujillo se tornou intolerável, disse Dearborn. "Na época em que eu cheguei lá, suas ini-qüidades tinham piorado tanto, que havia muita pressão de vários grupos po-líticos, grupos de direitos civis e outros, não apenas dos EUA, mas de todo o hemisfério, para que alguma coisa fosse feita em relação àquele homem."

Dearborn passou a ser encarregado da embaixada americana em Santo Domingo depois que os Estados Unidos cortaram relações diplomáticas com a República Dominicana, em agosto de 1960. Quase todos os outros diploma-tas e espiões americanos deixaram a ilha. Mas Richard Bissell pediu a Dearborn para permanecer e atuar como chefe em exercício do posto da CIA. O cônsul-geral concordou.

Em 19 de janeiro de 1961, Dearborn foi avisado de que um carregamento de armas pequenas estava a caminho e seria entregue a um grupo de conspira-dores dominicanos que pretendiam matar Trujillo. O Grupo Especial, presidi-do por Allen Dulles, tomara a decisão uma semana antes. Dearborn requisitou aprovação da agência para armar os dominicanos com três carabinas que ha-viam sido deixadas para trás na embaixada pelo pessoal da marinha. O vice de Bissell para ações secretas, Tracy Barnes, deu o sinal verde. A CIA despachou em seguida três pistolas calibre 38 para os dominicanos. Bissell autorizou um segundo carregamento de quatro metralhadoras e 240 cartuchos de munição. As metralhadoras permaneceram no consulado americano em Santo Domin-go depois que membros do novo governo questionaram qual seria a reação do mundo se viesse a público que os Estados Unidos estavam enviando armas para assassinato por canais diplomáticos.

Dearborn recebeu um telegrama — aprovado pessoalmente pelo presidente Kennedy — que dizia: "Não nos importamos se os dominicanos assassinarem Trujillo, isso está certo. Mas não queremos nada que nos implique nisso." E nada implicou. Quando os assassinos de Trujillo o mataram duas semanas depois, não se podia provar a participação da Agência. Não havia qualquer impressão digital. Mas este crime era o mais próximo que a CIA já tinha chegado de co-meter um assassinato por ordem da Casa Branca.

O procurador-geral dos Estados Unidos, Robert F. Kennedy, fez algumas anotações após ficar sabendo do assassinato. "O grande problema agora é que não sabemos o que fazer", escreveu ele.

## "TIVE VERGONHA DE MEU PAÍS"

Enquanto a CIA se preparava para invadir Cuba, "a coisa começou a degringolar e sair do controle", disse Jake Esterline. Bissell era a força propulsora. Ele continuava a forjar seus planos, recusando-se a admitir que a CIA não conseguiria derrubar Castro, e fechando os olhos para o fato de que o sigilo da operação tinha sido rompido havia muito tempo.

Em 11 de março, Bissell foi à Casa Branca com quatro planos diferentes no papel. Nenhum deles satisfez o presidente Kennedy. Ele deu ao chefe do serviço clandestino três dias para aparecer com alguma coisa melhor. A idéia de Bissell foi escolher uma nova área para aterrissagem: três amplas praias na Baía dos Porcos. O local satisfez uma nova exigência política feita pelo governo: os invasores cubanos teriam que tomar um campo de pouso ao chegar, para estabelecer uma cabeça-de-praia política para um novo governo cubano.

Bissell assegurou ao presidente que a operação seria bem-sucedida. O pior que poderia acontecer era que os rebeldes da CIA entrassem em confronto com as forças de Castro nas praias e avançassem para as montanhas. Mas o terreno na Baía dos Porcos era um intransponível emaranhado de mangue e lama. Ninguém em Washington sabia disso. Os precários mapas topográficos em posse da CIA, que sugeriam que aquele pântano serviria para a ação de guerrilha, eram de 1895.

Na semana seguinte, os contatos da CIA na Máfia tentaram matar Castro. Deram pílulas de veneno e milhares de dólares a um dos mais proeminentes cubanos da CIA, Tony Varona. (Descrito por Esterline como "um patife, um enganador e um ladrão", Varona se encontraria mais tarde com o presidente Kennedy na Casa Branca). Varona conseguiu entregar o frasco de veneno a um funcionário de um restaurante em Havana, que injetaria o veneno no sorvete de casquinha de Castro. Oficiais da inteligência cubana mais tarde encontraram o frasco num refrigerador, congelado.

Na primavera, o presidente ainda não tinha aprovado um plano de ataque. Não entendia como a invasão funcionaria. Na quarta-feira, 5 de abril, ele se encontrou novamente com Dulles e Bissell, mas não conseguia ver sentido na estratégia deles. Na quinta-feira, 6 de abril, perguntou-lhes se o bombardeio da pequena força aérea de Castro que eles planejavam eliminaria o elemento surpresa dos invasores. Ninguém deu uma resposta.

Na noite de sábado, 8 de abril, Richard Bissell atendeu ao telefone que tocava insistentemente em sua casa. Era Jake Esterline ligando de Quarters Eyes, a sala de guerra da CIA em Washington. Dizia que ele e o coronel Hawkins, seu planejador paramilitar, precisavam se encontrar com Bissell a sós logo que possível. Domingo de manhã, Bissell abriu a porta da frente e se deparou com Esterline e Hawkins em estado de ira quase incontida. Eles entraram em sua sala de estar, sentaram-se e lhe disseram que a invasão de Cuba tinha que ser cancelada.

Agora era tarde demais para interromper os planos, disse-lhes Bissell; o golpe contra Castro estava marcado para começar dentro de uma semana. Esterline e Hawkins ameaçaram renunciar. Bissell questionou a lealdade e o patriotismo deles. Os dois hesitaram.

"Se vocês não querem um desastre, *precisamos* eliminar completamente *toda* a força área de Castro", disse Esterline a Bissell, não pela primeira vez. Os três sabiam que os 36 aviões de combate de Castro eram capazes de matar centenas de cubanos da CIA quando estes chegassem às praias. Confiem em mim, disse Bissell. Ele prometeu convencer o presidente Kennedy a destruir a força aérea de Castro. "Ele nos persuadiu a continuar", relembrou Esterline com amargura. "Ele disse, 'prometo a vocês que não haverá qualquer redução de ataques aéreos.'"

Mas na hora H, Bissell cortou pela metade a força americana enviada para destruir os aviões de Castro, reduzindo o número de bombardeiros de dezesseis para oito. Tudo para agradar ao presidente, que queria um golpe silencioso. Bissell o enganou, fazendo-o acreditar que a CIA executaria um tal golpe.

No sábado, 15 de abril, oito bombardeiros B-26 americanos atacaram três campos de pouso cubanos enquanto a brigada da CIA de 1.511 homens chegava à Baía dos Porcos. Cinco aviões cubanos foram destruídos e talvez mais uma dúzia tenha sido danificada. Metade da força aérea de Castro permaneceu intacta. A história falsa da CIA dizia que o atacante era um único desertor da força aérea cubana que havia chegado à Flórida. Naquele dia, Bissell enviou Tracy Barnes a Nova York para vender essa história ao embaixador americano nas Nações Unidas, Adlai Stevenson.

Bissell e Barnes fizeram Stevenson de bobo, tratando-o como se ele fosse seu agente. Assim como o secretário de Estado Colin Powell às vésperas da invasão do Iraque, Stevenson vendeu a história da CIA ao mundo. Diferentemente de Powell, ele descobriu no dia seguinte que tinha sido usado.

A descoberta de que Stevenson fora apanhado mentindo em público desfechou uma punhalada no secretário de Estado, Dean Rusk, que já tinha bons motivos para estar furioso com a CIA. Poucas horas antes, no rastro de uma outra operação, Rusk enviou uma carta formal de desculpas ao primeiro-ministro Lee Kwan Yew, de Cingapura. A polícia secreta de Cingapura invadiu um esconderijo da CIA, onde estava sendo interrogado um ministro de gabinete presente na folha de pagamento da CIA. Lee Kwan Yew, um aliado crucial dos EUA, disse que o chefe do posto lhe ofereceu um suborno de US$ 3,3 milhões para abafar o caso.

Às 18h de domingo, 16 de abril, Stevenson telegrafou para Rusk de Nova York para adverti-lo sobre "o risco gravíssimo de outro desastre de U-2 numa ação igualmente descoordenada". Às 21h30, o assessor de segurança nacional do presidente, McGeorge Bundy, telefonou para o vice-diretor de Dulles, general Charles Pearre Cabell. Bundy disse que a CIA não poderia lançar ataques aéreos contra Cuba a menos que "fossem conduzidos a partir de um campo dentro da cabeça-de-praia" na Baía dos Porcos. Às 22h15, Cabell e Bissell correram até os elegantes escritórios do secretário de Estado, no sétimo andar. Rusk lhes disse que os aviões da CIA poderiam participar da batalha para proteger a cabeça-de-praia, mas não atacar campos de pouso, nem portos, nem estações de rádio. "Ele perguntou se eu gostaria de falar com o presidente", escreveu Cabell. "O senhor Bissell e eu estávamos impressionados com a situação extremamente delicada em relação ao embaixador Stevenson e às Nações Unidas e com os riscos para toda a posição política dos Estados Unidos" — uma situação criada pelas mentiras de Bissell e Barnes — e portanto "não vimos sentido em uma conversa minha com o presidente". Apanhado por suas próprias histórias falsas, Bissell preferiu não lutar. Em suas memórias, ele atribuiu seu silêncio à covardia.

Quando Cabell voltou à sala de guerra da CIA para relatar o que havia acontecido, Jake Esterline considerou seriamente a possibilidade de matá-lo com suas próprias mãos. A agência deixaria seus cubanos morrerem "como alvos fáceis naquela maldita praia", disse Esterline.

A ordem de cancelamento de Cabell chegou quando os pilotos da CIA na Nicarágua já estavam nas cabines de seus aviões, ligando os motores. Às 4h30 de segunda-feira, 17 de abril, Cabell telefonou para Rusk em casa e implorou para que o presidente autorizasse mais poder aéreo para proteger os navios da CIA, que estavam carregados até a borda de munição e equipamentos militares. Rusk telefonou para o presidente Kennedy em seu refúgio em Virgínia, Glen Ora, e pôs Cabell ao telefone.

O presidente disse que não tinha conhecimento de que haveria qualquer ataque aéreo na manhã do Dia D. Pedido negado.

Quatro horas depois, um caça-bombardeiro Sea Fury arremeteu sobre a Baía dos Porcos. O piloto treinado nos EUA, capitão Enrique Carreras, era a estrela da força aérea de Fidel Castro. Ele fez mira na direção do *Rio Escondido*, um cargueiro enferrujado que zarpava de Nova Orleans, contratado pela CIA. Abaixo dele, a sudeste, a bordo do *Blagar*, um barco para desembarque da Segunda Guerra Mundial reformado, um oficial paramilitar da CIA chamado Grayston Lynch disparou contra o caça cubano com uma metralhadora calibre 50 defeituosa. O capitão Carreras lançou um foguete que atingiu o convés na parte da frente do *Rio Escondido*, 1,80m abaixo da amurada, atingindo dezenas de tambores de 208 litros de gasolina para aviação. Ateou fogo em 11 mil litros de combustível para aviões e em 145 toneladas de munição estocadas no depósito frontal do cargueiro. A tripulação abandonou o navio e começou a nadar, lutando pela sobrevivência. O cargueiro explodiu numa bola de fogo que formou um cogumelo de oitocentos metros de altura sobre a Baía dos Porcos. A 25 quilômetros de distância, numa praia que acabava de ficar repleta de membros da brigada mortos e feridos, um agente da força da CIA, Rib Robertson, achou que Castro havia lançado uma bomba atômica.

O presidente Kennedy recorreu ao almirante Arleigh Burke, comandante da marinha dos EUA, para salvar a CIA de um desastre. "Ninguém sabia o que fazer. Nem a CIA, que estava realizando a operação e era totalmente responsável por ela, sabia o que fazer ou o que estava acontecendo", disse o almirante em 18 de abril. "Éramos mantidos na ignorância; eles nos contavam apenas verdades parciais."

Durante dois dias e duas noites terríveis, cubanos de Castro e cubanos da CIA mataram uns aos outros. Na noite de 18 de abril, o comandante da brigada rebelde, Pepe San Roman, retornou um chamado de rádio de Lynch: "Vocês percebem o quanto a situação é desesperadora? Vocês nos apóiam ou desistem?... Por favor, não nos abandonem. Estou sem munição para tanque e bazuca. Tanques me atingirão ao amanhecer. Não vou me retirar. Se tivermos que lutar até o fim, lutaremos." Amanheceu e nenhuma ajuda chegou. "Estamos sem munição e lutando na praia. Por favor, enviem ajuda. Não podemos agüentar", gritou San Roman pelo rádio. Seus homens foram massacrados com água pelo joelho.

"Situação de apoio aéreo à cabeça-de-praia completamente fora de nosso controle", disse o chefe de operações aéreas da agência a Bissell num telegrama ao meio-dia. "Perdemos cinco pilotos e seis co-pilotos cubanos, dois pilotos e um co-piloto americanos." Ao todo, quatro pilotos americanos contratados pela CIA na Guarda Nacional do Alabama foram mortos em combate. Durante anos a agência escondeu a causa de suas mortes de suas viúvas e famílias.

"Ainda com fé", dizia o telegrama do chefe de operação. "Esperando sua orientação." Bissell nada tinha a oferecer. Por volta de duas da tarde de 19 de abril, San Roman amaldiçoou a CIA, disparou contra seu rádio e desistiu da luta. Em sessenta horas, 1.189 membros da brigada cubana foram capturados e 114 estavam mortos.

"Pela primeira vez em meus 37 anos, tive vergonha de meu país", escreveu Grayston Lynch.

Naquele mesmo dia, Robert Kennedy enviou um bilhete profético a seu irmão. "Chegou a hora da decisão, porque em um ano ou dois a situação será imensamente pior", escreveu ele. "Se não queremos que a Rússia instale bases de mísseis em Cuba, é melhor decidir agora o que estamos dispostos a fazer para impedir isso."

### "PEGAR O BALDE COM OS RESTOS E PÔR OUTRA TAMPA NELE"

O presidente Kennedy disse a dois de seus assistentes que Allen Dulles lhe havia assegurado, cara a cara no Salão Oval, que a Baía dos Porcos seria um sucesso garantido: "Senhor presidente, eu estava bem aqui, na mesa de Ike, e lhe disse que eu tinha certeza de que nossa operação na Guatemala seria bem-sucedida e, senhor presidente, as perspectivas para esse plano são ainda melhores do que eram daquela vez." Se assim ocorreu, foi uma mentira assombrosa. Na verdade, Dulles dissera a Eisenhower que as chances da CIA na Guatemala eram de uma para cinco na melhor das hipóteses — e zero sem poder aéreo.

No momento da invasão, Allen Dulles estava fazendo um discurso em Porto Rico. Sua retirada pública de Washington era parte de um plano para disfarçar, mas agora ele parecia um almirante que abandonava o navio. Quando ele voltou, segundo contou Bobby Kennedy, parecia um morto-vivo, com o rosto enterrado entre suas mãos trêmulas.

Em 22 de abril, o presidente reuniu o Conselho de Segurança Nacional, um instrumento do governo que ele havia desdenhado. Depois de ordenar que o perturbado Dulles começasse a "avançar na cobertura das atividades de Castro nos Estados Unidos" — tarefa que não fazia parte da carta de direitos da CIA — o presidente disse ao general Maxwell Taylor, novo assessor militar da Casa Branca, para trabalhar com Dulles, Bobby Kennedy e o almirante Arleigh Burke em fazer uma autópsia da Baía dos Porcos. O grupo de inquérito de Taylor se reuniu naquela mesma tarde, com Dulles segurando uma cópia da NSC 5412/2, a autorização às operações secretas da CIA dada em 1955.

"Sou o primeiro a reconhecer que não acredito que a CIA deveria realizar operações paramilitares", disse Dulles ao grupo — uma baforada de fumaça obscurecendo seus dez anos de apoio resoluto a essas operações. "Acho, entretanto, que em vez de destruir tudo e começar do zero, devemos aproveitar o que temos de bom, abandonar as coisas que estão realmente além da competência da CIA, unir as forças e torná-las mais eficientes. Deveríamos examinar os 5.142 documentos e revisá-los de modo que as operações paramilitares sejam realizadas de outra maneira. Não vai ser fácil encontrar um lugar para pô-las; é muito difícil manter as coisas em segredo."

O trabalho do grupo de Taylor logo deixou claro ao presidente que ele precisava de uma nova maneira de realizar operações secretas. Uma das últimas testemunhas diante do grupo foi um homem à beira da morte que falou com séria clareza sobre os maiores problemas enfrentados pela CIA. O testemunho do general Bedell Smith ressoa hoje com impressionante autoridade:

PERGUNTA: Como podemos, numa democracia, usar todos os nossos recursos com eficiência sem termos que reorganizar completamente o Governo?

GENERAL SMITH: Uma democracia não pode fazer guerra. Quando você vai à guerra, aprova uma lei dando poderes extraordinários ao presidente. O povo do país presume que, quando a emergência acaba, os direitos e poderes temporariamente delegados ao Chefe do Executivo serão devolvidos aos estados, condados e ao povo.

PERGUNTA: Freqüentemente dizemos que estamos em estado de guerra no momento atual.

GENERAL SMITH: Sim, senhor, isso é correto.

PERGUNTA: O senhor está sugerindo que devemos nos aproximar dos poderes do presidente em tempo de guerra?

**GENERAL SMITH:** Não. Entretanto, o povo americano não sente que está em guerra no momento atual, e conseqüentemente não quer fazer os sacrifícios necessários para travar uma guerra. Quando você está em guerra, guerra fria se preferir, precisa ter uma agência amoral que possa atuar secretamente... Acho que tem sido dada tanta publicidade à CIA que pode ser necessário pôr o trabalho secreto sob outro teto.

**PERGUNTA:** O senhor acha que devemos retirar da CIA as operações secretas?

**GENERAL SMITH:** É hora de pegar o balde com os restos e pôr outra tampa nele.

Três meses depois, Walter Bedell Smith morreu, aos 65 anos.

O inspetor-geral da CIA, Lyman Kirkpatrick, fez sua própria autópsia da Baía dos Porcos. Concluiu que Dulles e Bissell não haviam mantido dois presidentes e dois governos precisa e realisticamente informados sobre a operação. Se a CIA queria continuar seus negócios, disse Kirkpatrick, teria que melhorar drasticamente sua organização e seu gerenciamento. O vice de Dulles, general Cabell, advertiu-o de que se o relatório caísse em mãos inimigas, destruiria a Agência. Dulles concordou totalmente. Assegurou que o relatório estava enterrado. Dezenove das vinte cópias impressas foram recolhidas e destruídas. A única que sobreviveu ficou trancada por quase quarenta anos.

Em setembro de 1961, Allen Dulles se aposentou como diretor da central de inteligência. Operários ainda davam os últimos retoques na nova grande sede da CIA que ele lutara durante anos para construir nas matas de Virgínia, acima da margem ocidental do rio Potomac, a onze quilômetros da periferia da capital. Ele encomendou a inscrição de uma frase do Evangelho de São João para o saguão central. "E tu conhecerás a verdade, e a verdade te libertará." Um medalhão com sua imagem foi pendurado no mesmo lugar elevado. "*Si monumentum requiris circumspice*", diz: Se tu buscas teu monumento, olha ao teu redor.

Richard Bissell ficou mais seis meses. Mais tarde, confessou em testemunho secreto que a apregoada habilidade de seu serviço clandestino era uma fachada — não era "um lugar onde se poderia procurar por competência profissional". Quando ele partiu, o presidente pôs a Medalha de Segurança Nacional em sua lapela. "Os nobres objetivos, a energia ilimitada e a firme dedicação do senhor Bissell são marcos de referência do serviço de inteligência", disse o presidente. "Ele deixa um duradouro legado."

Parte desse legado foi a quebra da confiança. Durante os dezenove anos seguintes, nenhum presidente confiaria completamente na Agência Central de Inteligência.

## "AGORA VOCÊ ESTÁ VIVENDO NO OLHO DO FURACÃO"

Em sua ira após a Baía dos Porcos, John Kennedy quis primeiramente destruir a CIA. Depois, tirou o serviço clandestino da agência de sua espiral de morte entregando o controle deste a seu irmão. Foi uma das decisões menos inteligentes de seu governo. Robert F. Kennedy, 35 anos, conhecido por sua crueldade e fascinado por segredos, assumiu o comando das mais delicadas operações secretas dos Estados Unidos. Os dois homens lançaram ações secretas com uma intensidade sem precedentes. Ike realizara 170 grandes operações secretas da CIA em oito anos. Os Kennedy lançaram 163 em menos de três anos.

O presidente quis tornar RFK o novo diretor da central de inteligência, mas seu irmão achou que era melhor escolher um homem que pudesse garantir proteção política ao presidente após a Baía dos Porcos. Depois de meses de procura, eles se decidiram por um antigo estadista de Eisenhower: John McCone.

Com quase sessenta anos de idade, republicano profundamente conservador da Califórnia, devoto católico romano e feroz anticomunista, McCone muito provavelmente teria sido secretário de Defesa se Nixon tivesse sido eleito em 1960. Fizera fortuna construindo navios na costa oeste durante a Segunda Guerra Mundial e depois foi vice do secretário de Defesa James Forrestal, definindo o primeiro orçamento do novo Departamento de Defesa em 1948. Como subsecretário da força aérea durante a Guerra da Coréia, ajudara a criar o primeiro poder militar realmente global do mundo pós-guerra. Como presidente da Comissão de Energia Atômica, no governo de Eisenhower, supervisionara as fábricas de armas nucleares da nação e ocupara um cargo no Conselho de Segurança Nacional. O novo chefe de operações secretas de McCone, Richard Helms, descreveu-o como saído "diretamente do elenco central de Hollywood", com "cabelo branco, bochechas vermelhas, andar ligeiro, ternos escuros impecáveis, óculos sem aros, comportamento reservado e inconfundível autoconfiança".

O novo diretor não era "um homem que as pessoas amariam", disse Red White, seu administrador-chefe, mas rapidamente se tornou "muito íntimo de

Bobby Kennedy". Inicialmente, McCone se ligou a Bobby como correligionário e companheiro anticomunista. A grande casa branca de madeira do procurador-geral, Hickory Hill, ficava a apenas algumas centenas de metros da nova sede da agência, e Kennedy freqüentemente dava uma passada na CIA de manhã, a caminho do trabalho no Departamento de Justiça. Chegava à agência depois da reunião matinal diária de McCone com sua equipe às 8h.

McCone deixou um singular e meticuloso registro diário de seu trabalho, suas idéias e suas conversas, muitas delas liberadas pela primeira vez em 2003 e 2004. Seus memorandos oferecem um relato momento a momento de seus anos como diretor. Juntamente com milhares de páginas de conversas secretamente registradas pelo presidente Kennedy dentro da Casa Branca — muitas delas só transcritas com precisão em 2003 e 2004 — eles detalham os dias mais perigosos da guerra fria.

Antes de seu juramento de posse, McCone tentou fazer um grande retrato das operações de agência. Viajou pela Europa com Allen Dulles e Richard Bissell, participou de um encontro com chefes de postos no Extremo Oriente num retiro nas montanhas ao norte de Manila, e mergulhou em documentos.

Mas Dulles e Bissell deixaram alguns detalhes de fora. Nunca acharam que seria adequado contar a McCone sobre o maior, mais longo e mais ilegal programa da CIA nos Estados Unidos: a abertura da correspondência prioritária que chegava e saía do país. De 1952 em diante, trabalhando nas principais instalações dos correios no aeroporto internacional de Nova York, oficiais de segurança da CIA abriam cartas e a equipe de contra-inteligência de Jim Angleton filtrava as informações. Nem Dulles nem Bissell contaram a McCone sobre os planos da CIA para assassinar Fidel Castro, temporariamente suspensos depois da Baía dos Porcos. Quase dois anos se passaram até que o diretor soubesse dos planos de assassinato; e ele só descobriu sobre a correspondência aberta quando o resto da nação ficou sabendo.

Depois da Baía dos Porcos, o presidente Kennedy foi persuadido a reconstruir os centros de informação para ações secretas que ele havia abolido após sua posse. O grupo de assessores de inteligência estrangeira do presidente foi restabelecido. O Grupo Especial (mais tarde rebatizado como Comissão 303) foi reconstituído para supervisionar o serviço clandestino, e seu presidente durante os quatro anos seguintes seria o assessor de segurança nacional: o frio, aprumado e correto McGeorge Bundy, cria de Groton e Yale, ex-reitor de artes e ciências da Universidade de Harvard. Seus membros eram McCone, o chefe do Estado-Maior Conjunto e importantes assessores dos departamentos de Defesa e Estado. Mas durante grande parte do mandato de Kennedy, coube à CIA decidir se consultaria o Grupo Especial. Foram várias as operações sobre as quais McCone e o Grupo Especial pouco ou nada sabiam.

Em novembro de 1961, em sigilo total, John e Bobby Kennedy criaram uma nova célula de planejamento de ações secretas: o Grupo Especial Ampliado. Era a unidade de RFK, e tinha uma missão: eliminar Castro. Na noite de 20 de novembro, nove dias antes de prestar juramento como diretor, McCone atendeu ao telefone em casa e ouviu o presidente convocá-lo para ir à Casa Branca. Ao chegar lá, na tarde do dia seguinte, encontrou os Kennedy na companhia de um general-brigadeiro alto e magro, de 53 anos, chamado Ed Lansdale. Sua especialidade era contra-insurgência e sua marca registrada era conquistar corações e mentes do terceiro mundo com a esperteza americana, notas de dólar e remédios que prometiam curar tudo. Ele trabalhava para a CIA e o Pentágono desde a Guerra da Coréia, tendo atuado como o homem de Frank Wisner em Manila e Saigon, onde ajudara líderes pró-americanos a assumir o poder.

Lansdale foi apresentado como o novo chefe de operações do Grupo Especial Ampliado. "O presidente explicou que o general Lansdale havia participado de um estudo sobre uma possível ação em Cuba, atuando sob a direção do procurador-geral, e que ele, o presidente, queria imediatamente um plano de ação que pudesse ser apresentado a ele dentro de duas semanas", registrou McCone em seus arquivos na CIA. "O procurador-geral expressou grande preocupação com Cuba, a necessidade de uma ação dinâmica imediata." McCone lhes disse que a CIA e o resto do governo Kennedy estavam em estado de choque desde a Baía dos Porcos — "e, portanto, estavam fazendo muito pouco".

McCone achava que nada exceto uma guerra derrubaria Castro. E acreditava que a CIA era inadequada para fazer uma guerra, secreta ou não. Ele disse ao presidente Kennedy que a agência não podia continuar a ser vista "como uma unidade de espionagem... destinada a derrubar governos, assassinar chefes de Estado, envolver-se em questões políticas de Estados estrangeiros". Lembrou ao presidente que a CIA tinha uma responsabilidade fundamental perante a lei — "reunir *toda* a inteligência" obtida pelos Estados Unidos e depois analisá-la, avaliá-la e reportá-la à Casa Branca. Os Kennedy concordaram — numa ordem por escrito esboçada por McCone e assinada pelo presidente — que ele seria "o principal funcionário de inteligência do governo". Seu trabalho seria "a coordenação, correlação e avaliação apropriadas da informação proveniente de todas as fontes".

McCone também acreditava que tinha sido contratado para moldar a política externa dos Estados Unidos para o presidente. Este não era, nem deveria ter sido, o papel do chefe de inteligência da nação. Contudo, embora suas avaliações freqüentemente provassem ser mais sólidas que as dos homens de Harvard nos níveis mais elevados do governo, logo ficou sabendo que os Kennedy tinham várias idéias novas sobre como ele e a CIA serviriam aos interesses americanos. No dia em que o presidente o empossou, McCone descobriu que ele, RFK e o esquivo general Lansdale eram os encarregados de Castro.

"Agora você está vivendo no olho do furacão, e dou-lhe as boas-vindas a esse lugar", disse o presidente a McCone na cerimônia de posse.

## "FORA DE QUESTÃO"

O presidente pediu a McCone desde o início para encontrar uma maneira de furar o Muro de Berlim. O muro foi erguido — primeiro com arame farpado e depois concreto — em agosto de 1961. Poderia ter sido uma enorme e inesperada sorte para a política e a propaganda do Ocidente, uma prova firme de que as mentiras exorbitantes dos comunistas já não serviam para impedir a fuga de milhões de cidadãos da Alemanha Oriental. Poderia ter sido uma oportunidade de ouro para a CIA.

Na semana em que o muro foi erguido, Kennedy enviou o vice-presidente Lyndon B. Johnson a Berlim, onde ele recebeu informações ultra-secretas do chefe da base da CIA, Bill Graver. LBJ se debruçou sobre um mapa impressionantemente detalhado mostrando todos os agentes da CIA no Leste.

"Eu vi esse mapa de informações", disse Haviland Smith, na época uma estrela em ascensão na base em Berlim. "Se você *desse ouvidos* ao que Graver dizia, tínhamos agentes no complexo de Karlsruhe" — o centro da inteligência soviética — "agentes na missão militar polonesa, na missão militar tcheca, tínhamos Berlim Oriental absolutamente infiltrada até os ossos. Entretanto, se você *soubesse* o que tínhamos, saberia que a infiltração na missão militar polonesa era um sujeito que vendia jornais na esquina. E saberia que essa grande infiltração no complexo militar soviético era um *Dachermeister* — um restaurador de telhados."

"Berlim era uma farsa", disse ele. A agência estava mentindo sobre suas conquistas ao próximo presidente dos Estados Unidos.

David Murphy, na época chefe da divisão Europa Oriental da CIA, reuniu-se com o presidente Kennedy na Casa Branca uma semana depois da construção do muro. "O governo Kennedy nos pressionou muito, tentando convencer-nos a fazer planos para uma ação paramilitar secreta e fomentar a dissidência" na Alemanha Oriental, disse ele, mas "operações na Alemanha Oriental estavam fora de questão".

O motivo apareceu finalmente num documento liberado em junho de 2006, uma avaliação de danos devastadora feita pelo próprio Dave Murphy.

Em 6 de novembro de 1961, o chefe da contra-inteligência da Alemanha Ocidental, Heinz Felfe, foi preso por sua própria polícia de segurança. Felfe fora um nazista radical e entrara na organização Gehlen em 1951, dois anos depois que a CIA assumiu o controle da Gehlen. Subira rapidamente em seus quadros, e continuou subindo depois que a organização se tornou o serviço de inteligência oficial da Alemanha Ocidental, o BND, em 1955.

Mas Felfe esteve trabalhando para os soviéticos o tempo todo. Havia se infiltrado no serviço da Alemanha Ocidental e, através deste, no posto e em bases da CIA. Foi capaz de manipular e enganar os oficiais da CIA na Alemanha a ponto de eles não terem a menor idéia se as informações que obtiveram por trás da cortina de ferro eram verdadeiras ou falsas.

Felfe podia "iniciar, dirigir ou impedir qualquer operação do BND e mais tarde algumas operações da CIA", observou Murphy, desapontado. Ele revelou ao serviço de inteligência da Alemanha Oriental os detalhes essenciais de uma missão da CIA muito importante contra Moscou, realizada de junho de 1959 a novembro de 1961. Isso incluiu aproximadamente setenta grandes operações, a identidade de mais de cem oficiais da CIA e cerca de 15 mil segredos.

A agência estava completamente inoperante na Alemanha e em toda a Europa Oriental. E levou uma década para consertar os danos.

### "O PRESIDENTE QUER ALGUMA AÇÃO, IMEDIATAMENTE"

O Muro de Berlim — e tudo mais — ficava apagado diante do desejo de Kennedy de vingar a honra da família perdida na Baía dos Porcos. A derrubada de Castro era "a maior prioridade do governo dos Estados Unidos", disse Bobby Kennedy a McCone em 19 de janeiro de 1962. "Nenhum tempo, dinheiro, esforço ou força de trabalho deve ser poupado." Mas o novo diretor o advertiu de que a agência tinha poucas informações verdadeiras para agir. "Dos 27 ou 28 agentes que a CIA tem agora em Cuba, apenas doze mantêm comunicação, e essa comunicação não é freqüente", disse ele ao procurador-geral. Sete cubanos da CIA haviam sido capturados quatro semanas antes, depois de se infiltrarem na ilha.

Sob ordens de RFK, Lansdale fez uma lista de tarefas para a CIA: recrutar e mover a Igreja Católica e o submundo cubano contra Castro, fraturar o regime por dentro, sabotar a economia, corromper a polícia secreta, destruir as plantações com uma guerra biológica ou química e mudar o regime antes das próximas eleições para o Congresso, em novembro de 1962.

"Ed tinha uma aura em torno de si", disse Sam Halpern, o novo subchefe da seção para Cuba, um veterano do OSS que conhecia Lansdale havia uma década. "Algumas pessoas acreditavam que Ed era uma espécie de mágico. Mas vou lhe dizer o que ele era. Era basicamente um falsário. Um 'Homem do Terno de Flanela Cinza,'[17]" um trapaceiro da Madison Avenue. Dê uma olhada em sua proposta de plano para se livrar de Castro e do regime castrista. É completamente sem sentido." O plano se resumia a uma promessa vazia: derrubar Castro sem enviar os fuzileiros navais.

Halpern disse a Richard Helms: "Esta é uma operação política na cidade de Washington, e nada tem a ver com a segurança dos Estados Unidos." Ele advertiu que a CIA não tinha qualquer informação secreta sobre Cuba. "Não sabemos o que está acontecendo", disse a Helms. "Não sabemos quem está fazendo o que a quem. Não temos nenhuma idéia sobre a ordem de batalha deles em termos de organização política e estrutura. Quem odeia quem? Quem adora quem? Não temos nada." Era o mesmo problema que a CIA enfrentaria ao confrontar o Iraque quarenta anos depois.

Helms concordou. O plano era uma fantasia.

Os Kennedy não queriam ouvir aquilo. Queriam uma sabotagem rápida e silenciosa para derrubar Castro. "Vamos em frente com isso, diabos", ladrou o procurador-geral. "O presidente quer alguma ação, imediatamente." Helms espertamente bateu continência e foi, diabos, em frente com isso. Reuniu uma nova força-tarefa autônoma para se reportar a Ed Lansdale e Robert Kennedy. Formou uma equipe com pessoas de todo o mundo, criando a maior opera-

---

[17]Referência ao romance de Sloan Wilson, de 1955, sobre americanos em busca de sucesso num mundo dominado pelos negócios. Foi adaptado para o cinema em 1956. (*N. do T.*)

ção de inteligência da CIA em tempo de paz até hoje, com cerca de seiscentos oficiais da CIA em Miami e arredores, quase cinco mil contratados pela CIA e a terceira maior frota naval no Caribe, incluindo submarinos, barcos de patrulha, lanchas da guarda costeira e hidroaviões, tendo a Baía de Guantánamo como base. Alguns "esquemas malucos" contra Fidel foram propostos pelo Pentágono e pela Casa Branca, disse Helms. Estes incluíam explodir um navio americano no Porto de Guantánamo e simular um ataque terrorista a um avião de passageiros americano para justificar uma nova invasão.

A operação precisava de um codinome, e Sam Halpern sugeriu Mongoose.[18]

### "NÃO HÁ NADA NO PAPEL, É CLARO"

Helms escolheu William K. Harvey — o homem que construíra o Túnel de Berlim — para liderar a equipe da Mongoose. Harvey chamou o projeto de "Força-Tarefa W", por causa de William Walker, pirata americano que liderou um exército particular na América Central e se autoproclamou imperador da Nicarágua nos anos 1850. Era uma escolha bastante estranha — a não ser que você conhecesse Bill Harvey.

Harvey foi apresentado aos Kennedy como o James Bond da CIA. Isso parece ter impressionado JFK, um ávido leitor dos romances de espionagem de Ian Fleming, já que a única coisa que Bond e Harvey tinham em comum era o gosto pelo martíni. Obeso, olhos esbugalhados, sempre carregando uma pistola, Harvey bebia doses duplas no almoço e voltava para o trabalho resmungando sombriamente, amaldiçoando o dia em que conhecera JFK. Bob Kennedy "queria ações rápidas, queria respostas rápidas", disse o assistente-executivo de McCone, Walt Elder. "Harvey não tinha ações rápidas nem respostas rápidas."

Mas tinha uma arma secreta.

A Casa Branca de Kennedy ordenou duas vezes que a CIA criasse um esquadrão de assassinatos. Questionado duramente por investigadores do Senado e uma comissão presidencial em 1975, Richard Bissell disse que essa ordem viera do assessor de segurança nacional McGeorge Bundy e de um assistente de Bundy, Walt Rostow. Disse ainda que os homens do presidente "não teriam

---

[18]Fuinha. (*N. do T.*)

incentivado aquilo se não tivessem confiança de que o plano tinha a aprovação do presidente".

Bissell entregou a ordem a Bill Harvey, que fez como ordenado. Ele retornara à sede em setembro de 1959, depois de uma longa viagem como chefe da base em Berlim para comandar a Divisão D do serviço clandestino. Os oficiais da divisão arrombaram embaixadas estrangeiras no exterior para roubar livros de codificação e cifras para as escutas clandestinas na Agência de Segurança Nacional. Auto-intitulavam-se Second-Story Men,[19] e suas habilidades iam desde abrir trancas até furtos, e mais além. A divisão tinha contatos com criminosos em capitais estrangeiras que poderiam ser chamados para arrombamentos, seqüestros de mensageiros de embaixadas e crimes diversos em nome da segurança nacional americana.

Em fevereiro de 1962, Harvey criou um programa de "ação executiva", com o codinome Rifle, e manteve os serviços de um agente estrangeiro. Era um morador de Luxemburgo, mas um homem sem país, que trabalhava sob contrato para a Divisão D. Harvey pretendia usá-lo para matar Fidel Castro.

Em abril de 1962, como mostram registros da CIA, Harvey teve uma segunda iniciativa. Encontrou-se com o gângster John Rosselli em Nova York. Com o chefe da divisão de operações do Escritório de Serviços Médicos da CIA, o dr. Edward Gunn, ele apanhou um novo lote de pílulas venenosas, destinadas ao chá ou café de Castro. Em seguida, seguiu de carro até Miami e as entregou a Rosselli, juntamente com um caminhão U-Haul cheio de armas.

Em 7 de maio de 1962, o procurador-geral foi completamente informado sobre o projeto Rifle pelo conselheiro-geral da CIA, Lawrence Houston, e pelo chefe de segurança da agência, Sheffield Edwards. RFK ficou "totalmente louco" — não com a conspiração para assassinato em si, mas com o papel da Máfia no plano. Nada fazia para impedir a CIA de tentar matar Castro.

Richard Helms, que assumira o comando do serviço clandestino três meses antes, deu a Harvey sinal verde para a Rifle. Se a Casa Branca queria uma bala de prata, ele acreditava que era trabalho da agência encontrá-la. Achou melhor não contar a McCone, avaliando corretamente que o diretor faria as mais fortes objeções religiosas, legais e políticas.

Certa vez, fiz a pergunta a Helms pessoalmente: O presidente Kennedy gostaria de ver Castro morto? "Não há nada no papel, é claro", disse ele calmamente. "Mas certamente não tenho a menor dúvida em minha mente de que ele gostaria."

---

[19]Assaltantes que entram pela janela do segundo andar, gatunos. (*N. do T.*)

Helms achava que um assassinato político em tempo de paz era uma aberração moral. Mas havia considerações práticas também. "Se você se envolve no negócio de eliminação de líderes estrangeiros, e o recurso é cogitado por governos com mais freqüência do que se gostaria de admitir, há sempre a pergunta sobre quem será o próximo", observou ele. "Se você mata os líderes de outros, por que eles não deveriam matar o seu?"

### "UMA VERDADEIRA INCERTEZA"

Quando John McCone assumiu o poder como diretor da central de inteligência, "a CIA estava sofrendo" e "o moral estava bastante comprometido", relembrou ele. "Meu primeiro problema foi tentar reconstruir a confiança."

Mas seis meses depois de sua nomeação, a sede da CIA estava em polvorosa. McCone começou a demitir centenas de oficiais do serviço clandestino — primeiramente com o objetivo de eliminar os "propensos a acidentes", os "espancadores de esposas" e os "viciados em álcool", observou seu vice-diretor, o general Marshall S. Carter. As demissões, os distúrbios resultantes da Baía dos Porcos e as pressões quase diárias da Casa Branca em relação a Cuba estavam criando "uma verdadeira incerteza sobre qual seria o futuro da Agência", disse-lhe o diretor-executivo de McCone, Lyman Kirkpatrick, num memorando de 26 de julho de 1962. Ele sugeriu que talvez "algo deva ser feito imediatamente para restaurar o moral na Agência".

Helms determinou que a única cura era uma volta aos conceitos básicos de espionagem. Com alguma apreensão, ele retirou alguns de seus melhores homens das paralisadas divisões soviética e Europa Oriental e os direcionou para a Cuba de Castro. Ele tinha na Flórida alguns oficiais sob seu comando que haviam aprendido a dirigir agentes e mensageiros dentro e fora de zonas controladas por comunistas, como Berlim Oriental. A CIA instalou um centro de interrogações em Opa-Locka, para entrevistar milhares de pessoas que haviam deixado Cuba em aviões comerciais e barcos particulares. O centro interrogou cerca de 1.300 refugiados cubanos. Eles forneceram à agência informação política, militar e econômica, assim como documentos e objetos do dia-a-dia — roupas, moedas, cigarros — para ajudar a disfarçar agentes que se infiltravam na ilha. O posto em Miami alegou ter 45 homens obtendo informações em Cuba no verão de 1962. Alguns chegaram à Flórida para um curso intensivo de dez dias e voltaram de lancha, encobertos pela noite. A pequena rede de espionagem que eles construíram dentro de Cuba foi a única conquista da operação Mongoose, de US$ 50 milhões.

Bobby Kennedy continuou pedindo em vão que comandos destruíssem em segredo usinas de energia, fábricas e engenhos de açúcar em Cuba. "A CIA pode realmente gerar esses ataques?", perguntou Lansdale a Harvey. "Por que isso agora é considerado uma possibilidade?" Harvey respondeu que seriam necessários mais dois anos e mais US$ 100 milhões para criar uma força capaz de derrubar Castro.

A CIA estava tão ocupada com suas ações secretas que falhou em ver que uma ameaça à sobrevivência nacional dos Estados Unidos se formava em Cuba.

# 18 "TAMBÉM ENGANAMOS A NÓS MESMOS"

Na segunda-feira, 30 de julho de 1962, John F. Kennedy entrou no Salão Oval e ligou o moderno sistema de gravação novo em folha que mandara instalar no fim de semana. A primeira conversa que gravou foi sobre uma conspiração para subverter o governo do Brasil e tirar do poder o presidente João Goulart.

Kennedy e seu embaixador no Brasil, Lincoln Gordon, discutiram o gasto de US$ 8 milhões para interferir nas eleições seguintes e preparar o terreno para um golpe militar contra Goulart — "para expulsá-lo, se necessário", disse o embaixador Gordon ao presidente. O posto da CIA no Brasil deixaria "claro, discretamente, que não somos necessariamente hostis a qualquer tipo de ação militar, em absoluto, se ficar claro que o motivo da ação militar é..."

"... Contra a esquerda", completou o presidente. Ele não deixaria que o Brasil ou qualquer outra nação do hemisfério ocidental se tornasse uma segunda Cuba.

Começou a fluir dinheiro da CIA para a vida política do Brasil. Um dos canais era o Instituto Americano para Desenvolvimento de Trabalho Livre, braço do AFL-CIO[20] (diplomatas britânicos que estavam por dentro do assunto o chamavam de AFL-CIA). Outro era o Instituto para Estudos de Pesquisas Sociais, uma recém-formada organização de líderes empresariais e cívicos do Brasil. Os receptores eram políticos e oficiais militares que se opunham ao presidente Goulart e que mantinham íntimo contato com o novo adido militar

---

[20]American Federation of Labor e Congress of Industrial Organizations (Federação Americana de Trabalho e Congresso de Organizações Industriais. (*N. do T.*)

americano no Brasil — Vernon Walters, futuro vice-diretor da central de inteligência. O retorno desses investimentos seria pago em menos de dois anos.

As fitas da Casa Branca, transcritas em 2001, registram conversas diárias sobre os planos de ação secreta que ganhavam forma no Salão Oval.

Em 8 de agosto, McCone se reuniu com o presidente na Casa Branca para discutir a conveniência de despejar centenas de soldados nacionalistas chineses na China de Mao. O presidente aprovara a operação paramilitar. McCone estava em dúvida. Mao tinha mísseis terra-ar e, conforme McCone disse ao presidente, o último U-2 que a CIA enviara para sobrevoar o território chinês foi localizado e seguido por radares da China comunista doze minutos depois de decolar de Taiwan. "Isso é uma piada", disse o assessor de segurança nacional de Kennedy, Michael Forrestal, filho do falecido secretário de Defesa. "Daremos ao presidente outro desastre do U-2." E qual seria a mentira dessa vez?, brincou o presidente. Todos riram. Um mês depois da reunião, as forças de Mao derrubaram um U-2 sobre a China.

Em 9 de agosto, Richard Helms foi à Casa Branca para discutir as chances de derrubar o governo do Haiti, a 48 quilômetros de Cuba. O ditador do Haiti, François "Papa Doc" Duvalier, vinha roubando a ajuda econômica americana e usando o apoio militar americano para sustentar seu regime corrupto. O presidente autorizou um golpe. A CIA forneceu armas a dissidentes que esperavam derrubar o governo usando quaisquer meios necessários. A questão sobre se Duvalier seria assassinado foi considerada. McCone deu sinal verde.

Mas a CIA estava hesitante. "Devo dizer, senhor presidente, que não parece que esse plano seria muito bem-sucedido", disse Helms. Ele advertiu que o "bando de pistoleiros" de Duvalier era "uma força repressora que não mede esforços", o que tornava "o plano um negócio perigoso". Faltava ao melhor agente recrutado pela CIA, um ex-chefe da guarda costeira haitiana, a vontade ou os recursos necessários para levar o golpe adiante. Para Helms, as chances de sucesso eram escassas. "Um outro golpe realmente não vai fazer nenhum bem se você não tem com quem trabalhar", disse o presidente a Helms.

Em 10 de agosto, John McCone, Robert Kennedy e o secretário de Defesa, Robert McNamara, reuniram-se na suntuosa sala de conferência do secretário de Estado, Dean Rusk, no sétimo andar do Departamento de Estado. O assunto era Cuba. McCone lembrou "uma sugestão apresentada para liquidar as pessoas mais importantes do regime de Castro", incluindo Castro e seu irmão Raul, ministro da Defesa cubano, que acabara de voltar de uma viagem a Moscou para comprar armas. Ele achava a idéia horrível. O diretor via um grande perigo pela frente. Previa que a União Soviética daria armas nucleares a Castro — mísseis balísticos de médio alcance capazes de atingir os Estados Unidos. Vinha se preocupando com essa possibilidade havia mais de quatro meses. Não tinha informação secreta alguma, nada para ir em frente além de um forte instinto.

McCone era o único que via a ameaça com clareza. "Se eu fosse Kruschev", disse ele, "colocaria mísseis ofensivos em Cuba. Depois eu poria os pés sobre a mesa e diria aos Estados Unidos, 'Como vocês se sentem olhando para a boca do cano de uma arma, só para variar? Agora vamos falar de Berlim e qualquer outro assunto de minha escolha." Ao que parece, ninguém acreditou nele. "Os especialistas concordaram unânime e inflexivelmente que aquilo estava além do reino das possibilidades", observa um relato da agência dos tempos de McCone. "Ele ficou absolutamente sozinho."

Havia um crescente ceticismo em relação à capacidade da agência em prever o comportamento dos soviéticos. Durante uma década, seus analistas haviam errado sistematicamente. "A CIA chegava e pintava o quadro mais assustador possível do que os soviéticos fariam conosco — passaríamos a ser de segunda categoria; os soviéticos seriam o Número Um", disse o ex-presidente Gerald R. Ford, que em 1962 fazia parte da reclusa subcomissão da Câmara que fornecia o orçamento secreto da CIA. "Eles tinham gráficos na parede, tinham números, e sua conclusão era de que em dez anos os Estados Unidos estariam atrás da União Soviética em capacidade militar, em crescimento econômico", disse Ford. "Era uma apresentação assustadora. O fato é que eles estavam errados em 180 graus. Aquelas eram as melhores pessoas que tínhamos, os assim chamados especialistas da CIA."

## "A ÁREA MAIS PERIGOSA DO MUNDO"

Em 15 de agosto, McCone voltou à Casa Branca para discutir a melhor maneira de derrubar Cheddi Jagan, primeiro-ministro da Guiana Britânica, uma colônia miserável nos pantanais caribenhos da América do Sul.

Dentista educado nos EUA, casado com uma marxista de Chicago chamada Janet Rosenberg, Jagan era descendente de trabalhadores agrícolas coloniais. Fora eleito pela primeira vez em 1953. Logo depois, Winston Churchill suspendeu a constituição colonial, ordenou que o governo fosse dissolvido e pôs os Jagan atrás das grades. Eles foram libertados depois que os britânicos restauraram o governo constitucional. Jagan foi reeleito duas vezes, e visitou o Salão Oval em outubro de 1961.

"Fui ver o presidente Kennedy em busca da ajuda dos Estados Unidos e de seu apoio à nossa independência em relação aos britânicos", recordou Jagan. "Ele era muito encantador e jovial. Os Estados Unidos temiam que eu desse a Guiana aos russos. Eu disse, 'Se é isso que vocês temem, não tenham medo'. Não teremos uma base soviética."

John F. Kennedy proclamou publicamente — numa entrevista em novembro de 1961 ao genro de Kruschev, editor do *Izvestia** — que "os Estados Unidos apóiam a idéia de que todos os povos devem ter o direto de escolher livremente o tipo de governo que querem". Cheddi Jagan podia ser "um marxista", disse ele, "mas os Estados Unidos não fazem objeção, porque essa escolha foi feita numa eleição honesta, que ele venceu".

Mas Kennedy decidiu usar a CIA para depô-lo. Não muito tempo depois de Jagan deixar a Casa Branca, a guerra fria esquentou em Georgetown, capital da Guiana Britânica. Estações de rádio nunca antes ouvidas entraram no ar. Servidores civis entraram em greve. Distúrbios tiraram a vida de mais de cem pessoas. Sindicatos trabalhistas se revoltaram depois de receberem assessoria e dinheiro do Instituto Americano para o Desenvolvimento do Trabalho Livre, que por sua vez recebia dinheiro e conselhos da CIA. Arthur Schlesinger, assistente especial e historiador oficial da Casa Branca de Kennedy, perguntou ao presidente: "A CIA acha que pode realizar uma operação realmente *secreta*, isto é, uma operação que, quaisquer que sejam as suspeitas que Jagan possa ter, não deixará qualquer rastro visível que ele possa citar diante do mundo, quer ele vença ou perca, como prova da intervenção dos EUA?"

Em 15 de agosto de 1962 na Casa Branca, o presidente, McCone e o assessor de segurança nacional McGeorge Bundy decidiram que era hora de agir. O presidente lançou uma campanha de US$ 2 milhões que acabou tirando Jagan do poder. Mais tarde, o presidente Kennedy explicou ao primeiro-ministro britânico, Harold Macmillan: "A América Latina era a área mais perigosa do mundo. O efeito de ter um Estado comunista na Guiana Britânica... seria criar pressões irresistíveis nos Estados Unidos para um ataque militar a Cuba."

---

*Jornal diário de circulação nacional na Rússia, fundado em 1917 e ainda em atividade. (*N. da E.*)

Na mesma reunião de 15 de agosto que selou o destino de Jagan, McCone entregou ao presidente Kennedy a nova doutrina da CIA para contra-insurgência. Juntamente, foi entregue um segundo documento descrevendo operações secretas em andamento em onze nações — Vietnã, Laos e Tailândia; Irã e Paquistão; e Bolívia, Colômbia, República Dominicana, Equador, Guatemala e Venezuela. Esse documento era "altamente secreto porque conta tudo sobre os truques sujos", disse McCone ao presidente. "Uma maravilhosa coleção ou dicionário de nossos crimes", afirmou Bundy, com uma risada.

Em 21 de agosto, Robert Kennedy perguntou a McCone se a CIA poderia orquestrar um falso ataque à base militar americana na Baía de Guantánamo como pretexto para uma invasão americana a Cuba. McCone foi contra. Disse a John Kennedy em particular, no dia seguinte, que uma invasão poderia ser um erro fatal. Advertiu o presidente pela primeira vez de que achava que os soviéticos poderiam estar instalando mísseis balísticos de médio alcance em Cuba. Se realmente estivessem, um ataque americano furtivo poderia deflagrar uma guerra nuclear. Ele defendeu aumentar o alarme público sobre a probabilidade de uma base de mísseis soviética. O presidente imediatamente rejeitou a idéia, mas especulou se seriam necessários guerrilheiros da CIA ou soldados americanos para destruir os locais de mísseis — se eles existissem. Nesse momento, ninguém além de McCone estava convencido de que existiam.

A conversa continuou no Salão Oval pouco depois das 18h de 22 de agosto, quando eles receberam Maxwell Taylor, o general em que Kennedy mais confiava. O presidente queria analisar outras duas operações secretas antes de discutir Cuba. A primeira era um plano em desenvolvimento para lançar vinte soldados nacionalistas chineses no território continental chinês na semana seguinte. A segunda era um plano da CIA para fazer escuta telefônica de correspondentes da imprensa em Washington.

"Como estamos indo com a preparação daquele negócio para Baldwin?", perguntou o presidente. Quatro semanas antes, Hanson Baldwin, repórter de segurança nacional do *New York Times*, publicara um artigo sobre o esforço dos soviéticos para proteger locais de lançamento de mísseis balísticos intercontinentais com bunkers de concreto. A reportagem altamente detalhada de Baldwin apresentava com precisão conclusões da mais recente estimativa da inteligência nacional da CIA.

O presidente disse a McCone para criar uma força-tarefa interna para pôr fim ao fluxo de segredos do governo para os jornais. A ordem violava a carta de direitos da agência, que proíbe especificamente a espionagem interna. Muito antes de Nixon criar sua unidade de "encanadores", formada por veteranos da CIA para impedir novos vazamentos, Kennedy usou a agência para espionar americanos.

"A CIA concorda completamente com... a criação dessa força-tarefa, que seria um grupo de investigação contínua reportando-se a mim", disse McCone mais tarde ao presidente. De 1962 a 1965, a CIA continuou vigiando Baldwin, outros quatro repórteres e suas fontes. Ao ordenar que o diretor da central de inteligência conduzisse um programa de vigilância interna, Kennedy abriu um precedente que os presidentes Johnson, Nixon e George W. Bush seguiriam.

Nesse mesmo encontro na Casa Branca, a conversa finalmente se voltou para Castro. Trinta e oito navios soviéticos haviam atracado em Cuba nas últimas sete semanas, disse McCone ao presidente. Sua carga "pode incluir partes de mísseis. Não sabemos". Mas de qualquer modo os soviéticos estavam trabalhando para aumentar a força militar de Cuba. "Agora, isso estaria separado da questão sobre se estão construindo algumas bases de mísseis, não?", perguntou o presidente. "Bem, não", disse McCone. "Acho que as duas coisas estão relacionadas. Acho que estão fazendo ambas."

McCone partiu de Washington no dia seguinte para uma longa lua-de-mel. Viúvo recente que acabara de se casar novamente, ele planejava ir a Paris e ao sul da França. "Ficaria bastante feliz se o senhor me procurasse", escreveu ele ao presidente, "e se o senhor o fizer, ficarei de algum modo aliviado do sentimento de culpa que parece me possuir."

### "PONHA-O NA CAIXA E FECHE-A COM PREGOS"

Um U-2 sobrevoou Cuba em 29 de agosto. O filme que ele registrou foi processado durante a noite. Em 30 de agosto, um analista da CIA se debruçou sobre sua mesa iluminada e gritou: Achei o lugar do SAM![21] Era um míssil terra-ar, um AS-2, a mesma arma soviética que derrubara o U-2 na Rússia. Naquele mesmo dia, outro U-2 foi visto vagando pelo espaço aéreo soviético, violando uma promessa solene dos EUA e provocando um protesto formal de Moscou.

---

[21]Sigla para *surface to air missile* (míssil terra-ar). (*N. do T.*)

A informação de que Cuba tinha mísseis terra-ar criou "uma relutância ou temor compreensível" na Casa Branca em relação a autorizar novos vôos, disse McCone mais tarde. JFK ordenou ao general Carter, diretor em exercício da central de inteligência durante a lua-de-mel de McCone, que se livrasse do relatório sobre o SAM. "Ponha-o na caixa e feche-a com pregos", disse o presidente. Ele não podia deixar que tensões internacionais criassem um alvoroço político interno, não a dois meses das eleições. Então, em 9 de setembro, outro U-2 foi derrubado na China. O avião espião e seus riscos eram considerados agora com "repugnância geral, ou, no mínimo, extremo mal-estar" no Departamento de Estado e no Pentágono, como explicava um relatório da CIA. Furioso, McGeorge Bundy, estimulado por Dean Rusk e agindo em nome do presidente, cancelou o vôo seguinte do U-2 sobre Cuba e convocou James Q. Reber, veterano da CIA responsável pela Comissão para Reconhecimento Aéreo.

"Há alguém envolvido no planejamento dessas missões que queira começar uma guerra?", perguntou Bundy sem rodeios.

Em 11 de setembro, o presidente Kennedy restringiu os vôos do U-2, impedindo que o avião passasse pelo espaço aéreo cubano. Quatro dias depois, os primeiros mísseis soviéticos de médio alcance chegaram ao porto de Mariel, em Cuba. A falta de fotos — um ponto cego num momento decisivo da história — persistiu durante 45 dias.

Continuando a vigiar a sede da CIA por meio de incessantes telegramas enviados da Riviera Francesa, McCone orientou a agência a advertir a Casa Branca sobre o "perigo de uma surpresa". A agência não o fez. A CIA estimou que havia dez mil soldados soviéticos em Cuba. Havia 43 mil. A agência disse que as forças armadas cubanas tinham cem mil homens. O número verdadeiro era 275 mil. A CIA rejeitou categoricamente a possibilidade de que os soviéticos estivessem instalando áreas nucleares em Cuba.

"O estabelecimento em solo cubano de forças nucleares soviéticas significativas que poderiam ser usadas contra os EUA seria incompatível com a política soviética", concluíram os principais especialistas da CIA numa Estimativa de Inteligência Nacional Especial, em 19 de setembro. Num exemplo clássico de projeção psicológica, a CIA afirmou vagamente: "Os soviéticos ainda estão incertos sobre seu futuro programa militar em Cuba." A estimativa continuou sendo o principal caso de erro de avaliação durante quarenta anos, até a CIA determinar as condições do arsenal do Iraque.

McCone foi o único a discordar. Em 20 de setembro, no último de seus telegramas em lua-de-mel para a sede, ele exortou sua agência a repensar. Os analistas suspiraram. Em seguida, deram uma nova olhada numa mensagem recebida pelo menos oito dias antes de um observador de estradas, um agente cubano do nível mais baixo da hierarquia da inteligência. Ele relatou que um comboio de caminhões de 21 metros de comprimento estava transportando uma misteriosa carga coberta por lona do tamanho de grossos postes telefônicos, no interior de Cuba, perto da cidade de San Cristobal. "Eu nunca soube o nome dele", disse Sam Halpern, da CIA. "Esse agente, o único resultado decente da Mongoose, disse que havia algo estranho acontecendo... E depois de dez dias de discussão diante da Comissão para Reconhecimento Aéreo, finalmente foi aprovado um sobrevôo."

Em 4 de outubro, McCone, de volta ao comando, enfureceu-se contra a proibição ao U-2 imposta pela Casa Branca. Não ocorreram vôos de espionagem sobre Cuba por quase cinco semanas. Numa reunião do Grupo Especial Ampliado com Bobby Kennedy, "houve uma discussão considerável um pouco acalorada" sobre quem havia impedido os vôos. É claro que tinha sido o presidente. Bobby Kennedy reconheceu a necessidade de mais informações secretas sobre Cuba, mas disse que o presidente, antes de qualquer coisa, queria mais sabotagem: "Ele exortou o estabelecimento de 'atividades maciças'." Exigiu que McCone e Lansdale enviassem agentes a Cuba para minar os portos e seqüestrar soldados cubanos para interrogá-los, ordem que levou à missão final da Mongoose, em outubro, quando cerca de cinqüenta espiões e sabotadores foram enviados a Cuba num submarino, no auge da crise nuclear.

Enquanto a inteligência americana se debatia, 99 ogivas nucleares soviéticas chegaram a Cuba sem serem detectadas, em 4 de outubro. Cada uma delas era setenta vezes mais poderosa que a bomba que Harry Truman jogou em Hiroxima. Com uma única ação furtiva, os soviéticos haviam duplicado os danos que poderiam causar aos Estados Unidos. Em 5 de outubro, McCone foi à Casa Branca para argumentar que a segurança da nação dependia de mais vôos do U-2 sobre Cuba. Bundy zombou da proposta, dizendo estar convencido de que não havia ameaça alguma — e se havia, a CIA não conseguiria encontrá-la.

## "SURPRESA QUASE TOTAL NA INTELIGÊNCIA"

A descoberta da CIA sobre os mísseis, dez dias depois, tem sido retratada como um triunfo. Poucos homens do poder a viram dessa maneira na época.

"A surpresa quase total na inteligência que os Estados Unidos tiveram com a introdução e o deslocamento de mísseis soviéticos estratégicos em Cuba resultou em grande parte de um mau funcionamento do processo analítico pelo qual os indicadores de inteligência são avaliados e relatados", registrou o grupo de inteligência externa do presidente alguns meses depois. O presidente fora "mal servido" pela CIA, que "falhou em apresentar a funcionários-chave do governo o quadro mais preciso possível" do que os soviéticos estavam fazendo. O grupo descobriu que a "cobertura clandestina de agentes dentro de Cuba era inadequada" e que "a vigilância fotográfica aérea não estava sendo usada completamente". E concluiu: "A maneira como os indicadores de inteligência foram manejados na situação em Cuba pode ser a falha mais séria de nosso sistema de inteligência e, se não for corrigida, poderá levar às mais graves conseqüências."

As falhas continuaram sem correção. A falha em não enxergar a verdadeira situação do arsenal iraquiano em 2002 aconteceu em grande parte da mesma maneira.

Mas finalmente, por insistência de McCone, a falta de fotos foi resolvida. Ao amanhecer de 14 de outubro, um U-2 pilotado pelo major da força aérea Richard D. Heyser, do Comando Aéreo Estratégico, sobrevoou o oeste de Cuba, tirando 928 fotografias em seis minutos. Vinte e quatro horas depois, os analistas da CIA contemplavam imagens das maiores armas comunistas que já tinham visto. Durante todo o dia 15 de outubro, eles compararam as fotos tiradas pelo U-2 com outras de mísseis soviéticos num desfile nas ruas de Moscou, que acontecia a cada Dia do Trabalho. Checaram manuais de especificações técnicas fornecidos ao longo do ano anterior por Oleg Penkovsky, um coronel do serviço de inteligência militar soviético. Ele havia passado quatro meses — a partir do verão de 1960 — tentando se aproximar da CIA. Mas os oficiais da agência eram inexperientes demais, cautelosos demais e assustados demais para fechar um acordo. Acabou fazendo contato com os britânicos, que trabalharam com ele em comum acordo com a CIA em Londres. Correndo um grande risco, ele contrabandeou cerca de cinco mil páginas de documentos, a maioria deles oferecendo uma visão interna da tecnologia e doutrina militares. Era um voluntário, e o primeiro espião soviético de valor que a CIA já tivera. Exatamente uma semana depois da chegada das fotos do U-2 a Washington, Penkovsky foi preso pela inteligência soviética.

No fim da tarde de 15 de outubro, os analistas da CIA sabiam que estavam diante de imagens de mísseis balísticos de médio alcance SS-4, capazes de transportar uma ogiva de um megaton do oeste de Cuba para Washington. O presidente Kennedy estava em Nova York, fazendo campanha para os candidatos das eleições de novembro, que aconteceriam dentro de três semanas. Naquela noite, McGeorge Bundy estava em casa, oferecendo um jantar de despedida a Chip Bohlen, recém-nomeado embaixador americano na França. Por volta de 22h, o telefone tocou. Era Ray Cline, vice-diretor de inteligência da CIA. "Aquelas coisas que nós temíamos, parece que realmente descobrimos alguma coisa", disse Cline.

Richard Helms levou as fotos do U-2 ao escritório do procurador-geral às 9h15 de 16 de outubro. "Kennedy se levantou de sua mesa e por um momento ficou olhando pela janela", recordou Helms. "Ele se virou e olhou para mim. 'Merda', disse ele, em voz alta, erguendo os dois punhos até a altura do peito, como se fosse começar a treinar boxe. 'Que vá tudo para o inferno.' Era exatamente o que eu sentia."

Bobby Kennedy refletiu: "Fomos enganados por Kruschev, mas também enganamos a nós mesmos."

# 19 "FICARÍAMOS *ENCANTADOS* EM NEGOCIAR ESSES MÍSSEIS"

A CIA enganara a si mesma ao achar que os soviéticos nunca enviariam armas nucleares para Cuba. Agora que tinha visto os mísseis, ainda não podia compreender a mentalidade soviética. "Não consigo entender o ponto de vista deles", lamentou o presidente em 16 de outubro. "É um maldito mistério para mim. Não conheço a União Soviética o suficiente."

O general Marshall Carter era novamente diretor em exercício; McCone voara para Seattle para o funeral de seu novo enteado, morto num acidente de carro. Carter foi à reunião do Grupo Especial (Ampliado) às 9h30 na Sala de Situação, o posto de comando subterrâneo da Casa Branca, carregando novas propostas para ataques secretos a Cuba encomendadas por Robert Kennedy. Carter — que em particular comparava a atuação de Kennedy nas reuniões da Mongoose aos latidos de um fox terrier enfurecido — ficou em silêncio quando o procurador-geral aprovou oito novas leis de sabotagem, que agora dependiam da aprovação do presidente. Depois, Carter se reuniu com o principal intérprete de fotos da CIA, Art Lundahl, e o principal especialista em mísseis da agência, Sidney Graybeal, no andar de cima da Casa Branca. Os três homens levaram imagens do U-2 destruído para a Sala do Gabinete, onde o círculo interno do sistema de segurança nacional se reuniu pouco antes do meio-dia.

O presidente apertou uma tecla e ligou seu gravador. Mais de quarenta anos se passariam até que fosse obtida uma transcrição precisa das reuniões sobre a crise dos mísseis em Cuba.

## "ISSO SIM SERIA *TERRIVELMENTE PERIGOSO*"

O presidente olhou para as fotos. "Quão avançado isso é?", perguntou ele. "Senhor, nunca vimos esse tipo de instalação antes", disse Lundahl. "Nem mesmo na União Soviética?", perguntou Kennedy. "Não, senhor", respondeu Lundahl. "Estão prontos para serem disparados?", perguntou o presidente. "Não, senhor", disse Graybeal. "Quanto tempo falta... não podemos saber, podemos?, quanto tempo até que eles disparem?", perguntou Kennedy. Ninguém sabia. Onde estavam as ogivas?, perguntou o secretário de Defesa McNamara. Ninguém sabia. Por que Kruschev fez isso?, elucubrou o presidente. Ninguém sabia. Mas o secretário Rusk tinha uma boa suposição: "Nós de fato não vivemos aterrorizados com as armas nucleares dele tanto quanto ele vive com as nossas", sugeriu ele. "E também temos armas nucleares por perto, na Turquia e em outros lugares."

O presidente estava apenas vagamente consciente de que tais mísseis estavam instalados. Quase se esqueceu de que decidira manter aquelas armas apontadas para os soviéticos.

JFK ordenou a preparação de três planos de ataque: número um, destruir os locais de mísseis nucleares com jatos da força aérea ou da marinha; número dois, organizar um ataque aéreo bem maior; número três, invadir e conquistar Cuba. "Certamente vamos usar o número um", disse ele. "Vamos acabar com aqueles mísseis." A reunião terminou às 13h, depois de Bobby Kennedy defender uma invasão total.

Às 14h30, RFK estalou o chicote na equipe da Mongoose em seu enorme escritório no Departamento de Justiça, cobrando novas idéias, novas missões. Repassando uma questão apresentada a ele pelo presidente noventa minutos antes, pediu a Helms que lhe dissesse quantos cubanos lutariam pelo regime se os Estados Unidos invadissem. Ninguém sabia. Às 18h30, os homens do presidente voltaram a se reunir na Sala do Gabinete. Pensando nas missões da Mongoose, o presidente Kennedy perguntou se os MBMAs — os mísseis balísticos de médio alcance — poderiam ser destruídos com balas. Sim, disse-lhe o general Carter, mas aqueles eram mísseis móveis; poderiam ser transferidos para outros lugares escondidos. O problema de atingir mísseis móveis permanece sem solução até hoje.

Agora o presidente considerava a questão de uma guerra nuclear contra Cuba. Começava a perceber quão pouco conhecia do líder soviético. "Certamente estávamos errados sobre o que ele está tentando fazer", disse o presidente. "Poucos de nós pensaram que ele colocaria os MBMAs em Cuba." Ninguém exceto John McCone, murmurou Bundy. Por que Kruschev fizera aquilo?, perguntou o presidente. "Qual é a vantagem disso? É como se de repente começássemos a pôr um *grande* número de MBMAs na Turquia", disse ele. "Isso sim seria *terrivelmente perigoso*, eu diria."

Seguiu-se um momento de embaraçoso silêncio. "Bem, nós *fizemos* isso, senhor presidente", disse Bundy.

A conversa se voltou em seguida para a guerra secreta. "Temos uma lista de opções de sabotagem, senhor presidente", disse Bundy. "... Presumo que o senhor seja a favor de sabotagem." Ele era. Dez equipes de cinco agentes da Mongoose foram autorizadas a se infiltrar em Cuba por submarino. Suas ordens eram explodir navios soviéticos com minas navais em portos cubanos; atacar três locais de mísseis terra-ar com metralhadoras e morteiros; e talvez procurar lançadores de mísseis nucleares. Os Kennedy estavam animadíssimos. A CIA era seu instrumento de ataque.

O presidente saiu da reunião deixando duas opções militares sobre a mesa: um ataque furtivo a Cuba e uma invasão total. Suas palavras ao partir foram um pedido para se encontrar com McCone na manhã seguinte, antes de partir para uma viagem de campanha a Connecticut. O general Carter, McNamara, Bundy e alguns outros ficaram na sala.

O vice-diretor da Central de Inteligência, Marshall Carter, tinha 61 anos, era baixo, atarracado, careca e de língua afiada. Fora chefe do Norad, o Comando de Defesa Aéreo Norte-Americano, no governo de Eisenhower. Conhecia as estratégias nucleares dos Estados Unidos. Agora, com o presidente fora da sala, os homens da CIA expressaram seu maior medo: "Você entra lá com um ataque surpresa", disse Carter. "Acaba com todos os mísseis. Isso não é o *fim*; é o *começo*." Seria o primeiro dia da Terceira Guerra Mundial.

## "O CURSO QUE EU HAVIA RECOMENDADO"

No dia seguinte, quarta-feira, 17 de outubro, John McCone e John Kennedy se reuniram às 9h30. "O presidente parecia inclinado a agir imediatamente, sem advertência", observou McCone em seu memorando diário de registro. O presidente pediu então a McCone para ir de carro até Gettysburg, Pensilvânia, para informar Dwight D. Eisenhower. McCone chegou ao meio-dia, levando as fotos de mísseis balísticos de médio alcance feitas pelo U-2. "Eisenhower pareceu aceitar (mas não especificamente recomendar) a ação militar que atingiria Havana e, portanto, implicaria o coração do governo", observou McCone.

O diretor voltou para Washington e tentou organizar suas idéias. Estava exausto. Viajara à costa oeste e voltara em menos de 48 horas. As seis páginas de anotações espremidas que produziu naquela tarde foram liberadas em 2003. Refletem a busca por uma maneira de tirar os mísseis de Cuba sem uma guerra nuclear.

Devido a sua experiência como mestre em construção naval, McCone compreendia o poder militar, político e econômico da presença de navios no mar. As anotações que fez incluíam a idéia de impor "um bloqueio total" a Cuba — "a interrupção de acesso a todos os navios", apoiada por uma ameaça de ataque. Em reuniões com Bobby Kennedy, McNamara, Rusk e Bundy que se estenderam até quase meia-noite, ele elaborou a estratégia do bloqueio. As anotações de McCone mostram que a idéia não recebeu qualquer apoio evidente dos principais assessores do presidente.

Às 11h de quinta-feira, 18 de outubro, McCone e Art Lundahl foram à Casa Branca com novas fotos feitas pelo U-2. Mostravam uma nova série de mísseis maiores, cada um deles com alcance de 3.540 quilômetros, capazes de atingir qualquer grande cidade americana exceto Seattle. McCone disse que as bases de mísseis eram administradas por soldados soviéticos; McNamara salientou que um ataque surpresa às bases mataria várias centenas de soviéticos. Atacá-los seria um ato de guerra contra Moscou, e não contra Havana. Então o subsecretário de Estado George Ball expressou o que Marshall Carter, da CIA, dissera duas noites antes: "Um curso de ação em que atacamos sem avisar é como Pearl Harbor."

O presidente disse: "A questão *realmente* é qual a ação a ser tomada que *diminua* as chances de uma resposta nuclear, que obviamente seria o fracasso definitivo... Você tem o bloqueio sem qualquer declaração de guerra. Você tem o bloqueio com uma declaração de guerra. Temos os ataques um, dois e três. Temos uma invasão."

Naquele dia, McCone obteve dois votos a favor de sua proposta de bloqueio apoiado com ameaças de ataque. Um dos votos era de Eisenhower. O outro, de RFK. Ambos haviam mudado de opinião, apoiando McCone. Ainda eram minoria, mas mudaram o jogo. Sentado sozinho no Salão Oval até aproximadamente meia-noite, falando diretamente para os microfones ocultos, o presidente disse a si mesmo que "as opiniões obviamente mudaram em relação às vantagens de atacar primeiro". O presidente telefonou para McCone em casa no domingo, para dizer, conforme o diretor observou com satisfação, que "ele havia decidido seguir o curso que eu recomendava". O presidente anunciou a decisão ao mundo num discurso na televisão na noite de segunda-feira, 22 de outubro.

## "EU TERIA SOFRIDO UM *IMPEACHMENT*"

A manhã de terça-feira, 23 de outubro, começou na Casa Branca com um informe de McCone. Intensamente atentos aos danos políticos que o diretor poderia causar-lhes por ser o único homem em Washington que os advertira com precisão sobre a ameaça, os Kennedy puseram McCone numa patrulha geral, informando membros do Congresso e colunistas. Também queriam que ele preparasse o embaixador Adlai Stevenson, que precisava apresentar o argumento americano às Nações Unidas.

Da Casa Branca, McCone telefonou para Ray Cline, seu analista-chefe de inteligência, e lhe disse para voar para Nova York com cópias das fotografias do U-2. A equipe de Stevenson estava enfrentando "alguma dificuldade para formar um argumento convincente para o Conselho de Segurança", explicou McCone. "Sabe, eles estão com um pequeno problema, porque na época da Baía dos Porcos, Stevenson mostrou algumas fotos falsas e mais tarde descobriram que eram falsas."

Em seguida, os doze principais homens da segurança nacional do presidente Kennedy se reuniram para discutir como coordenar o bloqueio, cujo início estava marcado para a manhã seguinte. Tecnicamente era um ato de guerra. McCone relatou conversas nos corredores das Nações Unidas, transmitidas por Ray Cline, indicando que os navios soviéticos em rota para Cuba poderiam tentar passar pelos navios de guerra americanos.

"*Agora*, o que faremos amanhã de manhã quando esses oito navios continuarem a navegar?", perguntou o presidente Kennedy. "Estamos todos seguros sobre como" — um momento de silêncio, um riso nervoso — "lidar com isso?"

Ninguém sabia. Seguiu-se outro momento de silêncio.

"Atirar nos lemes deles, não?", respondeu McCone.

A reunião foi dissolvida. Kennedy assinou a proclamação de quarentena. Em seguida, ele e seu irmão ficaram a sós durante alguns minutos na Sala do Gabinete.

"Bem, parece que a coisa vai ser realmente *feia*. Mas, por outro lado, de fato não há outra escolha", disse o presidente. "Se eles enfrentarem isso, Jesus Cristo! O que diabos vão detonar em seguida?" Seu irmão disse: "Não havia outra escolha. Quer dizer, você teria um... você sofreria um *impeachment*." O presidente concordou: "Eu sofreria um *impeachment*."

Às 10h de quarta-feira, 24 de outubro, o bloqueio foi efetivado, as forças americanas entraram em seu máximo alerta — apenas abaixo de uma guerra nuclear — e McCone deu início a seu informe diário na Casa Branca. O diretor da central de inteligência finalmente estava atuando conforme sua carta de direitos exigia, transmitindo toda a inteligência americana para o presidente numa única voz. O exército soviético não estava em alerta total, mas aumentava sua prontidão, relatou ele, e a marinha soviética tinha submarinos no Atlântico acompanhando a frota que seguia para Cuba. Novos reconhecimentos fotográficos mostraram prédios de armazenamento de ogivas nucleares, mas nenhum sinal das próprias ogivas. McCone se esforçou naquela dia para mostrar ao presidente que o bloqueio não impediria os soviéticos de preparar os locais de lançamento de mísseis.

McNamara começou a apresentar seus planos para interceptar os navios e submarinos soviéticos. Então McCone o interrompeu. "Senhor presidente, tenho uma nota que acabei de receber... Todos os seis navios soviéticos atualmente identificados em águas cubanas... pararam ou reverteram seu curso." Rusk disse, "O que você quer dizer com 'águas cubanas'?" O presidente perguntou, "Os navios que estão deixando Cuba ou aqueles que estão chegando?" McCone se levantou e disse, "Vou descobrir". E deixou a sala. Rusk murmurou: "Faz *alguma* diferença."

McCone retornou com a revelação de que os navios soviéticos se dirigiam para Cuba, estavam a mais de 800 quilômetros da ilha, mas haviam parado ou revertido o curso. Este foi o momento em que Rusk poderia ter-se inclinado sobre Bundy e dito: "Estamos olho a olho, e acho que o outro camarada acaba de piscar."

A primeira parte da estratégia de McCone estava dando certo: a quarentena imposta à navegação soviética funcionaria. A segunda parte seria muito mais difícil. Conforme ele continuava lembrando ao presidente, os mísseis ainda estavam lá, as ogivas continuavam escondidas em algum lugar na ilha e o perigo aumentava.

Em 26 de outubro, na Casa Branca, Adlai Stevenson disse que seriam necessárias semanas, talvez meses de negociações para tirar os mísseis de Cuba. McCone sabia que não havia tempo para isso. Ao meio-dia, ele levou o presidente (Se Bobby estava presente, nunca disse) para uma reunião particular, só com ele e o intérprete de fotos Art Lundahl, no Salão Oval. Novos reconhecimentos fotográficos mostravam que os soviéticos introduziram armas nucleares de campo de batalha, de curto alcance. Lançadores de mísseis recentemente camuflados estavam quase prontos para serem disparados. Os locais dos mísseis eram ocupados por mais de quinhentos militares e protegidos por mais trezentos soviéticos.

"Estou ficando mais preocupado o tempo todo", disse McCone ao presidente. "Eles poderiam começar à noite e ter mísseis apontando para nós na manhã seguinte. Por esse motivo, estou ficando cada vez mais preocupado em seguir uma rota política."

"Que outro caminho?", perguntou o presidente. "O curso alternativo que poderíamos seguir é o ataque aéreo ou uma invasão. Ainda assim, enfrentaríamos o fato de que, se invadirmos, na hora em que chegarmos a esses locais, depois de uma luta bastante sangrenta, eles estarão apontando para nós. Portanto, isso ainda leva à questão sobre se eles vão disparar os mísseis."

"Isso está correto", disse McCone. Agora a mente do presidente se desviava da diplomacia para a guerra. "Quero dizer, não existe qualquer outra ação, além da diplomacia, que possamos tomar, o que não nos livra imediatamente destes mísseis", disse Kennedy. "O outro caminho, eu diria, é uma combinação de ataque aéreo e provavelmente invasão, o que significa que teríamos que fazer as duas coisas com a perspectiva de que eles possam ser disparados."

McCone advertiu contra uma invasão. "Invadir seria uma iniciativa muito mais *séria* do que a maioria das pessoas percebe", disse ele ao presidente. Os russos e os cubanos tinham "uma *penca* de equipamentos... Eles têm coisas muito letais lá. Lança-foguetes, canhões autopropulsados, blindados meia-lagarta... Eles vão dar muito trabalho a uma força invasora. Não seria vitória certa de modo algum".

Naquela noite, uma longa mensagem de Moscou chegou à Casa Branca. A transmissão e a recepção do telegrama demoraram mais de seis horas, e só foi concluída às 21h. Era uma carta pessoal de Nikita Kruschev condenando "a catástrofe de uma guerra termonuclear" e propondo — ao que parecia — uma saída. Se os americanos prometessem não invadir Cuba, os soviéticos retirariam os mísseis.

No sábado, 27 de outubro, McCone iniciou às 10h uma reunião na Casa Branca com a amarga notícia de que os mísseis poderiam ser disparados em nada menos que seis horas. Ele mal havia concluído seu informe quando o presidente Kennedy leu um boletim retirado de um teletipo da Associated Press, procedente de Moscou: "O premier Kruschev disse ontem ao presidente Kennedy que retiraria as armas ofensivas de Cuba se os Estados Unidos retirassem seus foguetes da Turquia." A reunião se transformou num alvoroço.

De início, ninguém comprou a idéia — exceto o presidente e McCone.

"Não vamos nos enganar", disse Kennedy. "Eles fizeram uma proposta muito boa."

McCone concordou: era uma proposta específica, séria e impossível de ignorar. A discussão sobre como responder durou o dia inteiro, pontuada por momentos de terror. Primeiro, um U-2 entrou por engano no espaço aéreo soviético, perto da costa do Alasca, levando jatos soviéticos a decolar. Depois, por volta das 18h, McNamara anunciou repentinamente que outro U-2 fora derrubado em Cuba, o que causara a morte do major da força aérea Rudolf Anderson.

Agora, o Estado-Maior Conjunto recomendava fortemente que um ataque em escala total a Cuba fosse iniciado em 36 horas. Por volta das 18h30, o presidente Kennedy deixou a sala, e a conversa se tornou imediatamente menos formal, mais brutal.

"O plano militar é basicamente uma invasão", disse McNamara. "*Quando* atacarmos Cuba, *terá* que ser um ataque *total*", disse ele. "*É quase certo* que isso leve a uma invasão." Ou a uma guerra nuclear, murmurou Bundy. "A União Soviética *poderá* atacar os mísseis turcos, e provavelmente *o fará*", continuou McNamara. Então os Estados Unidos terão que atacar navios ou bases soviéticos no Mar Negro.

"E eu diria que isso é *perigoso demais*", disse o secretário de Defesa. "Agora, não tenho certeza se podemos evitar algo assim se atacarmos Cuba. Mas acho que devemos fazer todos os esforços para evitá-lo. E uma maneira de evitá-lo é desativar os mísseis turcos antes de atacar Cuba", disse McNamara.

McCone explodiu: "Não vejo então por que você não aceita o acordo!" E a discussão mudou.

Outras vozes gritaram: Aceite o acordo! Então aceite o acordo! Com sua raiva aumentando, McCone continuou: "Conversamos sobre isso e diríamos que ficaríamos *encantados* em negociar aqueles mísseis na Turquia pela coisa em Cuba." Ele enfatizou sua intenção: "Eu negociaria essas coisas turcas *neste exato momento*. Eu nem falaria a *ninguém* sobre isso. Nós nos sentamos duran-te uma *semana* e houve... todos foram a favor de fazer isso" — até que Kruschev fez a proposta.

O presidente voltou à Sala de Gabinete por volta das 19h30 e sugeriu que todos fizessem um intervalo para jantar. Depois, no Salão Oval, ele e seu irmão conversaram com McNamara, Rusk, Bundy e outros quatro assessores de con-fiança. McCone foi excluído. Eles discutiram sua idéia, que era o que o presi-dente queria. Todos na sala juraram segredo. Bobby Kennedy deixou a Casa Branca e se encontrou com o embaixador soviético Anatoly Dobrynin em seu escritório no Departamento de Justiça. Disse a Dobrynin que os Estados Uni-dos aceitavam a proposta sobre os mísseis, contanto que ela nunca se tornasse pública. Os Kennedy não podiam ser vistos fazendo um acordo com Kruschev. O procurador-geral falsificou deliberadamente seu memorando sobre a reu-nião, apagando uma referência à negociação. O acordo foi mantido em pro-fundo segredo. Um quarto de século depois, John McCone disse: "O presidente Kennedy e o procurador-geral Bobby Kennedy insistiram que em nenhum momento discutiram os mísseis na Turquia com qualquer representante dos soviéticos e que nunca houve esse tipo de acordo."

Durante muitos anos, o mundo acreditou que somente a calma determi-nação do presidente Kennedy e o firme compromisso de seu irmão com uma solução pacífica haviam salvado a nação de uma guerra nuclear. O papel cen-tral de McCone na crise dos mísseis ficou obscurecido pelo resto do século XX.

Logo, os Kennedy se voltaram contra McCone. O diretor deixou que sou-bessem em Washington que ele tinha sido o único sentinela dos mísseis cuba-nos. Testemunhou ao grupo de inteligência externa do presidente que falara ao presidente sobre seu pressentimento em 22 de agosto. A principal parte do relatório do grupo sobre a "falta de fotos" apareceu no *Washington Post* em 4 de março de 1963. Naquele dia, Bobby Kennedy disse a seu irmão que a CIA com certeza vazara a informação para prejudicá-lo.

"Sim", disse o presidente, "ele é um verdadeiro idiota, esse John McCone."

## "ELIMINAR FIDEL, COM EXECUÇÃO SE NECESSÁRIO"

No auge da crise dos mísseis, McCone tentara pôr um freio na Mongoose e concentrar a considerável energia da operação na obtenção de inteligência para o Pentágono. Achava que tinha sido bem-sucedido. Mas Bill Harvey, da CIA, concluiu que os Estados Unidos estavam prestes a invadir Cuba e ordenou que seus sabotadores da Mongoose atacassem.

Quando Bobby Kennedy fizera a mais dura pressão pelas missões da Mongoose — descobriu a perigosa falha no comando, ficou furioso. Depois de uma discussão aos gritos, Harvey foi banido de Washington. Helms o enviou para Roma como chefe do posto — contudo, não antes que o FBI registrasse uma embriagada refeição de despedida que Harvey teve com Johnny Rosselli, o assassino de aluguel da Máfia que ele contratara para matar Castro. Em Roma, Harvey, que bebia muito, ficou enlouquecido, tratando seus homens da forma como Bobby Kennedy o tratara.

Helms o substituiu como encarregado de Cuba por seu chefe para o Extremo Oriente, Desmond FitzGerald, um homem de Harvard, milionário, que vivia numa mansão em estilo Georgetown, de tijolos vermelhos, com um mordomo na copa e um Jaguar na garagem. O presidente gostou dele. Encaixava-se na imagem de James Bond. Ele havia sido contratado em seu escritório de direito em Nova York por Frank Wisner, no início da Guerra da Coréia, e instantaneamente se tornou oficial executivo da divisão Extremo Oriente do serviço clandestino. Ajudara a realizar a desastrosa operação Li Mi, na Birmânia. Em seguida, comandou a Missão China, da CIA, que enviou agentes estrangeiros para a morte até 1955, quando uma reavaliação da sede considerou a missão uma perda de tempo, dinheiro, energia e vidas humanas. FitzGerald então se tornou vice-chefe da divisão Extremo Oriente, onde ajudou a planejar e executar a operação indonésia, em 1957 e 1958. Como chefe dessa divisão, ele comandou a rápida expansão das operações da CIA em Vietnã, Laos e Tibete.

Agora, os Kennedy lhe ordenavam que explodisse minas, engenhos, usinas de energia e navios comerciais cubanos, para destruir o inimigo, na esperança de criar uma contra-revolução. O objetivo, conforme Bobby Kennedy disse a FitzGerald em abril de 1963, era derrubar Castro em dezoito meses — antes da próxima eleição presidencial. Vinte e cinco agentes cubanos da CIA morreram nessas operações inúteis.

Então, no verão e no outono de 1963, FitzGerald liderou a última missão para matar Fidel Castro.

A CIA planejava usar Rolando Cubela, seu agente mais bem localizado dentro do governo cubano, como assassino de aluguel. Um homem nervoso, de língua solta e violento, que detestava Fidel Castro, Cubela chegara à patente de major no exército cubano, servira como adido militar na Espanha e viajara bastante. Em 1º de agosto de 1963, numa conversa com um agente da CIA em Helsinki, ele se dispôs "a eliminar Fidel, com execução se necessário". Em 5 de setembro, encontrou-se com o agente da CIA Nestor Sanchez em Porto Alegre, Brasil, onde representava o governo cubano nos Jogos Universitários internacionais. Em 7 de setembro, a CIA observou apropriadamente que Castro havia escolhido uma recepção na embaixada brasileira em Havana para transmitir uma longa advertência através de um repórter da Associated Press. Castro disse que "os Estados Unidos correriam perigo se ajudassem qualquer tentativa de acabar com líderes cubanos... Se estão auxiliando planos terroristas para eliminar líderes cubanos, eles próprios não estarão em segurança".

Sanchez e Cubela se encontraram de novo em Paris no início de outubro, e o agente cubano disse ao agente da CIA que queria um fuzil de alta potência com uma mira telescópica. Em 29 de outubro de 1963, FitzGerald tomou um avião para Paris e se encontrou com Cubela num esconderijo da CIA.

FitzGerald disse que era um emissário pessoal de Robert Kennedy, o que estava perigosamente perto da verdade, e que a CIA entregaria a Cubela as armas que ele escolhesse. Os Estados Unidos, disse ele, queriam "um golpe de verdade" em Cuba.

# 20 "OI, CHEFE, FIZEMOS UM BOM TRABALHO, NÃO?"

Sozinho no Salão Oval na segunda-feira de 4 de novembro de 1963, John F. Kennedy ditava um memorando sobre um redemoinho que ele pusera em movimento do outro lado do mundo: o assassinato de um aliado americano, o presidente do Vietnã do Sul, Ngo Dinh Diem.

"Precisamos assumir uma boa parte da responsabilidade por isso", disse JFK. Ele parou por um momento para brincar com seus filhos enquanto eles corriam para dentro e para fora da sala. Depois, retomou. "A maneira como ele foi morto" — e fez uma nova pausa — "tornou o ocorrido particularmente abominável."

Lucien Conein, da CIA, era o espião de Kennedy entre os generais amotinados que assassinaram Diem. "Eu era uma parte importante de toda a conspiração", disse Conein num testemunho extraordinário, anos depois.

Seu apelido era Black Luigi, e ele tinha a petulância de um gângster corso. Conein havia ingressado no OSS, treinado com os britânicos e pulado de pára-quedas por trás das linhas francesas. Em 1945, voou para a Indochina para combater os japoneses; esteve em Hanói com Ho Chi Minh, e por um momento eles foram aliados. Continuou ali para se tornar membro fundador da CIA.

Em 1954, foi um dos primeiros oficiais da inteligência americana no Vietnã. Depois que Ho derrotou os franceses na batalha de Dien Bien Phu, o Vietnã foi dividido em Norte e Sul numa conferência internacional em Genebra, onde os Estados Unidos foram representados pelo subsecretário de Estado Walter Bedell Smith.

Durante os nove anos seguintes, os Estados Unidos apoiaram o presidente Diem como o homem para combater o comunismo no Vietnã. Conein atuou sob o comando de Ed Lansdale na nova Missão Militar de Saigon, da CIA. Lansdale tinha "uma carta de direitos bastante ampla", disse Rufus Phillips, da CIA. "Era literalmente 'Ed, faça o que puder para salvar o Vietnã do Sul'."

Conein foi para o Vietnã do Norte em missões de sabotagem, destruindo trens e ônibus, contaminando combustíveis e petróleo, organizando duzentos combatentes vietnamitas treinados pela CIA e enterrando armas nos cemitérios de Hanói. Depois, voltou a Saigon para ajudar a apoiar o presidente Diem, um católico místico num país budista a quem a CIA forneceu milhões de dólares, uma falange de guarda-costas e uma linha direta com Allen Dulles. A Agência criou partidos políticos no Vietnã do Sul, treinou a polícia secreta do país, produziu seus filmes populares e publicou e distribuiu uma revista de astrologia prevendo que os astros estavam a favor de Diem. Estava construindo uma nação a partir do zero.

## "A IGNORÂNCIA E A ARROGÂNCIA"

Em 1959, os soldados camponeses do Vietnã do Norte começaram a abrir a Trilha Ho Chi Minh nas selvas do Laos; as trilhas estavam cheias de guerrilheiros e espiões que se dirigiam ao Vietnã do Sul.

O Laos, uma idílica terra pré-industrial, tornou-se "um lugar à beira da ebulição, onde os EUA viam seus interesses sendo desafiados pelo mundo comunista", disse John Gunther Dean, na época um jovem funcionário do Departamento de Estado na embaixada americana em Vientiane. A CIA começou a trabalhar comprando um novo governo laociano e reunindo um exército de guerrilheiros para combater os comunistas e atacar o caminho. Os norte-vietnamitas reagiram intensificando suas tentativas de se infiltrar no país e treinar os comunistas locais, do partido Pathet Lao.

O arquiteto da estratégia política americana no Laos foi o chefe do posto da CIA, Henry Hecksher, um veterano da base em Berlim e do golpe na Guatemala. Hecksher começou a formar uma rede de controle americano usando jovens diplomatas como subornadores. "Um dia, Hecksher me perguntou se eu poderia levar uma mala para o primeiro-ministro", relembrou Dean. "A mala continha dinheiro."

O dinheiro fez com que os líderes do Laos "percebessem que o verdadeiro poder na embaixada não era o embaixador, mas o chefe do posto da CIA", disse Dean, mais tarde embaixador americano na Tailândia, na Índia e no Camboja, entre outras nações. "O embaixador deveria apoiar o governo laociano e basicamente não balançar o barco. O compromisso de Henry Hecksher era fazer oposição ao primeiro-ministro neutralista — e talvez derrubá-lo. Foi o que aconteceu."

A CIA forçou a saída de um governo de coalizão eleito livremente e instalou um novo primeiro-ministro, o príncipe Souvanna Phouma. O oficial de investigação do premiê era Campbell James, herdeiro de uma fortuna em ferrovias que se vestia, agia e pensava como um soldado britânico do século XIX. Oito anos depois de sair de Yale, ele se via como um vice-rei do Laos, e vivia de acordo. James fez amigos e comprou influência entre os líderes do Laos num clube privado de jogos de azar que criou. A peça central do clube era uma roleta que ele pegara emprestada de John Gunther Dean.

A verdadeira batalha no Laos começou depois que Bill Lair, da CIA — que dirigia uma escola de treinamento em guerra na selva para comandos tailandeses —, descobriu um membro de uma tribo das montanhas do Laos chamado Vang Pao. Era um general do Exército Real do Laos e líder da tribo que se auto-intitulava Hmong. Em dezembro de 1960, Lair contou ao chefe da divisão Extremo Oriente, Desmond FitzGerald, sobre seu novo recruta. "Van Pao disse: 'Não podemos viver com os comunistas'", relatou Lair. "'Você nos dá as armas e nós combateremos os comunistas.'" Na manhã seguinte, no posto da CIA, FitzGerald disse a Lair para redigir uma proposta. "Foi um telegrama de dezoito páginas", recordou Lair. "A resposta veio rapidamente... Foi um verdadeiro sinal verde."

No início de janeiro de 1961, nos últimos dias do governo Eisenhower, os pilotos da CIA entregaram as primeiras armas à Hmong. Seis meses depois, mais de nove mil membros da tribo das montanhas controlados por Vang Pao se juntaram a trezentos membros de comandos tailandeses treinados por Lair para operações de combate aos comunistas. A CIA enviou armas, dinheiro, rádios e aviões aos militares laocianos na capital e aos líderes tribais nas montanhas. Sua missão mais urgente era destruir a Trilha Ho Chi Minh. Agora, Hanói proclamava uma Frente de Libertação Nacional no sul. Naquele ano, quatro mil oficiais sul-vietnamitas morreram nas mãos do Vietcongue.

Poucos meses depois da posse do presidente Kennedy, os destinos do Laos e do Vietnã do Sul eram vistos como um só. Kennedy não queria enviar tropas de combate americanas para morrer naquelas selvas. Em vez disso, pediu à CIA para duplicar suas forças tribais no Laos e "fazer todo esforço possível para lançar operações de guerrilha no Vietnã do Norte" com seus recrutas asiáticos.

Os americanos enviados ao Laos durante os anos Kennedy não conheciam o nome tribal Hmong. Chamavam os membros da tribo de *meo*, um apelido que seria algo entre "bárbaro" e "crioulo". Um daqueles jovens era Dick Holm. Em retrospecto, ele lamentou "a ignorância e a arrogância dos americanos que chegavam ao sudeste da Ásia... Compreendíamos apenas minimamente a história, a cultura e a política do povo que queríamos ajudar... Nossos interesses estratégicos foram sobrepostos numa região onde nosso presidente decidira 'estabelecer um limite' para o comunismo. E faríamos isso à nossa maneira".

Na sede da CIA, "os ativistas eram todos a favor de uma guerra no Laos", disse Robert Amory Jr., vice-diretor de inteligência. "Achavam que era um ótimo lugar para travar uma guerra."

### "COLHEMOS MUITAS MENTIRAS"

Os americanos enviados ao Vietnã eram profundamente ignorantes tanto em relação à história quanto à cultura do Laos. Mas os oficiais da CIA se consideravam os homens à frente da guerra global contra o comunismo.

Tinham liberdade para fazer qualquer coisa em Saigon. "Eles estavam sob disfarces tão variados quanto produtores de cinema e teatro e representantes comerciais de indústrias; eram treinadores, especialistas em armas, comerciantes", disse o embaixador Leonardo Neher, na época funcionário do Departamento de Estado em Saigon. "Eles tinham recursos inacreditáveis. Estavam tendo a oportunidade de suas vidas. Tinham tudo o que queriam."

O que lhes faltava eram informações secretas sobre o inimigo. Isso era responsabilidade de William E. Colby, chefe do posto em Saigon de 1959 a 1961, e que logo se tornaria chefe da divisão Extremo Oriente do serviço clandestino.

Colby, que lutara por trás das linhas inimigas como membro de um comando do OSS, fez o que tinha feito na Segunda Guerra Mundial. Iniciou uma operação chamada Projeto Tiger, para lançar cerca de 250 agentes sul-vietnamitas de pára-quedas no Vietnã do Norte. Depois de dois anos, 217 deles foram registrados como mortos, desaparecidos ou suspeitos de serem agentes duplos. Um relatório final listou o destino de 52 equipes de agentes, cada uma delas com até dezessete soldados:

"Capturada depois de aterrissar."

"Rádio Hanói anunciou captura."

"Equipe destruída."

"Acredita-se que equipe esteja sob controle do Vietnã do Norte."

"Capturada logo depois de aterrissar."

"Duplos, desmascarados, exterminados." Essa última frase sugere que os Estados Unidos descobriram que um comando estava trabalhando secretamente para o Vietnã do Norte e então caçaram e mataram seus membros. A CIA ignorou o motivo do fracasso das missões até o fim da guerra fria, quando um dos homens de Colby, o capitão Do Van Tien, subchefe do Projeto Tiger, revelou que espionara para Hanói o tempo todo.

"Colhemos muitas mentiras", disse Robert Barbour, subchefe da seção política da embaixada americana. "Sabíamos que algumas delas eram mentiras. Outras, não sabíamos."

Em outubro de 1961, o presidente Kennedy enviou o general Maxwell Taylor para avaliar a situação. "O Vietnã do Sul está passando agora por uma crise aguda de confiança", advertiu Taylor num relatório ultra-secreto ao presidente. Os Estados Unidos tinham que "demonstrar com ações, e não meramente palavras, o sério compromisso americano com a ajuda para salvar o Vietnã". Ele escreveu: "Para ser convincente, esse compromisso precisa incluir o envio ao Vietnã de algumas forças militares dos EUA." Aquele era um segredo *muito* grande.

Para vencer a guerra, prosseguiu o general Taylor, os Estados Unidos precisariam de mais espiões. Num anexo secreto ao relatório, o subchefe do posto em Saigon, David Smith, disse que uma batalha crucial seria travada dentro do governo do Vietnã do Sul. Afirmou que os americanos tinham que se infiltrar no governo de Saigon, influenciá-lo, "acelerar os processos de decisão e ação" dentro dele e, se necessário, mudá-lo.

Essa tarefa foi entregue a Lucien Conein.

## "NINGUÉM GOSTAVA DE DIEM"

Conein começou a trabalhar com o irmão meio louco do presidente Diem, Ngo Dinh Nhu, para estabelecer o programa Strategic Hamlets, que arrebanhava camponeses em suas vilas e os levava para campos armados, como uma defesa contra a subversão comunista. Vestindo o uniforme de um tenente-coronel do exército dos EUA, Conein mergulhou fundo na decadente cultura militar e política do Vietnã do Sul.

"Eu consegui chegar em cada província, consegui conversar com comandantes de unidades", disse ele. "Eu conhecia algumas dessas pessoas havia muitos anos; algumas delas desde a Segunda Guerra Mundial. Alguns estavam em posições poderosas." Logo seus contatos se tornaram os melhores que a Agência tinha no Vietnã. Mas havia muita coisa que ele não sabia.

Em 7 de maio de 1963, véspera do aniversário de 2.527 anos de Buda, Conein voou para Hue, onde encontrou um grande séquito militar cuja presença não entendeu. Foi incentivado a partir no próximo avião. "Eu queria ficar", lembrou ele. "Queria ver a celebração do aniversário de Buda. Queria ver os barcos com velas acesas descendo o rio perfumado, mas não era para ser assim." Na manhã seguinte, soldados de Diem atacaram e mataram membros de um séquito budista em Hue.

"Diem estava fora da realidade", disse Conein. Os soldados de uniforme azul de Diem (forças especiais treinadas pela CIA) tinham como modelo a Juventude Hitlerista, e sua polícia secreta tinha o objetivo de criar um regime católico numa nação budista. Ao oprimir os monges, Diem os tornara uma poderosa força política. Os protestos dos monges contra o governo se intensificaram nas cinco semanas seguintes. Em 11 de junho, um monge de 66 anos chamado Quang Duc se sentou e ateou fogo a si próprio numa esquina de Saigon. As fotos da auto-imolação rodaram o mundo. Tudo o que restou dele foi o coração. Diem começou a invadir pagodes, matando monges, mulheres e crianças para sustentar seu poder.

"Ninguém gostava de Diem", disse Bobby Kennedy não muito tempo depois. "Mas como se livrar dele e conseguir alguém que continuasse a guerra, em vez de dividir o país em dois e, portanto, perder não apenas a guerra, mas o país... esse era o grande problema."

No fim de junho e início de julho de 1963, o presidente Kennedy começou a discutir privadamente sobre como se livrar de Diem. Para fazê-lo bem, teria que ser em segredo. O presidente iniciou a mudança do regime nomeando um novo embaixador americano: o imperioso Henry Cabot Lodge, um rival político que ele derrotara duas vezes: uma delas na disputa para o Senado por Massachusetts e a outra como companheiro da chapa de Richard Nixon. Lodge aceitou o emprego com satisfação, uma vez que lhe asseguraram que receberia poderes de vice-rei em Saigon.

Em 4 de julho, Lucien Conein recebeu uma mensagem do general Tran Van Don, chefe do estado-maior conjunto do exército do Vietnã do Sul em exercício, um homem que ele conhecia havia dezoito anos. *Encontre-me no Caravelle Hotel*, dizia a mensagem. Naquela noite, na boate enfumaçada e lotada do subsolo do hotel, o general Don confidenciou-lhe que os militares estavam se preparando para agir contra Diem.

"Qual será a reação americana se formos até o fim?", perguntou Don a Conein.

Em 23 de agosto, John F. Kennedy deu sua resposta.

Ele estava sozinho numa noite chuvosa de sábado em Hyannis Port. Estava de muletas devido a uma dor nas costas, e de luto por seu filho natimorto Patrick, enterrado duas semanas antes. Pouco depois das 21h, o presidente atendeu a um telefonema de seu assessor de segurança nacional Michael Forrestal e, sem demora, aprovou um telegrama secreto ao recém-chegado embaixador Lodge, escrito por Roger Hilsman no Departamento de Estado. "Precisamos enfrentar a possibilidade de que o próprio Diem não possa ser preservado", dizia a mensagem a Lodge, exortando-o a "fazer planos detalhados sobre como poderemos realizar a substituição de Diem". O secretário de Estado, o secretário de Defesa e o diretor da central de inteligência não foram consultados. Todos os três tinham dúvidas quanto a um golpe contra Diem.

"Eu não deveria ter dado meu consentimento a isso", disse o presidente a si mesmo depois que as conseqüências ficaram claras. Mas a ordem foi adiante.

Hilsman disse a Helms que o presidente havia ordenado que Diem fosse deposto do poder. Helms entregou a tarefa a Bill Colby, o novo chefe da divisão da CIA para o Extremo Oriente. Colby a repassou a John Richardson, seu escolhido para substituí-lo como chefe do posto em Saigon: "Nas circunstâncias se crê que a CIA precisa aceitar completamente as diretrizes de estrategistas e buscar maneiras de cumprir objetivos que eles visionam", instruiu Colby a Richardson — embora a ordem "pareça ser de soltar o passarinho da mão antes de identificarmos adequadamente os pássaros na mata, ou canções que eles talvez cantem".

Em 29 de agosto, seu sexto dia em Saigon, Lodge telegrafou para Washington: "Fomos lançados num curso para o qual não há volta: a derrubada do governo Diem." Na Casa Branca, Helms ouviu quando o presidente recebeu essa mensagem, aprovou-a e ordenou que Lodge assegurasse, acima de tudo, que o papel dos EUA no golpe — o papel de Conein — permanecesse oculto.

O embaixador se ressentia do status elevado da agência em Saigon. Escreveu em seu diário particular: "A CIA tem mais dinheiro; casas maiores que as dos diplomatas; salários maiores; mais armas; mais equipamentos modernos." Estava com inveja do poder mantido por John Richardson e zombou da cautela que o chefe do posto demonstrou quanto ao papel central de Conein na conspiração para o golpe. Lodge decidiu que queria um novo chefe para o posto.

Então ele queimou Richardson — "ele o expôs e deu seu nome publicamente aos jornais", como disse Bobby Kennedy num relato oral secreto oito meses depois — fazendo um vazamento friamente calculado para um repórter experiente que passava por Saigon. A história foi um grande furo de reportagem. Identificava Richardson pelo nome — uma falha de segurança sem precedentes — e dizia que ele havia "frustrado um plano de ação que o sr. Lodge trouxe consigo de Washington, porque a Agência discordava do plano... Um alto funcionário daqui, um homem que dedicou a maior parte de sua vida a servir à democracia, ligou o crescimento da CIA a uma malignidade, e acrescentou que talvez nem mesmo a Casa Branca conseguiria controlá-la". O *New York Times* e o *Washington Post* pegaram a história. Richardson, com sua carreira arruinada, deixou Saigon quatro dias depois. Após um intervalo decente, o embaixador Lodge se mudou para a casa dele.

"Tivemos sorte quando Richardson foi chamado de volta", disse um velho amigo de Conein, o general Don. "Se estivesse lá, ele poderia ter posto nosso plano em grande risco."

## "UMA COMPLETA FALTA DE INTELIGÊNCIA"

Lucien Conein se encontrou com o general Duong Van Minh, conhecido como "Big Minh", na sede do Estado-Maior Conjunto em Saigon, em 5 de outubro. Ele relatou que o general levantou a questão do assassinato e a questão do apoio americano à nova junta. Dave Smith, o novo chefe do posto, recomendou: "não nos posicionamos irrevogavelmente contra o plano de assassinato" — o que foi música para os ouvidos do embaixador Lodge e uma maldição para McCone.

McCone ordenou a Smith que parasse de "estimular, ou aprovar, ou apoiar assassinatos", e correu até o Salão Oval. Com cuidado para evitar palavras que pudessem ligar a Casa Branca a um assassinato, conforme testemunhou mais tarde, ele preferiu fazer uma analogia com um esporte: Senhor presidente, se eu fosse técnico de beisebol e tivesse apenas um arremessador, eu o manteria nessa posição, fosse ele bom ou não. Em 17 de outubro, numa reunião do Grupo Especial, e num encontro particular com o presidente quatro dias depois, McCone disse que desde a chegada de Lodge, em agosto, a política externa americana no Vietnã se baseava em "uma completa falta de inteligência" sobre a política de Saigon. A situação que se formava em torno de Conein era "excessivamente perigosa", disse ele, e representava a ameaça de "um desastre absoluto para os Estados Unidos".

O embaixador americano procurou tranqüilizar a Casa Branca. "Acredito que nosso envolvimento até hoje, por meio de Conein, ainda está no terreno da negação plausível", relatou ele. "Não deveríamos frustrar um golpe por dois motivos. Primeiro, parece ser pelo menos razoável apostar que o próximo governo não vai falhar nem tropeçar tanto quanto o atual. Segundo, é extremamente insensato a longo prazo que joguemos água fria nas tentativas de um golpe... Devemos lembrar que esta é a única maneira com que o povo do Vietnã pode ter uma mudança de governo."

A Casa Branca telegrafou instruções cuidadosas a Conein. Descubra os planos do general, não os incentive, mantenha-se discreto. Tarde demais: a linha entre espionagem e ação secreta já havia sido cruzada. Conein era famoso demais para trabalhar em segredo; "eu era bastante conhecido no Vietnã", disse ele. Todos que tinham alguma importância sabiam exatamente quem ele era e o que representava. Acreditavam que o homem da CIA falava pelos Estados Unidos.

Conein se encontrou com o general Don na noite de 24 de outubro e soube que o golpe aconteceria no máximo dentro de dez dias. Eles se encontraram de novo em 28 de outubro. Mais tarde, Don escreveu: Conein "nos ofereceu dinheiro e armas, mas eu recusei, dizendo que ainda precisávamos apenas de coragem e convicção".

Cuidadosamente, Conein transmitiu a mensagem de que os Estados Unidos se opunham ao assassinato. A reação dos generais, conforme ele testemunhou, foi: "Vocês não gostam assim? Bem, vamos fazer do nosso modo, de qualquer maneira... Vocês não gostam, não falamos mais sobre isso." Ele não os desencorajou. Se o tivesse feito, disse ele, "seria decepado e cegado".

Conein relatou a Lodge que o golpe era iminente. O embaixador enviou Rufus Phillips, da CIA, para se encontrar com Diem. Eles se reuniram no palácio e conversaram sobre guerra e política. Então "Diem olhou estranhamente para mim e disse, 'Vai haver um golpe contra mim?'", recordou Phillips. "Eu olhei para ele, tive vontade de chorar e disse, 'Temo que sim, senhor presidente'. Foi só o que falamos sobre isso."

## "QUEM DEU ESSA ORDEM?"

O golpe estourou em 1º de novembro. Era meio-dia em Saigon e meia-noite em Washington. Chamado em casa por um emissário do general Don, Conein vestiu seu uniforme e pediu a Rufus Phillips que cuidasse de sua mulher e seus filhos pequenos. Em seguida, apanhou um revólver calibre 38 e uma bolsa com cerca de US$ 70 mil em fundos da CIA, saltou para dentro de seu jipe e disparou pelas ruas de Saigon até a sede do Estado-Maior Conjunto do exército do Vietnã do Sul. As ruas estavam tomadas por tiroteios. Os líderes do golpe fecharam o aeroporto, cortaram as linhas telefônicas da cidade, invadiram a sede da polícia, dominaram a estação de rádio do governo e atacaram os centros do poder político.

Conein enviou seu primeiro relatório depois das 14h, horário de Saigon. Ficou em contato com o posto da CIA pela linha de comunicação segura de seu jipe, descrevendo bombardeios, tiros, movimentos de soldados e manobras políticas enquanto elas aconteciam. O posto enviou seus relatórios à Casa Branca e ao Departamento de Estado por meio de telegramas em código. Era o mais próximo de inteligência em tempo real quanto possível na época.

"Conein em QG dos generais Big Minh e Don, em posição de testemunha ocular", dizia o primeiro telegrama. "Generais tentando contactar Palácio por telefone mas sem conseguir. A proposta deles é: se o presidente renunciar imediatamente, garantirão sua segurança e a partida segura do presidente e de Ngo Dinh Nhu. Se o presidente rejeitar esses termos, o Palácio será atacado dentro de uma hora."

Conein enviou uma segunda mensagem pouco mais de uma hora depois: não haverá "nenhuma discussão com o presidente. Ele dirá sim ou não e esse é o fim da conversa". O general Don e seus aliados telefonaram para o presidente Diem pouco antes das 16h e lhe pediram para se render. Ofereceram-lhe proteção e uma saída segura do país. Ele recusou. O presidente do Vietnã do Sul telefonou então para o embaixador americano. "Qual é a atitude dos Estados Unidos?", perguntou Diem. Lodge disse que não tinha a menor idéia. "São 4h30 em Washington", respondeu ele, "e o governo dos EUA não tem condições de ter uma opinião." Lodge então disse: "Tenho uma informação de que as pessoas responsáveis pela conspiração oferecem ao senhor e a seu irmão salvo-conduto para deixar o país. O senhor ouviu isso?"

"Não", mentiu Diem. Então ele fez uma pausa, talvez percebendo que Lodge participava da conspiração contra ele. "Você tem o número de meu telefone", disse ele, e a conversa chegou ao fim. Três horas depois, Diem e seu irmão fugiram para um esconderijo de um comerciante chinês que financiara a rede de espionagem particular de Diem em Saigon. A chácara era equipada com uma linha de telefone ligada ao palácio presidencial, o que preservava a ilusão de que ele permanecia no poder. A batalha continuou por toda a noite. Quase cem vietnamitas morreram quando os rebeldes invadiram o palácio presidencial.

Por volta das 6h, Diem telefonou para o general Big Minh. O presidente disse que estava pronto para renunciar e o general garantiu sua segurança. Diem disse que estaria esperando na igreja de São Francisco Xavier, no quarteirão chinês de Saigon. O general enviou um veículo oficial blindado para apanhar Diem e seu irmão, ordenou a seu guarda-costas pessoal que conduzisse o comboio e ergueu dois dedos da mão direita. Era um sinal: mate os dois.

O general Don ordenou a seus soldados que arrumassem seu posto de comando para receber uma grande mesa coberta de feltro verde e preparassem uma entrevista coletiva. "Caia fora daqui", disse o general a seu amigo Conein, "estamos trazendo a imprensa." Conein foi para casa, onde logo foi procurado por Lodge. "Fui à embaixada e me informaram de que eu tinha que encontrar Diem", disse ele. "Eu estava cansado e de saco cheio, e disse, 'Quem deu essa ordem?' Disseram-me que a ordem vinha do presidente dos Estados Unidos."

Por volta das 10h, Conein voltou de carro à sede do Comando Geral e confrontou o primeiro general que encontrou. "Big Minh me disse que eles cometeram suicídio. Eu o encarei e disse, onde? Ele respondeu que os dois estavam na Igreja Católica em Cholon e haviam cometido suicídio", disse Conein num testemunho secreto à comissão do Senado que investigou os assassinatos doze anos depois.

"Acho que perdi a calma naquele momento", disse Conein. Ele estava pensando em pecado mortal e na sua alma eterna.

"Eu disse a Big Minh, olhe, o senhor é budista, eu sou católico. Se eles cometeram suicídio naquela igreja e o padre rezar a missa hoje à noite, essa história não vai soar verdadeira. Eu disse, onde eles estão? Minh disse que estavam na sede do Comando Geral, atrás da sede do Comando Geral, e perguntou se eu queria vê-los. E eu disse que não. Ele perguntou, por que não? E eu respondi, bem, se por acaso uma em um milhão de pessoas acreditar em você quando você disser que eles cometeram suicídio na igreja e eu vir que eles não cometeram suicídio e souber de outra coisa, terei problemas."

Conein voltou à sede da embaixada para relatar que o presidente Diem estava morto. Não contou toda a verdade. "Informado por colegas vietnamitas que suicídio foi cometido em rota para sair da cidade", telegrafou ele. Às 2h50, horário de Washington, chegou uma resposta assinada por Dean Rusk: "Notícia de suicídio de Diem e Nhu chocando aqui... importante determinar publicamente sem deixar dúvida que mortes são realmente suicídios, se é verdadeiro."

No sábado, 2 de novembro de 1963, às 9h35, o presidente convocou uma reunião extraordinária na Casa Branca com seu irmão, McCone, Rusk, McNamara e o general Taylor. Pouco tempo depois, Michael Forrestal entrou correndo com uma notícia de Saigon. O general Taylor lembrou que o presidente se levantou rapidamente e "saiu correndo da sala com uma expressão no rosto de choque e pavor que eu nunca tinha visto".

Às 18h31, McGeorge Bundy enviou um telegrama a Lodge, com cópias secretas para McCone, McNamara e Rusk: "Morte de Diem e Nhu, quaisquer que tenham sido suas falhas, causaram choque aqui e há perigo de que permanência e reputação de próximo governo sejam significativamente prejudicadas se convicção de assassinato se espalhar na direção de um ou mais membros importantes do próximo regime... Eles não devem ter a ilusão de que assassinato político é algo facilmente aceito aqui."

No sábado, Jim Rosenthal era o funcionário de serviço na embaixada americana em Saigon. O embaixador Lodge o mandou para a porta da frente para receber visitas importantes. "Nunca esquecerei a visão", disse ele. "Um carro chegou à embaixada e as câmeras estavam em ação. Conein salta do banco da frente, abre a porta de trás, bate uma continência e aqueles sujeitos saem. Era como se ele os estivesse entregando à embaixada, e era o que fazia. Eu subi com eles no elevador e Lodge os cumprimentou... Ali estavam os sujeitos que tinham acabado de dar um golpe e matar o chefe de Estado, chegando depois à embaixada como se para dizer, "Oi, chefe, fizemos um bom trabalho, não?"'

# 21 "ACHEI QUE ERA UMA CONSPIRAÇÃO"

Na terça-feira, 19 de novembro de 1963, Richard Helms levou para a Casa Branca uma submetralhadora belga escondida numa bolsa de viagem de companhia aérea.

A arma era um troféu de guerra; a CIA apreendera um carregamento de três toneladas de armas que Fidel tentara contrabandear para a Venezuela. Helms levou a arma ao Departamento de Justiça para mostrá-la a Bobby Kennedy, que achou que ela deveria ser entregue a seu irmão. Eles foram até o Salão Oval e conversaram com o presidente sobre como combater Fidel. A luz de fim de outono esmorecia quando o presidente se levantou de sua cadeira de balanço e contemplou o Jardim de Rosas pela janela.

Helms pôs a arma de volta na bolsa e disse: "Estou feliz que o Serviço Secreto não nos tenha apanhado trazendo essa arma para cá." O presidente, perdido em pensamentos, virou-se de costas para a janela e apertou a mão de Helms. "Sim", disse ele com um sorriso aberto, "isso me dá uma sensação de confiança."

Na sexta-feira seguinte, McCone e Helms estavam na sede, comendo sanduíches no escritório do diretor. Das janelas altas e largas no sétimo andar avistava-se um campo contínuo de copas de árvores até o horizonte. Então chegou a terrível notícia.

O presidente havia sido baleado. McCone apanhou seu chapéu e foi para a casa de Bobby Kennedy, a um minuto de carro. Helms foi para seu escritório e tentou escrever uma mensagem, um telegrama para ser enviado a todos os postos da CIA no mundo. Naquele momento, seus pensamentos eram muito se-melhantes aos de Lyndon Johnson.

"O que passou pela *minha* cabeça", recordou Johnson, "foi que, se haviam atirado em nosso presidente... quem seria o próximo? E o que estava aconte-cendo em Washington? E quando os mísseis chegariam? E achei que aquilo era uma *conspiração*, e levantei essa questão. E quase todos que estavam *comigo* levantaram a mesma questão."

Durante o ano seguinte, em nome da segurança nacional, a agência manteve grande parte do que sabia fora do conhecimento do novo presidente e da comis-são que ele criara para investigar o assassinato. Sua própria investigação interna do assassinato terminou em confusão e suspeitas, lançando sombras de dúvida que ainda persistem. O relato que segue se baseia em registros da CIA e em tes-temunhos sob juramento de oficiais da CIA liberados entre 1998 e 2004.

### "O EFEITO FOI ELÉTRICO"

"A morte trágica do presidente Kennedy exige que todos estejamos alertas para qualquer acontecimento incomum de inteligência", escreveu Helms em sua mensagem internacional aos postos da CIA, em 22 de novembro. Na sede, Charlotte Bustos identificou algo imediatamente. Ela coordenava os arquivos do México no serviço clandestino, e dois minutos após o rádio anunciar que a polícia de Dallas havia prendido Lee Harvey Oswald, ela corria pelos corredo-res de tons suaves agarrando com força o dossiê de Oswald, à procura de seu chefe, John Whitten, o homem encarregado das operações secretas da CIA no México e na América Central. Whitten leu rapidamente o arquivo.

"O efeito foi elétrico", relembrou ele.

O arquivo dizia que às 10h45 de 1º de outubro de 1963, um homem que se identificou como Lee Oswald telefonou para a embaixada soviética na Cidade do México, perguntando o que estava acontecendo com seu pedido pendente de um visto para viajar para a União Soviética. Com a ajuda inestimável da polícia secreta mexicana, o posto na Cidade do México havia grampeado as embaixadas soviética e cubana numa operação de codinome Envoy. A CIA ti-nha o telefonema de Oswald.

"O México tinha as maiores e mais ativas operações de interceptação de telefonemas em todo o mundo", disse Whitten. "J. Edgar Hoover costumava ficar vermelho cada vez que pensava no posto do México"; vários soldados americanos com base no sudoeste dos Estados Unidos haviam sido apanhados tentando vender segredos militares ou desertar para o lado dos russos na Cidade do México. A CIA também fazia vigilância fotográfica da embaixada soviética e abria cada correspondência que chegava ou saía dali.

As operações de escuta eletrônica eram tão grandes que inundaram o posto, afogando-o com informações inúteis. Demorou oito dias para que o posto ouvisse a fita de 1º de outubro, relatasse a visita de Oswald e perguntasse à sede da CIA: Quem é Lee Oswald? A CIA sabia que ele era um fuzileiro naval americano que havia publicamente desertado para a União Soviética em outubro de 1959. A agência tinha em seus arquivos uma coleção de relatórios do FBI e do Departamento de Estado detalhando as tentativas de Oswald de renunciar à cidadania americana, suas ameaças de contar aos soviéticos sobre instalações militares americanas secretas no Pacífico, seu casamento com uma russa e sua repatriação em junho de 1962.

Durante a permanência de Oswald na União Soviética, "a CIA não tinha qualquer fonte em condições de relatar suas atividades ou o que a KGB poderia estar fazendo com ele", escreveu Whitten num relatório interno. Mas "suspeitava que Oswald e todos os outros desertores semelhantes estavam nas mãos da KGB. Tínhamos certeza de que todos esses desertores seriam interrogados pela KGB, cercados por informantes da KGB onde quer que fossem instalados na União Soviética e possivelmente até recrutados pela KGB para uma missão no exterior mais tarde".

Whitten percebeu que o homem que atirara no presidente poderia ser um agente comunista. Pegou o telefone e pediu a Helms para ordenar uma análise imediata de todas as fitas e transcrições da Envoy na Cidade do México. O chefe do posto da CIA, Win Scott, telefonou rapidamente para o presidente do México, cuja polícia secreta trabalhou a noite inteira com as escutas telefônicas da CIA buscando sinais da voz de Oswald.

A notícia sobre o arquivo de Oswald se espalhou enquanto McCone voltava para a sede da CIA. Seguiram-se seis horas de agitadas conferências, a última delas às 23h30. Quando McCone soube que a CIA sabia de antemão sobre a viagem de Oswald à embaixada soviética na Cidade do México, ficou irado, agindo com violência com seus assessores, furioso com a maneira como a agência funcionava.

A investigação interna da CIA tomou forma na manhã de sábado, 23 de novembro. Helms se encontrou com os barões da agência, inclusive James Angleton, chefe da contra-inteligência desde 1954. Angleton esperava intensamente que lhe entregassem o caso Oswald. Para sua revolta, Helms encarregou Whitten.

Whitten era um homem que sabia como desvendar uma conspiração. Hábil interrogador de prisioneiros de guerra na Segunda Guerra Mundial, ingressara na CIA em 1947. Foi o primeiro a usar o polígrafo na agência. No início dos anos 1950, usou o detector de mentiras em centenas de investigações de agentes duplos, falsos desertores e fabricantes de inteligência na Alemanha. Descobriu alguns dos maiores embustes perpetrados contra a agência, inclusive o trabalho de um charlatão que vendeu ao posto de Viena um falso livro soviético de códigos de comunicação. Outro caso que ele solucionou envolvia um agente que Angleton dirigia na Itália, um homem que Angleton usou contra cinco diferentes serviços de inteligência estrangeiros. O agente provou ser uma fraude e um mentiroso patológico; tinha revelado alegremente a todos os cinco serviços estrangeiros que trabalhava para a CIA, e prontamente passou a atuar como agente duplo para se infiltrar na agência a serviço dos cinco. Esta não foi a única operação de Angleton que Whitten expôs. Em todas as vezes, Helms disse a Whitten para entrar no escritório escuro e enfumaçado de Angleton e confrontá-lo.

"Eu costumava entrar levando minha apólice de seguros, notificando meu parente mais próximo", disse Whitten. Os confrontos criaram "sentimentos amargos, os mais amargos sentimentos" entre os dois. Desde o momento em que Whitten foi designado para o caso Oswald, Angleton começou a sabotá-lo.

No meio da manhã de 23 de novembro, a sede da CIA sabia que Oswald visitara repetidamente as embaixadas cubana e soviética no fim de setembro e em outubro, tentando viajar o mais rapidamente possível para Cuba e ficar lá até a chegada de seu visto soviético. "Suas visitas às embaixadas cubana e soviética na Cidade do México obviamente foram uma parte muito importante das impressões iniciais que tivemos", disse Helms. Pouco depois do meio-dia, McCone correu de volta ao centro da cidade e deu a notícia sobre a conexão cubana ao presidente Johnson, interrompendo uma longa conversa entre LBJ*

---

*Lyndon B. Johnson. (*N. da E.*)

e Dwight Eisenhower, que o estava advertindo sobre o poder que Robert Kennedy exercia sobre as operações secretas.

Às 13h35, o presidente Johnson telefonou para um velho amigo, um sujeito influente em Wall Street chamado Edwin Weisl, e confidenciou: "Essa coisa sobre o... esse assassino... pode ter muito mais complicações do que você sabe... pode mexer mais fundo do que você imagina." Naquela tarde, o embaixador dos EUA no México, Tom Mann, texano e confidente íntimo de LBJ, apresentou sua suspeita de que Castro estava por trás do assassinato.

Na manhã de domingo, 24 de novembro, McCone voltou para a Casa Branca, onde o cortejo fúnebre que levaria o caixão de John Kennedy para repousar com honras de Estado no Capitólio estava se organizando. McCone informou Lyndon Johnson mais completamente sobre algumas das operações da CIA para derrubar o governo de Cuba. Mas Johnson ainda não tinha a menor idéia de que os Estados Unidos vinham tentando matar Castro durante boa parte dos últimos três anos. Pouquíssimas pessoas sabiam. Uma delas era Allen Dulles. Outra era Richard Helms. Uma terceira era Bobby Kennedy. Uma quarta era provavelmente Fidel Castro.

Naquele mesmo dia, o posto da CIA na Cidade do México determinou sem sombra de dúvida que Oswald fizera seus pedidos de visto a oficiais da inteligência soviética em 28 de setembro. Ele tinha conversado cara a cara com um homem chamado Valery Kostikov, suspeito de ser membro do Departamento 13 da KGB — o departamento responsável por assassinatos.

O posto enviou à sede uma lista de todos os estrangeiros suspeitos de terem contato com oficiais da inteligência soviética na Cidade do México. Um deles era Rolando Cubela, o agente cubano da CIA do plano final para matar Castro. Apenas dois dias antes, na hora da morte do presidente Kennedy, o agente da CIA encarregado de Cubela, Nestor Sanchez, deu ao cubano uma caneta falsa, que era uma seringa hipodérmica cheia de veneno. O relato vindo da Cidade do México levantou uma questão angustiante: seria Cubela agente duplo de Fidel?

O cortejo para o Capitólio estava prestes a partir da Casa Branca quando Lee Harvey Oswald foi assassinado ao vivo na televisão, na delegacia de polícia de Dallas. O presidente ordenou à CIA que lhe entregasse tudo que tinha sobre Oswald imediatamente. Whitten fez um resumo e o deu a Helms, que o entregou ao presidente poucas horas depois. O relatório foi perdido ou destruído. Sua essência, disse Whitten, era de que a CIA não tinha qualquer prova substancial de que Oswald era um agente de Moscou ou de Havana — mas poderia ser.

## "ESTÁVAMOS PISANDO COM MUITO CUIDADO"

John McCone entregou um relatório formal de inteligência ao novo presidente dos Estados Unidos na terça-feira, 26 de novembro. "O presidente observou com considerável desprezo o fato de que certas pessoas do Departamento de Justiça lhe sugeriram no sábado que deveria ocorrer uma investigação independente sobre o assassinato do presidente", escreveu McCone em seu memorando diário para registro. "O presidente Johnson rejeitou essa idéia."

Setenta e duas horas depois, agindo contra seus instintos, Johnson voltou atrás. Em 29 de novembro, um dia depois do Dia de Ação de Graças, ele convenceu o relutante presidente da Suprema Corte, Earl Warren, a realizar a investigação. Arrebanhou o resto dos membros da Comissão Warren numa furiosa rodada de cinco horas de telefonemas. Seguindo a recomendação de Bobby Kennedy, o presidente telefonou para a casa de Allen Dulles, que estava chocado e confuso. "Você avaliou o efeito de meu trabalho e meu emprego anterior?", perguntou Dulles. LBJ afobadamente assegurou-lhe que sim, e desligou o telefone. Imediatamente Dulles telefonou para James Angleton.

Já estava escuro do lado de fora, e o presidente se apressava para reunir a comissão antes do prazo de fechamento das edições dos jornais. Ele passou os olhos pela lista que escolhera. Discrição era a chave, disse o presidente: "Não podemos simplesmente ter a Câmara, o Senado, o FBI e outras pessoas testemunhando que Kruschev matou Kennedy, ou que Castro o matou." Ele enfatizou ao deputado Gerald R. Ford que queria homens que soubessem como a CIA funcionava. Seu telefonema mais importante aconteceu pouco antes das 21h. O senador Richard Russell — o querido mentor de Johnson e o homem que observava a CIA mais de perto no Congresso — estava ligando de Winder, Geórgia. Embora LBJ já tivesse informado às agências de notícias que Russell era membro da Comissão Warren, este tentou rejeitar o cargo.

"Você *com certeza vai participar, diabos*, estou lhe dizendo", gritava o presidente. "Você vai emprestar seu nome a isso porque é o chefe da comissão da CIA." Johnson repetiu que não poderia haver qualquer conversa solta sobre Kruschev ter matado Kennedy.

"Bem, não acho que tenha sido ele *diretamente*", disse o senador Russell, mas "não ficaria surpreso se Castro tivesse alguma coisa a ver com isso."

A criação da Comissão Warren representou um terrível dilema moral para Richard Helms. "Helms percebeu que a revelação dos planos de assassinato refletiria muito mal na agência e refletiria muito mal nele, e que talvez os cubanos de fato tivessem cometido o assassinato em retaliação às operações para assassinar Castro. Isso teria um efeito desastroso para ele e a agência", testemunhou John Whitten.

Helms sabia disso muito bem. "Estávamos pisando com muito cuidado", disse ele num testemunho ultra-secreto quinze anos depois. "Estávamos muito preocupados na época com o que poderíamos sugerir... Acusar um governo estrangeiro de ter sido responsável por aquele ato seria rasgar o véu tão grosseiramente quanto possível."

O problema da revelação das conspirações contra Castro criava também um fardo impossível para Bobby Kennedy. Ele se manteve em silêncio.

O presidente ordenou ao FBI que investigasse o assassinato de Kennedy, instruiu a CIA a cooperar totalmente e disse-lhes que informassem suas descobertas à Comissão Warren, que dependia delas para reunir os fatos do caso. Mas as irregularidades eram imensas.

No início de 1962, a CIA, o FBI, o Pentágono, o Departamento de Estado e o Serviço de Imigração e Naturalização tinham arquivos sobre Oswald. Em agosto de 1963, em Nova Orleans, Oswald teve uma série de confrontos com membros do Diretório Estudantil Cubano, um grupo anti-Castro financiado pela CIA, cujos membros relataram a seu superior que suspeitavam que Oswald estava tentando se infiltrar em seus quadros. Em outubro de 1963, o FBI o via como um marxista possivelmente demente que apoiava a revolução cubana, capaz de cometer atos violentos, e que fizera contato recente com oficiais da inteligência soviética. Em 30 de outubro, o FBI soube que ele estava trabalhando no Depósito de Livros Escolares do Texas, em Dallas.

Em resumo, um desertor furioso que admirava Castro, que a CIA acreditava que poderia ser um agente comunista recrutado e que buscava com urgência voltar para Moscou via Havana, estava vigiando a rota do desfile do carro do presidente em Dallas.

A CIA e o FBI nunca compararam suas anotações. O FBI nunca chegou perto de localizá-lo. Aquilo foi um prelúdio para seu desempenho durante as semanas que antecederam o dia 11 de setembro de 2001. Foi uma "bruta incompetência", declarou J. Edgar Hoover num memorando de 10 de dezembro de 1963 que permaneceu secreto até a virada do século.

Cartha DeLoach, diretor-assistente do FBI, exortou Hoover a não punir seus agentes por incompetência, temendo que isso fosse visto como "uma admissão direta de que éramos responsáveis por uma negligência que talvez tivesse resultado no assassinato do presidente". Entretanto, Hoover puniu dezessete de seus homens. "Não conseguimos avançar em alguns aspectos importantes da investigação de Oswald", escreveu Hoover em outubro de 1964. "Deveria ser uma lição para todos nós, mas acho que alguns sequer percebem isso agora."

Os membros da Comissão Warren não sabiam nada a respeito. Como John Whitten logo descobriria, a CIA também escondeu da comissão muitas coisas que sabia que eram verdade.

Whitten passou por um período terrível selecionando os fatos em meio a uma avalanche de mentiras que despencavam dos postos da CIA no exterior. "Dezenas de pessoas alegavam que tinham visto Oswald aqui, ali e em todo lugar, em todos os tipos de circunstâncias de conspiração, do Pólo Norte ao Congo", relembrou ele. Milhares de pistas falsas empurraram a CIA para um labirinto. Para selecionar os fatos do caso, Whitten teve que depender do FBI, que deveria compartilhar informações com ele. Esperou duas semanas para obter permissão para ler o relatório preliminar da investigação do FBI sobre Oswald em dezembro de 1963. "Pela primeira vez", testemunhou ele anos depois, "soube de muitos fatos sobre o passado de Oswald que aparentemente o FBI sabia durante a investigação e não me informou."

Era rotina que o FBI deixasse de compartilhar informações com a CIA. Mas o presidente havia ordenado a ambos que cooperassem. O homem responsável pelo contato entre a CIA e o FBI era Jim Angleton, e "Angleton nunca me disse sobre suas conversas com o FBI nem sobre informações do FBI que ele obteve nesses encontros", disse Whitten. Incapaz de influenciar o curso inicial da investigação, Angleton destratou Whitten, criticou seu trabalho e inutilizou seus esforços para revelar fatos do caso.

Helms e Angleton concordaram em não dizer nada à Comissão Warren e aos próprios investigadores da CIA sobre os planos para matar Castro. Foi "um ato moralmente repreensível", testemunhou Whitten anos depois. "Helms deteve as informações porque elas lhe teriam custado o emprego." Tal informação teria sido "um fator absolutamente vital para a análise dos acontecimentos em torno do assassinato de Kennedy", disse Whitten. Se ele tivesse as informações, "nossa investigação do assassinato de Kennedy seria muito diferente do que foi".

As conversas clandestinas de Angleton com Allen Dulles controlavam o fluxo de informações vindas da CIA. As decisões que Angleton e Helms tomaram podem ter moldado as conclusões da Comissão Warren. Mas Angleton testemunhou que a comissão nunca poderia ter interpretado o significado das conexões soviéticas e cubanas da maneira como ele e sua pequena equipe interpretavam.

"Teríamos enxergado de uma forma mais atilada", disse ele. "Estávamos mais intensamente envolvidos... Tínhamos mais experiência com o Departamento 13 e toda a história de trinta anos de sabotagem e assassinatos da União Soviética. Conhecíamos os casos e o *modus operandi*." Ele afirmou que não havia razão para entregar segredos que estavam mais seguros em suas mãos.

Sua conduta foi uma obstrução da justiça. Ele só tinha uma defesa. Angleton acreditava que Moscou enviara um agente duplo para encobrir o papel soviético no assassinato de John Kennedy.

## "AS IMPLICAÇÕES... TERIAM SIDO CATASTRÓFICAS

Seu suspeito era Yuri Nosenko, que chegara aos Estados Unidos como desertor da KGB em fevereiro de 1964, exatamente quando Angleton assumiu a investigação da CIA. Nosenko era uma criança mimada da elite soviética; seu pai tinha sido ministro da Construção Naval, membro da Comissão Central do Partido Comunista e foi enterrado no muro do Kremlin.* Yuri ingressou na KGB em 1953, aos 25 anos. Em 1958, trabalhou na seção da KGB que analisava americanos e britânicos que viajavam para a União Soviética. Ele se transferiu para o departamento americano, espionando a embaixada dos EUA em 1961 e 1962, e depois se tornou subchefe do departamento de turismo.

O status de seu pai o protegia de seus muitos tropeços, todos criados por seu gosto pela vodca, até que ele viajou para Genebra em junho de 1962 como oficial de segurança da delegação soviética na conferência sobre desarmamento que reuniu dezoito nações. Na primeira noite, ficou muito bêbado e ao acordar descobriu que uma prostituta lhe havia roubado US$ 900 em francos suíços. As restrições da KGB ao mau uso de fundos eram severas.

---

*Muro do Kremlin: referência à necrópole localizada junto ao muro do Kremlin, onde são enterrados indivíduos de proeminência política, científica ou cultural, e que inclui o Mausoléu de Lênin. (*N. da E.*)

Nosenko identificou — ou melhor, identificou mal — um membro da delegação diplomática americana chamado David Mark como agente da CIA, e o procurou. Mark chegara a Moscou cinco anos antes como conselheiro político e econômico da embaixada americana. Embora nunca tivesse sido espião, fizera alguns pequenos favores à CIA, e foi publicamente declarado *persona non grata* pelos soviéticos. Isso não prejudicou sua carreira; mais tarde ele se tornou embaixador e o número dois do braço de inteligência do Departamento de Estado.

Ao fim de uma reunião vespertina sobre o tratado de proibição de testes nucleares, recordou Mark, Nosenko caminhou até ele e disse, em russo: "Gostaria de falar com você... Mas não quero falar aqui. Quero almoçar com você." Era obviamente uma tacada. Mark se lembrou de um restaurante nos arredores da cidade e marcou um encontro para o dia seguinte. "É claro que eu contei isso imediatamente ao pessoal da CIA, e eles disseram: ""Meu Deus, por que você escolheu esse restaurante? É aonde todos os espiões vão." O americano e o russo se sentaram à mesa observados de perto por dois oficiais da CIA.

Nosenko contou a Mark sobre a prostituta e o dinheiro perdido. Mark se lembrou que ele disse: "Tenho que compensar isso. Então posso lhe dar algumas informações que serão muito interessantes para a CIA, e tudo o que eu quero é meu dinheiro." Mark o advertiu: "Olhe, você vai cometer traição." Mas o russo estava disposto. Então eles marcaram outro encontro para o dia seguinte, em Genebra. Os dois agentes da CIA correram para a capital suíça para conduzir o interrogatório. Um deles era Tennent Bagley, oficial da divisão soviética com base em Berna, que falava um pouco de russo. O outro era George Kisevalter, o principal treinador de espiões russos da CIA, que viera da sede de avião.

Nosenko chegou bêbado ao primeiro encontro. "Bastante bêbado", disse ele muitos anos depois. A CIA gravou a conversa durante bastante tempo, mas o gravador funcionou mal. O registro foi recuperado por Bagley, baseando-se no que Kisevalter lembrava. Grande parte se perdeu na tradução.

Bagley telegrafou para a sede em 11 de junho de 1962, dizendo que Nosenko tinha "provado completamente sua sinceridade", "fornecido informações importantes" e estava colaborando totalmente. Mas durante os dezoito meses seguintes, Angleton convenceu Bagley de que se tratava de um agente duplo. Antes o mais leal aliado de Nosenko, Bagley se tornou seu mais ferrenho adversário.

Nosenko concordou em espionar para a CIA em Moscou. Voltou para Genebra com a delegação de desarmamento soviética e se encontrou com seus treinadores da CIA no fim de janeiro de 1964. Em 3 de fevereiro, dia em que a Comissão Warren ouviu suas primeiras testemunhas, ele disse aos americanos que queria desertar imediatamente. Disse que folheara o arquivo da KGB sobre Oswald e que nada nele implicava a União Soviética no assassinato de Kennedy.

Angleton estava certo de que ele mentia. Essa avaliação teve conseqüências catastróficas.

Nosenko produzia um fluxo de segredos. Mas Angleton já havia concluído que ele fazia parte de um golpe de mestre soviético. Ele acreditava que fazia muito tempo que a KGB penetrara na CIA num nível muito alto. O que mais poderia explicar o grande número de operações estouradas na Albânia e na Ucrânia, na Polônia e na Coréia, em Cuba e no Vietnã? Talvez todas as operações da CIA contra os soviéticos fossem conhecidas em Moscou. Talvez fossem controladas por Moscou. Talvez Nosenko tivesse sido enviado para proteger o espião duplo dentro da CIA. O único desertor que Angleton alguma vez apoiou — Anatoly Golitsin, diagnosticado por psiquiatras da CIA como clinicamente paranóico — confirmou e intensificou os piores temores de Angleton.

O maior dever de Angleton como chefe da contra-inteligência era proteger a CIA e seus agentes dos inimigos. Mas muita coisa deu errado sob sua vigilância. Em 1959, o major Pyotr Popov, primeiro espião de importância da CIA na União Soviética, foi preso e executado pela KGB. George Blake, o espião britânico de Moscou que informou aos soviéticos sobre o Túnel de Berlim antes que este fosse cavado, foi denunciado na primavera de 1961, forçando a CIA a imaginar que o túnel tinha sido usado para desinformações soviéticas. Seis meses depois, Heinz Felfe, companheiro de Angleton na Alemanha Ocidental, foi denunciado como espião soviético depois de causar grandes danos às operações da CIA na Alemanha e na Europa Oriental. Um ano depois, os soviéticos prenderam o coronel Oleg Penkovsky, herói secreto da crise dos mísseis em Cuba. Eles o executaram na primavera de 1962.

Depois houve Kim Philby. Em janeiro de 1963, o principal tutor da contra-inteligência de Angleton, seu velho confidente e companheiro de copo, fugiu para Moscou. Finalmente se revelou como espião soviético que trabalhara nos mais altos níveis da inteligência britânica. Philby foi suspeito durante doze anos. Quando caiu sob suspeita pela primeira vez, Walter Bedell Smith exigira relatórios de todos os que haviam tido contato com ele. Harvey afirmou categoricamente que Philby era agente soviético. Jim Angleton afirmou categoricamente que não era.

Na primavera de 1964, depois de anos de terríveis fracassos, Angleton buscou a redenção. Ele acreditava que se a CIA pudesse desmascarar Nosenko, o golpe de mestre poderia ser revelado — e o assassinato de Kennedy, resolvido. Helms apresentou o problema em testemunho ao Congresso, liberado em 1998:

Sr. Helms: Se a informação que Nosenko forneceu sobre Oswald fosse verdadeira, levaria a uma certa conclusão sobre Oswald e suas relações com as autoridades soviéticas. Se fosse incorreta, se ele estivesse enganando o governo dos Estados Unidos sob instruções do serviço soviético, então isso teria levado a uma conclusão inteiramente diferente... Se fosse determinado sem sombra de dúvida que ele estava mentindo e, conseqüentemente, Oswald fosse um agente da KGB, eu pensaria que as implicações disso — não para a CIA ou para o FBI, mas para o presidente dos Estados Unidos e o Congresso dos Estados Unidos — teriam sido catastróficas.

Pergunta: O senhor pode ser mais específico?

Sr. Helms: Sim, posso ser mais específico. Em outras palavras, o governo soviético ordenou que o presidente Kennedy fosse assassinado.

Essas eram as apostas. Em abril de 1964, com a aprovação do procurador-geral Robert F. Kennedy, a CIA pôs Nosenko em confinamento solitário, primeiro num esconderijo da CIA e depois em Camp Peary, o local de treinamento da CIA nos arredores de Williamsburg, Virgínia. Sob custódia da divisão soviética, Nosenko recebeu o tratamento que seus compatriotas recebiam nos gulags. Havia refeições escassas de chá fraco e mingau, uma única lâmpada acesa 24 horas por dia e nenhuma companhia humana. "Eu não tinha o suficiente para comer e sentia fome o tempo todo", disse Nosenko numa declaração liberada em 2001. "Não tinha contato com ninguém com quem pudesse falar. Não podia ler. Não podia fumar. Não podia nem ter ar fresco."

Seu testemunho é notavelmente semelhante ao de pessoas presas pela CIA depois de setembro de 2001: "Fui levado por guardas num carro, com os olhos vendados e algemado, entregue num aeroporto e posto num avião", disse ele. "Fui levado para outro local, onde me colocaram num quarto de concreto com barras na porta. No quarto havia uma cama de ferro com um colchonete." Nosenko foi submetido a intimidação psicológica e sofrimento físico durante mais de três anos. Uma fita de áudio de um interrogatório hostil conduzido por Tennent Bagley na cela de prisão da CIA foi preservada nos arquivos da Agência. A voz baixa de Nosenko apela em russo: "Do fundo de minha alma... do fundo de minha alma... eu lhe imploro que acredite em mim." A voz estridente de Bagley grita em inglês: "Isso é papo furado! Isso é papo furado! Isso é papo furado!" Por seu trabalho, Bagley foi promovido a vice-chefe da divisão soviética e condecorado por Richard Helms com a Medalha de Distinção em Inteligência.

No fim do verão de 1964, a tarefa de contar à Comissão Warren sobre Yuri Nosenko coube a Helms. Era um assunto extremamente delicado. Dias antes que a comissão concluísse seu trabalho, Helms disse ao presidente da Suprema Corte que a CIA não poderia aceitar as alegações de Moscou de inocência no assassinato do presidente. Earl Warren não ficou satisfeito com esse acontecimento de última hora. O relatório final da comissão não mencionou a existência de Nosenko.

O próprio Helms começou a temer as conseqüências do encarceramento de Nosenko. "Reconheci que não podíamos mantê-lo preso em condições deploráveis, como fazíamos, contra as leis dos Estados Unidos", disse ele. "Deus sabe o que aconteceria se tivéssemos uma situação semelhante hoje em dia, porque as leis não mudaram, e não sei o que seria feito com pessoas como Nosenko. Na época procuramos orientação do Departamento de Justiça. Estava claro que estávamos violando a lei ao mantê-lo preso, mas o que faríamos com ele? Nós o libertaríamos e então, um ano depois, diriam, 'Bem, companheiros, vocês deveriam ter tido mais juízo em vez de fazer isso. Ele era a chave para descobrir quem matou o presidente Kennedy.'"

A CIA enviou outra equipe de interrogadores para questionar Nosenko. Eles concluíram que ele estava falando a verdade. Depois de cinco anos preso, finalmente ele foi libertado, recebeu US$ 80 mil, uma nova identidade e foi incluído na folha de pagamento da CIA.

Mas Angleton e seu círculo nunca fecharam o caso. Sua procura pelo traidor dentro da CIA partiu em pedaços a divisão soviética. A caça ao agente duplo começou com a perseguição de oficiais com sobrenomes eslavos. Chegou ao topo da cadeia de comando, alcançando o chefe da divisão soviética. Paralisou as operações relacionadas aos russos durante uma década, até os anos 1970.

Durante 25 anos depois da deserção de Nosenko, a CIA lutou para escrever o último capítulo da história dele. Ao todo, realizou sete grandes estudos sobre o caso. Nosenko foi condenado, exonerado e novamente indiciado até o último julgamento imposto por Rich Heuer, da CIA, ao fim da guerra fria. De início, Heuer acreditara firmemente na conspiração. Mas então considerou o valor do que Nosenko dera aos Estados Unidos. O espião russo identificara — ou produzira pistas investigativas sobre — duzentos estrangeiros e 238 americanos pelos quais a KGB demonstrara interesse. Apontara cerca de trezentos agentes da inteligência soviética e contatos no exterior, além de aproximadamente dois mil oficiais da KGB. Localizara 52 microfones escondidos que os soviéticos haviam instalado na embaixada americana em Moscou. Ampliara o conhecimento da CIA sobre como os soviéticos tentavam chantagear diplomatas e jornalistas estrangeiros. Para acreditar na conspiração, era preciso crer em quatro coisas: primeiro, que Moscou negociaria todas aquelas informações para proteger um único agente duplo. Segundo, que todos os desertores comunistas eram agentes disfarçados. Terceiro, que o imenso aparelho da inteligência soviética existia somente para enganar os Estados Unidos. E por fim, que havia uma impenetrável conspiração comunista por trás do assassinato de Kennedy.

Para Richard Helms, o caso continuava aberto. Até o dia em que os serviços de inteligência soviético e cubano abrissem seus arquivos, o caso jamais estaria encerrado, disse ele. Ou o assassinato de John Kennedy era trabalho de um vagabundo demente com um fuzil barato e uma mira de sete dólares, ou a verdade era mais terrível. Como disse Lyndon Johnson perto do fim de seu governo, "Kennedy estava tentando chegar a Castro, mas Castro chegou a ele primeiro".

# 22 "UMA CORRENTE SINISTRA"

As operações secretas dos Kennedy assombraram Lyndon Johnson por toda a vida. Ele disse em diversas ocasiões que Dallas foi um castigo divino pelo que havia acontecido com Diem. "Nós todos nos unimos, pegamos um maldito bando de marginais, entramos lá e o assassinamos", lamentou ele. Em seu primeiro ano no poder, Saigon foi devastada por golpe após golpe, uma insurgência sombria começou a matar americanos no Vietnã e seu medo de que a CIA fosse um instrumento de assassinatos políticos supurou e aumentou.

Agora ele entendia que Bobby Kennedy exercia um grande poder sobre as operações secretas. Ele o via como um adversário declarado do governo. Num encontro no Salão Oval com John McCone, em 13 de dezembro de 1963, Johnson perguntou sem rodeios se e quando Bobby Kennedy deixaria o governo. McCone respondeu que "o procurador-geral pretendia permanecer como procurador-geral, mas não estava claro até que ponto o presidente queria que ele se envolvesse com o trabalho da inteligência, problemas do NSC e assuntos de contra-insurgência". A resposta logo ficou clara: os dias de Bobby como controlador do serviço clandestino haviam acabado. Ele partiu sete meses depois.

Em 28 de dezembro, McCone voou para o rancho de LBJ no Texas para um café-da-manhã e um informe após uma viagem a Saigon. "O presidente imediatamente manifestou seu desejo de 'mudar a imagem da CIA' de organização de espionagem", recordou McCone. O diretor não poderia estar mais de acordo. A única função legal da agência era obter, analisar e relatar informações, disse McCone, e não armar conspirações para derrubar governos estrangeiros.

Johnson disse que estava "cansado de uma situação que se agravava, em que cada vez que meu nome ou o da CIA era mencionado, estava associado a um truque sujo".

Mas Lyndon Johnson ficou acordado à noite, tentando decidir se entrava com tudo no Vietnã ou se saía de lá. Sem o apoio americano, Saigon sucumbiria. Ele não queria arremeter com milhares de soldados americanos, mas não podia ser visto em retirada. O único caminho entre a guerra e a diplomacia eram as ações secretas.

## "PARA QUE NINGUÉM POSSA DIRIGIR OS NEGÓCIOS DA INTELIGÊNCIA"

No início de 1964, McCone e seu novo chefe do posto em Saigon, Peer de Silva, nada tinham além de más notícias para o presidente. McCone estava "extremamente preocupado com a situação". Achava que os dados de inteligência "com os quais avaliamos a tendência da guerra estavam grosseiramente errados". Ele advertiu a Casa Branca e o Congresso de que "os vietcongues estão recebendo apoio substancial do Vietnã do Norte e possivelmente de outros lugares, e esse apoio pode aumentar. Interrompê-lo ao fechar as fronteiras, as extensas hidrovias e a longa costa é difícil, se não impossível. O apelo dos vietcongues às pessoas do Vietnã do Sul por motivos políticos tem sido eficiente, eles estão conseguindo recrutas para suas forças armadas e neutralizando a resistência".

O Projeto Tiger — programa paramilitar de dois anos do posto de Saigon contra o Vietnã do Norte — havia terminado em morte e traição. Agora o Pentágono propunha começar de novo, em conjunto com a CIA. Seu Plano de Operações 34A era uma série de ações secretas durante um ano com o objetivo de convencer Hanói a desistir de sua insurgência no Vietnã do Sul e no Laos. A peça central era mais uma série de operações aéreas para lançar equipes de inteligência e comandos no Vietnã do Norte, juntamente com ataques marítimos ao longo da costa. Os atacantes seriam soldados de forças especiais do Vietnã do Sul, complementados por nacionalistas chineses e comandos sulcoreanos, todos treinados pela CIA. McCone não tinha a menor confiança de que os ataques mudariam a cabeça de Ho Chi Minh. "O presidente deveria ser informado de que essa não é uma idéia extraordinária", advertiu ele.

Seguindo ordens, a Agência encaminhou sua rede de paramilitares asiáticos ao Grupo de Operações Especiais do Pentágono no Vietnã. Helms advertiu contra "uma corrente sinistra" que estava afastando a CIA da espionagem e a aproximando de um papel de equipe convencional de apoio militar. O diretor-executivo da agência, Lyman Kirkpatrick, previu "a fragmentação e destruição da CIA, com o serviço clandestino sendo engolido pelo Estado-Maior Conjunto". Eram temores proféticos.

Em março de 1964, o presidente enviou McCone e McNamara de volta a Saigon. Ao retornar, o diretor disse ao presidente que a guerra não estava indo bem. "O sr. McNamara deu uma opinião bastante otimista de que as coisas estavam indo muito bem", disse McCone num relato oral para a biblioteca presidencial LBJ. "Eu tive que assumir a posição de que enquanto a Trilha Ho Chi Minh estivesse aberta e suprimentos e comboios de pessoas pudessem entrar sem interrupção, não podíamos dizer que as coisas estavam tão bem."

Aquele foi o começo do fim da carreira de John McCone como diretor da central de inteligência. Lyndon Johnson fechou a porta do Salão Oval. A comunicação entre a CIA e o presidente foi limitada a um relato por escrito dos acontecimentos do mundo, duas vezes por semana. O presidente o lia em seu lazer, se e quando queria. Em 22 de abril, McCone disse a Bundy que estava "bastante insatisfeito com o fato de que o presidente Johnson não obtém informações de inteligência diretamente de mim como costumava fazer o presidente Kennedy e como era hábito de Eisenhower". Uma semana depois, McCone disse a LBJ que "eu não via o presidente com freqüência, e isso me incomodava". Então Johnson e McCone jogaram oito partidas de golfe no clube campestre Burning Tree, em maio. Mas só teriam uma conversa substancial em outubro. O presidente estava no poder havia onze meses quando perguntou a McCone quão grande era a CIA, quanto ela custava e precisamente como ela poderia servi-lo. Os conselhos do diretor raramente eram ouvidos e raramente considerados. Sem a atenção do presidente, ele não tinha poder algum, e sem poder, a CIA começava a chegar à perigosa metade dos anos 1960.

As divergências entre McCone e McNamara em relação ao Vietnã revelaram uma fissura política mais profunda. De acordo com a lei, o diretor da central de inteligência era o presidente do grupo que reunia todas as agências de inteligência americanas. Mas o Pentágono lutara durante duas décadas para colocar o diretor em segundo plano no setor cheio de divergências que as pessoas agora chamavam de "comunidade de inteligência". Durante seis anos, o grupo de assessores de inteligência do presidente sugerira que o diretor deveria comandar a comunidade e deixar que um chefe de operações tentasse administrar a CIA. Allen Dulles resistira firmemente à idéia e se recusara a prestar atenção a qualquer coisa que não fosse ação secreta. McCone continuava dizendo que queria sair do negócio de espionagem. Mas em 1964, o serviço clandestino da CIA estava consumindo quase dois terços do orçamento da agência e 90% do tempo de McCone. Ele queria assegurar seu poder estatutário sobre a inteligência americana. Precisava de uma autoridade proporcional a sua responsabilidade. Nunca a recebeu. O Pentágono o minava em cada oportunidade.

Três grandes braços da inteligência americana haviam crescido durante a década anterior. Todos os três estavam sob a liderança oficial do diretor. Esse poder só existia no papel. O diretor deveria supervisionar a Agência de Segurança Nacional, um braço da inteligência americana para escutas eletrônicas que gradualmente se tornava um gigante global. A NSA[22] foi criada por Truman em 1952, a pedido de Walter Bedell Smith, depois das terríveis surpresas da Guerra da Coréia. Mas o secretário de Defesa era o encarregado do dinheiro e do poder da instituição. McNamara também controlava a nova Agência de Inteligência de Defesa, que ele criara depois da Baía dos Porcos, com a intenção de coordenar a confusão de informações produzidas pelo exército, pela marinha, pela força aérea e pelos fuzileiros navais. Depois havia o Escritório de Reconhecimento Nacional, criado em 1962 para construir satélites espiões. Na primavera de 1964, generais da força aérea tentaram tirar da CIA o controle do programa de um bilhão de dólares por ano. A mudança de poder prejudicou o frágil escritório de reconhecimento.

"Estou pronto para dizer ao secretário de Defesa e ao presidente que eles podem pegar o NRO[23] e metê-lo naquele lugar", esbravejou McCone. "Acho que o que eu deveria fazer é telefonar para o presidente e dizer-lhe para arrumar um novo diretor para a central de inteligência... Os burocratas do Pentágono estão tentando estragar as coisas para que ninguém possa dirigir os negócios da inteligência."

Naquele verão, McCone tentou renunciar, mas Lyndon Johnson ordenou que ele permanecesse no cargo pelo menos até o dia da eleição. A guerra no Vietnã agora era total, e a aparência de lealdade era de extrema importância.

---

[22]Agência de Segurança Nacional na sigla em inglês. (*N. do T.*)
[23]Escritório de Reconhecimento Nacional na sigla em inglês. (*N. do T.*)

## "ATIRANDO EM PEIXES-VOADORES"

A guerra foi autorizada pela Resolução do Golfo de Tonkin, aprovada no Congresso após um evento que o presidente e o Pentágono proclamaram ter sido um ataque não provocado do Vietnã do Norte a navios americanos em águas internacionais em 4 de agosto. A Agência de Segurança Nacional — que reuniu e controlou a inteligência sobre o ataque — insistiu que as provas eram sólidas. Robert McNamara jurou que eram. A história oficial da marinha sobre a Guerra do Vietnã as considera conclusivas.

Não foi um equívoco honesto. A guerra no Vietnã começou com mentiras políticas baseadas em inteligência falsa. Se a CIA estivesse trabalhando de acordo com sua carta de direitos, se McCone estivesse cumprindo seus deveres conforme a lei os considerava, os relatos falsos talvez não tivessem sobrevivido mais do que algumas horas. Mas a verdade completa só apareceu em novembro de 2005, numa confissão bastante detalhada divulgada pela Agência de Segurança Nacional.

Em julho de 1964, o Pentágono e a CIA concluíram que os ataques por terra do Oplan²⁴ 34A, iniciados seis meses antes, tinham sido uma série de investidas inúteis, exatamente como McCone advertira. Os Estados Unidos intensificaram as ações de comandos no mar, sob a liderança de Tucker Gougelmann, da CIA, um fuzileiro naval com cicatrizes da guerra e que muitos anos depois seria o último americano a morrer na Guerra do Vietnã. Para apoiar suas forças, Washington aumentou sua vigilância no norte. A marinha iniciou um programa de escuta eletrônica de comunicações inimigas em código — o termo técnico é inteligência de sinais, ou Sigint — numa operação de codinome Desoto. Essas missões começaram dentro de uma caixa preta, do tamanho de um contêiner de cargueiro, presa ao deque de um contratorpedeiro ao largo da costa do Vietnã. Dentro dela havia antenas e monitores operados por pelo menos uma dúzia de oficiais do Grupo de Segurança Naval. Eles escutavam conversas militares de norte-vietnamitas e os dados que coletavam eram decifrados e traduzidos pela Agência de Segurança Nacional.

O Estado-Maior Conjunto enviou o *USS Maddox*, sob o comando do capitão John Herrick, para uma missão da Desoto com ordens para "estimular e registrar" reações do Vietnã do Norte às ações dos comandos. O *Maddox* tinha

---

²⁴Sigla de *strategic planning* — plano estratégico. (*N. do T.*)

ordem de permanecer a oito milhas náuticas do continente e a quatro nós das ilhas costeiras do Vietnã do Norte no Golfo de Tonkin. Os Estados Unidos não reconheciam o limite internacional de doze milhas do Vietnã. Na última noite de julho e na primeira noite de agosto de 1964, o *Maddox* monitorou um ataque do Oplan 34A à Ilha Hon Me, na costa central do Vietnã do Norte, no Golfo de Tonkin. E rastreou o contra-ataque do Vietnã do Norte, observando barcos de patrulha de fabricação soviética armados com torpedos e metralhadoras se concentrando ao largo da ilha.

Na tarde de 2 de agosto, o *Maddox* detectou três daqueles barcos se aproximando. O capitão Herrick enviou uma mensagem de emergência a comandantes da Sétima Frota: dispararia contra os barcos se necessário. Ele requisitou ajuda do contratorpedeiro *Turner Joy* e dos caças do porta-aviões *Ticonderoga*. Pouco depois das 15h, o *Maddox* disparou três vezes contra os barcos de patrulha norte-vietnamitas. Os tiros nunca foram relatados nem reconhecidos pelo Pentágono ou pela Casa Branca; estes sustentaram que os comunistas atiraram primeiro. O *Maddox* ainda estava atirando quando quatro jatos F-8E da marinha atingiram os barcos de patrulha, matando quatro marinheiros, danificando seriamente dois navios e atingindo superficialmente o terceiro. Os capitães comunistas dos barcos fugiram e se esconderam em enseadas na costa, aguardando ordens de Haiphong. O *Maddox* tinha um buraco de bala de metralhadora.

Em 3 de agosto, o presidente Johnson proclamou que as patrulhas americanas continuariam no Golfo de Tonkin e o Departamento de Estado anunciou que enviara sua primeira nota diplomática a Hanói, advertindo para as "graves conseqüências" de "novas ações militares não provocadas". Naquela hora, outra provocativa missão marítima do Oplan 34A foi enviada para sabotar uma estação de radar na costa do Vietnã do Norte, na ilha de Hon Matt.

Então, na noite tempestuosa de 4 de agosto, os capitães americanos dos contratorpedeiros, os comandantes da Sétima Frota e seus líderes no Pentágono receberam um alerta urgente dos operadores da Sigint em terra: os três barcos de patrulha norte-vietnamitas encontrados ao largo da Ilha Hon Me em 2 de agosto estavam voltando. Em Washington, Robert McNamara telefonou para o presidente. Às 22h no Golfo de Tonkin, e 10h em Washington, os contratorpedeiros americanos enviaram uma mensagem de emergência avisando que estavam sob ataque.

Os operadores de radar e sonar a bordo do *Maddox* e do *Turner Joy* relataram ter visto manchas estranhas na noite. Os capitães dos dois navios abriram fogo. O relatório da NSA liberado em 2005 descreve como "os dois contratorpedeiros giraram loucamente nas águas escuras do Golfo de Tonkin, o *Turner Joy* disparando mais de trezentos tiros", os dois navios fazendo manobras furiosas para se afastar. "Foram os giros em alta velocidade dos navios de guerra americanos nas águas que criaram todos os relatórios de sonar adicionais sobre mais torpedos." Eles haviam atirado contra suas próprias sombras.

O presidente ordenou imediatamente um ataque aéreo a bases navais norte-vietnamitas a ser iniciado naquela noite.

Uma hora depois, o capitão Herrick relatou: "AÇÃO INTEIRA DEIXA MUITAS DÚVIDAS." Noventa minutos depois, as dúvidas se dissiparam em Washington. A NSA disse ao secretário de Defesa e ao presidente dos Estados Unidos que havia interceptado um comunicado naval norte-vietnamita dizendo: "DOIS NAVIOS SACRIFICADOS E TODO O RESTO ESTÁ BEM."

Mas depois que os ataques aéreos americanos ao Vietnã do Norte começaram, a NSA reviu as interceptações de comunicações naquele dia. Não havia nada. Cada operador de escuta eletrônica da Sigint no Vietnã do Sul e nas Filipinas fez um novo exame. Nada. A NSA reavaliou a interceptação que entregara ao presidente, checando duas vezes a tradução e a hora registrada da mensagem original.

Com a revisão, a mensagem na verdade dizia: "SACRIFICAMOS DOIS COMPANHEIROS MAS TODOS SÃO CORAJOSOS." A mensagem fora redigida imediatamente antes ou durante o momento em que o *Maddox* e o *Turner Joy* abriram fogo em 4 de agosto. *Não* era sobre o que havia acontecido naquela noite. Era sobre o primeiro confronto, duas noites antes, em 2 de agosto.

A NSA enterrou esse fato importante. Não contou a ninguém. Seus analistas e lingüistas examinaram pela terceira vez, e pela quarta vez, a hora registrada. Todos — todos, mesmo os que tinham dúvida — decidiram permanecer em silêncio. A liderança da NSA reuniu cinco relatos e resumos separados feitos após a ação, entre 5 e 7 de agosto. Em seguida compôs uma cronologia formal, a versão oficial da verdade, a última palavra sobre o que aconteceu no Golfo de Tonkin, a história a ser preservada para futuras gerações de analistas de inteligência e comandantes militares.

No processo, alguém na NSA destruiu a prova — a interceptação que McNamara havia mostrado ao presidente. "McNamara se apossou da Sigint crua e mostrou ao presidente o que eles achavam ser uma prova de um segundo ataque", disse Ray Cline, na época vice-diretor de inteligência da CIA. "E aquilo era exatamente o que Johnson estava procurando." Num mundo racional, seria tarefa da CIA examinar com atenção a Sigint vinda do Golfo de Tonkin e fazer uma interpretação imparcial de seu significado. Mas já não era um mundo racional. "Era tarde demais para fazer qualquer diferença", disse Cline. "Os aviões haviam decolado."

Como diz a confissão da NSA em novembro de 2005: "Se fosse usado, o volume impressionante de relatos contaria a história de que não houve ataque algum. Então houve um esforço consciente para demonstrar que o ataque havia ocorrido... um esforço ativo para fazer a Sigint se encaixar na alegação sobre o que aconteceu durante a noite de 4 de agosto no Golfo de Tonkin." O relatório concluiu que a inteligência "foi deliberadamente distorcida para apoiar a idéia de que houve um ataque". Os oficiais da inteligência americana "inventaram provas contraditórias".

Lyndon Johnson estava pronto para bombardear o Vietnã do Norte havia dois meses. Sob suas ordens, em junho de 1964, Bill Bundy, secretário-assistente de Estado para o Extremo Oriente, irmão do assessor de segurança nacional e analista veterano da CIA, preparou uma resolução de guerra a ser enviada ao Congresso quando a hora chegasse.

A inteligência falsa se adaptava perfeitamente à política preconcebida. Em 7 de agosto, o Congresso autorizou a guerra no Vietnã. A Câmara a aprovou por 416 votos a zero. O Senado, por 88 a dois. Foi uma "tragédia grega", disse Cline, um ato de teatro político reprisado quatro décadas depois, quando informações falsas sobre o arsenal iraquiano sustentaram outro argumento de um presidente para uma guerra.

Coube a Lyndon Johnson resumir o que realmente aconteceu no Golfo de Tonkin, o que ele fez quatro anos depois do acontecimento. "Diabos", disse o presidente, "aqueles malditos marinheiros estúpidos estavam apenas atirando em peixes-voadores."

# 23 "MAIS CORAGEM QUE SABEDORIA"

"O Vietnã foi meu pesadelo durante uns bons dez anos", escreveu Richard Helms. Quando ele foi promovido de chefe do serviço clandestino a diretor da central de inteligência, a guerra continuou com ele. "Como uma maldição, ela envolvia esforços que pareciam nunca ter sucesso, e exigências que nunca podiam ser atendidas, mas que eram repetidas, duplicadas, intensificadas e redobradas."

"Tentamos cada estratégia operacional existente nos livros e comprometemos nossos operadores de campo mais experientes no esforço para entrar no governo de Hanói", relembrou Helms. "Dentro da Agência, nosso fracasso em penetrar no governo norte-vietnamita foi o aspecto mais frustrante daqueles anos. Não conseguíamos determinar o que acontecia nos níveis mais altos do governo de Ho, nem conseguíamos entender como a política era feita ou quem a fazia." Na raiz desse fracasso da inteligência estava "nossa ignorância nacional em relação à história, à sociedade e ao idioma vietnamita", disse ele.

Não optamos por saber, portanto não sabíamos o quanto não sabíamos.

"A grande tristeza", disse Helms num depoimento gravado para a Biblioteca LBJ, "foi nossa ignorância — ou inocência, se você preferir — que nos levou a estimar mal, a não compreender e a tomar muitas decisões erradas."

Lyndon Johnson também tinha um sonho recorrente sobre o Vietnã. Se ele vacilasse na guerra, se falhasse, se perdesse, "Robert Kennedy estaria na frente, liderando a luta contra mim, dizendo a todo mundo que eu havia traído o compromisso de John Kennedy com o Vietnã do Sul. Que eu era um covarde. Um maricas. Um frouxo. Ah, eu via muito bem o que tinha pela frente. Todas as noites, eu caía no sono e me via amarrado ao chão no meio de uma área extensa, aberta. À distância eu podia ouvir as vozes de milhares de pessoas. Todas elas gritavam e corriam na minha direção: 'Covarde! Traidor! Fraco!'"

### "A GUERRA DE McCONE"

A força dos vietcongues — os guerrilheiros comunistas no sul — continuava a crescer. Um novo embaixador, o general Maxwell Taylor, saído havia pouco do Grupo Especial (Contra-Insurgência), e Bill Colby, chefe da divisão Extremo Oriente da CIA, buscavam uma nova estratégia contra os misteriosos terroristas. "A contra-insurgência se tornou um grito de guerra quase ridículo", disse Robert Amory, que se demitira depois de nove anos como vice-diretor de inteligência da CIA para se tornar responsável pelo orçamento para programas secretos da Casa Branca. "Significava muitas coisas para muitas pessoas diferentes." Mas Bobby Kennedy conhecia seu verdadeiro significado, e o reduziu a sua essência. "O que precisávamos", disse ele, "era de pessoas que pudessem disparar armas."

Em 16 de novembro de 1964, um trabalho explosivo de Peer de Silva, chefe do posto da CIA em Saigon, aterrissou na mesa de John McCone na sede. Seu título era "Nossa Experiência em Contra-Insurgência e suas Implicações". Helms e Coby o haviam lido e aprovado. Era uma idéia arrojada com um grande risco: o potencial de "transformar a 'Guerra de McNamara' na 'Guerra de McCone'", como advertiu sem rodeios o vice-diretor da central de inteligência, Marshall Carter, a seu chefe naquele dia.

De Silva vinha tentando ampliar o poder da CIA no Vietnã do Sul criando patrulhas paramilitares nas províncias para caçar os vietcongues. Trabalhando com o ministro do Interior e o chefe da polícia nacional, de Silva comprou uma propriedade no nordeste do Vietnã do Sul de um líder sindicalista desonesto, e começou a oferecer um curso rápido de contra-insurgência para civis. Na primeira semana de novembro de 1964, enquanto os americanos elegiam o presidente Johnson para um mandato completo, de Silva voou para inspecionar seu recém-criado projeto. Seus oficiais haviam treinado três equipes de quarenta recrutas vietnamitas que relataram terem matado 167 vietcongues e perdido apenas seis de seus homens. Agora De Silva queria enviar cinco mil cidadãos sul-vietnamitas de todo o país de avião para a propriedade, para um curso de três meses em táticas militares e políticas ministrado por oficiais da CIA e assessores militares americanos. Nas palavras de De Silva, eles voltariam para casa como "equipes de contraterror" e matariam os vietcongues.

John McCone tinha muita fé em Peer da Silva e aprovou a iniciativa. Mas percebeu que estava perdendo a batalha. Um dia depois da chegada do memorando de De Silva, McCone caminhou até a Casa Branca e pela segunda vez tentou convencer o presidente Johnson a aceitar sua renúncia. Ofereceu-lhe opções de sucessores qualificados e implorou para que ele aceitasse seu afastamento. Mais uma vez, e não pela última, o presidente ignorou o diretor da central de inteligência.

McCone continuou no cargo enquanto as crises que enfrentava se acumulavam. Ele acreditava — assim como os presidentes a quem servira — na teoria do dominó. Disse ao futuro presidente, o deputado Gerald R. Ford, que "se o Vietnã do Sul cair nas mãos dos comunistas, o Laos e o Camboja certamente cairão, seguidos de Tailândia, Indonésia, Malásia e, por fim, Filipinas", o que teria um "grande efeito" sobre o Oriente Médio, a África e a América Latina. Ele achava que a CIA não estava equipada para combater insurgentes e terroristas, e temia que "os vietcongues pudessem ser a onda do futuro". Estava certo de que a CIA era incapaz de combater os vietcongues.

Mais tarde, De Silva lamentou a "cegueira" da Agência em relação ao inimigo e sua estratégia. Nas vilas, "o uso do terror pelos vietcongues era resoluto, preciso e assustador", escreveu ele. Os camponeses "os alimentavam, eram recrutados por eles, escondiam-nos e lhes forneciam toda a informação de que os vietcongues precisavam". Então, no final de 1964, os vietcongues levaram a guerra para a capital. "O uso do terror pelos vietcongues dentro da cidade de Saigon era freqüente, às vezes aleatório, e às vezes cuidadosamente planejado e executado", escreveu De Silva. O secretário de Defesa, McNamara, por pouco não foi atingido por uma bomba plantada à beira da rodovia que ligava a cidade ao aeroporto. Um carro-bomba destruiu o quartel dos oficiais solteiros em Saigon na véspera do Natal de 1964. Aos poucos, as perdas aumentavam enquanto terroristas suicidas e sapadores agiam à vontade. Às 14h de 7 de fevereiro de 1965, os vietcongues atacaram uma base americana em Pleiku, a região montanhosa central do Vietnã. Oito americanos morreram. Quando o fogo foi interrompido, os americanos vasculharam o corpo de um dos atacantes vietcongues e encontraram em sua bolsa um mapa bastante preciso da base.

Tínhamos mais e maiores armas, mas eles tinham mais e melhores espiões. Era uma diferença decisiva.

Quatro dias depois, Lyndon Johnson intensificou os ataques. Bombas não-guiadas, bombas de fragmentação e bombas de napalm caíram sobre o Vietnã. A Casa Branca enviou uma mensagem urgente a Saigon, em busca da melhor estimativa da CIA sobre a situação. George W. Allen, o mais experiente analista de inteligência vietnamita no posto de Saigon, disse que o inimigo não seria detido por bombas. Estava se fortalecendo. Sua força de vontade continuava intacta. Mas o embaixador Maxwell Taylor leu o relatório linha por linha, metodicamente apagando cada parágrafo pessimista antes de enviá-lo ao presidente. Os homens da CIA em Saigon perceberam que as más notícias não eram bem-vindas. A corrupção da inteligência nas mãos de generais políticos, de comandantes civis e da própria Agência continuou. Durante mais três anos, não houve um relatório realmente influente da CIA para o presidente sobre a guerra.

Em 8 de março, os fuzileiros navais aterrissaram em Da Nang vestidos para a batalha total. Belas meninas os receberam com guirlandas de flores. Em Hanói, Ho Chi Minh preparava sua própria recepção.

Em 30 de março, Peer de Silva estava em seu escritório no segundo andar do posto da CIA em Saigon, que ficava em diagonal em relação à embaixada, falando ao telefone com um de seus oficiais e vendo pela janela um homem que empurrava um velho sedã Peugeot cinza rua acima. De Silva olhou para o banco do motorista e viu um detonador queimando.

"Meu mundo passou a girar em câmera lenta e minha mente me disse que aquele carro era uma bomba", relembrou De Silva. "Com o telefone ainda na mão e sem pensar conscientemente, comecei a me afastar da janela e me virei enquanto me abaixava, mas estava ainda a meio caminho do chão quando o carro explodiu." Cacos de vidro e fragmentos de metal causaram cortes nos olhos, ouvidos e garganta de De Silva. A explosão matou pelo menos vinte pessoas na rua e o secretário de De Silva, de 22 anos. Dois oficiais da CIA que estavam no posto ficaram permanentemente cegos. Outros sessenta funcionários da CIA e da embaixada ficaram feridos. George Allen sofreu contusões múltiplas, cortes e um choque. De Silva perdeu a visão do olho esquerdo. Médicos o encheram de analgésicos, enfaixaram sua cabeça com gaze e lhe disseram que poderia ficar completamente cego se permanecesse em Saigon.

O presidente imaginava como seria possível combater um inimigo que não conseguia ver. "Tem que haver alguém com cérebro suficiente para inventar alguma maneira de encontrar alguns alvos especiais para atingir" exigiu

Johnson enquanto a noite caía em Saigon. Ele decidiu pôr mais alguns milhares de soldados na batalha e intensificou a campanha de bombardeios. Não consultou nem uma única vez o diretor da central de inteligência.

## "UM ESFORÇO MILITAR QUE NÃO PODEMOS VENCER"

Em 2 de abril de 1965, John McCone se demitiu pela última vez, assim que Lyndon Johnson escolheu um sucessor. Ele fez uma previsão fatal para o presidente: "A cada dia que passa, e a cada semana, podemos esperar crescente pressão para interromper os bombardeios", disse ele. "Ela virá de vários elementos do público americano, da imprensa, das Nações Unidas e da opinião mundial. Portanto, o tempo corre contra nós nessa operação, e acho que os norte-vietnamitas estão contando com isso." Um de seus melhores analistas, Harold Ford, disse: "Estamos progressivamente nos afastando da realidade no Vietnã" e "agindo com muito mais coragem do que sabedoria". Agora McCone compreendia isso. Ele disse a McNamara que o país estava prestes a "perder o rumo numa situação de combate em que a vitória seria duvidosa". Sua última advertência ao presidente foi tão direta quanto possível: "Vamos acabar atolados em combates na selva, num esforço militar que não podemos vencer, e do qual teremos extrema dificuldade de nos retirar."

Lyndon Johnson cessara de dar ouvidos a John McCone havia muito tempo. O diretor deixou o cargo sabendo que não tinha influência alguma sobre o que o presidente dos Estados Unidos pensava. Assim como quase todos aqueles que o sucederam, LBJ gostava do trabalho da agência somente quando este se adaptava a seu modo de pensar. Quando não se adaptava, era jogado na lata de lixo. "Deixe-me falar sobre esses sujeitos da inteligência", disse ele. "Quando eu era criança no Texas, tínhamos uma vaca chamada Bessie. Eu saía cedo para ordenhá-la. Eu a amarrava a uma estaca, sentava-me e tirava um balde de leite fresco. Um dia, eu trabalhei duro e consegui um balde cheio de leite, mas não estava prestando atenção e a velha Bessie balançou seu rabo lambuzado de merda dentro daquele balde de leite. Sabe, é isso que os sujeitos da inteligência fazem. Você trabalha duro, consegue levar adiante um bom programa ou política e eles balançam um rabo lambuzado de merda dentro dele."

# 24 "O INÍCIO DE UM LONGO DECLÍNIO"

O presidente continuou procurando "um grande homem" para ser o novo diretor da central de inteligência — "alguém que possa acender a espoleta se for preciso fazê-lo para salvar seu país".

O vice-diretor da central de inteligência, Marshall Carter, advertiu contra a escolha de alguém de fora. Disse que seria "um erro grave" escolher um militar subserviente e "um desastre" escolher um colega político; se a Casa Branca achava que a CIA não tinha ninguém em seus quadros que merecesse o cargo, "era melhor fechar o lugar e dá-lo aos índios". Richard Helms era a escolha quase unânime entre os membros da equipe de segurança nacional do presidente — McCone, McNamara, Rusk e Bundy.

Johnson não deu ouvidos a nenhum deles. Na tarde de 6 de abril de 1965, telefonou para um almirante reformado de 59 anos chamado Red Raborn, natural de Decatur, Texas. Raborn tinha credenciais políticas: ganhara a simpatia de LBJ ao aparecer num anúncio de televisão durante a campanha de 1964, descrevendo o candidato republicano, o senador Barry Goldwater do Arizona, como burro demais para ser presidente. O motivo de sua fama era o fato de que coordenava o desenvolvimento do míssil nuclear Polaris para submarinos da marinha, um esforço que lhe rendeu amigos no Congresso. Ele era um bom homem com um bom trabalho na indústria aeroespacial e uma boa propriedade em Palm Springs, com vista para o 11º *fairway* de seu campo de golfe favorito.

Red Raborn ficou a postos, aguardando o som da voz de seu comandante-em-chefe. "Agora, preciso de você", disse Lyndon Johnson, "e preciso de você muito e rapidamente." Eles conversaram bastante até Raborn perceber que LBJ queria que ele dirigisse a CIA. O presidente prometeu que Richard Helms, como novo vice-diretor, faria o trabalho pesado. "Você poderá tirar uma soneca todo dia depois do almoço", disse ele. "Não vamos sobrecarregá-lo." Apelando ao patriotismo de Raborn, e recorrendo ao encanto da linguagem simples do interior do país, Johnson disse: "Eu sei o que o velho cavalo de guerra faz quando ouve o toque do sino."

O almirante subiu a bordo em 28 de abril de 1965. O presidente encenou um grande show durante seu juramento na Casa Branca, dizendo que havia vasculhado a nação e encontrado apenas um homem que poderia realizar aquele trabalho. Lágrimas de gratidão correram no rosto de Raborn. Aquele foi seu último momento de felicidade como diretor da central de inteligência.

A República Dominicana explodiu naquele mesmo dia. Os Estados Unidos tentaram e falharam em tornar aquele país o exemplo do Caribe depois do assassinato, com apoio americano, do ditador Rafael Trujillo, em 1961. Agora, rebeldes armados lutavam nas ruas da capital. Johnson decidiu enviar quatrocentos fuzileiros navais dos EUA, juntamente com o FBI e reforços para o posto da CIA. Foi a primeira aterrissagem em larga escala das forças americanas na América Latina desde 1928, e a primeira aventura armada desse tipo no Caribe desde a Baía dos Porcos.

Numa reunião em traje oficial na Casa Branca naquela noite, Raborn relatou — sem provas e sem qualificação — que os rebeldes eram controlados por Cuba. "Na minha opinião, este é um conflito real montado pelo sr. Castro", disse Raborn na manhã seguinte, em conversa ao telefone com o presidente. "Não tenho dúvida em minha cabeça de que este é o começo da expansão de Castro."

O presidente perguntou: "Quantos terroristas de Castro estão lá?"

Raborn respondeu: "Bem, identificamos positivamente oito deles. E enviei uma lista à Casa Branca por volta das seis horas — deve estar na Sala de Situação — sobre quem eles são, o que estão fazendo e que tipo de treinamento têm recebido." A lista dos oito "terroristas de Castro" apareceu num memorando da CIA que dizia: "Não há prova alguma de que o regime de Castro esteja diretamente envolvido na atual insurreição."

O presidente desligou o telefone e decidiu enviar mais mil fuzileiros navais para a República Dominicana.

A CIA fez alguma advertência sobre a crise?, perguntou o presidente a seu assessor de segurança nacional naquela manhã. "Não houve nada", respondeu Bundy.

"Nossa CIA diz que isso é completamente liderado... operação de Castro", disse o presidente a seu advogado particular, Abe Fortas, enquanto 2.500 pára-quedistas do exército aterrissavam na República Dominicana em 30 de abril. "Eles *dizem* que é! As pessoas que eles têm lá dentro nos *dizem*!... Não há dúvida alguma de que isso é coisa de Castro... Eles estão indo para outros lugares no hemisfério. Isso pode ser parte de todo um padrão comunista ligado ao Vietnã... O pior desastre político interno que poderíamos sofrer seria se Castro assumisse o comando." O presidente se preparou para enviar mais 6.500 soldados americanos para Santo Domingo.

Mas McNamara não confiava no que Raborn estava dizendo ao presidente. "Você acha que a CIA não consegue documentar isso?", perguntou Johnson ao secretário de Defesa. "Acho que não, senhor presidente", respondeu McNamara. "O senhor não sabe se Castro está tentando fazer alguma coisa. Terá dificuldade para provar a qualquer grupo que Castro fez alguma coisa além de treinar essas pessoas, e nós treinamos muita gente."

Aquilo levou o presidente a fazer uma pausa. "Bem, não acha que isso é algo sobre o qual você, Raborn e eu temos que conversar?", perguntou o presidente. "A CIA me disse que havia dois líderes de Castro envolvidos. E pouco depois, disseram-me que eram oito, e pouco depois, disseram-me que eram 58..."

"Eu simplesmente não acredito nessa história", disse McNamara categoricamente.

Entretanto, num discurso ao povo americano, o presidente insistiu que não deixaria que "conspiradores comunistas" na República Dominicana estabelecessem "outro governo comunista no hemisfério ocidental".

O relato de Raborn sobre a crise fez por LBJ o que o U-2 fizera por Eisenhower e o que a Baía dos Porcos fizera por Kennedy. Levou diretamente à primeira afirmação na imprensa americana de que Lyndon Johnson tinha um "vazio de credibilidade". A expressão foi publicada pela primeira vez em 23 de maio de 1965. Atingiu o alvo e lá permaneceu.

O presidente não aceitou mais conselhos do novo diretor da central de inteligência.

O moral despencou na sede sob o comando instável de Raborn. "Foi trágico", disse Ray Cline, vice-diretor de inteligência, "o início de um longo declínio." A piada amarga era que Dulles dirigira um navio feliz, McCone navegara um navio apertado e Raborn conduzia um navio que afundava. "Pobre velho Raborn", disse Red White, diretor executivo que era seu terceiro no comando.

"Ele aparecia lá toda manhã às 6h30 e tomava café achando que o presidente um dia telefonaria para ele." Johnson nunca telefonou. Estava terrivelmente claro que Raborn "não estava qualificado para dirigir a CIA", disse White. O infeliz almirante estava "completamente por fora. Se você falava sobre outros países, ele não sabia se você estava falando sobre um país da África ou da América do Sul". O novo diretor fez papel de bobo ao prestar um testemunho sigiloso no Congresso, advertiu o senador Richard Russell a LBJ: "Raborn tem um defeito que vai lhe causar problemas. Ele nunca admite que não sabe... Se o senhor algum dia decidir se livrar dele, simplesmente ponha o colega Helms ali. Ele tem mais bom senso do que qualquer um deles."

Richard Helms dirigia a CIA enquanto Raborn quebrava a cara. Naquele ano, ele enfrentou três grandes campanhas de ações secretas. Cada uma delas foi iniciada pelo presidente Eisenhower, depois fortalecida pelo presidente Kennedy e agora era essencial para a tentativa de LBJ em vencer a guerra no sudeste da Ásia. No Laos, a CIA lutava para interromper a Trilha de Ho Chi Minh. Na Tailândia, começava a fixar eleições. Na Indonésia, apoiava secretamente os líderes que massacravam incontáveis comunistas. Todas as três nações eram dominós para os presidentes, que davam ordens à CIA de mantê-las alinhadas, temendo que, se uma delas caísse, o Vietnã cairia.

Em 2 de julho, LBJ telefonou para Eisenhower, buscando sua ajuda para a escalada da guerra. O número de americanos mortos no Vietnã era 446. A nona junta no país desde o assassinato do presidente Diem acabava de tomar o poder, liderada por Nguyen Cao Ky, um piloto que havia lançado agentes paramilitares para a morte em missões da CIA, e por Nguyen Van Thieu, um general que mais tarde assumiu a presidência. Ky era cruel, Thieu era corrupto. Juntos, eram a face pública da democracia no Vietnã do Sul. "Você acha realmente que podemos vencer os vietcongues lá?", perguntou o presidente. A vitória dependia inteiramente de uma boa inteligência, respondeu Eisenhower, e "isso é o mais difícil".

## "UMA GUERRA SAGRADA"

No Laos começou uma guerra de inteligência. Sob acordos assinados pelas superpotências e seus aliados, todos os combatentes estrangeiros deveriam deixar o país. O recém-chegado embaixador americano, William Sullivan, ajudou a negociar os acordos. Mas Hanói mantinha milhares de soldados no norte, reforçando as tropas comunistas — o Pathet Lao — e a CIA tinha seus espiões e seus soldados nas sombras em todos os outros lugares do Laos. Chefes de postos e seus oficiais tinham ordens para lutar uma guerra em segredo, na prática desafiando sutilezas diplomáticas e fatos militares.

No verão de 1965, enquanto Lyndon Johnson enviava dezenas de milhares de soldados americanos para o Vietnã, a guerra no Laos era travada por cerca de trinta oficiais da CIA. Apoiados por suprimentos militares levados de avião por pilotos da agência, eles armaram os membros da tribo Hmong que atuavam como combatentes de guerrilha, viajaram até a periferia da Trilha de Ho Chi Minh e supervisionaram comandos tailandeses treinados por Bill Lair, da CIA.

Lair comandava a guerra no Laos de uma instalação secreta construída pela CIA e pelo Pentágono dentro de uma base em Udorn, do outro lado do rio Mekong, na Tailândia. Tinha 40 anos e trabalhava para a CIA no sudeste da Ásia havia 14 anos. Seus antepassados moravam no Texas desde o Álamo,[25] mas ele era casado com uma tailandesa, comia arroz grudento com pimenta picante e bebia a aguardente da Hmong. Quando as coisas deram errado no Laos, ele trancou os fatos em seu cofre. Quando seus companheiros oficiais da CIA morreram em batalhas, manteve seus destinos em segredo. A guerra deveria ser "tão invisível quanto possível", disse Lair. "A idéia era manter segredo porque na época em que fomos para lá, não tínhamos nenhuma idéia sobre o que os EUA fariam a longo prazo... Uma vez que eles iniciaram essa tática de manter segredo, era muito difícil mudá-la."

O agente da CIA que lutou mais duro no Laos foi Anthony Poshepny, conhecido como Tony Poe. Em 1965, ele também tinha 40 anos. Ferido em combate quando era um fuzileiro naval adolescente em Iwo Jima, e veterano das missões paramilitares da CIA na Guerra da Coréia, ele foi um dos cinco oficiais da CIA que fugiram da ilha de Sumatra de submarino em 1958, enquanto o golpe na Indonésia desmoronava. Poe vivia na base da CIA no vale de Long Tieng, no centro do Laos, a cerca de 160 quilômetros da capital. Com uma garrafa de uísque escocês ou de aguardente de arroz hmong como companhia constante, Tony Poe era o comandante em campo da guerra secreta. Caminhava nas trilhas e caminhos do vale à frente de seus soldados hmongs e tailandeses. Tornara-se completamente nativo e mais do que um pouco desvairado.

---

[25]Referência a um massacre de americanos por mexicanos ocorrido em 1836, na capela O Álamo, em San Antonio, durante a guerra pela independência do Texas. (*N. do T.*)

"Ele fazia muitas coisas bizarras", disse Lair. "Eu sabia que se enviassem Tony para casa ele não duraria cinco minutos naqueles corredores." Seria expulso da Agência. Mas na Agência havia muitos sujeitos que o admiravam porque nunca estavam perto daquilo, e ele tinha feito algumas coisas boas. Todos os manda-chuvas da agência sabiam exatamente o que estava acontecendo também e não diziam uma palavra."

Poe dizia a seus soldados para cortar as orelhas dos homens que matassem como prova de sua vitória em combate. Ele as guardava num saco de celofane verde e, no verão de 1965, levou-as para o posto da CIA em Vientiane e as jogou sobre a mesa do subchefe. Jim Lilley foi o infeliz que as recebeu. Se Tony Poe queria chocar o novo chefe egresso da Ivy League, conseguiu.

Lilley fora contratado pela CIA logo depois de sair de Yale, em 1951. Entrou para a divisão Extremo Oriente e passou a Guerra da Coréia despejando agentes na China e sendo enganado por nacionalistas chineses. Continuou sua carreira trabalhando em Pequim, primeiro como chefe do posto e depois como embaixador americano.

Em maio de 1965, Lilley aterrissou no Laos como subchefe do posto, e quando seu chefe teve um esgotamento emocional, tornou-se o chefe em exercício. Concentrava-se na guerra política na capital. O dinheiro da CIA fluía "como parte de nosso esforço para 'construir a nação'", disse ele, e "injetamos uma quantidade relativamente grande de dinheiro em políticos que ouviam nossos conselhos". Os resultados das eleições seguintes para a Assembléia Nacional do Laos mostrariam 54 das 57 cadeiras controladas por líderes escolhidos pela CIA. Mas Vientiane era um posto difícil.

"Vimos alguns de nossos jovens morrendo em quedas de helicópteros", recordou Lilley. "Tínhamos que lidar com golpes de Estado, enchentes, todo tipo de coisa. Vimos alguns dos nossos homens perdendo a razão pois já não agüentavam mais."

Os problemas normais dos americanos viris enviados para uma zona de guerra tropical — sexo, álcool, loucura — multiplicavam-se em Vientiane, mais freqüentemente numa boate chamada White Rose. Lilley recordou o dia em que "um dos nossos principais oficiais da CIA recebeu uma delegação do Congresso em visita, informando-a sobre a guerra secreta. Naquela noite, a delegação foi levada a White Rose para conhecer a vida noturna em Vientiane. Membros da delegação viram um americano grandalhão completamente nu no chão do bar, gritando, '*Eu quero agora!*' Uma anfitriã levantou a saia e se sentou sobre o rosto dele. Era o mesmo agente que recebera a delegação mais cedo naquele dia".

O posto da CIA se esforçava em identificar alvos comunistas no Laos, diferenciar pegadas que se misturavam na direção da Trilha de Ho Chi Minh e caçar o inimigo. "Tentamos formar equipes tribais", disse Lilley. "Elas relatavam números muito altos de norte-vietnamitas mortos, os quais acho que em parte eram inventados." Também localizavam alvos para missões de bombardeios americanos. Em 1965, os americanos destruíram alvos civis inocentes no Laos quatro vezes. Numa delas, bombardearam uma vila amiga que o embaixador Sullivan premiara com uma visita de cortesia um dia antes. O bombardeio foi pedido por Bill Lair, que tentava resgatar um piloto da CIA que pousara numa área de aterrissagem conflituosa e fora capturado pelo Pathet Lao. As bombas caíram a 32 quilômetros do alvo pretendido; o piloto, Ernie Brace, passou oito anos como prisioneiro de guerra no Hanoi Hilton.[26]

Em junho de 1965, um dos melhores oficiais de Vang Pao foi morto por fogo disparado do solo quando assomava na porta aberta de um helicóptero em vôo, tentando encontrar um piloto americano que havia caído numa área 64 quilômetros adentro do território norte-vietnamita. Em agosto, um helicóptero da Air America caiu no rio Mekong nos arredores de Vientiane, matando Lewis Ojibway, chefe da base da CIA no noroeste do Laos, e um coronel do exército do Laos que trabalhava com ele. Em homenagem a Ojibway, a agência gravou em metal uma estrela na entrada marmórea da sede da CIA. Em outubro, outro helicóptero caiu na selva próxima à fronteira cambojana, matando Mike Deuel e Mike Maloney, ambos jovens filhos de proeminentes oficiais da CIA. Mais duas estrelas foram gravadas.

A guerra da CIA no Laos começara pequena, com "grande efervescência, uma sensação de que finalmente havíamos encontrado pessoas que combateriam os comunistas e vez por outra os derrotariam na guerra de guerrilha", disse Lilley. "Era uma guerra sagrada. Uma boa guerra."

Então, o posto avançado da CIA em Long Tieng começou a ser ampliado: novas estradas, depósitos, alojamentos, caminhões, jipes, blindados, tratores; um campo de pouso maior, mais vôos, mais poder de fogo, mais apoio aéreo. A Hmong interrompeu as atividades agrícolas quando começou a cair arroz

---

[26]Nome como era conhecido o campo de prisioneiros de guerra Hoa Lao, do exército do Vietnã do Norte, onde foram mantidos muitos soldados americanos. (*N. do T.*)

do céu, lançado de aviões da CIA. "Aumentamos nosso número de homens, du-plicando-o, ou triplicando-o", disse Lilley. Os oficiais da CIA recém-chegados "realmente viam o Laos como um problema paramilitar. De fato não tinham qualquer noção sobre a situação geral... A situação ficou um pouco mais pare-cida com o Vietnã. E foi quando ela começou a fugir ao nosso controle".

Esse momento aconteceu em outubro de 1965, quando Bill Colby chegou ao Laos e voou para Long Tieng numa viagem de inspeção. A guerra no Vietnã estava então a todo vapor; 184 mil soldados foram deslocados no fim do ano. A chave para derrotar o Vietnã do Norte ainda estava na Trilha de Ho Chi Minh, no Laos, por onde comunistas conduziam homens e material para a batalha com mais rapidez do que os Estados Unidos conseguiam destruí-los. Colby estava desanimado: o inimigo controlava postos avançados estratégicos em todo o Laos, até mesmo nos arredores de Vientiane.

Ele queria um novo chefe para o posto, um comandante de sangue-frio e competente. O homem para esse trabalho era Ted Shackley.

### "UMA HISTÓRIA DE SUCESSO EXEMPLAR"

Quando a convocação foi feita, Shackley era o chefe da CIA em Berlim havia menos de seis meses, depois de uma longa trajetória tentando derrubar Cas-tro, de Miami. Sua carreira se concentrava nos soviéticos, nos cubanos e nos alemães orientais. Nunca estivera em qualquer lugar próximo à Ásia. Ele voou para a base de Udorn, na Tailândia, onde tratores americanos estavam cavan-do a terra vermelha e jatos americanos camuflados intensificavam os ataques aéreos no Vietnã. Shackley recordou ter visto as barras de lançamentos de bom-bas carregadas e pensado: "Ninguém está teorizando aqui."

Ele queria levar a guerra ao inimigo, e queria resultados instantâneos. Co-meçou a construir um império na selva, tendo Jim Lilley como seu subchefe. Eles se tornaram amigos íntimos. O retrato que Lilley fez do homem "ambi-cioso, obstinado e implacável" denuncia isso. "O que ele estava determinado a fazer era fortalecer o posto no Laos e ter um papel crucial na Guerra do Vietnã atingindo a Trilha de Ho Chi Minh", disse Lilley. "Trouxe todo o equipamento paramilitar que tinha para usar contra aquele alvo crucial. Não queria ficar ali sem fazer nada. Queria vencer guerras."

Shackley levou homens do posto em Miami e da base em Berlim nos quais confiava e lhes disse para irem às províncias, formar milícias nas vilas e enviá-las para a luta. As milícias começaram espionando a Trilha de Ho Chi Minh e acabaram em combates. Ele abriu novas bases da CIA em todo o Laos. O número de oficiais da CIA que trabalhavam para Shackley aumentou mais de sete vezes, de 30 para 250. As forças paramilitares do Laos sob seu comando duplicaram, chegando a 40 mil homens. Ele os usou como controladores aéreos avançados para lançar poder aéreo americano em massa sobre o Laos. Em abril de 1966, 29 equipes da CIA que vigiavam estradas no sudeste do Laos estavam verificando movimentos de inimigos no caminho para a base da CIA em Udorn, que enviou bombardeiros americanos para destruí-los.

A força aérea dos EUA começou a transformar as selvas do Laos em áreas desoladas. Bombardeiros B-52 foram ao Vietnã do Norte para destruir vilas e aldeias que estavam na boca da Trilha de Ho Chi Minh. O exército e a marinha enviaram comandos para tentar romper o eixo do caminho no ponto onde este se curvava para o sul.

Shackley contabilizou os danos e o número de mortos. Concluiu que o casamento que promovera entre os membros das tribos das montanhas e a tecnologia militar americana havia "revolucionado a guerra irregular" e "pôs uma arma essencialmente nova nas mãos dos estrategistas americanos". Em Washington, os homens do presidente liam os relatórios de Shackley — muitos milhares de guerreiros do Laos recrutados, muitos comunistas mortos a cada mês, muitas missões cumpridas — e consideravam seu trabalho "uma história de sucesso exemplar". Aprovaram mais dezenas de milhões de dólares para a guerra da CIA no Laos. Shackley achou que estava vencendo a guerra. Mas os comunistas continuavam seguindo a trilha.

### "UMA TERRA FIRME DO SUDESTE DA ÁSIA"

Na Tailândia, a CIA enfrentava um problema político mais complicado: criar a ilusão de democracia.

Em 1953, Walter Bedell Smith e os irmãos Dulles enviaram um extraordinário embaixador americano para Bangcoc: Wild Bill Donovan. Ele tinha 70 anos, mas ainda lhe restava uma batalha para lutar. "O embaixador Donovan recomendou ao presidente Eisenhower que fizessem uma resistência na Tailândia, e tentassem se locomover dali para alguns desses países e interromper o avanço do comunismo", disse Bill Thomas, chefe de informação do embaixador em Bangcoc. "Dinheiro não era empecilho."

Donovan desencadeou um grande surto de operações secretas da CIA em todo o sudeste da Ásia depois da Guerra da Coréia. Foi ajudado pela força policial nacional da Tailândia, de 40 mil membros, cujo comandante, apoiado pela CIA e pela embaixada de Donovan, era um rei do ópio. A agência e um grupo de assistência militar americano em rápida expansão armaram e treinaram os militares tailandeses, cujo comandante controlava os prostíbulos de Bangcoc, bem como os matadouros de porcos e os entrepostos de bebidas. Donovan apoiava publicamente os generais tailandeses como defensores da democracia. A agência usou suas incursões com eles para construir uma base perto de Udorn. Antes um centro nervoso das operações secretas em todo o sudeste da Ásia, depois do 11 de Setembro essa base serviu como prisão secreta para a detenção e interrogatório de radicais islâmicos.

A Tailândia permaneceu sob ditadura militar por mais de uma década depois da saída de Donovan. Em 1965, incitados por Washington, os generais propuseram realizar eleições algum dia. Mas temiam que a esquerda crescesse nas urnas. Então a CIA começou a criar e controlar o processo democrático.

Em 28 de setembro de 1965, Helms, o chefe de operações secretas Desmond FitzGerald e o barão do Extremo Oriente Bill Colby apresentaram à Casa Branca uma proposta de "financiamento de um partido político, apoio eleitoral a esse partido e apoio aos candidatos escolhidos" do partido ao parlamento. Seus planos foram fortemente endossados pelo astuto e ambicioso embaixador americano na Tailândia, Graham Martin, que considerava a CIA seu cofre e polícia particulares. O problema era delicado, relataram eles: "Hoje, a Tailândia ainda está sob uma lei marcial que não permite partidos políticos"; os generais tailandeses "fizeram pouco ou nada para se desenvolver e organizar politicamente para as futuras eleições". Mas, sob a mão firme do embaixador e da CIA, concordaram em unir forças e formar um novo partido. Em troca, a CIA forneceria milhões de dólares para criar a nova máquina política.

O objetivo era dar continuidade a "liderança e controle do atual grupo governante" e "assegurar que o partido criado consiga vencer as eleições com uma maioria confortável e dominante". A agência disse que poderia "literalmente construir um processo eleitoral democrático a partir do zero", de modo que os Estados Unidos pudessem depender de "um regime pró-Ocidente estável numa terra firme do sudeste da Ásia". O presidente Johnson aprovou o plano pessoalmente. A estabilidade da Tailândia era essencial para a vitória americana no Vietnã.

### "APENAS PEGAMOS AS ONDAS PARA A PRAIA"

A CIA advertiu a Casa Branca de que a perda de influência americana na Indonésia tornaria a vitória no Vietnã sem sentido. A agência estava trabalhando duro para encontrar um novo líder para a nação muçulmana mais populosa do mundo.

Então, na noite de 1º de outubro de 1965, aconteceu um terremoto político. Sete anos depois que a CIA tentou derrubá-lo, o presidente Sukarno da Indonésia iniciou o que parecia ser um golpe contra seu próprio governo. Após duas décadas no poder, com sua saúde e sua capacidade de discernimento em declínio, Sukarno tentava sustentar seu regime aliando-se ao Partido Comunista Indonésio, o PKI. O partido crescera em força, obtendo recrutas por meio de lembretes incessantes sobre os ataques da CIA à soberania da nação. Agora era a maior organização comunista do mundo fora da Rússia e da China, com 3,5 milhões de membros.

A guinada de Sukarno para a esquerda provou ser um erro fatal. Pelo menos cinco generais foram assassinados naquela noite, inclusive o chefe do estado-maior do exército. A rádio estatal anunciou que um conselho revolucionário assumira o controle para proteger o presidente e a nação contra a CIA.

O posto em Jacarta tinha poucos amigos no exército ou no governo. Tinha precisamente um agente bem situado: Adam Malik, um ex-marxista desiludido de 48 anos, que fora embaixador de Sukarno em Moscou e seu ministro do Comércio.

Depois de constantes desavenças com seu presidente em 1964, Malik reuniu-se com Clyde McAvoy, da CIA, num esconderijo em Jacarta. McAvoy era o operador secreto que uma década antes havia ajudado a recrutar o futuro primeiro-ministro do Japão. Chegara à Indonésia com ordens de penetrar no PKI e no governo de Sukarno.

"Recrutei e dirigi Adam Malik", disse McAvoy numa entrevista em 2005. "Ele foi o indonésio mais importante que recrutamos." Um amigo em comum havia apresentado um ao outro, dando seu aval pessoal a McAvoy. Esse intermediário era um homem de negócios japonês em Jacarta e um ex-membro do partido comunista japonês. Depois do recrutamento de Malik, a CIA obteve a aprovação de um intenso programa de ações secretas para criar uma divisão política entre esquerda e direita da Indonésia.

Então, em algumas semanas assustadoras de outubro de 1965, o Estado indonésio se dividiu em dois.

A CIA tentou consolidar um governo na sombra, uma liderança triangular formada por Adam Malik, o sultão do centro de Java e um major-general do exército chamado Suharto. Malik usou suas relações com a CIA para realizar uma série de encontros secretos com o novo embaixador americano na Indonésia, Marshall Green. O embaixador disse ter se encontrado com Adam Malik "num local clandestino" e obtido "uma idéia muito clara sobre o que Suharto pensava, o que Malik pensava e o que eles propunham fazer" para livrar a Indonésia do comunismo por meio do novo movimento político que lideravam, o Kap-Gestapu.

"Ordenei que todos os quatorze *walkie-talkies* que tínhamos na embaixada para comunicações de emergência fossem entregues a Suharto", disse o embaixador Green. "Isso representou uma segurança interna adicional para ele e para seus principais oficiais" — e uma maneira para a CIA monitorar o que eles faziam. "Informei isso a Washington e recebi um telegrama muito gratificante de Bill Bundy", secretário-assistente de Estado para o Extremo Oriente e um bom amigo de Green por trinta anos, desde os tempos em que os dois estudavam em Groton.

Em meados de outubro de 1965, Malik enviou um assistente à casa de Bob Martens, principal agente político da embaixada americana, que servira em Moscou quando Malik era o enviado indonésio. Martens deu ao emissário uma lista liberada de 67 líderes do PKI, que ele obtivera reunindo recortes de jornais comunistas. "Certamente não era uma lista de morte", disse Martens. "Era um meio para que os não-comunistas que estavam basicamente lutando por suas vidas — lembre-se, o resultado de uma luta de vida ou morte entre comunistas e não-comunistas ainda era incerto — conhecessem a organização do outro lado." Duas semanas depois, o embaixador Green e o chefe do posto da CIA em Jacarta, Hugh Tovar, começaram a receber relatos de fontes secundárias sobre assassinatos e atrocidades no leste e no centro de Java, onde milhares de pessoas estavam sendo massacradas por tropas de choque civis com a bênção do general Suharto.

McGeorge Bundy e seu irmão Bill resolveram que Suharto e o Kap-Gestapu mereciam o apoio americano. O embaixador Green advertiu-os de que a ajuda não poderia chegar através do Pentágono nem do Departamento de Estado. Não havia como escondê-la; os riscos políticos eram grandes demais. Os três antigos grotonianos — o embaixador, o assessor de segurança nacional e o secretário-assistente de Estado para o Extremo Oriente — concordaram que o dinheiro tinha que ser entregue pela CIA.

Eles concordaram em apoiar o exército com US$ 500 mil em suprimentos médicos a serem enviados por meio da CIA, com a compreensão de que o exército venderia os bens para obter dinheiro, e aprovaram provisoriamente o envio de equipamentos de comunicação sofisticados aos líderes do exército indonésio. Depois de se consultar com Hugh Tovar, da CIA, o embaixador Green enviou um telegrama a Bill Bundy recomendando um pagamento substancial a Adam Malik:

> Isto é para confirmar meu acordo prévio de que forneceremos a Malik 50 milhões de rupias [cerca de US$ 10 mil] para as atividades do movimento Kap-Gestapu. Esse grupo de ação de inspiração militar, mas formado por civis, ainda está carregando o fardo dos atuais esforços repressores... Nosso desejo de ajudá-lo dessa maneira representará, creio, na mente de Malik, nosso endosso a seu atual papel nos esforços do exército contra o PKI, e promoverá boas relações de cooperação entre ele e o exército. As chances de detecção ou de uma revelação subseqüente de nosso apoio nessa ocasião são tão mínimas quanto qualquer operação clandestina pode ser.

Uma grande onda de violência começou a surgir na Indonésia. O general Suharto e seu Kap-Gestapu massacraram uma multidão. O embaixador Green disse mais tarde ao vice-presidente Hubert H. Humphrey, numa conversa no escritório do vice-presidente no Capitólio, que "300 mil a 400 mil pessoas foram mortas" em "um banho de sangue". O vice-presidente comentou que conhecia Adam Malik havia muitos anos, e o embaixador o elogiou como "um dos homens mais inteligentes que já conheci". Malik foi empossado como ministro do Exterior e foi convidado a passar vinte minutos com o presidente dos Estados Unidos no Salão Oval. Eles conversaram a maior parte do tempo sobre o Vietnã. No fim da discussão, Lyndon Johnson disse que estava observando os acontecimentos na Indonésia com o maior interesse e desejou boa sorte a Malik e Suharto. Com o apoio dos Estados Unidos, mais tarde Malik se tornaria presidente da Assembléia Geral das Nações Unidas.

O embaixador Green revisou com seu convidado o índice de mortos na Indonésia, numa sessão secreta da Comissão de Relações Exteriores do Senado. "Acho que aumentamos aquela estimativa talvez para quase 500 mil pessoas", disse ele em testemunho liberado em março de 2007. "É claro que ninguém sabe. Apenas avaliamos por meio de vilas inteiras que ficaram sem suas populações."

O presidente da comissão, senador J. William Fulbright, do Arkansas, fez a pergunta seguinte de maneira simples e direta.

"Estávamos envolvidos no golpe?", perguntou ele.

"Não, senhor", disse o embaixador Green.

"Estávamos envolvidos na tentativa anterior de golpe?", indagou o senador.

"Não", disse o embaixador. "Acho que não."

"A CIA participou disso?", continuou Fulbright.

"O senhor quer dizer 1958?", perguntou Green. A agência dirigira aquele golpe, é claro, desde o desastrado começo até o amargo fim. "Temo não poder responder", disse o embaixador. "Eu não sei com certeza o que aconteceu."

Foi um momento perigoso, quase revelando uma operação desastrosa e suas conseqüências mortais, mas o senador o deixou passar. "O senhor não sabe se a CIA estava envolvida ou não", disse Fulbright. "E não estávamos envolvidos neste golpe."

"Não, senhor", disse o embaixador. "Definitivamente não."

Mais de um milhão de prisioneiros políticos foram encarcerados pelo novo regime. Alguns passaram décadas na prisão. Alguns morreram ali. A Indonésia continuou sendo uma ditadura militar pelo resto da guerra fria. As conseqüências da repressão ressoam até hoje.

Durante quarenta anos, os Estados Unidos negaram qualquer envolvimento com o massacre realizado em nome do anticomunismo na Indonésia. "Não criamos as ondas", disse Marshall Green. "Apenas pegamos as ondas para a praia."

## "GENUÍNA E PROFUNDAMENTE EM APUROS"

Vinte anos antes, Frank Wisner e Richard Helms deixaram Berlim juntos e voaram para Washington, imaginando se algum dia haveria uma Agência Central de Inteligência. Ambos ascenderam para liderar o serviço clandestino. Agora, um deles estava prestes a chegar ao topo do poder. O outro caíra num abismo.

Durante meses a fio, Frank Wisner vinha remoendo pensamentos em sua adorável casa em Georgetown, bebendo de copos de cristal cheios de uísque, num desespero sombrio. Entre os segredos mais bem guardados da CIA estava o de que um de seus fundadores passara anos entrando e saindo do hospício. Wisner foi retirado do cargo de chefe do posto de Londres e obrigado a se aposentar depois que sua doença mental atacou novamente em 1962. Ele vinha delirando sobre Adolf Hitler, vendo coisas, ouvindo vozes. Sabia que nunca ficaria bom. Em 29 de outubro de 1965, ele tinha programado uma caçada em sua propriedade na costa leste de Maryland com um velho amigo da CIA, Joe Bryan. Naquela tarde, Wisner foi para sua casa de campo, apanhou uma espingarda de caça e disparou na cabeça. Tinha 56 anos. Seu funeral, na Catedral Nacional, foi magnífico. Ele foi enterrado no Cemitério Nacional de Arlington, e sua lápide dizia: "Tenente, marinha dos Estados Unidos."

O espírito de equipe da guerra fria estava começando a desaparecer. Apenas algumas semanas depois do enterro de Wisner, Ray Cline, vice-diretor de inteligência, procurou Clark Clifford, presidente do grupo de assessoria de inteligência do presidente, e arruinou Red Raborn.

Cline advertiu que o diretor era um perigo para a nação. Em 25 de janeiro de 1966, Clifford disse a McGeorge Bundy — que estava pronto para renunciar, após cinco exaustivos anos como assessor de segurança nacional — que a equipe de inteligência estava "genuína e profundamente em apuros devido ao problema de liderança na CIA". Poucos dias depois, um bem plantado vazamento para o *Washington Star* informou a Raborn que ele estava prestes a sair. O almirante reagiu. Enviou uma longa lista de suas realizações a Bill Moyers, assessor do presidente: a agência havia interrompido as ações secretas antigas e improdutivas, instalado um centro de operações 24 horas para alimentar o presidente com notícias e informações, duplicado a força das equipes de contraterrorismo no Vietnã e triplicado seu esforço geral em Saigon. Ele assegurou à Casa Branca que o moral estava alto na sede e no exterior. Na manhã de 22 de fevereiro de 1966, o presidente Johnson leu a orgulhosa auto-avaliação do almirante Raborn, pegou o telefone e ligou para McGeorge Bundy.

Raborn estava "*totalmente inconsciente* do fato de não estar agradando e não estar fazendo um bom trabalho", disse o presidente. "Ele acha que fez grandes avanços e que é um grande sucesso. E temo que Helms esteja deixando que ele pense assim."

LBJ não encarregou ninguém de liderar o grupo de análise de ações secretas, conhecido como Comissão 303, depois da renúncia de Bundy naquela semana. As operações que precisavam da atenção da Casa Branca permaneceram em suspenso, inclusive um plano de ajustar as eleições na República Dominicana em favor de um ex-presidente exilado que vivia em Nova York e uma nova infusão de dinheiro e armas para o ditador do Congo. Johnson deixou a cadeira vazia durante março e abril de 1966. De início, queria que Bill Moyers — mais tarde a voz esquerdista mais lúcida da televisão pública — assumisse a Comissão 303. Moyers participou de uma reunião em 5 de maio de 1966, estremeceu e recusou a honra. O presidente nomeou então seu mais leal cumpridor de ordens, Walt Whitman Rostow, novo assessor de segurança nacional e presidente da 303. A comissão voltou a trabalhar em maio. Apesar da calmaria, aprovou 54 grandes ações secretas da CIA naquele ano, a maioria em apoio à guerra no sudeste da Ásia.

Finalmente, no terceiro sábado de junho de 1966, o telefonista da Casa Branca fez uma ligação do presidente para a casa de Richard Helms. Aos 53 anos, grisalho, em boa forma graças ao tênis, Helms dirigia seu velho Cadillac preto até a sede todas as manhãs às 6h30, pontual como um relógio suíço, inclusive aos sábados. Aquele era um raro dia de folga. O que começou para ele como um romance em tempo de guerra com a inteligência secreta tornou-se uma paixão que o consumia. Seus casamento de 27 anos com Julia Shields, uma escultora seis anos mais velha, estava acabando por falta de atenção. Seu filho estava fora, na universidade. Sua vida era inteiramente dedicada à agência. Quando ele atendeu o telefone, seu maior desejo foi realizado.

Sua cerimônia de juramento aconteceu na Casa Branca em 30 de junho. O presidente levou a Banda de Fuzileiros Navais para se apresentar. Agora Helms comandava quase 20 mil pessoas — mais de um terço delas espionando no exterior — e um orçamento de aproximadamente um bilhão de dólares. Era reconhecido como um dos homens mais poderosos de Washington.

# 25 "SABÍAMOS ENTÃO QUE NÃO CONSEGUIRÍAMOS VENCER A GUERRA"

Duzentos e cinqüenta mil soldados americanos estavam na guerra quando Richard Helms assumiu o controle da CIA. Mil operações secretas no sudeste da Ásia e três mil analistas de inteligência nos EUA estavam sendo consumidos pelo crescente desastre.

Na sede, uma batalha se armava. O trabalho dos analistas era avaliar se a guerra podia ser vencida. O trabalho do serviço clandestino era ajudar a vencê-la. A maioria dos analistas estava pessimista; a maioria dos operadores estava entusiasmada. Eram pessoas que trabalhavam em mundos diferentes; havia guardas armados entre as diretorias da sede. Helms se sentia como se fosse "um cavaleiro circense com cada perna em um cavalo; cada cavalo seguindo seu próprio caminho pelo melhor dos motivos".

Um dos centenas de novos recrutas da CIA que chegou para trabalhar no verão em que Helms assumiu o poder era um rapaz de 23 anos que se alistara por diversão, em busca de uma viagem grátis a Washington durante seu último ano na Universidade de Indiana. Bob Gates, futuro diretor da central de inteligência e secretário de Defesa, seguiu num ônibus da agência do centro de Washington até uma entrada para carros ladeada por uma cerca alta com desenho em forma de corrente, encimada por arame farpado. Ele entrou num prédio sombrio de sete andares de concreto, com antenas no alto.

"O interior do prédio era enganosamente agradável", relembrou ele. "Corredores longos, sem decoração. Cubículos minúsculos para se trabalhar. Pisos de linóleo. Móveis de metal, no padrão do governo. Parecia uma gigantesca empresa de seguros. Mas não era." A CIA fez de Gates uma maravilha em noventa dias, um segundo-tenente instantâneo, e o enviou para a Base Whiteman da Força Aérea, no Missouri, para aprender a ciência do objetivo nuclear. Dali, o novo analista da CIA vislumbrou com um calafrio o curso da guerra no Vietnã: os Estados Unidos estavam ficando sem pilotos, e coronéis de cabelo branco eram enviados para bombardear os comunistas.

"Sabíamos então", recordou Gates, "que não conseguiríamos vencer a guerra."

## "PROBLEMA AGORA RESOLVIDO"

Helms e seu chefe para o Extremo Oriente, Bill Colby, eram profissionais de operações secretas de carreira, e seus relatos para o presidente refletiam o espírito confiante do velho serviço clandestino. Helms disse a LBJ: "A Agência está se esforçando ao máximo para contribuir para o sucesso do programa total dos EUA no Vietnã." Colby enviou à Casa Branca uma avaliação radiante do posto da CIA em Saigon. Embora "a guerra não tenha de modo algum acabado", relatou ele, "os informes de meus colegas soviéticos ou chineses demonstram uma grande preocupação com os problemas cada vez maiores dos vietcongues e a firme melhoria da capacidade tanto dos sul-vietnamitas quanto dos americanos de lutar uma guerra do povo". George Carver, que Helms escolhera para ser seu assistente especial para assuntos vietnamitas, também era um constante portador de notícias alegres para a Casa Branca.

Mas os melhores analistas da CIA concluíram, num estudo da extensão de um livro, *A disposição dos comunistas vietnamitas em persistir* — enviado ao presidente e talvez a uma dúzia de assessores importantes —, que nada que os Estados Unidos estavam fazendo poderia derrotar o inimigo. Quando o secretário de Defesa McNamara leu esse relatório em 26 de agosto de 1966, telefonou imediatamente para Helms e pediu para se encontrar com o principal especialista da CIA em Vietnã. Contudo, Carver estava de férias por uma semana. Então seu vice, George Allen, foi chamado ao escritório interno do Pentágono para sua primeira e única conversa cara a cara com o secretário de Defesa. Foi marcada para as 10h30 uma reunião de meia hora. A conversa acabou sendo o único verdadeiro encontro de mentes da CIA e do Pentágono durante a presidência de Lyndon Johnson.

McNamara ficou fascinado ao saber que Allen tinha passado dezessete anos trabalhando no Vietnã. Não sabia que havia alguém que se dedicara ao conflito durante tanto tempo. Bem, disse ele, você deve ter algumas idéias sobre o que fazer. "Ele queria saber o que eu faria se estivesse em seu lugar", recordou Allen. "Resolvi responder com franqueza."

"Pare de aumentar as forças americanas", disse Allen. "Interrompa o bombardeio no norte e negocie um cessar-fogo com Hanói." McNamara chamou sua secretária e deu ordens de cancelar o resto de seus compromissos até depois do almoço.

Por que, perguntou o secretário de Defesa, os Estados Unidos optariam por deixar os dominós caírem na Ásia? Allen respondeu que os riscos na negociação de paz não eram maiores do que no teatro da guerra. Se os Estados Unidos parassem de bombardear e começassem a negociar com a China e a União Soviética, bem como com seus aliados e inimigos asiáticos, poderia haver paz com honra.

Depois de noventa minutos dessa instigante heresia, McNamara tomou três decisões fatais. Pediu à CIA para fazer uma ordem de batalha, uma estimativa das forças inimigas reunidas contra os Estados Unidos. Disse a seus assessores para começarem a reunir uma história ultra-secreta da guerra desde 1954 — os Papéis do Pentágono. E questionou o que ele estava fazendo no Vietnã. Em 19 de setembro, McNamara telefonou para o presidente: "Estou pessoalmente cada vez mais convencido de que devemos definitivamente planejar o término dos bombardeios no norte", disse ele. "Acho também que devemos planejar, conforme mencionei antes, um limite para o nível de nossas forças. Não acho que devamos apenas olhar para o futuro e dizer que vamos aumentar, aumentar, aumentar e aumentar — 600 mil, 700 mil, o que for necessário." A única resposta do presidente foi um resmungo ininteligível.

McNamara compreendeu, tarde demais, que os Estados Unidos tinham subestimado dramaticamente a força dos insurgentes que matavam soldados americanos no Vietnã, um erro fatal que seria repetido muitos anos depois no Iraque. O estudo de ordem de batalha que ele encomendou deflagrou um conflito entre os comandantes militares em Saigon e os analistas da CIA na sede. Os Estados Unidos enfrentavam um total de pouco menos de 300 mil combatentes comunistas no Vietnã, como sustentavam os militares, ou mais de 500 mil, como acreditava a maioria dos analistas?

A diferença estava no número de guerrilheiros, soldados não regulares, milicianos — soldados sem uniformes. Se o inimigo representava uma força de meio milhão de homens depois de dois anos de incansáveis bombardeios de aviões americanos e intensos ataques de soldados americanos, era um sinal de que a guerra realmente não poderia ser vencida. O número subestimado era ponto de honra para o general William Westmoreland, comandante militar americano no Vietnã do Sul, e seu assessor, Robert Komer. Conhecido como "Blowtorch Bob",[27] Komer era membro da CIA desde que esta fora criada, e dirigia para Westmoreland uma campanha de contra-insurgência nova e em rápida expansão, de codinome Phoenix. Regularmente, ele enviava memorandos secretos a LBJ dizendo que a vitória estava nas mãos. A verdadeira questão, afirmava, não era se estávamos vencendo, mas com que rapidez queríamos vencer.

A discussão avançou e recuou durante meses. Finalmente, Helms enviou Carver a Saigon para negociar com Westmoreland e Komer. As conversas não foram bem. Os militares se defendiam. Em 11 de setembro de 1967, a discussão chegou ao auge.

"Vocês simplesmente têm que se afastar", disse Komer a Carver, num monólogo de uma hora durante um jantar. A verdade poderia "criar um desastre público e desfazer tudo o que temos lutado para realizar aqui". Carver enviou um telegrama a Helms dizendo que os militares não seriam dobrados. Eles tinham que provar que estavam vencendo. Enfatizaram "sua frustrante incapacidade de convencer a imprensa (e conseqüentemente o público) de que estava havendo um grande progresso e a importância absoluta de não dizer nada que prejudicasse a imagem de progresso", relatou Carver ao diretor. Quantificar o número de vietcongues não regulares no Vietnã do Sul "produziria um total politicamente inaceitável de mais de 400 mil". Como os militares tinham "um total predeterminado, fixado com base em relações públicas, não podemos avançar mais (a não ser que o senhor oriente de outra forma)".

Helms sentiu uma pressão esmagadora para entrar no time — e para enfeitar o relato da CIA de modo a adequá-lo à política do presidente. Ele sucumbiu. Disse que o número "não significava nada". A agência aceitou oficialmente o cálculo falsificado de 299 mil soldados inimigos ou menos. "Problema agora resolvido", telegrafou Carver em resposta ao diretor.

---

[27]"Bob Maçarico." (*N. do T.*)

A supressão e a falsificação de relatos sobre o Vietnã tinham uma longa história. Na primavera de 1963, John McCone sofrera uma enorme pressão do Pentágono para se livrar de uma estimativa pessimista sobre "a fraqueza muito grande" do governo do Vietnã do Sul — incluindo baixo moral entre os soldados, falta de inteligência e infiltração comunista nas forças armadas. A CIA reescreveu a estimativa para afirmar: "Acreditamos que o progresso comunista tem diminuído e que a situação está melhorando." A CIA *não* acreditava nisso. Poucas semanas depois aconteceram os distúrbios em Hue, seguidos dos budistas em chamas e da conspiração para eliminar Diem.

A pressão nunca cessou; o novo assessor de segurança nacional do presidente, Walt Rostow, ordenava constantemente que a CIA produzisse para a Casa Branca boas notícias sobre a guerra. Afinal, de que lado vocês estão?, rosnava Rostow. Mas no mesmo dia em que Helms resolveu o problema, ele também enviou ao presidente um estudo da CIA brutalmente honesto. "O documento em anexo é delicado, particularmente se sua *existência* for vazada", começava a carta de Helms ao presidente. "Ele não foi dado, e não será dado, a nenhum outro funcionário do governo." O próprio título do relatório — "Implicações de um Resultado Desfavorável no Vietnã" — era explosivo. "A proposição obrigatória", dizia, era de que "os EUA, agindo de acordo com as restrições impostas por suas tradições e atitudes públicas, não podem esmagar um movimento revolucionário suficientemente grande, dedicado, competente e bem apoiado... A estrutura do poder militar dos EUA é inadequada para lidar com uma guerra de guerrilha travada por um oponente determinado, engenhoso e politicamente astuto. Esta não é uma descoberta nova."

Em Saigon, os melhores oficiais da CIA estavam fazendo sua própria descoberta. Quanto mais informação eles reuniam, mais notavam quão pouco sabiam.

Mas agora pouco importava o que a CIA relatava a Washington. Nunca houvera uma guerra em que tanta inteligência era posta nas mãos dos comandantes: documentos do inimigo apreendidos, interrogatórios brutais de prisioneiros de guerra, interceptações eletrônicas, reconhecimento aéreo, relatórios de campo levados para o posto de Saigon em meio ao sangue e à lama das linhas de frente, análises cuidadosas, estudos estatísticos, sínteses trimestrais de tudo o que a CIA e os comandantes militares americanos sabiam. Hoje, uma antiga fábrica de torpedos não muito longe do Pentágono abriga 12,8 quilômetros de microfilmes, uma pequena parte do arquivo da inteligência americana obtida na guerra.

Nunca tanta inteligência significara tão pouco. A guerra era conduzida por meio de uma série de mentiras que os líderes dos Estados Unidos diziam um ao outro e ao povo americano. A Casa Branca e o Pentágono continuaram tentando convencer o povo de que a guerra estava indo bem. Com o tempo, os fatos verdadeiros prevaleceriam.

# 26 "UMA BOMBA H POLÍTICA"

Em 13 de fevereiro de 1967, Richard Helms estava em Albuquerque, ao fim de um longo dia de visitas a laboratórios de armas nucleares americanas, quando um agitado funcionário de comunicações da CIA o encontrou em seu quarto de hotel com uma mensagem da Casa Branca: Volte para Washington imediatamente.

Uma pequena publicação mensal de esquerda chamada *Ramparts* estava prestes a publicar uma notícia de que a Associação Nacional de Estudantes, um grupo de universitários americanos respeitado mundialmente, recebera durante anos uma generosa mesada da agência. A sede da CIA acabara de advertir a Casa Branca de que haveria uma tempestade por causa do "envolvimento da CIA com organizações e fundações voluntárias privadas. Provavelmente a CIA será acusada de interferir de maneira imprópria em assuntos internos, e de manipular e pôr em perigo jovens inocentes. O governo provavelmente será atacado".

Quando a notícia estourou, o presidente Johnson anunciou imediatamente que Nick Katzenbach, o número dois do Departamento de Estado, lideraria uma análise de cima a baixo das relações que a CIA havia forjado com organizações voluntárias privadas nos Estados Unidos. Como Helms era o único que sabia precisamente o que havia acontecido, "LBJ deixou comigo a responsabilidade de tirar do fogo aqueles oficiais da agência que estavam queimados".

James Reston, do *New York Times*, observou com propriedade que as ligações da CIA com certas estações de rádio, publicações e sindicatos trabalhistas não identificados estavam agora também em risco. De uma hora para outra, duas décadas de trabalho secreto da CIA estavam sendo expostas.

Revelou-se que a Rádio Europa Livre, a Rádio Liberdade e o Congresso para Liberdade Cultural eram criações da agência. Todas as pequenas revistas influentes que haviam florescido sob a bandeira da esquerda liberal anticomunista, todos os grupos eminentemente respeitáveis que haviam servido como canais para o dinheiro e as pessoas da CIA — tais como a Fundação Ford e a Fundação Ásia — estavam agora interligados num conjunto de provas por escrito sobre corporações e organizações de fachada ligadas à CIA. Quando um explodiu, todos os outros explodiram.

As rádios eram provavelmente as mais influentes operações de guerra política da história da agência. A CIA gastara quase US$ 400 milhões subsidiando-as, e havia motivos para acreditar que milhões de ouvintes por trás da cortina de ferro apreciavam cada palavra que elas transmitiam. Mas sua legitimidade foi abalada quando se revelou que eram freqüências da CIA.

A agência tinha construído um castelo de areia, e Helms sabia disso. O apoio da CIA às rádios e fundações representava alguns dos maiores programas de ação secreta que a agência realizara. Mas não havia nada de realmente clandestino neles. Dez anos antes, Helms debatera com Wisner sobre cancelar gradualmente os subsídios secretos e deixar que o Departamento de Estado lidasse com as rádios. Eles concordaram em tentar convencer o presidente Eisenhower, mas nunca seguiram os planos. Desde 1961, o secretário de Estado Dean Rusk vinha advertindo que os milhões de dólares que fluíam da CIA para grupos de estudantes e fundações privadas eram "objeto comum de fofocas, ou de informações, tanto aqui quanto no exterior". Durante um ano, a *Ramparts* esteve no radar da agência; Helms enviara um memorando a Bill Moyers, da Casa Branca, detalhando o comportamento político e pessoal de seus editores e repórteres.

Mas a CIA não era a única culpada de negligência em se tratando do controle das ações secretas. Durante anos, a Casa Branca, o Pentágono e o Departamento de Estado falharam em ficar de olho na agência. Mais de trezentas grandes operações secretas foram iniciadas desde a posse do presidente Kennedy — e, exceto por Helms, ninguém que estava no poder na época sabia sobre a maioria delas. "Não temos detalhes adequados sobre como certos programas são realizados e não revisamos continuamente os grandes programas em execução", relatou um agente de inteligência do Departamento de Estado em 15 de fevereiro de 1967.

Os mecanismos criados para proteger a CIA e investir em seu serviço clandestino com autoridade presidencial não estavam funcionando. Nunca tinham funcionado. Havia uma sensação cada vez maior na Casa Branca, no Departamento de Estado, no Departamento de Justiça e no Congresso de que a agência escapara ligeiramente do controle.

## "O QUE ELAS TENCIONAM ESPECIFICAMENTE É MATÁ-LO"

Em 20 de fevereiro de 1967, o presidente telefonou para o procurador-geral dos Estados Unidos em exercício, Ramsey Clark.

Cinco semanas antes, LBJ e o colunista Drew Pearson tiveram uma conversa não-registrada de uma hora na Casa Branca. Não por acaso a coluna de Pearson se chamava *Carrossel de Washington*. Ele fizera a cabeça do presidente dar voltas com uma notícia sobre John Rosselli, da Máfia, o amigo leal de Bill Harvey, da CIA, que era inimigo jurado do senador Robert F. Kennedy.

"Essa história que saiu sobre a CIA... enviando gente para pegar Castro", disse LBJ a Ramsey Clark. "É *incrível.*" Ele contou a história conforme ouvira: "Eles têm um homem que estava envolvido, que foi levado para lá pela CIA, assim como vários outros, e foi instruído pela CIA e pelo procurador-geral a assassinar Castro depois da Baía dos Porcos... Eles tinham umas pílulas." Cada palavra era verdade. Mas a história continuava. E levou Johnson a uma conclusão assustadora, embora infundada: Castro havia capturado os conspiradores e "os torturou. E eles disseram a Castro tudo sobre aquilo... Então ele pensou, 'Está bem. Vamos cuidar disso'. Ele chamou Oswald e um grupo e lhes disse para... fazer o *trabalho*". O trabalho era o assassinato do presidente dos Estados Unidos.

Johnson disse a Ramsey Clark para descobrir o que o FBI sabia sobre as conexões entre a CIA, a Máfia e Bobby Kennedy.

Em 3 de março, a coluna de Pearson relatou que "o presidente Johnson está sentado sobre uma bomba H política — um relato não confirmado de que o senador Robert Kennedy pode ter aprovado um plano de assassinato que teve conseqüências negativas para seu falecido irmão". O trecho deixou Bobby Kennedy bastante assustado. Ele almoçou com Helms no dia seguinte, e o diretor levou consigo a única cópia do único memorando da CIA que ligava Kennedy ao plano da Máfia contra Castro.

Dois dias depois, o FBI concluiu um relatório para o presidente com o pungente título "Intenções da Agência Central de Inteligência de Enviar Criminosos a Cuba para Assassinar Castro". O texto era claro e conciso: a CIA tentara matar Castro. A agência contratara membros da Máfia para fazer isso. Robert Kennedy, como procurador-geral, sabia sobre o plano da CIA quando este foi desenvolvido, e sabia que a Máfia estava envolvida.

O presidente Johnson remoeu o assunto durante duas semanas antes de ordenar a Helms que fizesse uma investigação oficial da CIA sobre as conspirações contra Castro, Trujillo e Diem. Helms não teve escolha. Disse ao inspetor-geral da CIA, John Earman, para entrar em ação. Earman chamou a seu escritório o punhado de homens que sabiam o que tinha acontecido; ele reuniu os arquivos da CIA um por um, chegando aos poucos a um relato detalhado.

O secretário de Estado Rusk ordenou ao chefe do escritório de inteligência do Departamento de Estado, Tom Hughes, que fizesse sua própria análise independente sobre as operações secretas da CIA. Em 5 de maio, Hughes se reuniu com Rusk e Katzenbach no escritório iluminado por candelabros do secretário de Estado. Os três discutiram se o presidente deveria impor sérias restrições ao serviço clandestino. Hughes acreditava que comprar políticos estrangeiros, apoiar golpes e entregar armas a rebeldes no exterior eram coisas que poderiam corroer os valores americanos. Ele propôs que os Estados Unidos restringissem as ações secretas "a um mínimo irredutível". Estas deveriam acontecer apenas quando "os resultados esperados são essenciais para a segurança nacional ou para os interesses nacionais; são tão valiosos que compensam os riscos; e não podem ser efetivamente obtidos de qualquer outra maneira". Rusk levou essas idéias a Richard Helms, que não discordou fortemente.

Naquela mesma semana, Helms leu muito cuidadosamente o rascunho do relatório de 133 páginas do inspetor-geral da CIA. Dizia que os assassinos de Diem e Trujillo tinham sido "incentivados mas não controlados pelo governo dos EUA". Mas dissecava em amargos detalhes o mecanismo dos planos contra Castro. "Não queremos enfatizar excessivamente até que ponto oficiais responsáveis da agência se sentiram sujeitos às severas pressões do governo Kennedy para fazer alguma coisa em relação a Castro", dizia. "Encontramos pessoas falando vagamente sobre 'fazer alguma coisa em relação a Castro' quando está claro que o que elas tencionam especificamente é matá-lo." Embora a pressão tivesse vindo dos níveis mais altos do governo, o relatório silenciou sobre a questão da autorização presidencial. O único homem que poderia fornecer uma resposta definitiva, o senador Robert F. Kennedy, estava ocupado naquele momento co-patrocinando um projeto de lei que aumentava a pena federal para profanação da bandeira americana.

O relatório implicava cada agente da CIA que trabalhara como chefe do serviço clandestino — Allen Dulles, Richard Bissell, Richard Helms e Desmond FitzGerald — em conspirações para assassinato. Punha um fardo particularmente pesado sobre FitzGerald. Dizia que, na semana em que o presidente Kennedy foi assassinado, ele prometera pessoalmente fornecer fuzis poderosos com miras telescópicas ao agente cubano Rolando Cubela, que jurara matar Castro. FitzGerald negou veementemente, mas as chances de que estivesse mentindo eram grandes.

Em 10 de maio, Helms pôs na pasta suas anotações sobre o relatório do inspetor-geral e foi ver o presidente. Não se conhece qualquer registro sobre o que conversaram. Em 23 de maio, Helms testemunhou diante da subcomissão do senador Richard Russell para a CIA. Russell sabia mais sobre os assuntos da agência do que qualquer pessoa de fora. Era mais próximo do presidente Johnson do que qualquer homem em Washington. Ele fez uma pergunta bastante incisiva a Helms no contexto do assassinato político. Perguntou sobre "a capacidade" da CIA "de manter ex-funcionários em silêncio".

Naquele dia, Helms voltou para a sede e assegurou que cada folha de papel criada pela investigação do inspetor-geral fosse destruída. Manteve uma única cópia do relatório trancada com segurança em seu cofre, onde permaneceu intocada pelos seis anos seguintes.

Helms estava bem consciente de que o agente da CIA que conhecia os fatos mais incriminadores sobre a conspiração contra Castro era o perigosamente instável Bill Harvey, que tinha sido demitido da chefia do posto em Roma por embriaguez crônica, mas permanecia na folha de pagamento, tropeçando pelos corredores da sede. "Bill aparecia em algumas reuniões completamente bêbado", disse Red White, diretor-executivo da CIA. "Ele bebia uns martínis gigantes." White recordou ter se reunido no escritório de Helms com Des FitzGerald e Jim Angleton na última semana de maio de 1967. O assunto era o que fazer com Harvey. Eles facilitaram seu afastamento da agência com o maior cuidado e tentaram assegurar que tivesse uma aposentadoria tranqüila. O diretor de segurança da CIA, Howard Osborn, levou o fracassado agente para almoçar e registrou "sua extrema amargura em relação à agência e ao diretor", bem como seu desejo de chantagear ambos se fosse posto contra a parede. Antes de sua morte, Harvey retornaria para assombrar a CIA.

## "UM HOMEM OBCECADO"

Aquele foi um período de grande perigo profissional para Helms. Durante a primavera de 1967, ele enfrentou uma outra crise na sede tão grave quanto a bomba-relógio dos planos de assassinato. Alguns de seus melhores oficiais iniciaram uma rebelião interna contra as teorias de conspiração de Jim Angleton.

Durante mais de uma década, desde que obtivera com ajuda de Israel uma cópia do discurso secreto de Kruschev denunciando Stalin, Angleton gozara de um elevado status na CIA. Ele ainda controlava as contas e contatos de Israel com o FBI e mantinha seu papel crucial de chefe da contra-inteligência: era o homem que protegia a agência contra a infiltração de espiões comunistas. Mas sua opinião sobre um "plano mestre" visionado por Moscou começara a envenenar a agência. Uma história secreta da CIA sobre Richard Helms quando este era diretor da central de inteligência, liberada em fevereiro de 2007, revela em detalhes o tom preciso do trabalho de Angleton na sede:

> Em meados dos anos 1960, Angleton conservava uma série de opiniões que, se precisas, prenunciavam graves conseqüências para os Estados Unidos. Angleton acreditava que a União Soviética, orientada pelo mais habilidoso grupo de líderes que já servira a um só governo, era implacável em sua hostilidade ao Ocidente. O comunismo internacional permanecia monolítico, e relatos sobre um rompimento entre Moscou e Pequim eram apenas parte de uma elaborada "campanha de desinformação". Um "Bloco Socialista integrado e determinado", escreveu Angleton em 1966, procurava fomentar histórias falsas de "divisões, evoluções, conflitos de poder, desastres econômicos [e] comunismo bom e mau" para mostrar "um labirinto de espelhos" ao confuso Ocidente. Uma vez que esse programa de ilusão estratégica conseguisse desintegrar a solidariedade ocidental, Moscou teria facilidade em destruir as nações do Mundo Livre uma por uma. Na opinião de Angleton, só os serviços de inteligência ocidentais poderiam reagir a esse desafio e impedir um desastre. E como os soviéticos estavam infiltrados em cada um desses serviços, o destino da civilização ocidental se via, em grande parte, nas mãos de especialistas de contra-inteligência.

Angleton era um doente — "um homem de pensamentos frouxos e desconexos cujas teorias, quando aplicadas a assuntos públicos, evidentemente não mereciam ser levadas a sério", como concluiu mais tarde uma avaliação oficial da CIA. As conseqüências de acreditar nele foram graves. Na primavera de 1967, estas incluíam a continuidade do encarceramento de Yuri Nosenko, o desertor soviético que havia três anos estava preso ilegalmente em condições desumanas numa instalação da CIA; uma série de falsas acusações a oficiais da divisão soviética equivocadamente suspeitos de espionar para Moscou; e uma recusa em aceitar a palavra de quaisquer desertores soviéticos e agentes recrutados. "Funcionários leais à agência tornaram-se suspeitos de traição com base somente em coincidências e provas circunstanciais frágeis", diz a história secreta da CIA sobre os anos Helms. "Operações permanentes contra alvos soviéticos foram encerradas, e outras, novas, interrompidas, devido à convicção de que o Kremlin, prevenido por um agente duplo dentro da CIA, transformara a maioria dos colaboradores da CIA em traidores. Informações valiosas fornecidas por desertores e fontes de longa data eram ignoradas, por medo de que estivessem corrompidas de alguma forma."

Uma pequena mas determinada resistência a Angleton começava a crescer dentro do serviço clandestino. "Em vez de estarmos sendo desinformados pelo inimigo, estamos iludindo a nós mesmos", disse um alto oficial da divisão soviética chamado Leonard McCoy num memorando que Helms leu pela primeira vez em abril de 1967; ele disse a Helms que a mentalidade angletoniana havia provocado uma completa "paralisia de nossos esforços contra os soviéticos". Em maio, Howard Osborn, diretor do Escritório de Segurança da CIA, advertiu que o caso Nosenko era uma abominação legal e moral. Helms pediu ao vice-diretor da central de inteligência, almirante Rufus Taylor, que tentasse resolver o caso. Taylor relatou em resposta que Nosenko de maneira alguma era um agente duplo, que a divisão soviética estava sendo destruída e que Helms tinha que libertar o prisioneiro e fazer algumas mudanças importantes no corpo de funcionários para limpar o ar.

Angleton e sua equipe não produziam quase nenhum relatório de inteligência para o resto da agência; ele se considerava o cliente final daquele trabalho e se recusava a compartilhar suas conclusões por escrito. Sabotou chefes de postos em toda a Europa, minou serviços de inteligência aliados e envenenou o ambiente na agência — tudo isso sem "uma única prova de que havia ou de que algum dia houve" um agente duplo dentro da divisão soviética, como protestou inutilmente Rolfe Kingsley, recém-nomeado chefe da divisão subordinada a Helms. Helms acreditava, nas palavras do almirante Taylor, que "Jim era um homem obcecado... Helms deplorava aquela obsessão, mas achava que Angleton era tão valioso e difícil de substituir, que suas outras qualidades compensavam as desvantagens daquela obsessão".

Apesar das carreiras destruídas, das vidas prejudicadas e do caos absoluto que Angleton criou, Helms nunca perdeu a fé nele. Por quê? Primeiro, até onde se sabe, porque a CIA nunca foi infiltrada por um traidor ou espião soviético durante os vinte anos em que Angleton comandou a contra-inteligência, e Helms lhe era eternamente grato por isso. Segundo, como a história dos anos Helms deixa claro pela primeira vez, porque Angleton foi em parte responsável por seu maior triunfo como diretor da central de inteligência: o aviso preciso da CIA sobre a Guerra dos Seis Dias.

Em 5 de junho de 1967, Israel lançou um ataque ao Egito, à Síria e à Jordânia. A CIA o viu com antecipação. Os israelenses vinham dizendo à Casa Branca e ao Departamento de Estado que estavam em grande perigo. Helms disse ao presidente que se tratava de uma manobra calculada, uma mentira inofensiva contada na esperança de obter direto apoio militar americano. Para grande alívio de Lyndon Johnson, Helms disse que Israel atacaria na hora e no lugar que escolhesse, e que provavelmente venceria rapidamente — em questão de dias. A principal fonte daquela previsão confiante foi Angleton, que a obtivera com seus amigos nos níveis mais altos da inteligência israelense, e a relatou direta e exclusivamente a Helms. Suas palavras estavam certas. "A subseqüente acurácia dessa previsão estabeleceu a reputação de Helms na Casa Branca de Johnson", registrou a história da CIA. "Essa experiência quase certamente constituiu o ponto alto do serviço de Helms como diretor. Também consolidou a estima do diretor por Angleton."

LBJ ficou devidamente impressionado com o raro tiro certeiro. Helms contou orgulhosamente a historiadores da CIA que Johnson, pela primeira vez em seu governo, percebeu que "a inteligência tinha um papel em sua vida, e um papel importante... Esta foi a primeira vez em que ele realmente ficou um tanto surpreso com o fato de que 'aqueles companheiros da inteligência tinham uma percepção que esses outros companheiros não têm'".

Ele ofereceu a Helms uma cadeira no almoço do presidente das terças-feiras — a melhor mesa da cidade, o mais alto conselho do governo, que Helms chamava de círculo interno mágico — junto ao secretário de Estado, ao secretário de Defesa e ao chefe do Estado-Maior Conjunto. Uma vez por semana, durante os dezoito meses seguintes, a CIA teve o que mais precisava: a atenção do presidente dos Estados Unidos.

## "UMA QUANTIDADE ENORME DE ENCANAMENTOS"

Helms queria manter os segredos da CIA sob controle no país. Para isso, exigiu que não houvesse surpresas desagradáveis no exterior. Nas condições políticas vigentes, muitas operações secretas da agência eram potenciais bombas H.

Em junho de 1967, Helms pediu a Desmond FitzGerald para avaliar cada uma das operações secretas da CIA no exterior, assegurar que o sigilo em torno delas estivesse seguro — e encerrar todas que corressem risco de estourar. A agência não poderia suportar mais um escândalo público nem se arriscar a qualquer outro exame público. A pressão sobre FitzGerald — devido ao ônus colocado sobre ele pela investigação interna sobre os planos contra Castro — provou ser grande demais. Cinco semanas depois, um ataque cardíaco o matou quando ele jogava tênis com o embaixador britânico. Assim como Frank Wisner, ele tinha 56 anos quando morreu.

Depois que FitzGerald foi enterrado, Helms escolheu um velho e leal amigo para liderar o serviço clandestino: Thomas Hercules Karamessines, ou Tom K. para os amigos, membro da CIA desde sua fundação e ex-chefe do posto de Atenas, que convivia com uma dor incapacitante causada por um desvio na coluna vertebral. Juntos, no verão e no outono de 1967, eles continuaram a analisar as operações secretas da CIA em todo o mundo. Nenhuma nação do planeta era território neutro, e Helms pretendia dar à agência um alcance global.

Em Saigon, a CIA acabara de iniciar uma operação extremamente delicada, aprovada pelo presidente Johnson, com o codinome Buttercup.[28] A agência estava tentando transmitir propostas de paz para o Vietnã do Norte ao devolver a Hanói um prisioneiro de guerra vietcongue politicamente astuto com um transmissor de rádio clandestino, procurando assim abrir o diálogo com o inimigo nos mais altos níveis. Nada resultou disso. A CIA criou e dirigiu o Partido Comunista local em várias nações pró-americanos — entre elas o Panamá — na esperança de que os líderes desses partidos fossem convidados a ir a Moscou e descobrissem os segredos da doutrina soviética diretamente na fonte. As lições aprendidas na interminável batalha para penetrar no Kremlin foram poucas. Helms tentava mobilizar o primeiro grupo mundial de oficiais da CIA profundamente secreto: espiões que trabalhavam sem a proteção de um passaporte diplomático, posando como advogados internacionais ou representantes de com-

---

[28]Ranúnculo, uma flor ou planta. (*N. do T.*)

panhias figurando entre as quinhentas empresas da lista da revista *Fortune*. O programa, com o codinome Globe, estava em execução há cinco anos, mas pouco mais de uma dúzia desses oficiais circulava pelo planeta.

Eram necessários anos para desenvolver boas operações. "Você tem que ter a infra-estrutura, conseguir as pessoas para trabalhar com você", explicou Helms certa vez. "Há uma quantidade enorme de encanamentos a serem postos na estrutura, para ter alguma chance de sucesso."

Mas paciência, persistência, dinheiro e esperteza por si só não eram suficientes para combater o comunismo. Era preciso pôr armas de verdade nas mãos de governantes amistosos e de suas polícias secretas e paramilitares treinadas pela CIA. O presidente Eisenhower criara um plano adequado para todos chamado Programa de Segurança Interna no Exterior, dirigido pela CIA em conjunto com o Pentágono e o Departamento de Estado. O homem que escreveu o manifesto para a missão — "uma iniciativa democrática, altruísta e freqüentemente incondicional para ajudar outros países a ajudar a si próprios" — era da agência: Al Haney, o charlatão do posto de Seul e comandante em campo da Operação Sucesso, na Guatemala.

Haney se propunha a policiar o mundo armando os aliados dos EUA no terceiro mundo. "Tem havido acusações de que é moralmente errado que os EUA ajudem regimes não democráticos a fortalecer seus sistemas de segurança, servindo portanto para mantê-los no poder", argumentou ele. Mas "os EUA não podem se dar ao luxo moral de ajudar apenas os regimes do mundo livre que correspondem aos nossos ideais de governo autônomo. Elimine todas as monarquias absolutistas, ditaduras e juntas militares do mundo livre, conte as nações que restaram e ficará imediatamente evidente que os EUA estariam a caminho do isolamento".

O programa treinou 771.217 policiais e militares estrangeiros em 25 nações. Encontrou terreno mais fértil em países onde as ações secretas da CIA prepararam o solo. Ajudou a criar as polícias secretas de Camboja, Colômbia, Equador, El Salvador, Guatemala, Irã, Iraque, Laos, Peru, Filipinas, Coréia do Sul, Vietnã do Sul e Tailândia. Em cada uma dessas nações, os ministros do Interior e a polícia nacional trabalhavam em contato íntimo com o posto da CIA. A agência também estabeleceu uma academia de polícia internacional no Panamá e uma "escola de bomba" em Los Fresnos, Texas, que treinava oficiais das Américas Central e do Sul. Os alunos incluíam os futuros líderes de esquadrões da morte de El Salvador e Honduras.

Às vezes era curta a distância entre a sala de aula e a câmara de tortura. A CIA estava em "terreno perigoso", disse Robert Amory, chefe da diretoria de inteligência da CIA nos governos de Eisenhower e Kennedy. "Pode acabar adotando táticas dos tipos da Gestapo."

Nos anos 1960, a esfera do trabalho da CIA se expandiu dramaticamente na América Latina. "Castro era o catalisador", disse Tom Polgar, veterano da base de Berlim que foi chefe da equipe de inteligência externa da divisão latino-americana de 1965 a 1967. "A CIA e as classes abastadas da América Latina tinham isto em comum — aquele medo."

"Minha missão era usar os postos latino-americanos como meios para coletar informações sobre a União Soviética e Cuba", disse Polgar. "Para fazê-lo, é preciso ter um governo relativamente estável que coopere com os Estados Unidos."

A CIA apoiava os líderes de onze nações latino-americanas — Argentina, Bolívia, Brasil, República Dominicana, Equador, Guatemala, Guiana, Honduras, Nicarágua, Peru e Venezuela. Uma vez que um governo amigável estava no poder, um chefe de posto da CIA tinha cinco caminhos para manter a influência americana sobre líderes estrangeiros. "Você se torna o serviço de inteligência externo deles", disse Polgar. "Eles não sabem o que está acontecendo no mundo. Então você lhes dá um informe semanal — alterado para atingir-lhes a sensibilidade. Dinheiro, com certeza — é sempre bem-vindo. Aquisições — brinquedos, jogos, armas. Treinamento. E sempre é possível enviar um grupo de oficiais a Fort Bragg ou a Washington — umas férias maravilhosas."

A agência mantinha a posição — devidamente declarada numa estimativa formal assinada por Richard Helms — de que as juntas militares latino-americanas eram boas para os Estados Unidos. Elas representavam a única força capaz de controlar as crises políticas. Lei e ordem eram preferíveis à luta desordenada por democracia e liberdade.

Nos dias de LBJ, as missões de contra-insurgência iniciadas pelos Kennedy criaram raízes onde os programas de segurança interna de Ike haviam florescido e onde a CIA havia instalado aliados militares e políticos. Em 1967, através do cultivo cuidadoso de ditadores em dois continentes, a CIA teve uma de suas maiores vitórias na guerra fria: a captura de Che Guevara.

## "LEMBRE-SE, VOCÊ ESTÁ MATANDO UM HOMEM"

Che era um símbolo vivo para os soldados e espiões da revolução cubana. Eles serviam em postos avançados tão remotos quanto o Congo, onde o poder do ditador Joseph Mobutu era ameaçado por uma força de rebeldes pobres chamada Simba, cujos guerreiros haviam seqüestrado o chefe da base da CIA em Stanleyville, em 1964.

O Congo era uma cabine de comando da guerra fria, e Mobutu e a CIA trabalhavam na mais íntima harmonia. Gerry Gossens, o número três da CIA no Congo, propôs que eles criassem uma nova força para combater a influência soviética e cubana na África. "Mobutu me deu uma casa, sete oficiais e seis Volkswagen, e eu lhes ensinei como fazer uma vigilância", disse Gossens. "Criamos um serviço congolês que se reportava à CIA. Nós os direcionávamos. Nós os dirigíamos. Com o tempo, com a bênção do presidente, pagávamos suas despesas operacionais. Eu recebia o dinheiro, checava-o, organizava-o e o passava para Mobutu." Mobutu conseguia o que queria da CIA — dinheiro e armas, aviões e pilotos, um médico pessoal e a segurança política de uma ligação íntima com o governo americano — enquanto a CIA construía suas bases e postos no coração da África.

Numa batalha clássica da Guerra Fria, Che e seus cubanos enfrentaram a CIA e seus cubanos nas margens ocidentais do Lago Tanganica, no coração da África. As forças da agência, equipadas com fuzis sem recuo e aviões, atacaram vários milhares de simbas e aproximadamente cem soldados cubanos de Che. Sob fogo, Che buscou novas ordens de Fidel. "Evite a aniquilação", aconselhou *el jefe máximo*.

Che fez um recuo inglório. Na fuga, cruzou o Atlântico, buscando acender a chama da revolução na América Latina. Foi parar nas montanhas da Bolívia, onde a CIA o capturou.

Um general de direita, René Barrientos, havia tomado o poder nesse país desesperadamente pobre, apoiado por mais de US$ 1 milhão da CIA. O dinheiro serviu "para incentivar", nas palavras da agência, "um governo estável, favoravelmente inclinado para os Estados Unidos", e "para apoiar os planos da junta governante de pacificar o país". O general esmagava seus opositores com uma força crescente. Bill Broe, chefe da divisão latino-americana do serviço clandestino, escreveu para Helms com satisfação: "Com a eleição de René Barrientos para a presidência da Bolívia em 3 de julho de 1966, essa ação foi concluída com sucesso." A CIA enviou seu arquivo sobre Barrientos para a Casa Branca. O assessor de segurança nacional Walt Rostow o entregou ao presidente e disse: "Isso é para explicar por que o general Barrientos talvez diga obrigado quando o senhor almoçar com ele na próxima quarta-feira, dia 20."

Em abril de 1967, Barrientos disse ao embaixador americano, Douglas Henderson, que seus oficiais estavam perseguindo Che nas montanhas da Bolívia. O embaixador Henderson foi a Washington naquela semana e levou a notícia para Desmond FitzGerald. "Não pode ser Che Guevara", disse FitzGerald. "Acreditamos que Che Guevara foi morto na República Dominicana e está enterrado num túmulo sem identificação." No entanto, a CIA enviou dois cubanos veteranos da Baía dos Porcos para participar da caçada com um pelotão da Guarda Boliviana, treinada por americanos.

Um dos cubanos da CIA era Feliz Rodriguez, e ele enviou da frente de batalha uma série de emocionantes boletins. Suas mensagens, liberadas em 2004, representam o único relato testemunhal de um confronto durante muito tempo envolto em mito. Da vila de Higueras, Rodriguez fez contato por rádio com John Tilton, chefe do posto em La Paz, que passou a notícia para Bill Broe e Tom Polgar na sede. Os relatos foram passados para Helms, que os encaminhou à Casa Banca.

Em 8 de outubro de 1967, Che foi capturado depois de um confronto com a Guarda Boliviana. Tinha um ferimento na perna, mas fora isso estava em boas condições. Seu sonho de criar um Vietnã na América do Sul evaporou no ar rarefeito das montanhas bolivianas. Seus captores o levaram para uma pequena escola. Rodriguez soube que o alto comando boliviano em La Paz decidiria o destino de Che no dia seguinte.

"Estou manobrando para mantê-lo vivo", relatou Rodriguez, "o que é muito difícil."

Ao amanhecer do dia seguinte, Rodriguez tentou interrogar Che, que estava sentado no chão da escola, o rosto entre as mãos, os punhos e tornozelos amarrados, os corpos de dois *compañeros* cubanos a seu lado. Eles conversaram sobre o confronto no Congo e o rumo da revolução cubana. Che disse que Castro matara nada menos que 1.500 inimigos políticos, sem contar os conflitos armados como a Baía dos Porcos. "É claro que o governo cubano executou todos os líderes guerrilheiros que invadiram seu território," disse Che, segundo Rodriguez. "Então ele parou, com uma expressão estranha no rosto, e sorriu ao reconhecer sua própria posição em solo boliviano", continuou Rodriguez. "Com sua captura, o movimento guerrilheiro sofria um revés devastador... Ele insistiu que no final seus ideais venceriam... Não havia planejado uma rota para sair da Bolívia em caso de fracasso. Decidiu definitivamente perder ou vencer."

O alto comando enviou a ordem para matar Che às 11h50. "Guevara foi executado com uma rajada de tiros às 13h15", disse Rodriguez em contato por rádio com Tilton. "As últimas palavras de Guevara foram: 'Digam a minha mulher que se case de novo e digam a Fidel Castro que a revolução se reerguerá nas Américas.' A seu executor, ele disse, 'Lembre-se, você está matando um homem'."

Tom Polgar era o agente de serviço na sede quando Tilton telefonou com a notícia de que Che estava morto. "Você pode enviar impressões digitais?", perguntou Polgar. "Posso enviar os dedos", respondeu Tilton. Os executores de Che haviam arrancado suas mãos.

## "NOSSAS CONSIDERAÇÕES PRIMORDIAIS *TÊM* QUE SER A SENSIBILIDADE POLÍTICA DA ATIVIDADE E SUA COERÊNCIA"

Para Helms e seus oficiais, eram poucos os triunfos como esse a serem anunciados. Perdiam em número para uma grande quantidade de erros. "Mais uma vez as operações da CIA criaram um grande problema", informou o escritório do Departamento de Estado no Egito a Luke Battle, o novo secretário-assistente de Estado para o Oriente Próximo. O governante do Egito, Gamal Abdel Nasser, reclamava — não pela primeira vez, e não sem motivo — de que a agência estava tentando derrubar seu governo. "Parece que a CIA espera que esses incidentes possam ser varridos para baixo do tapete", dizia a mensagem a Battle. "Não se deve permitir que isso aconteça."

Battle sabia o que o trabalho da CIA no Egito exigia. Ele era embaixador americano quando um despreocupado oficial de investigação expôs as relações da agência com um proeminente editor de um jornal do Cairo chamado Mustafá Amin. Amin tinha sido um forte contato de Nasser; a CIA lhe pagava para obter informação e para publicar notícias favoráveis aos Estados Unidos. O chefe do posto do Cairo mentiu para o embaixador sobre a relação da agência com Amin. "Ele estava na folha de pagamento dos EUA", disse Battle. "Bruce Odell [o agente da CIA] se encontrava regularmente com Mustafá Amin. Eu recebi garantias de que nenhum fundo tinha sido intercambiado no Egito, mas foi tirada uma fotografia de uma transação desse tipo quando Mustafá Amin foi preso." O caso ganhou as manchetes do mundo, mostrando com destaque Odell, que trabalhava disfarçado de diplomata. Amin foi julgado como espião, brutalmente torturado e aprisionado por nove anos.

Helms tentava criar confiança na CIA. Tivera esperança de que o presidente Johnson fosse a Langley, Virgínia, para discursar para os soldados na sede em setembro de 1967, durante as cerimônias que marcaram o 20º aniversário da agência. Mas LBJ nunca visitou a CIA. Enviou o vice-presidente Humphrey para a cerimônia, e Humphrey fez um discurso tipicamente encorajador. "Vocês serão criticados", disse ele. "As únicas pessoas que não são criticadas são aquelas que não fazem nada, e eu odiaria ver a agência chegar a esse estado."

A CIA não podia sobreviver às críticas permanentes do governo, e muito menos às críticas do público. Dependia de sigilo para resistir. Quando operações estouradas apareciam nos jornais, erodiam o que restava de fé na agência.

Em 30 de setembro de 1967, Helms apresentou novas diretrizes rígidas para as ações secretas e as enviou a cada posto. Pela primeira vez na história da CIA, chefes de postos e seus superiores foram instruídos a pecar por excesso de cautela. "Analisem todos os projetos politicamente sensíveis", dizia a ordem. Informem a sede sobre a identidade de "políticos estrangeiros, tanto do governo quanto da oposição, bem como de certos líderes militares, que estejam na folha de pagamento secreta dos EUA". Nenhuma quantidade de dinheiro gasta em ações secretas era pequena demais para ser relatada. "Nossas considerações primordiais *têm* que ser a sensibilidade política da atividade e sua coerência com a política externa dos EUA."

O fluxo de dinheiro para agentes estrangeiros que não funcionavam, para jornais de baixa qualidade, para partidos políticos derrotados e outras operações improdutivas começou a minguar. O número de grandes operações de guerra política na Europa Ocidental começou a diminuir. A CIA ficaria concentrada na guerra quente no sudeste da Ásia e na guerra fria no Oriente Médio, na África e na América Latina.

Mas havia uma guerra acontecendo em casa também. O presidente acabara de dizer a Helms para realizar a operação mais politicamente sensível de todas — o trabalho de espionar americanos.

# 27 "IDENTIFICAR OS COMUNISTAS ESTRANGEIROS"

O presidente Johnson temia que o movimento antiguerra o conduzisse para fora da Casa Branca. Mas, no fim, a própria guerra fez isso.

Em outubro de 1967, alguns analistas da CIA participaram da primeira grande marcha contra a guerra em Washington. O presidente considerava os manifestantes inimigos do Estado. Estava convencido de que o movimento pela paz era controlado e financiado por Moscou e Pequim. Queria provas. Ordenou a Richard Helms que as produzisse.

Helms lembrou ao presidente que a CIA estava impedida de espionar americanos. Ele afirma que Johnson lhe disse: "Estou bem consciente disso. O que eu quero de você é que estude esse assunto, e faça o que for necessário para identificar os comunistas estrangeiros que estão por trás dessa intolerável interferência em nossos assuntos internos." É provável que LBJ tenha se expressado mais claramente.

Numa flagrante violação de seus poderes de acordo com a lei, o diretor da central de inteligência se tornou um chefe de polícia secreta em meio expediente. A CIA realizou uma operação de vigilância interna, com o codinome Chaos. Durou quase sete anos. Helms criou um novo Grupo de Operações Especiais para conduzir a espionagem contra americanos, e astutamente o escondeu nas sombras da equipe de contra-inteligência de Angleton. Onze oficiais da CIA deixaram o cabelo crescer, aprenderam o jargão da Nova Esquerda e se infiltraram em grupos pacifistas nos Estados Unidos e na Europa. A agência reuniu em computador uma lista de 300 mil nomes de pessoas e organizações americanas, e extensos arquivos sobre 7.200 cidadãos. Começou trabalhando em segredo com departamentos de polícia em todo o país. Incapaz de fazer uma distinção clara entre a extrema esquerda e a predominante oposição à guerra, espionou cada grande organização do movimento pela paz. Sob o comando do presidente — transmitido através de Helms e do secretário de Defesa — a Agência de Segurança Nacional voltou seu imenso poder de escuta eletrônica contra os cidadãos americanos.

Tanto o presidente quanto os conservadores do Congresso viam conexões entre os manifestantes pela paz e os distúrbios raciais que sacudiam os Estados Unidos. Eles queriam que a CIA provasse que os comunistas estavam por trás das duas coisas. A agência fez o que pôde.

Em 1967, guetos americanos tornaram-se zonas de guerra; 75 distúrbios urbanos isolados atingiram a nação, resultando em 88 mortos, 1.397 feridos, 16.389 prisões, 2.157 condenações e um prejuízo econômico estimado em US$ 664,5 milhões. Quarenta e três pessoas foram mortas em Detroit, 26 em Newark. A fúria tomou conta de ruas de Nova York, Los Angeles, São Francisco, Boston, Cincinnati, Dayton, Cleveland, Youngstown, Toledo, Peoria, Des Moines, Wichita, Birmingham e Tampa. Em 25 de outubro, o senador John McClellan, democrata do Arkansas e presidente da Subcomissão Permanente do Senado para Investigações, escreveu para Helms em busca de provas de que os soviéticos estavam conduzindo o movimento *black-power* nos Estados Unidos. "A subcomissão está bastante interessada nas operações de diversas organizações militantes neste país", escreveu o senador.

McClellan disse que Moscou havia criado "uma escola de espionagem ou sabotagem em Gana, África, para pessoas de cor", e que americanos haviam atuado como instrutores. "Supostamente, esses professores vieram de algum lugar da Califórnia", escreveu o senador. "A melhor ajuda à subcomissão seria se a identidade de algum professor americano que tenha retornado aos Estados Unidos fosse conhecida, bem como a identidade de algum estudante... Sua cooperação nesse assunto será realmente apreciada."

O serviço clandestino cooperou. Em 31 de outubro de 1967, Tom Karamessines enviou à Casa Branca um boato não confirmado de um cubano de Miami: "Um campo de treinamento de negros" havia sido estabelecido numa praia perto de Santiago de Cuba, onde "negros estavam sendo treinados para operações subversivas contra os Estados Unidos", dizia o relato. "Seus cursos incluíam inglês, que era ensinado por instrutores soviéticos." E continuava:

"Suas atividades subversivas contra os Estados Unidos incluiriam sabotagem ligada a distúrbios raciais com o objetivo de realizar uma revolução negra nos Estados Unidos." Dizia que "150 negros estão envolvidos no programa de treinamento e alguns já chegaram aos Estados Unidos".

Lyndon Johnson ficou furioso. "*Não* vou deixar que os comunistas tomem esse governo e *eles estão fazendo isso neste exato momento*", disse ele a Helms, Rusk e McNamara, durante uma explosão de raiva de 95 minutos numa tarde de sábado, em 4 de novembro de 1967. "Estou cheio de ver essas pessoas sendo postas num avião comunista e enviadas para todo o país. Quero que alguém verifique cuidadosamente quem está deixando o país, para onde eles vão, por que estão indo." Essa última observação foi dirigida especificamente a Helms.

Mas a CIA nunca encontrou qualquer vestígio de prova que ligasse os líderes da esquerda americana ou o movimento *black-power* a governos estrangeiros. Helms encaminhou esse fato infeliz ao presidente em 15 de novembro de 1967. Relatou que embora a CIA suspeitasse que alguns membros da esquerda americana pudessem ter afinidades ideológicas com Moscou ou Hanói, nenhuma prova mostrava "que eles agem sob qualquer orientação que não seja própria". Lyndon Johnson ordenou a Helms que intensificasse a busca. Isso não levou a nada além de uma contínua violação da carta de direitos da CIA.

Para milhões de americanos, a guerra chegava em casa toda noite pela televisão. Em 31 de janeiro de 1968, 400 mil soldados comunistas atacaram quase todas as grandes cidades e guarnições militares do Vietnã do Sul. O ataque aconteceu na primeira noite do Tet, o ano-novo lunar, e o inimigo fez cercos a Saigon e às principais bases americanas em Hue e Khe Sanh. Em 1º de fevereiro, a televisão e máquinas fotográficas registraram o chefe da polícia de Saigon no momento em que ele executava um prisioneiro vietcongue a sangue-frio, com um tiro de pistola na cabeça. As agressões continuaram. Embora o contra-ataque americano tenha sido impressionante — cem mil toneladas de bombas caíram em torno de Khe Sanh apenas — o choque do ataque surpresa foi uma devastadora derrota psicológica para os Estados Unidos. Helms concluiu que a CIA não poderia ter previsto a ofensiva Tet porque não tinha quase nenhuma informação sobre a intenção do inimigo.

Em 11 de fevereiro de 1968, Helms reuniu todos os seus especialistas em Vietnã na sede. Todos menos um — George Carver, ainda otimista, embora não por muito tempo — concordaram nos seguintes pontos: o general Westmoreland, comandante americano em Saigon, não tinha qualquer estratégia coerente. Era inútil enviar mais soldados americanos. Se o governo e o exército do Vietnã do Sul não se unissem e combatessem o inimigo, os Estados Unidos deveriam se retirar. Helms enviou George Allen a Saigon para avaliar os danos e se encontrar com o presidente Thieu e o vice-presidente Ky. Allen encontrou o exército do Vietnã do Sul devastado e os dois líderes enfurecidos um com o outro. Soldados americanos não conseguiam defender as cidades do país; espiões americanos estavam em pânico e desmoralizados. Hanói tinha sua maior vitória política desde 1954, quando impôs aos franceses a derrota final em Dien Bien Phu.

Helms entregou pessoalmente ao presidente as conclusões profundamente pessimistas. Elas destruíram o que ainda restava da enorme força de vontade política de LBJ.

Em 19 de fevereiro, enquanto Hanói iniciava uma segunda onda de ataques Tet, o presidente conversava privadamente com Dwight Eisenhower. No dia seguinte, no almoço de terça-feira na Casa Branca, Helms ouviu do presidente uma descrição sobre a conversa.

"O general Eisenhower disse que Westmoreland carrega uma responsabilidade maior que a de qualquer outro general da história desse país", relembrou LBJ. "Perguntei-lhe quantos aliados ele tivera sob seu comando durante a Segunda Guerra Mundial. Ele disse que, incluindo soldados dos EUA e aliados, tivera cerca de cinco milhões. Eu lhe disse que o general Westmoreland tinha 500 mil homens, portanto como ele poderia dizer que Westmoreland tinha uma responsabilidade maior que a de qualquer outro general? Ele disse que aquele era um tipo de guerra diferente e que o general Westmoreland não sabe quem é o inimigo."

Pelo menos Lyndon Johnson compreendeu que nenhuma estratégia sobreviveria ao fracasso da inteligência no Vietnã. Os Estados Unidos não podiam derrotar um inimigo que não conseguiam compreender. Algumas semanas depois, ele anunciou que não tentaria a reeleição para a presidência dos Estados Unidos.

# PARTE QUATRO

---

*"Livrem-se dos palhaços"*

A CIA sob Nixon e Ford

1968 a 1976

---

# 28 "QUE DIABO ESSES PALHAÇOS ESTÃO FAZENDO LÁ EM LANGLEY?"

Na primavera de 1968, Richard Helms tinha bons motivos para temer que seu próximo chefe fosse Robert Kennedy ou Richard Nixon. Como procurador-geral, Kennedy abusara dos poderes da agência. Havia se apropriado da CIA e tratado Helms com frio desprezo. Como candidato, ou como comandante-em-chefe, seria ameaçado pelos segredos dos arquivos da agência. Helms ficou realmente chocado quando o senador foi assassinado na trilha da campanha, em junho. Mas não ficou de fato triste. Pelo resto da vida, Helms carregou as cicatrizes das chicotadas que Kennedy lhe impingira.

Richard Nixon era outro grande problema. Helms sabia quão profundos eram seus ressentimentos. Nixon achava que a agência estava cheia de elitistas do leste, liberais até a medula, fofocas de Georgetown e homens de Kennedy. Era segredo descoberto que Nixon considerava a CIA responsável pelo maior desastre de sua vida: sua derrota nas eleições de 1960. Ele estava convencido — equivocadamente — de que segredos e mentiras vazados por Allen Dules haviam ajudado John Kennedy a marcar pontos cruciais nos debates presidenciais na televisão. Em sua autobiografia de 1962, *As seis crises*, Nixon escrevera que, se tivesse sido eleito presidente, teria criado uma nova organização fora da CIA para executar operações secretas. Arrancar o coração da agência era uma ameaça declarada.

Em 10 de agosto de 1968, Nixon e Helms se encontraram para sua primeira longa conversa. O presidente Lyndon Johnson convidara o candidato para ir a seu rancho no Texas, alimentara-o com carne bovina e milho na espiga, e passeara com ele pelo rancho num carro conversível aberto. Depois, levou Helms a uma viagem pelo mundo: o confronto entre a Tchecoslováquia e a União Soviética, o contínuo apoio de Castro a movimentos revolucionários e finalmente as negociações de paz secretas entre os Estados Unidos e o Vietnã do Norte.

Nixon se voltou diretamente para Helms com uma pergunta incisiva.

"Eles ainda acreditam que perdemos a guerra?", perguntou.

"Os norte-vietnamitas estão convencidos de que venceram, depois de Dien Bien Phu", disse Helms. Era a última coisa que Nixon queria ouvir.

Três dias depois de vencer as eleições, Nixon telefonou para LBJ. "O que você acha de Helms?", perguntou. "Você continuaria com ele?"

"Sim, eu continuaria", respondeu Johnson. "Ele é extremamente competente. É sucinto. Ele diz a você as coisas como são, e é leal."

Era um grande elogio. Depois de um ano e meio jantando à mesa do presidente, Helms conquistara a confiança de LBJ e ganhara uma reputação em Washington de profissional completo. Ele acreditava que a CIA, após vinte anos, havia desenvolvido uma equipe de analistas com especialização única em ameaça soviética e um serviço clandestino capaz de realizar espionagens sem ser apanhado. Considerava-se um soldado leal a serviço de seu presidente.

Logo Helms descobriria o custo dessa lealdade.

## "INCORRIGIVELMENTE DISSIMULADOS"

"Richard Nixon nunca confiou em ninguém", refletiu Helms vinte anos depois. "Ele se tornou presidente dos Estados Unidos e, portanto, chefe do braço executivo, e apesar disso dizia constantemente às pessoas que a força aérea, em seus bombardeios no Vietnã, não conseguia atingir as próprias nádegas com as mãos, que o Departamento de Estado era apenas um bando de diplomatas que ficavam bebendo aperitivos, que a agência não conseguia produzir uma vitória considerável no Vietnã... E repetia isso, repetia, repetia... 'Eles são tolos, eles são estúpidos, eles não conseguem fazer isso, eles não conseguem fazer aquilo.'"

Na Casa Branca em janeiro de 1969, poucos dias depois de iniciado o novo governo, Helms estava sentado em tenso silêncio num almoço enquanto Nixon beliscava seu queijo cremoso e seu abacaxi em calda. O presidente atacava a CIA enquanto seu assessor de segurança nacional, Henry Kissinger, ouvia atentamente. "Não tenho a menor dúvida", recordou Helms, "de que as críticas de Nixon influenciaram Kissinger."

O presidente eleito e o homem de Harvard descobriram que eram muito parecidos. "Ambos eram incorrigivelmente dissimulados, mas Kissinger tinha algum charme nisso", observou Thomas Hughes, diretor do escritório de inteligência do Departamento de Estado. "Ambos eram manipuladores inveterados, mas Nixon era mais transparente." Eles chegaram a um entendimento: sozinhos iriam conceber, comandar e controlar as operações clandestinas. As ações secretas e a espionagem podiam ser ferramentas adequadas para seu uso pessoal. Nixon as usou para construir uma fortaleza política na Casa Branca e Kissinger se tornou, na prática, o chefe de Estado para segurança nacional, nas palavras de seu assistente Roger Morris.

Como ato preventivo de autoproteção, Helms criou uma comissão de especialistas, chamada Grupo de Estudos de Operações Secretas, para relatar ao presidente eleito os méritos do serviço clandestino — e para proteger o serviço contra ataques. O grupo era liderado por Franklin Lindsay, outrora o braço direito de Wisner, era abrigado em Harvard e convocado em segredo; seus principais membros eram Richard Bissell e Lyman Kirkpatrick. Incluía meia dúzia de professores de Harvard que haviam servido à Casa Branca, ao Pentágono, ao Departamento de Estado e à CIA. Três deles eram suficientemente íntimos de seu colega Henry Kissinger para saber que ele seria o assessor de segurança nacional do próximo presidente, independentemente de quem vencesse a disputa, já que Kissinger servira simultaneamente a Nixon e Humphrey como consultor confidencial. Nenhum dos dois jamais considerou qualquer outra pessoa para o cargo.

O relatório secreto do Grupo de Estudos de Operações Secretas era datado de 1º de dezembro de 1968. Uma de suas recomendações agradou particularmente a Kissinger: dizia que o novo presidente deveria dar a um alto funcionário da Casa Branca responsabilidade de vigiar todas as operações secretas. Kissinger não iria meramente observá-las. Ele as dirigiria.

O relatório exortava o novo presidente a "deixar bem claro ao diretor da CIA que ele espera que o diretor diga 'não' quando, na sua avaliação, uma operação proposta não puder ser realizada". Nixon nunca seguiu esse conselho.

"As operações secretas raramente conseguem alcançar um único objetivo importante", continuava o relatório. "Na melhor das hipóteses, uma operação secreta pode ganhar tempo, evitar um golpe, ou, em outras circunstâncias, criar condições favoráveis que permitam usar meios secretos para alcançar finalmente um objetivo importante." Nixon nunca entendeu esse princípio.

"Um indivíduo, um partido político, ou um governo no poder pode ser seriamente prejudicado ou destruído por exposição de assistência secreta da CIA", dizia o relatório. "Em geral, a exposição de operações clandestinas tem um preço para os Estados Unidos em termos de opinião mundial. Para alguns, a exposição demonstra a desconsideração dos Estados Unidos por direitos nacionais e direitos humanos; para outros, demonstra apenas nossa impotência e incapacidade ao sermos apanhados... A impressão de muitos americanos, especialmente na comunidade intelectual e entre os jovens, de que os Estados Unidos estão engajados em 'truques sujos' tende a aliená-los de seu governo", continuava o relatório. "Descobertas nesta atmosfera têm criado oportunidades para a 'Nova Esquerda' influenciar um espectro muito maior da opinião política do que influenciaria de outra forma. Os Estados Unidos têm liderado as nações interessadas na expansão do império da lei em assuntos internacionais. Nossa credibilidade e nossa eficiência nesse papel são necessariamente prejudicadas na medida em que se toma conhecimento de que estamos intervindo secretamente no que pode ser (ou parece ser) assunto interno dos outros." Nixon e Kissinger ignoraram deliberadamente todas essas idéias.

"Nossa impressão é de que a CIA cresceu de uma forma muito fechada ao longo dos anos", concluía o relatório. "Quase todas as pessoas importantes estão na organização há cerca de vinte anos... Também há uma forte tendência ao isolamento e à introspecção... uma falta de capacidade de inovação e de perspectiva." Nisso Nixon acreditava muito. Ele passou a se infiltrar naquele círculo interno. Começou nomeando o general Robert Cushman — tenente do corpo de fuzileiros navais que tinha sido assessor de segurança nacional quando ele era vice-presidente — vice-diretor da central de inteligência sob o comando de Helms. A missão de Cushman era espionar espiões americanos para o presidente.

Ansiosa para bajular o presidente eleito, a CIA passou a enviar a Nixon os mesmos resumos diários da inteligência que Lyndon Johnson recebera. Eles ficavam empilhados sem ser lidos num cofre na suíte de Nixon no 39º andar do Pierre Hotel, em Nova York. A pilha cresceu durante um mês, até que Kissinger, em dezembro, avisou que Nixon nunca os leria. Deixou claro que, dali em diante, qualquer coisa que a agência quisesse dizer ao presidente teria que passar por ele. Nem Helms nem qualquer outra pessoa da CIA jamais veria Nixon a sós.

Desde o início, Kissinger exerceu um firme controle sobre as operações da CIA. Em 1967 e 1968, os supervisores da CIA na Comissão 303 tiveram acalorados debates sobre o curso das operações secretas. Mas esses dias haviam acabado. Kissinger dominava cada membro da comissão — Helms, o procurador-geral John Mitchel e os oficiais número dois do Departamento do Estado e do Pentágono. Fazia um espetáculo solo. Durante um período de 32 meses, a comissão aprovou tecnicamente quarenta ações secretas, mas não se reuniu uma única vez. Ao todo, mais de três quartos dos programas de ações secretas do governo Nixon nunca foram analisados formalmente pela comissão. As operações secretas dos Estados Unidos eram aprovadas por Henry Kissinger.

Em 1969, como se sabe muito bem, o presidente grampeou cidadãos privados para impedir vazamentos de notícias e controlar o fluxo de informações dentro do governo. Seu assessor de segurança nacional foi além disso: Kissinger também usou a CIA para espionar americanos, fato que até agora havia escapado à atenção da história.

Depois que o movimento antiguerra pediu uma moratória nacional mensal, uma suspensão de um dia dos negócios americanos como sempre, Helms recebeu uma ordem de Kissinger para espionar os líderes do movimento. Registrado no diário oficial de Robert L. Bannerman — alto membro da equipe do Escritório de Segurança da CIA — o memorando intitulava-se "Dr. Kissinger — Requisição de Informação".

"O Dr. Kissinger apresentou uma solicitação de informações que temos sobre os líderes dos grupos que conduziram a moratória sobre o Vietnã", diz o memorando da CIA. "Após considerações, esse pedido foi encaminhado a [*apagado*], que concordou em ser o ponto central para esse relatório, e o trabalho sobre esse relatório foi realizado no fim de semana." Isso não era meramente uma continuação da Chaos — a busca pela CIA de fontes de apoio estrangeiro ao movimento antiguerra, trabalho que prosseguia. Era uma solicitação específica do assessor de segurança nacional do presidente para que a CIA fichasse cidadãos americanos.

O registro não reflete qualquer hesitação de Richard Helms. Desde 1962, três presidentes sucessivos ordenaram ao diretor da central de inteligência que espionasse americanos, sem considerar a carta de direitos da CIA. Nixon acreditava que todas as ações presidenciais eram legais no âmbito da segurança nacional. Se o presidente faz, não é ilegal, dizia. Entre os sucessores, apenas George

W. Bush adotou essa interpretação do poder presidencial, que tem raízes no direito divino dos reis. Mas uma coisa é um presidente dar uma ordem, e outra é um funcionário não eleito realizá-la em nome do presidente.

## "BATA NOS SOVIÉTICOS, E BATA COM FORÇA"

Nixon e Kissinger atuavam num nível de clandestinidade que estava além do nível da CIA. Quando lidavam com os inimigos dos Estados Unidos — negociando em segredo com os soviéticos, os chineses, os norte-vietnamitas — a CIA sabia pouco ou nada a respeito. Havia um motivo para isso: a Casa Branca não acreditava na maior parte do que os especialistas da CIA diziam sobre as forças do comunismo, especialmente as estimativas da agência sobre o poder militar da União Soviética.

"Não quero dizer que eles estão mentindo em suas informações ou que as estão distorcendo, mas quero que vocês, companheiros, tenham bastante cuidado para separar fatos de opiniões", disse Nixon a Helms numa reunião do Conselho de Segurança Nacional em 18 de junho de 1969.

"O fato é que as projeções da inteligência para 1965, 1966, 1967 e 1968 — e eu vi todas elas — têm errado em mais de 50% em relação ao que os russos teriam — e para menos", disse Nixon. "Temos que partir de fatos, de todos os fatos, e chegar a conclusões com base em fatos inegáveis. Estamos entendidos agora?"

Nixon ficou indignado quando a agência argumentou que os soviéticos não tinham nem intenção nem tecnologia para lançar um primeiro ataque nuclear total. Essa conclusão fazia parte de uma enxurrada de estimativas sobre as forças estratégicas soviéticas, e Nixon rejeitou todas elas. "Inútil", escreveu ele na margem de um memorando de Helms sobre a capacidade nuclear de Moscou. "Uma repetição descuidada e superficial do que sabemos pela imprensa diária." As análises da CIA estavam em conflito com os planos de Nixon de construir um sistema de mísseis antibalísticos — o prelúdio para as fantasias futuras do *Star Wars*.* "De que lado está a agência?", foi o argumento da Casa Branca, conforme Helms lembrava. "Em outras palavras, 'Vamos nos unir e preparar as provas.'"

---

*Apelido dado ao Programa de Defesa Estratégica proposto por Ronald Reagan em 1983, baseado em sistemas de defesa espaciais e terrestres. O apelido é referência ao filme de 1977. No Brasil, ficou conhecido pela sua tradução, Guerra nas estrelas. (*N. da E.*)

No fim das contas, foi exatamente o que Helms fez, apagando o trecho crucial da mais importante estimativa da CIA sobre as forças nucleares soviéticas em 1969. Mais uma vez, a agência estava alterando seu trabalho para adaptá-lo ao padrão da política da Casa Branca. A decisão de Helms de se alinhar com a Casa Branca "não foi bem aceita pelos analistas da agência", recordou Helms. "Na visão deles, eu havia comprometido uma das responsabilidades mais fundamentais da agência, a autoridade de avaliar todos os dados disponíveis e de expressar todas as conclusões independentemente da política dos EUA." Mas Helms não se arriscaria nesta batalha: "Eu estava convencido de que perderíamos a briga com o governo Nixon e que nesse processo a agência ficaria permanentemente prejudicada." Seus analistas reclamaram da supressão das divergências e do fracasso em aprender com os erros passados. Mas não surgiu qualquer plano para melhorar a análise da capacidade e das intenções dos soviéticos.

Havia oito anos que a CIA vinha estudando fotos de reconhecimento da União Soviética feitas por satélites espiões, observando a partir do espaço e montando o quebra-cabeça das forças soviéticas. A agência trabalhava na próxima geração de satélites espiões, que seriam equipados com câmeras de televisão. Helms sempre acreditara que os aparelhos não substituíam os espiões. Entretanto, assegurou a Nixon que eles dariam aos Estados Unidos o poder de determinar se Moscou cumpriria os acordos alcançados nas negociações do Salt, o Tratado de Limitação de Armas Estratégicas, que estavam acontecendo em Helsinki.

Mas quanto mais dados brutos a CIA obtinha sobre as forças soviéticas, menos clara se tornava a visão geral. Nixon criticou a agência com razão por esta ter subestimado o poder de fogo nuclear soviético nos anos 1960; e usou isso para atacar a agência durante todo o seu governo. Hoje, o resultado dessa pressão é evidente: durante treze anos, desde a era Nixon até os últimos dias da guerra fria, cada estimativa sobre as forças nucleares estratégicas soviéticas *exagerou* o ritmo com que Moscou estava modernizando seu armamento.

Nixon, entretanto, contava com a CIA para subverter a União Soviética a cada oportunidade — não apenas em Moscou, mas em cada nação do planeta.

"O presidente chamou Henry Kissinger e a mim no Salão Oval depois de uma reunião do NSC hoje, para o que acabou sendo uma discussão de 25 minutos sobre vários assuntos, incluindo o Salt, Laos, Camboja, Cuba e operações secretas", registrou Helms num memorando de 25 de março de 1970. "Em relação às operações secretas, o presidente ordenou que eu bata nos soviéticos, e bata com força, em qualquer lugar do mundo que possamos. Ele disse para 'simplesmente ir em frente', para manter Henry Kissinger informado e para sermos tão criativos quanto possível. Foi enfático nisso como nunca antes eu tinha visto." Incentivado por esse raro momento de atenção do presidente, Helms aproveitou "o momento para insistir no ponto em que eu acreditava firmemente, que os Estados Unidos não deveriam desistir de nada que constituísse uma pressão ou um aborrecimento para a União Soviética, sem fixar um preço específico a pagar". Ele prometeu ao presidente uma nova série de ações secretas contra os soviéticos.

Apenas um parágrafo do documento que Helms enviou à Casa Branca na semana seguinte chamou a atenção de Nixon.

Helms analisava o trabalho da Rádio Europa Livre e da Rádio Liberdade — um investimento de mais de US$ 400 milhões em vinte anos — e o poder das rádios em manter o fogo da discórdia aceso por trás da cortina de ferro. Ele detalhava o trabalho de dissidentes soviéticos como o físico Andrei Sakharov e o escritor Alexander Solzhenitsyn, cujas palavras foram lançadas de volta à União Soviética pela CIA. Trinta milhões de pessoas na Europa Oriental ouviam a Rádio Europa Livre, e cidadãos soviéticos faziam o possível para sintonizar na Rádio Liberdade, embora Moscou estivesse gastando US$ 150 milhões por ano para interferir em seus sinais. Além disso, as organizações Europa Livre e Liberdade haviam distribuído 2,5 milhões de livros e periódicos na União Soviética e na Europa Oriental desde o fim dos anos 1950. A esperança era de que palavras, no ar ou impressas, pudessem promover liberdade intelectual e cultural.

Tudo muito bom — mas também antiquado para Nixon. O que atiçou sua imaginação foi a capacidade da CIA de interferir em eleições.

"São muitos os exemplos em que, diante da ameaça de uma vitória de um Partido Comunista ou uma frente popular no Mundo Livre, nós enfrentamos a ameaça e a revertemos com sucesso", lembrava Helms ao presidente. "A Guiana em 1963 e o Chile em 1964 são bons exemplos do que pode ser realizado em circunstâncias difíceis. Logo poderemos enfrentar situações semelhantes em várias partes do mundo, e estamos preparados para a ação com programas secretos cuidadosamente planejados para eleições." Aquilo era melhor. Dinheiro e política eram assuntos que estavam perto do coração de Nixon.

## "A ÚNICA MANEIRA DE AGIR ERA A VELHA MANEIRA"

A agência apoiou secretamente políticos na Europa Ocidental durante toda a guerra fria. A lista incluía o chanceler alemão Willy Brandt, o primeiro-ministro Guy Mollet da França, e cada democrata cristão que ganhou uma eleição nacional na Itália.

A CIA gastou vinte anos e pelo menos US$ 65 milhões comprando influência em Roma, Milão e Nápoles. Em 1965, McGeorge Bundy chamou o programa de ações secretas na Itália de "a vergonha anual". Mas o programa continuou. Potências estrangeiras vinham se intrometendo na política italiana havia séculos; Washington seguia "a tradição dos fascistas, comunistas, nazistas, britânicos e franceses", disse Thomas Fina, cônsul-geral americano em Milão durante o governo Nixon e veterano da inteligência e da diplomacia americanas na Itália. A CIA vinha "subsidiando partidos políticos, tirando dinheiro de partidos políticos, dando dinheiro a políticos individualmente, não dando dinheiro a outros políticos, subsidiando a publicação de livros, o conteúdo de programas de rádio, subsidiando jornais, subsidiando jornalistas", observou Fina. Tinha "recursos financeiros, recursos políticos, amigos, habilidade para chantagear".

Nixon e Kissinger reviveram essa tradição. Seu instrumento era o posto da CIA em Roma e o extraordinário embaixador Graham Martin.

Kissinger chamava Martin de "aquele sujeito de sangue-frio", e considerava isso um elogio. "Obviamente Kissinger admirava alguém que conseguia ser tão implacável quanto ele no exercício do poder", disse o principal funcionário político de Martin em Roma, Robert Barbour. Outros diplomatas americanos achavam Martin obscuro e estranho, "escorregadio como uma enguia". Vinte anos antes, na embaixada americana em Paris, Martin havia convertido fundos do Plano Marshall em dinheiro da CIA. Ele trabalhara intimamente com a CIA quando era embaixador na Tailândia, de 1965 a 1968. Nenhum diplomata americano era mais apaixonado por operações secretas.

Nixon o achava sensacional. "Tenho grande confiança pessoal em Graham Martin", disse ele a Kissinger em 14 de fevereiro de 1969. E com isso a máquina estava em movimento.

A nomeação de Martin como embaixador na Itália foi obra de um rico americano de direita chamado Pier Talenti, que vivia em Roma, onde levantara milhares de dólares em fundos entre seus amigos e aliados políticos para a campanha de Nixon em 1968. Aquilo lhe abriu as portas para a Casa Branca. Talenti encontrou-se com o coronel Alexander M. Haig Jr., assessor militar de Kissinger, para adverti-lo de que os socialistas estavam à beira de tomar o poder na Itália e para afirmar que era preciso um novo embaixador americano para conter a esquerda. Ele sugeriu Martin, e sua mensagem chegou diretamente ao topo do poder. Martin convenceu Nixon e Kissinger de que "era o homem certo para fazer uma mudança na política italiana, porque era duro como um prego", disse Wells Stabler, seu subchefe na missão em Roma.

"Martin decidiu que a única maneira de agir era a velha maneira", disse Stabler, que relutantemente se tornou um participante do renascimento das ações secretas na Itália. A partir de 1970, depois de receber aprovação formal da Casa Branca de Nixon, Martin supervisionou a distribuição de US$ 25 milhões a democratas cristãos e neofascistas italianos, disse Stabler. O dinheiro foi dividido "na sala dos fundos" — o posto da CIA no interior da suntuosa embaixada americana — pelo "embaixador, por mim mesmo e pelo chefe do posto", disse Stabler. "Uma parte foi dada aos partidos, outra a indivíduos. Às vezes, o chefe do posto ou eu recomendávamos alguma coisa, mas era o embaixador quem dava a aprovação." O chefe do posto era Rocky Stone, veterano do golpe no Irã e da tentativa frustrada de derrubar o governo da Síria. Chegara a Roma depois de três anos como chefe de operações da divisão soviética.

Stone entregou cerca de US$ 6 milhões aos democratas cristãos, que formavam o principal partido. Outros milhões de dólares foram para comissões que pressionavam por "políticas ultraconservadoras" no partido, disse Stabler. E mais alguns milhões foram para uma extrema direita clandestina.

Conforme Martin prometera, o dinheiro transformou a face política da Itália. O homem que ele apoiou, Giulio Andreotti, venceu uma eleição com injeções de dinheiro da CIA. Mas o financiamento secreto da extrema direita fomentou um fracassado golpe neofascista em 1970. O dinheiro ajudou a financiar operações secretas da direita — incluindo bombardeios terroristas, que a inteligência italiana atribuiu à extrema esquerda. Também levou ao maior escândalo político da Itália pós-guerra. Investigações parlamentares descobriram que o general Vito Miceli, chefe do serviço de inteligência militar italiano, recebera pelo menos US$ 800 mil da CIA. Miceli foi preso por tentativa de assumir o comando do país à força. Andreotti — o político italiano de maior duração em décadas — passou os últimos anos de sua vida lutando contra acusações de crimes, inclusive assassinato.

Os tempos em que a CIA comprava influência política na Itália finalmente acabaram quando Graham Martin deixou Roma para se tornar o próximo — e último — embaixador americano no Vietnã do Sul.

## "TEMOS CONSCIÊNCIA DO QUE ESTÁ EM JOGO"

Ao longo de 1969 e 1970, Nixon e Kissinger fizeram a CIA se concentrar na expansão secreta da guerra no sudeste da Ásia. Ordenaram à agência que pagasse um suborno político de US$ 725 mil ao presidente Thieu do Vietnã do Sul, manipulasse a mídia em Saigon, interferisse numa eleição na Tailândia e começasse a fazer incursões secretas de comandos no Vietnã do Norte, no Camboja e no Laos.

Num frio despacho na véspera da viagem internacional de Nixon ao sudeste da Ásia, Helms contou-lhe sobre a longa guerra da CIA no Laos. A agência "mantinha uma força secreta irregular com um total de 39 mil homens que tem realizado a maior parte dos combates efetivos" aos comunistas, relembrou a Nixon. Eram os guerreiros hmongs da CIA, liderados desde 1960 pelo general Vang Pao. "Essas forças irregulares estão cansadas de oito anos de guerra constante e Vang Pao... está sendo forçado a usar crianças de 13 e 14 anos para substituir suas baixas... Os limites do que a agência pode fazer em termos paramilitares para impedir o avanço norte-vietnamita já foram mais do que alcançados." Nixon respondeu ordenando a Helms que criasse um novo batalhão paramilitar tailandês no Laos para apoiar a Hmong. Kissinger perguntou quais os melhores locais do Laos para bombardear com jatos B-52.

Enquanto a guerra clandestina no sudeste da Ásia se intensificava, Nixon e Kissinger faziam planos para se reaproximar secretamente do presidente Mao Tsé-tung. Para abrir caminho até a China, eles estrangularam as operações da agência contra o regime comunista.

Durante a década anterior, em nome do combate ao comunismo chinês, a CIA gastara dezenas de milhões de dólares lançando toneladas de armas de pára-quedas para centenas de guerrilheiros tibetanos que lutavam por seu líder espiritual, Sua Santidade Tenzen Gyatso, o 14º Dalai Lama. Quando Allen Dulles e Desmond FitzGerald informaram Eisenhower sobre a operação em fevereiro de 1960, "o presidente especulou se o resultado daquelas operações não seria mais represálias brutais dos comunistas chineses".

Ike aprovou, entretanto, o programa. A agência criou um campo de treinamento para combatentes tibetanos nas Montanhas Rochosas do Colorado. Pagou um subsídio anual de cerca de US$ 180 mil diretamente ao Dalai Lama, e criou Casas do Tibete em Nova York e Genebra para servirem como embaixadas não-oficiais. O objetivo era manter vivo o sonho de um Tibete livre e ao mesmo tempo acossar o Exército Vermelho no oeste da China. Os resultados até então haviam sido a morte de dezenas de combatentes da resistência e uma pequena bolsa ensangüentada com documentos militares chineses de valor inestimável, apreendida num combate.

Em agosto de 1969, a agência requisitou mais US$ 2,5 milhões em apoio aos insurgentes do Tibete para o ano seguinte, descrevendo o grupo paramilitar de 1.800 homens como "uma força que poderia ser empregada com intensidade em caso de hostilidades" contra a China. "Isso representa algum benefício direto para nós?", perguntou Kissinger. Ele respondeu a sua própria pergunta. Embora os subsídios da CIA ao Dalai Lama tenham continuado, a resistência tibetana foi abandonada.

Kissinger abandonou assim o que restava da missão de vinte anos da CIA para realizar operações clandestinas contra a China.

As ações de comandos da Guerra da Coréia foram reduzidas a transmissões de rádio aleatórias de Taipé e Seul, folhetos jogados sobre o continente, falsas notícias plantadas em Hong Kong e Tóquio e o que a agência descrevia como "atividades internacionais para denegrir e obstruir a República Popular da China". A CIA continuou trabalhando com o generalíssimo Chiang Kai-shek em seu esforço inglório para libertar Taiwan, sem saber que Nixon e Kissinger tinham planos de se reunir com o presidente Mao e o primeiro-ministro Chou En-lai em Pequim.

Quando Kissinger finalmente se sentou com Chou, o primeiro-ministro perguntou sobre a última campanha Taiwan Livre: "A CIA não teve nenhuma participação nisso?"

Kissinger assegurou a Chou que "ele superestimava imensamente a competência da CIA".

"Eles [a CIA] se tornaram motivo de discussão no mundo todo", disse Chou. "Cada vez que alguma coisa acontece no mundo, eles são sempre lembrados."

"É verdade", respondeu Kissinger, "e isso os envaidece, mas eles não merecem isso."

Chou ficou fascinado ao descobrir que Kissinger aprovava pessoalmente as operações secretas da CIA. Expressou sua suspeita de que a agência ainda estava subvertendo a República Popular.

Kissinger respondeu que a maioria dos oficiais da CIA "escreve relatórios longos e incompreensíveis e não faz revolução".

"Você usa a palavra revolução", disse Chou. "Dizemos subversão."

"Ou subversão", admitiu Kissinger. "Eu compreendo. Temos consciência do que está em jogo em nossas relações, e não vamos deixar que uma organização realize pequenas operações que possam atrapalhar esse curso."

Aquilo foi o fim. A CIA ficaria afastada de negócios na China durante anos a fio.

### "A DEMOCRACIA NÃO FUNCIONA"

A CIA lutou em cada frente para sustentar a guerra no Vietnã. Um de seus maiores esforços foi realizado três semanas depois da posse do presidente Nixon. Em fevereiro de 1969, ações secretas criaram a aparência de uma democracia na Tailândia.

Uma junta militar governara a Tailândia por onze anos, e dezenas de milhares de soldados americanos se prepararam para a batalha contra Hanói em bases militares tailandesas. A ditadura fazia pouco para apoiar a idéia de que os americanos estavam lutando pela democracia no sudeste da Ásia.

A operação de eleição feita pela CIA, com o codinome Lotus, foi uma campanha amparada em dinheiro concebida pelo embaixador Graham Martin em 1965, aprovada pelo presidente Johnson e reafirmada pelo presidente Nixon. O posto da CIA em Bangcoc tentou convencer a junta a fazer uma votação; os generais se recusavam. Finalmente, a agência injetou milhões de dólares na política da Tailândia em 1968 e 1969; o dinheiro financiou a aparente transformação das forças militares uniformizadas num partido dominante pronto para eleições. O homem da CIA que distribuía o dinheiro era Pote Sarasin — embaixador dos Estados Unidos na Tailândia de 1952 a 1957, chefe da Organização do Tratado do Sudeste da Ásia de 1957 a 1964 e principal testa-de-ferro civil para a junta governante.

As eleições aconteceram e a junta governante venceu facilmente. Mas os governantes ficaram cada vez mais impacientes com as restrições da democra-

cia. Logo puseram fim à experiência, suspendendo a constituição e dissolven-
do o parlamento. Pote Sarasin reassumiu sua posição de face civil da lei marcial
na noite do golpe pacífico, e incitou os generais a se explicarem a seus amigos
na embaixada americana em Bangcoc naquela noite. Eles disseram que respeitavam os princípios da democracia e haviam tentado praticá-los. Mas concluíram que "ficou claro que na Tailândia hoje a democracia não funciona".

As ações secretas da CIA produziram apenas um fino verniz. "Não deverá
haver mudança alguma nas relações da Tailândia com os EUA", disse Kissinger
depois do golpe. "Os líderes do Conselho Revolucionário são, na verdade, essencialmente os mesmos com os quais temos lidado o tempo todo", disse ele. "Podemos antecipar que nossos programas na Tailândia continuarão sem interrupção."

### "COLOQUE ESSES IMBECIS DA CIA PARA TRABALHAR"

Em fevereiro de 1970, o presidente ordenou com urgência à CIA que começasse a agir no Camboja. Depois de um ano de planejamento, sua campanha secreta
de bombardeios contra supostos alvos vietcongues naquela nação tecnicamente
neutra estava marcada para começar em 17 de março. B-52 americanos despe-
jariam 108.823 toneladas de bombas sobre seis supostos campos comunistas
que a CIA e o Pentágono identificaram — incorretamente — como centros de
comando secretos do Vietnã do Norte.

Helms estava tentando instalar as bases para um novo posto da CIA no
Camboja quando o primeiro-ministro de direita do país, Lon Nol, tomou o
poder. O golpe aconteceu no dia em que os bombardeios secretos começaram.
Chocou a CIA e o resto do governo americano.

"Que diabo esses palhaços estão fazendo lá em Langley?", urrou Nixon.

"Coloque esses imbecis da CIA para trabalhar no Camboja", ordenou ele.
Nixon disse a Helms para enviar milhares de fuzis automáticos AK-47 para Lon
Nol, imprimir um milhão de folhetos de propaganda e espalhar no mundo a
mensagem de que os Estados Unidos estavam prontos para invadir. Em seguida, ordenou à CIA que desse US$ 10 milhões ao novo líder cambojano. "Man-
de o dinheiro para Lon Nol", insistiu.

Nixon exigiu um cálculo preciso da quantidade de armas e munição que
chegava ao inimigo pelo porto cambojano de Sihanoukville. A agência tinha
trabalhado nessa questão por cinco anos, sem sucesso. Nixon sugeriu que o

fluxo de armas poderia ser cortado se a CIA subornasse os generais cambojanos certos. Helms se opôs por motivos práticos — os generais estavam ganhando milhões de dólares com o comércio de armas e a agência não tinha fundos para comprar ou alugar a lealdade deles. O argumento não impressionou o presidente. Em 18 de julho de 1970, num encontro com seu grupo de assessoria em inteligência externa, Nixon atacou duramente o desempenho da agência.

"A CIA descreveu o fluxo de material através de Sihanoukville como muito pequeno", disse ele. Na verdade, o porto estava fornecendo dois terços das armas comunistas do Camboja. "Se erros desse tipo podem ser cometidos numa questão tão óbvia quanto esta", perguntou ele, "como devemos julgar as avaliações da CIA ou os acontecimentos mais importantes?"

"Os EUA estão gastando US$ 6 bilhões por ano em inteligência e merecem muito mais do que estão recebendo", disse Nixon. A minuta do grupo de inteligência registra sua ira crescente. O presidente disse que não podia "agüentar pessoas mentindo para ele sobre inteligência. Se a inteligência é inadequada ou se a inteligência descreve uma situação ruim, ele quer saber a respeito e não vai tolerar avaliações distorcidas".

"Ele entende que a comunidade de inteligência tem sido bastante agredida algumas vezes e por isso tende a tornar seus relatórios tão brandos quanto possível, de modo que não seja agredida novamente", diz a minuta. "Ele acredita que os responsáveis pela distorção deliberada de um relatório de inteligência devem ser demitidos. Sugeriu que pode estar chegando a hora em que ele terá que repreender formalmene toda a comunidade de inteligência."

Nesse momento delicado, Nixon ordenou à CIA que desse um jeito na próxima eleição no Chile.

# 29 "O G.E.U. QUER UMA SOLUÇÃO MILITAR"

Em 1970, a influência da CIA era sentida em cada país do hemisfério ocidental, da fronteira do Texas à Terra do Fogo. No México, o presidente lidava exclusivamente com o chefe do posto, e não com o embaixador, e recebeu em casa um informe pessoal do diretor da central de inteligência no dia de Ano-Novo. Em Honduras, dois chefes de posto sucessivos haviam prometido privadamente apoio dos Estados Unidos à junta militar, desafiando os embaixadores aos quais serviam.

Poucas nações latino-americanas faziam mais do que apenas retórica sobre os ideais de democracia e o império da lei. Uma dessas poucas era o Chile, onde a CIA via uma ameaça vermelha surgindo.

O esquerdista Salvador Allende era o candidato com maiores chances de ganhar a eleição presidencial, marcada para setembro de 1970. O moderado Radomiro Tomic, apoiado pelos democratas cristãos, tradicionais favoritos da CIA, parecia ter poucas chances. O direitista Jorge Alessandri tinha um currículo fortemente pró-EUA, mas era corrupto; o embaixador americano, Edward Korry, achava-o insuportável. Todas as apostas eram ruins.

A CIA havia derrotado Allende uma vez antes. Foi quando o presidente Kennedy aprovou um programa de guerra política para subvertê-lo, mais de dois anos antes das eleições chilenas de setembro de 1964. A agência montou um esquema e injetou cerca de US$ 3 milhões no aparelho político do Chile. Pagou aproximadamente um dólar por voto para o democrata cristão pró-americanos Eduardo Frei. Lyndon Johnson, que aprovou a continuidade da operação, gastou um pouco menos por eleitor quando conquistou a presidência dos EUA em 1964. A campanha de Frei recebeu manobras para aumentar o número de seus votos e consultores políticos, além de malas cheias de dinheiro vivo. A CIA financiou esforços secretos contra Allende feitos pela Igreja Católica e por sindicatos trabalhistas. A agência estimulou a resistência a Allende no comando militar chileno e na polícia nacional. O secretário de Estado Rusk disse ao presidente Johnson que a vitória de Frei era "um triunfo da democracia", obtido "em parte como resultado de um bom trabalho da CIA".

O presidente Frei governou o país por seis anos; a constituição limitava-o a um mandato. Agora a questão mais uma vez era como deter Allende. Por meses Helms advertiu a Casa Branca de que se ela quisesse manter o Chile sob controle precisava aprovar rapidamente uma nova ação secreta. Vencer eleições estrangeiras era algo que exigia tempo, tanto quanto dinheiro. A agência tinha um de seus homens mais estáveis e confiáveis como chefe do posto em Santiago — Henry Hecksher, que espionara os soviéticos em Berlim, ajudara a derrubar o governo da Guatemala e manobrara o Laos para o lado americano. Agora ele aconselhava fortemente a Casa Branca a apoiar Alessandri, o candidato de direita.

Kissinger estava preocupado. Ele tinha uma guerra verdadeira no sudeste da Ásia em suas mãos. Fez a notória afirmação de que o Chile era um punhal apontado para o coração da Antártica. Mas, em março de 1970, aprovou o programa de guerra política de US$ 135 mil para esmagar Allende. Em 27 de junho, ao adicionar mais US$ 165 mil, ele observou: "Não vejo por que devemos deixar que um país se torne marxista só porque seu povo é irresponsável." Ele apoiava a derrota de Allende, mas não apoiava a eleição de ninguém.

Na primavera e no verão de 1970, a CIA se pôs ao trabalho. Em casa e no exterior, alimentou com propaganda repórteres proeminentes que serviam como estenógrafos da agência. "Particularmente digna de nota nesse caso foi a reportagem de capa da *Time* que usou bastante informações e material escrito fornecidos pela CIA", observou um relatório interno da agência. Na Europa, importantes representantes do Vaticano e líderes democratas-cristãos na Alemanha Ocidental e na Itália trabalharam a pedido da CIA para deter Allende. No Chile, "cartazes foram impressos, notícias plantadas, editoriais incentivados, rumores sussurrados, folhetos espalhados e panfletos distribuídos", relembrou Helms. O objetivo era aterrorizar o eleitorado — "para mostrar que uma vitória de Allende seria um risco de destruição para a democracia chilena", disse Helms. "Foi um esforço árduo, mas o efeito perceptível parecia mínimo."

O embaixador Korry achou o trabalho da CIA terrivelmente amador. "Eu nunca tinha visto uma propaganda tão terrível numa campanha em nenhum lugar do mundo", disse ele muitos anos depois. "Eu disse que os idiotas da CIA que ajudaram a criar a 'campanha de terror' — e disse isso à CIA — deveriam ser demitidos imediatamente por não compreenderem o Chile e os chilenos. Era o tipo de coisa que eu tinha visto em 1948 na Itália."

Em 4 de setembro de 1970, Allende venceu a disputa eleitoral entre três candidatos com uma margem de 1,5%, menos de 37% dos votos. De acordo com a lei chilena, o Congresso tinha que ratificar o resultado e confirmar a maioria de votos de Allende cinqüenta dias após a eleição. Era uma mera formalidade legal.

## "O SENHOR JÁ TEM SEU VIETNÃ"

A CIA tinha bastante experiência em interferir em eleições antes da votação. Mas nunca o fizera depois da votação. Tinha sete semanas para alterar o resultado.

Kissinger instruiu Helms a avaliar as chances de um golpe. Eram chances pequenas: o Chile era uma democracia desde 1932 e os militares não buscavam o poder político desde então. Helms enviou ao chefe do posto, Henry Hecksher, um telegrama ordenando-lhe que estabelecesse contato direto com oficiais militares chilenos que pudessem cuidar de Allende. Hecksher não tinha qualquer conexão desse tipo. Mas conhecia Agustín Edwards, um dos homens mais poderosos do Chile. Edwards era dono da maioria das minas de cobre do país; do maior jornal, *El Mercurio*; e da fábrica de engarrafamento da Pepsi-Cola. Uma semana depois da eleição, Edwards voou para o norte para se encontrar com seu bom amigo Donald Kendall, diretor-executivo da Pepsi e um dos mais valiosos apoios financeiros do presidente Nixon.

Em 14 de setembro, Edwards e Kendall tomaram um café com Kissinger. Então "Kendall se dirigiu a Nixon, querendo alguma ajuda para manter Allende fora do poder", recordou Helms. (Mais tarde Kendall negou esse papel; Helms zombou de sua negação.) Helms se encontrou com Edwards ao meio-dia, no Washington Hilton. Eles discutiram o momento para um golpe militar contra Allende. Naquela tarde, Kissinger aprovou mais US$ 250 mil para uma guerra política no Chile. Ao todo, a CIA entregou um total de US$ 1,95 milhão diretamente a Edwards, a *El Mercurio* e a sua campanha contra Allende.

Naquela mesma manhã, Helms disse a Tom Polgar, agora chefe do posto em Buenos Aires, para tomar o próximo avião para Washington — e trazer consigo o chefe da junta militar argentina, general Alejandro Lanusse. O general era um homem impassível que passara quatro anos na prisão, nos anos 1960, depois de um golpe fracassado. Na tarde do dia seguinte, 15 de setembro, Polgar e Lanusse se sentaram no escritório do diretor na sede da CIA, esperando que Helms voltasse de um encontro com Nixon e Kissinger.

"Helms estava muito nervoso quando voltou", recordou Polgar, e com bons motivos: Nixon ordenou-lhe que montasse um golpe militar sem contar ao secretário de Estado, ao secretário de Defesa, ao embaixador americano e ao chefe do posto. Helms rabiscou as ordens do presidente num bloco de papel:

> *Uma chance em dez talvez, mas salvar Chile!...*
> *US$ 10 milhões disponíveis...*
> *melhores homens que temos*
> *fazer a economia gritar*

Helms tinha 48 horas para dar a Kissinger um plano de jogo e 49 dias para deter Allende.

Tom Polgar conhecia Richard Helms havia 25 anos. Eles tinham começado juntos na base de Berlim, em 1945. Polgar olhou nos olhos de seu velho amigo e viu uma centelha de desespero. Helms se voltou para o general Lanusse e perguntou o que sua junta poderia fazer para ajudar a derrubar Allende.

O general argentino fitou o chefe da inteligência americana. "Senhor Helms", disse ele, "o senhor já tem seu Vietnã. Não me faça ter o meu."

### "O QUE PRECISAMOS É DE UM GENERAL COM COLHÕES"

Em 16 de setembro, Helms convocou uma reunião de manhã cedo com seu chefe de ações secretas, Tom Karamessines, e mais sete oficiais importantes. "O presidente pediu à agência que impeça Allende de chegar ao poder ou que o retire do poder", anunciou ele. Karamessines tinha o comando geral, bem como o trabalho ingrato de manter Kissinger informado.

A CIA dividiu a operação Allende em Trilha Um e Trilha Dois. A Trilha Um era guerra política, pressão econômica, propaganda e jogo diplomático.

Tinha o objetivo de comprar votos no Senado chileno suficientes para impedir a confirmação de Allende no cargo. Se isso falhasse, o embaixador Korry planejava persuadir Frei a criar um golpe constitucional. Como último recurso, os Estados Unidos "condenariam o Chile e os chilenos a privação e pobreza extremas", disse Korry a Kissinger, "forçando Allende a adotar as duras características de um Estado policial" e provocando uma rebelião popular.

A Trilha Dois era um golpe militar. Korry nada sabia sobre isso. Mas Helms desafiou a ordem do presidente de excluir Henry Hecksher e disse a Tom Polgar para voltar à Argentina para prepará-lo. Hecksher e Polgar — os meninos da base de Berlim e melhores amigos desde a Segunda Guerra Mundial — estavam entre os melhores oficiais da CIA. Ambos achavam que a Trilha Dois era uma missão inútil.

Helms telefonou para o chefe do posto no Brasil, David Atlee Phillips, para que ele liderasse a força-tarefa no Chile. Na CIA desde 1950 e veterano da Guatemala e da República Dominicana, ele era o melhor artista de propaganda da agência. Não tinha esperança alguma na Trilha Um.

"Qualquer pessoa que tivesse vivido no Chile, como eu, e que conhecesse os chilenos, sabia que talvez você conseguisse subornar um senador chileno, mas dois? Nunca. E três? Sem chance", disse Phillips. "Eles soariam o alarme. Eram democratas já havia muito tempo." Quanto à Trilha Dois, disse Phillips, "os militares chilenos eram um modelo de retidão democrática". O comandante, general René Schneider, proclamara que o exército obedeceria à constituição e se manteria afastado da política.

Para a Trilha Dois, Phillips tinha 23 repórteres estrangeiros em sua folha de pagamento para incitar a opinião pública internacional. Ele e seus colegas ditaram a feroz notícia anti-Allende que saíra na capa da *Time*. Para a Trilha Dois, ele tinha uma equipe de falsa bandeira, formada por homens da CIA altamente disfarçados com passaportes falsos. Um deles posava de homem de negócios colombiano, outro de contrabandista argentino e um terceiro de oficial da inteligência militar boliviana.

Em 27 de setembro, os falsos estrangeiros pediram ao adido militar americano na embaixada, coronel Paul Wimert — amigo da CIA de longa data — que os ajudasse a encontrar oficiais chilenos dispostos a derrubar Allende. Um candidato era um dos pouquíssimos generais que tentaram incitar um golpe num passado recente: Robert Viaux. Mas muitos de seus companheiros oficiais pensavam que Viaux era uma ferramenta perigosa; alguns achavam que ele era louco.

Em 6 de outubro, um dos falsos estrangeiros teve uma longa conversa com Viaux. Horas depois, o embaixador Korry descobriu que a CIA estava armando um golpe pelas suas costas. Ele teve um confronto com Henry Hecksher aos gritos. "Você tem 24 horas para entender que eu dirijo você ou para deixar o país", disse o embaixador.

"Estou chocado", disse Korry a Kissinger num telegrama. "Qualquer tentativa de nossa parte de incentivar ativamente um golpe pode nos levar a um fracasso como o da Baía dos Porcos."

Apoplético, Kissinger ordenou ao embaixador que parasse de se intrometer. Em seguida, chamou Helms mais uma vez à Casa Branca. O resultado foi um rápido telegrama ao posto da CIA em Santiago: "CONTATE OS MILITARES E INFORME-OS DE QUE O G.E.U. — O GOVERNO DOS ESTADOS UNIDOS — QUER UMA SOLUÇÃO MILITAR E QUE VAMOS APOIÁ-LOS AGORA E DEPOIS... CRIAR PELO MENOS ALGUM TIPO DE CLIMA DE GOLPE... PATROCINAR UM MOVIMENTO MILITAR."

Em 7 de outubro, horas depois que essa ordem partiu da sede da CIA, Helms viajou em avião para uma inspeção de duas semanas nos postos de Saigon, Bangcoc, Vientiane e Tóquio.

Naquele dia, Henry Hecksher tentou derrubar a idéia de realizar um golpe com o general Viaux. O chefe do posto disse à sede que um regime de Viaux "seria uma tragédia para o Chile e para o mundo livre... Um golpe de Viaux só provocaria um banho de sangue em massa". Isso teve pouco efeito em Washington. Em 10 de outubro, a duas semanas da posse de Allende, Hecksher tentou novamente explicar os fatos a seus superiores. "Vocês nos pediram para provocar o caos no Chile", escreveu Hecksher. "Uma solução através de Viaux lhes dará uma fórmula para o caos que dificilmente evitará derramamento de sangue. Esconder o envolvimento dos EUA claramente será impossível. A equipe do posto, como vocês sabem, avaliou seriamente todos os planos dos colegas da sede. Concluímos que nenhum deles tem sequer uma chance remota de alcançar o objetivo. Portanto, a aposta em Viaux, apesar dos altos fatores de risco, pode ser relevante para vocês."

A sede hesitou.

Em 13 de outubro, Hecksher enviou por telegrama a notícia de que Viaux estava pensando em seqüestrar o comandante-em-chefe do exército chileno, general Schneider, que respeitava a constituição. Kissinger convocou Karamessines para a Casa Branca. Na manhã de 16 de outubro, Karamessines enviou por telegrama suas ordens a Hecksher:

TRATA-SE DE UMA POLÍTICA FIRME E CONTÍNUA QUE ALLENDE SEJA DERRUBADO POR UM GOLPE... FOI DETERMINADO QUE UMA TENTA-TIVA DE GOLPE DE VIAUX, EXECUTADA SOMENTE POR ELE COM AS FORÇAS HOJE À SUA DISPOSIÇÃO, FRACASSARIA... INCENTIVE-O A REUNIR FORÇAS COM OUTROS PLANEJADORES DO GOLPE... GRAN-DE E CONTÍNUO INTERESSE NAS ATIVIDADES DE VALENZUELA ET AL E A ELES DESEJAMOS ÓTIMA SORTE.

O general Camilo Valenzuela, chefe da guarnição de Santiago, fizera contato com a CIA seis dias antes. Revelara que estava disposto, e talvez fosse capaz, mas que estava assustado. Na noite de 16 de outubro, um dos oficiais de Valenzuela procurou a CIA em busca de dinheiro e orientação. *"Qué necesitamos es un general con cojones"*, disse o oficial. "O que precisamos é de um general com colhões."

Na noite seguinte, o general Valenzuela enviou dois coronéis para um encontro em segredo com o coronel Wimert, representante da CIA fardado. O plano do grupo — praticamente idêntico a outro proposto por Viaux — era seqüestrar o general Schneider, enviá-lo de avião para a Argentina, dissolver o Congresso e assumir o poder em nome das forças armadas. Eles receberam US$ 50 mil em dinheiro, três submetralhadoras e uma bolsa de gás lacrimogêneo, tudo aprovado na sede por Tom Karamessines.

Em 19 de outubro, com cinco dias para agir, Hecksher indicou que a Trilha Dois era "tão pouco profissional e insegura que, no cenário chileno, poderia até ter uma chance de sucesso". Em outras palavras, tantos oficiais militares chilenos sabiam que a CIA queria impedir Allende de assumir o poder que as chances do golpe estavam crescendo. "Todas as partes militares interessadas conhecem nossa posição", diz um memorando da CIA datado de 20 de outubro. No dia seguinte, Richard Helms chegou aos Estados Unidos, voltando de sua viagem de duas semanas aos postos asiáticos.

Em 22 de outubro, cinqüenta horas antes da reunião do Congresso para confirmar os resultados da eleição, uma gangue de homens armados fez uma emboscada ao general Schneider quando ele seguia para o trabalho. Ele recebeu vários tiros e morreu durante uma cirurgia, logo depois que o Congresso confirmou, de acordo com a Constituição, que Salvador Allende fora eleito presidente do Chile por 153 votos a 35.

A CIA levou alguns dias para descobrir quem assassinara o general Schneider. Na sede, Dave Phillips presumiu que as submetralhadoras da CIA tinham feito o trabalho. Para seu grande alívio, os homens de Viaux, e não os de Valenzuela, haviam apertado o gatilho. O avião que a CIA reservou para transportar o general Schneider seqüestrado para fora de Santiago enviou, em seu lugar, o oficial chileno que recebera armas e dinheiro da agência. "Ele chegou a Buenos Aires com uma pistola no bolso, dizendo, 'Estou com um grande problema, vocês têm que me ajudar'", relembrou Tom Polgar. A CIA começara comprando votos no Chile e acabou contrabandeando armas automáticas para aspirantes a assassinos.

## "A CIA NÃO VALE UM TOSTÃO"

A Casa Branca ficou furiosa com o fracasso da agência na tentativa de deter Allende. O presidente e seus homens acreditavam que uma quadrilha liberal na CIA havia sabotado o plano de ação secreta no Chile. Alexander Haig, agora general e braço direito indispensável de Kissinger, disse que a operação fracassou porque os oficiais da CIA permitiram que seus sentimentos políticos "interferissem em suas avaliações finais e suas propostas para ações reparadoras no campo das ações secretas". Haig disse a seu chefe que era hora de eliminar "as cruciais áreas dominadas pela esquerda sob o comando de Helms" e insistir em "uma grande renovação dos meios, das atitudes e do conceito básico com os quais os programas secretos da CIA deveriam ser realizados".

Nixon decretou que Helms poderia continuar no cargo se limpasse a casa. O diretor imediatamente prometeu demitir quatro de seus seis assessores, mantendo apenas Tom Karamessines para as ações secretas e Carl Duckett para ciência e tecnologia. Num memorando a Kissinger, ele advertiu indiretamente que uma limpeza contínua ameaçaria o moral e a dedicação de seus homens. O presidente respondeu ameaçando repetidamente cortar centenas de milhões de dólares da agência. "Nixon criticou duramente a CIA e sua inteligência deficiente", recordou George P. Shultz, na época seu diretor de orçamento. "'Quero que você reduza o orçamento da CIA a um terço de seu valor atual'", teria dito o presidente. "'Não, corte pela metade.' Essa era a maneira de Nixon expressar sua ira, mas não se levava muito a sério."

Nixon não estava brincando. Em dezembro de 1970, um dos assessores de Kissinger implorou-lhe a "exortar privadamente o presidente a não fazer um corte tão grande, arbitrário, generalizado... Um corte profundo pode ser desastroso". Mas o presidente manteve a faca no pescoço da CIA durante os dois anos seguintes.

Atacar furiosamente a CIA provou ser algo simples para a Casa Branca de Nixon, mas muito mais difícil era salvá-la. Naquele mês, por determinação do presidente, Kissinger e Shultz encarregaram um ambicioso executor de cortes do escritório de orçamento chamado James R. Schlesinger de fazer uma análise de três meses sobre os papéis e as responsabilidades mantidos por Richard Helms. Precocemente grisalho aos 41 anos, Schlesinger fora colega de classe de Kissinger em Harvard, e seu raciocínio era idêntico ao dele, embora lhe faltasse a qualidade essencial de enganar. Ele havia conquistado fama na Casa Branca de Nixon examinando os níveis baixos do governo e cortando pessoal.

Schlesinger relatou que o custo da inteligência estava aumentando e a qualidade diminuindo. Sete mil analistas afogados em dados na CIA não podiam atender aos padrões do presente. Seis mil oficiais do serviço clandestino não conseguiam se infiltrar nos altos círculos de poder do mundo comunista. O diretor da central de inteligência não tinha poder algum para fazer nada além de dirigir ações secretas e produzir relatórios de inteligência que Nixon e Kissinger raramente liam. A agência não podia apoiar as ambições mundiais de Nixon — abrir a porta para a China, enfrentar os soviéticos, encerrar a Guerra do Vietnã nos termos americanos. "Não há indício algum de que a comunidade da inteligência, considerando sua atual estrutura, vá resolver esse tipo de problema", concluiu Schlesinger.

Ele propôs a mais radical reformulação da espionagem americana desde 1947. Um novo czar a ser conhecido como diretor de inteligência nacional trabalharia na Casa Branca e supervisionaria o império da inteligência. A CIA seria desmembrada e uma nova agência seria criada para realizar ações secretas e espionagem.

Haig, que colocara a idéia em andamento, escreveu num memorando que esta seria "a mais controversa briga de foice" ocorrida no governo americano de que se tinha lembrança. O problema era que o Congresso havia criado a CIA e teria que participar de seu renascimento. Isso Nixon não poderia tolerar. Tinha que ser feito em segredo. Ele ordenou a Kissinger que passasse um mês sem fazer nada além de assegurar que isso acontecesse. Mas Kissinger não tinha estômago para a tarefa. "Eu prefiro cruzar os braços", rabiscou ele no memorando de Haig. "Não tenho intenção alguma de dar meu sangue a isso."

A longa batalha terminou um ano depois de Allende chegar ao poder. O presidente ordenou diretamente a Helms que entregasse o controle da CIA a seu vice-diretor — o general Cushman, comparsa de Nixon — e representasse o papel de testa-de-ferro da inteligência americana. Helms conteve esse golpe mortal com um contragolpe ágil. Pôs Cushman numa geladeira tão fria que o general implorou por um novo cargo, de comandante dos fuzileiros navais. A vaga de número dois da agência permaneceu aberta durante seis meses.

Com isso, a idéia morreu, exceto na cabeça de Richard Nixon. "A inteligência é uma vaca sagrada", vociferava ele. "Não fizemos nada em relação a isso desde que chegamos aqui. A CIA não vale um tostão." Ele fez uma anotação mental: livrar-se de Richard Helms.

## "CONSEQÜÊNCIAS NATURAIS E PROVÁVEIS"

A subversão contra Salvador Allende continuou. "A Trilha Dois nunca terminou realmente", disse Tom Karamessines, da CIA. Suas anotações sobre uma reunião na Casa Branca em 10 de dezembro de 1970 refletem o que estava por vir: "Kissinger, no papel de advogado do diabo, assinalou que o programa da CIA proposto tinha o objetivo de apoiar moderados. Uma vez que Allende está mostrando ser um moderado, perguntou ele, por que não apoiar extremistas?"

Foi precisamente o que a agência fez. Gastou a maior parte dos US$ 10 milhões autorizados por Nixon semeando o caos econômico e político no Chile. As sementes brotaram em 1971. O novo chefe da divisão latino-americana, Ted Shackley, de volta à sede da CIA depois de períodos curtos como chefe dos postos do Laos e do Vietnã do Sul, disse a seus superiores que seus oficiais "usarão nossa influência para apoiar comandantes militares cruciais, de modo que eles possam desempenhar um papel decisivo ao lado das forças do golpe". O novo chefe do posto de Santiago, Ray Warren, construiu uma rede de militares e sabotadores políticos que tentou afastar os militares chilenos de sua base constitucional. E o presidente Allende cometeu um erro fatal. Ao reagir à pressão da CIA, construiu um exército nas sombras chamado Grupo de Amigos do Presidente. Fidel Castro apoiou essa força. Os militares chilenos não podiam saber de sua existência.

Quase três anos depois da eleição de Allende, um jovem agente da CIA em Santiago chamado Jack Devine — que muitos anos depois se tornaria chefe em exercício do serviço clandestino — enviou um boletim diretamente para Kissinger, que acabara de ser nomeado secretário de Estado. O telegrama dizia que dentro de minutos ou horas os Estados Unidos receberiam um pedido de ajuda de "um oficial-chave do grupo militar chileno que está planejando derrubar o presidente Allende".

O golpe aconteceu em 11 de setembro de 1973. Foi rápido e terrível. Enfrentando a captura no palácio presidencial, Allende se matou com um fuzil automático, presente de Fidel Castro. A ditadura militar do general Augusto Pinochet teve início naquela tarde, e a CIA rapidamente forjou um contato com a junta do general. Pinochet reinou com crueldade, assassinando mais de 3.200 pessoas, prendendo e torturando dezenas de milhares na repressão chamada de Caravana da Morte.

"Não há dúvida alguma de que alguns contatos da CIA estavam ativamente envolvidos na realização e no encobrimento de sérios abusos de direitos humanos", confessou a agência numa declaração ao Congresso depois do fim da guerra fria. O principal contato era o coronel Manuel Contreras, chefe do serviço de inteligência chileno de Pinochet. Ele se tornou um agente pago pela CIA e se encontrou com importantes funcionários da CIA em Virgínia dois anos depois do golpe, numa época em que a agência relatou que ele foi pessoalmente responsável por milhares de casos de assassinato e tortura no Chile. Contreras se tornou conhecido por um ato de terror singular: o assassinato, em 1976, de Orlando Letelier — que havia sido embaixador de Allende nos Estados Unidos — e um assessor americano, Ronni Moffitt. Eles foram mortos por um carro-bomba a quatorze quarteirões da Casa Branca. Depois, Contreras chantageou os Estados Unidos, ameaçando contar ao mundo sobre sua relação com a CIA, e conseguiu impedir sua extradição e julgamento pelo assassinato. Não havia dúvida na agência de que Pinochet sabia do assassinato terrorista em solo americano e o aprovou.

O regime Pinochet durou dezessete anos. Depois de sua queda, Contreras foi condenado por um tribunal chileno pelo assassinato de Orlando Letelier e cumpriu uma sentença de sete anos. Pinochet morreu em dezembro de 2006, aos 91 anos, depois de ser indiciado por assassinatos e com US$ 28 milhões em contas bancárias secretas no exterior. No momento em que este livro é escrito, Henry Kissinger está sendo perseguido em tribunais de Chile, Argentina, Espanha e França por sobreviventes da Caravana da Morte. Quando ele era secretário de Estado, o conselho da Casa Branca o advertiu claramente de que

"alguém que colabora com uma tentativa de golpe pode ser julgado responsável pelas conseqüências naturais e prováveis dessa ação".

A CIA era incapaz de "controlar os botões de parar e avançar da máquina"
de ações secretas, disse Dave Phillips, chefe da força-tarefa chilena. "Achei que,
se ocorresse um golpe militar, poderia haver duas semanas de luta nas ruas de
Santiago, e talvez meses de combate e milhares de mortes no interior", testemunhou ele em segredo a uma comissão do Senado, cinco anos depois do fracasso inicial da Trilha Dois. "Deus sabe que eu tinha consciência de estar
envolvido em algo em que um homem poderia ser assassinado."

Seu interrogador perguntou: Que diferença você vê entre uma morte por
assassinato e milhares de mortes num golpe?

"Senhor", respondeu ele, "qual distinção eu vejo entre isto e a época em
que eu era piloto de bombardeiro na Segunda Guerra Mundial, apertava um
botão e centenas, talvez milhares de pessoas morriam?"

# 30 "VAMOS ENFRENTAR UM INFERNO"

Com o presidente Nixon, a vigilância secreta do governo chegou ao auge na primavera de 1971. A CIA, a NSA e o FBI estavam espionando cidadãos americanos. O secretário de Defesa, Melvin Laird, e o Estado-Maior Conjunto usavam escuta eletrônica e espionagem para controlar Kissinger. Aprimorando o trabalho de Kennedy e Johnson, Nixon instalou na Casa Branca e em Camp David modernos microfones ativados por voz. Nixon e Kissinger grampeavam seus próprios assessores próximos e repórteres de Washington, tentando impedir vazamentos para a imprensa.

Mas os vazamentos eram um córrego que jamais secava. Em junho, o *New York Times* começou a publicar longos trechos dos Papéis do Pentágono, a história secreta do Vietnã encomendada pelo secretário de Defesa Robert McNamara quatro anos antes. A fonte era Daniel Ellsberg, um ex-menino prodígio do Pentágono que Kissinger havia contratado como consultor do Conselho de Segurança Nacional e convidado para a propriedade de Nixon em San Clemente, Califórnia. Kissinger ficou furioso com a divulgação, levando Nixon a uma ira ainda maior. O presidente recorreu a seu chefe de política interna, John Ehrlichman, para interromper os vazamentos. Ele reuniu uma equipe chamada de Encanadores, liderada por um funcionário da CIA recém-aposentado que desempenhara papéis proeminentes na Guatemala e na Baía dos Porcos.

Everette Howard Hunt Jr. era "uma figura única", disse o embaixador Sam Hart, que o conheceu quando Hunt era chefe do posto no Uruguai no fim dos anos 1950, "totalmente autocentrado, totalmente amoral e um perigo para si mesmo e para qualquer pessoa a seu redor. Até onde eu posso dizer, Howard pulava de um desastre a outro, subindo cada vez mais, deixando tudo aos pedaços em seu rastro". Hunt era um jovem e romântico guerreiro da guerra fria quando ingressou na CIA, em 1950. Tornara-se um sujeito fantasioso, que dava vazão a seu talento escrevendo romances policiais mais ou menos decentes. Estava afastado da CIA havia menos de um ano quando alguém que conhecera casualmente — Chuck Colson, assessor de Nixon — ofereceu-lhe uma nova e excitante missão: realizar operações secretas para a Casa Branca.

Hunt voou para Miami para se encontrar com seu velho companheiro cubano-americano Bernard Barker, que vendia imóveis, e eles conversaram ao lado de um monumento aos mortos da Baía dos Porcos. "Ele descreveu a missão como sendo de segurança nacional", disse Barker. "Perguntei a Howard quem ele representava, e a resposta que me deu foi realmente algo digno de livros. Ele disse que estava num grupo do nível da Casa Branca, sob ordens diretas do presidente dos Estados Unidos." Juntos, eles recrutaram mais quatro cubanos de Miami, incluindo Eugenio Martinez, que realizara cerca de trezentas missões marítimas em Cuba para a CIA e continuava recebendo da sede uma comissão de US$ 100 por mês.

Em 7 de julho de 1971, Ehrlichman telefonou para o espião de Nixon dentro da CIA, o vice-diretor, general Cushman. O assessor do presidente lhe disse que Howard Hunt telefonaria diretamente para ele para pedir assistência. "Eu quero que saiba que ele estava de fato fazendo algumas coisas para o presidente", disse Ehrlichman. "Considere que ele tem carta branca." As exigências de Hunt aumentavam — ele queria seu antigo secretário de volta, queria um escritório com um telefone seguro em Nova York, queria gravadores de última geração, queria uma câmera da CIA para vigiar o escritório do psiquiatra de Ellsberg em Beverly Hills e queria que a CIA revelasse o filme. Cushman avisou tardiamente a Helms que a agência tinha dado a Hunt uma série de disfarces: uma peruca ruiva, um aparelho para alterar a voz, uma identidade falsa. Então a Casa Branca exigiu que a agência fizesse um perfil psicológico de Daniel Ellsberg, numa violação direta da carta de direitos da CIA contra a espionagem sobre americanos. Mas Helms obedeceu.

Helms expulsou Cushman da agência em novembro de 1971. Passaram-se meses até Nixon encontrar o candidato perfeito: o tenente-general Vernon Walters.

O general Walters vinha realizando missões secretas para presidentes durante a maior parte dos vinte anos anteriores. Mas Helms nunca o encontrara antes de ele surgir como novo vice-diretor da central de inteligência, em 2 de maio de 1972. "Eu tinha acabado de dirigir uma operação sobre a qual a CIA nada sabia", recordou o general Walters. "Helms, que queria uma outra pessoa, disse, 'Ouvi falar de você; o que sabe sobre inteligência?' Eu respondi, 'Bem, estive negociando com chineses e vietnamitas durante três anos, e enviei Kissinger secretamente a Paris quinze vezes, sem que você ou qualquer outra pessoa na agência soubesse algo a respeito.'" Helms ficou devidamente impressionado. Mas logo teria motivos para duvidar da lealdade de seu novo vice.

## "CADA ÁRVORE DA FLORESTA VAI CAIR"

Tarde da noite de sábado, 17 de junho de 1972, Howard Osborn, chefe do Escritório de Segurança da CIA, telefonou para Helms em casa. O diretor sabia que não podia ser uma boa notícia. Eis como ele recordou a conversa:

"Dick, você ainda está acordado?"

"Sim, Howard."

"Acabei de saber que a polícia do distrito apanhou cinco homens num arrombamento na Sede Nacional do Partido Democrata, no Watergate... Quatro cubanos e Jim McCord."

"McCord? Ele se aposentou de sua seção?"

"Há dois anos."

"E os cubanos? Miami ou Havana?"

"Miami... neste país há algum tempo."

"Nós os conhecemos?"

"Até o momento não posso dizer."

"Chame o pessoal de operações, primeira coisa... Mande-os para Miami. Cheque cada registro aqui e em Miami. Isso é tudo o que se sabe?

"Não, nem metade", disse Osborn, pesadamente. "Parece que Howard Hunt também está envolvido."

Ao ouvir o nome de Hunt, Helms respirou fundo. "Que diabo eles estavam fazendo?", perguntou. Ele fazia uma boa idéia: McCord era especialista em escuta clandestina, Hunt trabalhava para Nixon e a acusação era de escuta telefônica, um crime federal.

Sentado na beira de sua cama, Helms localizou o diretor em exercício do FBI, L. Patrick Gray, num hotel em Los Angeles. J. Edgar Hoover havia morrido seis semanas antes, depois de 48 anos no poder. Helms disse a Gray muito cuidadosamente que os arrombadores do Watergate haviam sido contratados pela Casa Branca e que a CIA não tinha *nada a ver com isso*. Entendeu? Está bem, então boa noite.

Helms realizou a reunião diária dos oficiais da CIA na sede às 9h de segunda-feira, 19 de junho. Bill Colby, agora diretor-executivo da CIA, o número três, lembrava-se de Helms dizendo: "Vamos enfrentar um inferno, porque eles são ex" — ou seja, ex-homens da CIA — e "sabíamos que eles estavam trabalhando na Casa Branca." Na manhã seguinte, o *Washington Post* pôs a responsabilidade pelo Watergate na porta do Salão Oval — embora, até hoje, ninguém saiba realmente se Richard Nixon autorizou a invasão.

Na sexta-feira, 23 de junho, Nixon disse a seu chefe de gabinete brutalmente eficiente, H. R. Haldeman, para chamar Helms e Walters à Casa Branca e ordenar que eles afastassem o FBI em nome da segurança nacional. De início, eles concordaram em participar do jogo — um negócio muito perigoso. Walter telefonou para Gray e lhe disse para se retirar. Mas os limites foram ultrapassados na segunda-feira, 26 de junho, quando o advogado de Nixon, John Dean, ordenou a Walters que conseguisse uma grande quantia em dinheiro de origem não identificável para silenciar os seis veteranos da CIA presos. Na terça-feira, Dean repetiu o pedido. Mais tarde, ele disse ao presidente que o preço do silêncio seria US$ 1 milhão ao longo de dois anos. Apenas Helms — ou Walters, quando Helms estava fora dos Estados Unidos — poderia autorizar um pagamento secreto do orçamento oculto da CIA. Eles eram os únicos funcionários do governo americano que podiam entregar legalmente à Casa Branca uma mala com um milhão de dólares em dinheiro vivo secreto, e Nixon sabia disso.

"Nós podíamos conseguir o dinheiro em qualquer lugar do mundo", refletiu Helms. "Fazíamos uma operação de completa arbitragem. Não precisávamos lavar dinheiro." Mas se a CIA entregasse o dinheiro vivo, "o resultado final seria o fim da agência", disse ele. "Não só eu iria para a cadeia se tivesse feito o que a Casa Branca queria que fizéssemos, como a credibilidade da agência seria arruinada para sempre."

Helms se recusou. Então, em 28 de junho, escapou de Washington para uma viagem de três semanas em visita a postos avançados da inteligência na Ásia, na Austrália e na Nova Zelândia, deixando Walters como diretor em exercício. Uma semana se passou. Agentes do FBI impacientes começaram a se rebelar contra as ordens de permanecer afastados. Gray disse a Walters que precisaria de uma ordem por escrito da CIA cancelando a investigação por questões de segurança nacional. Os dois homens entendiam agora os riscos de deixar provas escritas. Eles conversaram em 6 de julho e, pouco depois, Gray telefonou para o presidente, que estava em seu refúgio em San Clemente. "Pessoas de sua equipe estão querendo feri-lo mortalmente" manipulando a CIA, disse ele a Nixon. Seguiu-se um terrível silêncio, e então o presidente disse a Gray para prosseguir com a investigação.

Pouco depois de Helms voltar de sua viagem no fim de julho, Jim McCord, que aguardava julgamento e enfrentava a possibilidade de ficar cinco anos preso, enviou uma mensagem à CIA através de seu advogado. Disse que os homens do presidente queriam que ele testemunhasse que a invasão no Watergate era uma operação da agência. Deixe a CIA assumir a responsabilidade, dissera a ele um assessor da Casa Branca, e em seguida haveria um perdão presidencial. McCord respondeu numa carta: "Se Helms se for e a operação Watergate for deixada na porta da CIA, à qual não pertence, cada árvore da floresta vai cair. Será um deserto seco. Neste exato momento, a questão toda está à beira do precipício. Passe a mensagem de que se eles querem que isso exploda, estão exatamente no rumo certo."

## "TODOS SABIAM QUE ENTRARÍAMOS NUM PÉSSIMO PERÍODO"

Em 7 de novembro de 1972, o presidente Nixon foi reeleito numa das vitórias mais esmagadoras da história dos EUA. Naquele dia, ele prometeu dirigir a CIA e o Departamento de Estado com mão de ferro em seu segundo mandato, para destruí-los e reconstruí-los à sua imagem.

Em 9 de novembro, Kissinger propôs substituir Helms por James Schlesinger, na época presidente da Comissão de Energia Atômica. "Muito boa idéia", respondeu Nixon.

Em 13 de novembro, ele disse a Kissinger que pretendia "arruinar o Serviço Diplomático. Falo de arruiná-lo de verdade, o velho Serviço Diplomático, e construir outro, novo. Vou fazer isso." Ele encarregou um homem interno para o trabalho: o veterano do OSS e excelente arrecadador de fundos para os republicanos William J. Casey. Em 1968, Casey importunara o presidente eleito Nixon para que este o tornasse diretor da central de inteligência, mas em vez disso, Nixon lhe deu a presidência da Comissão de Títulos e Câmbio, uma decisão astuta, que agradou aos diretores de corporações em todo o país. Agora, no segundo mandato de Nixon, Casey seria nomeado subsecretário de Estado para assuntos econômicos. Mas sua verdadeira missão era atuar como sabotador para Nixon — "estraçalhar o Departamento", disse Nixon.

Em 20 de novembro, Nixon demitiu Richard Helms num encontro rápido e embaraçoso em Camp David. Ofereceu-lhe o cargo de embaixador na União Soviética. Houve uma pausa desconfortável enquanto Helms considerava as conseqüências. "Olhe, senhor presidente, não acho que seja uma boa idéia, enviar-me para Moscou", disse Helms. "Bem, talvez não", reagiu Nixon. Helms propôs, em vez de Moscou, o Irã, e Nixon o exortou a pegar o cargo. Eles também chegaram ao entendimento de que Helms trabalharia até março de 1973, quando faria 60 anos, a idade formal para a aposentadoria na CIA. Nixon não cumpriu a promessa, um ato de crueldade sem sentido. "O homem era uma merda", disse Helms, ligeiramente tremendo de raiva ao contar a história.

Helms acreditou até o dia de sua morte que Nixon o demitiu porque ele não aceitou a responsabilidade por Watergate. Mas os registros mostram que Nixon decidira descartar Helms e destruir a CIA muito antes do caso. Na verdade, o presidente acreditava que Helms estava disposto a pegá-lo.

"Você acha que houve, ou pode ter havido, uma conspiração da CIA para afastá-lo do cargo?", perguntou Frank Gannon, amigo e ex-assessor de Nixon, uma década depois.

"Muitas pessoas acham que sim", respondeu Nixon. "A CIA tinha motivo. Não era segredo que eu estava insatisfeito com a CIA, com seus relatórios e particularmente com suas estimativas sobre a força soviética e outros problemas no mundo... Eu queria me livrar de alguns pesos mortos, e por aí em diante. E eles sabiam disso. Portanto, tinham um motivo."

"Você acha que eles o temiam?", perguntou Gannon.

"Sem dúvida", respondeu Nixon. "E tinham razão para isso."

Em 21 de novembro, Nixon ofereceu a CIA a James Schlesinger, que aceitou com prazer a oferta do presidente. Nixon ficou satisfeito "por colocar seu próprio homem lá dentro, quero dizer, alguém que realmente tinha as iniciais R.N. tatuadas na carne, como Schlesinger", disse Helms. A ordem dada a Schlesinger — assim como a Casey, no Departamento de Estado — era virar o lugar de cabeça para baixo. "Livrem-se dos palhaços", continuava a exigir o presidente. "Que utilidade eles têm? Possuem 40 mil pessoas lá que ficam lendo jornais."

Em 27 de dezembro, o presidente ditou um memorando explicando a missão. Embora Kissinger quisesse o domínio sobre a inteligência americana, "Schlesinger tem que ser o homem encarregado", disse Nixon. Se o Congresso algum dia "tiver a impressão de que o presidente entregou a Kissinger todas as atividades de inteligência, todo esse inferno vai fugir ao controle. Se, por outro lado, eu nomeio o novo diretor da CIA, Schlesinger, como meu principal assistente para atividades de inteligência, podemos sobreviver ao Congresso. Henry simplesmente não tem tempo... Eu tenho pressionado Henry e Haig há três anos para reorganizar a inteligência, sem sucesso algum". Era um forte eco da última explosão de raiva de Eisenhower no fim de seu governo, de sua ira diante de "oito anos de derrota" em sua batalha para organizar a inteligência americana.

Em seus últimos dias no cargo, Helms temeu que Nixon e seus aliados saqueassem os arquivos da CIA. Ele fez tudo o que estava a seu alcance para destruir duas séries de documentos secretos que poderiam ter arruinado a agência. Uma delas era composta de registros das experiências de controle da mente com LSD e muitas outras drogas, que ele e Allen Dulles haviam aprovado pessoalmente duas décadas antes. Pouquíssimos desses registros sobreviveram.

A segunda série era sua própria coleção de fitas secretas. Helms gravou centenas de conversas em seu escritório executivo, no sétimo andar, durante os seis anos e sete meses em que foi diretor da central de inteligência. No dia oficial de sua partida, 2 de fevereiro de 1973, cada uma das fitas havia sido destruída.

"Quando Helms deixou o prédio, toda a tropa se concentrou na entrada da sede para se despedir", disse Sam Halpern, na época um importante assessor do serviço clandestino. "Não havia um olho seco na casa. Todos sabiam que depois daquilo entraríamos num péssimo período."

# 31 "MUDAR O CONCEITO DE SERVIÇO SECRETO"

O colapso da CIA como serviço secreto de inteligência começou no dia em que Helms partiu e James Schlesinger chegou à sede.

Schlesinger passou dezessete semanas como diretor da central de inteligência. Nesse período, afastou mais de quinhentos analistas e mais de mil pessoas do serviço clandestino. Oficiais que trabalhavam no exterior receberam telegramas codificados, não assinados, informando-os de que estavam demitidos. Em resposta, ele recebeu ameaças de morte anônimas, e aumentou o número de guardas armados em sua equipe de segurança.

Ele nomeou Bill Colby como novo chefe do serviço clandestino e em seguida sentou-se com ele para explicar que era hora de "mudar o conceito de 'serviço secreto'". Era a aurora da tecnocracia, e acabavam-se os dias dos veteranos que estavam no jogo havia vinte anos. "Ele suspeitava extremamente do papel e da influência dos operadores clandestinos", relembrou Colby. "Sentia que a agência se havia tornado complacente e inchada sob a dominação deles, que realmente havia 'veteranos' demais fazendo pouco mais que cuidar uns dos outros, participar de jogos de espionagem e reviver os bons tempos."

Os veteranos argumentavam que cada aspecto do trabalho da CIA no exterior era parte da luta contra os soviéticos e os chineses vermelhos. Fosse no Cairo ou em Katmandu, a luta era sempre contra Moscou e Pequim. Mas quando Nixon e Kissinger ergueram brindes com os líderes do mundo comunista, qual era o sentido daquilo? A paz estava nas mãos. A política de *détente* do presidente estava minando o entusiasmo do serviço clandestino com a guerra fria.

Colby rapidamente fez uma pesquisa sobre a capacidade da CIA. Uma década antes, metade do orçamento da CIA era destinada a operações secretas. No governo Nixon, o percentual caía agora a menos de 10%. O recrutamento de novos talentos estava diminuindo, e a guerra no Vietnã era o motivo. O clima político não era propício à contratação de jovens brilhantes saídos de universidades; um número cada vez maior de *campus* barravam recrutadores da CIA devido a uma demanda popular. O fim do serviço militar obrigatório significava uma paralisação da procissão de jovens oficiais em direção aos cargos na CIA.

Para os espiões americanos, a União Soviética continuava sendo uma terra quase desconhecida. A Coréia do Norte e o Vietnã do Norte eram infrutíferos. A CIA comprava suas melhores informações de serviços de inteligência estrangeiros aliados e de líderes do terceiro mundo que dominava completamente. Era mais eficiente nas periferias do poder, mas esses eram os lugares baratos que obstruíam a visão do cenário global.

A divisão soviética ainda estava paralisada pelas teorias de conspiração de Jim Angleton, que continuava sendo o responsável pela contra-inteligência. "Angleton nos devastou", disse Haviland Smith, da CIA, que realizou operações contra alvos soviéticos nos anos 1960 e 1970. "Ele nos tirou dos negócios soviéticos." Uma das muitas tarefas infelizes de Bill Colby era descobrir o que fazer com o caçador de espiões alcoólatra que agora chegava à conclusão de que o próprio Colby era um agente duplo de Moscou. Colby tentou convencer Schlesinger a demitir Angleton. O novo diretor se opôs, depois de receber o Informe.

Em seu escritório escuro e enfumaçado, Angleton levou o novo chefe a uma retrospectiva de cinqüenta anos, de volta ao início do comunismo soviético, entrando em elaboradas operações secretas e manipulações políticas que os russos fizeram contra o Ocidente nos anos 1920 e 1930; passando por operações de agentes duplos comunistas e campanhas de desinformação nos anos 1940 e 1950; e terminando na suspeita de que a CIA fora infiltrada em seus mais altos níveis, ou perto deles, por Moscou nos anos 1960. Em resumo, o inimigo havia rompido a defesa da CIA e penetrado profundamente em seu tecido.

Schlesinger acreditou no Informe, hipnotizado pela viagem ao inferno que teve Angleton como guia.

## "FORA DA CARTA DE DIREITOS LEGISLATIVA DESSA AGÊNCIA"

Schlesinger disse que via a CIA como "a agência central de inteligência — "c" minúsculo, "i" minúsculo, "a" minúsculo. Sob o comando de Kissinger, a agência se tornara nada mais do que "um componente da equipe do NSC". Ele pretendia entregá-la ao vice-diretor Vernon Walters enquanto lidava com satélites espiões do Escritório Nacional de Reconhecimento — o colosso de escutas eletrônicas da Agência de Segurança Nacional — e com os relatórios militares da Agência de Inteligência de Defesa. Pretendia atuar no papel que havia imaginado em seu relatório para o presidente — diretor de inteligência nacional.

Mas suas grandiosas ambições foram destruídas pelos grandes crimes e contravenções da Casa Branca. "O caso Watergate começou a se sobrepor a quase tudo", disse Schlesinger, "e os desejos que eu tinha no início foram aos poucos afogados pela simples necessidade de proteger, de cuidar da salvação da agência."

Ele tinha uma percepção incomum sobre como salvá-la.

Schlesinger achou que lhe haviam dito tudo o que a agência sabia sobre Watergate. Ficou chocado quando Howard Hunt testemunhou que ele e seus Encanadores saquearam o consultório psiquiátrico de Daniel Ellsberg com assistência técnica da CIA. Uma pesquisa da agência em seus próprios arquivos fez surgir uma cópia do filme que revelara para Hunt depois que ele encerrou o caso. Outras pesquisas descobriram as cartas de Jim McCord à CIA, que podiam ser interpretadas como uma ameaça de chantagear o presidente dos Estados Unidos.

Bill Colby havia saltado atrás das linhas inimigas com o OSS. Passara seis anos supervisionando a morte de comunistas no Vietnã. Não se impressionava facilmente com mera violência verbal. Mas ficou espantado com a ira de Schlesinger. Demita todos se for preciso, ordenou o diretor, faça esse lugar em pedaços, arranque o piso do chão, descubra tudo. Em seguida, Schlesinger redigiu um memorando a todos os funcionários da CIA. A nota foi uma das decisões mais perigosas que um diretor da central de inteligência já havia tomado. Foi o legado que ele escolheu deixar:

> Ordenei a todos os altos oficiais em operação dessa agência que relatem a mim imediatamente todas as atividades em curso agora, ou que ocorreram no passado, que aparentem estar fora da carta de direitos legislativa dessa Agência.

Por meio desta, instruo cada pessoa atualmente empregada pela CIA a me relatar qualquer atividade desse tipo de que tenha conhecimento. Convido todos os ex-funcionários a fazer o mesmo. Qualquer um que tenha essas informações deve telefonar... e dizer que deseja me contar sobre "atividades que extrapolam a carta de direitos da CIA".

A carta de direitos extremamente vaga da CIA era clara num ponto: a agência não podia ser a polícia secreta americana. Mas ao longo da guerra fria a CIA estivera espionando cidadãos, grampeando seus telefones, abrindo sua correspondência e conspirando para cometer assassinatos sob ordens da Casa Branca.

A ordem de Schlesinger datava de 9 de maio de 1973, e foi efetivada imediatamente. Naquele mesmo dia, Watergate começou a destruir Richard Nixon. Ele foi forçado a demitir sua guarda presidencial, e apenas o general Alexander Haig, novo chefe de gabinete da Casa Branca, permaneceu. Horas depois de emitida a ordem, Haig telefonou para Colby para informá-lo de que o procurador-geral estava renunciando, que o secretário de Defesa estava assumindo sua função, que Schlesinger estava trocando a CIA pelo Pentágono e que o presidente queria que Colby fosse o próximo diretor da central de inteligência. O governo estava numa desordem tal que Colby só foi empossado em setembro. Durante quatro meses, o general Walters foi o diretor em exercício e Colby o diretor designado — uma situação estranha.

Colby estava então com 53 anos, tendo uma história de trinta anos no OSS e na CIA. Foi um avatar das ações secretas durante toda a sua vida adulta. Na primavera de 1973, viu-se forçado a atuar como capanga de Schlesinger, convocando seus companheiros oficiais e entregando-lhes cartas de demissão. No meio disso tudo, sua filha mais velha, de pouco mais de 20 anos, definhou e morreu de anorexia. Em 21 de maio, Colby se sentou e começou a ler a compilação inicial de crimes da CIA, que acabou chegando a 693 potenciais violações. As audiências públicas no Senado sobre o caso Watergate foram iniciadas naquela semana. A notícia sobre os grampos de Nixon e Kissinger contra assessores e repórteres estourou. A nomeação de um promotor público especial para investigar os crimes de Watergate foi anunciada.

Durante toda a sua vida, Colby foi um católico profundamente devoto, um homem que acreditava nas conseqüências do pecado mortal. Neste dia, ele soube pela primeira vez dos planos contra Fidel Castro e o papel central de Robert F. Kennedy; as experiências de controle da mente e as prisões secretas; os testes com drogas em cobaias humanas involuntárias. A vigilância e escuta eletrônica contra cidadãos e repórteres não abalou sua consciência; ordens claras dos três presidentes estavam por trás delas. Mas ele sabia, considerando o curso dos acontecimentos na época, que se esses segredos vazassem a agência poderia ser arruinada. Colby os trancou e pôs-se a tentar dirigir a CIA.

A Casa Branca estava desmoronando sob o peso esmagador de Watergate, e por vezes Colby achou que a CIA também se esfacelava. Com freqüência, era melhor que Nixon não lesse as informações que a agência lhe fornecia. Quando os dias santos do Yom Kippur e do Ramadã coincidiram em 1973, o Egito entrou em guerra com Israel e invadiu uma grande extensão do território mantido por Israel. Num impressionante contraste com sua sólida previsão sobre a Guerra dos Seis Dias em 1967, a CIA não havia percebido a tempestade que se formava. "Não nos cobrimos de glória", disse Colby. "Na véspera do dia em que a guerra estourou, previmos que ela não ia estourar."

Horas antes do começo da guerra, a agência assegurou à Casa Branca: "Os exercícios são mais realistas do que o habitual. Mas não haverá guerra alguma."

# 32 "UM CLÁSSICO IDEAL FASCISTA"

Em 7 de março de 1973, o presidente Nixon se encontrou no Salão Oval com Tom Pappas, um magnata dos negócios greco-americano, amigo da CIA e que fazia subornos políticos. Pappas doara US$ 549 mil em dinheiro vivo à campanha de Nixon em 1968, como presente dos líderes da junta militar grega. O dinheiro foi lavado através do KYP, o serviço de inteligência grego. Era um dos segredos mais obscuros da Casa Branca de Nixon.

Agora Pappas tinha outras centenas de milhares de dólares para oferecer ao presidente — dinheiro para comprar o silêncio dos veteranos da CIA presos no arrombamento do Watergate. Nixon agradeceu-lhe efusivamente: "Estou consciente do que você está fazendo para ajudar", disse ele. A maior parte do dinheiro vinha de membros e aliados dos "coronéis" — a junta grega que tomara o poder em abril de 1967, liderada por George Papadopoulos, um agente recrutado pela CIA na época de Allen Dulles e contato do KYP com a agência.

"Esses coronéis vinham conspirando havia anos e anos", disse Robert Keeley, mais tarde embaixador americano na Grécia. "Eles eram fascistas. Encaixavam-se na definição clássica de fascismo, conforme representada por Mussolini nos anos 1920: um Estado corporativo, unindo indústrias e sindicatos, nenhum parlamento, trens funcionando nos horários certos, forte disciplina e censura... quase um clássico ideal fascista."

Oficiais militares e da inteligência gregos haviam trabalhado em conjunto com sete sucessivos chefes do posto de Atenas. Tinham como grande amigo Thomas Hercules Karamessines, o greco-americano chefe do serviço clandestino na gestão de Richard Helms, e sempre acreditaram que "a Agência Central de Inteligência era uma rota eficiente e relativamente direta para a Casa Branca", disse Norbert Anschutz, o principal diplomata americano em Atenas durante o golpe de 1967.

Ainda assim, os coronéis apanharam a CIA de surpresa. "A única vez em que vi Helms realmente irritado foi quando o golpe dos coronéis gregos aconteceu, em 1967", disse o veterano analista e chefe de inteligência Dick Lehman. "Os generais gregos vinham planejando um golpe contra o governo eleito, um plano sobre o qual sabíamos tudo e que ainda não estava maduro. Mas um grupo de coronéis mostrou suas cartas e agiu sem avisar. Helms esperava ser avisado sobre o golpe dos generais, e quando um golpe aconteceu ele naturalmente supôs que era aquele, e ficou furioso." Lehman, que lera os telegramas enviados de Atenas durante a noite, tentou "acalmar Helms salientando que aquele era um golpe diferente, sobre o qual não tínhamos conhecimento algum. Era uma idéia nova".

A política oficial americana em relação aos coronéis foi fria e distante até a posse de Richard Nixon, em janeiro de 1969. A junta usou Tom Pappas — que trabalhara para a CIA em Atenas por vinte anos — como o portador que entregou dinheiro secretamente para os cofres políticos de Nixon e do vice-presidente Spiro Agnew — o mais poderoso greco-americano da história dos Estados Unidos. O suborno rendeu benefícios. Agnew foi a Atenas em visita oficial. O mesmo fizeram os secretários de Estado, Defesa e Comércio. Os Estados Unidos venderam tanques, aviões e artilharia para a junta. O posto da CIA em Atenas argumentou que a venda de armas aos coronéis "os levaria de volta à democracia", disse Archer K. Blood, funcionário político da embaixada americana. Aquilo era "uma mentira", disse Blood — mas "se você fizesse qualquer crítica à junta, a CIA explodiria de raiva".

Em 1973, os Estados Unidos eram a única nação do mundo desenvolvido que tinha relações amistosas com a junta, que prendia e torturava seus inimigos políticos. "O chefe do posto da CIA era unha e carne com os sujeitos que espancavam os gregos", disse Charles Stuart Kennedy, cônsul-geral americano em Atenas. "Eu levantava questões sobre o que seria dos direitos humanos e isso era ignorado pela CIA." A agência "estava perto demais das pessoas erradas", disse Kennedy. "Parecia ter uma influência excessiva sobre o embaixador", um velho amigo de Richard Nixon chamado Henry Tasca.

Na primavera de 1974, o general Demetrios Ioannidis tomou posse como líder da junta. Ele trabalhava com a CIA havia 22 anos. A agência *era* o único contato de Ioannidis com o governo dos Estados Unidos; o embaixador e o sistema diplomático americano estavam fora do círculo. Jim Potts, chefe do posto da CIA, era o governo americano, no que dizia respeito à junta. A agência tinha "um grande poder em Atenas. Tinha um relacionamento com o sujeito que comandava o país e não queria que sofresse perturbações", disse Thomas Boyatt, do Departamento de Estado, o responsável por Chipre em Washington.

## "ENGANADOS POR UM GENERAL INSIGNIFICANTE"

O Chipre — uma ilha a 64 quilômetros da costa da Turquia e a 800 quilômetros de Atenas — foi dividido e conquistado por exércitos gregos e islâmicos nos tempos do profeta Maomé. Os coronéis gregos tinham um ódio profundo pelo líder cipriota, o arcebispo Makarios, e um desejo permanente de derrubá-lo. O subchefe americano da missão em Chipre, William Crawford, inteirou-se sobre os planos deles.

"Fui para Atenas com o que eu considerava uma prova positiva de que eles derrubariam todo o castelo de cartas", recordou ele. "Fui informado pelo chefe do posto em Atenas, Jim Potts, que isso era absolutamente impossível. Ele não podia concordar comigo: aquelas pessoas eram amigas com as quais trabalhávamos havia trinta anos, e elas nunca fariam algo tão estúpido."

Em 1974, Tom Boyatt se convenceu de que os amigos da CIA em Atenas queriam se livrar de Makarios. Ele enviou um telegrama ao embaixador Tasca, em Atenas. Vá falar com o general Ioannidis, dizia a mensagem. Diga-lhe — "com monossílabos, que até ele vai entender" — que "os Estados Unidos se opõem veementemente a qualquer esforço de qualquer elemento do governo grego, declarado ou clandestino, de bagunçar a situação em Chipre". Diga-lhe que "nós nos opomos particularmente a qualquer esforço para derrubar Makarios e instalar um governo pró-Atenas. Porque se isso acontecer os turcos vão invadir, o que não vai ser bom para nenhum de nós".

Mas o embaixador Tasca nunca havia falado com o general Ioannidis em sua vida. Essa função estava reservada para o chefe do posto da CIA.

No sábado, 12 de julho de 1974, o Departamento de Estado recebeu um telegrama do posto da CIA em Atenas. Fique tranqüilo, dizia. O general e a junta não estavam fazendo coisa alguma para derrubar o arcebispo Makarios. "Então, está bem, tínhamos recebido a informação da mais alta autoridade", relembrou Boyatt. "Fui para casa. E por volta das 3h de segunda-feira, recebi um telefonema do Centro de Operações do Departamento de Estado, e a pessoa disse, 'É melhor o senhor vir para cá.'"

A junta havia atacado. Boyatt correu até o Departamento de Estado, onde o funcionário de comunicações pôs duas folhas de papel diante dele. Uma delas era o informe da inteligência da CIA para o presidente Nixon e o secretário de Estado Kissinger: "O general Ioannidis nos assegurou que a Grécia não vai deslocar suas forças para Chipre." A outra era um telegrama da embaixada americana em Chipre: "O Palácio Presidencial está em chamas. A força cipriota foi dizimada."

De Ancara chegou um telegrama dizendo que as forças turcas se mobilizavam. Dois exércitos da Otan, o grego e o turco, ambos treinados e armados pelos Estados Unidos, estavam prestes a entrar em guerra com armas americanas. Os turcos chegaram às praias do norte de Chipre e cortaram a ilha ao meio com tanques e artilharia americanos. Houve um grande massacre de cipriotas gregos no setor turco e um grande massacre de cipriotas turcos no setor grego da ilha. Durante todo o mês de julho, a CIA relatou que o exército e o povo gregos estavam apoiando firmemente o general Ioannidis. Depois que a batalha por Chipre se tornou conjunta, a junta grega caiu.

A falha da CIA em não advertir Washington para a guerra foi um caso incomum. Havia muitas falhas desse tipo nos anais da agência, da Guerra da Coréia em diante. Só em 1974, um golpe de militares de esquerda em Portugal e um teste nuclear na Índia foram completas surpresas. Mas agora era diferente: a CIA estava envolvida com os militares contra os quais deveria ter feito uma advertência.

"Lá estávamos", disse Boyatt anos depois, "sentados com o sistema da inteligência americano inteiro, em toda a sua majestade, enganados por um general-de-brigada grego insignificante."

## "O PREÇO TERRÍVEL"

Em 8 de agosto de 1974, Richard Nixon renunciou. O golpe final foi sua confissão de que havia ordenado à CIA que obstruísse a justiça em nome da segurança nacional.

No dia seguinte, o secretário de Estado Kissinger leu uma mensagem extraordinária de Tom Boyatt. Dizia que a CIA mentira sobre o que fazia em Atenas, enganando deliberadamente o governo americano — e essas mentiras haviam ajudado a iniciar a guerra que estava consumindo Grécia, Turquia e Chipre, uma guerra em que milhares de pessoas morreram.

Na semana seguinte, tiros foram disparados em torno da embaixada americana em Chipre, e o embaixador Rodger P. Davies foi morto por uma bala que dilacerou seu coração. Em Atenas, centenas de milhares de pessoas marcharam até a embaixada americana; manifestantes tentaram incendiar o prédio. O recém-chegado embaixador era Jack Kubisch, diplomata veterano com ampla experiência, escolhido pessoalmente por Kissinger no dia em que Nixon renunciou.

Ele requisitou um novo chefe para o posto, e a CIA enviou Richard Welch, que aprendera grego em Harvard e fora chefe no Peru e na Guatemala. Welch fixou residência na mansão onde todos os seus predecessores haviam morado. O endereço era bastante conhecido. "Era um problema muito sério", disse o embaixador Kubisch. "Eu havia organizado as coisas para que ele fosse para uma outra residência e morasse numa parte diferente da cidade, tentando ajudar a esconder quem ele era e lhe dar alguma proteção." Devido ao fervor antiamericano em Atenas, aquilo parecia prudente. Mas "nem Welch nem sua esposa pareciam ter qualquer preocupação com isso", disse Kubisch. "Eles simplesmente não achavam que em Atenas havia alguma ameaça realmente séria a sua segurança."

Welch e sua esposa foram a uma festa de Natal na residência do embaixador, a alguns quarteirões da mansão da CIA, que ficava numa encosta. Quando voltaram para casa, um pequeno carro com quatro pessoas os aguardava na entrada. Três delas forçaram o chefe do posto a sair de seu carro. "Eles dispararam três balas de uma 45 em seu peito e o mataram", disse o embaixador Kubisch. "Entraram no carro e partiram a toda velocidade." Foi a primeira vez na história da CIA que um chefe de posto foi assassinado. Mas era parte de um costume do passado.

O embaixador Kubisch disse que, pela primeira vez em sua vida, viu em Atenas "o preço terrível que o governo dos EUA tem que pagar quando se associa tão intimamente... com um regime repressivo". Parte do custo foi conseqüência de permitir que a CIA moldasse a política externa dos Estados Unidos.

# 33 "A CIA SERIA DESTRUÍDA"

"Quero começar mencionando um problema que temos relacionado ao uso de material confidencial", disse o presidente Gerald R. Ford ao abrir uma de suas primeiras reuniões do Conselho de Segurança Nacional na Sala do Gabinete na Casa Branca, em 7 de outubro de 1974.

Os sobreviventes de Watergate — o secretário de Estado Kissinger, o secretário de Defesa Schlesinger, o vice-diretor da central de inteligência Walters e o ambicioso e influente membro da equipe da Casa Branca Donald Rumsfeld — estavam furiosos com o mais recente vazamento. Os Estados Unidos estavam se preparando para enviar bilhões de dólares em armas para Israel e Egito. Os jornais publicaram a lista de compras israelense e a resposta americana.

"Isso é intolerável", disse Ford. "Discuti com Don Rumsfeld várias opções de como lidar com isso." O presidente queria, em 48 horas, um plano para impedir a imprensa de publicar o que ela sabia. "Não temos os instrumentos de que precisamos", advertiu-o Schlesinger. "Precisamos de uma Lei de Segredos Oficiais", disse ele, mas "o clima atual é ruim para esse tipo de coisa."

O poder de sigilo tinha sido destruído pelas mentiras dos presidentes, contadas em nome da segurança nacional dos Estados Unidos: o U-2 era um avião de meteorologia. Os EUA não invadiriam Cuba. Nossos navios foram atacados no Golfo de Tonkin. A Guerra do Vietnã era por uma causa justa. A queda de Richard Nixon mostrou que essas nobres mentiras já não serviam numa democracia.

Bill Colby se animou com a chance de renovar o prestígio da CIA diante da Casa Branca, porque sabia que o golpe contra o sigilo ameaçava a sobrevivência da agência. Ele cultivava Ford desde o momento em que este se tornara vice-presidente, entregando-lhe uma cópia do informe diário do presidente por meio de um mensageiro e mantendo-o a par do projeto secreto da CIA de US$ 400 milhões para erguer um submarino soviético afundado no Oceano Pacífico (a operação de resgate fracassou quando o submarino se partiu em dois). Colby queria que Ford soubesse "tudo o que o presidente sabia", disse. "Não queríamos outra situação como aquela em que Truman não sabia sobre o Projeto Manhattan."

Mas o presidente Ford nunca telefonou para Colby nem buscou seus conselhos particulares. Ford restaurou o Conselho de Segurança Nacional segundo o modelo do governo Eisenhower e Colby participou, mas nunca foi recebido sozinho no Salão Oval. Colby tentou tomar parte nas grandes decisões, mas permaneceu do lado de fora. Com Kissinger e Haig como guardiães, Colby nunca penetrou no círculo interno da Casa Branca de Ford. E qualquer chance que ele poderia ter de consertar a reputação da CIA morreu em dezembro de 1974.

Um repórter do *New York Times*, Seymour Hersh, descobriu o segredo da espionagem da agência contra americanos. Obteve a essência da notícia em meses de trabalho de reportagem e, na sexta-feira de 20 de dezembro de 1974, fez uma entrevista que havia muito tempo esperava, com Colby, na sede. Colby — que gravou secretamente a conversa — tentou convencer Hersh de que a vigilância ilegal não tinha muita importância, era uma questão pequena, e que era melhor não mencioná-la. "Acho que é melhor deixar os esqueletos da família onde estão, no armário", disse ele a Hersh. Mas, admitiu que a espionagem havia acontecido. Hersh escreveu durante toda a noite e entrando pela manhã de sábado.

A notícia saiu em 22 de dezembro de 1974, na primeira página do jornal de domingo. A manchete dizia: RELATADA ENORME OPERAÇÃO DA CIA NOS EUA CONTRA FORÇAS ANTIGUERRA.

Colby tentou proteger a agência colocando a questão da vigilância interna ilegal diante da porta de Jim Angleton, que vinha violando correspondências particulares em parceria com o FBI há 20 anos. Chamou Angleton ao sétimo andar e o demitiu. Isolado, Angleton passou o resto de sua vida tecendo mitos sobre seu trabalho. Resumiu sua trajetória quando lhe pediram para explicar por que a CIA não cumprira uma ordem da Casa Branca de destruir o estoque de venenos da agência. "É inconcebível", disse ele, "que um braço secreto do governo tenha que obedecer a todas as ordens abertas do governo."

## "GATOS MORTOS VÃO APARECER"

Na véspera do Natal, Colby enviou uma longa mensagem a Kissinger resumindo os segredos reunidos sob o comando de Schlesinger. No rastro de Watergate, a divulgação desses segredos poderia destruir a agência. Kissinger os abrandou num memorando de cinco páginas em espaço simples, encaminhado ao presidente Ford no dia de Natal. O Congresso demorou um ano — todo o ano de 1975 — para desenterrar alguns fatos desse memorando.

Kissinger informou o presidente de que a CIA realmente espionara a esquerda, grampeara e vigiara repórteres de jornais, realizara buscas ilegais e violara incontáveis malotes de correspondência. Mas havia muito mais, e coisas muito piores. Kissinger não ousou registrar por escrito o que descobriu no que chamou de "livro dos horrores". Algumas ações da CIA "foram claramente ilegais", advertiu ele a Ford. Outras "levantam profundas questões morais". Embora tivesse participado durante uma década da pequena subcomissão da CIA na Câmara dos Representantes, o presidente Ford nunca ouvira um sussurro sobre esses segredos — espionagem doméstica, controle da mente, tentativas de assassinato. As conspirações para cometer assassinato foram iniciadas na Casa Branca de Eisenhower, o presidente republicano mais reverenciado do século XX.

Então, na sexta-feira, 3 de janeiro de 1975, Ford recebeu outro boletim, desta vez do procurador-geral dos Estados Unidos em exercício, Laurence Silberman.

Silberman descobriu naquele dia a existência do grosso arquivo que guardava os segredos das transgressões da CIA. Estava no cofre do escritório de Colby, e Silberman presumiu que tinha provas de crimes federais. O mais alto funcionário responsável pelo cumprimento da lei no país apanhou o diretor da central de inteligência numa ratoeira. Colby teria que entregar os arquivos, ou poderia enfrentar uma acusação de obstrução da justiça. A questão já não era se Colby queria contar os segredos. Era uma questão de ir para a cadeia para protegê-los.

Silberman — mais tarde juiz de um tribunal de apelação federal e líder da devastadora investigação sobre a CIA em 2005 — aproximou-se perigosamente de se tornar ele próprio diretor da central de inteligência naquele momento arriscado. "Ford me pediu para ir à Casa Branca comandar a inteligência, mas eu recusei", disse Silberman num relato oral. "Naquele momento, eu era seriamente cotado para ser diretor da CIA. Não quis fazê-lo por uma série de motivos." Ele sabia que a agência estava prestes a enfrentar uma tenebrosa tempestade.

Em seu memorando de 3 de janeiro ao presidente, Silberman levantou dois problemas. Um: "Planos para assassinar certos líderes estrangeiros — que, para dizer o mínimo, apresentam questões únicas." Dois: "O sr. Helms pode ter cometido perjúrio durante as audiências de confirmação de sua nomeação como embaixador no Irã." Helms tinha sido interrogado, sob juramento, sobre a derrubada do presidente Allende, do Chile. A CIA tinha alguma coisa a ver com aquilo? Não, senhor, respondera ele. Dividido entre um juramento de sigilo e outro de dizer a verdade, Helms acabou tendo que se colocar diante de um juiz federal e enfrentar a acusação de perjúrio — uma acusação pelo delito menor de não dizer ao Congresso toda a verdade.

Na tarde de 3 de janeiro, Ford disse a Kissinger, ao vice-presidente Nelson Rockefeller e a Donald Rumsfeld que "a CIA seria destruída" se os segredos vazassem. Ao meio-dia de sábado, 4 de janeiro, Helms chegou ao Salão Oval. "Francamente, estamos numa confusão", disse-lhe Ford. O presidente revelou que Rockefeller lideraria uma comissão que investigaria as atividades domésticas da CIA, mas apenas as atividades domésticas. Ford esperava que isso estivesse de acordo com aquela restrita carta de direitos. "Seria trágico se passasse disso", disse ele a Helms. "Seria uma vergonha se o alvoroço público nos forçasse a ir além e prejudicar a integridade da CIA. Suponho automaticamente que o que você fez foi certo, a menos que provem o contrário."

Helms percebeu o que vinha pela frente.

"Aparecerá um monte de esqueletos", Helms advertiu o presidente. "Não sei de tudo o que aconteceu na agência. Talvez ninguém saiba. Mas sei o suficiente para dizer que se os esqueletos aparecerem, vou revelar os meus."

Helms atirou um deles contra o muro da Casa Branca naquele dia, dizendo a Kissinger que Bobby Kennedy coordenara pessoalmente os planos para assassinar Castro. Kissinger transmitiu a notícia ao presidente. O horror aumentou. Ford ganhara proeminência nacional pela primeira vez através de seu trabalho na Comissão Warren. Agora compreendia que havia aspectos do assassinato de Kennedy que ele nunca soubera, e as peças faltantes do quebra-cabeça o assombraram. Perto do fim de sua vida, ele considerou "inescrupulosa" a atitude da agência em ocultar provas da Comissão Warren. A CIA "cometeu um erro ao deixar de nos fornecer todos os dados que tinha", disse Ford. "Seu bom senso falhou ao nos esconder a história completa."

Agora a Casa Branca enfrentava oito diferentes investigações do Congresso e audiências sobre a CIA. Rumsfeld explicou como a Casa Branca se livraria de todas elas com a Comissão Rockefeller, cujos membros seriam "republicanos e corretos". Um deles já estava listado em seus arquivos: "Ronald Reagan, comentarista político, ex-presidente do Screen Actors' Guild[29] e ex-governador da Califórnia."

"Como deverá ser o relatório final?", perguntou o presidente. Todos os presentes concordaram em princípio que limitar os danos era de máxima importância. "Colby deve ser posto sob controle", disse Kissinger. Se ele não ficasse em silêncio, "logo essa coisa estará na boca do povo".

Em 16 de janeiro de 1975, o presidente Ford recebeu para um almoço na Casa Branca os principais editores do *New York Times*. O presidente disse que definitivamente não era do interesse nacional discutir o passado da CIA. Alertou que a reputação de cada presidente desde Harry Truman poderia ser arruinada se os maiores segredos vazassem. Como o quê?, perguntou um editor. Como assassinatos!, respondeu Ford. Difícil dizer o que foi mais estranho: o que o presidente revelou ou o fato de que os editores decidiram manter a declaração em segredo.

O novo Congresso, eleito três meses depois da renúncia de Nixon, era o mais liberal de que se tinha notícia. "A questão é como planejar lidar com a investigação da CIA", disse o presidente Ford a Rumsfeld em 21 de fevereiro; Rumsfeld prometeu montar "para o presidente uma operação para limitar os danos". Encarregou-se de determinar quantos segredos da CIA — se é que algum — Ford e Rockefeller compartilhariam com o Capitólio.

Em 28 de março, Schlesinger disse ao presidente que era imperativo reduzir "a proeminência das operações da CIA" no mundo. "Dentro da CIA há uma amarga dissensão", disse Schlesinger, que ajudara a semeá-la. O serviço clandestino estava "cheio de velhos agentes cansados", homens que poderiam vazar segredos. Colby estava "cooperando demais com o Congresso". O perigo das revelações aumentava a cada dia.

---

[29] Sindicato de atores americanos. (*N. do T.*)

# 34 "SAIGON ENCERRANDO TRANSMISSÃO"

Em 2 de abril de 1975, Bill Colby advertiu a Casa Branca de que os Estados Unidos estavam prestes a perder a guerra.

"Deixe-me entender a situação", disse Kissinger. "Existe algum lugar onde os sul-vietnamitas têm alguma chance de estabelecer um limite e conter os norte-vietnamitas?"

"Norte de Saigon, aqui", disse Colby, apontando uma linha no mapa.

"Isso é inútil", gritou Schlesinger.

O Vietnã do Sul iria desmoronar?, perguntou Kissinger. Para Colby, parecia inevitável.

"Acho que Martin" — o embaixador Graham Martin — "deveria começar a preparar um plano de evacuação", disse Kissinger. "Acho que devemos — é nosso dever — retirar as pessoas que acreditaram em nós. Temos que retirar o pessoal que participou do programa Phoenix." Esta era a campanha paramilitar de prisões, interrogatório e tortura que Colby ajudara a dirigir como civil, com o cargo de embaixador, de 1968 a 1971. A operação Phoenix matara, no mínimo, mais de 20 mil supostos vietcongues.

"A verdadeira questão agora", disse Colby, "é se tentaremos fazer uma fortaleza em torno de Saigon" ou negociar um acordo que salve as aparências, e possivelmente vidas, de modo a evacuar a capital sem banho de sangue.

Nenhuma negociação, respondeu Kissinger — "não enquanto eu estiver nesta cadeira". Mantenha as armas chegando a Saigon e deixe que o Norte e o Sul resolvam isso. "Não podemos salvar nada", disse ele.

"Nada a não ser vidas", reagiu Colby. Mas Kissinger foi inflexível. Ele não negociaria um fim pacífico para a guerra.

Em 9 de abril, Colby voltou para a Casa Branca para tentar advertir o presidente Ford de que os exércitos comunistas estavam se aproximando das capitais de Vietnã do Sul, Laos e Camboja. Vinte anos de luta de forças militares e da inteligência dos Estados Unidos estavam descendo pelo ralo.

"Os comunistas começaram uma nova rodada de combates, tendo Saigon como alvo principal", disse Colby ao presidente e ao Conselho de Segurança Nacional em 9 de abril. Os Estados Unidos precisavam começar a retirar cada pessoa que pudessem — americanos e vietnamitas — o mais rapidamente possível, afirmou ele. Certamente haveria vingança quando Saigon caísse. Milhares de americanos e dezenas de milhares de aliados políticos, militares e da inteligência entre os sul-vietnamitas estariam ameaçados se permanecessem ali.

"Agora os norte-vietnamitas têm dezoito divisões de infantaria no Vietnã do Sul", disse Colby. "Acreditamos que Hanói fará qualquer ação necessária para forçar a guerra a uma conclusão rápida — provavelmente no início do verão." Ele errou por dois meses. A cidade de Saigon — onde ainda trabalhavam seis mil americanos, entre oficiais militares, espiões, diplomatas e trabalhadores humanitários — cairia dentro de três semanas. Colby disse ao presidente: "Deveríamos pedir dinheiro ao Congresso para cumprir a promessa de evacuar os vietnamitas, talvez um a dois milhões de pessoas." Teria sido a maior retirada de emergência da história dos Estados Unidos.

A advertência de Colby não teve qualquer efeito em Washington, nem na Casa Branca, nem no Congresso, nem no Pentágono e nem na mente do embaixador americano em Saigon. Um homem compreendeu melhor que ninguém: o chefe do posto em Saigon, Tom Polgar.

### "FOI UMA LONGA LUTA, E PERDEMOS"

Às 4h de 29 de abril de 1975, Polgar acordou ao som de foguetes e artilharia. O aeroporto estava em chamas. Sete helicópteros da Air America — o serviço de transportes da CIA no Vietnã do Sul — foram destruídos. Polgar tinha que cuidar de centenas de pessoas. Os americanos que trabalhavam para ele eram um problema. Os vietnamitas que trabalhavam para a CIA e suas famílias eram outro. Eles estavam desesperados para partir, mas conseguir aviões para entrar e sair do aeroporto seria impossível agora.

Polgar vestiu rapidamente uma camisa azul e uma calça marrom, pôs instintivamente seu passaporte no bolso e foi correndo para a embaixada americana. As ruas de Saigon — uma cidade de quatro milhões de habitantes — estavam vazias, sob um toque de recolher de 24 horas. Ele telefonou para o embaixador Martin. Sofrendo de enfisema e bronquite, Martin se limitou a emitir sussurros angustiados. Em seguida, Polgar contatou Kissinger e o comandante-em-chefe americano no Pacífico, almirante Noel Gayler, ex-diretor da Agência de Segurança Nacional. Recebeu uma nova ordem de Washington: force ao máximo a evacuação do pessoal não essencial. Kissinger não passou qualquer instrução adicional sobre quem ficaria, quem partiria e como as pessoas sairiam.

O exército sul-vietnamita estava mergulhando no caos. A polícia nacional se dissolveu. As ruas antes silenciosas estavam em estado de anarquia.

O presidente Ford ordenou uma redução de 600 para 150 pessoas na embaixada. Entre as que ficariam estavam cinqüenta oficiais da CIA. Polgar não imaginava os norte-vietnamitas permitindo que um robusto posto da CIA continuasse funcionando depois da queda de Saigon.

Dentro da embaixada, Polgar viu pessoas iradas amassando e pisoteando fotografias de Nixon e Kissinger. A embaixada se tornara, nas palavras de Polgar, "um picadeiro de circo sem o apresentador".

Às 11h38, Ford ordenou que a missão americana em Saigon fosse fechada. Agora, todos os americanos tinham que sair da cidade até o anoitecer. A embaixada foi cercada por milhares de vietnamitas em pânico, uma muralha de pessoas desesperadas. Só havia uma maneira de entrar e sair, uma passagem secreta do estacionamento para o jardim da embaixada francesa. O embaixador Martin a usou para recolher sua mulher e seus criados. Polgar telefonou para casa. Sua empregada lhe disse que ele tinha visitas: um vice-primeiro-ministro, um general de três estrelas, o chefe da agência de inteligência em comunicação do país, o chefe do cerimonial, altos oficiais militares e suas famílias e muitos outros vietnamitas que haviam trabalhado com a CIA.

Três horas depois que o presidente Ford deu a ordem de evacuação, os primeiros helicópteros americanos chegaram, vindos de um ponto a 128 quilômetros da costa. Os pilotos da marinha agiram com habilidade e ousadia, retirando cerca de mil americanos e quase seis mil vietnamitas. Uma fotografia famosa mostra um dos últimos helicópteros a deixar Saigon, pousado num terraço, enquanto uma fila de pessoas sobe uma escada em busca de segurança. Durante muitos anos, a foto foi equivocadamente identificada como tendo sido tirada na embaixada. Na verdade, o cenário é um esconderijo da CIA, e as pessoas que embarcavam eram amigos de Polgar.

Polgar queimou todos os arquivos, telegramas e livros de códigos da CIA naquela noite. Pouco depois da meia-noite, ele compôs essa despedida: "ESTA SERÁ A ÚLTIMA MENSAGEM DO POSTO DE SAIGON... FOI UMA LONGA LUTA E PERDEMOS... AQUELES QUE FALHAM EM APRENDER COM A HISTÓRIA SÃO FORÇADOS A REPETI-LA. ESPERAMOS NÃO TER OUTRA EXPERIÊNCIA COMO A DO VIETNÃ E QUE TENHAMOS APRENDIDO NOSSA LIÇÃO. SAIGON ENCERRANDO TRANSMISSÃO."

Ele então explodiu a máquina que enviou a mensagem.

Trinta anos depois, Polgar relembrou os momentos finais da guerra americana no Vietnã: "Quando subimos a estreita escada de metal para a plataforma do helicóptero no telhado, sabíamos que estávamos deixando para trás milhares de pessoas do sistema logístico da embaixada. Nós todos sabíamos como nos sentíamos, líderes de uma causa derrotada."

## "QUINZE ANOS DE TRABALHO DURO QUE DERAM EM NADA"

A longa guerra da CIA no Laos chegou ao fim duas semanas depois, num vale cercado de altas minas de calcário. Os comunistas cercaram o posto avançado da agência em Long Tieng. A cadeia de montanhas acima do vale estava coberta de soldados norte-vietnamitas. Dezenas de milhares de hmongs — combatentes da CIA e suas famílias — estavam se reunindo no campo de pouso primitivo, esperando por um vôo. A agência não tinha plano algum de salvá-los depois de quinze anos de missões paramilitares.

Um agente da CIA permaneceu em Long Tieng: Jerry Daniels, outrora páraquedista de combate a incêndios em Montana e conhecido por seus amigos da Hmong como "Sky". Tinha 33 anos e estava no país havia quase dez. Era o oficial de investigações do general Vang Pao, líder militar e político da Hmong e principal colaborador da agência no Laos desde 1960. Daniel era um dos sete oficiais da CIA — Bill Lair e Ted Shackley entre eles — que tinham sido condecorados com a Ordem do Milhão de Elefantes e o Guarda-Sol Branco pelo rei do Laos, em gratidão a seu trabalho.

Daniels implorou a Dan Arnold, chefe do posto no Laos, que enviasse aviões a Long Tieng. Era "imperativo que a evacuação acontecesse sem demora", disse Arnold num relato oral. Mas não havia aeronaves. "É claro que uma autorização de decolagem tinha que passar por Washington, e isso foi feito com a maior prioridade", disse Arnold. "Foi da CIA para a Casa Branca... Washington recebeu repetidos pedidos para conseguir mais aviões com urgência, porque estávamos presos em solo. O problema era causado por atrasos no mais alto nível político."

Em 12 de maio de 1975, a CIA mobilizou os dois últimos C-46 da Tailândia. Os aviões, aproximadamente do tamanho do DC-3, pertenciam à Continental Air Services, uma empreiteira privada da agência. Ao longo dos anos, centenas de aviões daquele tamanho haviam aterrissado no campo de pouso de Long Tieng com carga. Mas sempre partiam vazios, quase tocando as altas montanhas. Nunca alguém voara para *fora* de Long Tieng num C-46 carregado. Os aviões eram fabricados para carregar 35 passageiros. Com o dobro desse número a bordo, e milhares de pessoas gritando para embarcar em cada vôo, eles iniciaram lentamente a evacuação.

Em Bangcoc, na manhã de 13 de maio, o general-de-brigada da Força Aérea Heinie Aderholt, chefe do Comando de Assistência Militar dos EUA na Tailândia, recebeu um telefonema de um desconhecido. O general Aderholt, que havia trabalhado com a CIA em operações aéreas durante vinte anos, comandava a única operação militar americana que continuava em funcionamento no sudeste da Ásia. "O sujeito não se identificou pelo nome", recordou o general. "Ele disse que os EUA estavam abandonando os hmongs em Long Tieng. Usou essa palavra, 'abandonando'." O desconhecido pediu a Aderholt para enviar um C-130 quadrimotor — um avião de transporte de carga de tamanho médio — para salvar os hmongs. De algum modo, Aderholt encontrou um piloto americano que estava a minutos de deixar a sala de embarque do aeroporto de Bangcoc e ofereceu-lhe US$ 5 mil em dinheiro vivo para levar o C-130 até Long Tieng. Em seguida, telefonou para o chefe do Estado-Maior Conjunto, General George Brown, para que ele autorizasse a missão. Naquela tarde, o C-130 chegou. Centenas de hmongs embarcaram em poucos minutos; o avião partiu e voltou na manhã seguinte.

Jerry Daniels, da CIA, estava comandando a evacuação, servindo de guarda-costas do general Vang Pao, trabalhando como controlador de vôo no campo de pouso e mantendo uma linha aérea para salvar a vida de 50 mil pessoas em pânico. Daniels e Vang Pao não podiam ser vistos abandonando soldados e suas famílias. Quando o C-130 retornou na manhã de 14 de maio, milhares de hmongs correram para a porta de trás do cargueiro. Foi uma cena de fúria e desespero. Vang Pao escapou para uma área de aterrissagem de helicóptero a alguns quilômetros de distância; uma tripulação da CIA o levou furtivamente.

Daniels conseguiu um avião para si. O diário de bordo diz: "Tudo estava tumultuado... Decolamos às 10h47 e isso pôs fim à base secreta da CIA em Long Tieng, Laos." Um piloto contratado pela CIA que estava no local, o capitão Jack Knotts, gravou uma fita de áudio lembrando os minutos finais da longa guerra no Laos. Daniels, carregando uma pasta de documentos e uma bolsa da cerveja Olympia, chegou à área de aterrissagem em seu Ford Bronco azul e branco. Saiu do carro e então ficou paralisado. "Ele não vai entrar no helicóptero", disse Knotts. "Ele ainda não quer partir! Ele apanha sua maleta no banco de trás e então começa a falar no rádio. Fica enrolando, enrolando, e finalmente — e isso é muito ruim, porque está lá há muito tempo — bate uma continência. Entra em forma, como se estivesse saudando o jipe. Mas na verdade está saudando dez ou quinze anos de trabalho duro que não deram em nada."

Richard Helms chamou a guerra no Laos de "a guerra que vencemos". Era difícil entender como. Ford e Kissinger forçaram um arranjo político que confirmou o controle comunista do país. "E então partimos", disse Dick Holm, da CIA, que iniciara no Laos sua carreira de 35 anos na CIA. Os hmongs que sobreviveram acabaram em campos de refugiados ou exilados. "Seu modo de vida foi destruído", escreveu Holm. "Eles nunca poderão voltar para o Laos." Os Estados Unidos, disse ele, "não assumiram a responsabilidade moral que tínhamos com aqueles que trabalharam tão intimamente conosco durante aqueles anos turbulentos."

Jerry Daniels morreu envenenado por gás em seu apartamento em Bangcoc, sete anos depois da evacuação de Long Tieng. Tinha 40 anos. Ninguém sabe se ele pôs fim à própria vida.

# 35 "INEFICIENTES E ASSUSTADOS"

A CIA estava sendo saqueada como uma cidade conquistada. Comissões do Congresso vasculhavam seus arquivos, o Senado tendo como foco as ações secretas, a Câmara se concentrando em falhas na espionagem e nas análises. Nas ruas de Washington, apareceram cartazes feitos à mão em que Bill Colby era representado com imagens de caveiras sobre ossos cruzados e o ás de espadas. Os altos oficiais da agência temiam a ruína pessoal e profissional. A Casa Branca temia a destruição política. No Salão Oval, em 13 de outubro de 1975, o presidente e seus homens se reuniram para avaliar os danos.

"Qualquer documento que mostre oficialmente o envolvimento americano num assassinato é um desastre para a política externa", disse Colby ao presidente. "Eles também querem investigar operações secretas delicadas" — como o Laos. A Casa Branca recorreria aos tribunais para impedir o Congresso? "Estamos numa situação melhor com um confronto político do que com um confronto legal", disse Don Rumsfeld. Para se preparar para essa luta, o presidente fez uma mudança em seu gabinete no fim de outubro de 1975.

A mudança foi chamada imediatamente de Massacre do Halloween. Jim Schlesinger foi demitido e Don Rumsfeld se tornou secretário de Defesa. Dick Cheney assumiu o cargo de chefe de gabinete. E, numa atitude maquiavélica atípica, Ford neutralizou um desafiante potencialmente problemático na indicação para a candidatura presidencial de 1976 demitindo Bill Colby e tornando George Herbert Walker Bush o novo diretor da central de inteligência. Foi à primeira vista uma escolha estranha.

Bush não era general, nem almirante, nem espião. Não sabia quase nada sobre inteligência. Era um político, pura e simplesmente. Filho de Prescott Bush

— um senador aristocrata de Connecticut que havia sido um bom amigo de Allen Dulles — ele se mudara para o Texas em busca de fortuna nos negócios de petróleo. Cumpriu dois mandatos no Congresso. Disputou o Senado duas vezes e perdeu. Foi embaixador nas Nações Unidas durante 22 meses e presidente do sempre animado Comitê Nacional Republicano de Nixon durante o Watergate. Em agosto de 1974, Ford por pouco não tornou Bush vice-presidente. O fracasso na tentativa de conseguir o cargo foi o pior golpe de sua vida política. Seu prêmio de consolação foi uma oferta de embaixadas de prestígio, e ele escolheu a China. De Pequim, Bush acompanhou as lutas da CIA através de um prisma grosseiro: ele dependia das reportagens da rádio Voz da América e de jornais que chegavam com uma semana de atraso.

Mas seus instintos políticos lhe disseram o que o emprego tinha a oferecer. "Enterrar Bush na CIA?", perguntou a si próprio. "Aquilo é um cemitério de políticos", escreveu. Ele disse a Ford: "Vejo isso como o fim total de qualquer futuro político." A perspectiva o deprimia. Mas seu senso de lealdade o impeliu a dizer sim.

Semanas depois de se tornar diretor, no fim de janeiro de 1976, Bush descobriu que adorava a agência — o sigilo, a camaradagem, os equipamentos, a intriga internacional. A CIA era uma sociedade secreta com um orçamento de um bilhão de dólares. "Este é o emprego mais interessante que eu já tive", escreveu ele a um amigo em março. Em menos de onze meses no cargo, ele elevou o moral na sede, defendeu a CIA de todos os críticos e habilmente usou a agência para construir uma base política para sua crescente ambição.

Fora isso, ele fez pouca coisa. Desde o início, Bush disputou com o secretário de Defesa Rumsfeld, que controlava 80% do orçamento da inteligência. Esse dinheiro me pertence, dizia Rumsfeld; satélites espiões, vigilância eletrônica e inteligência militar apoiavam os soldados americanos em campos de batalha. Embora os militares americanos estivessem completamente recuados, Rumsfeld limitava Bush. Opôs-se fortemente a deixar o diretor da central de inteligência ter voz nas decisões sobre gastos secretos. Rumsfeld era "paranóico" em relação à CIA e, convencido de que a agência "o espionava", cortou os antigos canais de comunicação e cooperação entre o Pentágono e a CIA, segundo relatou o veterano analista George Carver numa entrevista para um relato oral da CIA.

O recrutamento de novos oficiais depois de Watergate e Vietnã era extremamente difícil. A agência estava abarrotada de burocratas de meia-idade acomodados; Bush afastou doze dos dezesseis oficiais mais antigos da sede para tentar ganhar algum espaço. Queria nomear seu próprio chefe do serviço clandestino, e então chamou Bill Nelson, chefe desde a época de Colby, e lhe disse que era hora de ele partir. Nelson o cumprimentou e foi embora, não sem antes despejar um memorando na mesa de Bush dizendo que o serviço clandestino tinha excessivos dois mil oficiais. Bush, seguindo a tradição de Allen Dulles, enterrou o estudo.

## "A CIA FOI TOLHIDA"

"Este é um período turbulento e problemático para a Agência", escreveu Bush ao presidente Ford em 1º de junho de 1976. "As intensas investigações das duas casas do Congresso iniciadas há mais de um ano resultaram em amplas revelações públicas sobre operações com ações secretas antigas e atuais." As investigações levaram o Senado a criar uma comissão de supervisão da inteligência enquanto Bush era diretor; a Câmara criou outra um ano depois. Se pelo menos o presidente pudesse encontrar uma maneira de proteger a CIA do Congresso, escreveu Bush, "as operações com ações secretas continuarão a dar a contribuição positiva para nossa política externa que deram durante os últimos 28 anos".

Mas a agência, sob um Congresso que se tornara vigilante, tinha pouquíssimas novas operações com ações secretas a caminho. Numa resposta por escrito a perguntas do autor, Bush sustentou que as investigações do Congresso causaram danos duradouros à agência. Elas "regrediram nossas relações com contatos em todo o mundo" — as ligações da CIA com serviços de inteligência estrangeiros, fontes de muitas informações que obtinha — e "levaram muitas pessoas no exterior a deixarem de cooperar com a CIA". Pior que isso tudo, disse ele, "devastaram o moral do que talvez seja o melhor grupo de servidores públicos que esse país possui".

Fracassos contínuos em campo também minaram o ânimo da CIA em 1976. Um dos maiores aconteceu em Angola. Dois meses depois da queda de Saigon, o presidente Ford aprovou uma nova grande operação para proteger Angola do comunismo. O país havia sido o maior domínio de Portugal na África, mas os líderes de Lisboa estavam entre os piores colonizadores europeus, e saquearam Angola enquanto se retiravam. O país desmoronava enquanto forças rivais se enfrentavam numa guerra.

A CIA enviou US$ 32 milhões em dinheiro vivo e US$ 16 milhões em armas para Angola por meio do grande aliado da agência, o presidente Mobutu, do Congo. As armas foram entregues a uma gangue indisciplinada de guerrilheiros anticomunistas, comandados por um cunhado de Mobutu e alinhados com o governo branco sul-africano. O programa teve a assistência do presidente Kenneth Kaunda, da Zâmbia, um líder cordial que havia muito recebia apoio dos Estados Unidos e da CIA por baixo dos panos. Foi coordenado, no Departamento de Estado de Kissinger, por um diplomata jovem e talentoso — Frank G. Wisner Jr., filho e homônimo do falecido chefe de operações secretas.

"Tínhamos sido forçados a sair do Vietnã", disse Wisner. "Havia uma verdadeira preocupação por parte do governo de que os Estados Unidos seriam agora testados" pelas forças do comunismo em todo o mundo. "Veríamos uma nova ofensiva aparentemente liderada por comunistas entrar em Angola, assumir o controle do país rico em petróleo e começar a levar a guerra fria para o sul da África, ou tentaríamos impedir isso?"

"Não teríamos condições de ir até o Congresso, logo depois do Vietnã, e dizer, 'Olhe, vamos mandar treinadores militares americanos e equipamentos para Mobutu'. Então Kissinger e o presidente tomaram a decisão de recorrer à agência", disse Wisner. Mas os soldados apoiados pela CIA em Angola fracassaram, e seus inimigos, fortemente apoiados por Moscou e Havana, assumiram o controle da capital. Kissinger ordenou a liberação de mais US$ 28 milhões em apoio secreto. Não havia mais dinheiro no orçamento de contingência da CIA. No início do curto ano de Bush na CIA, o Congresso proibiu publicamente o apoio secreto a guerrilheiros angolanos e pôs fim à operação quando ela estava em curso. Nada semelhante havia acontecido antes. "A CIA foi tolhida, e fomos repelidos", disse Wisner.

### "SINTO QUE FUI ENGANADO"

No dia do bicentenário do 4 de Julho, em 1976, Bush se preparou para encontrar o governador da Geórgia num hotel em Hershey, Pensilvânia. Ele foi extremamente receptivo quando Jimmy Carter requisitou informes de inteligência da CIA antes mesmo de conquistar a candidatura presidencial democrata. Nenhum candidato jamais fizera um pedido desses tão cedo. Bush e seu representante da inteligência nacional, Dick Lehman — aquele que ficara frustrado ao ver Allen Dulles verificando o peso dos relatórios em vez de lê-los —, acharam Carter extremamente interessado. Eles discutiram desde satélites espiões até o futuro do regime da minoria branca na África. Concordaram que a conversa para trocar informações poderia continuar mais tarde em julho, na casa de Carter no vilarejo de Plains, Geórgia.

O diretor teve dificuldade para chegar lá. O jato Gulfstream, da CIA, não conseguiu pousar na pista gramada de Plains. A agência procurou ajuda logística do Pentágono e soube que Bush teria que seguir de helicóptero até Campo Peterson. A tripulação da CIA checou seus mapas. Onde diabos ficava Campo Peterson? Mais um telefonema para Plains e eles descobriram: O "campo de Peterson" era uma área de 16 acres de um fazendeiro, na periferia do lugarejo.

No encontro de seis horas discutiu-se Líbano, Iraque, Síria, Egito, Líbia, Rodésia e Angola. A China tomou trinta minutos. A União Soviética, um tempo dez vezes maior. Os homens da CIA conversaram a tarde inteira e continuaram pela noite. Carter, que havia sido engenheiro nuclear da marinha, entendeu os detalhes secretos do arsenal estratégico americano. Estava particularmente interessado nas provas que os satélites espiões obtinham sobre armas soviéticas, e percebeu que a inteligência que eles obtinham teria um papel vital no controle de armas. Soube que os soviéticos nunca fariam uma declaração precisa sobre o tamanho de suas forças nucleares; o lado americano tinha que ir à mesa de negociações e dizer aos soviéticos quantos mísseis *eles* tinham e quantos *nós* tínhamos. Isso levou Carter a hesitar: a idéia de que os soviéticos mentiam parecia ser nova para ele.

Bush assegurou-lhe que as fotografias obtidas pela primeira geração de satélites espiões haviam fornecido aos presidentes Nixon e Ford as informações de que eles precisavam para cumprir o Salt — Tratado de Limitação de Armas Estratégicas — com os soviéticos e para checar se os soviéticos cumpririam os acordos. Uma nova geração de satélites estava entrando em ação naquele verão. Com o codinome Keyhole, eles forneciam imagens de televisão em tempo real, em vez de fotos de revelação demorada. A divisão de ciência e tecnologia da CIA vinha trabalhando no projeto Keyhole havia anos, e aquilo era um grande avanço.

O companheiro de chapa de Carter, senador Walter Mondale de Minnesota, perguntou sobre ações secretas e sobre as ligações da agência com serviços de inteligência estrangeiros. Mondale tinha sido membro da Comissão Church, o grupo do Senado que investigava a CIA, e cujo relatório final saíra dois meses antes. A comissão é lembrada hoje principalmente pela declaração de seu presidente de que a agência era "um elefante desgovernado" — uma afirmação que errou feio ao absolver os presidentes que dirigiram o elefante. Furioso com a própria existência da Comissão Church, Bush se recusou a responder às perguntas de Mondale.

Oito oficiais da CIA se juntaram a Bush em Plains duas semanas depois, sentando-se em círculo na sala da família de Carter enquanto a filha deste e seu gato entravam e saíam. Para surpresa deles, Carter parecia ter uma compreensão bastante ampla do mundo. Quando Carter e Ford estiveram cara a cara nos primeiros debates na televisão desde Kennedy e Nixon, o governador deu uma surra no presidente em questões de política externa. Ele também atingiu a agência ao dizer: "Nosso sistema de governo — apesar de Vietnã, Camboja, CIA, Watergate — ainda é o melhor sistema de governo do planeta."

Em 19 de novembro de 1976, houve um último e estranho encontro entre Bush e o presidente eleito Carter em Plains. "Bush queria ser mantido" na CIA, recordou Carter. "Se eu tivesse concordado com isso, ele nunca teria sido presidente. Sua carreira teria seguido um caminho totalmente diferente!"

O memorando de Bush sobre o encontro mostra que ele revelou ao presidente eleito várias operações em andamento, inclusive o apoio financeiro da CIA a chefes de Estado como o rei Hussein, da Jordânia; o presidente Mobutu, do Congo; e líderes políticos fortes como Manuel Noriega, futuro ditador do Panamá. Bush observou que Carter parecia estranhamente chateado. Sua impressão foi correta. O presidente eleito achou repreensíveis os subsídios da CIA a líderes estrangeiros.

No fim de 1976, Bush ficou mal com alguns de seus antigos fãs na agência. Ele tomou a decisão claramente política de deixar uma equipe de ideólogos neoconservadores — Dick Lehman os chamou de "direitistas escandalosos" — reescreverem as estimativas da CIA sobre as forças militares soviéticas.

William J. Casey, o membro mais barulhento do Grupo de Assessoria em Inteligência Externa do Presidente, vinha conversando com alguns de seus amigos e associados na comunidade de inteligência. Eles estavam convencidos de que a CIA estava perigosamente subestimando o poder nuclear soviético. Casey e seus companheiros do grupo de assessoria pressionaram o presidente Ford a deixar uma equipe externa escrever sua própria estimativa sobre os soviéticos. A equipe — cujos membros estavam profundamente desencantados com a *détente* e envolvidos com a direita republicana — incluía o general Daniel O. Graham, principal defensor do escudo de mísseis nos EUA, e Paul Wolfowitz, um desiludido negociador de controle de armas e futuro subsecretário de Defesa. Em maio de 1976, Bush aprovou a "Equipe B" com uma alegre anotação: "Deixe-a voar!! O.K. G.B."

A discussão era altamente técnica, mas foi reduzida a uma única pergunta: o que Moscou pretende? A Equipe B retratou uma União Soviética em meio a um tremendo desenvolvimento militar — quando na verdade estava cortando seus gastos militares. Exagerou dramaticamente a precisão dos mísseis balísticos intercontinentais soviéticos. Duplicou o número de bombardeiros Tupolev que a União Soviética estava fabricando. Advertiu repetidamente para perigos que nunca se concretizaram, ameaças que não existiam, tecnologias que nunca foram criadas e — o mais terrível de tudo — o fantasma de uma estratégia soviética secreta para lutar e vencer uma guerra nuclear. Então, em dezembro de 1976, a equipe compartilhou suas descobertas com repórteres e colunistas de opinião receptivos. "A Equipe B estava fora de controle", disse Lehman, "e estava vazando em toda parte."

O alvoroço que a Equipe B criou continuou durante anos, fomentou um aumento enorme dos gastos do Pentágono com armas e levou diretamente à ascensão de Ronald Reagan ao topo da lista de principais candidatos à nomeação republicana em 1980. Depois do fim da guerra fria, a agência testou as descobertas da Equipe B. Cada uma delas estava errada. Era de novo o vazio de bombardeiros e o vazio de mísseis.

"Sinto que fui enganado", disse Bush a Ford, Kissinger e Rumsfeld na última reunião do Conselho de Segurança Nacional do governo que terminava.

A análise de inteligência tornara-se corrompida — mais um instrumento usado para obter vantagens políticas — e nunca recuperaria sua integridade. As estimativas da CIA estavam sendo descaradamente politizadas desde 1969, quando o presidente Nixon forçou a agência a mudar sua opinião sobre a capacidade dos soviéticos de lançar um primeiro ataque nuclear. "Considero este evento quase um divisor de águas a partir do qual tudo afundou", disse Abbot Smith, que dirigiu o Escritório de Estimativas Nacionais da agência no governo Nixon, em entrevista para um relato oral da CIA. "O governo Nixon foi realmente o primeiro em que a inteligência foi simplesmente uma outra forma de política. E o processo estava destinado a ser um desastre, e eu acho que foi um desastre." John Huizenga, que sucedeu Smith em 1971, explicou de maneira ainda mais direta aos historiadores da CIA, e suas idéias se mostraram verdadeiras nas décadas seguintes, até o século XXI:

> Em retrospecto, veja você, eu realmente não acredito que uma organização de inteligência nesse governo seja capaz de apresentar um produto analítico honesto sem enfrentar o risco da divergência política. De um modo geral, acho que a tendência a tratar a inteligência sob um viés político aumentou ao longo de todo esse período. E foi principalmente em questões como o sudeste da Ásia e o crescimento das forças estratégicas soviéticas, que eram desagregadoras em termos políticos. Em retrospecto, acho que provavelmente foi ingênuo acreditar no que a maioria de nós acreditou em certo momento... que era possível apresentar um produto analítico honesto e fazer com que ele tivesse um valor considerável... Acho que a inteligência teve impacto relativamente pequeno nas políticas que adotamos ao longo dos anos. Relativamente nenhum. Em algumas circunstâncias particulares, talvez percepções e fatos fornecidos tenham tido um efeito sobre o que fizemos. Mas apenas num âmbito muito estreito de circunstâncias. Em geral, o esforço da inteligência não alterou as premissas com as quais os líderes políticos chegaram ao poder. Eles traziam sua bagagem e mais ou menos continuavam com ela. Idealisticamente, o que se supunha era que uma análise de inteligência séria poderia... ajudar o lado político a reexaminar premissas, a criar políticas mais sofisticadas, mais próximas da realidade do mundo. Essas foram as grandes ambições que eu acho que nunca foram alcançadas.

Essas idéias não perturbaram o diretor da central de inteligência e futuro presidente dos Estados Unidos.

## "A GRANDEZA QUE A CIA É"

Ao se despedir dos funcionários da sede da CIA, Bush entregou uma nota de agradecimento carinhosa, como era seu hábito. "Espero que nos próximos anos eu possa encontrar maneiras de fazer o povo americano compreender mais completamente a grandeza que a CIA é", escreveu. Ele foi o último diretor da central de inteligência que recebeu algo próximo de um apoio total de seus soldados na sede. Aos olhos deles, Bush teve o gesto muito louvável de tentar salvar o serviço clandestino. Mas no fim, para sua vergonha, ele deixou a CIA ser amedrontada pela política.

"Não vejo degradação alguma na qualidade da análise da inteligência", disse Kissinger no último encontro dos dois, antes da posse de Jimmy Carter. "O oposto é verdadeiro, porém, na área das ações sigilosas. Já não somos capazes de realizá-las."

"Henry, você está certo", disse George Herbert Walker Bush, um dos maiores incentivadores que a CIA já teve. "Somos ineficientes e estamos assustados."

# PARTE CINCO

---

*Vitória sem alegria*

A CIA sob Carter, Reagan e George H. W. Bush

1977 a 1993

---

# Os diretores da Central de Inteligência
## 1946-2005

O espírito de Wild Bill Donovan, o mestre da espionagem americana na Segunda Guerra Mundial, insuflou muitos futuros oficiais da CIA que trabalharam com ele, entre os quais William Casey, diretor da central de inteligência de 1981 a 1987. *Acima*: Casey em pronunciamento na reunião do OSS, com uma imagem de Donovan ao fundo. *Abaixo, à esquerda*: o presidente Truman põe uma medalha no primeiro diretor, o contra-almirante Sidney Souers. *Abaixo, à direita*: o general Hoyt Vandenberg, o segundo diretor, em testemunho ao Congresso.

O general Walter Bedell Smith, diretor de 1950 a 1953, foi o primeiro verdadeiro líder da CIA. *Acima, à esquerda*: com Ike no Dia da Vitória na Europa; *acima, à direita*: com Truman na Casa Branca. *Abaixo*: numa foto de 1950 tirada na sede da CIA, Bedell Smith, à esquerda, assume o comando em substituição ao ineficiente contra-almirante Roscoe Hillenkoetter, de terno claro. *No detalhe*: Frank Wisner, que dirigiu as operações secretas da CIA de 1948 até seu colapso mental em 1958, preocupado, com o olhar perdido.

*Acima, à esquerda*: Allen Dulles em seu escritório na sede, em 1954. *Acima, à direita*: JFK substituiu Dulles por John McCone, depois do episódio da Baía dos Porcos. McCone se tornou íntimo do procurador-geral Robert Kennedy (*abaixo, à esquerda*), que teve um papel central nas operações secretas. O presidente Johnson rejeitou McCone e contratou o desafortunado almirante Red Raborn (*abaixo, à direita*), no rancho de LBJ, em abril de 1965.

Richard Helms, diretor de 1966 a 1973, buscou e obteve o respeito do presidente Johnson. *Acima*: na semana em que foi nomeado vice-diretor, em 1965, Helms conhece o presidente. *Abaixo*: em 1968, Helms, confiante, conversa com LBJ e o secretário de Estado Dan Rusk no almoço das terças-feiras — a melhor mesa em Washington.

*Acima, à esquerda*: o presidente Nixon em visita pública à sede da CIA, em março de 1969. Nixon não confiou na agência e desprezou seu trabalho. *Abaixo*: enquanto Saigon cai, o diretor Bill Colby, no canto à esquerda, conversa com o presidente Ford, em abril de 1975. Perto de Ford estão o secretário de Estado, Henry Kissinger, e, no canto à direita, o secretário de Defesa, James Schlesinger. *Acima, à direita*: George H. W. Bush e o presidente Gerald R. Ford discutem a retirada dos americanos de Beirute com L. Dean Brown, enviado especial ao Líbano, em 17 de junho de 1976.

*Acima*: em novembro de 1979, o diretor Stansfield Turner fica por último quando o presidente Carter chama seus principais assessores militares e diplomáticos a Camp David para discutir a crise dos reféns americanos no Irã. *Abaixo*: em junho de 1985, o presidente Reagan e sua equipe de segurança nacional na Sala de Situação da Casa Branca, durante o seqüestro do avião da TWA com destino a Beirute, um drama de reféns que terminou com um acordo secreto; Bill Casey é o primeiro à direita.

O fim da guerra fria criou uma rápida rotatividade no topo da CIA — cinco diretores em seis anos. As mudanças constantes coincidiram com um êxodo de especialistas em ações secretas e analistas. *Acima, da esquerda para a direita*: William Webster; Robert Gates, o último oficial de carreira da CIA a dirigir a agência; e Jim Woolsey.

*À esquerda*: John Deutch. *À direita*: George Tenet, com o presidente Clinton numa cadeira de rodas, tentou desesperadamente reconstruir a CIA durante sete anos.

*À esquerda*: George Tenet na Casa Branca com o presidente Bush e o vice-presidente Cheney, enquanto a guerra no Iraque começa, em março de 2003. Tenet ficou confiantemente ao lado da CIA ao dizer que o arsenal de Saddam Hussein estava repleto de armas de destruição em massa. *Abaixo, ao centro*: seu sucessor, Porter Goss, com Bush na sede da CIA, em março de 2005. Ele provou ser o último diretor da central de inteligência.

*À direita*: enquanto seu aniversário de 60 anos se aproximava, a CIA deixou de ser a primeira entre as organizações da inteligência americana. Em março de 2006, o general Mike Hayden prestou juramento como diretor da CIA na sede. O novo chefe, o diretor de inteligência nacional, John Negroponte, observa-o, tendo atrás a estátua de Wild Bill Donovan.

# 36 "CARTER ESTAVA TENTANDO DERRUBAR O SISTEMA DELES"

Na disputa pela presidência, Jimmy Carter havia condenado a CIA, considerando-a uma desgraça nacional. Uma vez no poder, acabou assinando quase tantas ordens para ações secretas quanto Nixon e Ford. A diferença é que ele o fazia em nome dos direitos humanos. O problema era utilizar o poder atrofiado da agência para essa nova missão.

Sua procura por um novo diretor para a central de inteligência seguia estéril. Thomas L. Hughes, ex-chefe do Escritório de Inteligência e Pesquisa do Departamento de Estado, recusou a honra. Foi indicado então Ted Sorensen, redator de discursos de Kennedy. "Para minha relativa surpresa, Carter me telefonou e me perguntou se eu poderia ir a Plains", recordou Sorensen. "Eu tinha um irmão que havia trabalhado para a CIA secretamente durante anos. Fui lá, tive uma conversa breve com Carter e no dia seguinte ele me ofereceu o emprego." Mas ele tinha sido um crítico deliberado na Segunda Guerra Mundial, e sua indicação morreu, sendo a primeira vez que algo assim acontecia na história da CIA. "Carter não me deu apoio algum enquanto eu estava na expectativa", relembrou Sorensen, com amargura.

Na terceira tentativa, o novo presidente escolheu um quase desconhecido: o almirante Stansfield Turner, comandante do flanco sul da Otan, com base em Nápoles, Itália. Turner seria o terceiro almirante na história da agência a considerar a CIA um navio difícil de conduzir. Foi o primeiro a admitir sua falta de familiaridade com a agência. Mas impôs sua autoridade rapidamente.

## "AQUELA NÃO ERA A MANEIRA CERTA DE JOGAR"

"Muita gente acha que o presidente Carter me chamou e disse, 'Limpe o lugar e o arrume'. Ele nunca fez isso", disse Turner. "Desde o começo, ele estava intensamente interessado em ter uma boa inteligência. Queria entender os mecanismos, desde os satélites até nossos espiões e nossos métodos de analisar o que acontecia. Dava extremo apoio às operações de inteligência. Ao mesmo tempo, eu sabia muito bem, por seu caráter, que deveríamos atuar dentro das leis dos Estados Unidos da América. Sabia também que havia limites éticos no que o presidente Carter queria que fizéssemos, e cada vez que eu estava a ponto de questionar se estávamos próximos desses limites, eu o procurava e ouvia suas decisões. Quase sempre essas decisões eram para seguir em frente."

"O governo Carter não tinha preconceito algum com as ações secretas", disse Turner. "A própria CIA tinha um problema com as ações secretas, porque estava em estado de choque devido às críticas que enfrentara."

Logo no início, o serviço clandestino presenteou Turner com um dilema de vida ou morte. "Eles me procuraram e disseram: 'Temos um agente que está quase dentro de uma organização terrorista, mas pediram a ele para fazer mais uma coisa para provar sua sinceridade. Ele tem que sair e assassinar um dos membros do governo. Vamos permitir que ele faça isso?' E eu disse: 'Não, vamos tirá-lo de lá.' Você sabe, é uma escolha. Talvez ele pudesse ter salvado algumas vidas. Mas eu não faria com que os Estados Unidos participassem de um assassinato para ter essa chance. Tratava-se de uma vida real e era a reputação de nosso país. E eu achei que aquela não era a maneira certa de jogar."

Turner entendeu rapidamente os fundamentos do cabo-de-guerra entre espiões e aparelhos. Ele escolheu máquinas em detrimento de homens, gastando grande parte de seu tempo e energia tentando melhorar a cobertura global dos satélites de reconhecimento americanos. Tentou organizar a "comunidade de inteligência" numa confederação, criando uma equipe de coordenação e um orçamento unificado. Aqueles que serviam à causa ficaram horrorizados com as alterações. "Eu era encarregado de reunir a inteligência humana", relembrou John Holdridge, que tinha sido subchefe da missão em Pequim, sob comando de Bush, antes de entrar para a equipe da comunidade de inteligência. "Eu olhava aquelas operações impossíveis que me eram apresentadas e imaginava quem diabos as havia inventado. Elas me pareciam terrivelmente impraticáveis e sem chances de funcionar."

Os analistas também não receberam notas altas. O presidente Carter se declarou perplexo com fato de que o informe diário da CIA resumia o que ele lia nos jornais. Ele e Turner especulavam por que as estimativas da agência pareciam superficiais e irrelevantes. A agência teve um começo difícil com o novo presidente.

## "CARTER MODIFICOU AS ANTIGAS REGRAS"

A nova equipe de segurança nacional de Carter tinha cinco membros principais com quatro objetivos diferentes. O presidente e o vice-presidente sonhavam com uma nova política externa americana baseada nos princípios dos direitos humanos. O secretário de Estado, Cyrus Vance, achava que o controle de armas era primordial. O secretário de Defesa, Harold Brown, tentava produzir uma nova geração de tecnologia militar e de inteligência por alguns bilhões de dólares a menos do que planejava o Pentágono. O assessor de segurança nacional, Zbigniew Brzezinski, era o radical entre moderados. Séculos de desgraças em Varsóvia nas mãos de Moscou haviam moldado suas idéias. Ele queria ajudar os Estados Unidos a conquistar corações e mentes na Europa Oriental. Ele atrelou essa ambição à política externa do presidente e tentou atingir os soviéticos onde eles eram mais fracos.

O presidente Ford e o líder soviético, Leonid Brejnev, haviam assinado um acordo em Helsinki, em 1975, aprovando "a livre movimentação de pessoas e idéias". Ford e Kissinger viram no acordo uma fachada. Mas outros levaram muito a sério: uma geração de dissidentes na Rússia e na Europa Oriental cansados da banalidade perversa do Estado soviético.

Brzezinski ordenou — e Carter aprovou — uma série de ações secretas da CIA dirigidas a Moscou, Varsóvia e Praga. Eles orientaram a agência a publicar livros e subsidiar a impressão e distribuição de revistas e jornais na Polônia e na Tchecoslováquia, a ajudar a distribuir o material escrito de dissidentes na União Soviética, a apoiar o trabalho político de ucranianos e outras minorias étnicas soviéticas, a pôr aparelhos de fax e gravadores nas mãos de pessoas que pensavam livremente por trás da cortina de ferro. Queriam subverter o controle de informação, que era a base da repressão no mundo comunista.

A guerra política que Jimmy Carter travou abriu uma nova frente na guerra fria, disse Bob Gates, da CIA, que na época era analista de assuntos soviéticos da equipe do Conselho de Segurança Nacional de Brzezinski: "Com sua política de direitos humanos, ele se tornou o primeiro presidente desde Truman a desafiar diretamente a legitimidade do governo soviético diante dos olhos do próprio povo soviético. E os soviéticos imediatamente identificaram naquilo o desafio fundamental que era: acreditaram que Carter estava tentando derrubar o sistema deles."

Os objetivos de Carter eram mais modestos: ele queria alterar o sistema soviético, não eliminá-lo. Mas o serviço clandestino da CIA não queria assumir a tarefa. A Casa Branca enfrentou resistência dos chefes da divisão soviética/Europa Oriental à ordem de intensificar as ações secretas. Eles tinham um motivo: precisavam proteger um estimado agente em Varsóvia e não queriam que os ideais de direitos humanos da Casa Branca o ameaçassem. Um coronel polonês chamado Ryszard Kuklinski estava dando aos Estados Unidos uma boa noção sobre as forças armadas soviéticas. Ele era a fonte mais importante que a agência tinha por trás da cortina de ferro. "O coronel Kuklinski nunca foi, num sentido estrito, um agente da CIA", disse Brzezinski. "Ele era um voluntário. Atuava por conta própria." O coronel oferecera secretamente seus serviços aos Estados Unidos durante uma visita a Hamburgo. Manter contato com ele era difícil; seis meses a fio se passavam em silêncio. Mas quando Kuklinski viajava para a Escandinávia e a Europa Ocidental, sempre deixava informações. Durante os anos de 1977 e 1978, até cair sob suspeita e vigilância em Varsóvia, ele entregou informações que revelavam como os soviéticos colocariam todos os seus exércitos da Europa Oriental sob controle do Kremlin se a guerra começasse. Contou à agência como Moscou conduziria essa guerra na Europa Oriental; os planos previam o uso de quarenta armas nucleares táticas somente contra a cidade de Hamburgo.

Livre da paranóia da era Angleton, a divisão soviética começava a recrutar espiões de verdade atrás da cortina de ferro. "Nós nos afastamos de todas as grandes e gloriosas tradições do OSS e nos tornamos um serviço de espionagem, dedicado a obter inteligência externa", disse Haviland Smith, da CIA. "Por Deus, podíamos entrar em Berlim Oriental sem sermos apanhados. Podíamos recrutar europeus orientais. Procurávamos e recrutávamos soviéticos. A única lacuna era que nada tínhamos sobre as intenções soviéticas. E não sei como conseguir isso. E *essa é a razão de ser do serviço clandestino.* Se tivéssemos conseguido recrutar um membro do Politburo, teríamos tudo nas mãos."

O Politburo do fim dos anos 1970 era uma gerontocracia corrupta e decrépita. Seu império estava demasiada e perigosamente ampliado, e morria por dentro. O politicamente ambicioso chefe da inteligência soviética, Yuri Andropov, criara para seus senis superiores no Kremlin uma falsa imagem da União Soviética de superpotência. Mas a fachada dos soviéticos enganou a CIA também. "Estávamos cônscios, já no início de 78, de que a economia soviética enfrentava sérios problemas", disse o almirante Turner. "Não percebemos como deveríamos ter percebido, como eu deveria ter percebido, que os problemas econômicos levariam a problemas políticos. Achamos que eles apertariam o cinto sob um regime no estilo de Stalin e continuariam em frente."

A decisão instintiva de Jimmy Carter de decretar os princípios de direitos humanos como um padrão internacional foi vista por muitos membros do serviço clandestino como um ato de piedade. Sua modesta mobilização da CIA para investigar aquela pequena rachadura na blindagem da cortina de ferro foi um desafio cauteloso ao Kremlin. E ainda assim, ele precipitou o começo do fim da União Soviética. "Carter, na verdade, modificou as antigas regras da guerra fria", concluiu Bob Gates.

## "TRANSFORMAR UM CONFLITO DE BRANCOS E NEGROS NUM CONFLITO DE BRANCOS E VERMELHOS"

O presidente Carter tentou também usar a CIA para minar o apartheid na África do Sul. Sua postura mudou o curso de trinta anos de política externa na guerra fria.

Em 8 de fevereiro de 1977, na Sala de Situação da Casa Branca, a equipe de segurança nacional do presidente concordou que era hora de os Estados Unidos mudarem o regime sul-africano racista. "Estão lá as possibilidades de transformar um conflito de brancos e negros num conflito de brancos e vermelhos", disse Brzezinski. "Se este é o começo de um longo e amargo processo histórico, é do nosso interesse acelerar esse processo." Não era uma questão de raça, mas de ficar do lado certo da história.

O diretor em exercício da central de inteligência, Enno Knoche, disse: "Estamos buscando mudanças em suas atitudes básicas. Isso exigirá observação cerrada." Em outras palavras, os Estados Unidos teriam que começar a espionar a África do Sul. Em 3 de março de 1977, numa reunião formal do Conselho de

Segurança Nacional, Carter ordenou à CIA que estudasse como fazer pressão econômica e política sobre a África do Sul e sua aliada racista, a Rodésia.

O problema era que "ninguém queria prestar atenção na África", disse o vice-diretor da central de inteligência de Carter, Frank Carlucci. "Estávamos muito concentrados na União Soviética. Um dos principais objetivos de ter pessoas em postos na África era testar e recrutar os soviéticos que estavam baseados lá. Esta era a prioridade número um."

Os soviéticos apoiavam o maior inimigo do apartheid, o Congresso Nacional Africano. O líder do CNA, Nelson Mandela, foi preso em 1962, em parte graças à CIA. A agência havia trabalhado em íntima harmonia com o Boss* sul-africano, o Escritório de Segurança de Estado. Os oficiais da CIA ficaram "lado a lado com a polícia de segurança da África do Sul", disse Gerry Gossens, que foi chefe de posto em quatro nações africanas nos governos dos presidentes Nixon, Ford e Carter. "Dizia-se que eles deduraram o próprio Mandela."

Em 1977, Gossens foi trabalhar com o supremacista branco radical Ian Smith, que governava a Rodésia, bem como com o pró-americano Kenneth Kaunda, presidente da Zâmbia. Como chefe do posto na capital, Lusaka, Gossens se reunia regularmente com o presidente Kaunda e seu serviço de segurança. Começou a formar um quadro das forças armadas de negros e brancos dispostas umas contra as outras em todo o sul da África. "Precisávamos saber quantos soviéticos, tchecos, alemães orientais e norte-coreanos estavam fornecendo armas e treinamento. Eles poderiam dominar os rodesianos? Precisávamos infiltrar homens nos governos da linha de frente."

Então, em 1978, Gossens se tornou o novo chefe do posto em Pretória. Suas ordens vindas de Washington eram de espionar o governo branco da África do Sul. Agora a CIA participava de um ambicioso esforço americano para expulsar os soviéticos do sul da África e obter apoio de governos africanos negros.

"Pela primeira vez na história", disse ele, "fui instruído a iniciar operações unilaterais contra o Boss. Consegui pessoas novas que não se declaravam ao governo. Consegui novos alvos nas forças sul-africanas, em seu programa nuclear, sua política vis-à-vis com a Rodésia. A embaixada foi clara na pergunta: o que o governo sul-africano está disposto a fazer?" Durante dois anos, a CIA começou a obter inteligência sobre os regimes do apartheid. Então a polícia secreta da Rodésia prendeu três oficiais da CIA que caíram numa armadilha. A

---

*Sigla para "Bureau of State Security". (N. da E.)

inteligência sul-africana traiu um quarto oficial. Frank G. Wisner Jr. foi para a Zâmbia como novo embaixador americano, onde ele recordou: "Minha única grande crise, meu momento mais difícil, foi resultado de um escândalo de espionagem com um agente da CIA."

Em pânico devido às missões descobertas, a sede da agência começou a interromper as operações e retirar seus espiões. Os esforços da CIA para seguir a política de direitos humanos do presidente duraram pouco.

## "ELES TÊM UMA CULTURA ÚNICA"

A moral do governo Carter não era boa para o estado de espírito na sede da CIA. O almirante Turner tentou se ajustar à promessa de Carter de nunca mentir para o povo americano. Isso era um dilema para o chefe do serviço secreto de inteligência, cujos operadores precisavam enganar para ter sucesso. A pouca confiança que Turner tinha no serviço clandestino era constantemente corroída por atos de subversão.

Em 1978, o embaixador americano na Iugoslávia, Lawrence Eagleburger, mais tarde secretário de Estado no governo do primeiro Bush, deparou-se com uma diretriz da sede do serviço clandestino para todos os chefes de postos no mundo. Agindo pelas costas de Turner, alguém muito importante enviou instruções para esconder grandes operações secretas do conhecimento de embaixadores em toda parte no exterior. A mensagem era uma violação direta de ordens presidenciais vigentes havia dezessete anos.

"Perguntei a meu chefe no posto se era verdade", disse Eagleburger. "Ele disse que sim, era verdade. Eu acrescentei, 'Está bem, quero que você envie uma mensagem ao almirante Turner.'" Era uma mensagem sucinta: "Você está fora dos negócios na Iugoslávia até a hora em que essa ordem for anulada. Com isso, quero dizer que você não deve ir ao escritório nem fazer qualquer negócio em Belgrado ou na Iugoslávia: você simplesmente vai fechar a seção."

Turner praticava a religião Ciência Cristã e bebia água quente com limão em vez de café ou chá. Os veteranos preferiam pôr uísque na água. Eles zombavam de Turner com seus gestos e ações. Turner escreveu anos depois que seus inimigos dentro do serviço clandestino tentaram desacreditá-lo com campanhas de desinformação — "uma das habilidades básicas deles". A maior das campanhas foi uma história que persistiu durante um quarto de século: dizia que Turner era o único responsável pela destruição do serviço clandestino nos anos 1970. Os primeiros cortes profundos tinham sido exigidos por Nixon. Mil agentes secretos foram afastados por James Schlesinger. George Bush, no governo Ford, optara por ignorar uma recomendação de seu próprio chefe de ações secretas de que mais dois mil fossem embora. Turner acabou cortando precisamente 825, começando pelos 5% que estavam mais embaixo nos gráficos de desempenho. Teve o apoio do presidente. "Tínhamos consciência de que alguns dos funcionários desqualificados e incompetentes que ele demitiu ficaram profundamente ressentidos, mas eu aprovei completamente", disse Jimmy Carter numa carta ao autor.

Os veteranos lutaram duro contra Turner quando ele escolheu John McMahon para liderar o serviço clandestino. McMahon não era um deles. Começara a carreira carregando as malas de Allen Dulles e agora comandava a diretoria de ciência e tecnologia, o setor que produzia os instrumentos e os programas de espionagem. Ele disse a Turner: "Não, sou o sujeito errado para isso. Eles têm uma cultura única. Trabalham melhor por si próprios e você tem que entender como eles pensam. A última vez que me expus a eles foi no início dos anos 50 na Alemanha. E os tempos mudaram."

Em janeiro de 1978, depois de resistir por seis meses, McMahon se tornou o terceiro chefe do serviço clandestino em dezoito meses. Três semanas depois de assumir o cargo, foi chamado a participar da primeira reunião da nova comissão de supervisão de inteligência da Câmara. O serviço clandestino se rebelou. "Eles tiveram um ataque... ficaram loucos", disse McMahon. "Mas o que eu sabia era que os congressistas não entendiam a CIA e nem as operações clandestinas. E eu iria até lá para ensiná-los." Ele encheu uma sacola de compras com instrumentos e aparelhos de espionagem — câmeras em miniatura, microfones e coisas desse tipo — e foi para o Capitólio. "Eu disse: 'Permitam que lhes conte como é operar em Moscou.'" McMahon nunca estivera em Moscou em sua vida. "Eu disse, 'Bem, aqui estão alguns dos equipamentos que usamos.' E comecei a passá-los. E eles examinaram todos aqueles aparelhos... e ficaram simplesmente hipnotizados." Encantada, a comissão deu aos espiões um orçamento bem maior do que solicitado pelo presidente. A reconstrução do serviço clandestino — arruinado e desmoralizado por cortes que remontavam aos anos de Nixon — começou exatamente ali, no outono de 1978.

Mas o clima continuou lúgubre na cidadela da inteligência americana. "Apesar de seus atuais (e cada vez piores) problemas morais, a CIA ainda vai produzir algumas idéias criativas, eu suspeito", informou a Brzezinski seu contato com a agência, em 5 de fevereiro de 1979. "Contudo, não podemos nos enganar: a capacidade que existia na CIA está extremamente reduzida neste exato momento e há pouquíssimos oficiais dispostos a correr riscos do tipo que costumava ser rotineiramente enfrentado para que as coisas fossem feitas."

Naquela mesma semana, o mundo começou a desabar sobre a CIA.

## "ESPORTE PARA ESPECTADORES"

Em 11 de fevereiro de 1979, o exército do xá se desintegrou e um aiatolá fanático assumiu o controle em Teerã. Três dias depois, algumas centenas de quilômetros a oeste, aconteceu um assassinato que teria o mesmo grande peso para os Estados Unidos.

O embaixador americano no Afeganistão, Adolph "Spike" Dubs, foi agarrado nas ruas de Cabul, seqüestrado por rebeldes afegãos que combatiam o regime fantoche pró-soviético e assassinado quando a polícia afegã — acompanhada de assessores soviéticos — atacou o hotel onde ele era mantido. Foi um claro sinal de que o Afeganistão estava fugindo ao controle. Os rebeldes islâmicos, apoiados pelo Paquistão, preparavam-se para um revolução contra seu governo ateu. Os líderes geriátricos da União Soviética olharam para o sul com temor. Mais de 40 milhões de muçulmanos viviam nas repúblicas soviéticas da Ásia Central. Os soviéticos viram as chamas do fundamentalismo islâmico queimando na direção de suas fronteiras. Numa longa reunião do Politburo que começou em 17 de março, o chefe da inteligência soviética, Yuri Andropov, declarou: "Não podemos perder o Afeganistão."

Durante os nove meses seguintes, a CIA falhou em advertir o presidente dos Estados Unidos para uma invasão que mudaria a face do mundo. A agência tinha uma boa noção da capacidade soviética. Mas não entendia nada das intenções soviéticas.

"Os soviéticos vão relutar muito em introduzir um grande número de forças terrestres no Afeganistão", declarou com confiança, em 23 de março de 1979, o *National Intelligence Daily*, relatório ultra-secreto da CIA à Casa Branca, ao Pentágono e ao Departamento de Estado. Naquela semana, 30 mil soldados soviéticos começaram a se deslocar para junto da fronteira afegã em caminhões, tanques e blindados para transporte de tropas.

Em julho e agosto, os ataques dos rebeldes afegãos se intensificaram, guarnições do exército afegão começaram a se amotinar e Moscou enviou um batalhão de unidades de combate aerotransportadas para a base aérea de Bagram, nos arredores de Cabul. Estimulado por Brzezinski, o presidente Carter assinou uma ordem de ação secreta para a CIA fornecer aos rebeldes afegãos ajuda médica, dinheiro e propaganda. Os soviéticos enviaram a Cabul treze generais, liderados pelo comandante das forças terrestres soviéticas. Ainda assim, a CIA assegurou ao presidente em 24 de agosto que "a situação em deterioração não é um presságio de uma escalada do envolvimento militar soviético na forma de um combate direto".

Em 14 de setembro, o almirante Turner disse ao presidente que "os líderes soviéticos podem estar prestes a decidir comprometer suas forças para impedir o colapso do regime" no Afeganistão — mas apenas aos poucos, com pequenos grupos de assessores militares e alguns milhares de soldados. Em dúvida sobre essa avaliação, a CIA reuniu todo o seu conhecimento, cada elemento da inteligência militar americana, transcrições de escutas eletrônicas e reconhecimento de satélites espiões para uma avaliação completa das tendências. Em 28 de setembro, os especialistas concluíram por unanimidade que Moscou não invadiria o Afeganistão.

As tropas soviéticas continuavam chegando. Em 8 de dezembro, um segundo batalhão aerotransportado aterrissou em Bagram. O *National Intelligence Daily* avaliou sua presença como uma manobra para reforçar a defesa contra ataques de rebeldes à base aérea. Na semana seguinte, o chefe do posto da CIA em Cabul relatou que fontes diziam ter visto comandos de forças especiais soviéticas nas ruas da cidade.

Na manhã de segunda-feira, 17 de dezembro, o almirante Turner foi a uma reunião na Casa Branca com os principais assessores do presidente, a Comissão de Coordenação Especial. Entre os presentes estavam o vice-presidente Walter Mondale, Zbigniew Brzezinski, o secretário de Defesa Harold Brown e o subsecretário de Estado Warren Christopher. Turner lhes disse que havia agora 5.300 soldados soviéticos na base aérea de Bagram e dois novos postos de comando soviéticos ao norte da fronteira afegã. Em seguida, declarou: "A CIA não considera isso uma mobilização drástica." Aquilo estava "talvez relacionado à percepção soviética de uma deterioração das forças militares afegãs e da necessidade de reforçá-las em algum momento". A palavra *invasão* não passou por seus lábios.

Os melhores analistas de assuntos soviéticos da CIA — entre eles Doug MacEachin, mais tarde vice-diretor para inteligência — trabalharam dia e noite para organizar seus conhecimentos para o presidente. Em 19 de dezembro, eles apresentaram sua avaliação formal final. "O ritmo dos deslocamentos soviéticos não sugere... contingência urgente", disseram. "Operações antiinsurgentes numa escala nacional exigem uma mobilização de números muito maiores de forças terrestres regulares." Em resumo, os soviéticos não pretendiam atacar.

Três dias depois, o vice-almirante Bobby Ray Inman, diretor da Agência de Segurança Nacional — o império de escutas eletrônicas americano — recebeu uma mensagem urgente de campo: a invasão do Afeganistão era iminente. Na verdade, estava acontecendo. Mais de cem mil soldados soviéticos estavam tomando o país. Carter assinou imediatamente uma ordem de ação secreta para a CIA começar a armar a resistência afegã, e a agência iniciou uma rota mundial de armas para o Afeganistão. Mas a ocupação soviética era um fato consumado.

A CIA não apenas falhou diante da invasão, como se recusou a admitir que havia falhado. Por que alguém em sã consciência invadiria o Afeganistão, um cemitério de conquistadores durante dois mil anos? A falta de inteligência não foi a causa da falha. Foi a falta de imaginação.

Assim, a invasão soviética se tornou para os Estados Unidos "um esporte para espectadores", escreveu o destacado analista da agência Doug MacEachin vinte anos depois. "Os EUA fizeram um bocado de barulho na arquibancada, mas não puderam ter grande impacto no campo de jogo. Para isso teriam de esperar a nova rodada do campeonato."

# 37 "ESTÁVAMOS SIMPLES E PROFUNDAMENTE ADORMECIDOS"

Desde que a CIA lhe assegurara o trono, em 1953, o xá do Irã era a peça central da política externa americana no Oriente Médio. "Eu só gostaria que houvesse mais alguns líderes no mundo com a sua visão", refletiu o presidente Nixon em abril de 1971. "E com sua capacidade de dirigir, sejamos sinceros, uma quase ditadura de uma maneira benigna."

Talvez não tenha sido intenção de Nixon mandar uma mensagem ao enviar Richard Helms como embaixador americano para o Irã em 1973. Mas acabou mandando. "Ficamos surpresos com o fato de a Casa Branca enviar um homem que, afinal de contas, tinha associações com a CIA, que era considerada por todos os iranianos a responsável pela queda de Mossadeq", disse Henry Precht, principal membro político da embaixada americana. "Para nós, aquilo parecia abandonar qualquer pretexto de uma América relativamente neutra e confirmar que o xá era nosso fantoche."

Em 31 de dezembro de 1977, num brinde ao xá durante um esplêndido jantar oficial do Estado, o presidente Carter chamou a monarquia de "uma ilha de estabilidade num mar de turbulências", uma visão que fora confirmada e repetida pelos espiões e analistas da CIA durante os quinze anos anteriores. Era, na verdade, a mesma frase que o xá usava para descrever a si mesmo.

Mas quando Howard Hart, um dos oficiais mais corajosos que o serviço clandestino já produziu, chegou a Teerã algumas semanas depois e começou a fazer o que fazia melhor — esgueirar-se pelas ruas e registrar o mundo real — ele chegou a uma conclusão oposta. Seu relatório foi tão pessimista que seus superiores o abafaram. Contradizia diretamente tudo o que a CIA vinha afirmando sobre o xá desde os anos 1960.

A agência não relatou nada que sugerisse que o xá estava com problemas. Faltava-lhe capacidade para questionar 25 anos de seus próprios informes. Em agosto de 1978, a agência disse à Casa Branca que o Irã não estava nem perto de uma revolução. Semanas depois, houve distúrbios nas ruas. Quando estes se espalharam, os principais analistas da CIA enviaram ao almirante Turner um esboço da Estimativa de Inteligência Nacional para que ele assinasse. Dizia que o xá poderia sobreviver por mais dez anos. Ou não. Turner leu, considerou-o inútil e o engavetou.

Em 16 de janeiro de 1979, o xá fugiu de Teerã. Alguns dias depois, o testemunho de Howard Hart nas ruas ficou definitivamente mais sombrio.

Ele foi atacado por uma gangue armada — seguidores de um fanático religioso de 77 anos, o aiatolá Ruhollah Musavi Khomeini, que se preparava para voltar do exílio para Teerã. Hart era filho de um banqueiro de investimentos e passara três anos de sua infância como interno num campo de prisão japonês nas Filipinas, durante a Segunda Guerra Mundial. Agora era prisioneiro mais uma vez. Seus captores o maltrataram, simularam um tribunal, proclamaram-no espião da CIA e se prepararam para executá-lo no local. Alegando inocência, implorando por sua vida e se preparando para morrer, Hart pediu para ver o mulá mais próximo. Um jovem clérigo chegou e encontrou o espião louro, de olhos azuis e musculoso nas garras de justiceiros.

"Eu disse, 'Isso está errado, isso não está sancionado em nenhuma parte do Sagrado Corão'", relembrou Hart. O mulá ponderou sobre a questão e concordou. Hart foi libertado.

## "NÃO ENTENDÍAMOS QUEM ERA KHOMEINI"

Alguns dias depois, em 1º de fevereiro de 1979, a revolução popular que expulsou o xá do Trono do Pavão abriu caminho para a volta de Khomeini a Teerã. Milhares de americanos — incluindo a maior parte da equipe da embaixada — foram retirados enquanto o caos nas ruas aumentava. Um primeiro-ministro secular ainda se mantinha no poder juntamente com a Guarda Revolucionária, e a CIA tentou trabalhar com ele, influenciá-lo e mobilizá-lo contra Saddam Hussein. "Algumas conversas confidenciais muito, muito delicadas aconteceram no nível do primeiro-ministro", disse Bruce Laingen, o *chargé d'affaires* da embaixada americana. "Chegamos ao ponto de realmente nos sentar com eles e dar informações altamente secretas sobre o Iraque."

Laingen tinha sido o oficial mais jovem da embaixada americana em Teerã em 1953. Em 1979, era o mais importante. No período entre esses anos, uma sucessão de chefes de posto e embaixadores se aproximara bastante do xá, e apreciara bastante seu caviar e seu champanhe. "Nós pagamos o preço", disse Laingen. "Existimos para descobrir como as pessoas estão pensando e por que estão pensando daquela maneira e se comportando daquela maneira. E se ficamos confortáveis demais acreditando em algo que se encaixa em nossos objetivos, bem, estamos com problemas terríveis."

A idéia de que uma religião provava ser uma força política mobilizadora no fim do século XX era incompreensível. Poucos na CIA acreditavam que um clérigo ancião poderia tomar o poder e proclamar o Irã uma república islâmica. "Não entendíamos quem era Khomeini e o apoio que seu movimento tinha", disse Turner — ou o que sua visão de mundo do século XVII poderia significar para os Estados Unidos.

"Estávamos simples e profundamente adormecidos", disse ele.

Em 18 de março de 1979, Howard Hart, agora chefe do posto em exercício, teve uma reunião às 2h com um alto oficial da Savak — a brutal polícia secreta do xá — que servira lealmente ao posto como agente e informante. Depois de entregar ao oficial dinheiro e documentos falsos para que ele fugisse de Teerã, Hart se deparou com um cerco de membros da Guarda Revolucionária de Khomeini. Eles o espancaram brutalmente, gritando "CIA! CIA!". Deitado de costas, Hart sacou sua pistola e matou os dois com dois tiros. Muitos anos depois, ele recordou o incendiário fanatismo nos olhos deles. Era a face da guerra santa. "Como nação, não temos nenhuma idéia sobre que diabo é isso", refletiu ele.

### "MAIS DO QUE UM INSULTO"

Iranianos de todo tipo, tanto de elite e bem educados quanto radicais de olhos faiscantes, achavam que a CIA era uma força onipotente com imenso poder sobre suas vidas. Eles não acreditariam na verdade: no verão de 1979, o posto da CIA era uma operação de quatro homens, e todos os quatro eram recém-chegados ao Irã. Howard Hart voltou para a sede em julho, deixando para trás um novo chefe no posto, Tom Ahern, que passara os últimos treze anos no Japão; um agente de investigação experiente, Malcolm Kalp; um técnico de comunicações, Phil Ward; e um fuzileiro naval veterano de 32 anos, William J. Daugherty, que ingressara na CIA nove meses antes. Daugherty voara em 76 missões de combate durante a Guerra do Vietnã. Teerã era sua primeira viagem pela CIA.

"Eu sabia pouco sobre o Irã", recordou ele. "Eu sabia ainda menos sobre os iranianos. Todo o meu contato com o Irã, além dos noticiários noturnos na televisão e de um curso de três semanas de estudos no Departamento de Estado sobre a região, consistia no que eu havia obtido durante cinco semanas à mesa, lendo arquivos de operações."

Cinco meses antes, uma multidão de marxistas iranianos invadiu a embaixada americana. Os seguidores do aiatolá fizeram um contra-ataque, expulsaram os comunistas e libertaram os americanos. Ninguém achou que aquilo poderia acontecer novamente. "Não se preocupem com outro ataque à embaixada", assegurara ao posto em Teerã o chefe do setor iraniano da CIA na sede. "A única coisa que poderia desencadear um ataque seria se dessem entrada ao xá nos Estados Unidos — e ninguém nesta cidade é estúpido o suficiente para fazer isso."

Em 21 de outubro de 1979, Daugherty fitava fixamente um telegrama da sede. "Eu não podia acreditar no que estava lendo", relembrou ele.

Sob intensa pressão política de amigos do xá — especialmente Henry Kissinger —, o presidente Carter, contrariando seu bom senso, decidiu naquele dia admitir o monarca exilado nos Estados Unidos, para tratamento médico. O presidente angustiava-se com aquela decisão, temendo que americanos fossem feitos reféns em represália. "Eu gritei, '*Barrem* o xá! Ele está tão bem jogando tênis em Acapulco quanto estaria na Califórnia", relembrou Carter. "O que vamos fazer se apanharem vinte de nossos fuzileiros navais e matarem um deles a cada amanhecer? Vamos à guerra contra o Irã?"

Ninguém na Casa Branca pensou em pedir opinião à agência.

Duas semanas depois, um grupo de estudantes iranianos, todos eles seguidores do aiatolá, ocupou a embaixada americana. Mantiveram 53 reféns pelo resto do governo Carter, 444 dias e noites. Daugherty passou as últimas semanas de 1979 em confinamento solitário. Ele se lembrou de seis interrogatórios entre 29 de novembro e 14 de dezembro, que começavam ao cair da noite e prosseguindo até o amanhecer, conduzidos por Hossein Sheik-ol-eslam, futuro vice-ministro do Exterior do Irã. Depois da meia-noite de 2 de dezembro, Hossein entregou-lhe um telegrama. "Pensei que minha vida tinha acabado", escreveu ele em memórias para a revista interna da CIA. "O telegrama dava meu nome verdadeiro e afirmava claramente que eu estava prestes a ser designado para o posto em Teerã. Também mencionava o programa especial pelo qual eu entrara na agência dez meses antes. Quando olhei para Hossein e seus fantoches, eles estavam rindo como um trio de gatos de Cheshire."[30]

Os interrogadores "disseram que sabiam que eu era o chefe de toda a rede de espionagem da CIA no Oriente Médio, que eu vinha planejando o assassinato de Khomeini e instigando os curdos a se revoltarem contra o governo de Teerã. Eles me acusaram de tentar destruir seu país", recordou Daugherty. "Esses iranianos achavam inconcebível que a CIA enviasse para um lugar crítico como o Irã alguém tão ignorante em relação à cultura e à língua locais. Isso era tão inconcebível para eles que, semanas depois, quando finalmente perceberam a verdade, ficaram pessoalmente ofendidos. Já tinha sido suficientemente difícil para eles aceitar que a CIA pusesse um agente inexperiente em seu país. Mas era mais do que um insulto que esse agente não falasse a língua nem conhecesse os costumes, a cultura e a história do país."

Depois que cada noite de interrogatório terminava, Daugherty dormia mal num colchão de espuma de borracha no escritório do chefe do posto. Enquanto centenas de milhares de iranianos gritavam nas ruas em torno do prédio americano cercado por muros, ele sonhava que pilotava um avião sobre as largas alamedas e incinerava multidões com napalm.

A CIA nada podia fazer para liberá-lo e a seus colegas reféns na embaixada americana. Mas em janeiro de 1980, a agência realizou uma clássica operação de espionagem para retirar seis funcionários do Departamento de Estado que tinham conseguido se refugiar do outro lado da cidade, na embaixada canadense.

A operação foi idealizada por Tony Mendez, da CIA, cujas especialidades eram falsificação e disfarce. Mendez e sua equipe foram aqueles que aperfeiçoaram as máscaras à la *Missão impossível* que permitiram que oficiais brancos se disfarçassem de africanos, árabes e asiáticos. Ele era um raro exemplar de gênio intuitivo na CIA.

---

[30]Referência ao gato sorridente de *Alice no país das maravilhas*, do escritor inglês Lewis Carroll (1832-1898). (*N. do T.*)

Para encobrir a missão no Irã, Mendez criou a Studio Six, uma falsa empresa de produção de filmes de Hollywood; alugou um escritório em Los Angeles e publicou anúncios de página inteira na *Variety* e em *The Hollywood Reporter* anunciando o início das filmagens de *Argo*, uma fantasia de ficção científica com cenas com locação no Irã. O roteiro do filme — e da operação — incluía documentos e máscaras para seis americanos. Armado de uma pasta com passaportes forjados e falsa publicidade, ele abriu caminho para entrar no Irã com as autoridades apropriadas, embarcou num vôo comercial em Bonn, hospedou-se no Sheraton de Teerã, conseguiu reservas na Swissair de vôos para Zurique para a segunda-feira seguinte e tomou um táxi até a embaixada canadense para se encontrar com seus seis companheiros americanos. Mendez executou a operação *Argo* sem o menor obstáculo. Um dos americanos que ele libertou deu-lhe um soquinho no braço quando eles embarcavam no vôo da Swissair e disse, "Você cuidou de tudo, não?" Ele estava apontando para o nome pintado no nariz do avião — "Argau", um cantão na Suíça.

"Interpretamos aquilo como um sinal de que tudo ficaria bem", relembrou Mendez. "Esperamos o avião decolar e deixar o espaço iraniano antes de erguer o polegar e pedir *bloody marys*."

### "UM ATO DE VINGANÇA"

Nenhuma mágica semelhante libertou os prisioneiros restantes. As forças de operações especiais do Pentágono foram encarregadas da Deserto Um, a missão em abril de 1980 para salvar os reféns na embaixada americana. "O esforço se valeu bastante da CIA", disse Anthony Quainton, coordenador chefe de contraterrorismo no governo de 1978 a 1981. A agência forneceu informações sobre a provável localização dos reféns dentro do prédio da embaixada. Seus pilotos voaram num avião pequeno não detectado até o deserto do Irã para testar o local de aterrissagem para a missão. Howard Hart ajudou a criar o plano imensamente complicado de retirar os reféns e transportá-los de avião para a liberdade. Mas a missão terminou em catástrofe; oito membros de comandos morreram no deserto iraniano depois que seu helicóptero se chocou contra um avião de carga.

Para os reféns, a vida se tornou muito pior. Bill Daugherty foi retirado da embaixada e levado para uma prisão. Passou a maior parte dos nove meses seguintes numa solitária, uma cela onde mal cabia seu corpo de 1,92m. Chegou a pesar 60 quilos. Ele e os outros reféns finalmente foram libertados por consentimento de seus captores na hora em que o presidente Carter deixou a Casa Branca pela última vez. A libertação não teve nada a ver com a ação secreta da inteligência americana. Foi uma atitude política planejada para humilhar os Estados Unidos.

No dia seguinte, Jimmy Carter, como cidadão comum, foi ao encontro dos americanos libertados numa base militar na Alemanha. "Ainda tenho a foto guardada em algum lugar", recordou Daugherty. "O ex-presidente parecia envergonhado, e eu pareço um cadáver sombrio."

O seqüestro dos reféns foi um "ato de vingança" contra o golpe da CIA no Irã em 1953, escreveu Ken Pollack, veterano analista da CIA para o Oriente Médio. Mas o legado daquela antiga operação foi muito além da provação para os reféns americanos. O fervor da revolução iraniana assombraria os próximos quatro presidentes dos Estados Unidos e mataria centenas de americanos no Oriente Médio. A chama de glória pelas operações secretas da maior geração da CIA se tornou um trágico incêndio para seus herdeiros.

# 38 "UM PIRATA FREELANCE"

Em 4 de outubro de 1980, o diretor da central de inteligência e três de seus principais assessores seguiram de carro para Wexford, propriedade milionária nos campos eqüestres de Virgínia que pertencera a John e Jackie Kennedy. Foram ao encontro do candidato republicano à presidência, Ronald Reagan. Ele concordara em dar à CIA uma hora de seu tempo.

O almirante Turner teve quinze minutos para abordar a então recente invasão do Irã por Saddam Hussein. Mais quinze minutos foram dedicados à ocupação soviética no Afeganistão, que tinha nove meses, e ao envio de armas da CIA em apoio à resistência afegã. Bob Ames, especialista em Oriente Médio da agência, teve quinze minutos para falar sobre o reino da Arábia Saudita e a teocracia do aiatolá Khomeini. Membros da equipe de Reagan, empolgados com a perspectiva de vitória nas eleições que viriam, entravam e saíam correndo da sala como personagens de uma comédia. A hora passou num piscar de olhos.

Reagan sabia pouco mais sobre a CIA do que aprendera nos filmes. Mas prometeu deixá-la agir, e cumpriu sua promessa. O homem que ele escolheu para o trabalho foi seu brilhante e astuto coordenador de campanha, William J. Casey.

Casey, apegado às lembranças de seus dias como chefe de inteligência do OSS em Londres, pendurou um retrato autografado de Wild Bill Donovan na parede de seu escritório na sede, e durante os seis anos seguintes Donovan o fitou de cima para baixo. Numa guerra global e totalitária, dissera Wild Bill, a inteligência precisa ser global e totalitária. Este era o credo de Bill Casey. Ele ansiava reviver aquele espírito de luta na CIA. "Sua visão sobre como lutar uma guerra contra um poder totalitário foi claramente formada na Segunda Guerra Mundial", disse Bob Gates, que trabalhou seis anos a seu lado. "Onde não havia impedimentos. Onde tudo acontecia."

Casey se ofereceu para o cargo de secretário de Estado, mas a idéia chocou as pessoas do círculo íntimo de Reagan. Era uma questão de aparência. Casey não era nenhum estadista. Parecia uma cama desarrumada, resmungava palavras incompreensíveis e comia de maneira rude. A futura primeira-dama não podia suportar a idéia de Casey num jantar formal, derrubando comida no colo. Ao perceber a oposição, Casey ficou ressentido, mas conseguiu um acordo com Reagan: aceitaria a CIA, mas teria que estar no nível do gabinete — seria o primeiro diretor a conseguir isso — e precisaria de liberdade para se encontrar com o presidente em particular. Ele usaria esses poderes não apenas para executar a política externa americana mas para produzi-la, como se no fim das contas fosse o secretário de Estado. Tudo o que Casey precisava era de alguns minutos com o presidente. Um piscar de olhos, um sinal de cabeça, e ele saía.

Casey era um charmoso vigarista, um operador de Wall Street dos velhos tempos cuja fortuna viera de venda de estratégias de proteção contra impostos. Seu talento estava em torcer as regras até o limite de quebrar. "Por Deus, temos que nos livrar dos advogados", resmungou ele certa vez a William Webster, diretor do FBI de Reagan. "Não acho que ele quis dizer 'jogar fora a Constituição'", afirmou Webster, que era advogado até a raiz dos cabelos. "Mas ele tinha uma tendência a sentir as restrições das leis. Queria uma maneira de se livrar delas."

Reagan confiava nele. Outros, não. "Fiquei absolutamente surpreso quando o presidente Reagan escolheu Casey", disse Gerald R. Ford. "Ele não era qualificado para ser o chefe da CIA." O próprio diretor da central de inteligência de Ford concordou completamente. "Casey foi uma escolha inapropriada", disse George H. W. Bush.

Mas Casey acreditava que era responsável pela eleição de Reagan e que eles tinham um papel histórico a desempenhar juntos. Assim como Reagan, Casey tinha grandes visões. Assim como Nixon, ele acreditava que se é segredo, é legal. Assim como Bush, ele achava que a CIA incorporava os melhores valores americanos. E assim como os soviéticos, ele se reservava o direito de mentir e enganar.

Os anos Reagan começaram com uma explosão de novas operações secretas aprovadas pelo pequeno Grupo de Planejamento de Segurança Nacional, que se reunia na Sala de Situação, no subsolo da Casa Branca. O grupo foi o laboratório das ações secretas nos anos Reagan. No início, seus principais membros eram o presidente; o vice-presidente Bush; o secretário de Estado, Alexander M. Haig Jr.; o secretário de Defesa, Caspar W. Weinberger; o assessor de Segurança Nacional e o presidente do Estado-Maior Conjunto; a embaixadora nas Nações Unidas, Jeane Kirkpatrick; e seu amigo íntimo Bill Casey. Casey dominou a primeira reunião, e nos primeiros dois meses do novo governo o grupo lhe deu sinal verde para realizar operações secretas destinadas a América Central, Nicarágua, Cuba, norte da África e África do Sul.

Em 30 de março de 1981, um lunático atirou no presidente numa calçada em Washington. Reagan esteve muito perto da morte naquele dia, fato que os americanos nunca souberam.

Quando Al Haig — rouco, suando, tremendo — subiu nervosíssimo à tribuna da sala de imprensa na Casa Branca e proclamou-se no comando do país, não inspirou confiança. A recuperação do presidente foi lenta e dolorosa. Assim como a desintegração de Haig. Ao longo de 1981, "houve um problema subjacente", disse o vice-almirante John Poindexter, na época membro do Conselho de Segurança Nacional. "Quem ficaria responsável pela política externa?" Essa pergunta nunca foi respondida, porque a equipe de segurança nacional de Reagan estava num estado permanente de guerra consigo mesma, rachada por ferozes rivalidades pessoais e políticas. O Departamento de Estado e o Pentágono lutavam como exércitos em campos opostos. Seis homens ocuparam o cargo de assessor de segurança nacional ao longo de oito anos turbulentos. Reagan nunca tentou pôr fim às intrigas.

Casey conquistou vantagens. Quando George P. Shultz assumiu a secretaria de Estado no lugar de Haig, ficou chocado ao descobrir planos independentes de Casey, como invadir o Suriname, na costa nordeste da América do Sul, com 175 soldados coreanos apoiados pela CIA. "Era uma idéia temerária", disse Shultz, que a descartou. "Loucura. Eu fiquei abalado ao descobrir um plano tão insano indo adiante." Rapidamente ele compreendeu que "a CIA e Bill Casey eram completamente independentes e podiam ser tão autoconfiantes quanto equivocados".

## "UMA FRATERNIDADE QUE FICARA CEGA"

Bill Casey era tão esperto, tão capaz e tão inspirador como líder quanto qualquer homem que já dirigiu a CIA. Era também um "pirata freelance", disse o almirante Bobby Ray Inman, que era diretor da Agência de Segurança Nacional quando o presidente Reagan ordenou-lhe que se visse como o número dois de Casey, em 1981.

"Casey me disse muito diretamente que não queria ser o diretor tradicional da Central de Inteligência", disse Inman. "Ele queria ser o funcionário de inteligência do presidente, e dirigiria o serviço clandestino da CIA."

Casey acreditava que o serviço clandestino se tornara "uma fraternidade que ficara cega, vivendo de lendas e conquistas de seu antepassados dos anos 1950 e 1960", disse seu primeiro assessor-chefe, Bob Gates. O serviço precisava de sangue novo. Ele não se importava nem um pouco com a carta de direitos organizacional da CIA; ia até as entranhas da agência, ou fora dela, para encontrar pessoas que cumprissem suas ordens.

Então ele tirou John McMahon da chefia do serviço clandestino. "Ele me achava lento para tomar atitudes quando se tratava de ações secretas, achava que eu não tinha determinação", disse McMahon. "Ele sabia que eu era uma influência cautelosa sobre o que ele ou a agência pudessem querer fazer."

Casey substituiu o veterano que trabalhava há trinta anos na CIA por um velho amigo chamado Max Hugel, que levantara dinheiro e obtivera votos para Reagan. Hugel era um homem influente em negócios que falava palavrões e começara no Japão depois da guerra como vendedor de carros usados. Não sabia coisa alguma sobre a CIA, o que ficou instantaneamente evidente. Era um homem baixo, que usava peruca e que certa vez apareceu para trabalhar na agência usando um macacão de pára-quedista roxo aberto até o umbigo, com correntes de ouro sobre o peito de pêlos grisalhos. Todos os agentes secretos da CIA, ativos ou aposentados sem exceção, rebelaram-se contra ele. Descobriram sujeiras a seu respeito, passaram-nas para o *Washington Post* e o forçaram a sair em menos de dois meses. Ele foi substituído por John Stein, que ajudara Mobutu a subir ao poder e criara o posto no Camboja durante a guerra no Vietnã. Quinto novo chefe de ações secretas em cinco anos, Stein logo se mostrou cauteloso demais para o gosto de Casey. Seria trocado por um agente secreto verdadeiramente destemido, Clair George. Retirando McMahon do serviço clandestino, Casey ordenou-lhe que reformulasse a diretoria da inteligência e sacudisse seus analistas. McMahon iniciou a primeira grande reorganização da diretoria em trinta anos.

Mas isso não foi nada comparado ao que Bob Gates fez quando substituiu McMahon, no início de 1982. Aos 38 anos, Gates ganhara a promoção com um memorando a Casey que chamava atenção. "A CIA está lentamente se tornando o Departamento de Agricultura", escreveu ele. A agência tinha "um caso avançado de arteriosclerose burocrática". Os corredores estavam cheios de funcionários medíocres e lentos contando os dias para se aposentar — e eles eram a principal causa do "declínio da qualidade de nossa obtenção e análise de inteligência nos últimos quinze anos".

Gates disse que os analistas da CIA eram pessoas de "mente fechada, convencidos, arrogantes"; o trabalho deles era "irrelevante, desinteressante, muito defasado para ter valor, limitado demais, sem imaginação e, com muita freqüência, estava simplesmente equivocado"; seus quadros estavam cheios de amadores que "fingiam ser especialistas". Eles tinham errado em quase todos os acontecimentos importantes na União Soviética e seus avanços no terceiro mundo na década. Era hora de mudar ou partir para outra.

Mudar significava entrar na linha. Quando Casey discordava de seus analistas, como freqüentemente acontecia, ele reescrevia as conclusões deles de modo a refletir suas opiniões. Quando ele dizia ao presidente, "Isso é o que a CIA pensa", ele queria dizer, "Isso é o que *eu* penso". Ele afugentava os analistas da CIA de mente independente e despreocupados com os efeitos de suas ações, e um dos últimos a sair foi Dick Lehman, o então chefe de inteligência que suportara Allen Dulles quando este avaliava seu trabalho pelo peso, e não pelo conteúdo. "Trabalhar com Casey foi um teste para todo mundo, em parte devido a seu comportamento cada vez mais errático e em parte devido a sua tendência direitista", disse Lehman. "Ele era receptivo a argumentos, mas era preciso uma enxurrada de argumentos."

Assim como um jornal que é tendencioso devido a preconceitos de seu editor, o poder analítico da CIA se tornou a opinião de um homem só. "A inteligência da CIA tornou-se muitas vezes simplesmente a ideologia de Bill Casey", disse o secretário de Estado Shultz.

## "EU VOU CUIDAR DA AMÉRICA CENTRAL"

Depois de condenar publicamente tudo o que Jimmy Carter representava, Reagan e Casey adotaram sete grandes programas de ações secretas que ele havia iniciado. Os envios de armas para o Afeganistão e os programas de guerra política para apoiar dissidentes na União Soviética, na Polônia e na Tchecoslováquia provariam estar entre as mais importantes operações da CIA na guerra fria. Mas Casey estava mais interessado numa guerra de verdade no quintal dos EUA.

"Em algum momento no escuro da noite", disse Clair George, Casey tranqüilizou Ronald Reagan: "Eu vou cuidar da América Central. Deixe comigo."

Em 1980, o presidente Carter aprovou três pequenos programas de ações secretas na América Central. Tinham como alvo os sandinistas, esquerdistas que assumiram o poder na Nicarágua, arrancando o país do que restara de 43 anos da brutal ditadura de direita da família Somoza. A mistura de nacionalismo, teologia da libertação e marxismo dos sandinistas estava se inclinando cada vez mais para Cuba. As ações secretas de Carter levaram a CIA a apoiar partidos políticos, grupos de igrejas, cooperativas agrícolas e sindicatos pró-americanos contra a disseminação do socialismo dos sandinistas.

Casey transformou as operações de pequeno calibre num enorme e desordenado programa paramilitar. Em março de 1981, o presidente Reagan autorizou a CIA a fornecer armas e dinheiro "para conter a subversão e o terrorismo que têm patrocínio estrangeiro" na América Central. A Casa Branca e a agência disseram ao Congresso que o objetivo era defender El Salvador — governado por políticos de direita e seus esquadrões da morte — cortando os envios de armas da Nicarágua para os esquerdistas. Foi uma artimanha calculada. O verdadeiro plano era treinar e armar nicaragüenses em Honduras — os *contras* — e usá-los para recapturar seu país dos sandinistas.

Casey convenceu o presidente de que o pequeno exército da CIA poderia tomar a Nicarágua num ataque surpresa. Se falhasse, advertiu ele a Reagan, um exército de esquerdistas latino-americanos poderia se deslocar para o norte — da América Central para o Texas. Os analistas da CIA tentaram contradizê-lo. Os *contras* não vão vencer, disseram; eles não têm apoio popular. Casey assegurou que o relato dos contestadores nunca chegasse à Casa Branca. Em reação a eles, criou uma Força-Tarefa da América Central com sua própria "sala de guerra", onde oficiais de ações secretas falsificavam dados e exageravam as ameaças, as perspectivas de sucesso e os relatórios vindos de campo. Gates diz que "fez um escândalo com Casey" por causa da sala de guerra durante anos, sem que isso adiantasse alguma coisa.

Casey deu um pontapé inicial em seus planos escolhendo Duane Clarridge para ser o chefe da divisão latino-americana do serviço clandestino. Clarridge estava perto dos 50 anos, bebia muito e fumava, embora tivesse tido um ataque cardíaco. Nunca trabalhara na América Latina, não falava espanhol e não sabia quase nada sobre a região. "Casey disse, 'tire um mês ou dois e basicamente descubra o que fazer com a América Central'", contou Clarridge. "Isso foi tudo o que ele abordou. E não foi preciso muita ciência para entender o que precisava ser feito." Clarridge disse que apareceu com um plano de duas partes: "Fazer guerra na Nicarágua e começar a matar cubanos. Era exatamente o que Casey queria ouvir, e ele disse, 'Está bem, vá em frente e faça isso'".

O embaixador de Reagan na Nicarágua, Anthony Quainton, chegou para assumir seu cargo no dia do tiro de abertura. "A guerra secreta começou em 15 de março de 1982, quando a CIA, usando agentes nicaragüenses, explodiu as pontes que ligavam a Nicarágua a Honduras", disse ele. "Eu desembarquei do avião com minha esposa em meio a uma profusão de flashes e microfones, e me perguntaram o que eu achava dos acontecimentos daquela manhã — a explosão de pontes — e como aquilo afetaria as relações bilaterais entre os Estados Unidos e a Nicarágua."

"Não me contaram que o evento aconteceria naquela dia", disse o embaixador Quainton. "A CIA tinha seu próprio processo de planejamento."

A guerra secreta não continuou secreta por muito tempo. Em 21 de dezembro de 1982, o Congresso aprovou uma lei restringindo a CIA à sua missão declarada de cortar o fluxo de armas comunistas na América Central. A agência foi proibida de usar seus fundos para expulsar os sandinistas. O presidente Reagan manteve a história de fachada, sustentando a ficção de que os Estados Unidos não estavam tentando derrubar o regime nicaragüense, e dando sua palavra numa sessão conjunta do Congresso. Foi a primeira vez que o querido presidente mentiu ao Congresso para proteger as operações secretas da CIA, mas não a última.

## "FODA-SE O CONGRESSO"

O Congresso deu a Casey centenas de milhões de dólares em novos fundos para o serviço clandestino durante seus primeiros dois anos no poder. Enterrados dentro das contas do Pentágono, os gastos com a inteligência americana dispararam para além de US$ 30 bilhões, enquanto o orçamento da agência ultrapassou os US$ 3 bilhões. O dinheiro alimentou excessivamente as ambições da CIA e a extensão das ações secretas.

Casey usou parte de sua fortuna inesperada para contratar quase dois mil novos oficiais para o serviço clandestino, revertendo os cortes feitos nos governos de Nixon, Ford e Carter. Os novos contratados sabiam bem menos sobre o mundo do que seus predecessores. Era bem menor a probabilidade de terem prestado serviço militar ou morado no exterior. Eles eram uma "prova de que a CIA já não estava atraindo os mais brilhantes agentes dos EUA, mas espiões almofadinhas que se preocupavam mais com seus planos de aposentadoria e seus benefícios de saúde do que em proteger a democracia", disse Clarridge.

O Congresso apoiou fortemente uma CIA maior, melhor, mais forte e mais inteligente. Mas não apoiou uma guerra na América Central. O povo americano também não apoiou. Reagan nunca se deu ao trabalho de explicar por que essa guerra era uma boa idéia. E a maioria dos americanos não aprovaria alguns aliados da CIA — líderes da guarda nacional da Nicarágua ditatorial, tropas de choque da junta militar argentina, coronéis sanguinários do exército hondurenho, líderes do esquadrão da morte da Guatemala.

O poder do Congresso de supervisionar a CIA lentamente evoluiu para um sistema viável em 1981. Agora, duas comissões de inteligência — uma do Senado e outra da Câmara — deveriam receber e analisar os planos presidenciais de ações secretas. Essas rédeas nunca controlaram Casey. "Casey pecou por desprezar o Congresso desde o dia em que prestou juramento", disse Bob Gates. Quando era chamado a testemunhar, ele resmungava, confundia e às vezes mentia descaradamente. "Espero que isso contenha esses bastardos!", disse ele ao sair de uma audiência. As mentiras se espalhavam do escritório do diretor para baixo. Muitos dos principais oficiais de Casey aprenderam a fina arte de testemunhar de maneira "especificamente evasiva", nas palavras de seu chefe da Força-Tarefa da América Central, Allen Fiers. Outros resistiram. O almirante Inman renunciou ao cargo de vice-diretor de Casey quinze meses depois, e explicou: "Eu o peguei mentindo para mim várias vezes."

As mentiras de Casey tinham o objetivo de escapar do cada vez mais firme freio legal. Se o Congresso não financiava as operações da CIA na América Central, ele contornava a lei, procurando investigadores privados ou um estrangeiro poderoso que lhe desse dinheiro.

Apesar do desdém aberto de Casey, as comissões de inteligência do Congresso lhe deram um grande poder por meio das "determinações globais", autorizações assinadas pelo presidente Reagan que cobriam a campanhas de ações secretas contra ameaças reais e hipotéticas em qualquer lugar do mundo. Muitas das operações da CIA eram concebidas por Casey como planos grandiosos para incentivar um aliado dos EUA ou para esgotar um inimigo. Mas acabaram limitando-se a destinar armas para tiranos. Uma das primeiras começou dez dias depois de Casey assumir o cargo. Durou dez anos.

Uma determinação global em janeiro de 1981 ordenou que a CIA fizesse alguma coisa com o ditador líbio Muhammar Kaddafi, que atuava como um completo depósito de armas para movimentos radicais em toda a Europa e África. Procurando uma base para operações contra a Líbia, a CIA começou a controlar o governo do vizinho de porta daquele país, o Chade, uma das nações mais pobres e isoladas da África. O agente dessa missão era Hissan Habré, ministro de Defesa do Chade que rompera com seu governo e se escondia com cerca de dois mil combatentes no oeste do Sudão. "A ajuda americana começou a fluir, como resultado da decisão de Casey", disse o embaixador Don Norland, alto diplomata para o Chade no início da era Reagan. "A CIA estava profundamente envolvida em toda a operação. Habré estava obtendo assistência direta e indiretamente."

A política externa oficial dos Estados Unidos era promover uma solução pacífica para a luta entre facções no Chade. Habré havia cometido incontáveis atrocidades contra seu próprio povo; só conseguia governar com força bruta. Sabendo pouco sobre Habré e sua história, a CIA o ajudou a tomar o poder no Chade em 1982. Apoiou-o porque ele era inimigo de Kaddafi.

Aviões de suprimento da CIA levaram armas para o norte da África em ações coordenadas pelo Conselho de Segurança Nacional. Esta foi a primeira grande operação secreta na qual um jovem tenente-coronel da equipe do NSC chamado Oliver North chamou a atenção de Bill Casey. David Blakemore, um assessor militar na operação Chade, recebeu um telefonema urgente de North numa sexta-feira à noite, no fim de 1981. "Ele perguntou qual era o impedimento para enviar o equipamento para o Chade. Queria ver o envio imediatamente."

"Eu disse, 'Bem, coronel North, está bem. Notificamos o Congresso, temos que esperar muitos dias e depois vamos agir. Compreendemos a urgência.'

"A resposta de North foi: 'Foda-se o Congresso. Mande a coisa agora.' Foi o que fizemos."

Milhares de pessoas morreram enquanto Habré e suas forças lutavam pelo controle do Chade. Quando a luta se intensificou, a agência o armou com mísseis Stinger, a melhor arma antiaérea do mundo, que era carregada no ombro. O embaixador Norland disse que custaria aos Estados Unidos "talvez meio bilhão de dólares para pô-lo no poder e mantê-lo ali por oito anos". O apoio americano ao Chade — política de Casey — foi "uma decisão equivocada", disse ele. Mas poucos americanos já tinham ouvido falar no país, e menos ainda se importavam com o destino dele. Menos americanos ainda souberam que, durante os anos 1980, o aliado da CIA Habré recebeu apoio direto de Saddam Hussein.

Na véspera da Guerra do Golfo, contra o Iraque, em 1991, a CIA percebeu que mais ou menos uma dúzia de Stingers que enviara ao Chade tinham desaparecido sem explicação — e possivelmente estavam nas mãos de Saddam. Quando o secretário de Estado James A. Baker III soube disso, ficou estupefato. Baker era chefe de gabinete na Casa Branca quando a ação secreta começou, mas perdeu de vista a operação. Ele indagava em voz alta: "Diabos, para que demos mísseis Stinger ao Chade?"

## "ALGUM DIA OS ESTADOS UNIDOS NÃO ESTARÃO AQUI"

A maior missão de envio de armas da CIA foi seu canal global para os mujahedin, os guerreiros sagrados do Afeganistão, que combatiam o exército soviético de ocupação de 110 mil homens. Começou no governo Carter, em janeiro de 1980. Como foi idéia de Carter, Casey não a adotou com entusiasmo — não de início. Mas logo ele viu uma oportunidade nas mãos.

"Fui o primeiro chefe de posto enviado ao exterior com essa ordem maravilhosa: 'Vá matar os soldados soviéticos'", disse Howard Hart, que chegou ao Paquistão como chefe em 1981. "Imagine! Eu adorei." Era um objetivo nobre. Mas a missão não era libertar o Afeganistão. Ninguém acreditava que os afegãos pudessem realmente vencer.

Desde o início, os sauditas equipararam o apoio da CIA aos rebeldes, dólar a dólar. Os chineses contribuíram com milhões de dólares em armas, assim como os egípcios e os britânicos. A CIA coordenava os envios. Hart entregava as armas à inteligência paquistanesa. Os paquistaneses retiravam uma grande parte antes de entregá-las aos líderes políticos da resistência afegã exilados em Peshawar, a leste do Passo Khyber, e os líderes rebeldes tiravam sua própria parte antes que as armas chegassem ao Afeganistão.

"Não tentamos dizer aos rebeldes afegãos como lutar a guerra", disse John McMahon. "Mas quando vimos alguns dos sucessos dos soviéticos contra os mujahedin, eu me convenci de que nem todas as armas que havíamos fornecido estavam chegando às mãos dos atiradores afegãos." Então ele foi ao Paquistão e convocou uma reunião com os sete líderes dos grupos rebeldes afegãos, que variavam de exilados em Paris calçando mocassins a homens rudes das montanhas. "Eu lhes disse que estava preocupado de que eles estivessem desviando armas e até escondendo-as para usar mais tarde ou, como falei, 'Deus me livre, que vocês as estejam vendendo'. E eles riram. E disseram, 'Você está absolutamente certo! Estamos escondendo algumas armas. Porque algum dia os Estados Unidos não estarão aqui e seremos deixados sozinhos para continuar nossa luta.'"

Os chefes da inteligência paquistanesa que distribuíam as armas e o dinheiro da CIA favoreciam as facções afegãs que provavam ser mais capazes na batalha. Essas facções eram também formadas pelos islamistas mais comprometidos. Ninguém sonhava que os guerreiros sagrados poderiam algum dia voltar sua jihad contra os Estados Unidos.

"Nas ações secretas", disse McMahon, "você sempre tem que pensar no fim do jogo antes de iniciá-lo. E nem sempre fazemos isso."

### "UM PLANO BRILHANTE"

Em maio de 1981, os soviéticos avaliaram a retórica e a realidade do governo Reagan e começaram a temer um ataque surpresa dos Estados Unidos. Mantiveram um alerta nuclear global que durou dois anos. As superpotências chegaram bem perto de uma guerra acidental sem a CIA jamais perceber, concluiu Bob Gates uma década depois. "Na época, não compreendemos o desespero crescente dos homens do Kremlin... como eles eram triviais, isolados e voltados para si próprios; como estavam paranóicos, temerosos", disse Gates, o principal analista de assuntos soviéticos da agência e o maior defensor do desempenho da CIA em seu campo.

Se os soviéticos tivessem feito uma escuta eletrônica de uma conversa particular entre o presidente François Mitterrand, da França, e o presidente Reagan naquele verão, talvez encontrassem bons motivos para temer.

Em julho de 1981, Mitterrand dirigiu-se privadamente a Reagan durante uma cúpula econômica em Ottawa. Tradutores trabalhando como espiões transmitiram as palavras: a inteligência francesa estava controlando um traidor da KGB, o coronel Vladimir Vetrov, e Mitterrand achava que os Estados Unidos deveriam dar uma olhada em seu trabalho. Seu arquivo, com o codinome de "Dossiê Farewell", foi entregue ao vice-presidente Bush e a Bill Casey. A equipe do Conselho de Segurança Nacional e a CIA demoraram seis meses para entender seu significado. A essa altura, Vetrov ficara louco e assassinou um colega da KGB. Foi preso, interrogado e executado.

O Dossiê Farewell continha quatro mil documentos detalhando uma década de trabalho valioso de uma unidade da diretoria para ciência e tecnologia da KGB. O grupo era chamado de Linha X. Trabalhava com todos os grandes serviços de inteligência da Europa Oriental. Roubou *know-how* americano — especialmente programas de computador, um campo em que então os Estados Unidos estavam dez anos à frente dos soviéticos. Os esforços da KGB em roubo de tecnologia se estenderam desde as mais corriqueiras feiras comerciais internacionais até o dramático acoplamento das naves espaciais *Appolo* e *Soyuz* em 1975.

O dossiê continha indícios de que os soviéticos haviam clonado softwares americanos para sistemas de radar aéreo. Indicava as ambições dos projetistas militares soviéticos de desenvolver uma nova geração de aviões militares e o objetivo sempre esquivo de ter uma defesa contra mísseis balísticos. Identificava muitos oficiais da inteligência soviética designados para roubar tecnologia americana nos Estados Unidos e na Europa Ocidental.

Os americanos contra-atacaram. "Foi um plano brilhante", disse Richard V. Allen, primeiro assessor de Segurança Nacional de Reagan, cujos funcionários desenvolveram o plano. "Começamos a agir alimentando os soviéticos com má tecnologia, má computação, má tecnologia de extração de petróleo. Nós os alimentamos bastante, deixamos que roubassem coisas que eles ficavam felizes por conseguir." Fingindo serem funcionários traidores do complexo militar-industrial americano, oficiais do FBI enviaram uma série de cavalos-de-tróia tecnológicos para os espiões soviéticos. As bombas-relógio incluíam chips de computador para sistemas de armas, um projeto de nave espacial, plantas de engenharia para indústrias químicas e modernas turbinas.

Os soviéticos estavam tentando construir um duto de gás natural da Sibéria até a Europa Oriental. Precisavam de computadores para controlar seus medidores e válvulas de pressão. Procuraram software no mercado aberto dos Estados Unidos. Washington rejeitou o pedido mas sutilmente indicou uma certa empresa canadense que poderia ter o que Moscou queria. Os soviéticos enviaram um oficial da Linha X para roubar o software. A CIA e os canadenses conspiraram para permitir-lhes o roubo. Durante alguns meses, o software funcionou às mil maravilhas. Então gradualmente fez a pressão no duto aumentar muito. A explosão nas terras desertas da Sibéria custou a Moscou milhões com que o país mal podia arcar.

O ataque silencioso às forças soviéticas e aos programas de engenharia estatais durou um ano. Casey o coroou enviando John McMahon à Europa Ocidental para entregar a serviços de inteligência estrangeiros as identidades de cerca de duzentos oficiais e agentes soviéticos identificados no Dossiê Farewell.

A operação usou quase todas as armas do comando da CIA — guerra psicológica, sabotagem, guerra econômica, falsificação estratégica, contra-inteligência, guerra cibernética — tudo com a colaboração do Conselho de Segurança Nacional, do Pentágono e do FBI. Destruiu uma vigorosa equipe de espionagem soviética, danificou a economia soviética e desestabilizou o Estado soviético. Foi um sucesso esmagador. Se os lados do jogo fossem invertidos, poderia ter sido visto como um ato de terror.

# 39 "DE UMA MANEIRA PERIGOSA"

Durante mais de uma década, terroristas haviam seqüestrado aviões, captura-do reféns e matado embaixadores americanos. Nem a CIA nem qualquer ou-tro braço do governo americano tinha uma idéia clara sobre o que fazer em relação a isso.

No último sábado de janeiro de 1981, Anthony Quainton, na época ainda coordenador de contraterrorismo do governo, recebeu um telefonema urgente do secretário de Estado Haig: na segunda-feira, à uma hora da tarde, Quainton informaria à Casa Branca sobre seu trabalho. "Dei as informações ao presidente, que estava com o vice-presidente, o chefe da CIA, o chefe do FBI e vários mem-bros do Conselho de Segurança Nacional", disse o embaixador Quainton. "De-pois de comer algumas jujubas, o presidente cochilou. Aquilo por si só foi bastante desanimador."

Naquela mesma semana, Haig anunciou que o terrorismo internacional substituiria os direitos humanos como questão número um para os Estados Unidos. Logo depois, Haig proclamou que os soviéticos estavam direcionando secretamente o trabalho sujo dos piores terroristas do mundo. Ele pediu à CIA para provar aquela declaração ousada. Privadamente, Casey concordava com Haig, mas não tinha fato algum para provar. Os analistas da CIA não podiam fornecê-los, apesar das amargas reclamações do chefe. Sob pressão, a CIA pro-duziu uma fraude — as conclusões de Casey foram colocadas precariamente no alto de uma análise que não conseguia sustentá-las. A tentativa de pôr a culpa no Kremlin foi uma falha na compreensão sobre a verdadeira natureza do ter-ror no Oriente Médio.

A CIA outrora tinha uma fonte excepcionalmente bem situada: Ali Hassan Salameh, chefe da inteligência da Organização para Libertação da Palestina que colaborara para o assassinato de onze atletas israelenses nas Olimpíadas de Munique, em 1972. A informação que ele ofereceu foi uma bandeira branca estendida aos Estados Unidos pelo presidente da OLP, Yasser Arafat. Seu funcionário de inteligência era Bob Ames, que trabalhara nas ruas de Beirute antes de chegar a subchefe da divisão Oriente Próximo do serviço clandestino. A partir do fim de 1973, Salameh e Ames negociaram um entendimento de que a OLP não atacaria americanos. Durante quatro anos, eles compartilharam inteligência sobre seus inimigos mútuos no mundo árabe. Durante esse tempo, os relatos da CIA sobre o terrorismo no Oriente Médio foram melhores do que jamais tinham sido, ou do que nunca voltariam a ser. Mostraram uma compreensão de que o terrorismo transcendia o patrocínio do Estado e tinha raízes na ira dos despossuídos. Um estudo da CIA de abril de 1976 concluiu que "a onda do futuro" era "o desenvolvimento de uma complexa base de apoio para atividades terroristas transnacionais largamente independente do sistema internacional centralizado no Estado, e bastante resistente ao controle deste."

Essa linha de raciocínio desapareceu dos relatórios da CIA depois de 1978, quando a inteligência israelense assassinou Salameh para vingar o seqüestro em Munique. E não reapareceu durante uma geração. Quando o presidente Reagan assumiu o poder, a CIA não tinha quase nenhuma boa fonte para o terrorismo no Oriente Médio.

### "POUQUÍSSIMA INTELIGÊNCIA DURANTE UM LONGO TEMPO"

Na sexta-feira de 16 de julho de 1982, dia em que prestou juramento como secretário de Estado, George Shultz enfrentou uma crise internacional no Líbano. O segundo telefonema que ele deu em seu novo escritório naquele dia foi para Bob Ames, que se tornara o principal analista da CIA para o mundo árabe.

Ames foi o funcionário da CIA mais influente de sua geração — um homem "de talento único", disse Bob Gates. Alto, bonito, fã de botas de caubói artesanais, ele lidava pessoalmente com Arafat, com o rei Hussein da Jordânia, e os líderes do Líbano. Um de seus agentes recrutados era um líder político em Beirute chamado Bashir Gemayel, cristão da seita maronita e a mais bem situada fonte da CIA no Líbano.

A rede maronita da agência era uma força controladora em Beirute. A confiança da CIA na rede cegou a agência para quão profundamente a maioria dos libaneses desprezava o poder da minoria maronita. Essa raiva foi a principal causa da guerra civil que destruiu a nação e abriu caminho para a invasão israelense de junho de 1982.

Em agosto, o país estava desmoronando — muçulmanos contra cristãos, muçulmanos contra muçulmanos. Gemayel, com forte apoio dos Estados Unidos e de Israel, foi eleito presidente pelo parlamento libanês. Mais uma vez a CIA tinha um líder nacional em sua folha de pagamento. Gemayel assegurou pessoalmente à agência que os americanos estariam seguros no Líbano, uma vez que as forças armadas da OLP fossem removidas e Israel encerrasse os brutais bombardeios em Beirute.

Em 1º de setembro, o presidente Reagan anunciou uma grande estratégia para transformar o Oriente Médio. Foi organizada em segredo por uma pequena equipe que incluía Bob Ames. Seu sucesso dependia de uma convergência harmônica em que Israel, Líbano, Síria, Jordânia e a OLP cooperassem sob o comando dos Estados Unidos. Durou ao todo duas semanas.

Em 14 de setembro, o presidente Gemayel foi assassinado quando uma bomba destruiu seu centro de comando. Em vingança, os aliados maronitas da CIA, incentivados por soldados de Israel, massacraram cerca de setecentos refugiados palestinos isolados em favelas de Beirute. Mulheres e crianças foram enterradas sob escombros. No rastro das mortes e da revolta que elas provocaram, o presidente Reagan enviou um contingente de fuzileiros navais dos EUA que atuariam para manter a paz. Mas não havia paz a ser mantida.

Quando os fuzileiros navais chegaram, "as pessoas da agência estavam ocupadas tentando recriar algumas das redes rompidas", disse Robert S. Dillon, embaixador americano no Líbano. "Elas continuaram envolvidas — provavelmente de uma maneira perigosa — com os maronitas."

Enquanto lutava para se reerguer em Beirute, a CIA não viu uma nova força que surgia dos escombros. Um assassino chamado Imad Mughniyah, líder de um violento grupo terrorista chamado Hezbollah, o Partido de Deus, estava reunindo dinheiro e explosivos e treinando seus criminosos para uma série de ataques a bomba e seqüestros que paralisariam os Estados Unidos durante os anos seguintes. Ele se reportava a Teerã, onde o aiatolá Khomeini estava criando um Escritório de Movimentos de Libertação para fomentar sua visão messiânica de conquistar o Iraque, ocupar o santuário de Karbala e marchar adiante, atravessando o rio Jordão, até Jerusalém.

Hoje o nome de Mughniyah está esquecido, mas ele foi o Osama bin Laden dos anos 1980, a face irada do terror. Enquanto este livro está sendo escrito, continua foragido.

No domingo de 17 de abril de 1983, Bob Ames voou para Beirute, passou pela embaixada americana ao deixar o aeroporto e depois jantou com três companheiros oficiais na casa de Jim Lewis, subchefe do posto, que sobrevivera um ano no Hanoi Hilton depois de ser capturado no interior do Laos, quinze anos antes.

Ames estava afastado de Beirute havia cinco anos. "Estava radiante por voltar", disse Susan Morgan, da CIA, que estava à mesa naquela noite de domingo. Ele havia retornado para tentar ressuscitar o que a agência perdera com o assassinato de Gemayel.

Na manhã de segunda-feira, Ames telefonou para Morgan e a convidou para jantar aquela noite no Mayflower Hotel. Em seguida, Morgan saiu para almoçar em Sidon, ao sul de Beirute. Enquanto os pratos eram servidos, a anfitriã disse a ela que uma reportagem no rádio anunciara uma explosão na embaixada americana. Atordoada, Morgan voltou de carro para Beirute, mal notando as vilas arruinadas pelo caminho, devastadas durante o ataque do exército israelense. Teve que passar por um cordão de isolamento policial na estrada pela encosta para chegar à embaixada, que estava destruída. Ames e seus companheiros oficiais foram mortos instantaneamente pela onda de choque e soterrados sob pedras, aço e cinzas. Eram duas e meia da madrugada quando encontraram Ames nos escombros. Morgan resgatou seu passaporte, sua carteira e sua aliança de casamento.

Sessenta e três pessoas estavam mortas, entre elas dezessete americanos, incluindo o chefe do posto em Beirute, Ken Haas, veterano do posto em Teerã; seu vice, Jim Lewis; e uma secretária da CIA, Phyllis Filatchy, que resistira a anos nas províncias do Vietnã do Sul. Ao todo, sete oficiais e funcionários de apoio da CIA foram mortos no dia mais mortífero da história da agência. A explosão foi obra de Imad Mughniyah, apoiado pelo Irã.

A aniquilação do posto em Beirute e a morte de Robert Ames destruíram a capacidade da agência em obter informações no Líbano e em grande parte do Oriente Médio, "deixando-nos com pouquíssima inteligência por um longo tempo", disse Sam Lewis, embaixador americano em Israel na época. "Aquilo nos tornou muito dependentes da inteligência israelense." Pelo resto da guerra fria, a CIA veria a ameaça islâmica no Oriente Médio pela ótica israelense.

Agora Beirute era um campo de batalha para os Estados Unidos. Mas os relatórios da CIA, privados de fontes, não tinham impacto algum. Os fuzileiros navais americanos estavam apoiando os cristãos, jatos americanos despejavam bombas sobre muçulmanos e navios americanos atiravam explosivos de uma tonelada nas encostas do Líbano sem saber o que estavam atingindo. A Casa Branca entrara em guerra no Oriente Médio sem ter a menor idéia do que estava fazendo.

Em 23 de outubro de 1983, terroristas de Mughniyah entraram com um caminhão-bomba na base americana no Aeroporto Internacional de Beirute e mataram 241 fuzileiros navais. A explosão foi estimada em nível de quiloton, unidade de medida usada para armas nucleares táticas.

## "ATUANDO PRATICAMENTE NO ESCURO"

Trinta e seis horas depois do atentado à base americana, quando os mortos e feridos ainda eram contados em Beirute, a Casa Branca, o Pentágono e a CIA desviaram a atenção dos EUA para uma pequena e desagradável insurgência marxista em Granada, uma ilha minúscula do Caribe onde havia uma brigada cubana de operários de construção militares. O líder da ilha, Maurice Bishop, tinha sido morto numa luta pelo poder, e sua morte foi "uma desculpa para lidar com aquele problema", disse Duane Clarridge, chefe da divisão latino-americana e um dos principais articuladores da invasão de Granada.

"Nossas informações sobre Granada eram fracas", disse Clarridge. "Estávamos atuando praticamente no escuro." Isso contribuiu para a confusão de uma operação em que dezenove americanos morreram e pelo menos 21 pacientes de um hospital para doentes mentais foram mortos num ataque a bomba americano.

De um hotel em Barbados, a CIA orquestrou sua parte na invasão. O vice de Clarridge entregou a proposta da agência de um novo governo granadense a seu correspondente no Departamento de Estado, Tony Gillespie. "A CIA tinha um plano de formar um governo", relembrou Gillespie. "Era uma lista ultra-secreta, com todos os tipos de palavras em código." Ele a passou para os mais experientes diplomatas americanos na região. "Eles olharam aquilo e em seguida simplesmente desistiram. Disseram: 'Estas são algumas das piores pessoas do Caribe. Você não as quer em nenhum lugar perto dessa ilha.'" A lista incluía "os sujeitos mais desprezíveis... traficantes de narcóticos e marginais". Esses cafajestes eram as fontes pagas pela CIA. Assim como Allen Dulles avaliara o valor do trabalho de seus analistas pelo peso, seus sucessores analisavam o valor de uma informação secreta com base no que ela custava. Essa era a regra em Beirute, em Barbados e em todo o mundo.

As boas vibrações que ressoaram da libertação de Granada se dissiparam de vez quando os últimos fuzileiros navais americanos deixaram Beirute, em 26 de fevereiro de 1984. O fracassado deslocamento da tropa fora amaldiçoado por uma quase total falta de inteligência precisa. A missão terminou com 260 soldados e espiões americanos mortos e os inimigos dos EUA no controle.

Casey procurou meticulosamente por um novo chefe para o posto com coragem para recuperar os olhos da CIA no Líbano. O único candidato era experiente mas de idade avançada, Bill Buckley, que no passado trabalhara em Beirute e tivera sua identidade descoberta. Casey decidiu que valia a pena arriscar enviá-lo de volta.

Dezoito dias depois que o último fuzileiro naval deixou o Líbano, Buckley foi seqüestrado a caminho do trabalho. Estava em mãos inimigas.

# 40 "ELE ESTAVA CORRENDO UM GRANDE RISCO"

A agência tinha alguma experiência com reféns. Um de seus oficiais acabara de ser libertado depois de quarenta dias de duro cativeiro.

Timothy Wells, um veterano do Vietnã de 34 anos ferido em combate, foi enviado para Adis Abeba, capital da Etiópia, em 1983. O país era controlado pelo ditador marxista Haile Mengistu, cuja guarda do palácio, fornecida por Moscou, era comandada por oficiais da inteligência da Alemanha Oriental. Wells estava em sua segunda viagem a serviço da CIA. Sua ordem era criar uma revolta política. "Havia uma decisão presidencial assinada por Ronald Reagan", disse Wells. "Era uma autorização. Eu estava lá para derrubar o maldito governo."

Dez anos antes, Wells era um guarda do corpo de fuzileiros navais na embaixada americana em Cartum quando pistoleiros palestinos tomaram como reféns o embaixador americano e o *chargé d'affaires* que estava de partida, numa recepção. O presidente Nixon fez uma irrefletida declaração de nenhuma concessão. O presidente da OLP, Yasser Arafat, respondeu com um sinal verde para matar os americanos. A experiência angustiante fez Wells mudar de vida. Ele voltou para os Estados Unidos, retomou a faculdade e ingressou na CIA. Submeteu-se a dezoito meses de treinamento para o serviço clandestino e chegou à Etiópia depois de passar dois anos em Uganda. Foi posto sob cobertura do Departamento de Estado como funcionário comercial. Os Estados Unidos faziam pouco comércio com a Etiópia na época. Mengistu figurava na lista dos mais procurados da Casa Branca.

No governo Carter, a CIA teve um minúsculo projeto de ação secreta para apoio financeiro a um grupo de exilados chamado Aliança Democrata do Povo

Etíope. No governo Reagan, o programa se tornou um negócio descontrolado de muitos milhões de dólares. Wells herdou uma rede de intelectuais, professores e homens de negócio etíopes que ele suspeitava ter sido infiltrada pelas forças de segurança de Mengistu. Sua missão era mantê-los supridos de dinheiro e propaganda escrita por um ex-ministro de Defesa etíope exilado, que trabalhava com a agência. Cartazes, panfletos e adesivos chegavam em bolsas diplomáticas à embaixada, onde o número de funcionários da CIA era o dobro do número de funcionários do Departamento de Estado.

Wells sabia que estava sendo seguido. Mas continuou. "Fico surpreso por eles terem levado tanto tempo para me apanhar", declarou.

Em 20 de dezembro de 1983, os criminosos de Mengistu invadiram uma reunião que Wells estava promovendo num bairro de classe média alta e prenderam três líderes da oposição — um assessor do falecido imperador Haile Selassie, de 78 anos; um homem de negócios de 50 anos; e sua sobrinha, uma bióloga. Wells se escondeu durante dois dias e duas noites num armário onde era guardada a propaganda. Então a guarda palaciana de Mengistu o encontrou. Eles amarraram Wells, levaram os três dissidentes de volta para a casa e começaram a torturá-los. Wells ouviu seus gritos e confessou que era agente da CIA. Seus captores vendaram seus olhos, jogaram-no num carro e partiram. Na véspera do Natal, levaram-no para um esconderijo ao sul da cidade, num lugar chamado Nazaret. Ele passou as cinco semanas seguintes sendo interrogado e espancado. Seu crânio foi fraturado e seus ombros, deslocados.

"Para salvar sua própria pele, esse americano enrola todo o resto da organização, entrega tudo", disse Joseph P. O'Neill, subchefe da missão na embaixada americana. Muitos etíopes foram presos, torturados ou assassinados como conseqüência disso.

Ao fim de cinco semanas de tortura, os etíopes mandaram informar, por meio da embaixada israelense em Nairóbi, que haviam aprisionado um agente da CIA. Um dia depois, o presidente Reagan enviou seu embaixador itinerante, o general Vernon Walters, que na época estava na África, para libertar Wells.

Em 3 de fevereiro de 1984, o ex-vice-diretor da central de inteligência, aos 67 anos e consumido pela gota, desembarcou de um avião em Adis Abeba caminhando pesadamente, desabou dentro de um carro e seguiu para a embaixada, ofegando na atmosfera rarefeita, a 2.500 metros de altitude. "O que você vai dizer a Mengistu?", perguntou O'Neill. Walters respondeu: "O presidente dos Estados Unidos quer de volta o sr. Timothy Wells." Ele não tinha intenção alguma de negociar.

Walters foi para o palácio presidencial em Asmara, onde Mengistu lhe deu uma aula de três horas sobre a história da Etiópia. Wells foi libertado no dia seguinte. Seu cabelo ficara grisalho. Ele revelara a seus captores a identidade dos outros quatro membros do posto da CIA. "ELEMENTOS CONTRA-REVOLU-CIONÁRIOS APANHADOS EM FLAGRANTE", dizia a manchete do matinal *Ethiopian Herald*, jornal de língua inglesa na capital. Junto, na primeira página, estava uma foto de dezoito etíopes apavorados em frente a uma mesa cheia de armas, panfletos e fitas cassete. A maioria das pessoas na foto, se não todas, morreu mais tarde em confinamento.

Wells voou de volta para Washington num jato Lear. Uma equipe de oficiais da CIA recebeu o avião. Não foi uma festa de boas-vindas. Eles suspeitavam de que Wells era um traidor. Levaram-no para um esconderijo num subúrbio de Virgínia e o interrogaram durante seis semanas. "Se eu quisesse continuar preso teria ficado na Etiópia", disse-lhes Wells.

"Eu quisera ingressar na agência porque eles cuidavam de seus colegas", disse ele. "Mas não cuidaram de mim de maneira alguma. Acharam que eu era um traidor por ter falado. Pediram-me para renunciar. Aquilo me deixou arrasado." A dor ainda existia mais de vinte anos depois.

"O governo Reagan assumiu uma operação secreta que havia começado numa escala muito pequena no governo Carter e a tornou uma atividade realizada dentro da Etiópia", disse David Korn, o *chargé d'affaires* americano em Adis Abeba na época em que Wells foi feito refém. "Eu não acreditava que a operação prosseguiria sem ser descoberta, e tentei interrompê-la. Eu tinha certeza de que, devido à vigilância que o governo etíope exercia sobre nós, tudo seria descoberto. E foi."

## "QUE DIABO DE AGÊNCIA DE INTELIGÊNCIA VOCÊ ESTÁ DIRIGINDO?"

Em 7 de março de 1984, Jeremy Levin, chefe do escritório da CNN em Beirute, foi seqüestrado. Em 16 de março, Bill Buckley, chefe do posto da CIA, desapareceu. Em 8 de maio, o reverendo Benjamin Weir, um missionário presbiteriano, sumiu das ruas da cidade. Ao todo, quatorze americanos foram feitos reféns em Beirute durante os anos Reagan.

Mas Buckley sempre foi o mais importante na opinião de Bill Casey, e por bons motivos, já que o diretor tinha sido pessoalmente responsável por sua situação difícil. Casey apresentou ao presidente Reagan uma fita de Buckley sendo torturado. Segundo todos os relatos, aquilo teve um efeito profundo.

A CIA apareceu com pelo menos uma dúzia de planos para libertar Buckley, mas nunca teve informação suficiente para executá-los. Frustrado, o serviço clandestino começou a tentar seqüestrar Imad Mughniyah. "O presidente aprovou a recomendação do diretor da central de inteligência, Casey, de seqüestrar Mughniyah", disse o coordenador de contraterrorismo do governo, Robert Oakley. A CIA achava que ele estava em Paris. Alertados pela agência, oficiais da inteligência francesa invadiram um quarto de hotel onde a CIA disse que eles o encontrariam. Encontraram um turista espanhol de 50 anos onde deveria estar um terrorista libanês de 25 anos.

Uma das muitas fontes que o posto da CIA em Paris tinha cultivado em nome do contraterrorismo era um vigarista iraniano chamado Manucher Ghorbanifar, um atravessador que fora agente da Savak, a polícia secreta do xá. Gordo, careca, barbudo, enfiado em ternos extravagantes e carregando pelo menos três passaportes falsos, Ghorbanifar fugira do Irã depois da queda do antigo regime. Desde então, vendia informações duvidosas para a CIA e a inteligência israelense. Tinha o hábito de prever acontecimentos depois que estes aconteciam; suas informações eram cuidadosamente trabalhadas para criar subornos em dinheiro. Um dia depois de Buckley ser seqüestrado, Ghorbanifar se encontrou com oficiais da CIA em Paris e disse que tinha informações que poderiam libertá-lo. A agência subseqüentemente o submeteu a três testes no detector de mentiras. Na última vez, ele foi reprovado em todas as perguntas, exceto seu próprio nome e sua nacionalidade. Em 25 de julho de 1984, a CIA certificou oficialmente que Ghorbanifar era um completo mentiroso — "um fabricante de inteligência e uma chateação" — e emitiu uma rara nota a outras agências de inteligência no mundo, afirmando que ele não dizia a verdade e que nunca se deveria confiar em suas palavras. Entretanto, em 19 de novembro de 1984, Ghorbanifar atraiu o veterano da CIA Ted Shackley a um encontro de três dias num hotel quatro estrelas em Hamburgo.

Depois de uma ascensão implacavelmente ambiciosa que o tornou o segundo no comando do serviço clandestino, Shackley fora forçado pelo almirante Turner a se aposentar cinco anos antes, para grande alívio de alguns de seus colegas na CIA. Seu nome se tornara sinônimo de desonestidade profissional na agência. Agora ele trabalhava como corretor de inteligência privado — um vendedor de segredos, como Ghorbanifar. Apresentava-se em encontros com vários exilados iranianos como emissário do presidente dos Estados Unidos.

Shackley ouviu com interesse enquanto Ghorbanifar discutia maneiras de libertar os reféns americanos. Talvez pudesse ser feito um pagamento secreto, uma negociação diretamente em dinheiro. Ou talvez se pudesse lucrar. Os Estados Unidos poderiam enviar mísseis para o Irã, usando uma empresa chamada Star Line, que Ghorbanifar dirigia em conjunto com o serviço de inteligência israelense. A venda de armas criaria boa vontade em Teerã, milhões de dólares para negociantes privados envolvidos e um grande pagamento em dinheiro vivo para libertar Bill Buckley e seus companheiros americanos reféns. Shackley relatou a conversa ao onipresente Vernon Walters, que a transmitiu ao czar do contraterrorismo Robert Oakley.

Em 3 de dezembro de 1984, Peter Kilburn, um bibliotecário da Universidade Americana em Beirute, foi seqüestrado. Em Washington, as famílias dos reféns americanos imploravam à Casa Branca para fazer alguma coisa. Seus apelos sensibilizavam o presidente, que perguntava constantemente a Casey o que a CIA estava fazendo para libertá-los. "Reagan estava preocupado com o destino dos reféns e não entendia por que a CIA não conseguia localizá-los e resgatá-los", disse Bob Gates. "Ele pressionava Casey cada vez mais a encontrá-los. Era difícil resistir ao tipo de pressão de Reagan. Nenhuma palavra em voz alta, nem duras acusações — nada no estilo de Johnson ou Nixon. Apenas um olhar inquisitivo, uma indicação de dor e então o pedido — 'Simplesmente temos que tirar essas pessoas de lá' — repetido quase diariamente, semana após semana, mês após mês. A acusação estava implícita: *Que diabo de agência de inteligência você está dirigindo se não consegue encontrar e resgatar esses americanos?*"

## "FOI PRODUZIDO POR NÓS"

Em dezembro de 1984, enquanto Washington se preparava para a segunda posse de Reagan, a oferta de Ghorbanifar para facilitar uma lucrativa negociação de armas por reféns ainda permanecia. Casey a mantinha viva. Naquele mesmo mês, ele propôs formalmente que a CIA financiasse sua guerra na América Central com dinheiro vindo do exterior. Ele vinha fazendo essa idéia circular na Casa Branca havia seis meses.

O Congresso declarou ilegal o financiamento americano à guerra pouco antes do dia da eleição de 1984. Duas confusões do serviço clandestino levaram à proibição. Primeiro, houve o fiasco da revista em quadrinhos. Como Casey havia exaurido o pequeno reservatório de especialistas paramilitares na América Central, "a agência tinha que buscar fora de seus quadros e trazer pessoas que pudessem conduzir a guerra para ela", disse o vice-diretor da central de inteligência, John McMahon. "Isso foi feito principalmente através de homens afastados das Forças Especiais que haviam aprendido seu trabalho no Vietnã." Um desses veteranos possuía uma velha revista em quadrinhos que fora usada para treinar camponeses vietnamitas em assumir o comando de uma vila assassinando o prefeito, o chefe da polícia e os guardas. A CIA traduziu o gibi para o espanhol e o distribuiu aos *contras*. Isso rapidamente veio a público e, quando aconteceu, alguns oficiais de alto nível da agência acharam que "alguém estava executando uma ação secreta contra nós", disse McMahon. "Isso só podia ser um absurdo. Mas acontece que foi produzido por nós." Casey emitiu repreensões a cinco altos oficiais da CIA devido à revista em quadrinhos. Três deles se recusaram a assiná-las. A insubordinação permaneceu sem punição.

Depois houve o caso das minas. Com o objetivo de destruir o que restava da economia da Nicarágua, Casey autorizou a instalação de minas no porto nicaragüense de Corinto — um ato de guerra. Foi uma idéia de Duane Clarridge, nascida do desespero depois que os fundos para os *contras* começaram a secar. "Certa noite, eu estava sentado em casa — para ser franco, bebendo um copo de gim — e pensei, as minas têm que ser a solução!", disse Clarridge. A agência as construiu com pouco dinheiro, com canos de esgoto. Casey notificou o Congresso a respeito das minas com um resmungo inaudível. Quando o senador Barry Goldwater, presidente republicano da comissão de inteligência, fez um escândalo sobre isso, oficiais da CIA o difamaram, dizendo que ele era um bêbado atrapalhado.

O Congresso, cauteloso com os métodos de Casey, proibiu a agência especificamente de solicitar fundos de países terceiros para se esquivar da proibição de ajuda aos *contras*. Entretanto, Casey conseguiu que a Arábia Saudita contribuísse com US$ 32 milhões e Taiwan com mais US$ 2 milhões. O dinheiro fluía através de uma conta suíça controlada pela agência. Mas foi um tapa-buraco.

Em janeiro de 1985, no início do segundo governo Reagan, o diretor enfrentou duas ordens urgentes do presidente. Liberte os reféns. Salve os *contras*. As missões se confundiram em sua cabeça.

Casey via a vida como uma empresa. Acreditava que, no fim, política, estratégia, diplomacia e inteligência eram acordos de negócios. Ele percebeu como a crise dos reféns e o aperto financeiro enfrentado pelos *contras* poderiam ser resolvidos através de uma grande barganha com o Irã. O diretor teria preferido dirigir sozinho a operação iraniana, mas enfrentava a oposição geral de seu serviço clandestino a trabalhar com o notório Manucher Ghorbanifar, e a CIA não tinha nenhum outro canal para o Irã. Casey teria adorado também salvar os *contras* sozinho, mas a CIA estava proibida de fornecer-lhes assistência direta. Sua solução foi realizar as duas operações fora do governo.

Ele concebeu o que acreditava ser uma ação secreta decisiva. Esta durou menos de dois anos, desde sua concepção até sua destruição, e chegou perigosamente perto de arruinar o presidente Reagan, o vice-presidente Bush e a própria agência.

"Ele estava correndo um grande risco", refletiu Bob Gates, "pondo em perigo o presidente, ele próprio e a CIA."

# 41 "TALVEZ ESSE VIGARISTA PASSE A PERNA EM OUTRO VIGARISTA"

Em 14 de junho de 1985, o Hezbollah, Partido de Deus, seqüestrou o vôo 847 da TWA, que saíra de Atenas e seguia para Roma e Nova York. Levou o avião para Beirute, arrancou um mergulhador da marinha dos EUA de seu assento, matou-o com um tiro na cabeça e jogou o corpo na pista de decolagem, não muito longe de onde os fuzileiros navais americanos tinham morrido em seu centro de comando vinte meses antes.

Os seqüestradores exigiram a libertação de dezessete terroristas presos no Kuwait — um dos quais era cunhado de Mughniyah — e 766 prisioneiros libaneses mantidos por Israel. O presidente Reagan pressionou Israel privadamente e trezentos prisioneiros foram libertados. A pedido da Casa Branca, Ali Akbar Hashemi Rafsanjani, presidente do parlamento iraniano, ajudou a negociar o fim do seqüestro.

A difícil experiência ensinou uma lição a Casey: Reagan estava disposto a fazer acordos com terroristas.

Naquela mesma semana, o atravessador iraniano Manucher Ghorbanifar recebeu uma mensagem para o diretor através de um traficante de armas iraniano-americano indiciado, que era parente de Rafsanjani. Era um boletim estimulante: O Hezbollah mantinha os reféns. O Irã tinha influência sobre o Hezbollah. Uma negociação de armas com o Irã poderia libertar os americanos.

Casey explicou cuidadosamente a proposta ao presidente. Em 18 de julho de 1985, Reagan escreveu em seu diário: "Isso pode ser um grande avanço no resgate de nossas sete vítimas de seqüestro." Em 3 de agosto, o presidente deu a Casey sua aprovação formal para fazer o acordo.

Com esse sinal verde, os israelenses e Ghorbanifar enviaram a Teerã dois carregamentos com um total de 504 mísseis TOW americanos. Os iranianos pagaram cerca de US$ 10 mil por míssil, o intermediário embolsou um lucro modesto e a Guarda Revolucionária do Irã recebeu as armas. Em 15 de setembro, horas após a chegada do segundo carregamento, o reverendo Benjamin Weir foi libertado depois de dezesseis meses em cativeiro.

Dois pilares da política externa de Reagan — nenhum acordo com terroristas, nenhuma arma para o Irã — desabaram em segredo.

Três semanas depois, Ghorbanifar informou que todos os seis reféns restantes poderiam ser libertados em troca de vários milhares de mísseis americanos antiaéreos Hawk. O preço continuou aumentando: 300, 400, 500 mísseis por uma vida. Em 14 de novembro, Casey e McMahon se reuniram com o assessor de Segurança Nacional Robert McFarlane e seu vice, o almirante John Poindexter. Os quatro achavam que Israel entregava as armas americanas a uma facção das forças armadas iranianas que queria derrubar o aiatolá Khomeini. Mas era uma mentira, uma cortina de fumaça inventada por Ghorbanifar e seus aliados israelenses para ganhar milhões com a operação — quanto mais armas entregues, maior o lucro embolsado.

Para vigiar os intermediários, Casey escolheu Richard Secord — um general americano reformado que se tornara negociador de armas privado — para ser o representante da CIA. Secord tinha sido um soldado leal no esforço clandestino global para armar e financiar os *contras* pelas costas do Congresso. Seu trabalho era assegurar que uma parcela dos lucros terminasse nas mãos certas.

## "ISSO REALMENTE NÃO VALE A PENA"

Pouco depois das 3h de sexta-feira, 22 de novembro de 1985, Duane Clarridge, agora chefe da divisão européia do serviço clandestino, foi acordado por um telefonema histérico do coronel Oliver North. Eles se encontraram no sexto andar da sede da CIA, aproximadamente uma hora depois.

O envio dos Hawk para o Irã estava se transformando num desastre. Os israelenses haviam embarcado oitocentos mísseis tecnologicamente antiquados num El Al 747. A idéia era que os israelenses levassem as armas para Lisboa e as transferissem para um avião cargueiro nigeriano fretado por Secord, que as levaria para Teerã. Mas ninguém tinha assegurado o direito de pouso do avião israelense em Lisboa. Naquele momento, o avião estava em algum lugar sobre o Mediterrâneo.

North disse que o avião estava cheio de equipamentos para extração de petróleo destinados ao Irã, e perguntou se Clarridge poderia, por favor, mover céu e terra para abrir caminho para a aterrissagem em Portugal. Isso levou Clarridge — que não era bobo nem rígido com regras e regulamentos — a pensar duas vezes. Não importava se a bordo do avião estavam brocas, mamadeiras ou bazucas, observou ele. Mandar *qualquer coisa* para os iranianos era contra a lei e a política externa dos Estados Unidos. Mas North assegurou-lhe que o presidente havia suspendido o embargo e aprovado um acordo secreto para libertar os reféns.

Clarridge se debruçou sobre o problema durante todo o fim de semana. Um vôo foi cancelado, depois outro. Finalmente ele conseguiu um 707 da CIA em Frankfurt. O avião menor conseguiu voar de Tel Aviv para Teerã e entregar uma fração da carga — dezoito mísseis Hawk — aos iranianos na segunda-feira, 25 de outubro. O governo do Irã não ficou feliz com a quantidade nem com a qualidade das armas obsoletas, sem falar em suas inscrições em hebraico.

Ninguém ficou menos feliz do que o vice-diretor da central de inteligência, John McMahon, que chegou ao trabalho às 7h de segunda-feira para descobrir que a CIA havia desobedecido à lei. Pouquíssimas semanas antes, McMahon havia repelido uma tentativa da equipe do Conselho de Segurança Nacional de violar a proibição presidencial a assassinatos políticos. "Recebemos um rascunho de ordem executiva secreta dizendo-nos para eliminar terroristas em ataques preventivos", recordou McMahon. "Eu disse ao nosso pessoal para enviá-lo de volta com a mensagem: 'Quando o presidente revogar a ordem executiva que impede que a CIA cometa assassinatos, nós aceitaremos esta.' Aquilo atingiu os caras da equipe do NSC. Eles ficaram furiosos."

O vôo do 707 da CIA era uma ação secreta que exigia uma autorização, uma ordem presidencial assinada. McMahon sabia que Reagan havia aprovado um acordo de armas-por-reféns em princípio. Mas na prática a participação da CIA exigia a assinatura do presidente. McMahon ordenou ao conselho geral interno da CIA que formulasse um decreto *retroativo* — com data anterior, como um cheque sem fundos — autorizando "o fornecimento de assistência da Agência Central de Inteligência a partes privadas em sua tentativa de

obter a libertação dos americanos mantidos reféns no Oriente Médio". E continuava: "Como parte desses esforços, certos tipos de material e munição estrangeiros podem ser fornecidos ao governo do Irã, que está tomando medidas para
facilitar a libertação dos reféns americanos."

Ali estava ela, em preto-e-branco. A CIA enviou a autorização à Casa Branca. Em 5 de dezembro de 1985, o presidente dos Estados Unidos a assinou. De
acordo com os termos, e de acordo com uma segunda autorização redigida
poucas semanas depois, Casey era em última instância o responsável pelo acordo armas-por-reféns.

Casey chamou Ghorbanifar a Washington para sacramentá-lo como o agente iraniano da CIA na operação. Clair George implorou a Casey para desistir:
"Bill, o sujeito de fato não presta", disse ele. "Isso realmente não vale a pena." A
mesma coisa fez Charles Allen, chefe da Força-Tarefa para Localização de Reféns da CIA. Em 13 de janeiro de 1986, ele se encontrou com Ghorbanifar e
depois foi ver Casey.

"Eu o descrevi ao diretor como um vigarista", disse Allen. Casey replicou,
"Bem, talvez esse vigarista passe a perna em outro vigarista". Casey insistiu que a
CIA continuaria usando Ghorbanifar como seu mercador de armas e interlocutor
com o governo do Irã. Charlie Allen sabia que só havia um motivo concebível
para usá-lo. O charlatão iraniano disse ao agente da CIA que o acordo de armas
poderia gerar dinheiro para "os meninos de Ollie na América Central".

Em 22 de janeiro de 1986, North gravou secretamente uma conversa com
Ghorbanifar. "Acho que esta é a melhor chance, Ollie", disse o intermediário
com uma risada. "Nunca vamos encontrar um hora boa como essa novamente, nunca vamos conseguir um dinheiro tão bom, fazemos tudo de graça, fazemos reféns de graça, fazemos terroristas de graça, a América Central de graça."

Depois de muito regateio, a primeira transação de Hawks foi concluída com
US$ 850 mil depositados numa conta de um banco suíço controlada por
Richard Secord. O coronel North pegou o dinheiro e o deu aos *contras*. Agora
o Irã era uma fonte de fundos secretos para a guerra na América Central.

Os iranianos avisaram que queriam inteligência de campo de batalha para
a guerra contra o Iraque. No passado a CIA fornecera inteligência para o Iraque
contra o Irã. Aquilo era demais para McMahon. Num telegrama em 25 de janeiro de 1986 para Casey, que estava se reunindo com seus colegas paquistaneses
em Islamabad, McMahon advertiu que a CIA estava "ajudando e incentivando
as pessoas erradas. Fornecer mísseis de defesa era uma coisa, mas quando for-

necemos inteligência para a ordem de batalha, estamos dando aos iranianos os recursos para uma ação ofensiva".

Casey rejeitou seu conselho. McMahon se aposentou não muito tempo depois como número dois da CIA, encerrando uma carreira de 34 anos com um tom amargo. Bob Gates assumiu seu lugar.

O acordo foi adiante.

### "UMA IDÉIA PERFEITA"

O papel de Oliver North no esforço clandestino para manter a guerra contra os sandinistas era um segredo aberto em Washington desde meados do verão de 1985. Naquele inverno, repórteres estavam trabalhando em relatos detalhados sobre o que North estava fazendo na América Central. Mas nem uma viva alma além de um círculo bastante restrito da CIA e da Casa Branca sabia o que ele estava fazendo no Irã.

North decidiu a finalidade do dinheiro da troca de armas por reféns. O Pentágono transferiria milhares de mísseis TOW para a CIA. O custo para a agência seria de módicos US$ 3.469 por míssil, um fato crucial que pouquíssimos sabiam. Em nome da CIA, Secord declarava US$ 10 mil por cada um, gerando US$ 6.531 em lucro bruto, embolsando sua parcela justa e depois transferindo o lucro líquido para os *contras* na América Central. Ghorbanifar cobria o custo de US$ 10 mil e depois ganhava algum elevando o preço dos mísseis novamente quando os vendia aos iranianos. Dependendo de quantas armas os Estados Unidos conseguiam vender a Teerã, os *contras* ganhavam milhões.

No fim de janeiro, o secretário de Defesa Weinberger ordenou a seu assistente-chefe, o futuro secretário de Estado Collin Powell, que transferisse mil mísseis TOW de um depósito do Pentágono para a custódia da CIA. Através de Richard Secord e Manucher Ghorbanifar, os mísseis foram para o Irã em fevereiro. O intermediário iraniano aumentou bastante os preços antes que as armas alcançassem o Irã. Quando o dinheiro chegou, a CIA reembolsou o Pentágono com uma técnica familiar a quem lava dinheiro em qualquer lugar. Os cheques foram divididos em quantias de US$ 999.999,99 ou menos. As transferências financeiras da CIA superiores a US$ 1 milhão exigiam uma notificação legal, de rotina, ao Congresso. Secord recebeu de Ghorbanifar US$ 10 milhões por mil mísseis. A maior parte do lucro foi destinada aos *contras*.

Num memorando de 4 de abril de 1986, o tenente-coronel North apresentou um grande cenário ao vice-almirante John Poindexter, o novo assessor de Segurança Nacional do presidente. Como os custos de todo mundo estavam cobertos, relatou ele, "US$ 12 milhões serão usados para comprar suprimentos criticamente necessários para as Forças de Resistência Democráticas Nicaragüenses". O comentário de North ficou famoso: "era uma idéia perfeita".

Só faltava uma coisa nesse elaborado cálculo: os reféns. Em julho de 1986, havia quatro reféns. Seis meses depois, eram doze. A disposição dos americanos em fornecer armas aos iranianos só fizera aumentar o apetite por reféns.

"O raciocínio de North, apoiado por aqueles que o ajudavam na CIA, era de que os seqüestradores no Líbano eram um grupo diferente daquele que estava recebendo suborno", disse o embaixador americano no Líbano, John H. Kelly. "'Nossos xiitas são confiáveis. É um grupo diferente de xiitas que está fazendo os seqüestros.' Era uma asneira total!"

Casey e alguns de seus leais analistas inventaram a noção de que os acordos de armas sinalizariam um apoio a políticos moderados no governo do Irã. Foi um exemplo terrível da maneira como "a CIA estava corrompida" durante o governo Reagan, nas palavras de Philip C. Wilcox Jr., o principal funcionário de inteligência do Departamento de Estado e o contato de mais alto nível do departamento com a CIA no fim dos anos 1980. Não restava nenhum moderado no governo do Irã. Todos os moderados tinham sido mortos ou aprisionados pelas pessoas que recebiam as armas.


## "ESPERO QUE NÃO VAZE"

Os lucros com a venda de armas e os milhões que Casey obtivera de modo fraudulento através dos sauditas levaram a CIA de volta aos negócios na América Central.

A agência montou uma base aérea e uma rede de esconderijos para carregamentos de armas perto de San Salvador. A base era dirigida por dois cubanos anti-Castro, veteranos na folha de pagamento da CIA. Um deles era Felix Rodriguez, o homem que ajudara a capturar Che Guevara. O outro era Luis Posada Carriles, que acabara de escapar de uma prisão venezuelana, onde era mantido devido a seu papel central no atentado terrorista a bomba contra um jato de passageiros cubano, em que 73 pessoas morreram.

No verão de 1986, eles estavam despejando noventa toneladas de armas e munição para os *contras* no sul da Nicarágua. Em junho, o Congresso voltou atrás e autorizou US$ 100 milhões em apoio à guerra na América Central, o que foi efetivado em 1º de outubro. Naquele dia, a CIA recuperou sua licença para caçar. Por um momento, pareceu que a guerra estava seguindo o caminho da agência.

Mas a elaborada rede de armas escondidas da CIA estava se desintegrando. O chefe do posto na Costa Rica, Joe Fernandez, atuava como controlador do tráfego aéreo para o envio de armas, e tinha uma rústica pista de pouso aberta para os vôos clandestinos. Mas o novo presidente da Costa Rica, Oscar Arias, que trabalhava por uma paz negociada na América Central, advertira Fernandez diretamente a não usar a pista de pouso para armar os *contras*. Em 9 de junho de 1986, uma avião da CIA carregado de armas decolou da base aérea secreta perto de San Salvador com tempo ruim, fez uma aterrissagem não planejada na pista de pouso e afundou o eixo na lama. Tremendo de medo e raiva, Fernandez pegou o telefone, ligou para San Salvador e ordenou a seu colega da CIA: "Tire esse diabo de avião da Costa Rica!" Isso demorou dois dias.

Naquele mesmo mês, Felix Rodriguez começou a perceber que alguém na linha de suprimento — ele suspeitava do general Secord — estava lucrando com o patriotismo deles. Em 12 de agosto, ele tentou fazer a denúncia num encontro com outro velho amigo — o veterano da CIA Don Gregg, assessor de Segurança Nacional do vice-presidente Bush. Aquilo era "um negócio muito obscuro", concluiu Gregg.

Em 5 de outubro de 1986, um soldado nicaragüense adolescente disparou um míssil que derrubou um avião cargueiro C-123 americano que transportava armas de San Salvador para os *contras*. O único sobrevivente, um americano que lidava com a carga, disse a repórteres que trabalhava para a agência sob contrato. Em pânico, Felix Rodriguez telefonou para o escritório do vice-presidente dos Estados Unidos. Quando o avião caiu, North estava em Frankfurt tentando fazer um novo acordo armas-por-reféns com o Irã.

Em 3 de novembro, semanas depois de ser revelada pela primeira vez — em folhetos anônimos espalhados nas ruas de Teerã — a história dos acordos secretos foi publicada num pequeno semanário no Líbano. Passaram-se meses até que a história completa viesse a público: a Guarda Revolucionária do Irã recebera dois mil mísseis antitanques, dezoito sofisticados mísseis antiaéreos, dois aviões cheios de peças extras e alguma inteligência de campo de batalha útil, por meio de bons serviços da CIA. Os carregamentos de armas "aumenta-ram significativamente a capacidade militar iraniana", disse Robert Oakley, coordenador de contraterrorismo. "A inteligência que passamos a eles também foi de ajuda significativa." Mas os iranianos tinham sido enganados. Eles esta-vam reclamando, com bons motivos, que lhes fora cobrado 600% a mais pelo último carregamento de partes do Hawk. O próprio Ghorbanifar estava sem dinheiro; seus credores o estavam perseguindo por causa de milhões, e ele amea-çava expor a operação para salvar sua pele.

A operação secreta de Casey estava desmoronando. "A pessoa que controla-va a coisa toda era Casey", disse o conselheiro interno do Departamento de Estado Abraham Sofaer. "Não tenho dúvida alguma sobre isso. Eu conhecia Casey de outros tempos. Eu o admirava e gostava dele, e quando denunciei aquela coisa toda, senti que Casey considerou o que eu fiz uma traição."

Em 4 de novembro de 1986, no dia da eleição, Rafsanjani, presidente do parlamento do Irã, revelou que oficiais americanos tinham ido ao Irã com pre-sentes. No dia seguinte, o vice-presidente Bush registrou em seu diário grava-do: "Nas notícias do momento está a questão dos reféns. Sou uma das poucas pessoas que conhece completamente os detalhes... Essa é uma operação que tem sido mantida em muito, muito sigilo, e espero que não vaze."

Em 10 de novembro, Casey foi a uma reunião extraordinariamente tensa dos membros do Conselho de Segurança Nacional. Ele orientou Reagan a fazer uma declaração pública de que os Estados Unidos estavam trabalhando num plano estratégico a longo prazo para frustrar os soviéticos e os terroristas no Irã, e não negociando armas por reféns. O presidente reproduziu a frase. "Não negocia-mos, repito, não negociamos armas nem qualquer outra coisa por reféns", disse Reagan à nação em 13 de dezembro. Mais uma vez, assim como na derrubada do U-2, assim como na Baía dos Porcos, assim como na guerra na América Central, o presidente mentiu para proteger as operações secretas da CIA.

Desta vez, pouquíssimas pessoas acreditaram nele.

Foram necessários mais cinco anos para libertar os últimos reféns americanos. Dois deles nunca voltaram. Peter Kilburn foi assassinado. Depois de supor-tar meses de tortura e interrogatórios, Bill Buckley, da CIA, morreu na prisão.

## "NINGUÉM NO GOVERNO DOS EUA SABIA"

As comissões de inteligência do Congresso queriam uma conversa com Bill Casey, mas este seguiu a tradição e saiu do país num momento de crise para a CIA.

No domingo, 16 de novembro, Casey voou para o sul para inspecionar as tropas na América Central, deixando seu vice, Bob Gates, para limpar a bagunça. As audiências foram remarcadas para a sexta-feira seguinte. Os cinco dias de intervalo foram alguns dos piores da história da agência.

Na segunda-feira, Gates e seus subordinados começaram a tentar a organizar a cronologia do que acontecera. O diretor encarregou Clair George e seu serviço clandestino de preparar seu testemunho ao Congresso. A intenção não era dizer a verdade.

Na terça-feira, membros da comissão de inteligência convocaram George para uma audiência a portas fechadas, numa sala protegida com segurança eletrônica, no domo do Capitólio. Ele sabia que no ano anterior a CIA, sem autorização legal, havia negociado armas por reféns. Sob questionamento cerrado, fez exatamente o que o presidente fizera cinco dias antes: mentiu.

Durante a noite, Gates enviou outro assistente de Casey à América Central para entregar a cópia de um rascunho de uma proposta de testemunho de Casey e para trazer o diretor de volta à sede. Na quarta-feira, Casey começou a escrever uma nova versão, com uma base legal, enquanto voava de volta a Washington. Mas logo descobriu que não conseguia entender sua própria letra. Começou a ditar uma prosa floreada ao gravador. Foi uma confusão. Ele jogou o trabalho para o lado.

Na quinta-feira, Casey carregou o rascunho original em sua pasta para a Casa Branca, para uma reunião com North e Poindexter. Enquanto eles organizavam suas idéias, Casey fez uma anotação em seu rascunho dizendo que "Ninguém no governo dos EUA sabia" sobre o vôo da CIA com os Hawk em novembro de 1985. Era uma mentira extraordinariamente ousada. Ele voltou para a sede e se reuniu na sala de conferência do diretor, no sétimo andar, com a maioria dos líderes da agência e muitos dos oficiais diretamente envolvidos nos carregamentos de armas para o Irã.

"A reunião foi um desastre absoluto", relembrou o diretor-executivo de equipe de Casey, Jim McCullough. Dave Gries, outro assessor íntimo de Casey, disse que "ninguém que estava presente podia — ou talvez quisesse — encaixar todas as peças do quebra-cabeça Irã-*contras*".

"A atmosfera na reunião foi surreal", recordou Gries. "Muitos participantes aparentemente estavam mais interessados em proteger a si mesmos do que em ajudar Casey, que estava visivelmente exausto e às vezes era incoerente. Ficou claro para McCullough e para mim que na manhã seguinte acompanharíamos ao Congresso um diretor bastante confuso."

Na sexta-feira, Casey apresentou, a portas fechadas, um testemunho às comissões de inteligência do Congresso. Foi uma mistura de evasivas e confusão, acompanhada de um fato instigante. Um senador perguntou se a CIA vinha enviando apoio secreto tanto ao Irã quanto ao Iraque, enquanto os dois países massacravam um ao outro. Sim, disse Casey, "estamos ajudando o Iraque há três anos".

Durante o fim de semana, o memorando de North para Poindexter sobre o desvio de milhões das vendas de armas ao Irã e a entrega do dinheiro aos *contras* apareceu. Os dois homens vinham rasgando e destruindo os documentos furiosamente por semanas, mas de alguma maneira North se esquecera daquele.

Na segunda-feira, 24 de novembro, o vice-presidente Bush ditou uma anotação para seu diário: "Uma verdadeira bomba... North retirava o dinheiro e o colocava numa conta de um banco suíço... para ser usado para os *contras*... isso vai ser um grande golpe." Foi o maior distúrbio político em Washington desde que Richard Nixon deixara a cidade.

Quatro dias depois, Casey realizou uma conferência de chefes da inteligência americana da CIA, do Departamento de Estado e do Pentágono. "Sinto-me muito bem pelo fato de nossa comunidade estar trabalhando há seis anos mais eficientemente do que a maioria dos governos, sem qualquer falha significativa", disse ele em seus pontos de discussão. "Nenhum escândalo e uma grande série de sólidos sucessos."


## "O SILÊNCIO PARECEU DURAR UMA ETERNIDADE"

Desde Watergate, não era o crime, mas a história de fachada, o que destruía os poderes em Washington. Casey não estava em condições de encobrir nada. Ele titubeou e tropeçou durante uma semana de testemunhos incoerentes no Capitólio, balançando sua cadeira, sem conseguir organizar as frases. Mal conseguia levantar a cabeça. Seus assessores ficaram horrorizados. Mas continuaram pressionando-o.

"Bill Casey tinha muita coisa a responder", disse Jim McCullough, homem de sua equipe e um veterano de 34 anos de CIA. "É duvidoso que a operação teria sido iniciada — e muito menos mantida por bem mais de um ano — sem seu consentimento e apoio."

Casey compareceu a um jantar em memória de Bob Ames — agente da CIA assassinado — na Filadélfia na noite de quinta-feira, 11 de dezembro. Voltou à sede às 6h de sexta-feira, para uma entrevista a um repórter da revista *Time* chamado Bruce van Voorst. Freqüentemente a agência recorria à *Time* para estimular as relações públicas em momentos de crise. Van Voorst era um homem confiável. Trabalhara sete anos na CIA.

A agência estabeleceu as regras básicas: trinta minutos para Irã-*contras*, trinta minutos para uma revisão das muitas realizações da CIA sob o comando de Casey. McCullough ouvira Casey fazer o discurso de boas notícias muitas vezes antes. Estava confiante de que o diretor poderia recitar seus versos mesmo num estado de exaustão. A primeira meia hora provou ser uma experiência difícil, mas, quando terminou, uma pergunta suave lhe caiu diretamente no colo. "Sr. Casey, o senhor poderia falar um pouco sobre as realizações da agência sob sua liderança?

"Todos nós respiramos aliviados e relaxamos", relembrou McCullough. "Mas Casey fitou Van Voorst como se não pudesse acreditar na pergunta, ou entendê-la. Não disse nada. O silêncio pareceu durar uma eternidade."

Na manhã de segunda-feira, 15 de dezembro, Casey teve um ataque súbito em seu escritório no sétimo andar. Foi removido numa maca antes que alguém realmente compreendesse o que havia acontecido. No Hospital da Universidade de Georgetown, os médicos determinaram que ele tinha um linfoma não diagnosticado no sistema nervoso central — uma maligna teia de aranha que se espalhava em seu cérebro, uma doença rara, difícil de detectar. Freqüentemente levava a um comportamento inexplicavelmente estranho nos 12 a 18 meses antes de ser descoberta.

Casey jamais voltaria à CIA. Bob Gates foi vê-lo no hospital em 29 de janeiro de 1987, por ordem da Casa Branca, levando uma carta de renúncia para o diretor assinar. Casey não conseguia segurar a caneta. Estava deitado na cama, com lágrimas nos olhos. Gates voltou à Casa Branca no dia seguinte e o presidente dos Estados Unidos lhe ofereceu o emprego — "um emprego que ninguém mais parecia querer", refletiu Gates. "Não era de se estranhar."

Gates foi diretor da central de inteligência durante cinco meses dolorosos, até 26 de maio de 1987, mas sua nomeação estava condenada. Ele teria que esperar a roda girar novamente. "Logo ficou claro que ele estava perto demais do que quer que Casey estava ou não estava fazendo", disse o diretor seguinte da central de inteligência, William Webster. "A atitude de Bob era de que ele não queria saber. Naquelas circunstâncias, isso era inaceitável."

Webster dirigiu o FBI por nove longos anos. Era um indicado apolítico de Carter, de queixo quadrado, íntegro, um dos poucos símbolos de retidão moral que restavam no governo Reagan depois da confusão Irã-*contras*. No passado, tinha sido juiz federal e preferia ser tratado por esse título. O interesse em indicar um homem chamado de "juiz" para dirigir a CIA era óbvio na Casa Branca. Assim como o almirante Turner, ele era um correto membro da igreja da Ciência Cristã e um homem de convicções morais. Não era um homem de Reagan; não tinha qualquer ligação política ou pessoal com o presidente. "Ele nunca me pedia nada", disse Webster. "Nunca falávamos de trabalho. Não era uma relação entre companheiros. Então, no fim de fevereiro de 1987, eu recebi um telefonema." Reagan agora só pensava em trabalho. Em 3 de março, o presidente anunciou a nomeação de Webster como diretor da central de inteligência e o elogiou como "um homem comprometido com o império da lei".

O mesmo nunca foi dito sobre Bill Casey. Depois de sua morte, em 6 de maio, aos 74 anos, o próprio bispo o criticou no púlpito durante seu funeral, enquanto os presidentes Reagan e Nixon ouviam em silêncio.

Casey quase dobrara o tamanho da CIA ao longo de seis anos; agora o serviço clandestino tinha cerca de seis mil oficiais. Ele construíra um palácio de vidro de US$ 300 milhões para abrigar seus novos contratados; mobilizara exércitos secretos em todo o mundo. Mas deixou a agência bem mais fraca do que a encontrou, arruinada por seu legado de mentiras.

Bob Gates aprendeu uma lição simples ao trabalhar sob o comando de Casey. "O serviço clandestino é o coração e a alma da agência", disse ele. "É também a parte que pode colocá-lo na prisão."

# 42 "PENSAR O IMPENSÁVEL"

O presidente dos Estados Unidos confessou ao povo americano que mentira sobre a troca de armas por reféns. A Casa Branca tentou direcionar a tempestade política para Casey e a CIA. Nem um nem outro conseguiram apresentar uma defesa. O Congresso convocou os oficiais e agentes de Casey para testemunhar. Eles deixaram a impressão de que os Estados Unidos haviam contratado uma gangue de vigaristas e ladrões para dirigir seus assuntos externos.

A chegada do juiz Webster prenunciou uma hostil tomada de poder na CIA. O Congresso e um conselho independente resolveram determinar o que Casey tramara exatamente. Operações foram suspensas, planos engavetados, carreiras destruídas. O medo atingiu a sede da agência quando três dúzias de agentes do FBI carregando intimações atravessaram os corredores, abriram cofres de trancas duplas e folhearam arquivos ultra-secretos, obtendo provas para acusações de perjúrio e obstrução da justiça. Os líderes do serviço clandestino foram submetidos a interrogatórios e vislumbraram indiciamentos. O sonho de Casey de uma CIA livre das restrições da lei os conduzira à desgraça.

"Demorei meses para compreender claramente o que havia acontecido, e quem tinha feito o que a quem", disse Webster. "Casey deixou para trás *muitos* problemas." O principal deles, refletiu Webster, foi a tradição de insubordinação desafiante. "Funcionários em campo achavam que precisavam agir por conta própria", disse ele. "Eles não podiam agir sem aprovação do patrão. Mas os chefes de postos pensavam: (eu *sou* o patrão)."

Os oficiais do serviço clandestino estavam certos de que Webster — imediatamente apelidado de "Mild Bill"[31] — não entendia nada sobre quem eles eram, o que faziam, ou sobre a mística que os mantinha juntos. "Ninguém mais consegue compreender isso", disse Colin Thompson, que trabalhara em Laos, Camboja e Vietnã. "É uma névoa em que você mergulha e se esconde. Você acredita que se tornou uma pessoa de elite no mundo do governo americano, e a agência incentiva essa crença desde o momento em que você ingressa nela. Eles fazem você acreditar nisso."

Para pessoas de fora, eles pareciam membros de um clube para homens em Virgínia, uma cultura sulista de camisas sociais. Mas eles se viam como um batalhão de combate camuflado, uma irmandade de sangue. O atrito com Webster foi intenso desde o início. "Provavelmente poderíamos ter driblado o ego de Webster, a sua falta de experiência em assuntos externos, a sua perspectiva interiorana do mundo e até a sua arrogância de mais-bem-sucedido-que-você", reclamou Duane Clarridge, da CIA. "Só não poderíamos driblar o fato de que ele era um advogado."

"Todo sua formação como advogado e juiz determinava que não se podia fazer coisas ilegais. Ele nunca aceitaria que isso é *exatamente* o que a CIA faz quando atua no exterior. Nós violamos as leis de outros países. É assim que conseguimos informações. É por isso que estamos no negócio. Webster tinha um problema insuperável com a razão de ser da organização que fora levado a dirigir."

Semanas depois da chegada de Webster, a mensagem partiu de Clarridge e seus colegas e chegou à Casa Branca: o homem era um peso-leve, um diletante, uma borboleta social com pouco brilhantismo. Ele reconheceu a rebelião que enfrentava e tentou reagir com a orientação de Richard Helms, que emergira de seus problemas com os tribunais criminais como uma respeitada eminência parda. "Um argumento que Dick Helms discutiu comigo: como temos que mentir e fazer essas coisas no exterior, é muito importante que não mintamos um para o outro e não subvertamos um ao outro", relembrou Webster. "A mensagem que eu queria enviar era de que é possível fazer muito mais quando as pessoas confiam em você. Não sei que diferença isso fez. As pessoas ouviam muito atentamente. Mas a pergunta na agência era: ele está falando sério? Havia sempre uma pergunta na cabeça deles."

---

[31] "Bill Brando" (*N. do T.*)

Webster prometeu que a agência não esconderia nada do Congresso. Mas as comissões de inteligência do Congresso se haviam irritado com muita freqüência. Elas decidiram que a lição do Irã-*contras* era de que a agência precisava ser supervisionada pelo Capitólio. O Congresso podia impor sua vontade porque, de acordo com a Constituição, em última instância ele controlava o talão de cheque do governo. Webster ergueu a bandeira branca e, com sua rendição, a CIA já não era simplesmente um instrumento do poder presidencial. Estava equilibrada, precariamente, entre o comandante-em-chefe e o Congresso.

O serviço clandestino lutou bastante para não dar ao Congresso um papel na direção da CIA. Temia que entre os 535 deputados eleitos pudesse haver cinco que soubessem tudo sobre a agência. Então as equipes das comissões de supervisão do Congresso foram rapidamente semeadas com oficiais de carreira da CIA, que podiam tomar conta do que era seu.

As comissões apontaram uma faca para Clair George, que ainda era o chefe do serviço clandestino. Ele tinha sido o principal contato de Casey com o Congresso e um mestre na arte de enganar. Casey amava seu charme e sua astúcia, mas essas duas qualidades não eram requisitadas na CIA de Webster. "Clair tinha uma conversa que cativava", disse Webster. "Mas achava que a maneira de lidar com uma pergunta do Congresso era contorná-la."

No fim de novembro de 1987, Webster o chamou para conversar e disse: "O fato é que o Congresso não acredita em você. Vou precisar de seu cargo." George refletiu por um momento. "Ele disse: 'Eu acho realmente que *devo* me aposentar, e talvez leve comigo algumas pessoas que precisam se aposentar também.'" Três semanas depois, Duane Clarridge estava erguendo um difícil brinde de Natal com George ao meio-dia quando Webster o chamou para o andar de cima e lhe disse que era hora de ir embora. Por um momento Clarridge pensou em reagir, primeiramente chantageando Webster e depois usando suas ligações com a Casa Branca. Ele acabara de receber um bilhete simpático de um bom amigo, o vice-presidente dos Estados Unidos. "Você tem minha amizade", escreveu George Bush, "meu respeito e minha estima. Isso nunca vai mudar." Mas Clarridge concluiu que um compromisso de lealdade tinha sido rompido. Ele se demitiu.

Um grupo de agentes para operações secretas que somavam um total de dois mil anos de experiência saiu pela porta com ele.

## "A INTELIGÊNCIA AMERICANA FOI GENEROSA"

O que mais assombrou Clair George em sua aposentadoria não foram as operações estouradas ou a perspectiva de indiciamento, mas a sombra de um agente duplo dentro da CIA.

Sob sua supervisão durante os anos de 1985 e 1986, a divisão soviética/Europa Oriental do serviço clandestino perdeu cada um de seus espiões. Seus doze agentes soviéticos locais foram presos e executados, um a um. Os pequenos postos da CIA em Moscou e Berlim Oriental pararam de funcionar, os disfarces dos oficiais caíram, suas operações foram destruídas. Em 1986 e 1987, a divisão estava desmoronando como um prédio dinamitado filmado em câmera lenta. A CIA não tinha a menor idéia do motivo. De início, achou que um agente chamado Ed Howard era o traidor interno. Ele ingressara no serviço clandestino em 1981 e foi escolhido para trabalhar em sua primeira viagem ao exterior como um agente profundamente disfarçado em Moscou. Treinara durante dois anos. Alguns detalhes pessoais sobre Howard haviam escapado à atenção da CIA até o último minuto possível: ele era alcoólatra, mentiroso e ladrão. A agência o expulsou e ele desertou para Moscou em abril de 1985.

Como parte de seu treinamento, Howard leu os arquivos sobre alguns dos melhores espiões que a CIA tinha em Moscou, entre eles Adolf Tolkachev, um cientista militar que durante quatro anos entregou documentos de pesquisas sobre as armas soviéticas mais modernas. Tolkachev era considerado a melhor fonte da CIA em vinte anos.

Quando o Politburo se reuniu no Kremlin em 28 de setembro de 1986, o presidente da KGB, Viktor Chebrikov, informou orgulhosamente a Mikhail Gorbatchov que Tolkachev tinha sido executado por traição no dia anterior. "A inteligência americana foi generosa com ele", observou Gorbachev. "Encontraram dois milhões de rublos em sua posse." Aquilo era mais de meio milhão de dólares. Agora a KGB sabia o preço dos espiões de alto nível.

A agência acreditava que Howard poderia ter traído Tolkachev. Mas ele não poderia ter sido responsável por mais que três das doze mortes que destruíram a lista de espiões soviéticos da CIA. A culpa tinha que ser de outra coisa ou outra pessoa. O Grupo de Assistência em Inteligência Externa do Presidente examinou o caso e relatou "uma incapacidade básica de todos da divisão soviética em pensar o impensável" — que um traidor poderia estar escondido dentro do serviço clandestino. Casey leu o relatório e repreendeu Clair George:

"Estou chocado" com a "impressionante complacência" diante "dessa catástrofe", escrevera. Mas, em particular, Casey deu de ombros. Pôs três pessoas — uma delas em meio expediente — para investigar as mortes dos mais prezados agentes estrangeiros da CIA.

O fato de que altos oficiais do serviço clandestino nunca disseram a Webster toda a verdade sobre o caso foi uma medida da confiança que depositavam nele. Webster nunca soube que aquilo constituía a pior infiltração da história da agência. Ele sabia que havia uma investigação em nível baixo — "um exercício, nada mais que isso. Se encontrarem alguma coisa, bom", disse ele. "Se não encontrarem um motivo sinistro, talvez encontrem outro motivo, ou nenhum motivo", disse ele. "Foi tudo o que ouvi sobre o caso."

A investigação foi derrubada e o pesadelo de contra-inteligência que a CIA enfrentava aumentou sob a direção de Webster.

Em junho de 1987, o major Florentino Aspillaga Lombard, chefe da inteligência cubana na Tchecoslováquia, atravessou de carro a fronteira para Viena, caminhou até a embaixada americana e desertou diante de Jim Olson, o chefe do posto da CIA. Ele revelou que todos os agentes cubanos recrutados pela agência nos vinte anos anteriores eram agentes duplos — fingiam ser leais aos Estados Unidos enquanto trabalhavam em segredo para Havana. Foi um verdadeiro choque, e difícil de acreditar. Mas os analistas da CIA concluíram com tristeza, depois de uma longa e dolorosa análise, que o major estava dizendo a verdade. Naquele mesmo verão, gotas de inteligência nova sobre as mortes dos agentes da CIA começaram a cair, vindas de um novo grupo de militares e oficiais de inteligência soviéticos e do bloco soviético. O fluxo se tornou um riacho e depois um rio caudaloso, e sete anos se passaram até a terrível descoberta de que se tratava de desinformação usada para enganar e desviar a CIA.

### "ELES REALMENTE FIZERAM ALGO CERTO"

Webster se voltou para Bob Gates logo depois de prestar juramento e perguntou: Bem, Bob, o que está acontecendo em Moscou? O que Gorbatchov pretende fazer? Ele nunca ficava satisfeito com as respostas. "Eu tinha meus homens otimistas e meus homens pessimistas", suspirou Webster. "De um lado isso, do outro aquilo."

A CIA não sabia que Gorbatchov afirmara na reunião do Pacto de Varsóvia, em maio de 1987, que os soviéticos nunca invadiriam a Europa Oriental para reforçar seu império. A CIA não sabia que Gorbatchov tinha dito ao líder do Afeganistão, em julho de 1987, que os soviéticos em breve começariam a retirar suas tropas de ocupação. E a agência ficou pasma em dezembro de 1987, quando multidões de esfuziantes cidadãos americanos saudaram Gorbatchov como um herói nas ruas de Washington. Os homens nas ruas pareciam entender que o líder do mundo comunista queria pôr fim à guerra fria. A CIA não entendeu o conceito. Bob Gates passou o ano seguinte perguntando a seus subordinados por que Gorbatchov constantemente os surpreendia.

Ao longo de mais de trinta anos, os Estados Unidos gastaram quase um quarto de *trilhão* de dólares em satélites espiões e equipamentos de escuta eletrônica para monitorar os militares soviéticos. Esses programas eram, no papel, responsabilidade do diretor da central de inteligência, mas na verdade eram dirigidos pelo Pentágono. Forneciam os dados para as intermináveis negociações do Tratado de Limitação de Armas Estratégicas com os soviéticos, e seria possível argumentar que esse diálogo ajudou a manter fria a guerra fria. Mas Washington e Moscou nunca desistiram de um único sistema de armas que quiseram construir. Seus arsenais continuaram sendo capazes de explodir o mundo cem vezes seguidas. E, no fim, os Estados Unidos invalidaram a própria idéia de controle de armas.

Mas, em agosto de 1988, um desfecho aconteceu num momento de perfeita ironia. Frank Carlucci, que agora era secretário de Defesa de Reagan, foi a Moscou para encontros com seu colega soviético, o ministro de Defesa Dmitri Yazov, e fez uma palestra para generais e almirantes na academia militar de Voroshilov. "Como o senhor sabe tanto sobre nós?", perguntou um deles a Carlucci. "Temos que fazer isso com satélites", respondeu ele. "Para nós seria muito mais fácil se vocês simplesmente fizessem o que fazemos e publicassem seu orçamento militar." A sala explodiu em gargalhadas, e depois Carlucci perguntou ao oficial russo que o escoltava o que tinha sido tão engraçado. "O senhor não entende", disse o russo. "O senhor atacou o coração do sistema deles" — o sigilo. Os contatos cara a cara entre chefes militares americanos e soviéticos revelaram duas coisas aos russos. Primeiro, os americanos não queriam matá-los. Segundo, eles podiam ser tão fortes quanto os americanos em termos de mísseis nucleares, mas isso não fazia a menor diferença. Eram bem mais fracos em todos os outros âmbitos. Souberam assim que seu sistema fechado, construído sobre segredos e mentiras, nunca poderia derrotar uma sociedade aberta.

Eles viram que o jogo havia terminado. A agência não viu.

A CIA ainda conseguiu obter três sucessos estimulantes naquele ano. O primeiro deles veio depois que o coronel Chang Hsien-yi, vice-diretor do instituto de pesquisas de energia nuclear de Taiwan, desertou para os Estados Unidos. Durante vinte anos, ele trabalhara em segredo para os Estados Unidos, desde que a CIA o recrutara como cadete militar. Seu instituto, aparentemente estabelecido para realizar pesquisas civis, tinha sido construído com ajuda de plutônio americano, urânio sul-africano e conhecimento técnico internacional. Os líderes de Taiwan criaram uma célula dentro do instituto para fabricar uma bomba nuclear. Essa arma tinha apenas um alvo concebível: o território continental da China. Líderes comunistas chineses prometeram atacar se Taiwan posicionasse uma arma nuclear. Os Estados Unidos exigiram a interrupção do programa. Taiwan mentiu a respeito e continuou em frente. Um dos poucos americanos que sabiam sobre o longo serviço prestado pelo coronel Chang era Jim Lilley, da CIA, que tinha sido chefe dos postos na China e em Taiwan e que logo se tornaria embaixador dos EUA na China. "Você pega um indivíduo promissor, põe o agente de inteligência certo em cima dele, recruta-o cuidadosamente seguindo uma base ideológica — embora houvesse dinheiro envolvido — e mantém contato com ele", disse Lilley. O coronel Chang enviou um alerta a seu agente de inteligência, desertou e entregou provas sobre o avanço do programa de armas nucleares. Um espião com vinte anos de CIA ajudou a interromper a disseminação de armas de destruição em massa. "Este foi um caso em que eles realmente fizeram algo certo", disse Lilley. "Eles tiraram o sujeito. Conseguiram a documentação. E confrontaram os taiwaneses." Armado de provas, o Departamento de Estado pressionou duramente o governo de Taiwan, que finalmente anunciou que tinha capacidade para fabricar armas nucleares mas nenhuma intenção de fazê-lo. Isso foi controle de armas em sua melhor forma.

Depois houve um plano brilhante contra a Organização Abu Nidal, uma gangue que por doze anos matou, seqüestrou e aterrorizou ocidentais na Europa e no Oriente Médio. O plano envolveu três governos estrangeiros e um ex-presidente dos Estados Unidos. Foi desenvolvido no novo centro de contraterrorismo da CIA e começou depois que Jimmy Carter entregou um pacote de informações sobre Abu Nidal ao presidente da Síria, Hafiz al-Assad, num encontro em março de 1987. Assad expulsou o terrorista. Durante os dois anos seguintes, com ajuda da OLP e dos serviços de inteligência jordaniano e israelense, a agência travou uma guerra psicológica contra Abu Nidal. Um forte e permanente fluxo de desinformações o convenceu de que seus principais tenentes eram traidores. Ele matou sete deles e dezenas de seus subordinados ao longo do ano seguinte, debilitando sua organização. A campanha chegou ao auge quando dois homens de Abu Nidal desertaram e lançaram um ataque a seu centro de comando no Líbano, matando oitenta de seus homens. A organização foi destruída, uma vitória incrível para o centro de contraterrorismo da CIA e a divisão Oriente Próximo, chefiada por Tom Twetten, que seria promovido a chefe do serviço clandestino.

O terceiro grande sucesso — pelo menos foi o que pareceu a todos na época — foi o triunfo dos rebeldes afegãos.

Todas as outras forças de rebeldes da CIA estavam se desintegrando. Os *contras* assinaram um cessar-fogo dias depois que o apoio secreto da agência foi cortado pela última vez. Votos substituíram balas na Nicarágua. Uma patrulha perdida de guerreiros anti-Khadafi estava vagando pelo Sudão. A CIA teve que desmobilizar essa insurgência mal organizada e retirar seus soldados do norte da África, levando-os primeiramente para o Congo, depois para a Califórnia. A diplomacia substituiu as ações secretas no sul da África, e o fluxo de armas que vinha de Washington e Moscou secou. O programa de Casey de apoiar um exército de rebeldes cambojanos que combatia as forças de Hanói — uma luta rancorosa contra os vencedores da Guerra do Vietnã — estava sendo terrivelmente gerenciado, com dinheiro e armas indo parar nas mãos de generais tailandeses corruptos. E colocou os aliados da CIA lado a lado com os carniceiros do Camboja, o Khmer Vermelho. Colin Powell — que era vice-assessor de segurança nacional de Reagan depois do caso Irã-*contras* — advertiu que a Casa Branca deveria reavaliar a operação. Esta foi encerrada na hora certa.

Apenas os mujahedin, os guerreiros sagrados afegãos, estavam derramando sangue e farejando a vitória. Agora a operação da CIA no Afeganistão era um programa de US$ 700 milhões por ano. Representava cerca de 80% do orçamento do serviço clandestino para o exterior. Armados de mísseis antiaéreos Stinger, os rebeldes afegãos estavam matando soldados soviéticos, derrubando helicópteros soviéticos e causando feridas profundas na auto-estima soviética. A CIA conseguiu o que se dispusera a fazer: dar aos soviéticos o Vietnã deles. "Nós os matamos um a um", disse Howard Hart, que dirigiu a missão para armar os afegãos de 1981 a 1984. "E eles foram para casa. E aquilo foi uma campanha terrorista."

## "NÓS VIRAMOS AS COSTAS"

Os soviéticos anunciaram que se retirariam para sempre logo que o governo Reagan terminasse. Os relatórios da CIA nunca responderam à pergunta sobre o que aconteceria quando um exército islâmico militante derrotasse os invasores infiéis no Afeganistão. Tom Twetten, o número dois do serviço clandestino no verão de 1988, tinha a missão de descobrir o que aconteceria com os rebeldes afegãos. Declarou que logo ficou claro para ele que "não tínhamos plano algum". A CIA simplesmente decidiu: "Haverá uma 'democracia afegã'. E ela não será bonita."

A guerra soviética havia acabado. Mas não a jihad afegã da CIA. Robert Oakley, embaixador americano no Paquistão de 1988 a 1991, argumentou que os Estados Unidos e o Paquistão deveriam "reduzir drasticamente nossa assistência aos verdadeiros radicais" do Afeganistão e trabalhar para tornar os mujahedin mais moderados. "Mas a CIA não podia ou não queria pôr seus parceiros paquistaneses na linha", disse ele. "Então continuamos a apoiar alguns radicais." O principal deles era o líder rebelde afegão Gulbuddin Hekmatyar, que recebera da CIA centenas de milhões de dólares em armas e guardara a maioria delas. Ele estava prestes a usar essas armas contra o povo do Afeganistão, tentando obter o poder total.

"Eu tinha outro problema com a agência", disse o embaixador Oakley. "As mesmas pessoas que combatiam os soviéticos estavam lucrando com o comércio de narcóticos." O Afeganistão era, e continua sendo, a maior fonte de heroína no mundo, com incontáveis hectares de papoulas de ópio colhidas duas vezes por ano. "Suspeito que os serviços de inteligência paquistaneses estivessem envolvidos e que a CIA não abalaria seu relacionamento com eles por causa dessa questão", disse Oakley.

"Continuei pedindo ao posto para obter informações sobre esse tráfico com suas fontes no Afeganistão", disse ele. "Eles negaram que tivessem qualquer fonte capaz de fazer isso. Não podiam negar que tinham fontes, uma vez que estávamos conseguindo informações sobre armas e outros assuntos."

"Cheguei até a levantar esse assunto com Bill Webster", disse Oakley. "Nunca obtive uma resposta satisfatória. Nada jamais aconteceu."

Webster convidou os líderes rebeldes afegãos para um almoço em Washington. "Não era um grupo fácil", recordou ele. Hekmatyar era um dos convidados de honra. Quando conheci Hekmatyar no Afeganistão alguns anos depois, ele prometeu criar uma nova sociedade islâmica, e se isso custasse mais um milhão de mortes, que assim fosse, disse ele. Enquanto este livro está sendo escrito, a CIA ainda o está caçando no Afeganistão, onde ele e suas forças estão matando soldados americanos e seus aliados.

O último soldado soviético deixou o Afeganistão em 15 de fevereiro de 1989. As armas da CIA continuaram fluindo. "Nenhum de nós realmente previu a principal conseqüência", disse o embaixador Oakley. Um ano depois, sauditas de túnicas brancas começaram a aparecer nas capitais das províncias em vilas afegãs devastadas. Eles se autoproclamaram emires. Compraram a lealdade de líderes das vilas e começaram a construir pequenos impérios. Eram emissários de uma nova força no mundo que viria a ser chamada de al-Qaeda.

"Nós viramos as costas àquilo", disse Webster. "Não deveríamos ter feito isso."

# 43 "O QUE VAMOS FAZER QUANDO O MURO CAIR?"

A agência comemorou quando George H. W. Bush prestou juramento como presidente, em 20 de janeiro de 1989. Bush era um deles. Ele os amava, e os compreendia. Era, na verdade, o primeiro e único comandante-em-chefe que sabia como a CIA trabalhava.

Bush se tornou seu próprio diretor da central de inteligência. Respeitava o juiz Webster, mas sabia que os soldados não o respeitavam, e o manteve fora de seu círculo interno. Bush queria informes diários de profissionais, e se não ficava satisfeito, queria relatos crus. Se algo estava sendo preparado no Peru ou na Polônia, ele queria ouvir do chefe do posto, imediatamente. Sua fé na agência beirava uma crença religiosa.

Essa fé foi dolorosamente testada no Panamá. Durante a campanha de 1988, Bush negou que tivesse se encontrado algum dia com o general Manuel Noriega, o notório ditador daquele país. Mas havia fotografias que provavam isso. Noriega estava na folha de pagamento da CIA havia muitos anos. Bill Casey recebia o general na sede anualmente, e voara para o Panamá pelo menos uma vez para vê-lo. "Casey o considerava um protegido", disse Arthur H. Davis Jr., embaixador americano no Panamá durante os governos Reagan e Bush.

Em fevereiro de 1988, o general foi indiciado na Flórida como chefão da cocaína, mas continuou no poder, zombando dos Estados Unidos. Na época, era de conhecimento público que Noriega era um assassino, bem como um amigo de longa data da CIA. O impasse era torturante. "A CIA, que lidara com ele por tanto tempo, não queria pôr fim ao relacionamento", disse Robert Pastorino, membro do Conselho de Segurança Nacional que se encontrara durante muitas horas com Noriega como um alto funcionário civil do Pentágono durante os anos 1980.

Depois do indiciamento, a Casa Branca de Reagan ordenou duas vezes à agência que encontrasse uma maneira de afastar Noriega do poder, e logo depois de tomar posse o presidente Bush novamente instruiu a CIA a derrubar o ditador. Em todas as vezes, a agência se recusou a agir. O general Vernon Walters, na época embaixador americano nas Nações Unidas, foi particularmente cauteloso. "Como ex-vice-diretor da CIA — assim como algumas pessoas no Pentágono que estiveram no Southcom, o Comando Sul das Forças dos EUA — ele não estava ansioso para ver Noriega sendo levado para os EUA e posto em julgamento por coisa alguma", disse Stephen Dachi, que conhecia pessoalmente tanto o general Walters quanto o general Noriega e serviu como o número dois da embaixada americana no Panamá durante o ano de 1989. Velhos amigos de Noriega na agência e nas forças armadas não queriam que ele testemunhasse sob juramento num tribunal americano.

Sob ordens do presidente Bush, a agência gastou US$ 10 milhões apoiando a oposição numa eleição em maio de 1989. Noriega manobrou e escapou da quarta operação da CIA contra ele. O presidente Bush aprovou uma quinta ação secreta contra Noriega, que incluiu apoio paramilitar a um golpe. Esqueça isso, disseram os agentes secretos: somente uma invasão militar em escala total poderia afastar Noriega. Alguns dos homens da CIA com mais experiência em América Latina — inclusive o chefe do posto no Panamá, Don Winters — resistiam a agir contra o general.

Furioso, Bush avisou que estava aprendendo mais sobre os acontecimentos no Panamá com a CNN do que com a CIA. Foi o fim de William Webster como diretor da central de inteligência. Dali em diante, o presidente fez planos para derrubar Noriega com o secretário de Defesa, Dick Cheney, cujo ceticismo em relação à agência aumentava a cada dia.

O fracasso da CIA em remover seu velho aliado secreto forçou os Estados Unidos a montar sua maior operação militar desde a queda de Saigon. Durante a semana de Natal de 1989, bombas inteligentes transformaram favelas da Cidade do Panamá em escombros, enquanto soldados das Forças Especiais abriam caminho na capital. Vinte e três americanos e centenas de civis panamenhos inocentes morreram nas duas semanas que demoraram para prender Noriega e levá-lo algemado para Miami.

Don Winters, da CIA, testemunhou para a defesa no julgamento de Noriega, no qual os Estados Unidos admitiram ter pagado ao ditador pelo menos US$ 320 mil por meio da agência e das forças armadas americanas. Winters descreveu Noriega como um contato confiável da CIA entre os Estados Unidos e Fidel Castro, como um aliado leal na guerra contra o comunismo na América Central e um elemento crucial para a política externa americana — ele até mesmo abrigara o xá do Irã exilado. Noriega foi condenado em oito acusações de tráfico de drogas e extorsão. Graças em grande parte ao testemunho pós-julgamento de Winters, sua sentença como prisioneiro de guerra foi reduzida em dez anos e sua data para a liberdade condicional foi alterada para setembro de 2007.

## "NUNCA PODEREI CONFIAR NA CIA NOVAMENTE"

Em 1990, um outro ditador desafiou os Estados Unidos: Saddam Hussein.

Durante os oito anos da guerra Irã-Iraque, o presidente Reagan havia despachado Don Rumsfeld como seu enviado pessoal a Bagdá para apertar a mão de Saddam e oferecer-lhe o apoio americano. A agência deu a Saddam inteligência militar, incluindo dados de satélites sobre campo de batalha, e os Estados Unidos lhe concederam licença para importar alta tecnologia, que o Iraque usou para tentar fabricar armas de destruição em massa.

A inteligência tendenciosa de Bill Casey e da CIA foi um fator crucial para essas decisões. "Saddam Hussein era conhecido como um ditador brutal, mas muitos achavam que ele era o menor dos dois males", disse Philip Wilcox, o contato do Departamento de Estado com a agência. "Havia estimativas da inteligência sobre a ameaça do Irã que, em retrospecto, exageravam a capacidade do Irã de vencer aquela guerra..."

"Nós realmente nos inclinamos na direção do Iraque", disse ele. "Fornecemos inteligência ao Iraque, tiramos Bagdá da lista de Estados patrocinadores do terrorismo e encaramos positivamente comentários de Saddam Hussein sugerindo que ele apoiava um processo de paz árabe-israelense. Muitos começaram a ver o Iraque com otimismo, como um fator potencial de estabilidade, e Saddam Hussein como um homem com o qual podíamos trabalhar."

O retorno do investimento no Iraque foi extremamente modesto. Não houve qualquer retorno de inteligência. A agência nunca penetrou no Estado policial iraquiano. Não recebia qualquer informação em primeira mão sobre o regime. Sua rede de agentes iraquianos consistia num punhado de diplomatas e encarregados de negócios em embaixadas no exterior. Esses homens tinham pouquíssimo conhecimento sobre os conselhos secretos de Bagdá. Em determinado momento, a CIA estava limitada a recorrer a um atendente de um hotel iraquiano na Alemanha.

A CIA ainda mantinha uma rede de mais de quarenta agentes iranianos, incluindo oficiais militares de nível médio que sabiam alguma coisa sobre o exército iraquiano. O posto da CIA em Frankfurt se comunicava com eles através da velha técnica da tinta invisível. Mas no outono de 1989, um secretário da CIA enviou cartas a todos os agentes, todas ao mesmo tempo, todas da mesma caixa de correio, todas com a mesma caligrafia, todas para o mesmo endereço. Quando um dos agentes foi desmascarado, toda a rede ficou exposta. Foi uma falha de espionagem elementar. Cada um dos espiões iranianos da CIA foi preso, e muitos foram executados por traição.

"Os agentes presos foram torturados até a morte", disse Phil Giraldi, na época subchefe da base em Istambul. "Ninguém na CIA foi punido", disse ele, "e o chefe do elemento em campo responsável foi, na verdade, promovido." O colapso da rede de agentes fechou as janelas da CIA tanto no Iraque quanto no Irã.

Na primavera de 1990, quando Saddam começou a mobilizar suas forças novamente, a CIA não viu. A agência enviou à Casa Branca uma estimativa especial de inteligência nacional dizendo que as forças armadas iraquianas estavam exaustas, que elas precisariam de anos para se recuperar da guerra contra o Irã e que era improvável que Saddam embarcasse em qualquer aventura militar num futuro próximo. Então, em 24 de julho de 1990, o juiz Webster levou ao presidente Bush imagens de um satélite espião que mostravam duas divisões da Guarda Republicana — dezenas de milhares de soldados iraquianos — concentrando-se na fronteira com o Kuwait. No dia seguinte, a manchete do *National Intelligence Daily*, da CIA, dizia: "O Iraque está blefando?"

Somente um analista proeminente da CIA, Charles Allen, oficial de inteligência nacional para advertências, avaliou melhor as chances de uma guerra. "Eu realmente dei alerta", disse Allen. "Surpreendentemente, pouquíssimas pessoas ouviram."

Em 31 de julho, a CIA considerou improvável uma invasão; Saddam poderia ocupar de maneira limitada alguns campos de petróleo ou um punhado de ilhas, não mais que isso. Só no dia seguinte — vinte horas antes da invasão

— o vice-diretor da central de inteligência, Richard J. Kerr, advertiu a Casa Branca de que o ataque iraquiano era iminente.

O presidente Bush não acreditou na CIA. Telefonou às pressas para o presidente do Egito, o rei da Arábia Saudita e o emir do Kuwait, e todos disseram que Saddam nunca invadiria. O rei Hussein da Jordânia disse ao presidente: "No lado iraquiano, eles enviam cordiais saudações e a mais alta estima ao senhor." Bush foi dormir tranqüilizado. Horas depois, a primeira onda de 140 mil soldados iraquianos atravessou a fronteira para ocupar o Kuwait.

O mais confiável assessor de inteligência do presidente, Bob Gates, estava fazendo um piquenique com a família fora de Washington. Uma amiga de sua mulher foi ao encontro dele. O que você está fazendo aqui?, perguntou ela. Sobre o que você está falando?, reagiu ele. A invasão, disse ela. Que invasão?, perguntou Gates. Em resumo, "não havia muita inteligência sobre o que estava acontecendo dentro do Iraque", observou o secretário de Estado, James Baker.

Durante os dois meses seguintes, a CIA "se comportou de maneira infelizmente bastante típica", disse Chas W. Freeman Jr., embaixador americano na Arábia Saudita. Pendeu para o extremo oposto. Em 5 de agosto, relatou que Saddam atacaria a Arábia Saudita. Ele nunca o fez. Assegurou ao presidente que o Iraque não tinha ogivas químicas para seus mísseis de curto e médio alcance. Depois, afirmou com confiança ainda maior que o Iraque *tinha* ogivas químicas — e que era provável que Saddam as usasse. Não havia qualquer prova firme por trás dessas advertências. Saddam nunca chegou perto de usar armas químicas na Guerra do Golfo. Mas o medo foi grande quando mísseis Scud iraquianos começaram a cair em Riad e Tel Aviv.

Semanas antes que a guerra aérea de sete semanas contra o Iraque começasse, em 17 de janeiro de 1991, o Pentágono convidou a CIA para escolher alvos de bombardeio. Entre muitos lugares, a agência selecionou um bunker militar subterrâneo em Bagdá. Em 13 de fevereiro, a força aérea o bombardeou, mas o bunker estava sendo usado como abrigo antiaéreo civil. Centenas de mulheres e crianças morreram. Depois disso, a agência não foi mais chamada para escolher alvos.

Então estourou uma briga brutal entre a CIA e o comandante da Operação Tempestade no Deserto, o general Norman Schwarzkopf. A discussão girava em torno da avaliação sobre os danos das batalhas — os relatórios diários sobre o impacto militar e político dos bombardeios. Para o Pentágono, era imperativo assegurar à Casa Branca que os bombardeiros americanos haviam

destruído lançadores de mísseis iraquianos em número suficiente para proteger Israel e a Arábia Saudita, e tanques e blindados iraquianos em número suficiente para proteger as forças terrestres americanas. O general assegurou ao
presidente e ao público que o trabalho foi bem-feito. Os analistas da CIA disseram ao presidente que o general estava exagerando os danos causados às forças iraquianas — e eles estavam certos. Mas a agência se deu mal ao desafiar
Schwarzkopf. Foi banida das avaliações sobre os danos da guerra. O Pentágono
levou consigo o trabalho de interpretar fotos de satélites espiões. O Congresso
forçou a agência a assumir um papel subserviente em suas relações com as forças
armadas americanas. Depois da guerra, a CIA foi compelida a criar um novo
escritório de assuntos militares para servir somente como apoio de segundo
escalão ao Pentágono. A CIA passou a década seguinte respondendo a milhares de perguntas de militares: Qual a largura daquela estrada? Quão forte é
aquela ponte? O que existe em cima daquele morro? Durante 45 anos, a CIA
havia respondido a líderes civis, e não a oficiais uniformizados. Agora perdia
sua independência em relação à cadeia de comando militar.

A guerra terminou com Saddam ainda no poder, mas com uma CIA
enfraquecida. Com base na palavra de exilados iraquianos, a agência relatou
que havia potencial para uma rebelião contra o ditador. O presidente Bush convocou o povo iraquiano a se erguer e derrubá-lo. Os xiitas do sul e os curdos
do norte levaram a sério as palavras de Bush. A agência usou todos os meios a
sua disposição — principalmente propaganda e guerra psicológica — para promover uma rebelião. Durante as sete semanas seguintes, Saddam esmagou os
curdos e os xiitas impiedosamente, assassinando milhares e obrigando outros
milhares a fugirem para o exílio. A CIA começou a trabalhar com os líderes
desses exilados em Londres, Amã e Washington, construindo redes para o golpe seguinte, e para o seguinte.

Depois da guerra, uma Comissão Especial das Nações Unidas foi ao Iraque
à procura de armas químicas, biológicas e nucleares. Seus investigadores incluíram oficiais da CIA que carregavam a bandeira das Nações Unidas. Richard
Clarke — um raro membro enérgico do Conselho de Segurança Nacional —
recordou a incursão do grupo no ministério da Agricultura iraquiano, onde
descobriram o centro da diretoria de armas nucleares de Saddam. "Fomos lá,
arrombamos portas, explodimos fechaduras e entramos no santuário", relembrou Clarke quinze anos depois para um documentário televisivo do

*Frontline*.[32] "Os iraquianos reagiram imediatamente, cercaram o prédio e impediram a saída dos inspetores da ONU. Imaginamos de antemão que aquilo poderia acontecer, e lhes déramos telefones por satélite. Eles traduziram no local os relatórios nucleares, do árabe para o inglês, e os leram para nós pelos telefones por satélite." Concluíram que faltavam provavelmente nove a dezoito meses para que o Iraque realizasse sua primeira explosão de arma nuclear.

"A CIA errou feio", disse Clarke. "Bombardeamos tudo o que podíamos no Iraque, mas deixamos passar uma enorme instalação para desenvolvimento de armas nucleares. Não sabíamos que aquilo estava ali, nunca lançamos uma bomba no local. Dick Cheney examinou o relatório e disse, 'Eis o que os próprio iraquianos estão dizendo: que existe uma enorme instalação que nunca foi atingida durante a guerra; que eles estão muito perto de fabricar uma bomba nuclear e que a CIA não sabia disso.'"

Clarke concluiu: "Estou certo de que ele disse para si, 'Nunca poderei confiar na CIA novamente para me dizer quando um país está prestes a fabricar uma bomba nuclear'. Não há dúvida alguma de que o Dick Cheney que retornou ao gabinete nove anos depois tem isso como uma das coisas gravadas em sua memória: '*O Iraque quer uma arma nuclear. O Iraque estava bem perto de obter uma arma nuclear. E a CIA não tinha a menor idéia.*'"

## "E AGORA A MISSÃO ACABOU"

A CIA "não tinha a menor idéia em janeiro de 1989 de que uma enorme onda da história estava prestes a estourar sobre nós", disse Bob Gates, que deixara a sede naquele mês — para sempre, pensou ele — para se tornar vice-assessor de Segurança Nacional do presidente Bush.

A agência descreveu a ditadura da União Soviética como intocada e intocável no momento em que ela começava a desaparecer. Em 1º de dezembro de 1988, um mês antes da posse de Bush, a CIA emitiu um relatório formal afirmando confiantemente que "os elementos básicos da política e da prática de defesa soviética até agora não foram alterados pela campanha de reforma de Gorbatchov". Seis dias depois, Mikhail Gorbatchov subiu ao pódio das Nações Unidas e ofereceu um corte unilateral de 500 mil soldados das forças sovié-

---

[32]Programa da TV americana. (*N. do T.*)

ticas. Aquilo era impensável, disse Doug MacEachin — na época chefe de análises soviéticas da CIA — ao Congresso, na semana seguinte: mesmo que a CIA tivesse concluído que aquelas mudanças bombásticas estavam prestes a varrer a União Soviética, "nunca teríamos sido capazes de publicar isso, sinceramente", disse ele. "Se o tivéssemos feito, as pessoas teriam pedido minha cabeça."

Enquanto o Estado soviético definhava, a CIA "relatava constantemente que a economia soviética estava crescendo", disse Mark Palmer, um dos mais experientes kremlinologistas do governo Bush. "Eles costumavam apanhar simplesmente o que os soviéticos anunciavam oficialmente, descontar alguma coisa e divulgar. E isso estava simplesmente errado, e qualquer pessoa que tivesse passado algum tempo na União Soviética, nas vilas e cidades, podia dar uma olhada e ver que era simplesmente uma loucura." Aquele era o trabalho dos melhores pensadores da CIA — entre eles Bob Gates, durante anos o principal analista para assuntos soviéticos — e Palmer considerou o fato exasperador. "Na verdade, ele nunca esteve na União Soviética! Nunca tinha ido lá uma única vez e era o assim chamado maior especialista na CIA!"

De algum modo, a agência não percebeu que seu principal inimigo estava morrendo. "Falavam da União Soviética como se não estivessem lendo os jornais, e muito menos a inteligência clandestina desenvolvida", disse o almirante William J. Crowe Jr., chefe do Estado-Maior Conjunto no governo Bush. Quando as primeiras rachaduras profundas começaram a aparecer nas repúblicas soviéticas, na primavera de 1989, a CIA realmente obtinha suas informações lendo jornais locais. Esses jornais chegavam com três semanas de atraso.

Ninguém na agência fez a pergunta que Vernon Walters, recém-nomeado por Bush embaixador na Alemanha, fez a seus oficiais em maio de 1989: "O que vamos fazer quando o Muro cair?"

O Muro de Berlim estava de pé havia quase trinta anos. Era o maior símbolo da guerra fria. Quando começou a rachar numa noite de novembro de 1989, o chefe da divisão soviética do serviço clandestino, Milt Bearden, ficou sentado na sede mudo, fitando a CNN. A rede de TV em ascensão se tornara um enorme problema para a agência. Numa crise, fornecia o que acabava passando por inteligência em tempo real. Como a CIA poderia superar aquilo? Agora, a Casa Branca estava na linha: O que está acontecendo em Moscou? O que nossos espiões estão nos dizendo? Era difícil confessar que não havia nenhum espião soviético que valesse um tostão — todos tinham sido presos e mortos, e ninguém na CIA sabia por quê.

A agência queria se dirigir para o leste, como um herói conquistador, e capturar os serviços de inteligência da Tchecoslováquia, da Polônia e da Alemanha Oriental, mas a Casa Branca recomendou cautela. O melhor que a CIA podia fazer de início era treinar as equipes de segurança de novos líderes, como o dramaturgo tcheco Vaclav Havel, e oferecer o máximo de dólares por arquivos roubados da Stasi, que um belo dia começaram a cair de uma janela em Berlim Oriental, jogados nas ruas por uma multidão de saqueadores que derrubava a polícia secreta.

Os serviços de inteligência do comunismo soviético eram instrumentos de repressão enormes e precisos. Serviram acima de tudo para espionar seus próprios cidadãos, para aterrorizá-los, para tentar controlá-los. Maiores e mais cruéis do que a CIA, tinham derrotado seus inimigos em muitas batalhas no exterior, mas perderam a guerra, destruídos pela brutalidade e banalidade do Estado soviético.

O declínio dos soviéticos partiu o coração da CIA. Como a agência poderia viver sem seu inimigo? "Houve um tempo em que era fácil para a CIA ser única e mítica", disse Milt Bearden. "Não era uma instituição. Era uma missão. E a missão era uma cruzada. Então tiraram a União Soviética de nós e não havia mais nada. Não temos uma história. Não temos um herói. Até nossas medalhas são secretas. E agora a missão acabou. *Fini.*"

Centenas de veteranos do serviço clandestino declararam vitória e se retiraram. Um entre muitos era Phil Giraldi, que começou como oficial de campo em Roma e terminou, dezesseis anos depois, como chefe da base em Barcelona. Seu parceiro no posto de Roma tinha sido um Ph.D. em política italiana. Em Barcelona, era uma major inglesa que não falava espanhol.

"A tragédia final é espiritual", disse ele. "A maioria dos oficiais mais jovens que eu conhecia renunciou. Esses eram os melhores e mais brilhantes. Oitenta ou 90% das pessoas que eu conhecia fizeram suas malas, na metade de suas carreiras. Restava pouquíssima motivação. O entusiasmo se fora. Quando ingressei na agência, em 76, havia um tribalismo. O espírito de equipe que a agência tinha foi criado por esse tribalismo, e serviu a um bom propósito." E agora ele desaparecia, e a maior parte do serviço clandestino se foi com ele.

Já em 1990, "aquilo estava rapidamente se tornando uma situação muito ruim", disse Arnold Donahue, um veterano da agência encarregado dos orçamentos de segurança nacional durante o governo Bush. Cada vez que a Casa Branca queria "mais dez ou quinze pessoas clandestinas em ação para descobrir o que estava acontecendo" na Somália ou nos Bálcãs, onde quer que a crise do momento surgisse, perguntava à CIA: "Existe algum grupo de pessoas pronto para ir?" E a resposta era sempre: "De jeito nenhum."

## "ADAPTE-SE OU MORRA"

Em 8 de maio de 1991, o presidente Bush chamou Bob Gates à cabine da frente a bordo do *Air Force One*, e lhe pediu para aceitar o cargo de diretor da central de inteligência. Gates ficou excitado e ao mesmo tempo ligeiramente apavorado. As audiências para confirmá-lo no cargo se transformaram num massacre; o julgamento durou seis meses. Ele foi açoitado pelos pecados de Bill Casey e menosprezado por seu próprio pessoal. Gates queria cuidar do futuro da CIA, mas as audiências se tornaram uma batalha sobre o passado da agência. Deram voz a uma multidão de analistas irados, que Gates e Casey haviam maltratado durante anos. A raiva deles era profissional e pessoal. Eles atacaram a cultura de engano e curto-engano da CIA. Harold Ford, que atuara com destaque ao longo de quarenta anos, disse que Gates — e a própria CIA — estava "completamente errado" em relação aos fatos da vida dentro da União Soviética. Essas duas palavras puseram em questão a razão de ser da Agência Central de Inteligência.

Bastante abalado, Gates se sentiu como um lutador de boxe que mal conseguia responder ao gongo para o segundo round. Mas conseguiu convencer os senadores de que eles seriam seus parceiros em "uma oportunidade, que não deve ser perdida, de reavaliar o papel, a missão, as prioridades e a estrutura da inteligência americana". Devia os votos que ganhou em grande parte ao diretor de equipe e diretor-assistente da comissão de inteligência do Senado, o futuro diretor da central de inteligência George J. Tenet. Aos 37 anos, incrivelmente ambicioso, bastante sociável, filho de imigrantes gregos que tinham uma casa de hambúrgueres na periferia do Queens chamada 20th Century Diner, Tenet era a quintessência do homem de equipe: trabalhava duro, era leal a seus chefes e ansiava por agradar. Ele organizou as provas para os senadores que só queriam evidências de que Gates lhes cederia poder para ganhar uma parcela de seu próprio domínio.

Enquanto Gates agonizava em Washington, a CIA vivia alguns momentos desconcertantes no exterior. Em agosto de 1991, enquanto um golpe contra

Gorbatchov fracassava e a União Soviética começava a cair, a CIA enviava relatórios ao vivo de Moscou, do melhor lugar da casa — a sede da inteligência soviética, na Praça Dzerzhinsky. Uma das estrelas da divisão soviética, Michael Sulick, seguiu para a Lituânia quando esta proclamou sua independência, tornando-se o primeiro agente da CIA a pôr os pés numa ex-república soviética. Apresentou-se abertamente aos novos líderes da nação emergente e se ofereceu para ajudá-los a criar um serviço de inteligência. Acabou sendo convidado para trabalhar nos escritórios do novo vice-presidente, Karol Motieka. "Sentar-me sozinho no gabinete do vice-presidente foi algo surrealista para um funcionário da CIA que passara toda a sua carreira combatendo a União Soviética", escreveu Sulick na revista da agência. "Se apenas alguns meses antes eu estivesse sozinho no gabinete do vice-presidente de uma república soviética, eu teria pensado que havia conseguido a fonte máxima de inteligência. Quando me sentei à mesa de Motieka, com documentos espalhados, meu único objetivo era telefonar para Varsóvia."

Os pedaços e fragmentos de inteligência contrabandeados com tanta dificuldade pelos espiões nunca chegaram perto de formar um bom quadro da União Soviética. Ao longo de toda a guerra fria, a CIA controlara precisamente três agentes capazes de fornecer segredos de valor duradouro sobre a ameaça militar soviética, e todos foram presos e executados. Satélites espiões contaram tanques e mísseis com precisão, mas agora os números pareciam irrelevantes. Microfones ocultos e escutas eletrônicas captaram bilhões de palavras, e agora elas perdiam seu significado.

"*Novo mundo lá fora. Adapte-se ou morra*", escreveu Gates num bloco de anotações antes de dois dias de reuniões com os líderes do serviço clandestino, em 7 e 8 de novembro de 1991, imediatamente depois de prestar juramento como diretor da central de inteligência. Na semana seguinte, Bush enviou uma ordem assinada aos membros de seu gabinete, rotulada de Análise de Segurança Nacional 29. Gates a formulara ao longo dos cinco meses anteriores. A ordem pedia a cada braço do governo que definisse o que queria da inteligência nos próximos quinze anos. "Esse esforço", anunciou Gates a uma audiência de centenas de funcionários da CIA, era "uma tarefa monumental e histórica".

A análise de segurança nacional tinha a assinatura de Bush. Mas era um apelo de Gates ao resto do governo: *simplesmente nos digam o que querem*. Ele sabia que a agência tinha que passar por mudanças para sobreviver. Richard Kerr, vice-diretor da central de inteligência durante quatro anos do governo

Bush, especulou em voz alta se haveria uma CIA nos dias vindouros. A agência estava vivendo "uma revolução tanto quanto a ex-União Soviética", disse ele. "Perdemos a simplicidade de objetivo ou coesão que essencialmente direcionou não apenas a inteligência, mas esse país, por mais de quarenta anos." O consenso sobre onde estavam os interesses americanos e como a CIA deveria agir havia acabado.

Gates emitiu um boletim de imprensa que descrevia a análise de segurança nacional como "a mais abrangente diretriz para avaliar as futuras necessidades e prioridades da inteligência desde 1947". Mas quais eram essas necessidades? Durante a guerra fria, nenhum presidente e nenhum diretor da central de inteligência jamais tivera que perguntar. A nova CIA deveria se concentrar nos miseráveis do mundo ou no crescimento dos mercados globais? O que era mais ameaçador, o terrorismo ou a tecnologia? Durante o inverno, Gates fez sua lista de tarefas para o novo mundo, completou-a em fevereiro e a apresentou ao Congresso em 2 de abril de 1992. O texto final incluía 176 ameaças, de mudanças climáticas a crimes cibernéticos. No topo da lista estavam as armas nucleares, químicas e biológicas. Depois vinham os narcóticos e o terrorismo — os dois itens estavam combinados, como "drogas e criminosos"; o terrorismo ainda era um assunto de segunda ordem — e em seguida o comércio mundial e as surpresas tecnológicas. Mas esses itens não se comparavam à imensidão da União Soviética.

O presidente Bush decidiu reduzir o tamanho da agência e mudar o foco sobre o alvo. Gates concordou. Era uma resposta razoável ao fim da guerra fria. Então o poder da CIA foi reduzido deliberadamente. Todos acharam que a CIA ficaria mais eficiente se fosse menor. O orçamento da inteligência começou a diminuir em 1991, e caiu durante os seis anos seguintes. Os cortes causaram danos em 1992, no momento em que a CIA foi instruída a aumentar dramaticamente seu apoio a operações militares do dia-a-dia. Mais de vinte postos avançados da CIA foram fechados, alguns grandes postos nas principais capitais tiveram seu tamanho reduzido em mais de 60% e o número de oficiais do serviço clandestino que trabalhavam no exterior despencou. Os analistas foram mais duramente atingidos. Doug MacEachin, agora seu chefe, disse que achava difícil fazer análises sérias com "uma penca de jovens de 19 anos com rotatividade de dois anos". Havia um certo exagero nisso, mas não muito.

"Tensões aumentando enquanto orçamento aperta", escreveu Gates num diário de trabalho particular, pouco depois de seu juramento. Os cortes continuaram acontecendo e, nos anos seguintes, Bush e muitos outros culparam os liberais radicais por eles. Os registros mostram que os cortes também foram trabalho de Bush. Estavam no espírito da época, captados num comercial de televisão gravado por Bill Colby para um grupo de pressão chamado Coalizão Para Valores Democráticos quando a temporada das eleições de 1992 começou.

"Sou William Colby e fui chefe da CIA", dizia ele. "O trabalho da inteligência é nos advertir sobre os perigos para nossas forças armadas. Agora a guerra fria acabou e a ameaça militar é bem menor. Agora é hora de cortar nossos gastos militares em 50% e investir esse dinheiro em nossas escolas, na saúde pública e em nossa economia." Esse foi o famoso dividendo da paz.

Mas essa paz provou ser tão passageira quanto tinha sido depois da Segunda Guerra Mundial. Dessa vez não houve desfiles de vitória, e os veteranos da guerra fria tinham motivos para chorar a morte do inimigo desaparecido.

"Para se envolver com espionagem, é preciso motivação", disse-me certa vez Richard Helms, seus olhos estreitados e sua voz baixa e urgente. "Não é diversão e jogos. É sujo e perigoso. Sempre há uma possibilidade de ser apanhado. Na Segunda Guerra Mundial, no OSS, sabíamos qual era a nossa motivação: *derrotar os malditos nazistas*. Na guerra fria, sabíamos qual era a nossa motivação: *derrotar os malditos russos*. De repente a guerra fria acabou, e qual era a motivação? O que levaria alguém a passar sua vida fazendo aquele tipo de coisa?"

Gates passou um ano tentando responder a essas perguntas — dias a fio testemunhando no Capitólio, angariando apoio político, fazendo discursos públicos, comandando forças-tarefas e mesas-redondas, prometendo mais inteligência para os militares, menos pressão política sobre os analistas, um ataque total às dez principais ameaças, uma nova CIA, uma CIA melhor. Nunca teve tempo para realizar nenhuma dessas visões. Estava no cargo havia dez meses quando teve que deixar seu trabalho de lado, voar para Little Rock e passar informações para o homem que seria o próximo presidente dos Estados Unidos.

# PARTE SEIS

---

*O acerto de contas*

A CIA sob Clinton e George W. Bush

1993 a 2007

---

# 44 "NÃO TÍNHAMOS NENHUM FATO"

Desde Calvin Coolidge, nenhum comandante-em-chefe chegara à Casa Branca pensando menos no mundo como um todo do que Bill Clinton. Quando ele girava o globo, este sempre acabava seu giro diante dos Estados Unidos.

Nascido em 1946, mais jovem do que a CIA, Clinton foi moldado pela resistência nacional ao Vietnã e ao serviço militar, aperfeiçoado como político pelos assuntos estaduais e locais do Arkansas e eleito com a promessa de recuperar a economia americana. Nenhum aspecto da política externa fazia parte dos cinco principais itens de sua agenda. Ele não tinha qualquer reflexão profunda sobre os interesses estratégicos dos EUA depois da guerra fria. Via seu período no governo como "um momento de imensas oportunidades democráticas e empreendedoras", nas palavras de seu assessor de Segurança Nacional, Tony Lake. O governo tinha oito meses quando Lake apresentou a nova política externa dos Estados Unidos: aumentar o número de mercados livres no mundo. Era um plano de negócios mais que uma política. Clinton equalizou o comércio livre com a liberdade, como se vender bens americanos fosse o mesmo que disseminar os valores americanos no exterior.

A equipe de Segurança Nacional de Clinton ficava em segundo plano. Ele escolheu o congressista de nobres princípios mas cabeça-de-vento Les Aspin para secretário de Defesa; Aspin durou menos de um ano. Escolheu o renomado advogado Warren Christopher para secretário de Estado; Christopher era formal e distante, e lidava com assuntos internacionais como se fossem casos judiciais. E, no último minuto, Clinton selecionou um irritadiço veterano da equipe do Conselho de Segurança Nacional de Richard Nixon para diretor da central de inteligência.

R. James Woolsey Jr. era um advogado de 51 anos e um experiente negociador de controle de armas que havia sido subsecretário da Marinha no governo de Carter. Suas têmporas salientes e sua mordacidade davam a impressão de que era um tubarão-martelo. Um mês depois da eleição de Clinton, Woolsey fez um discurso bastante notado, dizendo que os Estados Unidos haviam lutado contra o dragão durante 45 anos e finalmente o mataram, apenas para se descobrirem numa selva cheia de cobras venenosas. Ninguém articulou uma visão mais clara para a inteligência americana depois da guerra fria. Poucos dias depois ele recebeu um chamado, voou para Little Rock e se encontrou com Clinton depois da meia-noite, em 22 de dezembro. O relaxado presidente eleito falou de sua juventude no Arkansas e perguntou sobre a infância de Woolsey ali perto, em Oklahoma, levando-o a fazer uma breve retrospectiva até as lembranças dos anos 1950. Ao amanhecer, Woolsey soube que seria o próximo diretor da central de inteligência.

Quinze minutos antes do anúncio formal naquela manhã, Dee Dee Myers, secretária de imprensa de Clinton, examinou sua anotações e disse: "Almirante, eu não sabia que o senhor também trabalhou no governo Bush."

"Dee Dee, eu não sou almirante", disse Woolsey. "Nunca passei de capitão no exército."

"Opa", disse ela, "é melhor mudarmos o comunicado à imprensa."

Ele escapou o mais rápido que pôde. Como o aeroporto estava coberto por uma neblina, Woolsey obrigou um agente da CIA a levá-lo de carro para Dallas, de onde ele poderia voar para a Califórnia, para o Natal. Este seria seu último ato de livre-arbítrio durante um longo tempo. Ele estava prestes a se tornar um prisioneiro de guerra na CIA.

Ele se encontrou precisamente duas vezes com o presidente dos Estados Unidos ao longo dos dois anos seguintes — o menor número de vezes da história da agência. "Eu não tinha uma relação ruim com o presidente", disse ele anos depois. "Eu simplesmente não tinha uma relação."

Os mais altos oficiais da CIA serviam a um diretor que eles sabiam não ter a menor influência, e a um presidente que eles achavam que não tinha a menor noção. "Tínhamos uma relação fabulosa com a Casa Branca de Bush — festas de Natal em Camp David, esse tipo de coisa", disse Tom Twetten, chefe do serviço clandestino do início de 1991 até o fim de 1993. "E fomos disso para nada. Depois de seis meses com Clinton, nós nos demos conta de que ninguém tinha visto o presidente nem o Conselho de Segurança Nacional." A CIA não tinha poder sem a direção do presidente. Era um navio perdido, à deriva.

Embora Clinton tenha chegado ao poder ignorando deliberadamente a CIA, ele rapidamente recorreu ao serviço clandestino para resolver seus problemas no exterior, e encomendou dezenas de propostas de ações secretas durante seus primeiros dois anos no cargo. Quando estas não conseguiam produzir resultados rápidos, ele era forçado a recorrer a seus comandantes militares, e quase todos o menosprezavam por ter driblado o serviço militar. Os resultados foram terríveis.

## "NÃO HAVIA NENHUMA REDE DE INTELIGÊNCIA"

"Não houve teste mais duro do que a Somália", disse Frank G. Wisner Jr., filho do fundador do serviço clandestino da CIA.

A Somália foi uma vítima da guerra fria. O fornecimento de armas em atacado a suas facções rivais pelos Estados Unidos e pela União Soviética deixou arsenais enormes para clãs em guerra. Na véspera do Dia de Ação de Graças de 1992, o presidente Bush autorizou uma intervenção militar americana com objetivos humanitários. Meio milhão de pessoas tinham morrido de fome na Somália; dez mil morriam por dia quando o governo Bush chegou ao fim. Agora, os clãs estavam roubando alimentos enviados como ajuda e seus membros matavam uns aos outros. A missão de alimentar pessoas à beira da morte rapidamente se transformou numa operação militar contra o mais forte ditador somali, o general Mohamed Farah Aidid. No dia de sua posse, em 1993, depois de atuar por um momento como secretário de Estado em exercício, Wisner se mudou para o Pentágono como subsecretário de Defesa para política pública. Ele olhou para a Somália e viu um vazio. O governo Bush fechara a embaixada americana e o posto da CIA dois anos antes.

"Não tínhamos nenhum fato", disse Wisner. "Não havia nenhuma rede de inteligência. Não havia maneira alguma de conhecer a dinâmica." Este era um problema para Wisner resolver, com ajuda da CIA. Ele criou a Força-Tarefa da Somália, que deslocou comandos de forças especiais americanas, e recorreu à agência para que esta atuasse como seus olhos e ouvidos em terra. Esse trabalho caiu nas mãos de Garrett Jones, o recém-nomeado chefe do posto na

Somália. Antes detetive da polícia em Miami, Jones foi jogado no meio do nada, com sete oficiais abaixo dele e a tarefa de derrubar um exército de guerreiros diante de si. Seu centro de comando era uma sala saqueada da residência abandonada do embaixador em Mogadíscio. Em questão de dias, seu melhor agente somali se matou com um tiro na cabeça, outro foi morto por um foguete disparado de um helicóptero americano, seu subchefe no posto foi atingido no pescoço por um franco-atirador e quase morreu, e Jones se viu liderando uma caçada humana a Aidid e seus homens numa série de becos sem saída. Essa rota levou à morte de dezoito soldados americanos num confronto em que morreram 1.200 somalis.

Uma autópsia da Somália foi feita pelo almirante William Crowe, que se aposentara como chefe do Estado-Maior Conjunto para se tornar o líder do Grupo de Assessoria em Inteligência Externa do Presidente, o conselho de especialistas criado por Eisenhower. O grupo investigou e concluiu que "a falha da inteligência na Somália estava exatamente no Conselho de Segurança Nacional", disse o almirante Crowe. "Esperavam que a inteligência tomasse decisões por eles, e não que apenas lhes desse informações sobre o que estava acontecendo lá. Eles não conseguiam entender por que a inteligência não os aconselhava corretamente sobre o que fazer."

"Fizeram uma confusão considerável no topo do poder sobre o que estava acontecendo na Somália", disse Crowe. "O próprio presidente não estava muito interessado em inteligência, o que era o mais triste."

O resultado foi uma desconfiança ainda maior entre a Casa Branca e a CIA.

## "REVIDANDO COM BASTANTE EFICIÊNCIA CONTRA FAXINEIRAS IRAQUIANAS"

No início de 1993, o terrorismo não era um assunto em primeiro plano na maioria das cabeças da agência. Os Estados Unidos não haviam realizado qualquer ação significativa contra as fontes do terror desde que tinham sido apanhados vendendo mísseis para o Irã. Todos os americanos tomados como reféns durante os anos Reagan voltaram de Beirute em 1991, embora Bill Buckley tenha retornado dentro de um caixão. Em 1992, houve uma discussão séria sobre fechar o centro de contraterrorismo da CIA. As coisas andavam quietas. As pessoas acharam que o problema talvez tivesse se resolvido sozinho.

Pouco depois do amanhecer de 25 de janeiro de 1993, o quinto dia do governo Clinton, Nicholas Starr, um funcionário de carreira da CIA, de 60 anos,
era o primeiro numa fila de carros diante de um sinal de trânsito em frente à
entrada principal da sede da agência. O sinal estava demorando muito tempo
para ficar verde e os carros se enfileiravam até o horizonte na Rota 123, aguardando para entrar no bosque tranqüilo da sede da CIA. Às 7h50, um jovem
paquistanês saiu de seu carro e começou a disparar um fuzil de assalto AK-47.
Ele atirou primeiro em Frank Darling, 28 anos, que trabalhava como comunicador de operações secretas, atingindo-o no ombro direito, enquanto sua
mulher gritava horrorizada. O pistoleiro girou, disparou e matou o dr. Lansing
Bennett, 66, médico da CIA. Virou-se e atingiu Nick Starr no braço esquerdo e
no ombro, depois atirou em Calvin Morgan, 61, engenheiro da CIA, e em
Stephen Williams, 48, mais tarde identificado em registros judiciais como funcionário da CIA. O matador se virou novamente e explodiu a cabeça de
Darling com um tiro. E em seguida fugiu em seu carro. Tudo aconteceu em meio
minuto. Gravemente ferido, Nick Starr conseguiu de alguma maneira chegar à
guarita nos portões da CIA e acionar o alarme.

O presidente Clinton nunca foi à CIA para prestar respeito aos mortos e
feridos. Enviou sua mulher em seu lugar. É difícil exagerar a intensidade da
fúria que gerou na sede. Quando Fred Woodruff, chefe em exercício do posto
em Tbilisi, Geórgia, foi baleado e morto num assassinato aparentemente aleatório naquele verão quando fazia uma viagem de excursão, Woolsey fez questão de viajar meio mundo de avião para receber seus restos mortais.

Em 26 de fevereiro de 1993, um mês depois dos tiros diante dos portões da
agência, uma bomba explodiu num estacionamento subterrâneo do World
Trade Center. Seis pessoas morreram e mais de mil ficaram feridas. O FBI achou
de início que era uma ação de separatistas balcânicos, mas uma semana depois
ficou claro que os criminosos eram assistentes de um xeque egípcio cego que
vivia no Brooklyn — Omar Abdel Rahman. Seu nome fez soar um grande alarme na sede da CIA. O xeque cego havia recrutado muitas centenas de combatentes árabes para a guerra contra os soviéticos no Afeganistão sob a bandeira
do Al Gama'a al Islamiyya, o Grupo Islâmico. Julgado e absolvido em 1981 pelo
assassinato do presidente Anwar el-Sadat, ele permaneceu, no entanto, em prisão domiciliar no Egito até 1986. Assim que saiu da prisão no Egito, começou
a tentar entrar nos Estados Unidos. Conseguiu em 1990. Mas como? O xeque

era um conhecido agitador — e, conforme se veria depois, o líder espiritual de uma conspiração para matar milhares de americanos.

Seu visto de entrada no país fora expedido na capital do Sudão — "por um membro da Agência Central de Inteligência em Cartum", disse Joe O'Neill, o *chargé d'affaires* da embaixada americana. "A agência sabia que ele estava viajando pela região à procura de um visto, e nunca nos disse." Só pode ter sido um erro, pensou O'Neill. "Aquele nome deveria ter soado como um tiro." Na verdade, oficiais da CIA analisaram sete pedidos de Abdel Rahman para entrar nos Estados Unidos — e disseram sim seis vezes. "Não consigo expressar como é terrível que aquilo tenha acontecido", disse O'Neill. "Foi uma barbaridade."

Em 14 de abril de 1993, George H. W. Bush chegou ao Kuwait para comemorar a vitória na Guerra do Golfo. Sua mulher, dois de seus filhos e o ex-secretário de Estado Jim Baker estavam entre seus acompanhantes. Nessa viagem, a polícia secreta kuwaitiana prendeu dezessete homens e os acusou de planejar matar Bush com um carro-bomba — quase 90 quilos de explosivos plásticos escondidos num Toyota Land Cruiser. Sob tortura, alguns dos suspeitos confessaram que o serviço de inteligência do Iraque estava por trás da tentativa de assassinato. Em 29 de abril, técnicos da CIA relataram que a fabricação da bomba tinha uma assinatura iraquiana. Poucos dias depois, o FBI começou a interrogar os suspeitos. Dois deles disseram que tinham sido enviados pelo Iraque. A única peça do quebra-cabeça que parecia não se encaixar eram os próprios suspeitos. Eles eram na maioria contrabandistas de uísque, traficantes de haxixe e veteranos com traumas de guerra. Mas a CIA acabou concluindo que Saddam Hussein tentara matar o presidente Bush.

No mês seguinte, o presidente Clinton determinou uma resposta. Por volta de 1h30 de 26 de junho, no dia de descanso dos muçulmanos, 23 mísseis Tomahawk caíram dentro e em volta da sede da inteligência iraquiana, um complexo de sete grandes prédios dentro de uma área murada no centro de Bagdá. Pelo menos um dos mísseis atingiu um prédio de apartamentos e matou vários civis inocentes, incluindo uma proeminente artista iraquiana e seu marido. O general Colin Powell, chefe do Estado-Maior Conjunto, disse que o bombardeio tinha a intenção de ser "proporcional ao ataque ao presidente Bush".

O diretor da central de inteligência ficou furioso com o senso de proporção do presidente. "Saddam tenta assassinar o ex-presidente Bush", disse Woolsey anos depois, "e o presidente Clinton dispara duas dúzias de mísseis contra um prédio vazio no meio da noite em Bagdá, revidando com bastante eficiência contra faxineiras e vigias noturnos iraquianos, mas não com eficiência especial contra Saddam Hussein." Não muito tempo depois, observou ele, "nossos helicópteros foram derrubados a tiros em Mogadíscio e — assim como em Beirute dez anos antes — nós fomos embora."

Com as imagens dos Rangers do exército mortos sendo arrastados nas ruas de Mogadíscio ainda frescas na mente dos americanos, Clinton começou a restaurar o poder do presidente eleito do Haiti, o padre esquerdista Jean-Bertrand Aristide. Ele realmente via Aristide como um governante legítimo do povo haitiano e queria que justiça fosse feita. Isso exigia desfazer a junta militar que depusera Aristide. Muitos dos líderes da junta figuraram na folha de pagamento da CIA durante anos, servindo como informantes confiáveis do serviço clandestino. Esse fato foi uma surpresa desagradável para a Casa Branca. Assim como a revelação de que a agência criara um serviço de inteligência haitiano cujos líderes militares pouco fizeram além de distribuir cocaína colombiana, destruir seus inimigos políticos e preservar seu poder na capital, Porto Príncipe. Agora a agência estava na desconfortável posição de derrubar seus próprios agentes.

Isso pôs Clinton e a CIA em conflito direto, assim como a precisa avaliação da CIA de que Aristide não era um pilar de força ou integridade. Woolsey observou o conflito como ideológico. O presidente e seus assessores "queriam desesperadamente que nós na CIA disséssemos que Aristide efetivamente seria o Thomas Jefferson do Haiti", relembrou ele. "Um tanto irritados, nós nos recusamos a fazer isso e destacamos tanto seu lado limitado como algumas coisas positivas sobre ele. Não fomos admirados por isso." Woolsey estava apenas parcialmente certo. A Casa Branca achou inconveniente a análise da CIA sobre as fraquezas de Aristide. Mas achou também abomináveis os antigos aliados da agência no Haiti.

Furioso quando a CIA o desafiou no Haiti, paralisado por sua incapacidade de formular uma política externa e desconcertado com a derrubada de helicópteros na Somália, o presidente queria se afastar por um tempo das aventuras no terceiro mundo. Mas logo que começaram a se retirar do Chifre da África — onde chegaram em missão humanitária e acabaram matando e sendo mortos —, soldados e espiões americanos foram chamados para salvar vidas em Ruanda, onde duas tribos estavam se trucidando.

No fim de janeiro de 1994, a Casa Branca ignorou solenemente um estudo da CIA dizendo que meio milhão de pessoas poderiam morrer em Ruanda. Logo o conflito explodiu e se tornou um dos grandes desastres provocados pelo homem no século XX. "Ninguém estava realmente atento à seriedade da situação, até que as coisas fugiram do controle", disse Mort Halperin, na época membro do Conselho de Segurança Nacional de Clinton. "Não havia qualquer recurso visual e faltava um monte de informação." Relutando em se envolver com nações onde o sofrimento não era televisionado, o governo Clinton se recusou a chamar de genocídio o massacre unilateral. A reação do presidente a Ruanda foi uma decisão de definir estritamente os interesses nacionais dos EUA no destino de Estados fracassados e distantes cujos colapsos não afetariam diretamente os Estados Unidos — lugares como Somália, Sudão e Afeganistão.

### "EXPLODA A CIA"

Woolsey perdeu quase todas as lutas que escolheu, e houve muitas. Quando ficou claro que ele não conseguiria recuperar o dinheiro e o poder da CIA, a maioria das estrelas restantes da geração da guerra fria começou a apagar a luz e ir para casa. Os veteranos foram os primeiros a desaparecer. Depois, os oficiais promissores de 30 ou 40 e poucos anos caíram fora para iniciar novas carreiras. Recrutar novos talentos, pessoas de 20 e poucos anos, ficava cada vez mais difícil a cada ano.

Os poderes intelectuais e operacionais da CIA estavam desaparecendo. A sede era dirigida por burocratas profissionais que repartiam os fundos cada vez menores sem qualquer compreensão sobre o que funcionava e o que não funcionava na prática. Eles não tinham qualquer sistema para distinguir programas bem-sucedidos de outros que não funcionavam. Sem um critério para avaliar sucessos e fracassos, tinham pouca noção de como distribuir seus jogadores em campo. Enquanto o número de operadores e analistas experientes da CIA diminuía, a autoridade do diretor da central de inteligência era minada por seu próprio gerenciamento de um nível médio inchado, um grupo crescente de auxiliares especiais, assistentes de equipe e forças-tarefas que transbordava da sede para escritórios alugados nos shopping-centers e parques industriais de Virgínia.

Woolsey se viu presidindo uma burocracia secreta cada vez mais desconectada do resto do governo americano. Como um hospital de cidade grande cujas más práticas pioram a saúde de seus pacientes, a CIA cometia erros como parte de suas operações diárias. A inteligência americana começava a se parecer com uma "criatura de Frankenstein", escreveu James Monnier Simon Jr., chefe administrativo da CIA na virada do século — "uma combinação de peças que se encaixavam mal, colocadas em momentos diferentes, por trabalhadores diferentes, e às vezes indiferentes", sofrendo com "um sistema nervoso defeituoso que compromete sua coordenação e seu equilíbrio".

Os problemas eram complicados demais para um conserto rápido. Como uma nave espacial, a agência era um sistema complexo que poderia explodir se um simples componente falhasse. A única pessoa com poder para começar a encaixar as peças era o presidente dos Estados Unidos. Mas Clinton não encontrava tempo para compreender o que era a CIA, como ela trabalhava, ou onde ela se inseria com o resto do governo americano. O presidente delegou tudo isso a George Tenet, que ele levara para a Casa Branca como diretor de inteligência da equipe do Conselho de Segurança Nacional.

Após quatorze meses de governo Clinton, Tenet refletia diante de um expresso duplo e um charuto numa cafeteria a dois quarteirões da Casa Branca. O que ele achava que deveria ser feito para mudar a agência? "Detone a CIA", disse Tenet. É claro que ele quis dizer uma destruição criativa, uma reconstrução desde a base. Mas foi uma significativa escolha de palavras.

# 45 "POR QUE NÓS NÃO SABÍAMOS?"

Fred Hitz, o inspetor-geral da CIA, disse que seu trabalho era caminhar no campo de batalha enquanto a fumaça se dissipava e atirar nos feridos. Suas investigações internas foram meticulosas e impiedosas. Ele era da velha guarda da agência, tendo sido recrutado no ano em que se formou em Princeton, depois de indicado pelo reitor dos estudantes. Como o destino mostraria, seu maior caso envolveu um colega de sala do grupo de treinamento para carreira na CIA de 1967, um alcoólatra da antiga divisão soviética desmascarado, chamado Aldrich Hazen Ames.

Em 21 de fevereiro de 1994, Dia do Presidente, uma equipe de agentes do FBI tirou Ames de seu Jaguar quando ele deixava sua casa num subúrbio para ir à sede, algemou-o e o levou para sempre. Fui visitá-lo na prisão do condado de Alexandria. Era um homem grisalho de 53 anos que espionara para os soviéticos durante quase nove anos. Logo seria enviado para uma vida em confinamento solitário, e estava ansioso para falar.

Ames era um sujeito insatisfeito e dissimulado que conseguira o emprego na agência porque seu pai já havia trabalhado ali. Falava russo razoavelmente e escrevia relatórios legíveis quando estava sóbrio, mas seus registros pessoais eram uma crônica de embriaguez e inaptidão. Fracassara em escala crescente durante dezessete anos. Em 1985, chegara ao auge: tornara-se chefe da contra-inteligência para a União Soviética e a Europa Oriental. Era conhecido como um alcoólatra rebelde. Mas a agência lhe deu acesso aos arquivos de quase todos os trabalhos de espionagem importantes para os Estados Unidos por trás da cortina de ferro.

Ele passara a desdenhar da CIA. Achava um absurdo dizer que a ameaça soviética aos Estados Unidos era imensa e crescente. Concluíra que seu conhecimento era melhor. Ele recordava ter pensado: "Eu sei o que a União Soviética de fato pretende, e sei o que é melhor para a política externa e a segurança nacional. E vou agir em cima disso."

Ames conseguiu permissão de seus superiores para se encontrar com um oficial da embaixada soviética em Washington, fingindo que conseguiria recrutar o russo. Em abril de 1985, em troca de US$ 50 mil, ele entregou ao oficial da inteligência soviética os nomes de três cidadãos soviéticos que trabalhavam para a CIA. Em seguida, alguns meses depois, deu todos os nomes que sabia. Moscou reservou US$ 2 milhões para ele.

Um a um, os espiões dos EUA dentro da União Soviética foram detidos, julgados, aprisionados e executados. Enquanto eles morriam, disse Ames, "sinos e apitos" soaram dentro do serviço clandestino. "Era como se luzes de néon e refletores se acendessem em todo o Kremlin e iluminassem todo o caminho ao longo do oceano Atlântico, dizendo, 'Existe infiltração'." Mas os líderes da CIA se recusaram a acreditar que um de seus próprios homens os traíra. Usando agentes duplos e ardis, a KGB manipulou habilidosamente as percepções da CIA sobre o caso. Tinha que ser uma escuta eletrônica. Não poderia ser um agente duplo.

Ames também forneceu a Moscou a identidade de centenas de seus companheiros na CIA e um resumo completo do trabalho deles. "Seus nomes foram dados ao serviço de inteligência soviético, assim como detalhes de várias operações nas quais os Estados Unidos estavam envolvidos", disse Hitz. "Isso começou em 1985, mas continuou por um ou dois anos antes de sua prisão, e Ames era um ávido coletor de informações para suprir seu supervisor soviético. Então, em termos estritamente de inteligência, foi um horror."

A agência sabia que algo havia destruído suas operações soviéticas. Mas demorou sete anos para começar a encarar os fatos. A CIA era incapaz de investigar a si própria, e Ames sabia disso. "Você acabava diante de pessoas que levantavam os braços e diziam, 'Não podemos fazer isso'", disse ele, com um sorriso mal disfarçado. "Você tinha duas ou três ou quatro mil pessoas em volta fazendo espionagem. Você não consegue monitorar isso. Não consegue controlar. Não consegue checar. E esse provavelmente é o maior problema do serviço de espionagem. Ele tem que ser pequeno. No momento em que fica grande, fica como a KGB, ou como nós."

## "UMA VIOLAÇÃO DO MANDAMENTO NÚMERO UM"

Hitz demorou mais de um ano após a prisão para avaliar os danos que Ames havia causado. No final, descobriu que a própria CIA tinha sido parte de um elaborado ardil.

Entre os documentos mais sigilosos que a agência produziu durante e depois da guerra fria estavam os relatórios de "margem azul" — com uma listra azul do lado, que sinalizava sua importância — avaliando o poder de mísseis, tanques, jatos, bombardeiros, estratégias e táticas de Moscou. Eram assinados pelo diretor da central de inteligência e enviados ao presidente, ao secretário de Defesa e ao secretário de Estado. "A comunidade de inteligência existe para fazer isso", disse Hitz.

Durante oito anos, de 1986 a 1994, os altos oficiais da CIA responsáveis por esses relatórios souberam que algumas de suas fontes eram controladas pela inteligência russa. A agência conscientemente dera à Casa Branca informações manipuladas por Moscou — e deliberadamente escondera esse fato. Revelar que estava entregando informações erradas e falsas teria sido embaraçoso demais. Noventa e cinco desses relatórios corrompidos distorciam percepções americanas sobre o desenvolvimento militar e político em Moscou. Onze deles foram entregues diretamente aos presidentes Reagan, Bush e Clinton. Os relatórios desvirtuavam e reduziam a capacidade dos EUA de entender o que acontecia em Moscou.

"Aquilo foi uma descoberta incrível", disse Hitz. O principal funcionário da CIA responsável por esses relatórios insistia — assim como Ames fizera — que sabia mais. Ele sabia o que era verdadeiro e o que não era. O fato de que os relatórios vinham de agentes enganadores não significava nada. "Ele tomou aquelas decisões sozinho", disse Hitz. "Bem, aquilo foi chocante."

"O que ficou de todo aquele episódio foi um sentimento de que não se podia confiar na agência", disse Hitz. "Em resumo, era uma violação do Mandamento Número Um. E por isso teve um impacto tão destrutivo." Ao mentir para a Casa Branca, a CIA rompera "a confiança sagrada", disse Hitz, "e sem isso, nenhuma agência de espionagem consegue fazer seu trabalho".

## "O LUGAR PRECISA APENAS DE UMA REFORMA GERAL"

Woolsey reconheceu que o caso Ames revelou uma falta de cuidado institucional que beirava a negligência criminosa. "Quase se podia concluir não apenas que ninguém estava vigiando, mas que ninguém estava se importando", disse. Mas ele anunciou que ninguém seria demitido ou rebaixado devido à "falha sistêmica" da CIA no caso Ames. Em vez disso, enviou cartas de repreensão a seis ex-altos oficiais e cinco ainda na ativa, incluindo o chefe do serviço clandestino, Ted Price. Definiu as falhas como pecados de omissão e as atribuiu a uma cultura equivocada dentro da CIA, uma tradição de arrogância e negação.

Woolsey apresentou sua decisão à comissão de inteligência da Câmara na tarde de 28 de setembro de 1994. Causou má impressão. "Você fica imaginando se a CIA se tornou idêntica a qualquer outra burocracia", disse o presidente da comissão, Dan Glickman, um democrata de Kansas, ao sair da reunião. "Você fica imaginando se ela perdeu o dinamismo de sua missão única."

O caso Ames deu origem a um ataque à CIA cuja intensidade não tinha precedentes. Vinha da direita, da esquerda e do centro cada vez menor da política americana. Uma raiva misturada a uma sensação de ridículo — uma mistura diabólica — emanou da Casa Branca e do Congresso. Havia uma forte sensação de que o caso Ames não era uma aberração isolada, mas a prova de um apodrecimento estrutural. O tenente-general Bill Odom, que dirigira a Agência de Segurança Nacional no governo Reagan, disse que a solução era uma cirurgia radical.

"Eu estriparia a CIA", disse ele. "Ela está contaminada. E se você tomar medidas tímidas, continuará contaminada."

Esforçando-se para defender a agência de ataques externos e internos, Woolsey assegurou aos americanos que eles tinham o direito de perguntar para onde a CIA se dirigia. Mas ele perdera sua capacidade de traçar essa rota. Então, em 30 de setembro de 1994, o Congresso criou uma comissão para o futuro da CIA e deu a ela o poder de indicar um novo caminho para a agência no século XXI. O caso Ames havia criado uma chance de mudança que só aparecia uma vez a cada geração.

"O lugar precisa apenas de uma reforma geral", disse o senador Arlen Specter, da Pensilvânia, um republicano que trabalhara seis anos na comissão de inteligência do Senado.

O que era preciso era um impulso do presidente dos Estados Unidos, o que nunca aconteceu. Foram necessários três meses para escolher os dezessete membros da comissão, quatro meses para esboçar uma agenda e cinco meses para o grupo realizar sua primeira reunião formal. A comissão era dominada por membros do Congresso, em especial o deputado Porter J. Goss, um republicano conservador da Flórida. Goss passara um período insignificante no serviço clandestino nos anos 1960, mas era o único membro do Congresso que podia alegar ter uma experiência concreta na agência. A pessoa de fora de maior destaque era Paul Wolfowitz, que entrou no grupo achando que a capacidade da CIA de coletar informações secretas através da espionagem estava destruída, e que se tornaria um dos mais influentes membros do círculo interno do próximo presidente.

A comissão era liderada por Les Aspin, que perdera seu emprego de secretário de Defesa nove meses antes, tendo sido demitido devido a sua incapacidade de tomar decisões. Clinton o havia nomeado presidente do Grupo de Assessoria em Inteligência Externa do Presidente. Deprimido e desorganizado, Aspin fez grandes perguntas sem respostas claras: "O que isso tudo significa agora? Quais são os alvos agora? O que vocês estão tentando fazer?" Alguns meses depois, quando morreu repentinamente de um derrame aos 56 anos, a equipe da comissão estava desanimada e o trabalho, à deriva. Os membros da comissão seguiam em uma dúzia de direções diferentes, incapazes de decidir um destino.

O diretor do grupo, Britt Snider, proclamou: "Nosso objetivo é vender inteligência." Mas muitas testemunhas estavam advertindo que esse comércio não era a questão. Era o produto.

A comissão finalmente se reuniu e tomou depoimentos. Bob Gates — que três anos antes fizera a longa lista das 176 ameaças e alvos — dizia agora que a agência estava sobrecarregada com um multiplicidade de tarefas. Oficiais de investigação e chefes de postos diziam que o serviço clandestino estava se afogando em demasiados pedidos para fazer coisas demasiadamente sem importância, e em locais muito distantes. Por que a Casa Branca estava pedindo à CIA para relatar o crescimento do movimento evangélico na América Latina? Isso era realmente importante para a segurança nacional dos Estados Unidos? A agência conseguia realizar apenas algumas grandes missões. Digam-nos o que querem que façamos, imploravam os oficiais da CIA.

Mas a comissão não se concentrou em nada. Nem no ataque, em março de 1995, de uma seita religiosa que derramou gás sarin no metrô de Tóquio, matando doze pessoas e ferindo 3.769, um acontecimento que marcou a transfor-

mação do terrorismo de Estados-nações em terrorismo por iniciativa pessoal. Nem
no atentado a bomba, em abril de 1995, contra um prédio federal em Oklahoma
City, que matou 169 pessoas, o ataque com maior número de mortos em território americano desde Pearl Harbor. Nem na descoberta de um plano de militantes
islâmicos para explodir uma dúzia de aviões comerciais americanos sobre o Pacífico e lançar um jato seqüestrado contra a sede da CIA. Nem na advertência de
um funcionário da CIA de que um dia os Estados Unidos enfrentariam o "terrorismo aéreo" — um avião mergulhando contra um alvo. Nem no fato de que no
máximo três pessoas da comunidade da inteligência americana tinham a capacidade lingüística de compreender muçulmanos exaltados falando um com o outro. Nem na percepção de que a capacidade da CIA de analisar informações estava
sendo sufocada pela explosão de e-mails, computadores pessoais, telefones celulares e codificação publicamente disponível a comunicações privadas. Nem na
crescente percepção de que a CIA estava em estado de colapso.

O relatório — cuja elaboração demorou dezessete meses — não teve peso
algum, impacto algum. "O contraterrorismo recebeu pouca atenção", disse Loch
Johnson, membro da comissão. "Os limites das ações secretas nunca foram
definidos; a dificuldade de assumir responsabilidades continuou sendo des-
considerada." Ninguém que o tenha lido engoliu os argumentos paliativos de
que um pequeno e delicado ajuste consertaria a máquina.

Quando a comissão concluiu seu relatório, um total de 25 pessoas estavam
alistadas no centro de treinamento de carreira da CIA para jovens recrutas
novos. A capacidade da agência de atrair talentos era a mais baixa de todos os
tempos. Assim como sua reputação. O caso Ames tornara o futuro da CIA uma
vítima de sua história.

O serviço clandestino estava "terrivelmente preocupado com o que considerava números inadequados de pessoas na linha de frente", disse Fred Hitz na
época. "Conseguir as pessoas certas e colocá-las no lugar certo já é um problema diferente para resolver. Temos boas pessoas, mas não em número suficiente, e não temos pessoas suficientes nos lugares onde precisamos delas. Se o
presidente dos Estados Unidos e o Congresso dos Estados Unidos não ajuda-
rem, a única coisa que nos fará renascer ocorrerá tarde demais. Algum acontecimento terrível em algum lugar do mundo, talvez em nossa própria nação,
que nos obrigará a acordar, assim como Pearl Harbor nos fez acordar e dizer:
por que nós não sabíamos?"

# 46 "ESTAMOS COM PROBLEMAS"

No fim de 1994, Jim Woolsey gravou um discurso de despedida para seus soldados na CIA, enviou uma carta de renúncia à Casa Branca através de seu mensageiro e deixou a cidade às pressas. Bill Clinton procurou no governo alguém que quisesse e fosse capaz de assumir o emprego.

"O presidente me perguntou se eu estava interessado em ser o diretor da central de inteligência", disse o subsecretário de Defesa, John Deutch. "Eu deixei bem claro a ele que não estava. Vi meu amigo Jim Woolsey tendo tremendas dificuldades como diretor. Eu não via razão alguma para pensar que eu poderia ser melhor."

Está bem, reagiu Clinton, encontre alguém que possa. Seis semanas se passaram até Deutch conseguir recrutar para o emprego um general da força aérea reformado chamado Mike Carns. Outras seis semanas se passaram até a indicação balançar, cair e se estilhaçar.

"O presidente me pressionou afirmando que eu realmente tinha que fazer aquilo", disse Deutch. Assim começou uma lição curta e amarga sobre a ciência política da inteligência americana. Deutch tinha bons motivos para temer a tarefa. Estivera dentro e em torno dos círculos da segurança nacional durante três décadas, e sabia que nenhum diretor da central de inteligência jamais conseguira cumprir sua missão — atuar simultaneamente como chefe da inteligência americana e chefe executivo da CIA. Assim como Bill Casey, ele requisitou e obteve nível de gabinete, para assegurar a si próprio algum acesso ao presidente. Tinha esperanças de que pudesse se tornar secretário de Defesa se Clinton fosse reeleito em 1996. Mas sabia que a CIA estava num estado de turbulência que não poderia ser consertado em um ano ou dois.

"Acometida por uma liderança fraca, a agência está à deriva", escreveu um analista veterano da CIA, John Gentry, durante os primeiros dias de Deutch no cargo. "Há um mal-estar palpável. O nível de insatisfação dos funcionários do nível de gerência é muito alto. Oficiais de alto nível estão se debatendo também." A agência era liderada por "um corpo de oficiais de alto nível tão desprovido de capacidade de liderança que se torna amplamente incapaz de realizar ações criativas independentes". Com Clinton aparentemente contente em obter suas informações na CNN, escreveu Gentry, a CIA "não tinha ninguém para agradar".

Como secretário de Defesa, Deutch passara um ano analisando a inteligência americana com Woolsey, tentando obter uma trégua nas intermináveis guerras por dinheiro e poder entre o Pentágono e a CIA. Eles pegavam uma questão — digamos, proliferação de armas nucleares — e no fim do dia concluíam que era preciso fazer muito mais. Contra-inteligência? Depois de Ames, com certeza mais. Apoio a operações militares? Altamente importante. Inteligência humana? Mais espiões. Melhores análises? Absolutamente crucial. No fim da análise ficou claro que havia um número infinito de necessidades e uma quantidade finita de dinheiro e pessoal disponíveis para supri-las. A inteligência americana não poderia ser reformada de dentro para fora, e com certeza não estava sendo reformada de fora para dentro.

Tanto Deutch quanto Woolsey tinham a conhecida síndrome eu-sou-o-sujeito-mais-esperto-da-sala. A diferença era que Deutch freqüentemente *era* o mais esperto. Tinha sido reitor de ciências e superintendente do Instituto de Tecnologia de Massachusetts; seu campo era a físico-química, a ciência da transformação da matéria nos níveis molecular, atômico e subatômico. Ele podia explicar como um pedaço de carvão se torna um diamante. Começou a transformar a CIA sob esse tipo de pressão. Nas audiências para sua confirmação no cargo, prometeu mudar a cultura do serviço clandestino da CIA "até os ossos", mas não tinha qualquer idéia clara sobre como fazer isso. Assim como seus predecessores, foi aprender aos pés de Richard Helms.

Agora com 82 anos, Helms se comportava como um nobre britânico. Pouco depois de sua sessão de treinamento em política e estratégia para o novo diretor, almocei com ele num restaurante a dois quarteirões da Casa Branca. Helms saboreou uma cerveja vespertina sentado sob lentos ventiladores e confidenciou que Deutch estava instintivamente se afastando do serviço clandestino — "vendo-o como nada mais do que problemas. E nem é o primeiro a se distanciar. Ele precisa trabalhar para convencê-los de que está no time".

Em maio de 1995, alguns dias depois que Deutch se apresentou para o trabalho na sede da CIA, os líderes do serviço clandestino — sempre conscientes da necessidade de recrutar um novo chefe — apresentaram-lhe uma reluzente brochura intitulada "Uma Nova Direção. Um Novo Futuro". Era a lista dos dez principais alvos: armas nucleares contrabandeadas, terrorismo, fundamentalismo islâmico, apoio a operações militares, macroeconomia, Irã, Iraque, Coréia do Norte, Rússia e China. O novo diretor e seus espiões sabiam que a Casa Branca queria usar a CIA como uma Internet privada, um banco de dados sobre tudo, desde florestas tropicais até CDs piratas, e que sua atenção precisava de um foco bem mais preciso. "O problema é que há muito a fazer", disse Deutch. "Você recebe solicitações: o que vai acontecer na Indonésia? O que vai acontecer no Sudão? O que vai acontecer no Oriente Médio?" Era impossível atender à demanda por uma cobertura global. Vamos nos concentrar em alguns alvos difíceis, disseram os espiões. Deutch não conseguiu resolver a discussão.

Em vez disso, ele trabalhou por cinco meses tentando entender o serviço clandestino. Voou para postos da CIA em todo o mundo, ouvindo, perguntando e determinando de que ele dispunha para trabalhar. Disse que descobriu um "moral tremendamente baixo". Ficou chocado com a incapacidade dos espiões em resolver seus próprios problemas. Encontrou-os num estado próximo do pânico.

Ele os comparou aos militares americanos depois do Vietnã. Naqueles tempos, como Deutch explicou em setembro de 1995, muitos tenentes e coronéis inteligentes se entreolharam e disseram: "'Estamos com problemas. Temos que mudar. Temos que descobrir uma maneira de fazer isso de uma forma diferente. Ou vamos embora ou mudamos o sistema.' E as pessoas que ficaram realmente mudaram o sistema." Deutch queria que o serviço clandestino resolvesse seus próprios problemas. Mas descobriu que seus subordinados eram incapazes de mudar. "Comparados aos oficiais uniformizados", disse ele referindo-se a seus espiões, "eles certamente não são tão competentes, ou não compreendem tão bem seu papel ou suas responsabilidades." O serviço clandestino "não tinha confiança para realizar suas atividades cotidianas".

Essa crise de confiança assumia muitas formas. Algumas se manifestavam em operações mal conduzidas que fracassavam. Outras eram falhas contínuas na coleta e análise de informações. Algumas eram erros de avaliação impressionantes.

Na Bósnia, em 13 de julho de 1995, enquanto a imprensa mundial relatava assassinatos em massa de muçulmanos por sérvios, um satélite espião enviou fotografias de prisioneiros sendo vigiados por homens armados em campos nos arredores da cidade de Srebrenica. Durante três semanas, ninguém na CIA olhou aquelas fotos. Ninguém pensou que os sérvios conquistariam a cidade. Ninguém previu um massacre. Ninguém deu ouvidos aos grupos de direitos humanos, às Nações Unidas, ou à imprensa. A CIA não tinha nenhum funcionário e nenhum agente em campo para corroborar o que eles estavam relatando. Não tinha nenhuma informação sobre nenhuma atrocidade. Tinha recebido ordens para se dedicar a apoiar as operações militares na região, e não tinha tempo nem talento para checar relatos de refugiados apavorados.

Duas semanas depois do primeiro relato na imprensa sobre um massacre, a CIA enviou um U-2 para sobrevoar Srebrenica; o avião registrou imagens de covas coletivas recém-cavadas nos campos onde antes estavam os prisioneiros. Essas fotos chegaram à CIA através de um mensageiro militar comum três dias depois. E três dias depois disso, um analista de fotos da CIA notou que o local da primeira imagem de satélite dos prisioneiros no campo era o mesmo da segunda imagem do U-2 mostrando os lugares das covas. A análise chegou à Casa Branca em 4 de agosto de 1995.

Em seguida chegou o relatório da CIA, três semanas depois do fato: o maior assassinato em massa de civis na Europa desde os campos da morte de Hitler, cinqüenta anos antes. Oito mil pessoas morreram, e a agência não viu.

Na outra ponta da Europa, o posto da CIA em Paris realizava uma elaborada operação, tentando roubar a posição de negociação da França em diálogos comerciais. Presa à idéia de que o livre comércio era a força motora da política externa americana, a Casa Branca agravou a desgraça da CIA exigindo cada vez mais inteligência econômica. O posto em Paris estava buscando segredos de importância mínima para a segurança nacional dos Estados Unidos — tais como quantos filmes americanos seriam exibidos em telas francesas. O ministério do Interior francês realizou uma operação de contra-espionagem que incluiu a sedução de uma agente da CIA que trabalhava disfarçada de mulher de negócios. Ela revelou segredos na alcova, e o governo expulsou publicamente o chefe do posto em Paris — Dick Holm, um verdadeiro herói do serviço clandestino, que dirigira operações de campo no Laos e sobrevivera por pouco a um acidente de avião com incêndio no Congo trinta anos antes, e estava em sua última missão no exterior antes de se aposentar. Quatro oficiais da CIA azarados e humilhados foram chutados para fora da França com ele.

Foi outra operação estourada, outra situação pública embaraçosa para o serviço clandestino e "outro exemplo público de uma situação em que a capacidade da CIA em realizar suas funções conforme exigiam seus próprios padrões foi questionada", disse Deutch. Ele perguntava a seus oficiais repetidamente: "Quais são os padrões profissionais para realizar suas missões mais difíceis? E vocês estão se saindo bem em todo o mundo?" A resposta para a última pergunta era um retumbante não.

## "FOI CLARAMENTE MALÍCIA"

Os problemas no posto em Paris foram um aborrecimento passageiro comparados ao que aconteceu na divisão latino-americana do serviço clandestino. A divisão era um mundo à parte na CIA, dominado por veteranos da guerra contra Fidel Castro, homens que tinham suas próprias regras e disciplinas. Desde 1987, chefes de postos em Costa Rica, El Salvador, Peru, Venezuela e Jamaica vinham sendo acusados de mentir para seus superiores, de assédio sexual a colegas, de roubar dinheiro, de ameaçar subordinados sob a mira de armas, de realizar uma operação contra drogas em que uma tonelada de cocaína acabou nas ruas da Flórida e de manter contas bancárias sujas com US$ 1 milhão em fundos do governo. Era a única divisão do serviço clandestino em que os chefes de postos eram regularmente removidos de seus cargos por má conduta. O isolamento da divisão se devia em parte à política interna dos países que ela cobria. Durante a guerra fria, a CIA trabalhara com regimes militares contra insurgências de esquerda na América Latina. Era difícil romper os antigos laços.

Na Guatemala, 200 mil civis morreram em quarenta anos de luta depois do golpe da agência contra um presidente eleito, em 1954. Entre 90 e 96% dessas mortes aconteceram nas mãos de militares guatemaltecos. Em 1994, os oficiais da CIA na Guatemala ainda faziam de tudo para esconder suas relações íntimas com os militares e abafar relatos de que oficiais guatemaltecos em sua folha de pagamento eram assassinos, torturadores e ladrões. Esses encobrimentos violavam um teste de equilíbrio que Woolsey iniciara em 1994. O teste, chamado de "validação do agente", deveria comparar a qualidade da informação de um agente com a perfídia de sua conduta.

"Ninguém quer estar na posição de lidar com oficiais militares ou governa-
mentais que são amplamente conhecidos por terem sangue nas mãos, a não ser
que haja um objetivo de inteligência legítimo a ser alcançado", disse o inspetor-
geral Fred Hitz. "A menos que tal pessoa saiba que há um esconderijo no sul da
Guatemala onde armas biológicas estão sendo guardadas e que elas serão ven-
didas no mercado aberto, e que ela seja sua única fonte de informação sobre
isso. Se alguém é conhecido por massacrar pessoas e violar a lei, então o fato de
que a CIA está em contato com esse indivíduo tem que ser comparado com a
informação que ele provavelmente fornecerá. Se a informação é a chave para o
santo mistério, vamos correr o risco. Mas vamos fazê-lo com os olhos abertos,
e não por preguiça ou por impulso."

Esse problema veio à tona quando um coronel guatemalteco que estava na
folha de pagamento da CIA foi envolvido no encobrimento dos assassinos de
um hoteleiro americano e de um guerrilheiro guatemalteco casado com uma
advogada americana. Os protestos contra o assassino do hoteleiro levaram o
governo Bush a cortar milhões de dólares em ajuda militar à Guatemala, mas
a agência continuou a dar apoio financeiro à inteligência militar guatemalteca.
"O posto da CIA na Guatemala tinha mais ou menos o dobro do tamanho que
precisava ter", disse Thomas Stroock, embaixador americano na Guatemala de
1989 a 1992, mas o posto parecia não se esforçar para relatar o caso com precisão. O chefe do posto, Fred Brugger, não disse ao embaixador Stroock que o
coronel, um dos principais suspeitos, era agente da CIA. "Eles não apenas não
me informaram como não informaram ao meu chefe, o secretário de Estado,
nem ao Congresso. Isso foi uma estupidez", disse o embaixador Stroock.

A estupidez se transformou em malevolência em 1994, quando Dan Donahue se tornou o chefe do posto. Embora a nova embaixadora americana,
Marilyn McAfee, pregasse os direitos humanos e a justiça, a CIA permaneceu
leal ao sanguinário serviço de inteligência guatemalteco.

A embaixada se dividiu em duas partes. "O chefe do posto veio ao meu escritório e me mostrou um documento de inteligência, que vinha de uma fonte
guatemalteca, indicando que eu estava tendo um romance com minha secretária, cujo nome era Carol Murphy", recordou a embaixadora McAfee. Os militares guatemaltecos haviam instalado microfones secretos no quarto da
embaixadora e gravaram suas declarações de amor a Murphy. Eles espalharam
a informação de que a embaixadora era lésbica. O posto da CIA transmitiu esse
documento de inteligência — mais tarde conhecido como "o memorando

Murphy" — para Washington, onde ele foi largamente distribuído. "A CIA enviou esse relatório a Hill", disse a embaixadora McAfee. "Foi claramente malícia. A CIA difamou uma embaixadora por meios de comunicação escusos."

A embaixadora era uma pessoa conservadora, de uma família conservadora, era casada e não estava dormindo com sua secretária. "Murphy" era o nome de seu poodle preto de dois anos. O microfone em seu quarto a registrara fazendo carinho em seu cachorro.

O posto da CIA assim demonstrava uma afinidade maior com seus amigos das forças guatemaltecas do que com a embaixadora americana. "Houve uma divisão entre inteligência e política", disse a embaixadora McAfee. "Isso é o que me assusta."

Isso também assustou Deutch. Em 29 de setembro de 1995, perto do fim de seu quinto mês no cargo, Deutch foi ao Bubble — o outrora futurista anfiteatro de seiscentos lugares perto da entrada da sede da CIA — para dar algumas más notícias ao serviço clandestino. Um grupo de análise interna da CIA avaliara as provas da Guatemala e dissera a Deutch que ele deveria demitir Terry Ward, chefe da divisão latino-americana do serviço clandestino de 1990 a 1993, que na época era chefe do posto na Suíça. O grupo dizia que ele deveria demitir também o ex-chefe do posto da Guatemala Fred Brugger e disciplinar seriamente seu sucessor, Dan Donahue, assegurando que ele nunca mais chefiasse um posto.

Deutch disse que havia "deficiências tremendas no modo como a agência fazia seu trabalho" na Guatemala. O problema eram as mentiras — ou, como ele explicou, "uma falta de sinceridade" — entre o chefe do posto e a embaixada americana, entre o posto e a divisão latino-americana, entre a divisão e a sede e finalmente entre a agência e o Congresso.

Era raro — muito raro — que alguém fosse demitido do serviço clandestino. Mas Deutch disse que faria exatamente o que o grupo de análise recomendava. O anúncio não foi bem recebido no Bubble. Centenas de oficiais reunidos ali ficaram completamente furiosos. A decisão de Deutch significava para eles um corretivo político sufocante. O diretor disse que eles tinham que continuar saindo pelo mundo e correndo riscos em nome da segurança nacional. Um burburinho se elevou dos fundos do Bubble, uma risada amarga significando: Sei. Claro. Esse foi o momento em que o diretor e o serviço clandestino deram as costas um ao outro. Aquilo selou o destino de Deutch na CIA.

## "QUEREMOS QUE ENTENDAM BEM ISSO"

O rompimento foi irreconciliável. Deutch decidiu entregar a lista de problemas no serviço clandestino a seu número dois, George Tenet, vice-diretor da central de inteligência. Agora com 42 anos, Tenet, o assessor incansável e leal de sempre, passara cinco anos como diretor de equipe da comissão de inteligência do Senado e dois anos como principal responsável pela inteligência no Conselho de Segurança Nacional. Tinha percepções vitais para administrar as tortuosas relações da CIA com o Congresso e a Casa Branca. E logo passou a ver o serviço clandestino de uma forma diferente de Deutch — não como um problema a ser resolvido, mas como uma causa a ser defendida. Tenet faria o máximo para liderá-los.

"Deixem-me explicar a vida para vocês", disse Tenet aos chefes do serviço clandestino. "Aqui estão dez ou quinze coisas que não podemos tolerar que falhem, para avançarmos no interesse da segurança nacional dos Estados Unidos. É a isso que queremos que vocês dediquem seu dinheiro, seu pessoal, seu treinamento em línguas e suas habilidades. Queremos que entendam bem isso."

Logo o terrorismo chegou ao topo da lista de Tenet. No outono de 1995, uma enxurrada de relatórios sobre ameaças começou a ser enviada do posto da CIA no Sudão para a sede da agência e o czar de contraterrorismo da Casa Branca, Richard Clarke. Baseavam-se nas palavras de um único agente recrutado pela CIA. Advertiam para um ataque iminente ao posto, à embaixada americana e a um membro proeminente do governo Clinton.

"Dick Clarke me procurou e disse, 'Vão explodir você'", recordou Tony Lake, assessor de Segurança Nacional do presidente. *Quem* vai me explodir?, perguntou Lake. Talvez os iranianos, respondeu Clarke, talvez os sudaneses. "Então eu passei a morar num esconderijo e ir para o trabalho dirigindo um carro à prova de balas", disse Lake. "Eles nunca puderam mostrar que aquilo era verdade. Eu suspeito de que não era."

Naquele tempo, o Sudão era uma central internacional de terroristas apátridas. Entre eles estava Osama bin Laden. A agência ouviu falar dele pela primeira vez no fim dos anos 1980 como um rico saudita que apoiava os mesmos rebeldes afegãos que a agência armara em sua luta contra os opressores soviéticos. Ele era conhecido como financiador de pessoas que tinham visões grandiosas de ataques aos inimigos do Islã. A CIA nunca reuniu seus cacos e fragmentos de informações sobre Bin Laden e sua rede num relatório coerente para a Casa Branca. Nenhuma estimativa formal sobre a ameaça terrorista que ele representava foi publicada antes que o mundo inteiro soubesse seu nome.

Bin Laden voltara para a Arábia Saudita para lutar contra a presença de tropas americanas depois da Guerra do Golfo em 1991. O governo saudita o expulsou e ele se instalou no Sudão. O chefe do posto da CIA no Sudão, Cofer Black, era um agente à moda antiga, com coragem e astúcia consideráveis, que ajudara a caçar o terrorista desmascarado Carlos, o Chacal. Black rastreou os movimentos e motivos de Bin Laden no Sudão o máximo que pôde. Em janeiro de 1996, a CIA criou uma unidade de contraterrorismo com uma dúzia de pessoas, dedicada inteiramente ao saudita — o posto Bin Laden. Havia uma sensação de que ele poderia começar a apontar para alvos americanos no exterior.

Mas em fevereiro de 1996, a CIA, dando atenção às advertências de seu agente recrutado, encerrou suas operações no Sudão, fechando os olhos para informações frescas sobre seu novo alvo. O posto e a embaixada americana foram fechados e seus funcionários transferidos para o Quênia. A decisão foi tomada sob forte objeção do embaixador americano, Timothy Carney, um homem que conjugava disciplina militar e sensibilidade diplomática. Ele argumentou que a retirada dos Estados Unidos do Sudão era um erro perigoso. Carney questionou as advertências da CIA para um ataque iminente e provou que estava certo. Mais tarde, descobriu-se que o agente que fizera o alerta era um farsante, e a CIA removeu formalmente cerca de cem relatórios baseados em informações dele.

Pouco depois, Bin Laden se mudou para o Afeganistão. O chefe do posto Bin Laden, Mike Scheuer, viu nisso uma tremenda oportunidade. A CIA restabelecera contatos com uma rede de exilados afegãos nos territórios tribais do noroeste do Paquistão. Os "tribais", como a CIA os chamava, estavam ajudando a caçar Mir Amal Kansi, o pistoleiro que matara dois oficiais da agência em frente à sede.

A esperança era de que eles pudessem ajudar a seqüestrar ou matar Bin Laden algum dia. Mas esse dia teria que esperar. A CIA tinha outro homem em sua mira naquele momento.

O chefe da divisão Oriente Próximo do serviço clandestino, Stephen Richter, trabalhava havia dois anos num plano de apoio a um golpe militar contra Saddam Hussein. A ordem viera do presidente Clinton, e era a terceira ordem desse tipo da Casa Branca para a CIA em cinco anos. Na Jordânia, uma equipe de oficiais da CIA se encontrava com Mohammed Abdullah Shawani, ex-co-mandante das forças especiais iraquianas. Em Londres, a agência conspirava com um exilado iraquiano chamado Ayad Alawi, que chefiava uma rede de oficiais militares iraquianos rebeldes e líderes do Partido Ba'ath. A CIA o apoiava com dinheiro e armas. No norte do Iraque, a CIA reuniu os líderes tribais dos curdos iraquianos apátridas, revigorando um romance antigo e turbulento.

Apesar dos grandes esforços da CIA, essas forças desiguais e indisciplinadas não se uniram. A agência investiu muitos milhões tentando recrutar cruciais membros das forças militares e dos círculos políticos de Saddam, na esperança de que eles se rebelassem. Mas o plano sofreu infiltração e foi arruinado por Saddam e seus espiões. Em 26 de junho de 1996, Saddam começou a prender pelo menos duzentos oficiais dentro e nos arredores de Bagdá. Executou pelo menos oitenta deles, incluindo os filhos do general Shawani.

"O caso Saddam foi um acontecimento interessante", disse, depois que o golpe foi arruinado, Mark Lowenthal, que havia sido diretor da comissão de inteligência da Câmara e era um importante analista da CIA. "Está bem, então nos livramos de Saddam Hussein, uma boa coisa. Mas quem nós teremos depois dele? Quem é o nosso homem no Iraque? Qualquer pessoa que pusermos no poder no Iraque provavelmente terá tanta permanência quanto uma pulga. Então esse foi um caso em que havia estrategistas dizendo *faça alguma coisa*. Essa pressão para fazer alguma coisa realmente expressava a frustração deles." Eles não conseguiam ver que a CIA "não tinha meios para lidar com Saddam Hussein", disse ele. "O problema com a operação era que não havia iraquianos confiáveis com quem lidar. E os iraquianos confiáveis que existiam não tinham qualquer condição de fazer o que se queria que eles fizessem. Então a operação foi um fracasso. Não era viável. Mas é muito difícil para um agente dizer, 'Senhor presidente, não podemos fazer isso'. Então você põe fim a uma operação que provavelmente não deveria ter começado, para início de conversa."

## "O FRACASSO É INEVITÁVEL"

Deutch enfureceu Clinton ao dizer ao Congresso que a CIA talvez jamais resolveria o problema com Saddam Hussein. Seu período de dezessete meses como diretor da central de inteligência terminou com amargura. Em dezembro de 1996, depois de reeleito, Clinton demitiu Deutch do governo e recorreu a seu assessor de Segurança Nacional, Tony Lake, para que este assumisse o emprego que poucos cobiçavam.

"Teria sido um grande desafio", refletiu Lake. "O que eu tinha em mente era impulsionar o lado analítico para adequar a inteligência — tanto suas fontes quanto seus produtos — ao mundo de meados dos anos 1990. O que tínhamos era muito freqüentemente uma análise das notícias feita da noite para o dia."

Mas Lake não foi confirmado no cargo. O presidente republicano da comissão de inteligência do Senado, Richard Shelby, do Alabama, decidiu torná-lo um bode expiatório para tudo o que os conservadores encontravam de errado na condução da política externa pelo governo Clinton. A aparência de bipartidarismo que as comissões de inteligência mantiveram durante a maior parte dos vinte anos anteriores evaporou. Havia também uma corrente de oposição a Lake no interior do serviço clandestino. A mensagem era: não nos envie mais pessoas de fora.

"Para a CIA, todo mundo é alguém de fora", observou Lake.

Não foi nem de longe uma audiência justa. Em 17 de março de 1997, Lake se retirou com raiva, dizendo ao presidente que não passaria mais três meses como "um urso dançarino num circo político". Então o cálice envenenado foi entregue a George Tenet — a única escolha que restava. Tenet já estava dirigindo a agência como chefe em exercício. Ele se tornou o quinto diretor da central de inteligência em seis anos.

"É impossível exagerar a turbulência e as rupturas que aquela quantidade de mudanças no topo causou", disse Fred Hitz, da CIA. "É difícil exagerar o impacto sobre o moral, em termos de destrutividade. Você tem a sensação... quem está mandando aqui? Será que ninguém lá em cima consegue jogar esse jogo? Eles não entendem o que fazemos? Não percebem qual é a nossa missão?

Tenet sabia qual era a missão: salvar a CIA. Mas a agência se aproximava do fim do Século Americano sob o peso de um sistema de funcionários inventado nos anos 1880, um sistema de condução de informações que parecia uma linha de montagem dos anos 1920 e uma burocracia que datava dos anos 1950. Movia pessoas e dinheiro de maneiras que lembravam os Planos Qüinqüenais de Stalin. Sua capacidade de coletar e analisar segredos estava se desintegrando enquanto a era da informação explodia e a Internet fazia da codificação — a transformação de linguagem em código — uma ferramenta universal. O serviço clandestino se tornara um lugar onde "grandes sucessos são raros e o fracasso é uma rotina", observou um relatório da comissão de inteligência da Câmara.

Esses fracassos mais uma vez foram notícia de primeira página. A capacidade da CIA em espionar mais uma vez foi comprometida por um traidor interno. Harold J. Nicholson, que tinha sido chefe do posto na Romênia, assumiu por dois anos um cargo de instrutor-chefe da Farm, a escola de treinamento da CIA nos arredores de Williamsburg, Virgínia. Ele vinha espionando para Moscou desde 1994, vendendo aos russos arquivos sobre dezenas de funcionários da CIA posicionados no exterior e a identidade de cada novo agente graduado na Farm em 1994, 1995 e 1996. Ao juiz federal que condenou Nicholson a 23 anos de prisão, a CIA disse que nunca seria capaz de calcular os danos que ele causara às operações da agência no mundo. As carreiras de recrutas que representavam três anos de treinamento estavam destruídas; uma vez descobertos, eles nunca poderiam trabalhar no exterior.

Em 18 de junho de 1987, três semanas antes do juramento de posse de Tenet, um novo relatório da comissão de inteligência da Câmara apagou o que restava da noção orgulhosa de que a CIA atuava como a primeira linha de defesa dos EUA. A comissão, liderada por Porter J. Goss, dizia que a agência estava cheia de oficiais inexperientes incapazes de falar as línguas ou de compreender o cenário político dos países que cobriam. Dizia que a CIA tinha uma capacidade pequena e cada vez menor de obter informações através da espionagem. E concluía que faltava à CIA as necessárias "profundidade, amplitude e especialização para monitorar desenvolvimentos políticos, militares e econômicos no mundo".

Mais tarde, naquele verão, um funcionário de carreira da inteligência chamado Russ Travers publicou um ensaio assombroso na revista interna da CIA. Ele dizia que a capacidade dos EUA em obter e analisar informações estava se desintegrando. Por anos a fio, escreveu ele, os líderes da inteligência americana vinham insistindo que estavam pondo a agência no caminho certo. Isso era um mito. "Fazemos pequenos ajustes em nossas estruturas e mudamos marginalmente nossos programas... deixando as cadeiras do convés desse *Titanic* bonitas e limpas." Mas "vamos começar a cometer mais e maiores erros com mais freqüência", advertiu. "Nós nos afastamos do básico — a coleta e a análise imparcial de fatos."

Ele ofereceu uma profecia para os futuros líderes da CIA. "O ano é 2001", escreveu. "Na virada do século, a análise se tornou perigosamente fragmenta- da. A Comunidade ainda pode coletar 'fatos', mas há muito tempo a análise está sobrecarregada, devido ao volume de informações disponíveis, e já não é capaz de distinguir fatos significativos de ruídos de fundo. A qualidade da análise se tornou cada vez mais suspeita... Os dados estão lá, mas falhamos em reconhe- cer sua total importância.

"Do ponto de vista de 2001", escreveu ele, "o fracasso da inteligência é inevitável."

# 47 "A AMEAÇA NÃO PODERIA SER MAIS REAL"

George Tenet prestou juramento como 18º diretor da central de inteligência em 11 de julho de 1997. Na época, sabendo que suas palavras apareceriam no *New York Times*, ele me disse, vangloriando-se, que a CIA estava bem mais astuta e mais capacitada do que qualquer pessoa de fora poderia imaginar. Tratava-se de relações públicas. "Estávamos quase falidos", confessou ele sete anos depois. Ele herdara uma CIA "cuja qualificação estava decaindo" e cujo serviço clandestino estava "uma bagunça".

A agência estava se preparando para comemorar seu qüinquagésimo aniversário em setembro, e fizera uma lista dos cinqüenta maiores oficiais da CIA como parte da celebração. Na maioria, eles estavam velhos e grisalhos ou mortos e afastados. O maior entre os vivos era Richard Helms. Ele não estava com ânimo para comemorar. "A única superpotência restante não tem suficiente interesse no que está acontecendo no mundo para organizar e manter um serviço de espionagem", disse-me Helms naquele mês. "Nós nos afastamos disso enquanto país." Seu sucessor, James Schlesinger, sentia a mesma coisa. "A confiança que era depositada na CIA desapareceu", disse ele. "A agência sofreu tantos golpes que agora sua utilidade para a espionagem está sujeita a questionamentos."

Tenet começou a reconstrução. Convocou antigas estrelas aposentadas, incluindo Jack Downing, que fora chefe de posto em Moscou e Pequim e que concordou em dirigir o serviço clandestino por um ou dois anos. Tenet também buscou uma injeção de muitos bilhões de dólares na agência. Prometeu que a CIA poderia ter sua saúde recuperada em cinco anos, até 2002, se o di-

nheiro começasse a fluir imediatamente. Porter Goss, que controlava o orçamento da agência na Câmara, conseguiu uma "assistência emergencial"
secreta de várias centenas de milhões de dólares, seguida de um estímulo de
US$ 1,8 bilhão de uma vez. Era o maior aumento de gastos com a inteligência
em quinze anos, e Goss prometeu encontrar mais dinheiro.

"A inteligência não é apenas algo para a guerra fria", disse Goss na época.
"Quando você pensa em Pearl Harbor, você compreende por quê. Há surpresas desagradáveis lá fora."

## "FRACASSO CATASTRÓFICO E SISTÊMICO DA INTELIGÊNCIA"

Tenet vivia num estado de maus pressentimentos, esperando a próxima confusão. "Não permitirei que a CIA se torne uma organização de segunda categoria", proclamou ele numa reunião para incentivar seus homens. Poucos dias
depois, em 11 de maio de 1998, a agência foi apanhada de surpresa novamente, quando a Índia explodiu uma bomba nuclear. O teste modificou o equilíbrio de poder no mundo.

O novo governo nacionalista hindu prometera abertamente tornar armas
nucleares parte de seu arsenal. O encarregado das armas nucleares da Índia
dissera que estava pronto para testá-las se os líderes políticos dessem o sinal
verde. O Paquistão havia disparado novos mísseis, de certa forma desafiando
Nova Délhi a responder. Portanto, uma explosão nuclear feita pela maior democracia do mundo não deveria causar um choque — mas causou. Os relatos
do posto da CIA em Nova Délhi eram lentos. As análises na sede eram confusas. O alarme nunca soou. O teste revelou uma falha da espionagem, uma falha para interpretar fotografias, uma falha para compreender relatórios, uma
dificuldade de pensar, uma dificuldade de ver. Foi "um acontecimento bastante perturbador", disse Charles Allen, que durante muito tempo fora o chefe de
advertências da CIA, e que Tenet tirou da aposentadoria para ser o diretorassistente da central de inteligência para coleta de informações. Foi um claro
sinal de um colapso sistêmico na CIA.

As pessoas começaram a ter premonições de uma catástrofe. "A possibilidade de uma falha de advertência cataclísmica está aumentando", escreveu a
sucessora de Tenet no Conselho de Segurança Nacional, Mary McCarthy, num
relatório não confidencial logo depois do teste indiano. "Desastre à vista!"

Tenet tinha uma razão para estar olhando para o outro lado quando aconteceu o teste nuclear. Seus soldados estavam ensaiando uma operação para capturar Osama bin Laden. Em fevereiro de 1998, Bin Laden proclamou que estava numa missão divina para matar americanos. No Afeganistão, ele reunia as tropas de choque e os seguidores de sua guerra santa contra os soviéticos para uma nova jihad contra os Estados Unidos. No Paquistão, o chefe do posto da CIA, Gary Schroen, estava aperfeiçoando um plano para usar os antigos aliados afegãos da agência para agarrar Bin Laden quando ele estivesse viajando para sua propriedade cercada de muros de barro na cidade sulista de Kandahar. Em 20 de maio de 1998, eles iniciaram um ensaio final de quatro dias, em escala total. Mas em 29 de maio, Tenet decidiu cancelar a operação. O sucesso dependia de coordenação com o Paquistão — que acabava de fazer seu próprio teste nuclear em resposta à Índia. Os paquistaneses estavam batendo os tambores de guerra. Os afegãos não eram confiáveis. Falhar não era uma hipótese — era uma probabilidade. As chances de capturar Bin Laden eram pequenas para dar início à operação, e o mundo agora estava instável demais para correr o risco de lançá-la.

O mês de junho passou sem o prometido ataque de Bin Laden, e depois julho passou. Em 7 de agosto de 1998, o presidente Clinton foi acordado às 5h35 por um telefonema relatando os atentados a bomba contra as embaixadas americanas em Nairóbi, Quênia; e Dar es Salaam, Tanzânia. O intervalo entre uma explosão e outra foi de quatro minutos. Os danos em Nairóbi foram terríveis; eu os vi com meus próprios olhos. Doze americanos — inclusive um jovem oficial da CIA — morreram na explosão, que matou centenas e feriu milhares de quenianos em ruas e prédios de escritório fora dos muros da embaixada.

No dia seguinte, George Tenet foi à Casa Branca com a notícia de que Bin Laden estava seguindo para um acampamento nos arredores de Khost, no Afeganistão, perto da fronteira com o Paquistão. Assessores de segurança nacional de Tenet e Clinton concordaram em atingir o campo com mísseis de cruzeiro. Eles queriam um segundo alvo para igualar a marca, e escolheram al-Shifa, uma instalação industrial nos arredores de Cartum, capital do Sudão. Um agente egípcio da CIA havia entregue uma amostra de solo colhida do lado de fora da indústria indicando a presença de uma substância química usada para fabricar o gás dos nervos VX.

A prova era um fragmento muito delgado. "Precisaremos de informações muito melhores sobre essa instalação" antes de bombardeá-la, advertiu Mary McCarthy no Conselho de Segurança Nacional. Nada de novo apareceu.

Navios da Marinha no Mar Arábico dispararam uma barreira de mísseis de cruzeiro equivalente a um milhão de dólares contra os dois alvos em 20 de agosto. Mataram talvez vinte paquistaneses que passavam por Khost — Bin Laden já se fora havia muito — e um vigia noturno no Sudão. O círculo interno de Clinton alegou que as provas para o ataque no Sudão eram incontestáveis. De início, disseram que al-Shifa era uma fábrica de armas a serviço de Bin Laden. Na verdade, era um laboratório farmacêutico, e a ligação com Bin Laden desapareceu. Depois, disseram que a instalação era parte de um esquema iraquiano de distribuição de armas com gás dos nervos. Mas os iraquianos não estavam armados de VX, como confirmaram testes de inspetores das Nações Unidas. A amostra de solo tanto poderia ser de um precursor do VX como também de um herbicida.

O caso tinha uma dúzia de pontos ligados por suposições e conjecturas. Nada jamais corroborava a decisão de atacar al-Shifa. "Foi um erro", disse Donald Petterson, embaixador americano no Sudão de 1992 a 1995. "O governo não conseguiu apresentar provas conclusivas de que armas químicas eram produzidas no laboratório farmacêutico. O governo tinha motivo para suspeitar, mas para cometer um ato de guerra, como foi o ataque de mísseis, as provas deveriam ter sido inexpugnáveis." Seu sucessor, o embaixador Tim Carney, disse com estudada prudência: "A decisão de usar al-Shifa como alvo dá continuidade a uma tradição de agir com base em inteligência inadequada sobre o Sudão." O ataque contraterrorista do governo Clinton foi precipitado.

Três semanas depois, Tenet se encontrou com os outros líderes da comunidade de inteligência americana. Eles concordaram que tinham que fazer "mudanças substanciais e amplas" na maneira como o país coletava, analisava e produzia informações. Se não fizessem isso, disseram, o resultado seria "um fracasso catastrófico e sistêmico da inteligência". O dia era 11 de setembro de 1998.

## "CONTINUAREMOS A SER SURPREENDIDOS"

Se a CIA não se reinventasse, e logo, "em dez anos não teremos relevância", disse-me Tenet em outubro, em sua primeira entrevista pública como diretor da central de inteligência. "Se não desenvolvermos a especialização, não alcançaremos o que queremos alcançar."

Desde 1991, a agência havia perdido mais de três mil de seus melhores funcionários — cerca de 20% de seus principais espiões, analistas, cientistas e especialistas em tecnologia. Aproximadamente 7% do serviço clandestino iam embora a cada ano. Isso resultou numa perda de cerca de mil espiões experientes, e restaram pouco mais de mil em seus postos. Tenet sabia que não podia se preparar para o futuro com uma força tão débil nas linhas de frente.

"Sempre haverá dias em que teremos que correr para alcançar os acontecimentos que não previmos, não porque alguém estava dormindo no ponto, mas porque o que está acontecendo é muito complicado", disse ele. "Há uma expectativa de que temos que construir um sistema de inteligência infalível, de que a inteligência não apenas deve dizer as tendências, prever os acontecimentos e fornecer uma percepção, mas, em todo e qualquer caso, tem a responsabilidade de informar quando haverá um acontecimento, o dia, a hora e o lugar." A própria CIA criara essa esperança e expectativa havia muito. Era uma ilusão. "Vamos continuar a ser surpreendidos", disse Tenet.

Ele começou a organizar uma caça a talentos nacional, dolorosamente consciente de que sua batalha para reconstruir a CIA levaria muitos anos, custaria muitos bilhões de dólares e precisaria de muitos milhares de novos oficiais. Era uma luta desesperada contra o tempo. É preciso cinco a seis anos para transformar um novato num agente de investigação capaz de trabalhar nas capitais mais difíceis do mundo. Era difícil conseguir cidadãos americanos que tivessem tanto fluência em culturas estrangeiras quanto vontade e capacidade de trabalhar para a CIA. Um espião precisa saber "enganar, manipular e usar, para ser franco, a desonestidade para fazer seu trabalho", disse Jeffrey Smith, conselheiro geral da CIA em meados dos anos 1990. "A administração da agência precisa se preocupar sempre em encontrar tal indivíduo extraordinariamente raro que tem talento para lidar com esse mundo enganador e manipulador e manter seu moral de pé." Encontrar, contratar e manter essas mentes excepcionais era um trabalho que nunca tinha sido feito.

Ao longo dos anos, a CIA se tornara cada vez menos disposta a contratar "pessoas que são um pouco diferentes, pessoas excêntricas, pessoas que não ficam bem de terno e gravata, pessoas que não entram bem no esquema das outras", disse Bob Gates. "Os tipos de teste aos quais submetemos as pessoas, psicológicos e tudo mais, tornam muito difícil para alguém que pode ser brilhante, ou ter talentos extraordinários e habilidades únicas, a entrada na agência." Como conseqüência dessa miopia cultural, a CIA interpretava mal o mundo. Pouquíssimos de seus oficiais podiam ler ou falar chinês, coreano, árabe, hindu, urdu ou persa — as línguas de três bilhões de pessoas, metade da população do planeta. Pouquíssimos oficiais ainda algum dia pechincharam num bazar árabe ou caminharam por uma vila africana. A agência era incapaz de enviar "um asiático-americano para a Coréia do Norte sem que ele fosse identificado como um garoto que acabara de sair do Kansas, ou enviar afro-americanos para trabalhar no mundo, ou árabe-americanos", disse Gates.

Em 1992, quando era diretor da central de inteligência, Gates quis contratar um cidadão americano criado no Azerbaijão. "Ele falava azeri fluentemente, mas não escrevia bem em inglês", relembrou ele. "E então foi rejeitado porque não passou em nosso teste de inglês. E quando me disseram isso, eu simplesmente enlouqueci. Eu disse: 'Tenho milhares de pessoas aqui que sabem escrever em inglês, mas não tenho ninguém aqui que pode falar azeri. O que vocês fizeram?'"

A agência começou a vasculhar cidades e subúrbios dos EUA em busca de filhos de imigrantes e refugiados — homens e mulheres jovens da primeira geração de lares asiáticos e árabes — recorrendo a anúncios em jornais étnicos de todo o país. A colheita foi fraca. Tenet sabia que a sobrevivência da agência nos próximos anos dependeria de sua capacidade de projetar para jovens espertos uma imagem de intriga internacional e aventura intelectual. Mas sangue novo era apenas parte da cura. O esquema de recrutamento nunca resolveu uma questão fundamental da agência — a CIA conseguiria recrutar o tipo de pessoa de que precisaria depois de mais cinco ou dez anos na estrada? A agência não sabia onde aquela estrada ia dar. Só sabia que não conseguiria sobreviver no estado em que se encontrava.

### "VAMOS BOMBARDEAR ISSO"

O inimigo estava ficando mais forte e a agência mais fraca. O malsucedido ataque a Bin Laden fez o status do saudita subir bastante e atraiu milhares de novos recrutas à sua causa. A urgência de uma campanha da CIA contra a al-Qaeda aumentava na proporção da popularidade de Bin Laden.

Tenet ressuscitou planos de usar representantes afegãos para capturá-lo. Em setembro e outubro de 1998, os afegãos alegaram que haviam feito quatro emboscadas fracassadas contra Bin Laden — coisa de que a CIA seriamente duvidava. Mas eles convenceram os oficiais de campo da agência que poderiam rastreá-lo quando ele viajasse de um campo para outro dentro do Afeganistão. Relataram, em 18 de dezembro, que Bin Laden estava voltando para Kandahar e passaria a noite de 20 de dezembro numa casa dentro da propriedade do governador local. O chefe de posto Gary Schroen enviou do Paquistão a informação: ataque hoje à noite — talvez nunca haja uma chance melhor. Os mísseis de cruzeiro estavam girando dentro de suas câmaras, apontando para o alvo. Mas a informação era a palavra de um homem, e centenas de pessoas estavam dormindo na propriedade aquela noite. O desejo de Tenet de acabar com Bin Laden foi sobrepujado por suas dúvidas. A ordem vinda de cima foi: cancelar. A coragem deu lugar à cautela e o entusiasmo se transformou em moderação.

Do outono de 1998 em diante, "os Estados Unidos tinham capacidade para retirar Osama bin Laden do Afeganistão ou matá-lo", mas recuavam quando chegava a hora de apertar o gatilho, disse John MacGaffin, o agente número dois do serviço clandestino no início dos anos Clinton. "A CIA sabia a localização de Bin Laden quase todos os dias — às vezes com uma margem de erro de 80 quilômetros, às vezes de 15 metros. Pelo menos quinze soldados das forças especiais americanas foram mortos ou feridos em missões de treinamento para o ataque previsto. Comandantes do Pentágono e líderes civis da Casa Branca desistiam continuamente do risco político de uma missão militar contra Bin Laden.

Eles deixaram o trabalho para a CIA. E a agência não pôde executá-lo.

Nas primeiras semanas de 1999, os afegãos relataram que Bin Laden se deslocaria para um campo de caça ao sul de Kandahar, protegido por falcoeiros abastados. Um satélite espião examinou o campo em 8 de fevereiro e determinou sua localização. Um avião do governo dos Emirados Árabes Unidos — aliado dos EUA — estava estacionado lá. Para matar Bin Laden, a vida dos emires não poderia ser sacrificada, e os mísseis de cruzeiro permaneceram em seus lançadores.

Os afegãos continuaram acompanhando as viagens de Bin Laden dentro e fora de Kandahar durante o mês de abril de 1999. Em maio, eles o localizaram durante 36 horas seguidas. Os agentes de Gary Schroen enviaram relatos detalhados sobre seu paradeiro. As informações nunca seria melhores, disse o vice-diretor da central de inteligência de Tenet, general John Gordon.

Por três vezes houve chances para um ataque com mísseis de cruzeiro. Nas três vezes Tenet disse não. Sua confiança na capacidade da CIA em escolher seus alvos fora bastante abalada dias antes.

Uma campanha de bombardeios da Otan contra a Sérvia havia sido lançada com a intenção de forçar o presidente Slobodan Milosevic a retirar suas tropas do Kosovo. A CIA foi convidada a escolher alvos para os aviões americanos. A tarefa foi entregue à divisão de contraproliferação da agência, o grupo que analisava informações sobre a disseminação de armas de destruição em massa. Os analistas identificaram como melhor alvo a Diretoria Federal Iugoslava de Fornecimento e Aquisição, no Bulevar Umetnosti nº 2, em Belgrado. Usaram mapas turísticos para ajudá-los a determinar o local. A informação sobre a escolha do alvo foi passada ao Pentágono por equipamentos da CIA, e as coordenadas foram colocadas no circuito de um bombardeiro B-2 invisível a radares.

O alvo foi destruído. Mas a CIA tinha lido seus mapas erradamente. O prédio não era um depósito militar de Milosevic. Era a embaixada chinesa.

"O bombardeio contra a embaixada chinesa em Belgrado foi uma experiência extremamente desagradável para mim", disse o vice-almirante Thomas R. Wilson, que se tornou diretor da Agência de Inteligência de Defesa em julho de 1999. "Fui eu quem mostrou a foto da embaixada chinesa ao presidente dos Estados Unidos — entre novecentas outras fotos que mostrei a ele — e disse, 'Vamos bombardear isso, porque é o departamento de aquisições militares iugoslavo." Ele havia obtido aquela foto na CIA.

O erro causou ferimentos mais profundos do que qualquer um poderia imaginar. Demoraria muito tempo até que a Casa Branca e o Pentágono confiassem na agência para pôr qualquer coisa — ou qualquer pessoa — na mira de um míssil americano.

## "VOCÊS AMERICANOS SÃO LOUCOS"

As forças armadas e os serviços de inteligência dos Estados Unidos ainda estavam preparados para trabalhar contra exércitos e nações — difíceis de matar, mas fáceis de encontrar no mapa do mundo. O novo inimigo era um homem — fácil de matar, mas difícil de encontrar. Era um fantasma se movimentando no Afeganistão à noite, num Land Cruiser.

O presidente Clinton assinou ordens secretas que achou que dariam à CIA o poder de matar Bin Laden. Durante o doloroso período de seu processo de *impeachment*, ele divagava em voz alta sobre ninjas americanos descendo de helicópteros em cordas para agarrar o saudita. Ele transformou Tenet no comandante de uma guerra contra um homem.

Tenet enfrentava suas próprias dúvidas sobre a inteligência da CIA e a capacidade da agência em realizar ações secretas. Mas tinha que elaborar um novo plano de ação antes que Bin Laden atacasse novamente. Com seu novo chefe de contraterrorismo, Cofer Black, apresentou uma nova estratégia no fim do verão de 1999. A agência trabalharia com velhos amigos e velhos inimigos em todo o mundo para matar Bin Laden e seus aliados. Black aprofundou seus laços com forças armadas, serviços de inteligência e serviços de segurança estrangeiros em lugares como Uzbequistão e Tadjiquistão, na fronteira afegã. A esperança era de que eles ajudassem oficiais da CIA a pisar com suas próprias botas no solo afegão.

O objetivo era associar-se ao guerreiro afegão Ahmed Shah Massoud e ao reduto que ele mantinha havia quase vinte anos, desde os primeiros dias da ocupação soviética, nas profundezas de um vale montanhoso a nordeste de Cabul. Massoud, um nobre e corajoso guerreiro que queria ser o rei do Afeganistão, propôs uma grande aliança a seus antigos contatos na agência. Ofereceu-se para atacar as praças-fortes de Bin Laden — e, com ajuda da CIA e das armas americanas, derrubar o Talibã, a ralé de camponeses, muiás e veteranos da jihad que dominava Cabul. Ele poderia ajudar a agência a estabelecer uma base que lhe permitiria apanhar Bin Laden sozinha. Cofer Black foi totalmente a favor. Seus assessores estavam prontos para partir.

Mas as chances de fracasso eram muito grandes para Tenet. Mais uma vez, ele disse não — entrar e sair era arriscado demais. Repórteres e trabalhadores humanitários estrangeiros corriam esse risco o tempo todo no Afeganistão. A CIA, na sede, não correria.

Massoud riu quando ouviu isso. "Vocês americanos são loucos", disse ele. "Vocês nunca mudam."

Enquanto o milênio se aproximava, o serviço de inteligência da Jordânia, criado e apoiado havia muito pela CIA, prendeu dezesseis homens que acreditava estarem em preparação para explodir hotéis e lugares turísticos durante o Natal. A agência achou que esse plano prenunciava um ataque global da al-Qaeda marcado para o ano-novo. Tenet entrou em intensa atividade, contatando vinte chefes de serviços de inteligência na Europa, no Oriente Médio e na Ásia, dizendo-lhes para prender qualquer pessoa associada a Bin Laden. Enviou uma mensagem urgente a todos os oficiais da CIA no exterior: "A ameaça não poderia ser mais real", dizia. "Façam o que for necessário." O milênio passou sem um ataque catastrófico.

O presidente foi informado sobre os planos de ações secretas da CIA contra Bin Laden em fevereiro e março de 2000, e disse que os Estados Unidos decerto poderiam fazer mais. Tenet e Jim Pavitt, o novo chefe do serviço clandestino, disseram que precisariam de milhões em novos fundos para fazer o trabalho. O czar de contraterrorismo na Casa Branca, Richard Clarke, achou que a vontade da CIA era escassa, e não seu dinheiro; disse que a agência recebera "um bocado de dinheiro e muito tempo para fazer isso, e eu não queria continuar gastando dinheiro mal".

A temporada política propiciou a volta da tradição inaugurada pelo presidente Truman: passar as informações secretas para a oposição. O vice-diretor da central de inteligência em exercício, John McLaughlin, e o subchefe do centro de contraterrorismo, Ben Bonk, foram a Crawford, Texas, e conduziram um seminário de quatro horas para o governador George W. Bush no Dia do Trabalho norte-americano, em setembro. Coube a Bonk a triste tarefa de dizer ao candidato republicano que americanos morreriam nas mãos de terroristas estrangeiros em algum momento dos quatro anos seguintes.

As primeiras mortes aconteceram cinco semanas depois. Em 12 de outubro, no porto de Aden, capital do Iêmen, dois homens ficaram de pé numa lancha e fizeram uma saudação enquanto se aproximavam de um navio americano, o USS Cole. A explosão matou dezessete pessoas, feriu quarenta e abriu um buraco de US$ 250 milhões num dos navios mais sofisticados da Marinha americana.

O suspeito óbvio era a al-Qaeda.

A CIA montou um escritório satélite em Crawford para manter Bush a par do ataque e de outros acontecimentos no mundo durante a longa luta pela eleição de 2000. Em dezembro, depois que a Suprema Corte declarou Bush vitorioso, Tenet informou pessoalmente o presidente eleito sobre Bin Laden. Bush se recorda especificamente de ter perguntado a Tenet se a CIA poderia matar aquele sujeito; Tenet respondeu que matá-lo não poria fim à ameaça que ele representava. Então Bush se reuniu a sós com Clinton durante duas horas para conversar sobre segurança nacional.

Clinton se lembra de ter-lhe dito: "Sua maior ameaça é Bin Laden." Bush jurou que nunca tinha ouvido essas palavras.

# 48 "O LADO ESCURO"

"A inteligência americana está com problemas", advertiu James Monnier Simon Jr., diretor-assistente da central de inteligência para administração, logo depois de Bush assumir o poder, em janeiro de 2001. A CIA "está com sua posição central comprometida", disse ele. Faltava à agência o poder de coletar e analisar as informações necessárias para proteger a nação.

"Em 2001, os Estados Unidos enfrentam uma disparidade crescente, quase vertiginosa, entre a capacidade reduzida e as enormes exigências da Segurança Nacional", disse Simon. "A desconexão entre o que estamos planejando e a probabilidade do que os Estados Unidos enfrentarão nunca foi tão nítida." Chegaria a hora em que o presidente e o Congresso teriam que explicar "por que um desastre previsível não foi previsto".

A inteligência americana estava quase tão dividida e dispersa quanto em 1941. Dezoito diretores consecutivos da central de inteligência haviam falhado em sua missão de unificá-la. Agora a agência estava prestes a falhar como instituição do governo americano.

A CIA mantinha 17 mil pessoas, mais ou menos o tamanho de uma divisão do exército. Mas a grande maioria delas ficava atrás da mesa. Cerca de mil pessoas trabalhavam no exterior no serviço clandestino. A maioria dos oficiais vivia confortavelmente em ruas sem saída nos subúrbios e em casas luxuosas na órbita da auto-estrada em torno de Washington. Eles não estavam acostumados a beber água suja e a dormir em chão de barro. Não estavam preparados para uma vida de sacrifício.

Duzentos oficiais ingressaram no serviço clandestino da CIA em sua inauguração, em setembro de 1947. Em janeiro de 2001, talvez duzentos fossem capazes e corajosos o suficiente para resistir em postos difíceis. O total de pessoas da CIA concentradas na al-Qaeda chegava talvez ao dobro desse número. A maioria delas ficava diante de computadores na sede, isolada da realidade do mundo externo por suas tecnologias de informação antiquadas. Esperar que elas protegessem os Estados Unidos de um ataque era no mínimo uma crença equivocada.

## "UMA CONCHA VAZIA DE PALAVRAS SEM AÇÕES"

Tenet caíra nas graças da Casa Branca, tendo formalmente rebatizado a sede da CIA como Centro de Inteligência Bush, em homenagem ao pai do presidente. E o novo comandante-em-chefe gostava da atitude firme de Tenet. Mas a agência recebeu um apoio muito limitado do presidente Bush durante os primeiros nove meses de seu governo. Ele deu imediatamente ao Pentágono um aumento de 7% no orçamento. A CIA e o resto da comunidade de inteligência receberam um estímulo de 0,03%. A diferença foi determinada em reuniões de Donald Rumsfeld no Pentágono, sem a presença de um único representante da comunidade de inteligência. Rumsfeld e o vice-presidente Dick Cheney — parceiros na política de segurança nacional desde os tempos de Nixon e Ford — gozavam de enorme poder no novo governo. E compartilhavam uma permanente desconfiança em relação à capacidade da CIA.

Bush e Tenet se reuniam na Casa Branca quase todas as manhãs, às 8h. Mas nada do que Tenet dizia sobre Bin Laden atraía completamente a atenção do presidente. Manhã após manhã, na conversa das 8h, Tenet falava ao presidente, a Cheney e à assessora de segurança nacional, Condoleezza Rice, sobre os presságios de um plano da al-Qaeda para atacar os EUA. Mas Bush estava interessado em outras coisas — escudo de mísseis, México, Oriente Médio. Não era invadido por nenhum senso de emergência.

Durante o governo Reagan, quando o presidente tinha problemas de audição e o diretor da central de inteligência balbuciava de forma incompreensível, assessores costumavam brincar dizendo que era impossível entender o que os dois conversavam. Bush e Tenet não tinham essas enfermidades. O problema estava na falta de clareza da CIA e na falta de foco da Casa Branca. *Não basta soar o alarme*, costumava dizer Richard Helms. *É preciso assegurar que os outros escutem.*

O barulho — o volume e a freqüência de informações fragmentadas e não confirmadas sobre a iminência de um ataque terrorista — era ensurdecedor. Tenet não conseguia emitir um sinal coerente ao presidente. Enquanto o alarme soava cada vez mais alto na primavera e no verão de 2001, cada nervo e tendão da agência se retesava para ver e ouvir a ameaça com clareza. As advertências vinham da Arábia Saudita e dos países do Golfo, da Jordânia e de Israel, e de toda a Europa. Os circuitos desgastados da CIA estavam perigosamente sobrecarregados. Os avisos continuavam chegando. Vão atacar Boston. Vão atacar Londres. Vão atacar Nova York. "Quando esses ataques acontecerem, como provavelmente acontecerão", disse Clarke num e-mail a Rice em 29 de maio, "vamos imaginar o que mais poderíamos ter feito para impedi-los."

A agência temia um massacre no exterior durante o feriado de 4 de Julho, quando as embaixadas americanas em todo o mundo tradicionalmente reduzem suas defesas e abrem suas portas para comemorar a Revolução Americana. Semanas antes do feriado, Tenet fez um apelo aos chefes dos serviços de inteligência estrangeiros em Amã, Cairo, Islamabad, Roma e Ancara para que tentassem destruir células conhecidas e suspeitas da al-Qaeda e suas afiliadas no mundo. A CIA forneceria as informações e os serviços estrangeiros fariam as prisões. Alguns suspeitos de terrorismo foram presos em países do Golfo e na Itália. Talvez as prisões tivessem interrompido os planos de ataque a duas ou três embaixadas americanas, disse Tenet à Casa Branca. Talvez não. Era impossível dizer.

Agora Tenet tinha que tomar decisões de vida ou morte como nenhum diretor da central da inteligência jamais havia enfrentado. Um ano antes, depois de uma luta de sete anos entre a CIA e o Pentágono, um pequeno avião pilotado por controle remoto e equipado com câmeras de vídeo e sensores espiões chamado Predator foi considerado pronto para ser enviado ao Afeganistão. O primeiro vôo aconteceu em 7 de setembro de 2000. Agora, a agência e a força aérea imaginavam como colocar mísseis antitanques no Predator. Teoricamente, graças a um investimento de alguns milhões de dólares, um agente da CIA na sede logo seria capaz de caçar e matar Bin Laden com uma tela de vídeo e um *joystick*. Mas qual era a cadeia de comando? Tenet refletiu. Quem dá o sinal verde? Quem aperta o gatilho? Tenet achava que não tinha licença para matar. A idéia de que a CIA cometeria um assassinato por controle remoto, e por conta própria, atemorizava-o. A agência cometera erros demais no passado escolhendo alvos.

Em 1º de agosto de 2001, a Comissão de Vices — a equipe de segurança nacional de segundo escalão — concluiu que, se a CIA matasse Bin Laden com o Predator num ato de autodefesa nacional, estaria dentro da lei. Mas a agência reagiu com mais perguntas. Quem pagaria por isso? Quem armaria o avião? Quem seria o controlador de tráfego aéreo? Quem desempenharia os papéis de piloto e lançador do míssil? O excesso de preocupação exasperou o czar do contraterrorismo, Clarke. "Ou a al-Qaeda é uma ameaça que justifica uma ação contra ela ou não é", vociferou ele. "A liderança da CIA tem que decidir o que [a al-Qaeda] é, e parar com essas mudanças de humor bipolares."

A agência nunca respondeu a uma pergunta apresentada a ela pelo presidente Bush: poderia haver um ataque dentro dos Estados Unidos? Agora era hora de responder: em 6 de agosto, o informe diário ao presidente começava com a manchete "Bin Laden Determinado a Atacar Dentro dos EUA". A advertência que estava abaixo da manchete era uma reportagem muito fraca. As informações mais frescas que continha datavam de 1999. Era um artigo de história, e não um boletim de notícias. O presidente continuou de férias, aparando plantas em Crawford, relaxando durante cinco semanas.

As longas férias da Casa Branca terminaram na terça-feira, 4 de setembro, quando a equipe regular de segurança nacional — a Comissão de Chefes — reuniu-se para tratar pela primeira vez da ameaça de Bin Laden e da al-Qaeda. Naquela manhã, Clarke enviou um bilhete angustiado a Condoleezza Rice, implorando à assessora de segurança nacional que imaginasse centenas de americanos mortos no próximo ataque. Disse que a agência se tornara "uma concha vazia de palavras sem ações", dependendo de governos estrangeiros para deter Bin Laden e deixando os Estados Unidos "à espera do grande ataque". Implorou a ela que pusesse a CIA em ação naquele dia.

### "ESTAMOS EM GUERRA"

A inteligência falha porque é humana, em nada mais forte que o poder de uma mente em compreender outra. Garrett Jones, chefe de posto da CIA durante a desastrosa expedição americana à Somália, explicou claramente: "Haverá estragos, erros, confusão e passos equivocados", disse ele. "A esperança é de que não sejam fatais."

O 11 de Setembro foi uma falha catastrófica que Tenet previra três anos antes. Foi uma falha sistêmica do governo americano — a Casa Branca, o Conselho de Segurança Nacional, o FBI, a Administração de Aviação Federal, o Serviço de Naturalização e Imigração, as comissões de inteligência do Congresso. Foi uma falha da política e da diplomacia. Foi uma falha dos repórteres que cobriam o governo em compreender e transmitir a seus leitores a desorganização do Estado. Mas acima de tudo foi a falha de não conhecer o inimigo. Foi o Pearl Harbor que a CIA tinha sido criada para prevenir.

Tenet e seu chefe de contraterrorismo, Cofer Black, estavam em Camp David no sábado, 15 de setembro, traçando um plano de enviar oficiais da CIA ao Afeganistão para trabalhar com líderes guerreiros locais contra a al-Qaeda. O diretor voltou para a sede no fim do domingo e emitiu uma proclamação a seus soldados: "Estamos em guerra."

Como disse Cheney naquela manhã, a agência passou para "o lado escuro". Na segunda-feira, 17 de setembro, o presidente Bush emitiu uma diretriz ultrasecreta de quatorze páginas para Tenet e a CIA, ordenando que a agência caçasse, capturasse, prendesse e interrogasse suspeitos em todo o mundo. Não estabelecia qualquer limite para o que a agência podia fazer. Foi a base para um sistema de prisões secretas em que oficiais e contratados da CIA usaram técnicas que incluíam a tortura. Um contratado da CIA foi condenado por espancar até a morte um prisioneiro afegão. Este não era o papel de um serviço de inteligência civil numa sociedade democrática. Mas era claramente o que a Casa Branca queria que a CIA fizesse.

A CIA mantivera centros de interrogatório secretos no passado — começado em 1950, na Alemanha, no Japão e no Panamá. Participara da tortura de combatentes inimigos capturados — a partir de 1967, com o programa Phoenix, no Vietnã. Seqüestrara suspeitos de terrorismo e assassinato — mais notoriamente em 1997, no caso de Mir Amal Kansi, assassino de dois oficiais da CIA. Mas Bush deu à agência uma autoridade nova e extraordinária: entregar suspeitos seqüestrados a serviços de segurança estrangeiros para interrogatório e tortura; e confiar nas confissões que esses serviços arrancavam deles. Como eu escrevi no *New York Times* em 7 de outubro de 2001: "A inteligência americana talvez passe a depender de suas ligações com os serviços estrangeiros mais duros do mundo, homens que podem olhar, pensar e agir como terroristas. Se alguém interrogar um homem num porão no Cairo ou em Queta, será um oficial egípcio ou paquistanês. A inteligência americana usará as informações sem fazer uma série de perguntas legais."

Sob ordens de Bush, a CIA começou a funcionar como uma polícia militar global, jogando centenas de suspeitos em prisões secretas no Afeganistão, na Tailândia, na Polônia e na prisão militar americana em Guantánamo, Cuba. Entregou centenas de outros prisioneiros a serviços de inteligência no Egito, no Paquistão, na Jordânia e na Síria, para interrogatórios. As restrições foram retiradas. "Nossa guerra contra o terror começa com a al-Qaeda, mas não termina aí", disse Bush à nação em discurso numa sessão conjunta do Congresso em 20 de setembro. "Ela não acabará até que cada grupo terrorista de alcance global seja encontrado, detido e derrotado."

## "EU *NÃO* PODIA NÃO FAZER"

Havia uma guerra em casa também, e a CIA era parte dela. Depois do 11 de Setembro, James Monnier Simon Jr., diretor-assistente da central de inteligência, tornou-se o encarregado da segurança interna para a comunidade de inteligência. Ele foi a uma reunião na Casa Branca com o procurador-geral, John Ashcroft. O assunto era a criação de cartões de identidade nacionais para os americanos. "O que eles terão? Bem, uma impressão digital do polegar", disse Simon. "O tipo sangüíneo seria útil, assim como um registro da retina. Gostaríamos que a fotografia de um indivíduo fosse tirada de uma maneira especial de modo que pudéssemos identificar seu rosto numa multidão, mesmo que ele estivesse usando um disfarce. Gostaríamos de ter um registro de sua voz, porque está surgindo a tecnologia que distinguirá sua voz de qualquer outra em todos os telefones celulares do planeta, e a sua voz é única. Na verdade, gostaríamos de ter uma parte de seu DNA ali, de modo que se alguma coisa acontecer com ele, poderemos identificar o corpo. A propósito, gostaríamos que um chip nos dissesse onde esse cartão está, de modo que se precisássemos encontrá-lo, conseguiríamos. Então nos ocorreu que se fizéssemos isso, poderia jogar o cartão fora. Então colocaríamos o chip em seu sistema sangüíneo."

Aonde isso levaria em termos de segurança?, imaginou Simon. Os nomes dos serviços de inteligência de Stalin e Hitler lhe vieram à mente. "Isso poderia realmente acabar sendo a KGB, o NKVD, a Gestapo", disse ele. "Nós, o povo, precisamos vigiar e nos envolver." Uma questão problemática era precisamente como o povo americano deveria vigiar. Outra era o que um representante do diretor da central de inteligência estava fazendo na Casa Branca discutindo a implantação de microchips em cidadãos americanos. O cartão de identidade nacional nunca se concretizou. Mas o Congresso de fato deu à CIA novos poderes legais para espionar pessoas nos Estados Unidos. Agora a agência tinha permissão para ler testemunhos secretos a um grande júri, sem prévia aprovação do juiz, e obter registros privados de instituições e corporações. A agência usou essa autoridade para requisitar a corporações financeiras — e receber — dados de bancos e cartões de crédito sobre cidadãos e empresas americanos. Nunca antes a CIA tivera o poder formal de espionar dentro das fronteiras dos Estados Unidos. Agora tinha.

Tenet conversou com o general Michael Hayden, diretor da Agência de Segurança Nacional, logo depois dos ataques. "Existe algo mais que você possa fazer?", perguntou ele. "Não dentro da minha autoridade atual", respondeu Hayden. Então Tenet o "convidou para ir até lá e conversar com o governo sobre o que mais poderia ser feito". Hayden apareceu com um plano de fazer escuta eletrônica de comunicações de suspeitos de terrorismo dentro dos Estados Unidos sem permissão judicial. Isso era, evidentemente, ilegal, mas justificado pela teoria da "perseguição quente" — perseguir suspeitos além das fronteiras do mapa e fora dos limites da lei. Em 4 de outubro de 2001, o presidente Bush ordenou-lhe que executasse o plano. Aquilo tinha que ser feito, disse Hayden. "Eu *não* podia não fazer." Mais uma vez a NSA começou a espionar dentro dos Estados Unidos.

Cofer Black ordenou a sua unidade de contraterrorismo que lhe trouxesse a cabeça de Bin Laden numa bandeja. O Centro de Contraterrorismo, criado quinze anos antes como uma pequena unidade independente do serviço clandestino e que ainda funcionava no porão da sede, era agora o coração da CIA. Oficiais aposentados voltaram ao trabalho e novos recrutas ingressaram no minúsculo grupo de comandos paramilitares da agência. Eles voaram para o Afeganistão para fazer a guerra. Os homens da agência distribuíram milhões de dólares para angariar a lealdade dos líderes tribais afegãos. Estes atuaram nobremente durante alguns meses como tropas avançadas para a ocupação americana no Afeganistão.

Na terceira semana de novembro de 2001, as forças armadas americanas derrubaram a liderança política do Talibã, deixando para trás os soldados rasos, mas pavimentando o caminho para um novo governo em Cabul. Dezenas de milhares de seguidores do Talibã escaparam ilesos. Eles apararam suas barbas e se dissolveram nas vilas; voltariam quando os americanos começassem a se cansar de sua guerra no Afeganistão. Viveriam para lutar novamente.

Foram necessárias onze semanas para organizar a caçada a Osama bin Laden. Quando a caçada realmente começou, eu estava no leste do Afeganistão, trabalhando no interior e nos arredores de Jalalabad, para onde viajara cinco vezes ao longo de anos. Um velho conhecido chamado Haji Abdul Kadir acabara de reivindicar seu posto de governador da província, dois dias depois da queda do Talibã. Haji Kadir era um exemplo de democracia afegã. Era um líder da tribo pathan com alto nível de educação, bastante culto, com pouco mais de 60 anos; e um abastado negociador de ópio, armas e outros itens básicos da economia afegã. Fora um comandante apoiado pela CIA na luta contra a ocupação soviética, governador da província de 1992 a 1996 e intimamente ligado aos talibãs na época destes. Recebera Osama bin Laden pessoalmente no Afeganistão e o ajudara a estabelecer uma propriedade nos arredores de Jalalabad. Agora, dava boas-vindas à ocupação americana. Haji Kadir era um bom anfitrião. Caminhava nos jardins do palácio do governo, entre curvilíneas folhas de palmeiras e viçosos tamarineiros. Esperava a visita de seus amigos americanos a qualquer momento, e ansiava por renovar seus velhos laços, bem como a troca ritual de dinheiro por informações.

Haji Kadir reuniu os líderes das vilas de sua província no palácio do governo. Em 24 de novembro, eles relataram que Bin Laden e os combatentes árabes da al-Qaeda estavam escondidos num lugar isolado nas montanhas, 56 quilômetros entre sul e sudoeste da cidade, perto da vila de Tora Bora.

Em 28 de novembro, por volta das cinco horas da manhã, quando o primeiro chamado para as preces soou, um pequeno avião aterrissou na pista irregular do aeroporto de Jalalabad com uma delegação da CIA e oficiais das Forças Especiais a bordo. Eles carregavam pacotes de notas de US$ 100. Encontraram-se com Haji Zaman, o recém-nomeado comandante em Jalalabad do autoproclamado governo. Ele disse aos americanos que estava "90% certo" de que Bin Laden estava em Tora Bora. A estrada poeirenta para Tora Bora, ao sul de Jalalabad, terminava numa dura trilha nas montanhas, transitável apenas para homens e mulas. A trilha estava ligada a rotas de uma rede de contrabando que levavam a passos nas montanhas de acesso ao Paquistão. Essas rotas tinham sido uma linha de suprimento para rebeldes afegãos, e Tora Bora fora um lugar muito famoso na luta contra os soviéticos. Com ajuda da CIA, fora escavado um complexo de cavernas na encosta das montanhas, para atender aos padrões militares da Otan. Um comandante americano com ordem para destruir Tora Bora seria aconselhado a usar uma arma nuclear tática. Um oficial da CIA com ordem para capturar Bin Laden precisaria requisitar a Décima Divisão de Montanha.

Em 5 de dezembro, enquanto bombardeiros americanos B-52 atacavam aquele reduto de pedras, eu observava o ataque a alguns quilômetros de distância. Queria ver com meus próprios olhos a cabeça de Bin Laden na ponta de uma lança. Ele estava perto da agência, mas fora de seu alcance. Só poderia ser apanhado num cerco, e a CIA não podia montar um. Os homens que perseguiam a al-Qaeda no Afeganistão eram os melhores que a agência tinha, mas eram poucos. Chegaram armados com muito dinheiro, mas com pouquíssima inteligência. A inutilidade de caçar Bin Laden com bombas de gravidade logo ficou patente. Movendo-se de campo em campo na fronteira afegã, Bin Laden estava protegido por uma falange de centenas de combatentes afegãos acostumados a duras batalhas e milhares de membros da tribo pathan que preferiam morrer a traí-lo. Ele superava a CIA em número de homens e em manobras estratégicas no Afeganistão, e escapou.

Tenet estava com os olhos chispando, furioso, mordendo tocos de charuto, no limite de sua paciência. Seus soldados de contraterrorismo foram forçados além de sua capacidade. Ao lado de soldados americanos de operações especiais, eles estavam caçando, capturando e matando dirigentes e soldados de Bin Laden em Afeganistão, Paquistão, Arábia Saudita, Iêmen e Indonésia. Mas começavam a atingir alvos errados novamente. Ataques do Predator mataram pelo menos 24 afegãos inocentes em janeiro e fevereiro de 2002; a CIA enviou US$ 1 mil a cada uma de suas famílias como compensação. Espalhando-se por Europa, África e Ásia, trabalhando com cada serviço de inteligência estrangeiro amigo no planeta, oficiais da CIA detiveram mais de três mil pessoas em mais de cem países no ano que se seguiu ao 11 de Setembro, disse Tenet. "Nem todos os presos eram terroristas", disse ele com cautela. "Alguns foram liberados. Mas essa perseguição mundial à al-Qaeda definitivamente atrapalhou as operações." Isso era inquestionável. Mas o fato era que apenas quatorze homens entre as três mil pessoas capturadas eram figuras com alto nível de autoridade na al-Qaeda e em suas afiliadas. Com eles, a agência prendeu centenas de pessoas sem importância. Elas se tornaram prisioneiros fantasmas na guerra contra o terror.

O foco e a intensidade da missão de matar ou capturar Bin Laden começaram a diminuir em março de 2002, depois do fracassado ataque a Tora Bora. A CIA foi orientada pela Casa Branca a voltar sua atenção para o Iraque. A agência respondeu com um fiasco bem mais fatal para seu destino do que os ataques do 11 de Setembro.

# 49 "UM ERRO GRAVE"

"Não há dúvida alguma de que Saddam Hussein tem agora armas de destruição em massa", disse o vice-presidente Dick Cheney em 26 de agosto de 2002. "Não há dúvida de que ele as está acumulando para usá-las contra nossos amigos, contra nossos aliados e contra nós." O secretário de Defesa, Don Rumsfeld, disse o mesmo: "Sabemos que eles têm armas de destruição em massa", afirmou. "Não há discussão alguma sobre isso."

Tenet apresentou suas sinistras advertências numa audiência secreta diante da comissão de inteligência do Senado, em 17 de setembro: "O Iraque forneceu à al-Qaeda vários tipos de treinamento — em combate, fabricação de bombas químicas, biológicas, radiológicas e nucleares." Ele baseou sua declaração em confissões de uma única fonte — Ibn al-Shakh al-Libi, um sujeito sem importância que tinha sido espancado, colocado numa caixa de menos de um metro quadrado durante dezessete horas e ameaçado com tortura prolongada. O prisioneiro desmentiu o testemunho depois que a ameaça de tortura foi retirada. Tenet não corrigiu o registro.

Em 7 de outubro, na véspera do debate no Congresso sobre ir ou não à guerra contra o Iraque, o presidente Bush disse: o Iraque "possui e produz armas químicas e biológicas". Ele prosseguiu advertindo que "a qualquer momento o Iraque pode decidir fornecer uma arma biológica ou química a um grupo terrorista ou a um terrorista individual". Isso criou um dilema para Tenet. Dias antes, seu vice, John McLaughlin, contradisse o presidente em testemunho à comissão de inteligência do Senado. Por ordem da Casa Branca, Tenet emitiu uma declaração dizendo, "Não há incoerência alguma entre nossa opinião sobre a crescente ameaça de Saddam e a opinião manifestada pelo presidente em seu discurso".

Era a última coisa que ele deveria ter dito, e ele sabia disso. "Era a coisa errada a fazer", testemunhou Tenet quase quatro anos depois. Ao longo de anos de serviço público, Tenet havia sido fundamentalmente um homem decente. Mas sob as enormes pressões que enfrentou depois do 11 de Setembro, sua única falha — seu desejo absoluto de agradar a seus superiores — tornou-se uma falha geológica. O caráter de Tenet rachou, e a CIA também. Sob sua liderança, a agência produziu o pior trabalho de sua longa história: uma estimativa de inteligência nacional especial intitulada "Programas Contínuos do Iraque para Armas de Destruição em Massa".

Uma estimativa nacional é a melhor avaliação da comunidade de inteligência americana. É produzida e dirigida pela CIA e distribuída com a autoridade e permissão oficial do diretor da central de inteligência. É a palavra dele.

A estimativa foi aprovada por membros da comissão de inteligência do Senado, que acharam que poderia ser prudente analisar as provas antes de partir para a guerra. A pedido da comissão, os analistas da CIA passaram três semanas reunindo e analisando tudo o que a agência sabia por meio de satélites espiões, serviços de inteligência estrangeiros e agentes iraquianos recrutados, desertores e voluntários. A CIA relatou em outubro de 2002 que a ameaça era incalculável. "Bagdá tem armas químicas e biológicas", dizia a estimativa ultrasecreta. Saddam havia reforçado sua tecnologia de mísseis, aumentado seus estoques de armas e reiniciado seu programa de armas nucleares. "Se Bagdá adquirir material físsil suficiente no exterior", dizia a estimativa, "poderá fabricar uma arma nuclear dentro de alguns meses." E o mais assustador de tudo: a CIA advertia que o Iraque poderia lançar ataques químicos e biológicos dentro dos Estados Unidos.

A CIA confirmou tudo o que a Casa Branca estava dizendo. Mas a agência estava dizendo muito mais do que sabia. "Não tínhamos muitas fontes iraquianas", admitiu Jim Pavitt, chefe do serviço clandestino, dois anos depois. "Tínhamos menos do que um punhado." A agência produziu uma tonelada de análises a partir de alguns gramas de informações. Isso poderia ter funcionado se fossem gramas de ouro sólido, e não de puro lixo.

A CIA como instituição estava apostando que soldados ou espiões americanos encontrariam as provas depois da invasão do Iraque. Era uma aposta alta. Teria horrorizado Richard Helms, que morreu aos 89 anos, em 22 de outubro de 2002, depois que a estimativa foi concluída. Em homenagem a seu legado, a CIA reimprimiu partes de um discurso que ele fizera anos antes. O texto completo estava enterrado nos arquivos da agência, mas seu poder não havia diminuído. "Às vezes temos dificuldade em entender a intensidade das críticas públicas que recebemos", dissera Helms. "A crítica à nossa eficiência é uma coisa e a crítica à nossa responsabilidade é outra bem diferente. Acredito que somos, como um braço importante do governo, um objeto legítimo de preocupação pública... Acho mais doloroso, porém, quando o debate público reduz nossa utilidade para a nação lançando dúvidas sobre nossa integridade e objetividade. Se não acreditam em nós, não temos propósito algum."

## "NÃO TÍNHAMOS RESPOSTA ALGUMA"

Para entender como a CIA foi capaz de dizer que havia armas de destruição em massa no Iraque, voltemos a 1991 e ao fim da primeira guerra no Golfo. Depois da guerra, vieram sete anos de intensa investigação internacional, liderada por inspetores das Nações Unidas que procuravam provas de que Saddam tinha um arsenal escondido. Eles vasculharam o país e apreenderam o que puderam.

Em meados dos anos 1990, Saddam temia as sanções econômicas internacionais mais do que outro ataque dos Estados Unidos. Ele destruiu suas armas de destruição em massa, em obediência ao comando das Nações Unidas. Mas manteve suas instalações de fabricação de armas, mentiu sobre isso, e os Estados Unidos e as Nações Unidas sabiam que ele estava mentindo. Esse legado de mentiras levou os inspetores e a CIA a desconfiarem de tudo que o Iraque fazia.

Em 1995, o general Hussein Kamal, genro de Saddam, desertou juntamente com alguns de seus assessores. Kamal confirmou que Saddam havia destruído as armas. A CIA desconsiderou o que ele disse, julgando como falsa informação. O fato de Kamal ter voltado para o Iraque e ter sido assassinado por seu sogro não alterou a crença da agência.

Seus assessores contaram à CIA sobre a Diretoria de Monitoramento Nacional do Iraque, que tinha o objetivo de esconder do mundo as intenções e capacidade militares de Saddam. A CIA queria furar esse sistema de ocultações, e um golpe de sorte tornou isso possível. Rolf Ekeus, presidente da equipe de inspeção das Nações Unidas, era sueco. Assim como a Ericsson, a gigante de telecomunicações que fabricava os *walkie-talkies* usados pela Diretoria de

Monitoramento Nacional do Iraque. A CIA, a NSA, Ekeus e a Ericsson vislumbraram uma maneira de grampear as telecomunicações do Iraque. Em março de 1998, um agente da CIA disfarçado de inspetor de armas das Nações Unidas foi a Bagdá e instalou um sistema de escuta eletrônica. Conversas interceptadas eram transmitidas para um computador em Bahrain, que procurava palavras-chave como *míssil* e *químico*. Uma operação brilhante, com uma exceção: a CIA nada descobriu sobre a existência de qualquer arma de destruição em massa no Iraque.

Naquela primavera, os inspetores de armas descobriram o que consideravam ser restos de gás dos nervos VX em ogivas de mísseis iraquianos. Seu relatório vazou para o *Washington Post*. Bagdá disse que era uma mentira americana. Charles Duelfer — que liderara algumas equipes de inspeção nos anos 1990 e retornaria ao Iraque em 2004 como principal caçador de armas de Tenet — concluiu: "No fim das contas, acho que os iraquianos estavam certos. Eles não usaram VX como arma."

O confronto causado pelo relatório sobre VX foi um divisor de águas. O Iraque já não confiava nos inspetores, que nunca haviam confiado no Iraque. Em dezembro de 1998, as Nações Unidas tiraram seus inspetores do Iraque e os Estados Unidos mais uma vez começaram a bombardear Bagdá. As informações que a CIA tinha colhido nos grampos da Ericsson foram usadas para lançar mísseis americanos contra as pessoas e instituições em que ela se infiltrara — incluindo a casa do homem que chefiava a Diretoria de Monitoramento Nacional.

O Iraque declarou às Nações Unidas que se livrara das armas de destruição em massa. As declarações eram essencialmente precisas; as violações substanciais eram pequenas. Mas Saddam tinha sido deliberadamente ambíguo em relação a seu arsenal, temendo ficar nu diante de seus inimigos se estes acreditassem que ele não tinha capacidade para produzir as armas. Ele *queria* que os Estados Unidos, seus inimigos em Israel e no Irã, seus inimigos internos e, sobretudo, seus próprios soldados acreditassem que ele ainda tinha as armas. A ilusão era seu melhor dissuasor e sua última defesa contra um ataque.

Este era o estado de coisas que a CIA enfrentava depois do 11 de Setembro. Seus últimos relatos confiáveis vindos do Iraque eram notícias muito velhas. "Estávamos desprovidos de qualquer inteligência humana — zero, nada, em termos de agentes em solo", disse David Kay, que também liderara a equipe das Nações Unidas e que precedeu Duelfer como principal caçador de armas no Iraque. A Casa Branca queria respostas. "Não tínhamos resposta alguma", disse Kay.

Então, em 2002, "de repente, o que parecia ser uma fonte valiosa de inteligência humana apareceu: desertores", disse ele. "Esses desertores saídos do regime de Saddam nos contaram sobre os programas de armas no Iraque e seu progresso. Nem todos se revelaram aos Estados Unidos; muitos se revelaram a serviços de inteligência em França, Alemanha, Grã-Bretanha e outros países. As informações pareciam ser inacreditavelmente boas." Uma das histórias mais instigantes era sobre laboratórios móveis de armas biológicas. A fonte era um iraquiano nas mãos do serviço de inteligência alemão, de codinome Curveball.

"Os desertores iraquianos compreenderam duas coisas: uma, tínhamos um interesse mútuo na substituição do regime; e duas, os EUA estavam muito preocupados com as armas de destruição em massa no Iraque", disse Kay. "Então eles nos contaram sobre as armas para nos levar a agir contra Saddam. Foi física newtoniana básica: dê-me uma alavanca e um apoio e eu posso mover o mundo."

Somente uma coisa era pior do que não ter fonte alguma: ser seduzido por fontes que contavam mentiras.

O serviço clandestino havia produzido poucas informações sobre o Iraque. Os analistas aceitaram qualquer coisa que apoiasse os argumentos para a guerra. Engoliram boatos de segunda e terceira mão que se adequavam aos planos do presidente. Para a agência, ausência de provas não era prova de ausência. Outrora, Saddam teve as armas. Os desertores disseram que ele ainda as tinha. Portanto, ele as tinha. A CIA, como instituição, buscava desesperadamente a atenção e a aprovação da Casa Branca. Fazia isso dizendo ao presidente o que ele queria ouvir.

### "FATOS E CONCLUSÕES BASEADOS EM INTELIGÊNCIA SÓLIDA"

O presidente Bush apresentou os argumentos da CIA e ainda mais em seu discurso do Estado da União em 28 de janeiro de 2003: Saddam Hussein tinha armas biológicas suficientes para matar milhões, armas químicas para matar muitos milhares, laboratórios móveis de armas biológicas criados para produzir agentes para uma guerra bacteriológica. "Recentemente, Saddam Hussein procurou quantidades significativas de urânio na África", disse ele. "Nossas fontes de inteligência nos dizem que ele tentou comprar tubos de alumínio altamente resistentes, apropriados para a produção de armas nucleares."

Tudo aquilo era assustador. Nada daquilo era verdade.

Às vésperas da guerra, em 5 de fevereiro de 2003, o secretário de Estado Colin Powell, cuja estatura internacional não tinha rival no governo Bush, foi às Nações Unidas. Com George Tenet a seu lado — o assessor leal de sempre, sua presença uma afirmação silenciosa — e o embaixador americano para as Nações Unidas e futuro diretor da inteligência nacional, John Negroponte, a seu lado, o secretário de Estado começou: "Cada declaração que eu faço hoje é sustentada por fontes, fontes sólidas. Não são alegações. Estamos dando aos senhores fatos e conclusões baseados em inteligência sólida."

Powell disse: "Não pode haver dúvida alguma de que Saddam Hussein tem armas biológicas e capacidade de espalhar venenos mortais e doenças de maneiras que podem causar morte e destruição em massa." Ele advertiu novamente para os laboratórios móveis de armas biológicas, como eles podiam estacionar num galpão, fabricar um veneno e partir sem serem detectados. Disse que Saddam tinha armas químicas letais suficientes para encher 16 mil foguetes de campo de batalha. E talvez pior que tudo isso: havia a ameaça de "uma ligação muito mais sinistra entre o Iraque e a rede terrorista al-Qaeda".

Aquilo não era um uso seletivo de inteligência. Não estavam escondendo o joio e apresentando o trigo. Não era uma adaptação dos fatos para que se adequassem aos planos de guerra. Era o que a inteligência dizia, a melhor inteligência que a agência tinha a oferecer. Powell passara dias e noites com Tenet, checando e rechecando os relatos da CIA. Tenet olhou em seus olhos e lhe disse que a informação era sólida como pedra.

Em 20 de março de 2003, a guerra começou antes do programado com uma pista errada da CIA. Tenet correu até a Casa Branca com um informe urgente de que Saddam Hussein estava escondido numa propriedade ao sul de Bagdá chamada Fazendas Doura. O presidente ordenou que o Pentágono destruísse a propriedade. Choveram bombas antibunker e mísseis de cruzeiro. O vice-presidente Cheney disse, "Acho que realmente pegamos Saddam Hussein. Ele foi visto sendo retirado de escombros e não conseguia respirar." Era um relato falso: Saddam não foi visto em lugar nenhum. A primeira falha de alvo na guerra não seria a última. Em 7 de abril de 2003, a CIA relatou que Saddam e seus filhos estavam reunidos numa casa vizinha ao restaurante Saa, no distrito de Mansur, em Bagdá. A força aérea lançou quatro bombas de uma tonelada sobre a casa. Saddam também não estava lá. Dezoito civis inocentes foram mortos.

A agência previu que milhares de soldados iraquianos e seus comandantes se renderiam ao longo de toda a rota de ataque quando este fosse lançado da fronteira do Kuwait. Mas a força invasora americana teve que lutar para abrir caminho em todas as cidades, de todos os tamanhos, ao longo da estrada para Bagdá. A CIA vislumbrou a capitulação em larga escala das unidades militares iraquianas, e sua informação era específica: a divisão iraquiana baseada em Nassíria deporia suas armas. As primeiras tropas americanas a chegar à cidade sofreram uma emboscada; dezoito fuzileiros navais foram mortos, alguns deles por fogo amigo, no primeiro grande combate da guerra. As forças americanas foram informadas de que seriam bem recebidas por alegres iraquianos agitando bandeiras americanas — o serviço clandestino forneceria as bandeiras — e desfilariam nas ruas de Bagdá sob uma chuva de doces e flores. Na hora, foram recebidas com balas e bombas.

A CIA fez uma lista de 946 lugares suspeitos onde poderiam ser encontrados arsenais de destruição em massa de Saddam. Soldados americanos foram feridos e mortos em busca de armas que nunca existiram. A agência não viu a ameaça representada por fuzis de assalto e granadas propulsadas por foguetes armazenados pela Fedayeen, a força irregular liderada por Uday Hussein, filho de Saddam. A falha levou à primeira grande série de mortes de soldados americanos em combate. "A Fedayeen e outras forças paramilitares provaram ser uma ameaça maior do que qualquer um esperava", escreveram os autores de *On Point*, uma história oficial do exército dos EUA sobre a invasão do Iraque. "As comunidades de inteligência e operações jamais previram o quanto elas seriam ferozes, obstinadas e fanáticas."

A CIA organizou um esquadrão paramilitar de iraquianos chamado Scorpions para fazer sabotagem antes e durante a guerra. Durante a ocupação, os Scorpions se destacaram por espancarem um general iraquiano até a morte. O major-general Abed Hamed Mowhoush, que era suspeito de dirigir ataques de insurgentes mas que se entregara voluntariamente às forças americanas, foi surrado com cabos de marreta pelos Scorpions até perder os sentidos, na presença de um agente da CIA que os liderava, um oficial das Forças Especiais reformado que assinara contrato com a agência para a guerra. Mowhoush morreu dos ferimentos dois dias depois, em 26 de novembro de 2003. Mais cedo naquele mês, um prisioneiro iraquiano chamado Manadal al-Jamadi foi torturado até a morte na prisão de Abu Ghraib, quando estava sob custódia de um agente da CIA. Os interrogatórios brutais eram parte do que a Casa Branca convocara a agência para fazer quando as coisas esquentaram.

Como concluiu a CIA três anos depois da invasão, a ocupação americana no Iraque se tornou "a causa célebre para os jihadistas, alimentando um profundo ressentimento com o envolvimento dos EUA no mundo muçulmano e cultivando simpatizantes do movimento jihadista global". A avaliação chegou tarde demais para ter alguma utilidade para as forças americanas. "Todo exército de libertação tem uma meia-vida a mais, que o transforma em exército de ocupação", escreveu o tenente-general David H. Petraeus, que comandou a 101ª Divisão Aerotransportada no primeiro ano da guerra, supervisionou o esforço para treinar o exército iraquiano numa segunda etapa e retornou como comandante das forças americanas em 2007.

"A inteligência é a chave do sucesso", disse ele. Sem ela, as operações militares caem "numa catastrófica espiral descendente".

### "APENAS SUPONDO"

A agência continuou fluindo para Bagdá quando a guerra acabou. "Enquanto o Iraque passa da tirania à autodeterminação, Bagdá abriga o maior posto da CIA desde a guerra no Vietnã", proclamou Jim Pavitt, chefe do serviço clandestino. "Estou extremamente orgulhoso de nosso desempenho no Iraque e de nosso papel na libertação de seu povo de décadas de repressão." Os oficiais do posto de Bagdá trabalhavam com soldados das Forças Especiais, tentando criar uma nova atmosfera política no Iraque, escolhendo líderes locais, subornando políticos, tentando reconstruir a sociedade a partir da base. Eles tentaram trabalhar com seus colegas britânicos para criar um novo serviço de inteligência iraquiano. Mas foram pouquíssimos os resultados disso tudo. Quando teve início a insurgência iraquiana contra a ocupação americana, esses projetos começaram a se desintegrar e a liderança do posto da CIA em Bagdá começou a entrar em colapso.

Quando a ocupação ficou fora de controle, os oficiais da CIA se viram imobilizados no complexo de prédios da embaixada americana na capital, incapazes de escapar da proteção dos muros altos e do arame farpado. Tornaram-se prisioneiros da Zona Verde, impotentes para compreender a insurgência iraquiana, passando horas demais bebendo no bar Babylon, mantido pelo posto em Bagdá. Muitos não aceitavam um rodízio maior do que um a três meses, tempo dificilmente suficiente para produzir alguma coisa em Bagdá.

O posto — cujo quadro se aproximava de quinhentos oficiais — teve três chefes ao longo de um ano. A CIA simplesmente não conseguia encontrar um substituto para o primeiro chefe do posto em 2003. "Eles tiveram seriíssimas dificuldades para encontrar um indivíduo competente para ir à luta", disse Larry Crandall, veterano do serviço diplomático que trabalhara intimamente com a CIA durante a jihad afegã e que era o supervisor número dois do programa americano de reconstrução do Iraque, de US$ 18 bilhões. A agência não tinha ninguém do serviço clandestino disposto ou capaz de ocupar o cargo. Finalmente, escolheu um analista com quase nenhuma experiência em realizar operações. Ele durou alguns meses. Foi uma enorme falha de liderança em tempo de guerra.

A CIA enviou os melhores inspetores americanos que haviam caçado o arsenal de Saddam nos anos 1990 de volta ao Iraque. David Kay liderou uma equipe de 1.400 especialistas, o Grupo de Inspeção no Iraque, trabalhando diretamente para o diretor da central de inteligência. Tenet continuou a sustentar os relatos da CIA, rejeitando as críticas cada vez maiores, que considerava "mal informadas, enganadoras e simplesmente erradas". Mas o grupo de inspeção vasculhou o Iraque e nada encontrou. Quando Kay voltou e relatou isso, Tenet o afastou. Mas Kay compareceu diante da Comissão de Serviços Armados do Senado em 28 de janeiro de 2004 e falou a verdade.

"Estávamos quase totalmente errados", disse ele.

Quando ficou claro que a agência havia apenas imaginado o arsenal apocalíptico do Iraque, uma exaustão moral começou a se abater sobre a CIA. Uma ira obscura e amarga substituiu o espírito inflamado que se instalara depois do 11 de Setembro. Estava evidente que para a Casa Branca, o Pentágono ou o Departamento de Estado, não importava mais o que a agência tinha a dizer.

O presidente Bush desprezou os relatórios cada vez mais terríveis da CIA sobre os rumos da ocupação. A agência estava "apenas supondo", disse ele.

Foi um prenúncio de morte. *Se não acreditam em nós, não temos propósito algum.*

## "AS PROVAS ERAM COMPLETAMENTE FRÁGEIS"

"Estamos em guerra", disse o juiz Laurence Silberman, que o presidente Bush designou em 6 de fevereiro de 2004 para liderar uma investigação sobre a maneira como a CIA havia considerado o arsenal de Saddam. "Se o exército americano cometesse um erro tão grave quanto o de nossa comunidade de inteligência, esperaríamos que generais fossem expulsos."

Ele continuou: "Teria sido plenamente justificável ter dito ao presidente e ao Congresso que era provável que Saddam tivesse armas de destruição em massa, com base no fato de ele as ter usado no passado, em indicações de destruição insuficientes e em seu comportamento dissimulado." Mas a CIA cometera "um erro gravíssimo ao concluir que havia 90% de certeza de que ele tinha armas de destruição em massa. E foi um erro grave que não se baseou em observações anteriores", disse ele. "As provas eram completamente frágeis, algumas bastante falhas, e a espionagem não foi boa. Além do mais, havia uma falta tão grande de comunicação interna na comunidade de inteligência que freqüentemente a mão esquerda não sabia o que a mão direita estava fazendo."

A CIA chegara a suas conclusões sobre as armas químicas do Iraque com base somente em imagens mal interpretadas de caminhões-tanques iraquianos. A CIA baseara suas conclusões sobre as armas biológicas iraquianas em apenas uma fonte — Curveball. A CIA baseara suas conclusões sobre as armas nucleares iraquianas quase inteiramente na importação, por Saddam, de tubos de alumínio destinados à fabricação de foguetes convencionais. "É quase escandalosamente errado concluir que esses tubos de alumínio eram apropriados ou destinados a centrífugas de armas nucleares", disse o juiz Silberman.

"O que foi mais desastroso", disse ele, "foi Colin Powell ter ido às Nações Unidas para apresentar aqueles argumentos absolutamente inquestionáveis baseados num material realmente péssimo."

O juiz Silberman e sua comissão presidencial receberam uma permissão sem precedentes para ler todos os artigos sobre as armas de destruição em massa do Iraque dos informes diários ao presidente. Descobriram que os relatórios da CIA para os olhos do presidente não eram diferentes do resto do trabalho da agência, incluindo a infame estimativa — exceto num aspecto. Eram "ainda mais enganosos", descobriu a comissão. Eram, "no mínimo, mais alarmistas e com menos nuances". Os informes diários ao presidente, "com suas manchetes sensacionalistas e um padrão de repetições, davam a impressão de que muitos relatos corroboravam as informações, quando na verdade havia pouquíssimas fontes... De maneiras sutis e não tão sutis, os relatórios diários pareciam estar 'vendendo' inteligência — com o objetivo de manter o interesse de seus clientes, ou pelo menos do Principal Cliente".

## "NÃO FIZEMOS O TRABALHO"

George Tenet viu que seu tempo estava acabado. Ele fizera o máximo para ressuscitar e reformar a agência. Mas sempre seria lembrado por uma coisa: por reassegurar ao presidente que a CIA tinha provas "praticamente definitivas"[33] sobre as armas de destruição em massa do Iraque. "Aquelas foram as duas palavras mais estúpidas que eu já disse", refletiu Tenet. Não importava quanto tempo ele vivesse, não importava quantos bons feitos ele visse a realizar nos anos seguintes, essas palavras estariam no primeiro parágrafo de seu obituário.

Num gesto louvável, Tenet pediu a Richard Kerr, ex-vice-diretor da central de inteligência, que investigasse o que houve de errado na estimativa sobre o Iraque. O estudo foi terminado em julho de 2004, e permaneceria confidencial por quase dois anos após aquela data. Quando foi liberado, ficou claro o motivo pelo qual a agência o mantivera em segredo. Era um epitáfio. Dizia que a CIA quase deixara de existir quando a guerra fria chegou ao fim; que a queda da União Soviética teve um impacto sobre a agência "análogo ao efeito da queda de meteoros sobre os dinossauros".

No caso do Iraque, e em muitos outros casos, analistas eram rotineiramente forçados a "depender de relatos cujas fontes eram enganadoras e não confiáveis". No caso deplorável de Curveball, oficiais da CIA receberam boas advertências de que ele era um mentiroso. Essas advertências não angariaram atenção. Não houve negligência no cumprimento do dever, mas quase isso.

Rotineiramente, o serviço clandestino "usava descrições diferentes para a mesma fonte", de modo que os leitores de seus relatórios acreditassem que havia três fontes corroborando as informações quando na verdade havia uma. Não era fraude, mas quase isso.

A CIA vinha trabalhando nas questões sobre o arsenal iraquiano por mais de uma década, e Tenet procurara George Bush e Colin Powell nas vésperas da

---

[33]Tenet usou a expressão "slam dunk", que originalmente se refere a uma jogada de basquetebol. (*N. do T.*)

guerra brandindo mentiras disfarçadas de firmes verdades. Não era um crime, mas quase isso.

Tragicamente, este foi o legado de Tenet. Finalmente, ele admitiu que a CIA estava errada — não por "motivos políticos ou um desejo covarde de levar o país à guerra", mas devido à incompetência da agência. "Não fizemos o trabalho", disse ele.

A explicação completa do significado desse fracasso foi deixada para o inspetor-chefe de armas da CIA, David Kay. "Achamos que a inteligência é importante para vencer guerras", disse ele. "Guerras não são vencidas pela inteligência. São vencidas por sangue, riqueza, coragem de jovens homens e mulheres que pomos em campo... O que a inteligência realmente faz quando está funcionando bem é ajudar a evitar guerras." No fim, esta foi a maior falha da inteligência.

# 50 "O FUNERAL"

Em 8 de julho de 2004, sete anos depois de assumir o cargo, George Tenet renunciou. Em sua despedida na sede da CIA, ele recorreu a palavras de Teddy Roosevelt: *Não é o crítico que conta, nem o homem que mostra como o homem forte titubeia, ou como o autor das proezas poderia ter feito melhor. O crédito pertence ao homem que está realmente na arena, cuja face é desfigurada por poeira, suor e sangue.* Richard Nixon citara o mesmo discurso uma dia antes de deixar a Casa Branca desonrado.

Tenet se retirou para escrever uma dolorosa biografia pessoal sobre seu período na CIA. Era um livro amargo e cheio de orgulho. Ele devidamente se gabou do sucesso da CIA — com a ajuda inestimável da inteligência britânica — no desmantelamento dos programas de armas secretos do Paquistão e da Líbia. Sustentou que transformara a agência de um pandemônio num dínamo. Mas a máquina quebrara devido à pressão insuportável. Tenet não pôde atacar a al-Qaeda antes do 11 de Setembro: "Na ausência de inteligência firme", escreveu ele, "a ação secreta é um jogo tolo." E depois dos ataques, ele foi inundado por maremotos de ameaças que nunca se concretizaram. Todos os dias ele lidava com os mais novos temores da Casa Branca, e "você poderia enlouquecer se acreditasse em tudo ou mesmo na metade" do que se relatava. Ele quase enlouqueceu. Dominados pela incerteza, Tenet e a CIA convenceram a si mesmos de que o arsenal do Iraque existia. "Fomos prisioneiros de nossa própria história", escreveu ele, pois os únicos fatos firmes que tinham datavam de quatro anos antes. Ele confessou o erro, mas era um apelo por absolvição de um homem condenado. Tenet terminou acreditando que a Casa

Branca queria culpá-lo pela decisão de ir à guerra. Era um peso grande demais para suportar.

E agora era a vez do crítico ser o homem na arena.

Porter Goss nunca foi um grande sucesso na CIA. Recrutado em seu penúltimo ano em Yale, em 1959, ele ingressou no serviço clandestino e atuou sob o comando de Allen Dulles, John McCone e Richard Helms. Trabalhara com a divisão latino-americana durante uma década, concentrando-se em Cuba, Haiti, República Dominicana e México. O destaque de seu período no posto de Miami foi colocar agentes cubanos dentro e fora da ilha em pequenos barcos, acobertados pela noite, no outono de 1962.

Nove anos depois, Goss estava trabalhando no posto de Londres quando uma infecção bacteriana se apoderou de seu coração e pulmões e quase o matou. Ele se aposentou, recuperou-se, comprou um pequeno jornal na Flórida e usou o jornal para conseguir uma vaga no Congresso em 1988. Tinha uma renda líquida de US$ 14 milhões, uma fazenda desativada em Virgínia, uma propriedade em Long Island Sound e um domínio de vice-rei sobre a CIA, como presidente da comissão de inteligência da Câmara.

Ele era modesto em relação a suas realizações na agência. "Eu não conseguiria um emprego na CIA hoje", disse ele em 2003. "Não sou qualificado." Estava certo em relação a isso. Mas decidiu que ele e somente ele deveria ser o próximo diretor da central de inteligência. Disparou contra Tenet uma cruel saraivada. Suas armas foram as palavras do relatório anual da comissão de inteligência sobre a agência.

### "PRECISAREMOS DE MAIS CINCO ANOS"

Publicado em 21 de junho de 2004, três semanas antes de Tenet deixar o cargo, o relatório de Goss advertia que o serviço clandestino estava se tornando "uma burocracia rígida, incapaz de obter até mesmo um minúsculo sucesso". Embora 138 mil americanos tivessem se candidatado a trabalhar na CIA no ano anterior, poucos conseguiram se tornar espiões. Tenet acabara de testemunhar que "precisaremos de mais cinco anos de trabalho para ter o tipo de serviço clandestino de que nosso país precisa".

Goss utilizou essa triste verdade: "Estamos agora no oitavo ano de reconstrução, e ainda estamos a mais de cinco anos de nos tornarmos saudáveis. Isso é trágico."

Em seguida, Goss atacou a diretoria de inteligência da CIA por produzir notícias atualizadas de escasso valor, em vez da inteligência estratégica de longo alcance que fora o motivo inicial da criação da agência. Goss tinha razão também neste ponto — e todos no mundo da inteligência sabiam disso. "Não produzimos inteligência estratégica há tanto tempo que a maioria de nossos analistas já não sabe como fazer isso", disse Carl W. Ford Jr., secretário-assistente de Estado para Inteligência e Pesquisa de maio de 2001 a outubro de 2003, e ex-funcionário da CIA.

"Enquanto avaliarmos a inteligência mais por seu volume que por sua qualidade, continuaremos produzindo a pilha de lixo de US$ 40 bilhões que nos tornou famosos", disse Ford. Ele estava irado pelo fato de que a agência — enquanto se fixava no arsenal quimérico de Saddam Hussein — não descobriu nada sobre os programas de armas nucleares dos outros países do eixo do mal do presidente. "Provavelmente sabíamos cem vezes mais sobre o programa nuclear do Iraque do que sobre o programa do Irã, e mil vez mais que sobre o programa da Coréia", disse Ford. A Coréia do Norte era uma lacuna, como sempre fora. A CIA tentara reconstruir uma rede de agentes no Irã, mas fracassara. Agora, o Irã também era uma lacuna; na verdade, a agência sabia muito menos sobre esses programas nucleares do que soubera cinco ou dez anos antes.

A CIA estava em ruínas, disse Ford: "Está quebrada. Está tão quebrada que ninguém quer acreditar nisso." O relatório de Goss deixava isso claro. "Negam de maneira anormal que haja qualquer necessidade de ação corretiva", dizia. "A CIA continua descendo a ladeira que termina num precipício amplamente conhecido."

Goss estava certo de que tinha as respostas. Sabia que a CIA vinha enganando a si mesma e aos outros sobre a qualidade de seu trabalho. Sabia que a maior parte do serviço clandestino passara as quatro décadas da guerra fria esperando e desejando que soviéticos oferecessem seus serviços como espiões. Sabia que seus oficiais no exterior, na guerra contra o terror, passavam dias e noites esperando e desejando que seus colegas do Paquistão, da Jordânia, da Indonésia e das Filipinas lhes vendessem informações. Sabia que a solução era fazer uma reforma geral na agência.

A Comissão do 11 de Setembro criada pelo Congresso estava prestes a emitir seu relatório final. A comissão fez um trabalho esplêndido de reconstituição dos acontecimentos que levaram aos ataques. Não traçou um caminho claro para o futuro. O Congresso também não fizera muita coisa para consertar a agência depois do 11 de Setembro além de dar-lhe bilhões de dólares e um bocado de conselhos grátis. A comissão descreveu corretamente a supervisão da inteligência pelo Congresso como "anormal" — o mesmo epíteto que Goss usou para a agência. Durante anos, as comissões de inteligência da Câmara e do Senado permaneceram praticamente alienadas das questões de vida ou morte que a CIA enfrentava. Sob o comando de Goss, a comissão da Câmara produziu seu último relatório substancial sobre a atuação da CIA em 1998. Um quarto de século de supervisão da agência pelo Congresso gerou pouca coisa de valor duradouro. As comissões de inteligência e suas equipes ocasionalmente aplicaram castigos públicos e uma série de consertos rápidos para problemas sempre presentes.

Sabia-se que a Comissão do 11 de Setembro recomendaria a criação de um novo diretor de inteligência nacional. A idéia vinha circulando desde o apogeu de Allen Dulles. Não oferecia qualquer solução real para a crise na CIA. Modificar a hierarquia de cargos nos diagramas do governo não tornaria mais fácil dirigir a CIA.

"Esta é uma organização que progride enganando", disse John Hamre, ex-subsecretário de Defesa e presidente do Centro de Estudos Estratégicos e Internacionais, em Washington. "Como você dirige uma organização como essa?"

Esta foi uma das muitas perguntas que a CIA e o Congresso jamais responderam. Como se dirige um serviço secreto de inteligência numa democracia aberta? Como servir à verdade através da mentira? Como se espalha democracia através da falsidade?

## "NO FIM, ELES NÃO VÃO FICAR"

O mito sobre a CIA remontava à Baía dos Porcos: de que todos os seus sucessos eram secretos, de que apenas seus fracassos eram divulgados. A verdade era que a CIA não podia ter sucesso sem recrutar e manter oficiais e agentes estrangeiros capacitados e ousados. A agência falhava diariamente nessa missão, e fingir o contrário era iludir-se.

Para ter sucesso, a CIA precisava encontrar homens e mulheres com a disciplina e a capacidade de se sacrificar dos melhores oficiais militares do país; com a formação cultural e o conhecimento histórico dos melhores diplomatas do país; e com o senso de curiosidade e aventura dos melhores correspondentes estrangeiros do país. Ajudaria se esses recrutas conseguissem se fazer passar por palestinos, paquistaneses ou pathans.[34] Americanos com tais atributos eram difíceis de encontrar.

"A CIA consegue responder à ameaça atual? A resposta nesse momento é não — absolutamente não", disse Howard Hart, que arriscara sua vida para dirigir agentes no Irã, contrabandeara armas para rebeldes afegãos e liderara os oficiais paramilitares da agência. Hart disse ter ficado ofendido quando Goss chamou a CIA de "um bando de imbecis incompetentes" e "um monte de idiotas". Mas admitiu que "o serviço clandestino da CIA pode ser criticado por não ter feito tão bem quanto deveria. Esta é uma afirmação justa. Porque temos pessoas que não fazem a sua parte. E o motivo pelo qual a maioria delas está lá é que não temos como substituí-las".

O presidente Bush prometeu aumentar o quadro de funcionários da agência em 50%. Mas qualidade, e não quantidade, era a crise em questão. "O que não precisamos é de mais dinheiro e pessoas, pelo menos por enquanto", disse Carl Ford. "Mais 50% de operadores e mais 50% de analistas é igual a mais 50% de nada." O problema de pessoal era o mesmo que Walter Bedell Smith enfrentara como diretor da central de inteligência quando a Guerra da Coréia se intensificava: "Não conseguimos pessoas qualificadas. Elas simplesmente não existem."

A CIA não conseguia encontrar americanos talentosos suficientes para atuar como espiões com um salário do governo. Em 2004, centenas renunciaram na sede e em campo, furiosos e humilhados com o colapso da credibilidade e da autoridade da agência. Recrutar, contratar, treinar e manter jovens oficiais continuava sendo a tarefa mais difícil da agência.

Goss prometeu encontrá-los. Em 14 de setembro de 2004, compareceu ao Senado para a audiência de sua confirmação no cargo com arrogância, dizendo que poderia consertar a CIA de uma vez por todas. "Não quero dar ajuda e conforto ao inimigo dizendo a vocês o quanto eu acho que o problema é difícil", disse ele diante das câmeras, mas o problema seria resolvido. Após sua confirmação por 77 votos a 17 num Senado cheio, Goss foi diretamente para a sede da CIA em estado de euforia.

"Nunca, nem em meus sonhos mais loucos, eu esperei estar de volta aqui", disse ele aos homens e mulheres que havia condenado duramente três meses

---

[34] Grupo étnico predominante no Afeganistão. (*N. do T.*)

antes. "Mas aqui estou." Ele proclamou que seus poderes seriam "ampliados por ordens executivas" do presidente: ele seria o informante de inteligência de Bush, o chefe da CIA, o diretor da central de inteligência, o diretor de inteligência nacional e o chefe do novo centro nacional de contraterrorismo. Ele não usaria dois chapéus, como seus predecessores. Usaria cinco.

Em seu primeiro dia de trabalho, Goss iniciou uma limpeza mais rápida e ampla que qualquer outra na história da agência central de inteligência. Forçou a saída de quase todos os mais antigos oficiais da CIA. Criou um rancor que não era visto na sede havia quase trinta anos. O ressentimento com a expulsão de Stephen Kappes da chefia do serviço clandestino foi feroz. Ex-fuzileiro naval e ex-chefe do posto em Moscou, Kappes representava o melhor da CIA. Em parceria com o serviço de inteligência britânico, ele desempenhara recentemente um papel de liderança num triunfo da inteligência e da diplomacia, ao convencer a Líbia a abandonar seu antigo programa de desenvolvimento de armas de destruição em massa. Quando questionou o bom-senso de Goss, foi encaminhado à porta de saída.

O novo diretor se cercou de um time de carreiristas políticos que importou do Capitólio. Eles acreditavam que estavam cumprindo uma missão da Casa Branca — ou de algum poder maior — de livrar a CIA de subversivos de esquerda. A percepção na sede era de que Goss e seus assessores, os "Gosslings", prezavam acima de tudo a lealdade ao presidente e às políticas dele, que não queriam que a agência contrariasse a Casa Branca e que aqueles que os desafiassem pagariam um preço. O problema da CIA era justificadamente uma questão de competência. Equivocadamente, tornou-se uma questão de ideologia.

O diretor deu ordens contra divergências em relação às políticas do presidente. Sua mensagem era clara: adapte-se ao programa ou saia. A segunda escolha parecia cada vez mais atraente para os 10% de funcionários talentosos da CIA. Uma enorme indústria de segurança estava crescendo no país, na periferia da principal rodovia da capital, vendendo seus serviços a um governo que terceirizava especialistas. As melhores pessoas da agência já não estavam disponíveis. Quinze anos antes, a CIA estivera sobrecarregada de guerreiros da guerra fria que envelheciam. Agora, estava sobrecarregada de iniciantes; na base. Em 2005, metade da força de trabalho da CIA — operadores e analistas — tinha cinco anos de experiência ou menos.

A proclamação irrefletida do presidente de que a agência estava "apenas supondo" em relação ao Iraque gerou uma ira intensa que se espalhou entre os profissionais que ficaram. Os oficiais da CIA em Bagdá e Washington tentaram advertir que o caminho que o presidente estava seguindo no Iraque era desastroso. Disseram que os Estados Unidos não podiam dirigir um país que não compreendiam. Suas palavras não tiveram peso algum na Casa Branca. Eram uma heresia num governo cujas políticas eram baseadas na fé.

Quatro ex-chefes do serviço clandestino tentaram entrar em contato com Goss para aconselhá-lo a ir devagar, para que não destruísse o que restava da CIA. Ele não atendeu seus chamados. Um deles foi a público: "Goss e seus subordinados podem causar grandes danos rapidamente", escreveu Tom Twetten num artigo de opinião publicado no *Los Angeles Times* em 23 de novembro de 2004. "Se os profissionais da CIA não acreditarem que a liderança da agência está do lado deles, não correrão riscos por ela e, no fim, não vão ficar." No dia seguinte, John McLaughlin — que mantivera a agência unida como diretor em exercício depois da renúncia de Tenet — apresentou uma outra reação. A CIA não era "uma agência 'anormal' e 'delinqüente'", escreveu ele no *Washington Post*. "A CIA não estava conspirando institucionalmente contra o presidente." Haviland Smith, que se aposentara como chefe da equipe de contraterrorismo, também interveio. "Fazer uma limpeza na CIA nesse momento difícil, quando precisamos lidar com as questões reais do terrorismo, é dar um tiro no pé." Ao longo de todos os anos em que a agência tinha sido criticada na imprensa, nunca um diretor foi atacado em publicações, pelos mais importantes veteranos da inteligência americana.

A fachada estava caindo. A CIA estava se desintegrando.

"Este é um dos tipos de operação mais peculiares que qualquer governo pode ter", dissera o presidente Eisenhower cinqüenta anos antes. "Provavelmente é preciso um tipo estranho de gênio para dirigi-la." Dezenove homens trabalharam como diretores da central de inteligência. Nenhum deles correspondeu ao alto padrão determinado por Eisenhower. Os fundadores da agência foram derrotados por sua ignorância na Coréia e no Vietnã e arruinados por sua arrogância em Washington. Seus sucessores ficaram à deriva quando a União Soviética caiu e foram apanhados desprevenidos quando o terror atingiu o coração do poder americano. Suas tentativas de compreender o mundo geraram calor, mas pouca luz. Assim como no início, os guerreiros do Pentágono e os diplomatas do Estado os trataram com desdém. Durante mais de meio século, presidentes ficaram frustrados ou furiosos ao se voltarem para os diretores em busca de percepções e conhecimento.

Agora que o trabalho se mostrava impossível de ser cumprido, seria abolido.

Em dezembro de 2004, com uma rebelião na agência a todo vapor, o Congresso aprovou e o presidente assinou uma nova lei criando o cargo de diretor de inteligência nacional, como insistira a Comissão do 11 de Setembro. Redigida e debatida às pressas, a lei nada fez para aliviar os problemas crônicos e congênitos que atacavam a agência desde seu nascimento. Foi uma continuidade disfarçada de mudança.

Goss achou que o presidente o escolheria. O convite nunca foi feito. Em 17 de fevereiro de 2005, Bush anunciou que estava nomeando o embaixador americano no Iraque, John D. Negroponte. Diplomata rigorosamente conservador e um lutador suave, sutil e habilidoso, ele nunca trabalhara um dia no mundo da inteligência, e não serviria por muito tempo.

Assim como em 1947, o novo czar recebeu responsabilidades sem ter a autoridade correspondente. O Pentágono ainda controlava o grande volume do orçamento de segurança nacional, que agora se aproximava de US$ 500 bilhões por ano, dos quais a parcela da CIA era de aproximadamente 1%. A nova ordem serviu apenas como um reconhecimento formal de que a antiga ordem havia fracassado.

## "O FRACASSO NÃO PODE SER EXPLICADO"

A CIA estava gravemente ferida. Seguindo as leis da selva e os métodos de Washington, feras mais fortes se alimentaram dela. O presidente deu mais poder à espionagem, às ações secretas, às escutas eletrônicas; e mais reconhecimento ao subsecretário de inteligência do Pentágono, elevando esse cargo à posição número três no Departamento de Defesa. "Isso provocou abalos sísmicos em toda a comunidade de inteligência", disse Joan Dempsey, que foi vice-diretor da central de inteligência e diretor-executivo do grupo de assessoria em inteligência externa no governo Bush. "Parecia muito mais uma atitude do Kremlin."

O Pentágono se moveu furtiva e firmemente para o campo das operações secretas no exterior, usurpando os tradicionais papéis, responsabilidades, autoridade e missões do serviço clandestino. Recrutou os jovens oficiais paramilitares mais promissores e manteve os mais experientes. A militarização da inteligência se acelerou enquanto o serviço civil de inteligência do país erodia.

O novo analista-chefe de Negroponte, Thomas Fingar, dirigira o pequeno embora excelente escritório de inteligência e pesquisa do Departamento de Estado. Ele investigou a situação da diretoria de inteligência da agência e rapidamente concluiu que "ninguém tinha a menor idéia de quem estava fazendo o quê e onde". Manobrou para pôr sob sua égide os restos da máquina analítica da CIA que funcionavam. Os melhores e mais brilhantes pensadores que restavam na agência se ligaram a ele.

A agência, conforme fora constituída, estava desaparecendo. O prédio ainda estava ali, e sempre haveria uma instituição dentro dele. Mas em 30 de março de 2005, uma bomba atingiu o que restava do espírito da CIA. Foi lançada na forma de um relatório de seiscentas páginas da comissão presidencial do juiz Silberman. O juiz era um pensador tão rigoroso quanto se podia encontrar na capital. Sua bagagem intelectual era tão grande quanto suas credenciais intensamente conservadoras. Por duas vezes ele chegara perto de ser nomeado diretor da central de inteligência. Em quinze anos como juiz do tribunal de apelações federal em Washington, apoiara permanentemente os meios e os fins da segurança nacional, mesmo quando estes transgrediam os ideais de liberdade. Sua equipe, diferentemente da Comissão do 11 de Setembro, era profundamente experiente em operações e análise de inteligência.

Sua avaliação foi brutal e definitiva. O reino do diretor da central de inteligência era "um mundo fechado" com "um histórico quase perfeito" na resistência a mudanças. O diretor presidia uma colcha de retalhos de coleta e análise de informações "fragmentada, mal gerenciada e mal coordenada". A agência "era freqüentemente incapaz de obter informações sobre as coisas com as quais mais nos preocupamos" e seus analistas "nem sempre dizem àqueles que tomam as decisões o quanto seu conhecimento é realmente limitado". A CIA era "cada vez mais irrelevante para os novos desafios apresentados pelas armas de destruição em massa". Seu principal problema era a "inteligência humana precária" — e a incapacidade de realizar espionagem.

"Reconhecemos que a espionagem é sempre arriscada, na melhor das hipóteses; cinqüenta anos de trabalho duro na União Soviética resultaram apenas num punhado de fontes humanas realmente importantes", disse a comissão. "Ainda assim, não temos outra escolha a não ser fazer melhor." A CIA "precisa de uma mudança fundamental se quiser enfrentar com sucesso as ameaças do século XXI". Este era "um objetivo difícil de alcançar mesmo no melhor de todos os mundos possíveis. E não vivemos no melhor dos mundos".

Em 21 de abril de 2005, o escritório do diretor da central de inteligência desapareceu na história. Goss descreveu a cerimônia de juramento de Negroponte como "o funeral" da agência dos velhos tempos. Naquele dia, o novo chefe recebeu uma estranha bênção: "Espero que o espírito de Wild Bill Donovan guie e inspire seus esforços", disse o senador John Warner, de Virgínia, presidente da Comissão de Serviços Armados.

Uma estátua de bronze de Donovan guarda a entrada da sede da CIA, onde todos os ex-diretores da central de inteligência vivos se reuniram a convite de Goss, em 21 de agosto de 2005, para receber medalhões em comemoração a seus serviços e para marcar o fim de sua longa linhagem. George H. W. Bush estava lá, no centro que ostenta seu nome. Estavam também Jim Schlesinger e Stan Turner, tão amargamente desconfortáveis como se fossem estranhos; Bill Webster e Bob Gates, fracassados reformadores e restauradores; Jim Woolsey, John Deutch e George Tenet, que haviam lutado para endireitar um navio que perdera o rumo. Alguns desses homens alegremente desprezaram uns aos outros; outros compartilharam profundos laços de confiança. Foi um velório até agradável, com um toque de pompa. Houve um almoço e uma palestra do historiador-chefe da CIA, David S. Robarge, sobre o escritório que desaparecia. Goss se sentou na fila da frente, contorcendo-se por dentro. Passara semanas de agonia debruçado sobre um relatório do inspetor-geral que ele próprio encomendara quando ainda era presidente da comissão de inteligência da Câmara. Era uma análise pungente das falhas que contribuíram para os ataques do 11 de Setembro, uma faca no coração da agência, um exame cirúrgico de sua incapacidade de fazer qualquer coisa semelhante a uma guerra contra os inimigos da nação. Na tradição de Allen Dulles, Goss decidiu enterrar o relatório. A agência nunca contabilizaria suas falhas na proteção dos Estados Unidos. Mas na verdade o acerto de contas estava feito.

O historiador da CIA recordou as palavras do presidente Eisenhower quando este depositou a pedra fundamental da sede da agência, em 3 de novembro de 1959:

A aspiração fundamental dos Estados Unidos é a preservação da paz. Com essa finalidade, procuramos desenvolver políticas e planos para tornar a paz tão permanente quanto justa. Isso só pode ser feito com base em informações abrangentes e apropriadas.

Na guerra, nada é mais importante para um comandante do que os fatos relacionados a força, disposições e intenções de seu oponente, e a interpretação adequada desses fatos. Em tempo de paz, os fatos necessários... e sua correta interpretação são essenciais para o desenvolvimento de uma política para aumentar nossa segurança nacional a longo prazo e nossos melhores interesses... Nenhuma tarefa poderia ser mais importante. A qualidade de nosso trabalho depende em grande medida do sucesso de nosso esforço para melhorar a posição da nação no cenário internacional... Essa agência exige de seus membros a mais alta ordem de dedicação, habilidade, confiabilidade e abnegação — para não mencionar a melhor espécie de coragem, sempre que necessário. O sucesso não pode ser anunciado: o fracasso não pode ser explicado. No trabalho da inteligência, os heróis não são condecorados nem celebrados.

"Nesse local será erguida uma estrutura bela e útil", concluíra o presidente. "Que ela possa durar muito, para servir à causa dos Estados Unidos e da paz."

Enquanto americanos morriam em batalhas por falta de fatos, os diretores da central de inteligência se levantaram, cumprimentaram-se com apertos de mãos, caminharam para o calor da tarde de verão e continuaram suas vidas. Como o velho soldado temia muito tempo atrás, eles deixaram um legado de cinzas.

## "NÃO ADMITA NADA, NEGUE TUDO"

Em 5 de maio de 2006, o presidente Bush demitiu Porter Goss, depois de dezenove meses de intermináveis calúnias contra a CIA. A queda do último diretor da central de inteligência foi rápida e inglória, e a herança que ele deixou foi amarga.

No dia seguinte, Goss embarcou num avião e fez um discurso de formatura na Universidade de Tiffin, 144 quilômetros a oeste de Cleveland, Ohio. "Se esta fosse uma formatura de oficiais de investigação da CIA, meu conselho seria curto e preciso", disse ele. "Não admita nada, negue tudo e faça contra-acusações." Com essas palavras, ele sumiu de vista, deixando para trás a equipe mais fraca de espiões e analistas da história da CIA.

Uma semana depois da demissão de Goss, uma equipe de agentes do FBI invadiu a sede da CIA. Eles assumiram o controle do escritório de Dusty Foggo, que acabara de deixar a função de diretor-executivo, o terceiro maior cargo na agência. Era o homem que Goss havia inexplicavelmente encarregado, de um dia para o outro, de dirigir a CIA. Seu cargo anterior tinha sido o de oficial intendente do serviço clandestino. De uma base em Frankfurt, ele mantinha os oficiais da CIA, de Amã ao Afeganistão, supridos de tudo, desde água engarrafada até roupas à prova de bala. Uma de suas tarefas era assegurar que seus contadores e expedidores de cargas obedecessem às regras e regulamentos da CIA. "Tendo sido o 'Sujeito da Ética', escreveu ele a um colega, "espero que você faça o melhor possível com esse exercício anual." Evidentemente Foggo tinha problemas com a palavra *ética*.

O indiciamento em *Estados Unidos da América versus Kyle Dustin Foggo* foi dolorosamente específico em seus detalhes. Liberado em 13 de fevereiro de 2007, acusava Foggo de fraude, conspiração e lavagem de dinheiro. Dizia que Foggo fizera contratos de milhões de dólares com um amigo íntimo que bebia e jantava com ele em grande estilo, divertiu-se com ele em viagens extravagantes à Escócia e ao Havaí e prometeu-lhe um emprego lucrativo — suborno à moda antiga. Nunca houve um caso sequer remotamente parecido na história da CIA. Enquanto este livro está sendo escrito, Foggo entrou com uma apelação alegando inocência. Se for condenado, enfrentará vinte anos de prisão.

No mesmo dia em que Foggo foi indiciado, um juiz federal da Carolina do Norte condenou um trabalhador contratado pela CIA chamado David Passaro a oito anos e quatro meses de prisão por espancar um homem até a morte no Afeganistão. Passaro trabalhou com a equipe paramilitar da CIA em Asadabad, capital da Província de Kunar, a poucos quilômetros da fronteira com o Paquistão. A agência o contratara apesar de seu histórico de violência criminal; ele havia sido demitido da força policial de Hartford, Connecticut, depois de ser preso por espancar um homem numa briga.

O homem que morreu em suas mãos era Abdul Wali, um conhecido fazendeiro local que combatera os soviéticos nos anos 1980. Wali ouvira falar que estava sendo procurado para interrogatório depois de uma série de ataques com foguetes perto da base americana. Procurou os americanos por livre e espontânea vontade e disse que era inocente. Passaro duvidou de sua palavra e o jogou numa cela. Espancou Wali com tanta brutalidade que o prisioneiro implorou para ser executado com um tiro para pôr fim à sua dor. Morreu devido aos ferimentos, dois dias depois. Passaro foi indiciado e condenado de acordo com um artigo da Lei Patriótica que permite que cidadãos americanos sejam julgados por crimes cometidos em territórios reivindicados pelos Estados Unidos no exterior. O juiz observou que a ausência de uma autópsia o protegera de uma acusação de assassinato.

O tribunal recebeu uma carta do ex-governador de Kunar, dizendo que a morte de Wali causara sérios danos à causa americana no Afeganistão e servira como uma poderosa propaganda para as ressurgentes forças da al-Qaeda e do Talibã. "A desconfiança em relação aos americanos aumentou, os esforços com a segurança e a reconstrução do Afeganistão sofreram um golpe e as únicas pessoas que ganharam com as ações de Dave Passaro foram a al-Qaeda e seus parceiros", escreveu o governador.

Três dias depois de Passaro receber a sentença, um juiz na Itália ordenou o indiciamento do chefe do posto da CIA em Roma, do chefe da base em Milão e de mais duas dúzias de oficiais pelo seqüestro de um clérigo radical que passou anos sendo brutalmente interrogado no Egito. Um tribunal na Alemanha acusou treze oficiais da CIA de seqüestrar e aprisionar injustamente um cidadão alemão nascido no Líbano. O governo do Canadá se desculpou formalmente e pagou uma indenização de US$ 10 milhões a um de seus cidadãos, Maher Arar, que fora detido pela CIA quando fazia uma conexão de vôo em Nova York depois de férias com a família, transportado para a Síria e submetido aos mais cruéis interrogatórios durante dez meses.

A essa altura, o sistema de prisão da CIA estava condenado. Não podia sobreviver quando já não era segredo. Os americanos foram solicitados a acreditar que o seqüestro, a prisão e a tortura de pessoas inocentes faziam parte de um programa essencial para impedir outro ataque aos Estados Unidos. Talvez seja verdade, mas as provas são escassas. É improvável que algum dia saibamos.

Porter Goss foi sucedido na CIA pelo general Michael Hayden, vice-diretor de inteligência nacional, ex-chefe da Agência de Segurança Nacional, executor da ordem de Bush para treinar a escuta eletrônica contra alvos americanos, o primeiro homem a ocupar o cargo alquebrado de diretor da Agência Central de Inteligência e o primeiro oficial militar ativo a dirigir a CIA desde a saída de Walter Bedell Smith, em 1953. O general Hayden declarou, ao ter seu nome confirmado pelo Senado, que "o tempo do amadorismo" estava acabado na CIA. Mas não estava.

Pelos próprios padrões da CIA, aproximadamente metade de sua força de trabalho ainda era de novatos. Poucos estavam prontos ou capacitados para produzir resultados. Mas não havia nada a fazer em relação a isso; a CIA não tinha escolha a não ser promovê-los além de seus níveis de capacidade. Quando jovens de 20 e poucos anos substituíram pessoas de mais de 40 ou 50 anos, o resultado foi uma redução da inteligência. O serviço clandestino começou a

abandonar as técnicas do passado — guerra política, propaganda e ações secretas — porque lhe faltava habilidade para executá-las. A agência continuou
sendo um lugar onde poucas pessoas falavam árabe ou persa, coreano ou chinês. Ainda negava emprego a árabe-americanos patriotas por motivo de segurança se eles tivessem parentes morando no Oriente Médio — como a maioria
tinha. A revolução da informação deixara oficiais e analistas tão capazes de
compreender a ameaça terrorista quanto eles haviam compreendido a União
Soviética. E enquanto os relatórios da CIA eram sobrepujados pela catástrofe
no Iraque, o quinto chefe do posto em Bagdá em menos de quatro anos fez suas
malas para o mundo fechado da Zona Verde.

A CIA estava em seu ponto mais baixo. Já não era ouvida pelo presidente,
e os líderes americanos olhavam para outros lados em busca de inteligência —
para o Pentágono e a indústria privada.

### "O CRESCIMENTO DESASTROSO DO PODER EM LUGAR ERRADO"

Bob Gates assumiu o comando do Pentágono em 18 de dezembro de 2006 — o
único analista iniciante a dirigir a CIA e o único diretor a se tornar secretário de
Defesa. Duas semanas depois, John Negroponte, o novo czar da inteligência nacional, renunciou após dezenove meses no cargo, para se tornar o número dois
do Departamento de Estado. Foi substituído por um almirante reformado, Mike
McConnell, que dirigira a Agência de Segurança Nacional durante o primeiro
grande colapso desta no alvorecer da era digital, e que passara a década anterior
ganhando dinheiro como empreiteiro militar na Booz Allen Hamilton.

Quando Gates se instalou no Pentágono, examinou o sistema de inteligência americano e viu estrelas: um general estava dirigindo a CIA, um general
era subsecretário de Defesa para Inteligência, um general estava encarregado
dos programas de contraterrorismo do Departamento de Estado, um tenente-general era o vice-subsecretário para inteligência no Pentágono e um
major-general estava dirigindo espiões na CIA. Todos esse cargos tinham sido
ocupados por civis durante muitos anos. Gates viu um mundo em que o
Pentágono havia esmagado a CIA, exatamente como prometera fazer sessenta
anos antes. Ele quis fechar a prisão militar na Baía de Guantánamo, levar os
suspeitos de terrorismo de Cuba para os Estados Unidos e condená-los ou
recrutá-los. Quis conter a dominação do Departamento de Defesa sobre a in-

teligência. Desejou reverter o declínio do papel central da CIA no governo americano. Mas havia pouco que podia fazer.

O declínio era parte de uma lenta deterioração dos pilares da segurança nacional americana. Depois de quatro anos de guerra no Iraque, as forças militares estavam exaustas, depauperadas pelos líderes que investiram muito mais em armas futuristas que em soldados uniformizados. Depois de cinco anos defendendo uma política externa baseada na fé no renascimento, o Departamento de Estado estava à deriva, incapaz de dar voz aos valores da democracia. E depois de seis anos de deliberada ignorância imposta por políticos que nada sabiam, a supervisão da agência pelo Congresso desmoronou. A Comissão do 11 de Setembro dissera que entre todas as tarefas enfrentadas pela inteligência americana, o fortalecimento da supervisão do Congresso poderia ser a mais difícil, e a mais importante. Em 2005 e 2006, o Congresso reagiu deixando de aprovar o projeto de lei de autorização anual à CIA, a lei básica que governa a agência, suas políticas e seus gastos. O obstáculo foi um único senador republicano que obstruiu o projeto de lei porque este ordenava à Casa Branca que arquivasse um relatório confidencial sobre as prisões secretas da CIA.

A falha de autoridade tornou as comissões de inteligência do Congresso irrelevantes. Nunca, desde os anos 1960, o controle do Congresso sobre a agência tinha sido tão pequeno. Agora, uma força bastante diferente ganhava mais influência sobre a inteligência: os Estados Unidos corporativos.

No fim dos anos de Dwight Eisenhower na presidência, dias depois de lamentar o legado de falhas na inteligência que deixaria a seus sucessores, ele fez seu discurso de despedida à nação e uma advertência que ficou famosa: "Precisamos nos proteger contra a aquisição de influências injustificáveis do complexo industrial-militar, requisitadas ou não. O potencial para o crescimento desastroso do poder em lugar errado existe e persistirá." Pouco mais de meio século depois, o surto de gastos secretos em segurança nacional depois do 11 de Setembro criou um florescente complexo de inteligência industrial.

Clones corporativos da CIA começaram a brotar em todos os subúrbios de Washington e além. O patriotismo pelo lucro se tornou um negócio de US$ 50 bilhões por ano, segundo algumas estimativas — um valor do tamanho do próprio orçamento da inteligência americana. Esse fenômeno remonta a quinze anos atrás. Depois da guerra fria, a agência começou a se livrar de milhares de empregos para preencher o vazio criado pelos cortes no orçamento iniciados em 1992. Um agente da CIA podia apresentar seus documentos de aposentadoria, entregar seu crachá de identificação azul, passar a trabalhar por um salário muito melhor para uma empreiteira militar como a Lockheed Martin ou a Booz Allen Hamilton, e voltar à CIA no dia seguinte com um crachá verde. Depois do 11 de Setembro, a terceirização ficou fora de controle. Chefes de crachás verdes começaram a fazer recrutamentos abertamente na lanchonete da CIA.

Grandes setores do serviço clandestino se tornaram totalmente dependentes de empreiteiros que pareciam estar na cadeia de comando da CIA, mas que trabalhavam para seus chefes corporativos. Na prática, a agência tinha duas forças de trabalho — e a força privada recebia pagamento muito melhor. Em 2006, mais ou menos metade dos oficiais do posto em Bagdá e do novo Centro Nacional de Contraterrorismo eram de empreiteiras, e a Lockheed Martin, a maior empreiteira militar do país, estava publicando anúncios à procura de "analistas de contraterrorismo" para interrogar suspeitos de terrorismo na prisão de Guantánamo.

Podia-se fazer fortunas na indústria de inteligência. O dinheiro era um poderoso atrativo, e o resultado foi uma fuga de cérebros cada vez mais acelerada — a última coisa com que a CIA poderia arcar — e a criação de empresas como a Total Intelligence Solutions. Fundada em fevereiro de 2007, a Total Intel era dirigida por Cofer Black — o chefe do centro de contraterrorismo da CIA para o 11 de Setembro. Seus sócios eram Robert Richer, que tinha sido o número dois do serviço clandestino, e Enrique Prado, chefe de operações de contraterrorismo de Black. Os três escaparam da guerra do governo Bush contra o terrorismo em 2005 para ingressar na Blackwater USA, empresa de segurança privada com ligações políticas que atuara, entre muitas outras coisas, como a Guarda Pretoriana dos americanos em Bagdá. Eles aprenderam os truques do comércio de empreiteiras do governo na Blackwater e, em pouco mais de um ano, Black e sua companhia estavam dirigindo a Total Intel. Eram alguns dos melhores oficiais da CIA. Mas o espetáculo de abandonar o navio no meio da guerra para fazer fortuna tornou-se comum na Washington do século XXI. Legiões de veteranos da CIA deixaram seus cargos para vender seus serviços à agência, escrevendo análises, criando disfarces para oficiais no exterior, instalando redes de comunicação e dirigindo operações clandestinas. Seguindo o exemplo deles, novos contratados da CIA adotaram seu próprio plano de cinco anos: entrar, sair e receber o pagamento. A liberação da segurança ultrasecreta e o crachá verde eram os bilhetes de ouro para uma nova geração de foras-da-lei da Beltway.[35] A terceirização da inteligência foi um claro sinal de que a CIA não podia realizar muitas de suas missões básicas sem ajuda depois do 11 de Setembro.

Sobretudo, não podia ajudar o exército a impor a democracia no Iraque sob a mira de uma arma. A ação sem conhecimento era um negócio perigoso, como descobriram os americanos, para sua tristeza.

## "PARA ORGANIZAR E DIRIGIR UM SERVIÇO DE ESPIONAGEM"

Na guerra fria, a CIA foi condenada pela esquerda americana pelo que fazia. Na guerra contra o terrorismo, foi atacada pela direita americana pelo que não pôde fazer. A acusação foi de incompetência, imposta por homens como Dick Cheney e Don Rumsfeld. Independente do que se diga sobre a liderança deles, eles sabiam, graças a sua longa experiência, o que o leitor sabe hoje: a CIA era incapaz de cumprir seu papel de serviço de inteligência dos EUA.

A CIA ficcional, aquela que existe nos romances e nos filmes, é onipotente. O mito de uma era de ouro foi criado pela própria CIA, produto da publicidade e da propaganda política que Allen Dulles fabricou nos anos 1950. Sustentava que a agência podia mudar o mundo, e ajuda a explicar por que a CIA é tão resistente a mudanças. A lenda se perpetuou nos anos 1980 com Bill Casey, que tentou ressuscitar o espírito irrefreável de Dulles e Wild Bill Donovan. Agora, a agência revive a fábula de que é a melhor defesa dos EUA. Com ordens para treinar e manter milhares de novos oficiais, precisa projetar uma imagem de sucesso para sobreviver.

Na verdade, não houve muitos dias tranqüilos. Mas houve alguns. Quando Richard Helms estava no comando, a agência disse a verdade sobre a guerra no Vietnã a Lyndon Johnson e Robert McNamara, e eles escutaram. Houve outro momento fugaz semelhante quando Bob Gates dirigiu a CIA; ele manteve a calma e continuou em frente quando a União Soviética se desintegrou. Mas quinze anos se passaram desde então, e a glória se foi. A CIA se viu incapaz de enxergar o caminho à frente numa batalha em que as informações e as idéias eram as armas mais poderosas.

---

[35]Em inglês, *bandits of Beltway*, como são chamadas as empresas privadas localizadas perto de Washington, cujo principal negócio é fornecer serviços ao governo federal. *Beltways* são rodovias que circundam grandes cidades. (*N. do T.*)

Durante sessenta anos, dezenas de milhares de oficiais do serviço clandestino reuniram apenas os fios mais aparentes da inteligência realmente importante — e este é o maior segredo da CIA. A missão deles é extremamente difícil. Mas nós americanos ainda não entendemos as pessoas e as forças políticas que tentamos conter e controlar. A CIA ainda precisa se tornar o que seus criadores esperavam que ela fosse.

"A única superpotência restante não tem interesse suficiente no que está acontecendo no mundo para organizar e manter um serviço de espionagem", disse Richard Helms uma década atrás. Talvez daqui a uma década a agência se erga das cinzas, alimentada por muitos bilhões de dólares, inspirada por uma nova liderança, revigorada por uma nova geração. Talvez os analistas vejam o mundo claramente. Talvez os espiões americanos se tornem capazes de espionar os inimigos dos EUA. Talvez um dia a CIA funcione como seus fundadores planejavam. Precisamos confiar nisso. Porque a guerra em que estamos envolvidos agora pode durar tanto quanto a guerra fria, e vamos vencer ou perder por virtude de nossa inteligência.

# AGRADECIMENTOS

Tenho sorte por ter passado parte dos últimos vinte anos conversando com diretores e oficiais da CIA cujas vidas profissionais atravessaram o período de seis décadas. Sou particularmente grato a Richard Helms, William Colby, Stansfield Turner, William Webster, Bob Gates, John Deutch, George Tenet, John McMahon, Tom Twetten, Milt Bearden, Tom Polgar, Peter Sichel, Frank Lindsay, Sam Halpern, Don Gregg, Jim Lilley, Steve Tanner, Gerry Gossens, Clyde McAvoy, Walter Pforzheimer, Haviland Smith, Fred Hitz e Mark Lowenthal. Tiro o chapéu para os homens e mulheres da equipe da história da CIA, que cumprem a sua parte pela causa da abertura enfrentando forte resistência do serviço clandestino, e para atuais e antigos membros da equipe de assuntos públicos da agência.

Devo muito ao trabalho de Charles Stuart Kennedy, aposentado do Serviço Diplomático e fundador e diretor do Programa de História Oral de Relações Internacionais. A biblioteca que ele criou é única e uma fonte inestimável. Os historiadores do Departamento de Estado, que produzem *The Foreign Relations of the United States*, o registro oficial da diplomacia americana publicado desde 1861, fizeram mais na década passada para liberar documentos secretos do que qualquer outro setor do governo. Eles, juntamente com as equipes das bibliotecas presidenciais, merecem um obrigado de uma nação grata.

Um repórter tem sorte quando encontra um grande editor em sua vida. Eu tive mais do que me cabia, e ao longo dos anos eles me presentearam com tempo para pensar e liberdade para escrever. Gene Roberts me deu a estréia no *Philadelphia Inquirer*. Bill Keller, Jill Abramson, Andy Rosenthal e Jon Landman ajudam a fazer do *New York Times* um milagre diário. São os guardiães da confiança do público.

Três incansáveis pesquisadores ajudaram a criar este livro. Matt Malinowski transcreveu as fitas com entrevistas. Zoe Chace mergulhou na história da diplomacia e nos arquivos do Conselho de Segurança Nacional, e Cora Currier fez uma pesquisa pioneira nos Arquivos Nacionais. Sou grato a minha companheira de escola secundária Lavinia Currier por me apresentar a sua filha extremamente inteligente. Zoe é filha do falecido James Chace e irmã de Beka Chace, dois amigos cujos espíritos me sustentam.

Quero saudar os jornalistas que cobriram a CIA, os conflitos no Iraque e no Afeganistão e a agonia da segurança nacional americana desde o 11 de Setembro. Entre eles estão John Burns, Dexter Filkins, Matt Purdy, Doug Jehl, Scott Shane, Carlotta Gall, John Kifner e Steve Crowley, do *New York Times*; Dana Priest, Walter Pincus e Pam Constable, do *Washington Post*; Vernon Loeb, Bob Drogin e Megan Stack, do *Los Angeles Times*; e Andy Maykuth, do *Philadelphia Inquirer*. Nós nos lembramos de nossos irmãos e irmãs que deram suas vidas para conseguir notícias, entre eles Elizabeth Neuffer, Mark Fineman, Michael Kelly, Harry Burton, Azizullah Haidari, Maria Grazia Cutuli e Julio Fuentes.

Sou grato a Phyllis Grann, que teve a generosidade de editar e publicar este livro, e a Kathy Robbins, a agente literária mais brilhante do mundo.

*Legado de cinzas* tomou forma em Yaddo, um retiro de artistas e escritores em Saratoga Springs, Nova York. Durante dois meses, as pessoas boas de Yaddo me abrigaram e me alimentaram enquanto milhares de palavras eram despejadas diariamente no meu computador portátil. Tive a honra de ser o primeiro a receber a bolsa Nora Sayre Endowed Residency for Nonfiction, criada em sua homenagem, em reconhecimento a seu legado literário. Mil agradecimentos ao poeta Jean Valentine por me apresentar a Yaddo; a Elaina Richardson, presidente da Corporation of Yaddo; e àqueles que mantêm, apóiam e trabalham nesse magnífico refúgio.

O livro ficou mais longo e mais forte na casa de meus sogros, Susanna e Boker Doyle, que me apoiaram com sua excelente natureza.

Meu desejo de escrever surgiu quando vi pela primeira vez minha mãe, a professora Dora B. Weiner, trabalhando num livro no porão de nossa casa, no silêncio da madrugada. Quarenta e cinco anos depois, ela ainda escreve, leciona e inspira seus estudantes e seus filhos. Todos nós gostaríamos que meu pai estivesse aqui para segurar este livro em suas mãos.

*Legado de cinzas* termina como começou, com uma dedicatória ao amor de minha vida, Kate Doyle; a nossas filhas, Emma and Ruby; e ao resto de nossas vidas juntos.

# NOTAS

## PRINCIPAIS FONTES

— Registros da Agência Central de Inteligência obtidos de CIA Records Search Technology, em National Archives and Records Administration (CIA/CREST)

— Registros da CIA divulgados e reproduzidos por Center for the Study of Intelligence, da CIA (CIA/CSI)

— Registros da CIA obtidos de Declassified Documents Records System (CIA/DDRS)

— National Archives and Records Administration (NARA)

— *The Foreign Relations of the United States* (FRUS). Registros da CIA no volume do FRUS "Emergency of the Intelligence Establishment, 1945—1950", doravante "FRUS Intelligence".

— Foreign Affairs Oral History (FAOH)— Franklin D. Roosevelt Presidential Library, Hyde Park, Nova York (FDRL)

— Harry S. Truman Presidential Library, Independence, Missouri (HSTL)

— Dwight D. Eisenhower Presidential Library, Abilene, Kansas (DDEL)

— John F. Kennedy Presidential Library, Boston, Massachusetts (JFKL)

— Lyndon B. Johnson Presidential Library, Austin, Texas (LBJL)

— Richard M. Nixon Presidential Library, Yorba Linda, Califórnia (RMNL)

— Gerald R. Ford Presidential Library, Grand Rapids, Michigan (GRFL)

— Jimmy Carter Library, Atlanta, Geórgia (JCL)

— George H.W. Bush Library, College Station, Texas (GHWBL)

— Hoover Institution Archives, Stanford University, Stanford, Califórnia

— Os registros de Senate Select Committee to Study Governmental Operations with Respect to Intelligence Activities (doravante "Comissão Church")

Histórias de serviços clandestinos da CIA foram obtidas com a liberação de documentos e através de fontes não-oficiais. A CIA se negou a cumprir promessas de três diretores consecutivos da central de inteligência — Gates, Woolsey e Deutch — de divulgar registros sobre nove grandes ações secretas: França e Itália nos anos 1940 e 1950; Coréia do Norte nos anos 1950; Irã em 1953, Indonésia em 1958; Tibete nos anos 1950 e 1960; e Congo, República Dominicana e Laos nos anos 1960. Os documentos da Guatemala foram finalmente divulgados em 2003, a maioria dos documentos sobre a Baía dos Porcos é pública e a história do Irã foi vazada. O resto permanece sob selo oficial. Enquanto eu reunia e obtinha autorizações para liberação de alguns registros da CIA usados neste livro nos Arquivos Nacionais, a agência estava fazendo um esforço secreto para tornar novamente secretos muitos desses mesmos registros, datados a partir dos anos 1940, passando por cima da lei e descumprindo sua palavra. Entretanto, o trabalho de historiadores, arquivistas e jornalistas criou uma base de documentos sobre a qual este livro pôde ser escrito.

PARTE UM

*Capítulo 1*

21  *"Quando assumi o governo"*: Truman para David M. Noyes, 1º de dezembro de 1963, documentos de David M. Noyes, HSTL.

22  *"Numa guerra global e totalitária"*: Donovan à Comissão Conjunta de Guerra Psicológica, 24 de outubro de 1942, NARA.

22  *"a capacidade, as intenções e as atividades de nações estrangeiras"...* *"operações subversivas no exterior"*: Donovan para Roosevelt, "Substantive Authority Necessary in Establishment of a Central Intelligence Service", 18 de novembro de 1944, reproduzido em Thomas F. Troy, CIA/CSI, republicado como *Donovan and the CIA* (Frederick, MD: University Publications of America, 1981), pp. 445-447.

22  *"lançar o barco"*: Donovan para Roosevelt, pasta do OSS, arquivo do secretário do presidente, FDRL. Roosevelt disse certa vez, não sem malícia, que Donovan poderia ter sido presidente se não fosse irlandês, católico e republicano.

23  *"Sua imaginação era ilimitada"*: Bruce citado em discurso de Dulles, "William J. Donovan and the National Security", sem data mas provavelmente em 1959, CIA/CSI.

23-24  *"algo extremamente perigoso numa democracia"*: Bissell citado em Troy, *Donovan and the CIA*, p. 243. Esta foi uma opinião amplamente defendida. Mas o exército fez pior durante a guerra. O chefe da inteligência do exército, major-general George Strong, estava de olho no novo e independente OSS de Donovan e decidiu criar sua própria oficina de inteligência. Instruiu o chefe do Serviço de Inteligência Militar do Departamento de Guerra, brigadeiro-general Hayes Kroner, a criar essa organização em outubro de 1942. Em troca, Kroner recrutou um capitão do exército dos EUA renegado, chamado John "Frenchy" Grombach, da organização de Donovan, e deu a ele algumas ordens extraordinárias: concentrar-se na espionagem e subversão contra os Estados Unidos por parte de seus aliados em tempo de guerra, os britânicos e os soviéticos.

Grombach chamou sua unidade de inteligência de The Pond. Esta foi controlada por autoridades superiores e minada pela total falta de credibilidade de seus relatos. Segundo as contas do próprio Grombach, 80% de seu trabalho foram parar no lixo. The Pond teve sucesso principalmente em se manter secreta. "Sua existência não era conhecida", disse o general Kroner; e somente um punhado de homens, incluindo "o próprio presidente, que tinha de tomar conhecimento por precisar aprovar certas operações, sabia de sua existência." As ambiciosas ordens de Grombach foram, entretanto, um marco: "Ele não apenas instituiu um serviço secreto de inteligência, considerando o esforço de guerra na época, como criou a base para um serviço secreto de inteligência perpétuo, de visão ampla, de alcance longo e contínuo", disse Kroner. "Este foi o nascimento da inteligência de alto nível, das operações secretas de inteligência, em nosso governo." Lei de Segurança Nacional de 1947, Audiência diante da Comissão sobre Gastos nos Departamentos Executivos, 27 de junho de 1947. Veja Mark Stout, "The Pond: Running Agents for State, War, and the CIA", *Studies in Intelligence,* vol. 48, nº. 3, CIA/CSI, disponível online em https://www.cia.gov/csi/studies/vol48 no3/article07.html.

24   *numa pequena fila de armários de madeira no Departamento de Estado:* Em outubro de 1941, o capitão Dean Rusk, futuro secretário de Estado, recebeu ordem para organizar uma nova seção de inteligência no exército, cobrindo uma grande área do mundo, do Afeganistão à Austrália, passando pela Índia. "A necessidade de informação", disse Rusk, "não podia ser exagerada. Estávamos nos deparando com esse fator de ignorância." Ele pediu para ver os arquivos que os Estados Unidos tinham nas mãos: "Mostraram-me uma gaveta de arquivos de uma velha senhora chamada North. Naquela gaveta estava uma cópia do 'Murphy's Tourist Handbook' para Índia e Ceilão, que tinha sido classificado como confidencial porque era o único exemplar que havia na cidade, e eles queriam mantê-lo; um relatório de um adido militar em Londres sobre o exército britânico na Índia e um número considerável de recortes do *New York Times* que a senhora North fazia desde a Primeira Guerra Mundial, e isso era tudo." Na Segunda Guerra Mundial, quando pilotos americanos cruzaram o Himalaia, da Índia para a China, e voltaram, estavam voando cegamente, relembrou Rusk: "Eu sequer tinha mapas que nos mostrassem a escala de um para um milhão no terreno em que estávamos operando." Quando Rusk tentou organizar uma unidade de língua birmanesa para o exército, "procuramos nos Estados Unidos por um nativo da Birmânia... Finalmente encontramos um, procuramos por ele e o localizamos num asilo de loucos. Bem, nós o tiramos do asilo e o tornamos instrutor de língua birmanesa." Testemunho de Rusk, Comissão do Presidente sobre Atividades da CIA (Comissão Rockefeller), 21 de abril de 1975, pp. 2191-2193, Confidencial, liberado em 1995, GRFL.

24   *metade da noite:* Troy, *Donovan and the CIA*, p. 265.

24   *"O que você acha que isso significa... ?":* Casey citado em Joseph E. Persico, *Casey: The Lives and Secrets of William J. Casey: From the OSS to the CIA* (Nova York: Viking), p. 81.

25  *"sérios danos aos cidadãos"*: relatório de Park, arquivos de Rose A. Conway, OSS/pasta de Donovan, HSTL.

25  *"Os defeitos e os perigos"*: Donovan a Truman, "Statement of Principles", FRUS Intelligence, pp. 17-21.

*Capítulo 2*

27  *"O que você tem que lembrar"*: entrevista de Helms ao autor.

28  *"bastante desaconselhável"*: Stimson a Donovan, 1º de maio de 1945, CIA Historical Intelligence Collection, CIA/CSI.

28  *"as operações contínuas do OSS precisam ser realizadas para serem preservadas"*: McCloy a Magruder, 26 de setembro de 1945, FRUS Intelligence, pp. 235-236. Os registros que detalham a sobrevivência da Central de Inteligência depois do fechamento do OSS por Truman estão em FRUS Intelligence, pp. 74-315; ver especialmente o ensaio de Magruder sobre operações de inteligência clandestinas e o relatório de Lovett.

28  *"a causa sagrada da central de inteligência"*: Magruder, citado em Michael Warner, "Salvage and Liquidation: The Creation of the Central Intelligence Group", *Studies in Intelligence*, vol. 39, nº. 5, 1996, CIA/CSI.

28  *"estava bastante claro que nosso objetivo principal seria descobrir o que os russos estavam tramando"*: entrevista de Polgar ao autor.

29  *"assistíamos ao total domínio russo sobre o sistema da Alemanha Oriental"*: entrevista de Sichel ao autor.

29  *um contato bem-sucedido*: Wisner a Chief/SI, 27 de março de 1945, CIA/DDRS.

30  *"Operações de inteligência clandestinas"*: Magruder a Lovett, "Intelligence Matters", sem data, mas provavelmente fim de outubro de 1945, FRUS Intelligence, pp. 77-81.

30  *"O esforço para coleta de inteligência chegou mais ou menos a um impasse"*: William W. Quinn, *Buffalo Bill Remembers: Truth and Courage* (Fowlerville, Michigan: Wilderness Adventure Books, 1991), p. 240.

30  *"transparentemente rudimentar"*: Richard Helms com William Hood, *A Look over My Shoulder: A Life in the Central Intelligence Agency* (Nova York: Random House, 2003), p. 72.

        O coronel Quinn foi chefe da inteligência para o Sétimo Exército em norte da África, França e Alemanha, trabalhando em contato direto com o OSS. Enfrentou dura oposição ao novo serviço de inteligência em Washington. Levou um pacote de informações internas sobre a Frota Báltica soviética a um almirante do Escritório de Inteligência Naval. "Sua organização está infiltrada por comunistas", reagiu o almirante. "Eu não poderia aceitar nada que você quisesse me dar." Houve várias rejeições desse tipo. Então Quinn decidiu que precisava de um bom atestado de saúde do único homem em Washington que poderia dá-lo: J. Edgar Hoover, do FBI. Ele procurou Hoover, apresentou seu caso e observou enquanto Hoover sorria, lambia os lábios e analisava o problema. "Sabe, isso é um grande alívio", disse Hoover. "Coronel, lutei contra esse Bill

Donovan com unhas e dentes, particularmente no que diz respeito às operações nas Américas do Sul e Central." O FBI recebera ordem para sair de todas as nações ao sul do rio Grande* depois da guerra; os agentes de Hoover queimaram os arquivos de inteligência em vez de entregá-los à Central de Inteligência, o início de uma batalha sem fim. Agora, por enquanto, a chegada humilde de Quinn ao FBI aplacava um pouco do ódio de Hoover. "Eu admirava Donovan, mas certamente não tinha muita afeição por ele", continuou Hoover. "Portanto aqui estamos no fim da estrada. O que você quer de mim?"

"Senhor Hoover", respondeu Quinn, "a resposta simples para sua pergunta é: descubra se tenho algum comunista em minha organização."

"Bem, podemos fazer isso", disse Hoover. "Podemos fazer uma checagem nacional."

"Enquanto o senhor estiver fazendo isso de maneira subversiva, poderia, por favor, verificá-los criminalmente também?"

"Está certo."

"Antes de decidirmos como fazer isso, para a posteridade, e para uma cooperação decisiva, eu gostaria de pedir ao senhor para me enviar um representante que seja o seu contato com minha organização."

Diante disso, Hoover quase caiu da cadeira. "Eu sabia o que se passava na cabeça dele", relembrou Quinn. "Provavelmente ele estava pensando, meu Deus, esse sujeito está pedindo uma penetração direta em sua agência." Quinn acabava de convidar o FBI a espionar seus espiões. Ele precisava de uma inoculação anticomunista de Hoover para que a organização sobrevivesse no início do grande medo do comunismo que tomou Washington por quase uma década. Sua decisão aumentou temporariamente o prestígio e a reputação da Central de Inteligência no país.

O coronel Quinn se tornou responsável pelo Escritório de Operações Especiais, encarregado de espionagem e ações secretas no exterior, por decisão do diretor da Central de Inteligência, Vandenberg, em julho de 1946. Considerou sua nova missão "contrária a todos os princípios de organização, comando e controle que eu já experimentei". Em busca de dinheiro, ele foi ao Capitólio e pediu US$ 15 milhões para espionagem a alguns membros do Congresso. "Eu simplesmente sabia que aquelas pessoas não sabiam o que fazíamos", disse ele. Então Quinn pediu uma sessão executiva secreta, e contou aos membros uma história comovente sobre uma faxineira em Berlim que fora recrutada como espiã, fotografando documentos soviéticos à noite. Os congressistas ficaram fascinados. Quinn conseguiu o dinheiro, por baixo dos panos, e isso ajudou a manter a inteligência americana viva.

Ele também tentou realistar veteranos do OSS como Bill Casey, que se tornaria diretor da central de inteligência 35 anos depois. Mas em 1946, Casey queria ganhar dinheiro em Wall Street mais do que continuar a servir a seu país. Ele e seus amigos do

---

*Neste caso, rio que delimita a fronteira entre México e Estados Unidos. (*N. do E.*)

OSS temiam que a inteligência continuasse a ser um filho bastardo estrábico dos serviços militares, liderado por generais e almirantes que usavam táticas transitórias, e não por civis capacitados e concentrados no grande quadro estratégico. O futuro da inteligência americana estava ameaçado, escreveu Casey a Donovan, pelo "clima moral e político de hoje, que eu atribuo, num grau considerável, ao nosso último comandante-em-chefe", o presidente Roosevelt. A lista de recomendações de Casey a Quinn incluía Hans Tofte, que mais tarde tentaria realizar operações secretas contra a China durante a Guerra da Coréia, e Mike Burke, que tentou realizar operações através da cortina de ferro no início dos anos 1950. Quinn, *Buffalo Bill Remembers,* pp. 234-267. Carta de J. Russell Forgan a Quinn, 8 de maio de 1946; carta de Casey a Forgan, 25 de janeiro de 1966; carta de Casey a Donovan, 20 de agosto de 1946; todas as três cartas em documentos de J. Russell Forgan, Hoover Institution, Stanford University.

31 *"Acho que nunca houve nem poderia haver um período mais triste e atormentado em minha vida":* Sherman Kent, *Reminiscences of a Varied Life,* n.d., impresso privadamente, pp. 225-231. Kent escreveu em 1946: "Desde o começo, houve problemas administrativos de ordem superior, grande parte deles evitáveis; ações no quadro de pessoal — novas nomeações, substituições e promoções tardias — ocorriam com a lentidão de uma geleira ou não ocorriam. A vida fora do governo [se tornou] cada vez mais atraente para profissionais insubstituíveis. Eles começaram a partir em ordem de importância para a organização; e como substitutos não apareciam, o moral diminuiu." "Prospects for the National Intelligence Service", *Yale Review,* vol. 36, nº. 1, outono de 1946, p. 116. William Colby, futuro diretor da central de inteligência, escreveu que a separação entre os acadêmicos da divisão de pesquisas e análise e os espiões do serviço clandestino criou duas culturas dentro da profissão de inteligência, separadas, desiguais e que depreciavam uma à outra. Essa crítica continuou acontecendo ao longo dos primeiros sessenta anos da CIA.

31 *Smith o advertiu:* A advertência, disponibilizada pela Casa Branca em 2004, era intitulada "Atividades de Inteligência e Segurança do Governo" e datada de 20 de setembro de 1945, dia em que o presidente determinou o fim do OSS.

31 *"completamente acabada":* documentos de Harold D. Smith, "Diaries—Conferences with the President", 1945, FDRL.

31 *"de maneira deplorável":* Leahy citado em memorando de Smith, "White House Conference on Intelligence Activities", 9 de janeiro de 1946, FRUS Intelligence, pp. 170-171.

31 *"Em almoço hoje na Casa Branca":* Agenda de William D. Leahy, 24 de janeiro de 1946, Library of Congress; Warner, "Salvage and Liquidation", CIA/CSI.

32 *Truman disse que precisava apenas de uma sinopse diária da inteligência:* Russell Jack Smith, mais tarde vice-diretor da CIA para inteligência, lembrou que quando o Grupo Central de Inteligência (CIG) foi estabelecido, em janeiro de 1946, "Truman começou a perguntar diariamente, 'Onde está o meu jornal?' Quase parecia que a única atividade do CIG que o presidente Truman considerava importante era o resumo diário". Seu predecessor, Sherman Kent, escreveu em 1949 que a CIA deveria se esfor-

çar para se parecer com "grandes jornais metropolitanos", com "pequenas forças de vendedores corretos e altamente inteligentes" para "empurrar o produto" — sendo o produto, como se veria, o jornal do presidente. O jornal ficou conhecido como o Resumo Diário ao Presidente. Entregue por um portador ao presidente durante quase seis décadas, foi a única fonte de poder constante da CIA. Mas a última coisa que um espião envolvido no negócio da espionagem quer (ou precisa) é das cobranças diárias de prazo de jornal. A espionagem não produz um fluxo constante de notícias para satisfazer a um prazo diário. É uma pesquisa lenta para encontrar verdades fundamentadas, para conhecer a mente do inimigo através do roubo silencioso de segredos de Estado. Havia, e continua havendo, "um conflito entre as verdadeiras exigências da espionagem e a obrigação da inteligência de se reportar", escreveu William R. Johnson, um veterano com 28 anos de experiência no serviço clandestino da CIA. O trabalho da inteligência americana era implorar por informações, tomá-las emprestadas ou comprá-las, e vendê-las, rearrumadas, ao presidente? Ou era roubar segredos de estado no exterior? Esse conflito não foi resolvido em favor da espionagem. Johnson concluiu, e falou em nome de grande parte do serviço clandestino após três décadas de trabalho duro, que o negócio da inteligência atual está fora da CIA. E mais que isso, escreveu: "Quanto às pessoas de ação política, aos plantadores de notícias e aos locutores de rádio, e aos velhos corruptores de políticos venais, que façam suas acomodações como quiserem. O trabalho deles não é clandestino... Que o Conselho de Segurança encontre um lugar para eles fora da condução de espionagem." William R. Johnson, "Clandestinity and Current Intelligence", *Studies in Intelligence, outono de 1976*, CIA/CSI, reimpresso em H. Bradford Westerfield (ed.), *Inside CIA's Private World: Declassified Articles from the Agency's Internal Journal 1955-1992* (New Haven, Connecticut: Yale University Press, 1995), pp. 118-184.

32 *"Há uma necessidade urgente"*: Souers, "Development of Intelligence on USSR", 29 de abril de 1946, FRUS Intelligence, pp. 345-347.

34 *"Nós nos acostumamos"*: entrevista de Kennan na série da CNN sobre a Guerra Fria, 1996, transcrição do National Security Archivem, disponível online em http://www.gwu.edu/~nsarchiv/coldwar/interviews/-espisode-1/kennan1 .html.

34 *"o melhor tutor possível"*: Walter Bedell Smith, *My Three Years in Moscow* (Philadelphia: Lippincott, 1950), p. 86.

34 *Numa noite fria e estrelada de abril de 1946*: Ibid., pp. 46-54.

35 *"um aprendiz de malabarista"*: Helms, *A Look over My Shoulder*, p. 67.

36 *"injeção de dinheiro num problema"*: Ibid., pp. 92-95. Chefe da base em Berlim, Dana Durand confessou que a inteligência que ele e seus homens produziam era atravessada por "rumores, fofocas de alto nível, bochichos políticos". Durand para Helms, "Report on Berlin Operations Base", 8 de abril de 1948, liberado em 1999, CIA. Em uma dessas muitas falcatruas da inteligência, a Karl-Heinz Kramer, a "Abwehr* de

---

*A Abwehr foi uma organização alemã de inteligência, atuante de 1921 a 1944 (*N. da E.*)

Estocolmo", vendeu aos americanos relatos altamente detalhados sobre a indústria aérea russa, que dizia serem provenientes de sua ampla rede de agentes dentro da União Soviética. Na verdade, sua fonte era uma série de manuais sobre aviões comprados numa livraria em Estocolmo. James V. Milano e Patrick Brogan, *Soldiers, Spies, and the Rat Line: America's Undeclared War against the Soviets* (Washington, DC: Brassey's, 1995), pp. 149-150. Em outra fraude, a Central de Inteligência comprou um fragmento de "urânio radioativo", que teoricamente tinha sido surrupiado de uma remessa da Alemanha Oriental para Moscou. A batata quente era um pedaço de chumbo embrulhado em papel de alumínio. Esse tipo de fiasco levou o general Leslie Groves, o homem que liderava o Projeto Manhattan, programa secreto que criou a bomba atômica, a estabelecer sua própria unidade de inteligência, dedicada a determinar toda possível fonte de urânio no mundo e a rastrear o desenvolvimento de armas atômicas na União Soviética. O general Groves, julgando os homens de Helms "incapazes de funcionar satisfatoriamente", e portanto incapazes de ficar de olho nos planos de Stalin de fabricar uma bomba atômica soviética, manteve a existência dessa unidade e de sua missão em segredo em relação a Vandenberg e seus homens da Central de Inteligência. Isso contribuiu para o fracasso da CIA em prever acuradamente quando o monopólio americano em armas de destruição em massa acabaria. "Minutes of the Sixth Meeting of the National Intelligence Authority", 21 de agosto de 1946, FRUS Intelligence, pp. 395-400; Memorando de Groves à Comissão de Energia Atômica, 21 de novembro de 1946, FRUS Intelligence, pp. 458-460.

36  uma *"agência operante"*: Memorando de Elsey, 17 de julho de 1946, CIA/CSI.

36  *"agentes de inteligência em todo o mundo"*: "Minutes of the Fourth Meeting of the National Intelligence Authority", 17 de julho de 1946, FRUS Intelligence, pp. 526-533. Para o contexto do temor do comunismo em 1946, veja Eduard Mark, "The War Scare of 1946 and Its Consequences", *Diplomatic History,* vol. 21, n° 3, verão de 1997.

37  *"conspiração, intriga, sujeira"*: Entrevista de Hostler ao autor. Hostler passou os últimos meses da guerra como interino na Itália, trabalhando num palácio real de 1.200 cômodos, nos arredores de Nápoles, ajudando James J. Angleton, do OSS, a "reforçar seu controle sobre as várias redes de inteligência e segurança italianas". Para informações sobre o fiasco romeno, ver Charles W. Hostler, *Soldier to Ambassador: From the D-Day Normandy Landing to the Persian Gulf War, A Memoir Odyssey* (San Diego: San Diego State University Press, 1993), pp. 51-85; e Elizabeth W. Hazard, *Cold War Crucible* (Boulder, Colorado: Eastern European Monographs, 1996). Hazard é filha de Frank Wisner.

## Capítulo 3

39  *"acontecimentos de importância extraordinária"*: Wisner citado em C. David Heymann, *The Georgetown Ladies' Social Club* (Nova York: Atria, 2003), pp. 36-37.

40  *as idéias desse obscuro diplomata*: Com o tempo, Kennan negaria sua participação intelectual na criação da Doutrina Truman e da CIA. A Doutrina Truman, escreveu

Kennan duas décadas depois, construiu "a estrutura de uma política de ação universal" a partir de um problema único: "Tudo o que outro país precisava fazer para se qualificar para receber ajuda americana era demonstrar a existência de uma ameaça comunista. Como quase todo país tinha uma minoria comunista, esse pré-requisito era abrangente demais." Mas a doutrina era entendida por quase todos os americanos em 1947 como uma retumbante proclamação das forças da liberdade. O oficial da inteligência americana James McCargar estava trabalhando em Budapeste no dia do discurso de Truman. Durante meses a fio, os ânimos na Missão Americana ali haviam "diminuído cada vez mais porque víamos que os russos estavam fazendo o que queriam fazer, que era tomar a Hungria completamente". A história era a mesma ao longo dos Bálcãs e talvez — quem poderia saber? — em toda a Europa: "Não havia dúvida alguma de que aquilo se tornaria uma disputa, um verdadeiro confronto" entre os Estados Unidos e a União Soviética. "Estávamos cada vez mais deprimidos" — até o dia em que a Doutrina Truman foi proclamada. "Naquela manhã, fomos todos para as ruas com nossas cabeças erguidas", disse McCargar. "Apoiaríamos as forças democráticas tanto quanto podíamos em qualquer lugar do mundo." George F. Kennan, *Memoirs 1925-50* (Nova York: Pantheon, 1983), p. 322; depoimento gravado de McCargar, FAOH; entrevista de McCargar ao autor; memorando de Vandenberg, "Subject: Special Consultant to the Director of Central Intelligence", 27 de junho de 1946, CIA/CSI.

As origens da Doutrina Truman remontam ao medo da guerra de 1946. No fim da tarde de sexta-feira, 12 de julho de 1946, enquanto a primeira operação secreta e os primeiros planos de guerra contra os soviéticos começavam a tomar forma, Harry Truman tomou um ou dois bourbons na Casa Branca com seu consultor jurídico, Clark Clifford. Pediu a Clifford para reunir alguma coisa sobre o mistério dos soviéticos, algo que o serviço de notícias de sua Central de Inteligência parecia incapaz de fazer satisfatoriamente. Clifford, já um pouco confuso por sua proximidade com o poder, decidiu fazer ele próprio o trabalho. Ninguém tão próximo de Truman era menos qualificado. "Eu não tinha qualquer experiência verdadeira em política externa ou segurança nacional", disse Clifford. "Tive que aprender enquanto agia; era entender o que dava para entender." Truman não foi o primeiro presidente a instalar sua própria oficina de inteligência amadora na Casa Branca. E não seria o último. O trabalho de Clifford, escrito com George Elsey, assessor de Truman, foi entregue no início de setembro de 1946. Era feito com base nas palavras de Kennan e em seguida dava um grande salto para o desconhecido. Depoimento gravado de Clifford, HSTL. "The Joint Intelligence Committee," CIA/CSI, 2000.

Os Estados Unidos tinham que supor que os soviéticos poderiam atacar qualquer lugar a qualquer hora, e portanto o presidente precisava estar pronto para iniciar uma "guerra atômica e biológica" contra a União Soviética, porque "a linguagem do poder militar é a única linguagem" que os soviéticos compreendiam, dizia o relatório. A única verdadeira alternativa seria um esforço dos Estados Unidos no mundo para "apoiar e assistir a todos os países democráticos que são de alguma maneira ameaçados e colocados em perigo pela URSS". Para fazer isso, a nação tinha que criar uma nova e unificada série de políticas externas, planos militares, programas de ajuda econômica e operações de inteligência para enfraquecer os soviéticos. Os Estados Unidos precisavam liderar o resto da civilização ocidental "numa tentativa de construir um mundo nosso".

O diretor da Central de Inteligência, Vandenberg, pegou carona no esforço de Clifford. Para não ser passado para trás, uma semana depois que Truman encomendou o relatório de Clifford, Vandenberg disse a Ludwell Lee Montague, seu chefe para relatórios, para produzir algo bombástico sobre as políticas militar e externa da União Soviética, e queria o texto em sua mesa na terça-feira. Sem qualquer equipe competente, Montague fez tudo sozinho. Dormindo pouquíssimo durante as cem horas seguintes, ele entregou ao fim do prazo a primeira análise sobre os soviéticos publicada pela Central de Inteligência. Montague concluiu que embora Moscou previsse um choque com o mundo capitalista e se esforçasse para consolidar o controle sobre todas as terras por trás da cortina de ferro, não provocaria uma nova guerra e não tinha condições de enfrentar um conflito direto com os Estados Unidos num futuro próximo. Não passava de uma suposição. Esse relatório foi a primeira estimativa sobre os soviéticos, a primeira de centenas, um dos trabalhos mais difíceis e menos satisfatórios que a CIA realizou. Assim como os outros que se seguiram, baseava-se em poucos fatos concretos, prova da sabedoria de Sherman Kent, segundo o qual "estimar é o que você faz quando não sabe". O relatório afundou como uma pedra. Apresentava matizes de cinza quando o que a Casa Branca queria era preto no branco. E sofreu com uma fraqueza fundamental: o exército, a marinha e o Departamento de Estado ainda não compartilhavam suas idéias, e muito menos seus segredos, com a incipiente central de inteligência. Sherman Kent, "Estimates and Influence", *Foreign Service Journal,* abril de 1969. Ver também Ludwell L. Montague, *General Walter Bedell Smith as Director of Central Intelligence* (University Park, Pensilvânia: Penn State University Press, 1992), pp. 120-123 [doravante CIA/LLM]. Esta é uma história da CIA, liberada em parte. Ludwell Lee Montague, "Production of a 'World Situation Estimate'" CIA, FRUS Intelligence, pp. 804-806.

O caso foi um golpe devastador. Durante os quatro anos seguintes, escreveu Montague mais tarde, a Central de Inteligência falhou sistematicamente na tarefa de produzir o que Truman queria: conhecimento proveniente de todas as fontes conhecidas. O obstáculo insuperável eram os militares. Eles queriam produzir suas próprias idéias, previsões e análises sobre ameaças, como fazem ainda hoje. O trabalho de Montague foi o último grande documento com idéias sobre a União Soviética que a central de inteligência submeteria ao presidente em quase dois anos. A amarga lição se aprofundaria com o tempo: a CIA só exerce poder em Washington quando reunia seus próprios segredos únicos.

Em contraste, Clifford tinha o respaldo que faltava à Central de Inteligência. Tinha o melhor escritório na Ala Oeste da Casa Branca e se encontrava com o presidente meia dúzia de vezes por dia. Tinha a atenção do presidente. Exigia e recebia os segredos dos departamentos de Estado, Guerra e Marinha em nome do presidente. O relatório que ele e Elsey produziram em setembro foi feito em grande parte a partir do trabalho da própria equipe de inteligência do Estado-Maior. Mas tinha também uma falha fatal: ninguém no governo dos EUA tinha qualquer meio de saber acuradamente sobre a capacidade militar e as intenções de Moscou. As melhores informações sobre os soviéticos disponíveis ao governo dos EUA na época, refletiu Richard Helms cinqüenta anos depois, estavam nas estantes da Biblioteca do Congresso. Mas Clifford, trabalhando sem restrições, fizera precisamente o que se esperava que a Central de Inteligência fizesse. Reuniu as idéias do governo. Memorando Clifford-Elsey, cópia de rascunho, setembro de 1946, CIA/DDRS. Veja também James Chace, *Acheson* (Nova York: Simon and Schuster, 1998), p. 157; e Clark M. Clifford e Richard Holbrooke, *Counsel to the President* (Nova York: Anchor, 1992) pp. 109-129.

41 *"Senhor presidente"*: Chace, *Acheson*, pp. 162-165; Dean Acheson, *Present at the Creation: My Years in the State Department* (Nova York: W. W. Norton, 1969), p. 219.

42 *"Os oceanos encolheram"*: Declaração do tenente-general Hoyt S. Vandenberg em S. 758, Lei de Segurança Nacional de 1947, NARA. "Leva tempo", disse Vandenberg, "para iniciar algo em que estamos hoje quatrocentos anos atrasados."

42 *"e provavelmente nunca deveria ter sido"*: CIA/LLM, p. 4. Souers, Vandenberg e Hillenkoetter estavam entre uma dúzia dos dezenove diretores da central de inteligência que eram despreparados ou inadequados para o cargo. "Aquela missão era definitivamente impensável", escreveu Hillenkoetter a Wild Bill Donovan em 21 de maio de 1947. "Como você é um antigo mestre nessa arte, estou ousando pedir-lhe que me dê alguns conselhos bem como idéias sobre o assunto." Hilly precisava de toda a ajuda que pudesse conseguir. Carta a Donovan, documentos de Forgan, Hoover Institution, Stanford University.

43 *A sala 1501 do Longworth Office Building*: O testemunho de Dulles está registrado em Hearing Before the Committee on Expenditures in the Executive Departments, 27 de junho de 1947. Em 1982, o deputado Jack Brooks, presidente da Comissão da Câmara para Operações do Governo, e o deputado Edward Boland, presidente da Comissão Seleta Permanente da Câmara para Inteligência, usaram suas equipes para descobrir a transcrição e a imprimiram com uma introdução sobre sua história incomum. O deputado Clare E. Hoffman, de Michigan, representante republicano da Comissão da Câmara para Gastos nos Departamentos Executivos, conduziu a sessão em 1947. As testemunhas depuseram usando codinomes (Sr. A, Sr. B, Sr. C). Hoffman guardara apenas a transcrição da audiência; em outubro de 1947, ele a emprestou ao consultor legislativo da CIA, Walter Pforzheimer, que fez uma cópia, guardou-a num cofre e devolveu o original. Hoffman destruiu o original em 1950. A única cópia restante foi descoberta em arquivos da CIA 32 anos depois.

As outras principais testemunhas na audiência foram o diretor da Central de Inteligência, Vandenberg, e John "Frenchy" Grombach, líder do The Pond, o serviço de espionagem criado pela inteligência do exército em 1942. "Não estamos brincando de bolinha de gude", disse Grombach à comissão. "Estamos brincando com nossa segurança nacional, e nossas vidas" ao deixarmos que a central de inteligência realize operações clandestinas.

Deixem que o exército espione para os Estados Unidos, argumentou ele, e que a central de inteligência escreva relatórios. Qualquer outra coisa seria "errada e perigosa".

Vandenberg reagiu. O verdadeiro perigo, testemunhou ele, era The Pond — "um trem da alegria", uma "preocupação comercial", cheio de mercenários amadores que trocavam segredos em bares. A coleta clandestina de inteligência secreta era um negócio difícil que tinha que ser feito por profissionais rigidamente controlados.

Vandenberg prosseguiu explicando como construir uma rede de inteligência apropriada. "O campo clandestino, senhor, é muito complicado", testemunhou. "Seu funcionamento requer um especialista no campo clandestino, ou algo tão próximo de um especialista quanto os Estados Unidos possuem, e que podemos contratar pelo dinheiro que podemos pagar... Então ele constrói uma rede de pessoas que conhece. Então temos que escolher um outro homem, no qual tenhamos total confiança, que constrói uma rede paralela e fica apenas observando... para assegurar que o primeiro homem não está dando informações e recebendo dinheiro de um governo estrangeiro... O homem que originalmente montou a rede ostensivamente não tem conexão alguma com qualquer pessoa ou qualquer departamento do governo." Ele advertiu: "As chances de que o governo dos EUA em tempo de paz enfrente tremendas dificuldades nos obrigam a manter o processo sob rígido controle; e não dá para mantê-lo sob rígido controle se contratamos para isso um sujeito que chega ao escritório e diz que ficaria muito feliz se você lhe desse US$ 500 mil por ano... Pode ser muito provável que esse homem seja pago por outro governo e nos esteja alimentando com informações que aquele governo gostaria que recebêssemos."

Este era um esboço preciso dos desafios que a CIA enfrentou ao ser criada — mais preciso até do que as palavras de Allen Dulles: "Não acredito numa grande agência", disse ele. "Você deve mantê-la pequena. Se ela se tornar um grande polvo, não vai funcionar bem. No exterior, você vai precisar de um certo número de pessoas, mas não pode ser um número grande. Tem que ser uma boa quantidade, mas não centenas." Ele herdou quase dez mil pessoas quando assumiu o comando em 1953 e a partir disso aumentou para 15 mil, chegando a 20 mil, e a maioria das pessoas era encarregada de operações secretas no exterior. As operações secretas eram uma tarefa que Dulles nunca se deu ao trabalho de mencionar.

44  *"o maior cemitério de companheiros descartados"*: Walter Millis (ed.) com E. S. Duffield, *The Forrestal Diaries* (Nova York: Viking, 1951), p. 299.

44  *"Tive os piores presságios"*: Acheson, *Present at the Creation*, p. 214.

44  *centenas de grandes ações secretas — 81 delas durante o segundo mandato de Truman*: número publicado em "Coordination and Policy Approval of Covert Actions", documento coordenado de NSC/CIA datado de 23 de fevereiro de 1967, e liberado depois de uma longa luta em 2002.

45  *O consultor jurídico da CIA, Lawrence Houston*: Houston disse a Hillenkoetter que a lei não dava à CIA nenhuma autoridade legal para qualquer coisa semelhante a ações secretas. E também não havia qualquer intenção implícita do Congresso de ler nas entre-

linhas da lei. Se o NSC ordenava aquele tipo de missão, e se a CIA procurava o Congresso e especificamente requisitava e recebia a autoridade e o dinheiro para a operação secreta, isso era outro assunto. Trinta anos se passaram até que dessem ouvidos a sua advertência. Houston para Hillenkoetter, "CIA Authority to Perform Propaganda and Commando Type Functions", 25 de setembro de 1947, FRUS Intelligence, pp. 622-623.

45  *"guerra de guerrilha"... "combater fogo com fogo"*: Kennan a Forrestal, 26 de setembro de 1947, Record Group 165, arquivos da ABC, 352:1, NARA.

45  *Num amargo memorando*: Penrose a Forrestal, 2 de janeiro de 1948, FRUS Intelligence, pp. 830-834.

45  *"operações psicológicas secretas"*: NSC 4/A, 14 de dezembro de 1947.

O que era uma guerra psicológica?,refletiram os primeiros oficiais da CIA. Uma guerra de palavras? Se as palavras eram armas, deveriam ser verdadeiras ou falsas? A CIA deveria vender democracia no mercado aberto ou contrabandeá-la para a União Soviética? Deveria fazer transmissões em rádio ou lançar panfletos por trás da cortina de ferro? Ou seria uma ordem para montar operações clandestinas destinadas a reduzir o moral do inimigo? As artes escusas da dissimulação estratégica haviam caído em desuso desde o Dia D. Ninguém desenvolveu uma nova doutrina para realizar guerras sem armas. De seu posto de comando na Europa, o general Eisenhower exortou seus companheiros oficiais "a manter vivas as artes da guerra psicológica". Memorando de Eisenhower, 19 de junho de 1947, RG 310, Army Operations, P & O 091.412, NARA; memorando do diretor da Central de Inteligência, "Psychological Warfare", 22 de outubro de 1947, FRUS Intelligence, pp. 626-627.

Mas o brigadeiro-general Robert A. McClure, futuro pai das forças de operações especiais americanas, achou a "ignorância" dos americanos "em relação à guerra psicológica... impressionante". McClure para Propaganda Branch, MID War Department, Record Group 319, Box 263, NARA; coronel Alfred H. Paddock Jr., "Psychological and Unconventional Warfare, 1941-1952", U.S. Army War College, Carlisle Barracks, Pensilvânia, novembro de 1979.

Hillenkoetter procurou um chefe para o novo "Braço de Procedimentos Especiais" que conseguisse cortar caminho na escuridão. Kennan e Forrestal queriam Allen Dulles para esse trabalho. Conseguiram Thomas G. Cassady, um antigo nome do OSS, corretor e banqueiro de Chicago. Cassady foi um desastre. Tentou instalar uma estação de rádio para transmissões atrás da cortina de ferro e uma gráfica para propaganda na Alemanha, mas ninguém conseguia achar as palavras certas para conquistar os corações e as mentes dos oprimidos. Sua grande idéia era o Projeto Ultimato: enviar balões à União Soviética com panfletos com mensagens de amor fraterno. Por que não aviões com relógios do camundongo Mickey?, perguntou um cético no Departamento de Estado.

46  *"o lugar mais antigo da cultura ocidental"*: "Consequences of Communist Accession to Power in Italy by Legal Means", CIA, Office of Research and Estimates, 5 de março de 1948.

46  *"Estávamos agindo além de nossas diretrizes"*: Entrevista de Wyatt ao autor. Veja também sua entrevista à série *Cold War* da CNN, transcrição do Arquivo de Segurança Nacional de 1998 disponível online em http://www.gwu.edu/~nsarchiv/coldwar/interview/episode-3/wyatt1.html.

A operação italiana se tornou uma das operações de ação política mais caras, longas e compensadoras dos primeiros 25 anos da agência. Em novembro de 1947, no início da operação, James J. Angleton deixou seu cargo de chefe do posto de Roma para organizar uma divisão soviética dentro do agitado Escritório de Operações Especiais de Galloway. Angleton formara um grupo substancial de agentes na Itália, em parte oferecendo imunidade contra processos por crimes de guerra a certos clientes barra-pesada, e vinha pensando nas eleições iminentes e fazendo planos havia muitos meses. O oficial executivo de Angleton em Roma, Ray Rocca, um ítalo-americano de São Francisco, tornou-se o responsável pelas primeiras fases da operação. William Colby percebeu em retrospecto que não havia qualquer mágica na operação; era uma iniciativa diretamente apoiada em dinheiro. E assim continuaria sendo durante um quarto de século. O milagre de 1948 foi que o centro venceu e a CIA pôde reivindicar o crédito pela vitória. Na reta final das eleições, os democratas cristãos de centro-direita, aliados ao Vaticano e liderados por Alcide De Gasperi, estavam palmo a palmo com o Partido Comunista, cujos líderes se inspiravam em Moscou e alegavam ter dois milhões de membros leais entre cidadãos comuns. "Estes eram os grandes partidos", disse Mark Wyatt, da CIA. "Os neofascistas estavam fora da questão. Os monarquistas estavam mortos." Permaneciam três partidos menores: republicanos, liberais e social-democratas. Em março, a CIA decidiu dividir seu próprio voto, por assim dizer, apoiando candidatos dos partidos menores tanto quanto democratas cristãos. Visões sobre a operação estão em Ray S. Cline, *Secrets, Spies, and Scholars: Blueprint of the Essential CIA* (Washington: Acropolis, 1976), pp. 99-103, e Peter Grose, *Operation Rollback: America's Secret War Behind the Iron Curtain* (Boston: Houghton Mifflin, 2000), pp. 114-117. Cline foi vice-diretor de inteligência da CIA de 1962 a 1966; Grose descobriu testemunhos significativos no Congresso descrevendo o uso do Fundo de Estabilização de Câmbio do Departamento do Tesouro.

Não há qualquer registro sobre o custo da operação italiana, embora as estimativas variem de US$ 10 milhões a US$ 30 milhões. As bolsas pretas de dinheiro eram recheadas, em parte, por laços de amizade e confiança. O secretário do Tesouro, Snyder, era amigo íntimo de A. P. Giannini, financista ítalo-americano que comandava a Transamerica Corporation, uma *holding* que controlava o Bank of America e cerca de duzentos bancos menores. Em troca, Giannini foi colocado em contato com Wyatt, um conterrâneo de São Francisco. "Eu tinha muitos contatos com ítalo-americanos proeminentes nesse país: banqueiros, industriais, cheios de idéias, algumas delas bem estranhas", tal como um golpe de Estado se o plano secreto falhasse, disse Wyatt. Giannini era um de seus contatos, assim como "líderes políticos poderosos nesse país, não apenas o Tammany Hall e o Condado de Cook, em Illinois, mas outros excelentes, que sabiam como vencer eleições." Músculos e dinheiro estavam envolvidos. Uma história apócrifa sobre a operação italiana de 1948 diz que três agentes da CIA foram a Palermo para fazer alguma coisa em relação à situação nas docas e procuraram membros da Máfia local para tratar do problema. Conseguiram que carregamentos de armas americanas passassem despercebidos por estivadores comunistas, mas a sede não ficou satisfeita com seus métodos. Entender precisamente como a CIA foi crucial para a causa americana nas eleições de 1948 é uma tarefa inglória. O fluxo de armas e blindados americanos para a Itália, os navios americanos que despejaram toneladas de alimentos e as ondas de notícias internacionais, amplificadas pelo choque da queda da Tchecoslováquia, contribuíram para a vitória e a consolidação da longa relação entre a CIA e a cada vez mais corrupta elite política italiana. Joe Greene, que dividia seu tempo entre o Departamento de Estado e o Escritório de Coordenação Política, lembrou que os italianos "anunciaram que queriam dar aos EUA um símbolo de sua admiração por tudo que os americanos haviam feito desde o fim da guerra, quando mudaram de lado, até o início dos anos 50. Ofereceram enormes estátuas eqüestres de bronze que estão hoje no extremo noroeste da Memorial Bridge, em Washington. De Gasperi foi aos Estados Unidos para a ocasião e Truman compareceu à cerimônia do oferecimento. Foi um grande espetáculo". Os cavalos ainda estão lá. Depoimento gravado de Greene, FAOH.

47 *O chefe do posto da CIA em Praga, Charles Katek:* A remoção dos agentes tchecos de Katek foi descrita em entrevistas de Tom Polgar e Steve Tanner, ambos oficiais da CIA na Alemanha em 1948. Mas a CIA agiu com menos nobreza quando chamada a salvar a vida de Michael Shipkov, um búlgaro que trabalhou como tradutor-chefe para a Missão Americana naquele novo Estado stalinista. A missão pediu ao exército que ajudasse a tirar Shipkov do país, disse Raymond Courtney, vice-cônsul americano: "Montaram um esquema realmente infantil, impossível: colocá-lo na estrada à noite e fazê-lo seguir adiante não pela estrada, mas atravessando o campo com 1,5 metro a 1,80 metro de neve em direção à fronteira grega, para um encontro clandestino num cemitério da região. Coloquei Shipkov na estrada por volta de 3h e mandei o pobre sujeito em seu caminho. Bem, ele passou sem problemas pelo primeiro esconderijo e pelo segundo, mas em seguida os enviados não apareceram e ele não quis comprometer mais seus anfitriões, e portanto tentou seguir por conta própria, sem orientação ou assistência. A milícia o capturou. Soubemos mais tarde que o motivo pelo qual os enviados não haviam aparecido era que ambos estavam com gripe e descansaram durante 24 horas num monte de feno. A captura de Shipkov foi anunciada na rádio estatal com grande publicidade. Shipkov viveu um inferno. Quinze anos depois, ele foi libertado da prisão." Depoimento gravado de Courtney, FAOH.

47 *o Plano Marshall:* o uso pela CIA de fundos do Plano Marshall é descrito em "A Short History of the PSB", 21 de dezembro de 1951, Documentos da Equipe do NSC, Arquivos Oficiais da Casa Branca, DDEL. O desvio de fundos do Plano Marshall para ações secretas foi detalhado num memorando de 17 de outubro de 1949 por Frank Wisner, chefe do Escritório de Coordenação Política: "CIA Responsibility and Accountability for ECA Counterpart Funds Expended by OPC", Segredo Confidencial, reimpresso

em Michael Warner (ed.), *CIA Cold War Records: The CIA Under Harry Truman* (Washington: CIA History Staff, 1994). Este foi um raro relato: sob "acordos gerais e específicos" feitos em segredo entre alguns poucos homens interados do assunto, "os fundos de contrapartida de 5% da ECA são disponibilizados à CIA" para operações secretas, de acordo com o documento da CIA. A ECA, ou Administração de Cooperação Econômica, administrava o Plano Marshall.

Sempre houve bastante dinheiro. "É claro, tínhamos dinheiro", disse Melbourne L. Spector, administrador do Plano Marshall em Paris. "Tínhamos fundos de contrapartida saindo pelas orelhas." Depoimento gravado de Spector, FAOH.

48  *"Diga-lhes que podem pôr as mãos em nossos bolsos"*: Depoimento gravado de Griffin, HSTL.

48  *"a inauguração de uma guerra política organizada"*: memorando de Kennan não assinado, 4 de maio de 1948, FRUS Intelligence, pp. 668-672.

49  *A diretriz 10/2 do NSC pedia operações secretas*: as palavras de guerra completas foram as seguintes:

> O Conselho de Segurança Nacional, tomando conhecimento das inescrupulosas atividades secretas da URSS, de seus países satélites e de grupos comunistas para desacreditar e derrotar os objetivos e as atividades dos Estados Unidos e de outras potências ocidentais, determinou que, no interesse da paz mundial e da segurança nacional dos EUA, as atividades abertas dos EUA no exterior devem ser suplementadas por operações secretas... planejadas e executadas de modo que nenhuma responsabilidade do governo dos EUA por essas operações fique evidente para pessoas não autorizadas e que, se descoberto, o governo dos EUA possa plausivelmente negar qualquer responsabilidade por elas. Especificamente, essas operações devem incluir qualquer atividade secreta relacionada a: propaganda e guerra econômica; ação direta preventiva, incluindo sabotagem, anti-sabotagem e medidas de demolição e evacuação; subversão contra Estados hostis, incluindo assistência a movimentos de resistência clandestinos, guerrilhas e grupos para libertação de refugiados, e apoio a elementos nativos anticomunistas em países do mundo livre ameaçados.

Kennan foi indiscutivelmente o principal autor intelectual da diretriz. Uma geração depois, ele lamentou tudo isso, dizendo que o impulso para a guerra política foi seu maior erro, que as operações secretas atentaram contra as tradições americanas e que "os excessivos sigilo, duplicidade e artimanhas clandestinas simplesmente não são coisas nossas". Poucos no poder disseram isso na época. A compreensão convencional entre os especialistas era clara. Se os EUA queriam deter os soviéticos, precisariam de um exército de soldados secretos. Kennan conseguiu escrever mais de mil páginas de memórias sem qualquer menção a seu papel de progenitor das ações secretas. Seu livro justamente aclamado foi portanto uma pequena obra-prima de duplicidade, bem como uma história diplomática magnífica. Veja também de Kennan "Mortality and Foreign

Policy", *Foreign Affairs*, inverno 1985-1986; e sua declaração de que a iniciativa da guerra política foi "o maior erro que eu já cometi" em seu testemunho à Comissão Church, 28 de outubro de 1975, citado no relatório final da comissão, vol. 4, p. 31.

O diretor da central de inteligência, Hillenkoetter, ficou chocado com a própria idéia do novo serviço clandestino. Deixou clara sua crença de que os Estados Unidos nunca deveriam se envolver em ações secretas em tempo de paz. E não foi o único a questionar os custos da subversão secreta. Sherman Kent, o maior dos analistas de guerra fria da CIA, apresentou o seguinte pensamento em documento: Enviar "agentes clandestinos a um país estrangeiro com o qual os Estados Unidos não estão em guerra e instruir esses agentes a realizar operações 'negras'", escreveu ele, "é algo que não apenas vai contra os princípios sobre os quais nosso país foi fundado mas também contra aqueles pelos quais lutamos recentemente numa guerra". Robin Winks, *Cloak and Gown: Scholars in the Secret War, 1939-1961* (New Haven, Connecticut: Yale University Press, 1987), p. 451.

49  *"disseminação de rumores, suborno, a organização de frentes não-comunistas"*: Edward P. Lilly, "The Development of American Psychological Operations, 1945-1951", Conselho de Segurança Nacional, Confidencial, DDEL, c. 1953.

50  *A base da CIA em Berlim*: Entrevistas de Sichel e Polgar ao autor; "Subject: Targets of German Mission, January 10, 1947", CIA/CREST. Para um panorama confiável da Base de Operações da CIA em Berlim, veja David E. Murphy, Sergei A. Kondrashev e George Bailey, *Battleground Berlin: CIA vs. KGB in the Cold War* (New Haven, Connecticut: Yale University Press, 1997). Mais tarde, Murphy trabalhou como chefe da base.

31  *"zelo e intensidade"*: Pronunciamento de Helms numa cerimônia em memória de Wisner na sede da CIA, em 29 de janeiro de 1971. Helms citou alguns trechos de "Once by the Pacific", de Robert Frost, ao lembrar Wisner como um guerreiro frio:

> *It looked as if a night of dark intent*
> *Was coming, and not only a night, an age.*
> *Someone had better be prepared for rage...* [36]

Wisner foi descrito como "uma escolha singular para criar uma organização secreta do zero" em "Office of Policy Coordination, 1948-1952", não assinado, não datado, liberado com adaptações em março de 1997, CIA/CREST. O autor foi Gerald Miller, chefe de operações de Wisner para a Europa Ocidental.

---

[36] Parecia que uma noite de intenções sombrias/Estava chegando, e não apenas uma noite, uma era./Melhor que alguém se preparasse para a fúria... (*N. do T.*)

*Capítulo 4*

51 *planos de batalha para os cinco anos seguintes*: as ambições de Wisner são detalhadas em seu memorando "Subject: OPC Projects", 29 de outubro de 1948, FRUS Intelligence, pp. 730-731; entrevistas do autor a contemporâneos de Wisner, incluindo Richard Helms, Franklin Lindsay, Sam Halpern, Al Ulmer e Walter Pforzheimer; e "Office of Policy Coordination, 1948-1952", CIA/CREST.

52 *LeMay disse a Franklin Lindsay, braço direito de Wisner*: entrevista de Lindsay ao autor. Lindsay lutou como guerrilheiro do OSS junto a partidários de Tito na Iugoslávia. Depois da guerra, ao lado de Allen Dulles, trabalhou com a equipe da comissão do Congresso que autorizou o Plano Marshall. Em setembro de 1947, conduziu um grupo de congressistas daquela comissão, incluindo Richard Nixon, à cidade ocupada de Trieste, onde testemunharam um tenso confronto entre uma coluna de tanques iugoslavos e forças americanas, na véspera da transição de Trieste para se tornar um território livre. A Iugoslávia ainda estava na órbita soviética; Tito não romperia com Stalin durante mais nove meses. Foi um momento delicado. O comandante dos Aliados em Trieste, general Terence Airey, advertiu os governos americano e britânico: "Se esse assunto não for tratado muito cuidadosamente, uma terceira Guerra Mundial poderá começar aqui." Ao voltar para Washington, Lindsay e seu predecessor, Charles Thayer, propuseram uma unidade de guerra de guerrilha para lutar contra os soviéticos — "combater fogo com fogo" —, idéia que chamou a atenção de Kennan assim como Lindsay chamou a atenção de Wisner.

53 *"a coisa mais secreta"*: depoimento gravado de James McCargar, FAOH. McCargar trabalhou em segredo para The Pond na Hungria, servindo tanto ao Departamento de Estado quanto à rede secreta de inteligência do exército de abril de 1946 a dezembro de 1947.

54 *"Estávamos no comando"*: Entrevista de Ulmer ao autor.

54 *Primeiro em Atenas*: Thomas Hercules Karamessines, da CIA, um greco-americano de Staten Island, começou em Atenas em 1947 e se aproximou de oficiais promissores. Depois de tomarem o país, vinte anos depois, os militares gregos tiveram em Karamessines um amigo, que ascendeu para se tornar chefe das ações secretas.

54 *"Indivíduos, grupos e serviços de inteligência rapidamente passaram a ver"*: "Office of Policy Coordination, 1948-1952", CIA/CREST.

54 *Wisner voou para Paris... para discutir... com Averell Harriman*: Franklin Lindsay trabalhava para Harriman na sede do Plano Marshall em Paris no outono de 1948, testemunhou a conversa e começou imediatamente a trabalhar para Wisner como chefe de operações. "Harriman sabia tudo sobre o OPC", disse Lindsay. Wisner informou Harriman completamente em 16 de novembro de 1948. Depois disso, dinheiro nunca foi um obstáculo. "Eu tinha um orçamento de tantos milhões quanto eu conseguisse gastar, e eu não conseguia gastar tudo", relembrou McCargar. Para o conhecimento de Harriman sobre os planos de Wisner, veja o memorando de Wisner para o arquivo, FRUS Intelligence, pp. 732-733. A visita de Wisner a Dick Bissell aconteceu logo

depois. Richard M. Bissell Jr., com Jonathan E. Lewis e Frances T. Pudlo, *Reflections of a Cold Warrior: From Yalta to the Bay of Pigs* (New Haven, Connecticut: Yale University Press, 1996), pp. 68-69.

As conexões entre os diplomatas, os homens do dinheiro e os espiões eram acolhedoras. O chefe da ECA em Paris era David K. E. Bruce, vindo do OSS. O subchefe de Harriman era Milton Katz, que chefiava a divisão de inteligência secreta do OSS em Londres sob as ordens de William Casey, futuro diretor da central de inteligência.

O Plano Marshall, além de dinheiro e disfarce, compartilhou funcionários para a propaganda secreta e as ações anticomunistas destinadas a sindicatos de trabalhadores na França e na Itália. Alguns oficiais do Plano Marshall realizaram ações secretas para Wisner durante três anos depois de ele selar um acordo com Averell Harriman. Wisner também trocava informações com John McCloy, na época o veterano civil americano na Alemanha (e o chefe do Departamento de Guerra que ajudou a preservar a inteligência americana diante da sentença de morte de Truman em setembro de 1945). Wisner registrou que "explicou ao senhor McCloy o significado geral e a origem do OPC" e detalhou "certos aspectos de nossas atuais e futuras operações na Alemanha". Ele observou que McCloy "pareceu impressionado com minha afirmação de que os arquitetos originais de todo o negócio incluíam os senhores Lovett, Harriman, Forrestal, Kennan, Marshall e outros". FRUS Intelligence, pp. 735-736.

55  *as mãos escorregadias dos gângsteres da Córsega*: a história do OPC de Gerald Miller registra que Wisner "inicialmente concentrou seus esforços dentro do âmbito do movimento sindical". Os primeiros entre estes esforços, as Operações Pikestaff e Largo, estão documentados em registros da CIA liberados, com assinatura de autorização de Kennan, datados de outubro de 1948. "Nos primeiros dias do Plano Marshall", disse Victor Reuther, representante na Europa do Congresso de Organizações Industriais na época, "quando houve algumas greves políticas convocadas por forças sindicais comunistas e talvez por elementos políticos comunistas para tentar derrotar o Plano Marshall e impedir que a ajuda externa chegasse, aquilo se tornou uma questão de romper essas greves. E o governo dos EUA, através da central de inteligência, convocou Irving Brown e Jay Lovestone para tentar organizar um contramovimento. E é claro, se você quer romper uma greve, procura os garotos que sabem usar a força e baixar o cacete. E eles se voltaram para o que pode ser melhor descrito como sendo a Máfia da Córsega." Paul Sakwa, oficial da CIA que mais tarde relatou o caso, disse que cortou o pagamento do chefe da máfia da Córsega, Pierre Ferri-Pisani, em 1953, quando o Plano Marshall foi encerrado. "Não havia nada para Ferri-Pisani fazer na época", disse Sakwa, "e provavelmente ele estava envolvido no contrabando de heroína que seguia por Marselha, e não precisava de nosso dinheiro." Entrevistas de Reuther e Sakwa, "Inside the CIA: On Company Business", documentário de 1980 dirigido por Allan Francovich, transcrição de cortesia de John Bernhart. O autor entrevistou o senhor Sakwa em 1995. As relações entre Wisner, Lovestone e Brown estão detalhadas nos arquivos da Comissão de Sindicatos Livres e nos próprios registros de Lovestone

em AFL-CIO International Affairs Department Collections, George Meany Memorial Archives, Silver Spring, Maryland, e na Coleção Lovestone, em Hoover Institution, Stanford University. Vide também Anthony Carew, "The Origins of CIA Financing of AFL Programs", *Labor History*, vol. 39, nº 1, 1999.

Lovestone trabalhou na CIA durante um quarto de século, ganhando reputação de brilhante manipulador. Seu primeiro oficial de inteligência foi Carmel Offie, um assessor de Wisner que supervisionou questões de trabalho e emigração, bem como a Comissão Nacional para uma Europa Livre, e que criou o primeiro grande problema de segurança dentro da CIA. Offie era um homossexual notório numa época em que desvios eram considerados politicamente perigosos. Os oficiais de segurança da CIA descobriram um relatório da polícia mostrando que Offie fora preso por solicitar sexo num banheiro masculino a um quarteirão da Casa Branca. Eles entregaram o documento a J. Edgar Hoover. Este perseguiu Offie, que foi silenciosamente demitido da CIA e entrou para a folha de pagamento da Federação Americana de Trabalho. Agentes do FBI grampearam o telefone de Lovestone e o gravaram dizendo a Wild Bill Donovan que a CIA estava cheia de "socialites, incompetentes e degenerados de Park Avenue... Toda a organização está completamente mal gerenciada, completamente ineficiente e completamente irresponsável". Aquilo foi irresistível para Hoover.

55 *"um amplo projeto que tinha como alvo os intelectuais"*: Braden em documentário da Granada Television, "World in Action: The Rise and Fall of the CIA", junho de 1975. Entre os autores em ascensão que escreveram livros enquanto trabalhavam com a CIA em Paris estava Peter Mathiessen, um dos maiores escritores de sua geração e um conhecido liberal.

56 *O relatório, que permaneceu confidencial durante cinqüenta anos*: "The Central Intelligence Agency and National Organization for Intelligence: A Report to the National Security Council", também conhecido como relatório Dulles-Jackson-Correa, 1º de janeiro de 1949, CIA/CREST.

56 *"no calor da confusão"*: Roosevelt a Acheson, 1º de fevereiro de 1949, HSTL.

57 *"A maior fraqueza da CIA"*: Ohly a Forrestal, 23 de fevereiro de 1949, HSTL.

57 *Após cinqüenta noites de pavor*: O suicídio de Forrestal ocorreu após meses de "uma fadiga severa e progressiva", Townsend Hoopes e Douglas Brinkley, *Driven Patriot: The Life and Times of James Forrestal* (Nova York: Vintage, 1993), pp. 448-475. O doutor Menninger disse que ele sofria de "uma tendência impulsiva extrema à autodestruição". Carta de Menninger ao capitão George Raines, chefe de neuropsiquiatria, U.S. Naval Hospital, Bethesda, Maryland, em "Report of Board of Investigation in the Case of James V. Forrestal", National Naval Medical Center, 1949. O presidente Truman substituiu Forrestal por Louis Johnson, um rico contribuinte de campanha que reivindicava o cargo havia meses. Johnson era um homem de poucas virtudes que o redimissem, e dado a ataques de raiva e surtos surpreendentes e ilógicos que o levavam a esmurrar mesas, a ponto de convencer Dean Acheson, que trabalhou com ele como secretário de Estado, de que ele sofrera danos cerebrais ou era doente mental. O general Omar Bradley, chefe do Estado-Maior Conjunto, concluiu que "Truman especulou um doente

mental por outro". Quando esse drama foi apresentado no Pentágono, o próprio Truman pensou se havia posto um louco no comando da segurança nacional americana. Dean Acheson, *Present at the Creation: My Years in the State Department* (New York: W. W. Norton, 1969), p.374; Omar N. Bradley e Clay Blair, *A General's Life: An Autobiography* (Nova York: Simon e Schuster, 1983), p. 503.

*Capítulo 5*

59 *"operar as ferrovias"*: Richard Helms com William Hood, *A Look over My Shoulder: A Life in the Central Intelligence Agency* (Nova York: Random House, 2003), p. 82.

59 *Muitos deles eram refugiados desesperados*: Em 1948, John W. McDonald, oficial americano, trabalhava como promotor público de Frankfurt sob ocupação americana quando se deparou com a CIA em seu serviço. Ele contou a seguinte história:

> A polícia havia capturado um grupo de 18 pessoas. O número um era um polonês chamado Polansky, um deslocado. Ele fizera um trabalho brilhante: chapas de 50 dólares americanos. Nós o pegamos com cem mil dólares em notas falsas, as chapas e a tinta — tudo o que se poderia querer. Ele também tinha um uniforme do Exército dos EUA. Tinha uma carteira de identidade, uma pistola 45 e um cartão do refeitório. Tinha tudo. Então achei aquilo sensacional. Estávamos a ponto de levar todo o grupo a julgamento quando um dia recebi a visita de um major, que entrou no escritório.

A conversa transcorreu assim:

> "Sou Overt"
>
> "Major Overt, é um prazer conhecê-lo."
>
> "Não, você não entende. Overt é o oposto de Covert."
>
> "Quem é você?"
>
> "Sou um membro da CIA."
>
> "O que posso fazer por você?"
>
> "Você está com esse polonês na prisão chamado Polansky. Ele é um de nós."
>
> "O que você quer dizer com 'um de nós'?"
>
> "Ele está em nossa folha de pagamento. Faz parte da CIA."
>
> "Desde quando a CIA emprega falsificadores de dólares americanos?"
>
> "Não, não, não. Ele fez isso por conta própria."
>
> "Então isso não conta? Isso está certo?"
>
> "Certo, sim, isso não conta. Ele é nosso melhor fabricante de documentos, passaportes e todo tipo de coisa que usamos para ir para o leste."
>
> "Bem, está bem, mas ainda assim ele cometeu um crime e não me importo em saber para quem ele está trabalhando."

MCDonald continuou: "Eu lhe indiquei a porta. No dia seguinte, um coronel veio a mim para tratar do mesmo caso e tivemos exatamente a mesma discussão. Eu não me deixei impressionar. Dois dias depois, um major-general me procurou. Era um cargo de autoridade naquele tempo. Era algo muito sério, eu podia notar. Mas ele era mais esperto que os outros dois, e disse, 'Como você sabe, esse homem trabalhou para nós. Fomos nós que lhe demos o uniforme, a 45, todas as carteiras de identidade e por aí em diante. Eu apreciaria muito se você retirasse as acusações, para que não fiquemos embaraçados publicamente.' Eu segui em frente e mais ou menos uma semana depois houve o julgamento, e é claro que ele foi condenado à pena máxima, dez anos, que era o máximo segundo a lei alemã para falsificação. Mas nunca esqueci o major Overt. Meu primeiro encontro com a CIA não foi muito promissor." Depoimento gravado de McDonald, FAOH.

59    *"incentivar movimentos de resistência no mundo soviético"*: Wisner citado em Kevin C. Ruffner, "Cold War Allies: The Origins of CIA's Relationship with Ukrainian Nationalists", Agência Central de Inteligência, 1998.

59    *"uma reserva para uma possível emergência de guerra"*: "U.S. Policy on Support for Covert Action Involving Emigrés Directed at the Soviet Union", 12 de dezembro de 1969, FRUS, 1969-1970, vol. XII, documento 106.

59    *numa história da CIA*: Ruffner, "Cold War Allies".

60    *"Só precisamos dizer à Câmara"* e *"Quanto menos falarmos sobre esse projeto de lei, melhor"*: Ambos em Hearings Before the House Committee on Armed Services, conforme liberados, 81º Congresso, 1ª sessão, 1949.

61    *Mikola Lebed*: Norman J. W. Goda, "Nazi Collaborators in the United States", em *U.S. Intelligence and the Nazis,* National Archives, pp. 249-255. Oficiais da inteligência do Exército já haviam iniciado um relacionamento precário com os ucranianos, usando-os para tentar obter informações sobre as forças soviéticas e espiões soviéticos na Alemanha pós-guerra. O primeiro prestador de serviço para eles em Munique foi Myron Matvieyko, agente da inteligência alemã durante a guerra, assassino e depois falsificador. Logo aumentaram as suspeitas de que ele era um espião duplo que trabalhava para Moscou; sua subseqüente deserção para a União Soviética confirmou aquele temor.

61    *"prestando valiosa assistência"* e *"de valor inestimável"*: As cartas de Dulles e Wyman estão em National Archives, Record Group 263, arquivo Mikola Lebed, tornado público em 2004. Depois que Lebed teve sua entrada permitida nos Estados Unidos, a agência manteve um relacionamento operacional com seus homens ucranianos que provou ser uma das alianças mais sólidas com um grupo de emigrantes anticomunistas. Seu Conselho Supremo para a Libertação da Ucrânia acabou se voltando para formas menos letais de atividade de resistência. A CIA instalou uma editora para Lebed em Nova York nos anos 1950. Ele viveu para ver a União Soviética cair e a Ucrânia se libertar para traçar seu próprio e difícil destino.

61    *"por menor que fosse a possibilidade de sucesso e por mais repugnante que fosse o agente"*: Ruffner, "Cold War Allies".

62 *general Reinhard Gehlen*: Allen Dulles teve a última palavra sobre Gehlen: "Há poucos arcebispos na espionagem. Ele está do nosso lado e é isso que importa. Além disso, não é preciso convidá-lo a nenhum clube." O raciocínio americano para recrutar espiões nazistas era claro para homens como o capitão do exército John R. Boker já no verão de 1945. "Era o momento ideal para obter informações sobre a União Soviética, se algum dia quiséssemos apanhá-la", disse Boker, um habilidoso interrogador com profundas raízes na Alemanha que começou a bisbilhotar os nazistas dias depois de eles se renderem. Boker encontrou o homem que procurava em Reinhard Gehlen. O capitão americano considerou o general alemão "uma mina de ouro que havíamos encontrado". Os dois homens concordaram que uma nova guerra contra os soviéticos estava próxima e que suas nações deveriam compartilhar a causa contra a ameaça comunista. O brigadeiro-general Edwin L. Sibert, chefe da inteligência do exército na Europa, e que logo se tornaria o primeiro diretor-assistente da CIA para operações secretas, comprou essa idéia. Decidiu contratar Gehlen e sua rede de espionagem. Não esclareceu sua decisão a seus superiores — os generais Dwight D. Eisenhower e Omar Bradley — supondo com razão que eles a rejeitariam. Com a aprovação de Silbert, o general Gehlen e seis de seus espiões alemães voaram para Washington no avião particular do general Walter Bedell Smith, futuro diretor da central de inteligência. Os alemães foram examinados e interrogados durante dez meses numa instalação secreta dentro do Forte Hunt, nos arredores de Washington, antes de serem enviados de volta a sua pátria para trabalhar contra os russos. Nascia assim uma longa parceria entre os oficiais da inteligência americana e os espiões derrotados de Hitler. John R. Boker Jr., "Report of Initial Contacts with General Gehlen's Organization", 1º de maio de 1952. Esse interrogatório e uma série de documentos da CIA sobre a organização de Gehlen estão reunidos em *Forging an Intelligence Partnership: CIA and the Origins of the BND*, editado por Kevin C. Ruffner, da Equipe de História da CIA, impresso pelo Diretório de Operações da CIA, Divisão Européia, e liberado em 2002. Os documentos incluem declarações de Gehlen em James Critchfield [chefe do posto, Karlsruhe] para o diretor, FBM, CIA HQ, 10 de fevereiro de 1949; "Report of Interview with General Edwin L. Sibert on the Gehlen Organization", 26 de março de 1970; "SS Personnel with Known Nazi Records", chefe em exercício da base de operações de Karlsruhe para diretor, FBM, 19 de agosto de 1948.

62 *"um homem rico e cego"*: Chief, Munich Operations Base, para o chefe em exercício da base, Karlsruhe, 7 de julho de 1948.

62 *"não há dúvida de que os russos sabem"*: Helms para ADSO, coronel Donald Galloway, 19 de março de 1948.

62 *"Não queríamos tocar naquilo"*: Entrevista de Sichel ao autor.

63 *"considerando o quanto isto era difícil para nós"*: Entrevista de Tanner ao autor. Tanner, que se aposentou na CIA em 1970, acrescentou a seguinte contribuição, escrita na terceira pessoa, à história em primeira mão sobre o apoio da agência aos insurgentes ucranianos:

Tanner achou que apenas um grupo correspondia a seus critérios, o Conselho Supremo para Libertação da Ucrânia (UHVR). Surpreendentemente, nenhum grupo de emigrantes russos estava qualificado. O UHVR não apenas tinha emissários que faziam contato por terra com o Exército Insurgente Ucraniano nos Cárpatos como também recebia alguns relatórios da Ucrânia via emissários, clérigos católicos, além de ocasionais viajantes e fugitivos.

Os principais interesses do UHVR e da CIA pareciam coincidir: ambos queriam desesperadamente contato por rádio com a sede dos insurgentes, "por trás das fileiras inimigas". Os chefões da política de ação em Washington aprovaram essa fórmula, que funcionara bem em tempo de guerra na França, na Itália e na Iugoslávia.

Durante nove meses, dois emissários foram treinados sob a supervisão de Tanner em operação de rádio, códigos cifrados, pára-quedismo e tiro ao alvo para autodefesa. Eles pularam de pára-quedas num campo de uma montanha próxima a Lvov na noite de 5 de setembro de 1949. Esse primeiro lançamento aéreo e o seguinte, em 1951, produziram contato por rádio, mas nenhuma informação que abalasse as estruturas. As duas últimas missões foram definitivamente comprometidas via instruções de Angleton a Philby, e os infelizes grupos de emissários foram presos imediatamente por "comissões de boas-vindas" do NKVD[38] soviético.

Para os nacionalistas ucranianos na URSS, o primeiro lançamento aéreo foi um enorme impulso moral e com certeza levou a expectativas exageradas. Em meados de 1953, porém, os soviéticos haviam efetivamente destruído a resistência dos insurgentes.

Quatro erros e atos de estupidez impressionantes na era pós-guerra ficaram na mente de Tanner. Primeiro, ao fim da Segunda Guerra Mundial, os Aliados repatriaram à força cidadãos soviéticos. Quando descobriram que seriam entregues aos russos, muitos deles cometeram suicídio. E aqueles que foram entregues nunca chegaram ao solo soviético, sendo mortos a tiros ou enforcados na Europa Oriental por esquadrões da morte do Serviço de Segurança.

Segundo, o sigilo do pessoal da base da CIA em Munique foi violentamente rompido por um erro numa agenda telefônica do exército dos EUA de 1949: todos os nomes listados sem indicação da unidade a que pertenciam eram pessoas da CIA. O exército teria ainda posto asteriscos junto a seus nomes.

Terceiro, depois da Segunda Guerra Mundial, especialistas e instrutores de pára-quedismo deixaram o OSS porque seus serviços não eram mais necessários. Houve dois resultados: um veterano do OSS sérvio-americano que tinha feito pára-quedismo em tempo de guerra na Iugoslávia instruiu dois

---

[38]Ministério do Interior da antiga União Soviética. (*N. do T.*)

emissários ucranianos a dar uma cambalhota para trás ao tocarem o solo, apesar das duas carabinas de 1,2 metro amarradas em suas laterais. E também, para o lançamento de setembro de 1949, Washington aconselhou o uso de uma carga errada a ser lançada, e o caixote com 635 quilos de equipamentos se estilhaçou em pequenos pedaços no impacto com o chão.

Quarto, e o pior de todos, James Angleton informou Kim Philby, o agente duplo soviético na inteligência britânica, sobre o programa REDSOX [esforço geral para infiltrar ex-cidadãos soviéticos e de etnia estrangeira por trás da cortina de ferro].

66  *"O que fizemos de errado?"*: Convincente crítica de John Limond Hart a Angleton em suas memórias póstumas, *The CIA's Russians* (Annapolis, Maryland: Naval Institute Press, 2002), especialmente pp. 136-137. Hart foi reconvocado de sua aposentadoria em 1976 para analisar os danos que Angleton havia causado à CIA como chefe da contra-inteligência. Sobre a operação albanesa: depoimento gravado de McCargar, FAOH; Michael Burke, *Outrageous Good Fortune* (Boston: Little, Brown, 1984), pp. 140-169. Wisner escolheu Burke para treinar os albaneses. Burke, mais tarde presidente dos New York Yankees, era um veterano do OSS e gostava da vida secreta. Ele assinou um contrato de US$ 15 mil por ano como agente e foi para Munique, onde se encontrou com políticos albaneses num esconderijo num distrito operário na cidade. "Sendo a pessoa mais jovem na sala, representando um país novo e rico, eu concentrei a atenção deles", escreveu Burke. Ele acreditou que se entendia com os exilados. Os albaneses viram as coisas de maneira diferente: "Os americanos que prepararam nossos homens para aquelas missões não conheciam nada da Albânia, do povo albanês e de sua mentalidade", disse Xhemal Laci, um monarquista albanês que recrutou homens para a causa na Alemanha. A operação estava tão completamente comprometida desde o início que qualquer um adivinhava onde estavam as raízes mais profundas do desastre. McCargar, que era um bom amigo de Angleton, concluiu: "A comunidade albanesa na Itália estava tão completamente infiltrada, não apenas de italianos, mas de comunistas, que para mim era ali que os russos obtinham suas informações, bem como as autoridades comunistas albanesas."

66  *"Os fins nem sempre justificam os meios"*: Entrevista de Coffin ao autor.

67  *"o auxílio dos emigrantes para a eventualidade de uma guerra"*: Este olhar retrospectivo está em "U.S. Policy on Support for Covert Action Involving Emigrés Directed at the Soviet Union".

68  *a CIA declarou confiantemente*: Memorando de Inteligência da CIA nº 225, "Estimate of Status of Atomic Warfare in the USSR", 20 de setembro de 1949, reimpresso em Michael Warner (ed.), *CIA Cold War Records: The CIA Under Harry Truman* (Washington: CIA History Staff, 1994). O texto completo: "A data mais próxima em que se pode esperar que a URSS produza uma bomba atômica é meados de 1950, e a data mais provável é meados de 1953." O diretor-assistente do Escritório de Inteligência Cientí-

fica da CIA, Willard Machle, relatou ao diretor da Central de Inteligência, Hillenkoetter, que o trabalho da agência sobre armas atômicas soviéticas vinha sendo "um fracasso quase total" em todos os níveis. Os espiões haviam "falhado completamente" na obtenção de dados científicos e técnicos sobre a bomba soviética e os analistas da CIA recorriam a "raciocínio geológico" baseado em suposições sobre a capacidade dos soviéticos em extrair urânio.

No memorando de Machle a Hillenkoetter, "Inability of OSI to Accomplish Its Mission", datado de 29 de setembro de 1949, ele lamentava que tivera "dificuldade comprovada de encontrar pessoas com qualificações aceitáveis que poderiam ser bem-sucedidas ao aceitar emprego na Agência". Memorando de Machle, em George S. Jackson e Martin P. Claussen, *Organizational History of the Central Intelligence Agency, 1950-1953,* vol. 6, pp. 19-34, DCI Historical Series HS-2, CIA Historical Staff, 1957, Record Group 263, NARA.

A historiadora interna da CIA Roberta Knapp observou que, em setembro de 1949, "a declaração oficial coordenada sobre a finalização de uma arma atômica pelos soviéticos se encontrava em uma estimativa que previa três datas diferentes para isso — 1958, 1955, e 'entre 1950 e 1953' — todas elas erradas". Isto, conclui ela, "constituiu uma prova clara de desorganização". Como conseqüência, o Escritório de Relatórios e Estimativas da CIA (ORE) estava "condenado", de acordo com outro historiador da CIA, Donald P. Steury, em "How the CIA Missed Stalin's Bomb", *Studies in Intelligence,* vol. 49, nº. 1, 2005, CIA/CSI. Esta história interna observa que muitos analistas do ORE eram físicos nucleares e engenheiros do Projeto Manhattan que tinham a visão otimista de que poderiam acompanhar o progresso do programa nuclear soviético lendo artigos científicos publicados, suplementados por provas de fontes clandestinas. Em 1948, não havia qualquer prova útil na literatura aberta surgindo na União Soviética. Mas, desde 1947, uma fonte alemã no antigo complexo I. G. Farben (fabricante, entre outras coisas, dos gases dos campos da morte nazistas) relatava que os soviéticos estavam importando da fábrica 30 toneladas de cálcio metálico destilado por mês. A quantidade de cálcio puro — que era usado para refinar uranita — era aproximadamente 80 vezes maior que a produção dos EUA. O relato da fonte foi corroborado de maneira independente. Deveria ter disparado um alarme. Não disparou.

## Capítulo 6

69   *"Uma delas é Deus e a outra é Stalin":* "Nomination of Lt. Gen. Walter Bedell Smith to Be Director of Central Intelligence Agency", Sessão Executiva, 24 de agosto de 1950, CIA, documentos de Walter Bedell Smith, DDEL.

69   *"Espero o pior"* e *"É interessante ver todos vocês, companheiros, aqui":* David S. Robarge, "Directors of Central Intelligence, 1946-2005", *Studies in Intelligence,* vol. 49, nº. 3, 2005, CIA/CSI.

70   *"Nelas, todo o dinheiro foi gasto":* Bedell Smith citado em "Office of Policy Coordination, 1948-1952", CIA/CREST.

70 *"o coração e a alma da CIA"*: Bedell Smith citado em George S. Jackson e Martin P. Claussen, *Organizational History of the Central Intelligence Agency, 1950-1953*, vol. 9, Parte 2, p. 38. Esta história de 1957 foi liberada em 2005. DCI Historical Series HS-2, CIA Historical Staff, Record Group 263, NARA.

70 *"uma tarefa impossível"*: Sherman Kent, "The First Year of the Office of National Estimates: The Directorship of William L. Langer", CIA/CSI, 1970.

70 *"estimar é o que você faz quando não sabe"*: Sherman Kent, "Estimates and Influence", *Foreign Service Journal*, abril de 1969.

70 *Quatrocentos analistas da CIA*: Jackson e Claussen, *Organizational History of the Central Intelligence Agency, 1950-1953*, vol. 8, p. 2.

71 *A CIA se viu manipulada*: James Lilley, ex-chefe do posto da CIA em Pequim, entrevista ao autor. O problema persistiu até o fim dos anos 1960, quando Lilley descobriu que "o mesmo tipo de rede chinesa de inteligência falsa ao qual havíamos resistido e que havíamos descartado quinze anos antes" estava de volta ao trabalho, apanhando fofocas em jornais de províncias chinesas e vendendo-as a espiões americanos em Hong Kong.

71 *"a perda de inteligência mais significativa da história dos EUA"*: David A. Hatch com Robert Louis Benson, "The Korean War: The SIGINT Background", Agência de Segurança Nacional, disponível online em http://www.nsa.gov/publications/publi00022.cfm. O papel de Weisband na história da inteligência americana foi mal interpretado durante décadas. O imperioso *KGB: The Inside Story*, de Christopher Andrew, um dos mais proeminentes historiadores de inteligência do mundo, e Oleg Gordievsky, desertor da inteligência soviética, dedica três frases a Weisband e informa incorretamente a data de seu recrutamento pela inteligência soviética como sendo 1946. De acordo com histórias da Agência de Segurança Nacional e da CIA sobre o caso, Weisband foi recrutado pelos soviéticos em 1934. Um trabalhador da indústria de aviões na Califórnia disse ao FBI em 1950 que Weisband fora seu encarregado da KGB durante a guerra. Weisband nasceu no Egito em 1908, era filho de russos, foi para os Estados Unidos no fim dos anos 1920 e se tornou cidadão americano em 1938. Entrou para a Agência de Segurança de Sinais do exército em 1942 e foi enviado para trabalhar no Norte da África e na Itália antes de voltar para Arlington Hall. Weisband foi suspenso de seu trabalho na agência de segurança e depois não compareceu diante do grande júri federal para uma audiência sobre atividades do Partido Comunista. Condenado por desrespeito à autoridade, recebeu uma sentença de um ano de prisão — e ali o assunto morreu, já que acusá-lo abertamente de espionagem seria algo que aprofundaria os problemas da inteligência americana. Weisband morreu subitamente aos 59 anos, em 1967, aparentemente de causas naturais.

72 *"nenhuma indicação convincente"*: A única coisa que a sede da CIA sabia com certeza era que o general MacArthur acreditava que os chineses não estavam chegando. Relatos e análises da CIA sobre a Coréia de junho a dezembro de 1950 refletiam essa falácia. Os relatos estão detalhados em P. K. Rose, "Two Strategic Intelligence Mistakes in

Korea, 1950", *Studies in Intelligence*, outono/inverno, nº 11, 2001; CIA Historical Staff, "Study of CIA Reporting on Chinese Communist Intervention in the Korean War, September-December 1950", preparado em outubro de 1955 e liberado em junho de 2001; e Woodrow J. Kuhns, "Assessing the Soviet Threat: The Early Cold War Years", CIA Directorate of Intelligence, Center for the Study of Intelligence, 1997.

73  *uma confusão impossível*: Antes de renunciar ao cargo de vice-diretor de Bedell Smith em 1951, Bill Jackson deu ao general um relatório sobre as operações de Wisner. "Subject: Survey of Office of Policy Coordination by Deputy Director of Central Intelligence", 24 de maio de 1951, CIA/CREST. O relatório dizia: "Esse trabalho excede a capacidade de qualquer homem." O Escritório de Coordenação Política estava tentando construir "uma máquina mundial, comparável em vários aspectos a uma força militar" sem níveis adequados de controle, pessoal, treinamento, logística ou comunicação competentes. "Há uma grande discrepância entre os Chefes de Divisão mais altamente qualificados e os menos qualificados", relatou ele. "A carga de compromissos operacionais ultrapassou a capacidade de recrutar pessoal altamente qualificado."

73  *Era de US$ 587 milhões*: "CIA/Location of Budgeted Funds/Fiscal Year 1953", documento dos arquivos do deputado George Mahon, um dos quatro membros do Congresso com conhecimento sobre o orçamento da CIA. Quando o professor David Barrett, da Universidade Villanova, encontrou esse documento em 2004, isso mudou a história. Durante quase trinta anos, todos os livros sobre a CIA repetiram fielmente a descoberta de investigadores do Senado em 1976 de que o orçamento de Wisner foi de US$ 82 milhões em 1952. Esse número está claramente errado. O orçamento do OPC em 1952 foi, na verdade, aproximadamente quatro vezes maior do que relatado anteriormente.

73  *"um perigo diferente"*: Reunião do diretor, 14 de novembro de 1951, CIA/CREST. As minutas das reuniões diárias do diretor da central de inteligência com seus vices e sua equipe, contidos em registros recém-liberados obtidos por meio do CREST, dão o tom dos conflitos da CIA. A minuta daquele encontro afirma: "O diretor quer que eles [Dulles e Wisner] examinem bem de perto o OPC. As operações paramilitares devem ser separadas do resto do orçamento, assim como todas as operações que não contribuem para a inteligência. Ele acredita que chegamos a um ponto onde o tamanho das operações do OPC se tornou um perigo diferente para a CIA como agência de inteligência."

Bedell Smith viu que os Estados Unidos "não tinham qualquer estratégia para realizar esse tipo de guerra", ou seja, o tipo de guerra de Wisner. "Preliminary Staff Meeting, National Psychological Strategy Board", 8 de maio de 1951, CIA/CREST. Ele disse a Dulles e Wisner, "Vocês não têm no governo uma estratégia básica aprovada para esse tipo de guerra... Embora tenhamos equipamentos e poder, não estamos fazendo o trabalho que deveríamos fazer."

Bedell Smith tentou mais de uma vez afastar Wisner do controle das operações paramilitares. Reunião do diretor, 16 de abril de 1952, CIA/CREST. Argumentou em vão que eles haviam excedido em muito o que fora estabelecido no NSC 10/2, o manifesto político de guerra de 1948. Mas os departamentos de Estado e Defesa queriam uma expansão das ações secretas — "de grande magnitude". Bedell Smith ao NSC, "Scope and Pace of Covert Operations", 8 de maio de 1951, CIA/CREST. A advertência de Bedell Smith para não "segurar" nem "ocultar incidentes infelizes e erros sérios" foi feita em 21 de agosto de 1951, reunião diária da equipe, CIA/CREST. Dias antes ele implorara a Wisner e outros altos oficiais da inteligência "para darem atenção séria aos problemas de fabricação e duplicidade de fontes da inteligência". Minuta da reunião, 9 de agosto de 1951, CIA/CREST.

Os registros do CREST recém-disponibilizados mostram que Bedell Smith herdara "um tipo de Sagrado Império Romano em que os barões feudais agiam para que seus respectivos interesses não ficassem sujeitos a qualquer direção e controle de seu imperador titular", nas palavras de Ludwell Lee Montague, seu representante pessoal na equipe do Conselho de Segurança Nacional, que registrou que o general "passou a suspeitar que Dulles e Wisner... acabariam levando-o a alguma aventura mal concebida e desastrosa". CIA/LLM, pp. 91-96, 264.

74 *As histórias secretas da CIA*: As histórias secretas da Agência Central de Inteligência são "CIA in Korea, 1946-1965", "The Secret War in Korea, June 1950-June 1952" e "Infiltration and Resupply of Agents in North Korea, 1952-1953". Foram citadas pela primeira vez por Michael Haas, coronel da força aérea aposentado, em sua monografia, *In the Devil's Shadow: U.N. Special Operations during the Korean War* (Annapolis, Maryland: Naval Institute Press, 2000).

74 *"Eram missões suicidas"*: Entrevista de Sichel ao autor.

75 *"uma grande reputação e uma atuação terrível"*: Entrevista de Gregg ao autor. No caso da Coréia, o resultado tem sido disfarçado ou falsificado. Por exemplo, John Ranelagh, *The Agency* (Nova York: Simon and Schuster, 1986), considerado durante muito tempo uma referência modelo sobre a CIA, contém três parágrafos sobre atividades paramilitares secretas durante a Guerra da Coréia. Alega que Hans Tofte, chefe de operações do OPC, colocou com sucesso agentes em toda a Coréia, China e Manchúria. "Essas áreas 'fechadas' foram penetradas com sucesso por agentes coreanos e chineses da CIA", e as operações "multifacetadas e complexas" de Tofte usaram "guerrilheiros treinados para atuar na Coréia do Norte" e colocaram "agentes em toda a Coréia que puderam agir como guias e fornecer esconderijos para pilotos perdidos" (pp. 217-218). Isto é falso, como mostram as histórias operacionais da CIA sobre a Coréia. Tofte era um falsificador. Falsificou filmes de guerrilheiros da CIA atuando na Coréia do Norte. A fraude foi rapidamente desmascarada quando alguém em Washington questionou por que missões de comando estavam acontecendo em plena luz do dia. Mais especificamente, as verdadeiras missões — ao contrário daquela que foi encenada — foram desastres completos. As histórias internas da própria CIA contradizem categoricamente o belo quadro das operações na Guerra da Coréia apresentado em *The Agency*.

76  *"controladas pelo outro lado"*: Depoimento gravado de Thomas, FAOH.

77  *"uma olhada atenta nas conquistas milagrosas"*: Memórias póstumas de John Limond Hart, *The CIA's Russians* (Annapolis, Maryland: Naval Institute Press, 2004), explicam suas experiências extraordinárias como sucessor de Al Haney na chefia do posto em Seul.

77  *"A CIA, por ser uma organização nova"*: Hart citado em Christopher Andrew, *For the President's Eyes Only: Secret Intelligence and the American Presidency from Washington to Bush* (Nova York: Harper Perennial, 1996), pp. 193-194.

Os relatos de Hart sobre as fraudes de Haney foram enterrados, assim como os erros de Haney. O próprio Haney mais tarde observou, "durante e depois da Coréia, muitos altos oficiais responsáveis falaram bastante que a CIA deveria lucrar com sua experiência e estar mais bem preparada para a próxima Coréia". Mas, concluiu ele, "duvido seriamente que a CIA tenha lucrado alguma coisa com a Coréia ou que as experiências na região tenham sido sequer catalogadas, que dirá estudadas, para lições para o futuro". Haney a Helms, "Subject: Staff Study re Improvement of CIA/CS Manpower Potential Thereby Increasing Operational Capability", 26 de novembro de 1954, liberado em abril de 2003, CIA/CREST. Haney sobreviveu a sua inacreditável atuação na Guerra da Coréia porque no fim de sua viagem, em novembro de 1952, ajudou a conseguir que um tenente da marinha gravemente ferido na Coréia fosse transportado do campo de batalha para o navio-hospital *Constellation*, que seguiu para os Estados Unidos, onde, sete semanas depois, o soldado com danos cerebrais foi fotografado recebendo um raro beijo de seu pai, Allen W. Dulles. A foto foi tirada um dia antes das audiências que confirmaram Dulles como diretor da central de inteligência. Dulles pagou sua dívida de gratidão tornando Haney comandante com base na Flórida da Operação Sucesso, em 1954.

78  *"Operações estouradas indicam falta de sucesso"*: Becker a Wisner, sem data, mas dezembro de 1952 ou janeiro de 1953, CIA/CREST. Antes de renunciar ao cargo de vice-diretor de inteligência, Loftus Becker disse a seus colegas que estava "angustiado por descobrir o quanto nossos homens em campo estavam desinformados" e manifestou suas dúvidas sobre a capacidade da CIA em obter informações em qualquer lugar da Ásia. Reunião do vice-diretor, 29 de dezembro de 1952, CIA/CREST. Em seguida ele confrontou Frank Wisner diretamente.

78  *"a CIA estava sendo enganada"*: Kellis fez suas acusações de falso testemunho de altos oficiais da CIA numa carta ao presidente Dwight D. Eisenhower, 24 de maio de 1954, DDEL.

78  *"Todos nós temos consciência de que nossas operações no Extremo Oriente estão longe de ser o que gostaríamos que fossem"*: Wisner, "[Apagado] Report on CIA Installations in the Far East", 14 de março de 1952, CIA/CREST.

78  *Os oficiais da seção China da agência*: A história das operações da inteligência americana dentro e em torno da China nos anos entre o fim da Segunda Guerra Mundial e o início da ditadura de Mao nunca foi completamente contada. Vários veteranos do

OSS ficaram na China sob cobertura militar depois da ordem de abolição de Truman, usando o nome Destacamento de Segurança Externa 44. O tenente-coronel Robert J. Delaney foi quem primeiro dirigiu o ESD-44; mais tarde ele se tornou chefe do minúsculo posto da CIA em Tóquio, em 1947, e em seguida o número dois na operação Western Enterprises, do OPC, em Taiwan. Em 1945, quando a guerra acabou, Delaney escreveu sobre as tarefas que tinha pela frente num despacho enviado de Xangai. Observou que oficiais da inteligência americana enfrentavam um amplo terreno tão desconhecido quanto as montanhas da lua: grandes faixas de terra que se estendiam do oeste do Mar do Sul da China até o Afeganistão, do norte de Saigon até a Sibéria. Eles tinham que saber a capacidade e as intenções dos serviços militares e de inteligência dos soviéticos, dos comunistas chineses e dos nacionalistas chineses, e tinham que desvendar as peculiaridades de todos os grupos políticos e de pressão no Extremo Oriente. Essas tarefas tomariam a maior parte de um período de cinqüenta anos. Foram complicadas devido ao credo convencional da CIA: os chineses de Mao, os vietnamitas de Ho Chi Minh e os coreanos de Kim Il-sung eram criaturas do Kremlin, um monólito imutável, de uma só mente, feito em Moscou. Os homens do OSS e da CIA em seu início no Extremo Oriente enviaram quilos de inteligência a Washington. Grande parte dela não foi lida, ficando "trancada em arquivos na companhia do silêncio e de ratos". Maochun Yu, *OSS in China: Prelude to Cold War* (New Haven: Yale University Press, 1997), pp. 258-259.

Os primeiros oficiais da CIA na China eram comandados por Amos D. Moscrip, que trabalhara num posto avançado francês em Xangai, onde posava de membro da alta sociedade, bebia muito e dormia com uma namorada russa do Movimento Branco.* Alguns diplomatas do Departamento de Estado achavam que podiam fazer negócio com Mao, que, afinal de contas, havia trabalhado com o OSS contra os japoneses. Mas os comunistas claramente suspeitavam que os americanos na China, diplomatas ou não, tentariam subvertê-los. Em outubro de 1948, o Departamento de Estado queria que todos os postos diplomáticos na China fossem evacuados, porque qualquer pessoa que pudesse ser remotamente associada pelos comunistas a espionagem para os Estados Unidos enfrentava prisão ou talvez algo pior. Em Mukden, cidade da Manchúria com dois milhões de habitantes, essa ordem de evacuação chegou quando o cônsul-geral americano, Angus Ward, e sua equipe de 21 membros eram colocados em prisão domiciliar por um ano, depois de se recusarem a entregar o consulado a soldados de Mao. "Ele foi acusado de espionagem e, francamente, era culpado!", lembrou John F. Melby, na época oficial político do Departamento do Estado que se reportava de Chungking. "Ele havia trabalhado com o que era conhecido como ESD alguma coisa, que era um posto avançado da CIA. Estava envolvido até o pescoço, trabalhando com a equipe que mantinha na Manchúria." Histórias orais de Melby, HSTL, FAOH.

---

*Movimento composto por membros da polícia e das forças armadas russas caracterizado pela oposição aos bolcheviques após a Revolução de Outubro. (*N. do E.*)

O chefe da equipe era Jack Singlaub, um dos mais audaciosos guerreiros da guerra fria nos anos 1970 e 1980. Em 1948, Singlaub conspirava com os nacionalistas chineses, tentando estabelecer uma rede de russos do Movimento Branco na União Soviética e buscando maneiras de plantar espiões na Coréia do Norte ocupada por soviéticos. Singlaub conseguiu realmente deslocar alguns agentes coreanos para a Coréia do Norte, através da Manchúria, em 1948. Enviou dezenas de homens para que tentassem entrar nas forças comunistas do norte e informar sobre suas intenções e sua capacidade. De início, alguns aparentemente foram bem-sucedidos. Mas quando ele tentou encontrar esconderijos para esses espiões em Seul, foi impedido pela resistência de MacArthur. Singlaub enviou um pedido incomum à Casa Branca, através dos canais da CIA — indicando "Moscrip Confidencial, para o Presidente" — implorando a Truman que armasse os nacionalistas chineses com estoques de guerra americanos em Okinawa. O presidente ficou impassível. Com a queda iminente de Mukden, Singlaub enviou um telegrama ao comandante naval americano mais próximo: "IMPERATIVO QUE EU NÃO SEJA CAP-TURADO". Ele tomou um avião sob ataque de artilharia, passando por um avião de reconhecimento com uma insígnia de estrela vermelha, sabendo que aquela batalha da guerra fria estava perdida. John K. Singlaub, *Hazardous Duty: An American Soldier in the Twentieth Century* (Nova York: Summit, 1992), pp. 132-149.

Em Xangai, o chefe do posto, Fred Schultheis, vinha construindo uma rede considerável de agentes e informantes na cidade, em parte porque falava chinês impecavelmente, o que conseguira lendo tudo o que chegava a suas mãos, de jornais a gibis. Entre os americanos, era um veterano na China. Durante a guerra, permanecera no país com o exército. Com Mao avançando, conquistando cidade após cidade no fim de 1948, Schultheis ficou desesperado para ir embora. Foi para Hong Kong como chefe do posto em 1949, e logo se convenceu de que Hong Kong também estava prestes a sofrer um ataque comunista. Começou a enviar relatos assustadores baseados em especulações e suposições, advertindo que a cidade seria o próximo dominó a cair. Oficial do Departamento de Estado e veterano do OSS que estava com ele em Hong Kong, Joseph A. Yager, lembrou-se claramente daquele medo: "Tínhamos informações diversas que pareciam indicar que logo haveria um ataque. Estavam erradas." Mas "Schultheis estava convencido de que aconteceria. Era muito alarmista. Ele disse: 'Desta vez, não será Stanley. Será Belsen." Stanley era a Península de Stanley, onde os japoneses haviam confinado os estrangeiros. Aquilo foi terrível. Quase os mataram de fome. Belsen, é claro, era um dos campos da morte dos alemães." Depoimento gravado de Yager, FAOH.

Em 1950, na sede, Singlaub — trabalhando como agente da CIA para a China depois do triunfo de Mao — supervisionava postos abandonados e operações interrompidas. Trabalhava intensamente para manter a rede cada vez menor de oficiais da CIA e agentes disfarçados na China, e para restabelecer as redes de espionagem rompidas na Manchúria e na Coréia do Norte.

Em Tihwa, capital de Xinjiang, no desolado oeste selvagem da China, Douglas Mackiernan era o homem da CIA no consulado americano de dois homens. Fora posto ali durante a guerra como oficial da força aérea do exército e conhecia o terreno, rico em urânio, petróleo e ouro. Vivia mais longe da civilização ocidental do que qualquer americano no planeta. Quando finalmente foi obrigado a abandonar o consulado devido às forças comunistas, Mackiernan estava desamparado. Teria que encontrar sozinho uma saída. Ao fim de sete meses de uma caminhada de 1.900 quilômetros para sair do país, foi atingido por um tiro sem propósito disparado por um guarda da fronteira tibetana. Foi o primeiro agente da CIA a morrer no cumprimento do dever.

Em Xangai, Hugh Redmond, que havia sido subordinado a Singlaub em Mukden, tentou atuar sob um frágil disfarce, como representante local de uma empresa britânica de exportação e importação. "Ele era um sujeito agradável, mas não era incrivelmente eficiente", observou Singlaub. "Era uma grande estupidez acreditar que um jovem tranqüilo e amadorístico como Hugh Redmond, por mais dedicado que fosse, pudesse funcionar agindo contra um inimigo totalitário implacável." Forças de segurança chinesas prenderam Redmond como espião. Ele se matou depois de quase duas décadas na prisão. Robert F. Drexler, funcionário do Departamento de Estado para inteligência na China por muito tempo, recebeu os restos mortais de Redmond. "Suas cinzas, ainda posso ver", lembrou Drexler, "estavam num pacote enorme, com 60 centímetros de comprimento e 30 centímetros de largura, com uma cobertura de musselina e seu nome em letras grandes na lateral. E isso foi colocado sobre a minha mesa. Totalmente horrível. Os chineses nos disseram que, depois de ficar preso por vinte anos, ele cometeu suicídio com uma lâmina de barbear que estava num pacote da Cruz Vermelha. A Cruz Vermelha nos disse que nunca colocava lâminas de barbear em seus pacotes." Sobre Mackiernan e Redmond: depoimento gravado de Drexler, FAOH; Ted Gup, *The Book of Honor: The Secret Lives and Deaths of CIA Operatives* (Nova York: Anchor, 2002).

79 *"Sequer temos uma política para Chiang Kai-shek"*: Bedell Smith, reunião preliminar da equipe, National Psychological Strategy Board, 8 de maio de 1951, CIA/CREST.

79 *"eles testaram minha lealdade"*: depoimento gravado de Kreisberg, FAOH.

80 *"Por sorte"*: Entrevista de Coe ao autor. Mike Coe foi enviado à Ilha Cachorro Branco, próxima à costa da China, onde a inutilidade da missão foi consideravelmente facilitada pela camaradagem. Seus companheiros na ilha incluíam Phil Montgomery, nascido Philippe-Louis de Montgomery, herdeiro da fortuna do vermute Noilly Prat, que mantinha um bom estoque no bar; e o lendário R. Campbell James Jr., que esvaziava o estoque o máximo que podia. "Zup" James, da turma de Yale de 1950, com maneirismos e bigode aparado de granadeiro britânico, foi o último oficial da Western Enterprises a deixar Taiwan, em 1955. Foi para o Laos, onde recrutou líderes da nação em meio a coquetéis e roletas.

80 *a CIA decidiu que precisava ter uma "Terceira Força" na China*: Entrevistas de Lilley e Coe ao autor. Lilley FAOH.

80 *armas e munição suficientes para 200 mil guerrilheiros*: "OPC History", vol. 2, p. 553, CIA.

81 *Dick Fecteau e Jack Downey*: Recentemente, a CIA liberou sua primeira admissão formal da morte de seus agentes no fiasco da Terceira Força e da confusão que levou à

captura de Fecteau e Downey: Nick Dujmovic, "Two CIA Prisoners in China, 1952-1973", *Studies in Intelligence,* vol. 50, nº. 4, 2006:

A primeira equipe da Terceira Força a ser lançada de pára-quedas só foi deslocada em abril de 1952. Uma equipe de quatro homens saltou no sul da China e nunca mais se ouviu falar dela. A segunda equipe da Terceira Força era formada por cinco chineses lançados na região de Jilin, na Manchúria, em meados de julho de 1952. Downey era bem conhecido entre os operadores chineses porque os treinara. A equipe rapidamente estabeleceu contato por rádio com a unidade de Downey na CIA fora da China e recebeu novos suprimentos por ar em agosto e outubro. Um membro de uma equipe de seis homens foi lançado em setembro, como mensageiro entre a equipe e a unidade de controle da CIA.

No início de novembro, a equipe relatou ter feito contato com um líder dissidente local e disse que conseguira documentos operacionais necessários, tais como credenciais oficiais. Eles requisitaram a retirada por ar do mensageiro, método para o qual ele fora treinado, mas que a CIA nunca tentara executar... Os pilotos Norman Schwartz e Robert Snoddy haviam treinado a técnica de remoção aérea durante o outono de 1952 e estavam dispostos a realizar a missão... Tarde da noite de 29 de novembro, Downey e Fecteau embarcaram no C-47 verde oliva de Schwartz e Snoddy, num campo de aviação na península coreana, e partiram para o ponto de encontro na Manchúria comunista chinesa, a cerca de 640 quilômetros... seguindo diretamente para uma armadilha.

Sem que os homens do vôo soubessem, a equipe de agentes tinha sido capturada por forças de segurança dos comunistas chineses e mudara de lado. O pedido de retirada era um ardil. A documentação prometida e o contato relatado com um líder dissidente local eram meramente iscas. É quase certo que os membros da equipe haviam contado a autoridades chinesas tudo o que sabiam sobre a operação e sobre os homens da CIA e o aparato a ela associados. Pela maneira como a emboscada foi feita, ficou claro que os comunistas chineses sabiam exatamente o que esperar... Quando o C-47 desceu para a remoção, voando quase na velocidade mínima de 60 nós, panos brancos que estavam camuflando dois canhões antiaéreos no terreno coberto de neve se soltaram e os tiros começaram no exato momento marcado para a remoção. Acompanhando a rota do avião, os tiros deram início a um fogo cruzado mortal... Mais tarde, Fecteau se lembrou de ficar do lado de fora do avião com Downey, ambos chocados mas conscientes, dizendo um ao outro que estavam "no meio de uma bruta confusão". As forças de segurança chinesas chegaram a eles, "gritando e fazendo alarde", e eles se renderam ao inevitável.

Existe uma questão sobre se militares ignoraram advertências de que a equipe enviada havia passado para o lado dos comunistas... Um ex-alto oficial de operações que, quando jovem, serviu na unidade de Downey e Fecteau, em 1952... afirma que, no verão anterior ao vôo de novembro, uma análise de duas mensagens enviadas pela equipe mostrou, com "90% de certeza", na sua opinião, que a equipe estava apoiando os chineses. Ao apresentar sua preocupação ao chefe da unidade, o oficial foi contestado pela falta de mais provas. Quando insistiu, foi transferido para outra unidade da CIA. Como o vôo de Downey e Fecteau não retornou, o chefe da unidade o chamou de volta e lhe disse para não falar sobre aquele assunto, e ele seguiu as instruções — para mais tarde se arrepender...

Aparentemente não há qualquer registro de uma investigação sobre a decisão de enviar Downey e Fecteau naquele vôo. Está claro que ninguém foi punido pelo caso... Muitos anos depois, Downey disse a um interrogador que não sentia qualquer rancor pelo homem que o enviara em missão: "Eu lamentei por ele. Foi um desastre tremendo do ponto de vista dele."

81  *a operação de Li Mi*: A operação teve conseqüências terríveis. A primeira delas aconteceu depois que a CIA deixou de informar ao embaixador americano na Birmânia, David M. Key, sobre Li Mi. Quando Key descobriu, ficou furioso. Telegrafou para Washington, reclamando que a operação estava se tornando um segredo aberto na capital birmanesa e em Bangcoc também, e que a interferência na soberania da Birmânia estava causando grandes danos aos interesses americanos. O secretário-assistente de Estado para o Extremo Oriente, Dean Rusk, instruiu seu embaixador a calar a boca: ele negaria categoricamente qualquer envolvimento americano na operação e poria toda a culpa em contrabandistas de armas. Mais tarde, Li Mi e suas forças voltaram suas armas contra o governo birmanês, cujos líderes, suspeitando da conivência americana, cortaram relações com os Estados Unidos e deram início a meio século de isolamento em relação ao Ocidente, o que resultou num dos regimes mais repressores do mundo. Aspectos da operação de Li Mi estão em Major D. H. Berger, USMC, "The Use of Covert Paramilitary Activity as a Policy Tool: An Analysis of Operations Conducted by the United States Central Intelligence Agency, 1949-1951", disponível online em http://www.globalsecurity.org/intell/library/reports/1995/BDH.htm. Outros detalhes foram fornecidos por Al Ulmer, que sucedeu Desmond FitzGerald como chefe da divisão para o Extremo Oriente; Sam Halpern, oficial executivo de FitzGerald; e James Lilley.

Os aliados tailandeses da CIA estavam profundamente envolvidos no comércio de heroína de Li Mi. As coisas quase saíram do controle em Bangcoc em 1952. Lyman Kirkpatrick, da CIA, na época diretor-assistente para operações especiais e tido como principal nome para sucessor de Wisner, voou para a Ásia no fim de setembro de 1952, juntamente com seu parceiro, o coronel Pat Johnston, diretor-assistente de Wisner. Pelo menos um americano envolvido no comércio de drogas foi morto, e parece que o procurador-geral dos Estados Unidos se referiu ao assunto. Nada disso foi resolvido de modo satisfatório. O coronel Johnston renunciou a seu cargo imediatamente depois. Kirkpatrick contraiu pólio durante a viagem e quase morreu. Voltou para a CIA um ano depois, não foi promovido e passou o resto da vida numa cadeira de rodas, trabalhando como um taciturno inspetor-geral da CIA, um caso exemplar de ambições frustradas.

82   *"Descobri, através de experiências dolorosas"*: Smith a Ridgway, 17 de abril de 1952, CIA, DDEL.

82   *Um pós-escrito das calamidades coreanas da CIA*: Sobre o esforço para substituir Syngman Rhee: "Rhee estava ficando senil e a CIA buscou maneiras de substituí-lo..." O embaixador na Coréia (John Muccio) para o secretário-assistente de Estado para Assuntos do Extremo Oriente (John Allison), Secret, 15 de fevereiro de 1952, FRUS, vol. XV, pp. 50-51. Um memorando do NSC ao secretário de Estado Dulles, datado de 18 de fevereiro de 1955, dizia que o presidente Eisenhower havia aprovado uma operação para "selecionar e incentivar secretamente o desenvolvimento de uma nova liderança sul-coreana" e para levá-la ao poder se necessário. O relato de Peer de Silva sobre o incidente em que a CIA quase atirou no presidente Rhee está em suas memórias, *Sub Rosa: The CIA and the Uses of Intelligence* (Nova York: Times Books, 1978), p. 152.

82   *"Nossa inteligência está tão ruim que quase chega a ser maléfica"*: Melby, FAOH.

83   *"pessoas que estão prontas e dispostas a se erguer e agüentar as conseqüências"*: Dulles em transcrição de "Proceedings at the Opening Session of the National Committee for a Free Europe", data errada, mas maio de 1952, liberado em 28 de maio de 2003, DDEL.

*Capítulo 7*

85   *"Se vamos entrar e fazer a ofensiva"*: transcrição de Dulles, "Proceedings of the National Committee for a Free Europe", data errada, mas maio de 1952, liberado em 28 de maio de 2003, DDEL.

85   *"uma grande ofensiva secreta contra a União Soviética"*, mirando o *"coração do sistema de controle comunista"*: As ordens eram para "contribuir para a retração e redução do poder soviético" e "desenvolver resistência clandestina e facilitar operações secretas e de guerrilha em áreas estratégicas". Vieram do almirante L. C. Stevens, um veterano estrategista de guerra do Estado-Maior Conjunto que fora adido naval de Smith em Moscou. Memorando do almirante L. C. Stevens a Wisner, "Subject: OPC Strategic Planning", 13 de julho de 1951, CIA/CREST. O objetivo era "causar o máximo de tensão na estrutura de poder soviética". Memorando de equipe do NSC, "Scope and Pace of Covert Operations", 27 de junho de 1951, CIA/CREST.

86   *"Como Guantánamo"*: Entrevista de Polgar ao autor. As ordens de Bedell Smith a Truscott são datadas de 9 de março de 1951, CIA/CREST.

87   *um programa que recebeu o codinome de Projeto Artichoke*: Memorando sem título para o vice-diretor da central de inteligência, 15 de maio de 1952; memorando para o diretor da central de inteligência, "Subject: Successful Application of Narco-Hypnotic

Interrogation (Artichoke)", 14 de julho de 1952, CIA/CREST. Esse segundo relato observava que Dulles se reunira com chefes do serviço de inteligência militar em abril de 1951, buscando sua ajuda para o Projeto Artichoke; somente o contato com a Marinha havia rendido frutos. O resultado da assistência da Marinha foi o navio no Panamá. Um memorando que se seguiu, enviado a Bedell Smith, relatava que dois russos foram interrogados durante duas semanas, em junho de 1952, por uma equipe conjunta da CIA e da Marinha sob o Projeto Artichoke, e que uma combinação de drogas e hipnose provou ser útil. Tudo isso era conseqüência da emergência nacional criada pela Guerra da Coréia e pela suspeita de que prisioneiros americanos estavam sendo submetidos a lavagem cerebral na Coréia do Norte. Investigações do Senado chegaram à margem desse programa trinta anos atrás, mas as provas escritas tinham sido em grande parte destruídas. Em quatro parágrafos concisos, os investigadores relataram que o Projeto Artichoke incluía "interrogatórios no exterior" envolvendo tanto "uma combinação de pentotal de sódio e hipnose" quanto "técnicas de interrogatório especiais", incluindo "soros da verdade". A natureza dos "interrogatórios no exterior" não foi explorada pelo Congresso.

88 *o uso de técnicas de "interrogatório especial" continuou por vários anos*: Investigadores do Senado confirmaram que os planos para interrogatórios no exterior constituíam um tópico das reuniões mensais na CIA de 1951 a pelo menos 1956, e provavelmente durante vários anos depois: "A CIA sustenta que o projeto foi encerrado em 1956, mas provas sugerem que o uso de técnicas de "interrogatório especial" pelo Escritório de Segurança e pelo Escritório de Serviços Médicos continuou durante vários anos depois." Relatório da Comissão Seleta do Senado para Inteligência, "Testing and Use of Chemical and Biological Agents by the Intelligence Community", Apêndice I, 3 de agosto de 1977.

88 *um grupo chamado Jovens Alemães*: Entrevistas de Tom Polgar e McMahon ao autor.

89 *Os Juristas Livres*: Entrevistas de Polgar e Peter Sichel ao autor, vide também David E. Murphy, Sergei A. Kondrashev e George Bailey, *Battleground Berlin: CIA vs. KGB in the Cold War* (New Haven, Connecticut: Yale University Press, 1997), pp. 113-126.

90 *"A Polônia representa"*: Smith e Wisner em reunião com vices, 5 de agosto de 1952 CIA/CREST. Para encontro de Shackley com WIN, vide Ted Shackley com Richard A. Finney, *Spymaster: My Life in the CIA* (Dulles, Virgínia: Potomac, 2005), pp. xvi-20.

90 *"A CIA claramente pensava"*: Depoimento gravado de Loomis, FAOH.

90 *Frank Lindsay... Disse a Dulles e Wisner*: O relatório profético de Lindsay foi intitulado de "A Program for the Development of New Cold War Instruments", 3 de março de 1953, parcialmente liberado em 8 de julho de 2003, DDEL. Entrevista de Lindsay ao autor. Dulles fez o que pôde para suprimir o relatório. Os líderes da CIA nunca dedicaram seu tempo a avaliar as conseqüências dos fracassos das ações secretas, nem a aceitar as críticas que poderiam custar-lhes seus empregos se aquilo vazasse. Também não prestaram atenção a um de seus melhores espiões, Peter Sichel, chefe das opera-

ções de espionagem de Helms na Europa Oriental no início dos anos 1950, que advertiu que a única maneira de combater o inimigo era conhecer o inimigo. Sichel disse
ter argumentado que "no momento em que você se envolve em ideologia, deixa de ter
uma inteligência confiável. Você está expondo agentes de inteligência ao perigo. Você
não pode ser um agente político sem se expor ao sistema que está tentando minar. Se
você está tentando minar um sistema político autocrático, vai se machucar".

90  *"Nossa compreensão sobre a União Soviética era zero"*: Entrevista de McMahon ao autor.

91  *"Não conseguimos pessoas qualificadas"*: Smith citado em *CIA Support Functions: Organization and Accomplishments of the DDA-DDS Group, 1953-1956*, vol. 2, cap. 3, p. 128, Director of Central Intelligence Historical Series, liberado em 6 de março de 2001, CIA/CREST.

91  *"pessoal mal treinado ou inferior"*: Minuta de reunião, 27 de outubro de 1952, CIA/ CREST.

92  *"Uma palavrinha sobre o futuro"*: Richard Helms com William Hood, *A Look over My Shoulder: A Life in the Central Intelligence Agency* (Nova York: Random House, 2003), pp. 102-104.


PARTE DOIS

*Capítulo 8*

95  *"Não temos qualquer informação interna confiável"*: O relatório, "Intelligence on the Soviet Bloc" é citado em Gerald Haines e Robert Leggett (eds.), *CIA's Analyses of the Soviet Union, 1947-1991: A Documentary History,* CIA History Staff, 2001, CIA/CSI.

95  *bufou Eisenhower*: Emmet J. Hughes, *The Ordeal of Power: A Political Memoir of the Eisenhower Years* (Nova York: Atheneum, 1963), p. 101. O presidente não gostou também de saber que a agência não tinha qualquer resposta adequada para a ofensiva de
paz soviética que se seguiu ao funeral de Stalin — uma campanha de propaganda rude,
cínica e às vezes eficiente para convencer o mundo de que o Kremlin havia adotado os
conceitos de justiça e liberdade.

95  *"Stalin nunca fez coisa alguma para provocar uma guerra com os Estados Unidos"*: Jerrold Schecter e Vyacheslav Luchkov (trans. e ed.), *Kruschev Remembers: The Glasnost Tapes* (Boston: Little, Brown, 1990), pp. 100-101.

97  *"qualquer advertência prévia"*: Minuta do NSC, 5 de junho de 1953, liberada em 12 de fevereiro de 2003, DDEL.

97  *"a hora da decisão estava à mão"*: Minuta do NSC, 24 de setembro de 1953, liberada em 29 de setembro de 1999, DDEL.

97  *"os russos poderiam lançar um ataque atômico"*... *"Poderíamos arrasar o mundo todo"*: Minuta do NSC, 7 de outubro de 1953, liberada em 28 fevereiro de 2003, DDEL.

98 *A rebelião foi esmagada*: A rebelião de junho de 1953 em Berlim Oriental é documentada de forma conclusiva por David Murphy, da CIA, em *Battleground Berlin: CIA vs. KGB in the Cold War* (New Haven, Connecticut: Yale University Press, 1997), pp. 163-182. A história incessantemente repetida — vide, entre muitos, John Ranelagh, *The Agency* (Nova York: Simon e Schuster, 1986), p. 258 — de que a base da CIA em Berlim queria distribuir armas aos manifestantes alemães orientais é falsa. A estimativa de 370 mil manifestantes vem de James David Marchio, "Rhetoric and Reality: The Eisenhower Administration and Unrest in Eastern Europe, 1953-1959" (Ph.D. dissertação, American University, 1990), citado em Gregory Mitrovich, *Undermining the Kremlin: America's Strategy to Subvert the Soviet Bloc, 1947-1956* (Ithaca, Nova York: Cornell University Press, 2000), pp. 132-133.

98 *"treinar e equipar organizações clandestinas"*: NSC 158, "United States Objectives and Actions to Exploit the Unrest in the Satellite States", DDEL. Eisenhower assinou a ordem em 26 de junho de 1953.

98 *170 novas ações secretas importantes*: Em "Coordination and Policy Approval of Covert Actions", 23 de fevereiro de 1967, NSC/CIA.

99 *Dulles poliu a imagem pública*: Uma lista parcial das organizações de notícias que cooperavam com a CIA na gestão de Allen Dulles inclui CBS, NBC, ABC, Associated Press, United Press International, Reuters, Scripps-Howard Newspapers, Hearst Newspapers, Copley News Service e o Miami Herald. Para uma lista abrangente dos veteranos da propaganda de guerra que dirigiam redações americanas em 1953, vide Edward Barrett, *Truth Is Our Weapon* (Nova York: Funk and Wagnalls, 1953), pp. 31-33. Esta é uma história que ainda não foi contada, embora Carl Bernstein faça um recorte muito bom em "The CIA and the Media", *Rolling Stone*, 20 de outubro de 1977. Bernstein descreveu com precisão nesta passagem: "Muitos jornalistas que cobriram a Segunda Guerra Mundial eram pessoas próximas do Escritório de Serviços Estratégicos, o predecessor da CIA em tempo de guerra; mais importante: estavam todos do mesmo lado. Quando a guerra acabou e muitos funcionários do OSS foram para a CIA, era natural que essas relações continuassem. Enquanto isso, a primeira geração de jornalistas pós-guerra entrava na profissão; eles compartilharam os valores políticos e profissionais de seus mentores. 'Você tinha um bando de pessoas que trabalharam juntas durante a Segunda Guerra Mundial e nunca a superaram', disse um funcionário da Agência. Eles eram genuinamente motivados e altamente suscetíveis a fazer intrigas e ficar do lado de dentro'."

100 *As minutas das reuniões diárias de Dulles e seus assessores*: Os registros foram obtidos do sistema CREST nos Arquivos Nacionais em 2005 e 2006. Refletem um intenso temor de que a fraqueza da CIA fosse exposta em público.

Nas reuniões de 28 de agosto e 23 de setembro de 1953, o inspetor-geral da CIA, Lyman Kirkpatrick, advertiu que oficiais militares estavam deixando a CIA às pencas, e "com uma atitude hostil". A política do pessoal da agência estava "causando desconforto e deixando a porta escancarada para que esses indivíduos procurassem membros do Congresso".

Em 13 de junho de 1955, Kirkpatrick perguntou a Dulles se um funcionário da CIA "recentemente condenado por homicídio... devido a uma luta com um oficial da RAF[39] deveria ser desligado ou ter permissão para renunciar". Em 5 de outubro de 1955, o vice-diretor de inteligência, Robert Amory, observou que "o Exército está atualmente preparando uma história sobre a Coréia, que, se for publicada como está sendo escrita, vai pôr a CIA sob uma péssima ótica".

O chefe do posto na Suíça que cometeu suicídio era James Kronthal, veterano do OSS que sucedera Allen Dulles em Berna e trabalhava lá desde 1946. Ele era um homossexual suspeito de sucumbir a chantagens soviéticas. O caso não foi provado. Ele cometeu suicídio em Washington, durante os primeiros dias de Dulles como diretor, em março de 1953.

O índice anual de demissões, de 17% — um em cada seis funcionários da CIA se afastou em 1953 —, foi uma descoberta de "Final Report on Reasons for Low Morale Among Junior Officers", 9 de novembro de 1953, CIA/CREST. A pesquisa sobre 115 funcionários da CIA registrou uma profunda insatisfação com corrupção, desperdício de gastos e missões mal dirigidas.

101   *uma grande crise de funcionários*: House Permanent Select Committee on Intelligence, IC21, "Intelligence Community Management", p. 21.

101   *um homem que ele considerava convencido e arrogante*: historiadores da CIA têm conjeturado que Bedell Smith esperava que Ike o nomeasse chefe do Estado-Maior Conjunto, não queria ser subsecretário de Estado, não gostava de John Foster Dulles e não estava confortável com a nomeação de Allen Dulles como diretor da central de inteligência. John L. Helgerson, "Getting to Know the President: CIA Briefings of Presidential Candidates, 1952-1992", CIA/CSI.

101   *alguns drinques soltavam sua língua*: Transcrição de entrevista de Nixon a Frank Gannon, 8 de abril de 1983, Walter J. Brown Media Archives, Universidade da Geórgia, disponível online em http://www.libs.uga.edu/media/collections/nixon.

## Capítulo 9

Este capítulo se baseia em parte em duas histórias secretas do serviço clandestino da CIA: "Zindabad Shah!", obtida pelo autor, datada de 2003, com adaptações; e "Overthrow of Premier Mossadeq of Iran", escrita em março de 1954 por Donald Wilber, chefe de propaganda da Operação Ajax, e publicada no web site do *New York Times* em 2000. "Overthrow" é a versão autorizada do golpe, escrita pela inteligência americana. É um resumo do que os funcionários da CIA no local registraram e relataram a seus centros de operações na época. Mas não está perto da verdade completa. Os funcionários que estavam presentes, como Kim Roosevelt, quase pararam de transmitir notícias para os EUA nos últimos dias do golpe, porque as notícias eram quase todas ruins. A história da CIA ignora a lógica por trás da operação e subestima bastante o papel central

---

[39]Real Força Aérea Britânica. (*N. do T.*)

dos britânicos na queda de Mossadeq. Explica a reflexão do presidente Eisenhower de que "relatos de observadores em Teerã, durante os dias críticos, soaram mais como um romance barato do que como um fato histórico". Wilber, o autor de "Overthrow", também foi o redator do roteiro do próprio golpe. Cada faceta do golpe foi aprimorada em maio de 1953 no posto da inteligência britânica em Nicósia, Chipre, por Wilber, um veterano do OSS que trabalhara no Irã durante a guerra e voltou para o posto de Teerã, e por seu colega britânico Norman Darbyshire. O que veio à tona foi uma peça teatral em que os iranianos eram fantoches.

103  *"Quando a sua maldita operação vai acontecer?"*: Kermit Roosevelt, *Countercoup: The Struggle for Control of Iran* (Nova York: McGraw-Hill, 1979), pp. 78-81, 107-108. O livro é muito mais romance do que fato, mas a citação tem uma aura de autenticidade. Kim Roosevelt — que nasceu em berço de ouro e estudou na poderosa Christianity, em Groton — debutou na inteligência secreta no posto do OSS no Cairo. Espiões de Donovan diziam ter uma rede de quinhentos agentes árabes no fim da guerra em todo o Oriente Médio, em cada nação, exceto a Arábia Saudita. Depois da guerra, Roosevelt voltou ao Oriente Médio, trabalhando ostensivamente para o *Saturday Evening Post* e reunindo material para seu livro de 1947, *Arabs, Oil and History*. Quando veio o chamado para participar do serviço clandestino de Frank Wisner, Kim o atendeu imediatamente. O legado de diplomacia *big-stick*[40] que ele herdou de seu avô — o homem que tomou o Canal do Panamá e as Filipinas — levou-o a se tornar o grão-vizir de Wisner nas nações islâmicas em 1950. Como chefe da divisão para o Oriente Próximo, Kim passou oito anos tentando atrair os líderes de Egito, Iraque, Síria, Líbano, Jordânia e Arábia Saudita com garantias de lealdade americana, usando armas, dinheiro e promessas de apoio americano como meios de persuasão e articulando o golpe ocasional quando esses meios falharam. Ele pôs o rei Hussein, da Jordânia, na folha de pagamento da CIA e despachou uma unidade militar formada por ex-membros de forças especiais do general Reinhard Gehlen para treinar para o serviço secreto do novo líder egípcio, Gamal Abdel Nasser.

A agência tinha um pouco de experiência em operações no Oriente Médio antes de Ajax. No início dos anos 1950, Miles Copeland, um homem galante do Alabama que falava árabe e que fora o primeiro chefe do posto da CIA em Damasco, trabalhou intimamente com o adido militar americano na Síria, Stephen J. Meade, num plano para incentivar uma "ditadura apoiada pelo exército" — para citar um telegrama de Meade para o Pentágono em dezembro de 1948. O homem deles era o coronel Husni Za'im, descrito por Copeland como um oficial conhecido por "sua vontade de ferro e cérebro equivalente". Copeland encorajou o coronel a derrubar seu presidente, que havia bloqueado um oleoduto da Arabian-American Oil Company cruzando a Síria, e prometeu

---

[40]Termo usado para expressar o estilo de diplomacia empregado pelo presidente Theodore Roosevelt (1901-1909), relacionado à Doutrina Monroe, segundo a qual os EUA deveriam assumir o papel de polícia do mundo ocidental. (*N. do T.*)

que o presidente Truman lhe daria reconhecimento político. Za'im derrubou o governo em 30 de março de 1949, prometeu total cooperação com o projeto do oleoduto e, conforme Meade relatou, enviou "mais de quatrocentos comunistas" para a prisão. O coronel de cérebro de ferro durou menos de cinco meses no poder: foi derrubado e executado. De volta à prancheta, Copeland aceitou alegremente.

O golpe de 1953 no Irã nunca poderia ter começado sem os britânicos, e provavelmente não seria bem-sucedido. A inteligência britânica tinha uma profunda compreensão das intrigas políticas do Irã, colhidas por seus agentes no governo, nos mercados e no submundo. O governo britânico tinha um imenso motivo econômico. E seu plano para acabar com Mossadeq tinha um poderoso ímpeto político. Foi levado adiante por Sir Winston Churchill em pessoa.

105  *"derrubar Mossadeq"*: Vice-diretor de inteligência durante muito tempo, Robert Amory registrou em seu diário oficial, em 26 de novembro de 1952, uma discussão com o diretor sobre um "esforço para derrubar Mossadeq" e um almoço subseqüente no qual o principal assunto foi o Irã, e os participantes incluíam Wisner, o embaixador Loy Henderson e sem dúvida Monty Woodhouse, embora seu nome tenha sido apagado dos registros liberados.

105  *"a CIA faz política por conta própria"*: Reunião de vices, 10 de agosto de 1953, CIA/CREST.

106  *"conseqüências do domínio soviético"*: notas de Dulles com informações para a reunião do NSC, 4 de março de 1953, CIA/CREST.

106  *um empréstimo de US$ 100 milhões*: Minuta de reunião do NSC, 4 de março de 1953, DDEL.

107  *Não poderiam sustentar que Mossadeq era comunista*: relatórios da inteligência soviética em 1953 trataram Mossadeq de forma mais concisa como "um nacionalista burguês", e não um aliado de Moscou. Vladislav M. Zubok, "Soviet Intelligence and the Cold War: The 'Small' Committee of Information, 1952-53", *Diplomatic History,* vol. 19, verão de 1995, pp. 466-468.

107  *"salvo pelos americanos"*: Depoimento gravado de Stutesman, FOAH.

109  *"para liquidar o governo Mossadeq"*: "Radio Report on Coup Plotting", 7 de julho de 1953, Arquivo de Segurança Nacional, CIA/boletim da Lei de Liberdade de Informação (FOIA).

109  *brigadeiro-general Robert A. McClure*: o papel central do general McClure no golpe não tem sido reconhecido; a história interna oficial da CIA sobre a conspiração o apaga completamente. A agência minimizou deliberadamente seu trabalho, já que o general não era um grande amigo da CIA. Veja Alfred H. Paddock Jr., *U.S. Army Special Warfare: Its Origins* (Washington: National Defense University Press, 1982). Agradeço a Paddock por compartilhar as idéias resultantes da leitura de documentos pessoais de McClure. As "relações muito boas" de McClure com o xá foram mencionadas numa nota de Eisenhower para o secretário do exército Robert Ten Broeck Stevens, 2 de abril de 1954, Documentos Presidenciais de Dwight David Eisenhower, documento 814.

112 *"O fracasso do golpe militar"*: CIA Office of Current Intelligence, "Comment on the Attempted Coup in Iran", 17 de agosto de 1953, liberado em 16 de novembro de 2006.

112 *"'O senhor primeiro, sua majestade'"*: O diálogo é reproduzido na história confidencial da CIA intitulada "Zindabad Shah!" (Vitória do Xá!)

113 *"uma revolução quase espontânea"*: Depoimento gravado de Rountree, FAOH.

113 *Um deles era o aiatolá*: Tem sido alegado que o aiatolá Kashani foi pago pela CIA. Mark J. Gasiorowski, "The 1953 Coup D'Etat in Iran", *International Journal of Middle East Studies*, vol. 19, 1987, pp. 268-269. Mas Reuel Marc Gerecht, que ingressou na CIA em 1985 como membro do setor iraniano do serviço clandestino, escreveu que Kashani "não estava em dívida com nenhum estrangeiro". Gerecht leu a história da CIA sobre a Operação Ajax e disse que sua lição era a seguinte: "É preciso ser generoso para dar aos agentes americanos no Irã muito crédito pelo retorno do xá. Praticamente, cada detalhe do plano deles deu errado. Os principais operadores americanos em nossa embaixada não falavam persa. Quando Teerã começou a ferver e ficou impossível fazer contato com as fontes iranianas de sempre, que falavam inglês e francês, o posto da CIA ficou cego. O golpe aconteceu apenas porque os iranianos que não estavam nas folhas de pagamento dos americanos e britânicos nem sob controle externo, assumiram a iniciativa de derrubar o primeiro-ministro Mossadeq", Reuel Marc Gerecht, "Blundering Through History with the CIA.", *The New York Times*, 23 de abril de 2000.

114 *"seu velho amigo Bedell Smith"*: Roosevelt reconta essa cena no capítulo 9 de "Overthrow", a história oficial da CIA.

114 *"Fofocas românticas sobre o 'golpe' no Irã"*: Ray S. Cline, *Secrets, Spies, and Scholars: Blueprint of the Essential CIA* (Washington: Acropolis, 1976), p. 132. Note as aspas que Cline pôs na palavra *golpe*.

114 *"o maior triunfo da CIA"*: Depoimento gravado de Killgore, FAOH.

## Capítulo 10

Este capítulo se baseia na mais rica documentação de uma operação secreta da CIA hoje disponível. Em maio de 2003, o Departamento de Estado publicou um volume suplementar de *The Foreign Relations of the United States* cobrindo o papel dos Estados Unidos na derrubada do governo guatemalteco em 1954 (disponível online em http://www.state.gov/r/pa/ho/frus/ike/guat/), juntamente com uma coleção revista e em ordem cronológica de 5.120 documentos redigidos da CIA sobre a operação secreta, tornados públicos naquele mesmo dia (disponível online em http://www.foia.cia.gov/guatemala.asp). A publicação desses documentos foi o resultado de uma luta de vinte anos, e representou um marco importante na historiografia da CIA.

Salvo indicações ao contrário, as citações deste capítulo são retiradas palavra por palavra desses documentos primordiais e da própria história interna da CIA, escrita por Nicolas Cullather e publicada em forma de texto como *Secret History: The CIA's Classified Account of Its Operations in Guatemala, 1952-1954* (Stanford, Califórnia: Stanford University Press, 1999).

O papel de William Pawley no momento crucial do golpe foi revelado pelo historiador Max Holland em "Private Sources of U.S. Foreign Policy: William Pawley and the 1954 Coup d'État in Guatemala", *Journal of Cold War Studies*, vol. 7, nº. 4, 2005, pp. 46-73. Holland descobriu as memórias não publicadas de Pawley na Biblioteca George C. Marshall, em Lexington, Virgínia.

As memórias dos principais personagens incluem Dwight Eisenhower, *The White House Years: Mandate for Change, 1953-1956* (Garden City, Nova York: Doubleday, 1963); Richard Bissell Jr., com Jonathan E. Lewis e Frances T. Pudlo, *Reflections of a Cold Warrior: From Yalta to the Bay of Pigs* (New Haven, Connecticut: Yale University Press, 1996); e David Atlee Phillips, *The Night Watch: 25 Years of Peculiar Service* (Nova York: Atheneum, 1977). Phillips dá os codinomes dos participantes, mas os documentos liberados tornam suas identidades transparentes.

A operação guatemalteca começou sob o comando do general Walter Bedell Smith. Em 24 de janeiro, Allen Dulles disse ao funcionário do Departamento de Estado que supervisionava a América Latina que a "CIA estava levando em consideração a possibilidade de dar assistência a um grupo chefiado pelo coronel Carlos Castillo Armas, que planejava derrubar o governo da Guatemala". Castillo Armas buscava a ajuda dos mais poderosos ditadores da América Latina — Somoza na Nicarágua, Trujillo na República Dominicana, Batista em Cuba — enquanto sua proposta era gradualmente filtrada para os chefes da CIA. Na primavera e no verão de 1952, Bedell Smith e o subsecretário de Estado David Bruce discutiram repetidamente os planos para um golpe apoiado pela CIA. A operação recebeu o codinome de Fortuna e o trabalho foi entregue a J. C. King, chefe da recém-criada Divisão Hemisfério Ocidental, da CIA.

King elaborou um plano para enviar armas e US$ 225 mil a Castillo Armas e seus aliados. Em outubro de 1952, empacotou 380 pistolas, 250 fuzis, 64 metralhadoras e 4.500 granadas de mão, tudo rotulado como equipamento agrícola, e se preparou para enviá-los para o sul a partir de Nova Orleans. Mas o ditador nicaragüense, Somoza, e seu filho Tacho falaram abertamente sobre a conspiração. Washington recebeu informações de que o sigilo fora rompido e David Bruce cancelou a coisa toda. Mas, agindo pelas costas do Departamento de Estado, com aprovação de Bedell Smith, King requisitou um antigo navio de transportes da marinha para levar as armas para Nicarágua e Honduras. Em sua primeira viagem, o navio foi espionado por várias centenas de nicaragüenses curiosos quando atracava numa ilha supostamente deserta. Em sua segunda viagem, seus motores falharam e a marinha teve que enviar um contratorpedeiro para resgatar a tripulação e a carga.

Apesar de tudo, um pouco da ajuda da CIA chegou a Castillo Armas e, em março de 1953, ele e a maioria de seus seguidores — cerca de duzentos — tentaram se apropriar de uma remota guarnição do exército guatemalteco. Foram esmagados, e enquanto Castillo Armas escapava para Honduras, seu movimento ficava bastante enfraquecido. A Operação Fortuna havia fracassado.

Quando ela foi ressuscitada como Operação Sucesso, Bedell Smith desempenhou ao máximo seu papel de subsecretário de Estado. Os embaixadores americanos em Guatemala, Honduras e Nicarágua se reportavam à CIA através de Bedell Smith. Todos compartilhavam a percepção de que "o comunismo é direcionado pelo Kremlin a todo o mundo, e qualquer pessoa que pensa de maneira diferente não sabe o que está falando", como disse o embaixador Peurifoy. Mas o Kremlin pensava pouco na América Latina nos dias antes de Fidel Castro chegar ao poder. Ela cedera terreno aos Estados Unidos, a força dominante no hemisfério desde o século XIX. Se a CIA tivesse se infiltrado no pequeno mas influente partido comunista da Guatemala, saberia que os guatemaltecos não mantinham contato com os soviéticos.

Entretanto, a agência via o presidente Arbenz da Guatemala como um fantoche vermelho marchando ao som da música de Moscou. Ele havia instituído o mais ambicioso e bem-sucedido programa de reforma agrária de toda a América Latina, tirando terras improdutivas de corporações como a United Fruit e transferindo-as para centenas de milhares de camponeses. A United Fruit se sentia ameaçada, e a CIA sabia disso; a empresa tinha um tremendo poder político em Washington e tornou sua ira conhecida nos níveis mais altos do governo. Mas a CIA não estava lutando por bananas. Via a Guatemala como uma cabeça-de-ponte soviética no Ocidente e uma ameaça direta aos Estados Unidos. Também via a United Fruits e seus lobistas como um impedimento irritante; tentou expulsá-los do cenário quando a operação ganhou força.

116 *o currículo clássico da CIA nos anos 1950 — Groton, Yale, direito em Harvard Law*: Talvez se tenha exagerado a influência sobre a CIA da escola do cristianismo ortodoxo praticado em Groton. Mas a Operação Ajax no Irã foi liderada por Kermit Roosevelt, turma de 1936, com ajuda de seu primo Archie Roosevelt, turma de 1934. O planejamento e a execução da Operação Sucesso foram liderados por Tracy Barnes, turma de 1932, e Richard Bissell, turma de 1931. Bissell, Barnes e John Bross, monitor da turma de 1932, lideraram o ataque na Baía dos Porcos. E as toxinas que a CIA planejou usar para matar Fidel Castro foram preparadas num laboratório da agência por Cornelius Roosevelt, turma de 1934.

117 *"Barnes provou ser incapaz"*: Richard Helms com William Hood, *A Look over My Shoulder: A Life in the Central Intelligence Agency* (Nova York: Random House, 2003) pp. 175-177.

118 *"aprendiz de Dulles"*: Bissell, *Reflections of a Cold Warrior*, pp. 84-91.

121 *"O que queríamos fazer era uma campanha de terror"*: Entrevista de E. Howard Hunt para a série *Cold War*, da CNN, 1998, transcrição do Arquivo de Segurança Nacional disponível online em http://www.gwu.edu/~nsarchiv/coldwar/interviews/episode-18/hunt1.html.

124 *"não sabíamos mais o que fazer para prosseguir"*: Bissell, *Reflections of a Cold Warrior*, pp. 84-91.

126 *"não achávamos realmente que era um sucesso"*: Depoimento gravado de Esterline em James G. Blight e Peter Kornbluh (eds.), *Politics of Illusion: The Bay of Pigs Invasion Reexamined* (Boulder, Colorado: Lynne Rienner, 1998), p. 40.

*Capítulo 11*

129 *"Agora o sigilo encobre"*: *Congressional Record* 2811-14 (1954).

129 *"histórias de sucesso da CIA"*: Reunião de assessores, 29 de fevereiro de 1956, CIA/CREST.

129 *"arriscada ou mesmo imprudente"*: Dulles, "Notes for Briefing of Appropriations Committee: Clandestine Services", 11 de março de 1954, CIA/CREST. Essa sinceridade diante do Congresso era extremamente rara. John Warner, um dos advogados internos da CIA sob Allen Dulles, relembrou um encontro muito mais típico entre Dulles e o presidente da Comissão de Apropriações da Câmara, Clarence Cannon, do Missouri. Cannon tinha quase 80 anos na época: "Cannon cumprimenta Dulles: 'Oh, que bom encontrá-lo novamente, senhor secretário.' Ele acha que é Foster Dulles... Eles trocam histórias durante duas horas. E no fim — 'Bem, senhor secretário, o senhor tem dinheiro suficiente em seu orçamento para este ano, o próximo ano?' — 'Ora, acho que estamos bem, senhor presidente. Muito obrigado.' Aquela era a audiência do orçamento."

130 *"a CIA contratou sem saber"*: Roy Cohn, *McCarthy* (Nova York: New American Library, 1968), p. 49.

130 *"a CIA não era sagrada"*: Transcrição de conversa ao telefone entre Allen e Foster Dulles, citada em David M. Barrett, *The CIA and Congress: The Untold Story from Truman to Kennedy* (Lawrence: University of Kansas Press, 2005), p. 184.

130 *uma operação secreta perversa*: A história da CIA liberada que descreve o trabalho da agência contra McCarthy é Mark Stout, "The Pond: Running Agents for State, War, and the CIA", *Studies in Intelligence,* vol. 48, nº. 3, 2004, CIA/CSI. O testemunho no Congresso veio de William J. Morgan, psicólogo formado em Yale e veterano do OSS que havia sido subchefe de treinamento na CIA, numa audiência em 4 de março de 1954 diante da comissão de McCarthy, intitulado "Alleged Threats Against the Chairman". A transcrição foi aberta em janeiro de 2003. Morgan, que foi detalhado para a Diretoria de Coordenação de Operações de Walter Bedell Smith, testemunhou que seu superior, um oficial da CIA chamado Horace Craig, sugeriu que "o melhor a fazer era penetrar na organização de McCarthy". Se isso falhasse, especulou Craig, medidas mais severas poderiam ser tomadas:

> Senador Charles E. Potter (republicano, Illinoiss.): Ele afirmou em essência que esse homem seria liquidado, referindo-se ao senador McCarthy?
> Dr. Morgan: Isso pode ser necessário.
> Senador Potter: E que existem homens loucos...
> Dr. Morgan: Por um preço, dispostos a fazer a coisa.

Nenhuma outra prova corrobora a acusação de que a CIA estava pensando em matar McCarthy. O senador bebeu até morrer em boa hora.

131 *Uma força-tarefa do Congresso, liderada pelo general Mark Clark, confiável colega de Eisenhower*: Relato secreto de Clark, liberado em 2005, descreveu a CIA como "praticamente uma lei em si mesma", sua conduta "única e de várias maneiras estranha à nossa forma democrática de governo". Vide Michael Warner e J. Kenneth McDonald, "US Intelligence Community Reform Studies Since 1947", 2005, CIA/CSI.

131 *uma extraordinária carta de seis páginas,* 24 de maio de 1954, DDEL.

132 *Doolittle foi ver o presidente*: Reunião do presidente com a Comissão Doolittle, 19 de outubro de 1954, DDEL. As anotações sobre essa reunião, feitas apressadamente, sugerem o desconforto de um portador de más notícias.

132 *O relatório de Doolittle*: Special Study Group, "Report on the Covert Activities of the Central Intelligence Agency", 30 de setembro de 1954, liberado em 20 de agosto de 2001, CIA/CREST.

133 *"operações sensíveis e/ou delicadas"*: Reunião do diretor, 4 de outubro de 1954, CIA/CREST. O problema das operações secretas não controladas persistiu nos anos Dulles. O diretor havia determinado que podia decidir se seus superiores precisavam saber o que ele estava disposto a fazer. Alguns de seus subordinados pensavam da mesma maneira sobre ele e seus principais assistentes. Um veterano oficial da CIA, John Whitten, deu um testemunho secreto ao Senado em 1978, declarando que nos anos 1950 e início dos anos 1960, "houve inúmeras operações nos serviços clandestinos que nem o DDO nem o ADDO sabiam". O DDO era o vice-diretor de operações — o chefe do serviço clandestino — e o ADDO era seu principal assistente. Depoimento de John Whitten, *Assassination Transcripts of the Church Committee,* 16 de maio de 1978, pp. 127-128. Whitten testemunhou sob o pseudônimo "John Scelso"; sua verdadeira identidade foi revelada pela CIA em outubro de 2002.

133 *nem mesmo Wisner*: Num encontro de assessores em 8 de novembro de 1954, Wisner perguntou a Dulles se ele poderia ler o relatório Doolittle. Dulles recusou o pedido. Permitiu que Wisner visse uma versão resumida das recomendações do relatório, mas não sua crítica devastadora.

134 *Dulles estava desesperado*: Entrevistas de John Maury e Edward Ellis Smith, documentos de R. Harris Smith, Hoover Institute, Stanford University.

134 *"Não vamos deixar que outro Pearl Harbor aconteça"*: Minuta do NSC, 3 de março de 1955, DDEL.

135 *Uma história secreta da CIA sobre o túnel de Berlim*: "Clandestine Services History: The Berlin Tunnel Operation, 1952-1956", CIA, 25 de agosto de 1967, liberada em 15 de fevereiro de 2007.

137 *um vestígio de advertência de que Moscou pretendia ir à guerra*: Os oficiais da CIA que haviam iniciado a base de Berlim sob o comando de Richard Helms ainda viam a cidade e as técnicas que aprenderam ali como as melhores janelas para Moscou. Helms e seus homens achavam que os grandes postos da CIA na Alemanha, na Áustria e na Grécia deveriam estabelecer cautelosa e pacientemente agentes residentes dentro da Europa Oriental. Essas redes de estrangeiros confiáveis recrutariam outros espiões com

idéias afins, aproximando-se cada vez mais de áreas de poder, cada um deles criando fontes de informação que, quando analisadas e filtradas, iriam se tornar inteligência para o presidente. Esta era a maneira de conhecer o inimigo, acreditavam eles, e em meados dos anos 1950 eles começavam a achar que poderiam estar começando a ver uma imagem surgindo da escuridão.

A CIA encontrou seu primeiro verdadeiro espião russo enquanto o projeto Túnel de Berlim era executado. O posto de Viena estava em contato com o major Pyotr Popov, um verdadeiro homem da inteligência militar soviética, o primeiro espião russo de valor duradouro que a CIA teve. Ele sabia uma ou duas coisas sobre tanques, mísseis táticos e doutrina militar soviética, e durante cinco anos entregou as identidades de cerca de 650 colegas oficiais. Inevitavelmente, Frank Wisner quis tornar Popov líder de uma rede clandestina de combatentes da resistência. O lado de espionagem da agência lutou duramente contra a intenção, e desta vez Wisner foi derrotado: o rancor dessa luta se prolongou durante anos. Popov não era um espião perfeito: bebia muito, esquecia coisas e corria riscos terríveis. Mas durante cinco anos ele foi único. A CIA alegaria com convicção que Popov poupou aos Estados Unidos meio bilhão de dólares em pesquisa e desenvolvimento militar. Ele custava à CIA cerca de US$ 4 mil por ano. O agente duplo britânico George Blake, o traidor do túnel de Berlim, expôs Popov também. O major morreu diante de um pelotão de fuzilamento da KGB, em 1959.

137  *"Aqueles de nós que sabíamos"*: Entrevista de Polgar ao autor.

137  *"Conseguimos poucas informações significativas"*: Technological Capabilities Panel, "Report to the President", 14 de fevereiro de 1955, DDEL.

137  *"uma dessas máquinas será apanhada"*: James R. Killian, *Sputnik, Scientists and Eisenhower: A Memoir of the First Assistant to the President for Science and Technology* (Cambridge, Massachusetts: MIT Press, 1967), pp. 70-71.

138  *"o último refúgio de privacidade organizacional"*: Bissell, "Subject: Congressional Watchdog Committee on CIA", 9 de fevereiro de 1959, liberado em 29 de janeiro de 2003, CIA/CREST.

138  *Bissell via o U-2*: As idéias de Bissell sobre o U-2 estão em suas memórias, *Reflections of a Cold Warrior: From Yalta to the Bay of Pigs* (New Haven, Connecticut: Yale University Press, 1996), pp. 92-140. A observação de Reber de que "não levantávamos as questões certas" está em p.105. Helms sabia que o U-2 não era uma solução genial. Certa vez, ele disse numa reunião de oficiais do serviço clandestino, na época em que a estrela de Bissell estava em seu brilho máximo, que "um bom repórter não precisa de uma caixa preta mágica para obter informações úteis... Enquanto houver um avião, imagens podem ser obtidas a partir dele. A CIA precisa usar todo artifício que puder... Mas, em última análise, a única maneira de descobrir o que um homem pensa é conversando com ele."

139  *Uma história da CIA em cinco volumes*: Wayne G. Jackson, *Allen Welsh Dulles as Director of Central Intelligence*, liberado em 1994, vol. 3, 1973, pp. 71ff., CIA.

139 *"Há certas coisas que ele não diz ao presidente"*: A observação de Eleanor Dulles está gravada em embaixador William B. Macomber Jr., depoimento gravado, FAOH. Macomber era secretário-assistente de Estado para relações com o Congresso durante o governo de Eisenhower.

## Capítulo 12

O relacionamento entre a CIA e os líderes do Japão nos anos 1950 foi detalhado em entrevistas do autor com Al Ulmer, chefe da divisão Extremo Oriente da CIA de 1955 a 1958; Clyde McAvoy, agente secreto da CIA de Kishi em meados dos anos 1950; Horace Feldman, ex-chefe do posto da CIA em Tóquio; Roger Hilsman e U. Alexis Johnson, importantes oficiais do Departamento de Estado durante os governos dos presidentes Kennedy e Johnson; Jim Lilley e Don Gregg, ex-chefes de postos da CIA e embaixadores dos EUA em Pequim e Seul, respectivamente; e Douglas MacArthur II, embaixador dos EUA em Tóquio, durante o governo Eisenhower.

O relacionamento foi descrito primeiramente no artigo do autor no *New York Times* "CIA Supported Japanese Right in '50s and '60s", 9 de outubro de 1994. Esse artigo teve sua origem numa luta entre a CIA e o Departamento de Estado em torno da liberação de um volume de *The Foreign Relations of the United States* cobrindo o Japão nos anos 1960. Doze anos depois, em julho de 2006, o Departamento de Estado reconheceu tardiamente que "o Governo dos EUA aprovou quatro programas secretos para tentar influenciar a direção da vida política japonesa". A declaração descrevia três dos quatro programas. Dizia que antes das eleições de maio de 1958 para a Câmara dos Representantes japonesa, o governo Eisenhower autorizou a CIA a fornecer dinheiro a "alguns políticos pró-americanos e conservadores cruciais". Dizia que o governo Eisenhower também autorizou a CIA "a instituir um programa secreto para tentar rachar a ala moderada da oposição de esquerda, na esperança de que surgisse um partido de oposição mais pró-americano e 'responsável'". Além disso, "um programa secreto mais amplo, dividido quase por igual entre propaganda e ações sociais", buscou incentivar o povo japonês a apoiar o partido governante e rejeitar a influência da esquerda. A profunda relação com Kishi, político em ascensão e futuro primeiro-ministro, não foi reconhecida. FRUS, 1964-1968, vol. XXIX, Parte 2.

Depois da queda do Japão, a ocupação americana liderada pelo general MacArthur eliminou e prendeu militantes de direita como Kishi e seus aliados. Mas as coisas mudaram depois que George Kennan foi enviado ao Japão em 1948 pelo secretário de Estado, Marshall, para tentar convencer MacArthur a mudar de opinião. Um exemplo das políticas de MacArthur podia ser visto nas docas de Osaka, onde maquinaria desmantelada de indústrias japonesas estava sendo lubrificada, encaixotada e enviada com grande custo para a China como parte do programa de reparações de guerra. Os americanos estavam pagando para desmontar o Japão e apoiar a China no momento em que esta estava sendo dominada pelos comunistas. Kennan argumentou que os Estados Unidos deveriam se deslocar o mais rapidamente possível da reforma do Japão para sua recuperação econômica. Essa mudança de direção exigiu o fim das eliminações de MacArthur. Significava que pessoas acusadas de crime de guerra, como Kishi e Kodama, deveriam ser libertadas. Isso levou ao recrutamento destes homens pela CIA e à restauração de poderosos líderes políticos, cartéis de negócios, forças de segurança internas e partidos políticos.

"Os EUA deveriam fazer o que podem para incentivar uma liderança conservadora eficiente no Japão", disse o Grupo de Coordenação de Operações num relatório à Casa Branca datado de 28 de outubro de 1954 e liberado cinqüenta anos depois. Se os conservadores estavam unidos, trabalhariam juntos para controlar a vida política do Japão, disse o grupo, e "para tomar medidas legais contra os comunistas e combater as tendências neutralistas, antiamericanas, de muitos indivíduos de grupos intelectuais no Japão". Foi precisamente o que a CIA fez de 1954 em diante.

142 *A CIA forneceu US$ 2,8 milhões em financiamento*: os conservadores japoneses precisavam de dinheiro. Os militares americanos precisavam de tungstênio. "Alguém teve a idéia: vamos matar dois coelhos com uma paulada só", disse John Howley, advogado de Nova York e veterano do OSS que ajudou a organizar a transação. A operação Kodama-CIA contrabandeou toneladas de tungstênio das instalações militares japonesas para os Estados Unidos e as vendeu ao Pentágono por US$ 10 milhões. Os contrabandistas incluíam Kay Sugahara, um nipo-americano recrutado pelo OSS num campo de detenção na Califórnia durante a Segunda Guerra Mundial. Seus arquivos, pesquisados por Howard Schonberger, professor da Universidade do Maine que escrevia um livro e quase chegou a terminá-lo antes de morrer em 1991, descrevia a operação em detalhes. A renda foi injetada nas campanhas de conservadores para as primeiras eleições do Japão pós-ocupação, em 1953. Howley disse: "Aprendemos no OSS que para atingir um objetivo é preciso pôr o dinheiro certo nas mãos certas."

142 *"Ele é um mentiroso profissional"*: "Background on J.I.S. and Japanese Military Personalities", 10 de setembro de 1953, National Archives, Record Group 263, CIA Name File, box 7, folder: Kodama, Yoshio.

143 *"Estranho, não é?"*: Dan Kurzman, *Kishi and Japan: The Search for the Sun* (Nova York: Obolensky, 1960), p. 256.

143 *"Estava claro que ele queria pelo menos o apoio tácito do governo dos Estados Unidos"*: depoimento gravado de Hutchinson, FAOH.

145 *"Nós dois demos um grande golpe naquele dia"*: Entrevista de McAvoy ao autor.

145 *"se o Japão se tornasse comunista"*: Entrevista de MacArthur ao autor.

146 *Kaya se tornou um agente recrutado*: Os registros sobre o relacionamento de Kaya com a CIA estão em National Archives, Record Group 263, CIA Name File, box 6, folder: Kaya, Okinori.

147 *"e o dirigimos de uma maneira diferente"*: Entrevista de Feldman ao autor.

*Capítulo 13*

149 *"Ele pesava e decidia"*: Entrevista com depoimento gravado de Lehman "Mr. Current Intelligence", *Studies in Intelligence,* verão de 2000, CIA/CSI.

150 *NSC 5412/2*: "Directive on Covert Operations", 28 de dezembro de 1955, DDEL.

151 *A divisão era deficiente*: "Inspector General's Survey of the Soviet Russia Division, June 1956", liberado em 23 de março de 2004, CIA/CREST.

152 *"'indiciar todo o sistema soviético'"*: Depoimento gravado de Ray Cline, 21 de março de 1983, LBJL.

152 *Sua interferência criou uma cisão no sinal da Rádio Europa Livre*: O diretor da rádio, o veterano do OSS Bob Lang, reclamou da "intrusão" de Wisner e seus assessores "em cada elemento de nossos assuntos". Cord Meyer, da CIA, chefe da divisão encarregada da Rádio Europa Livre, disse que sentiu "pressão para distorcer o objetivo das rádios".

153 *O vice-presidente Nixon argumentou*: Minuta do NSC, 12 de julho de 1956, DDEL; NSC 5608/1, "U.S. Policy Toward the Soviet Satellites in East Europe", 18 de julho de 1956, DDEL. Sob os auspícios do programa Europa Livre, a CIA já tinha enviado 300 mil balões contendo 300 milhões de folhetos, cartazes e panfletos da Alemanha Ocidental para Hungria, Tchecoslováquia e Polônia. Os balões carregavam uma mensagem implícita: os americanos conseguiam atravessar a cortina de ferro com algo mais do que medalhas de lata e ondas de rádio.

153 *"A CIA representava um grande poder"*: Ray Cline, *Secrets, Spies, and Scholars, Blueprint of the Essential CIA* (Washington: Acropolis, 1976), pp. 164-170.

154 *"um erro crasso"*: Minuta do NSC, 4 de outubro de 1956, DDEL.

155 *Dulles assegurou a Eisenhower*: Memorando de conferência entre Eisenhower, Allen Dulles e o secretário de Estado em exercício, Herbert Hoover Jr., 27 de julho de 1956, DDEL; diário de Eisenhower, 26 de outubro de 1956, Documentos Presidenciais de Dwight David Eisenhower, documento 1921; depoimento gravado de Dillon, FAOH; notas de reunião de assessores em outubro, novembro e dezembro de 1956, CIA/CREST.

156 *"cegueira desejada"*: A situação das operações de Wisner na Hungria é descrita em duas histórias do serviço clandestino: *The Hungarian Revolution and Planning for the Future: 23 October-4 November 1956*, vol. 1, janeiro de 1958, CIA; e *Hungary, Volume I [apagado] and Volume II: External Operations, 1946-1965*, maio de 1972, CIA History Staff, liberado com partes apagadas em 2005.

157 *"Liberdade ou Morte!"*: Transcrições de programas da Rádio Europa Livre, 28 de outubro de 1956, em Csasa Bekes, Malcolm Byrne e Janos M. Rainer (eds.), *The 1956 Hungarian Revolution: A History in Documents* (Budapeste: Central European University Press, 2002), pp. 286-289.

157 *"os erros e crimes terríveis desses últimos dez anos"*: "Radio Message from Imre Nagy, October 28, 1956", em Bekes, Byrne e Rainer, *The 1956 Hungarian Revolution*, pp. 284-285.

   Poucos sabiam que Wisner tinha mais de uma freqüência para usar em sua luta. Em Frankfurt, os solidaristas — russos neofascistas que haviam trabalhado para a CIA a partir de 1949 — começaram a fazer transmissões para a Hungria dizendo que um exército de guerreiros exilados estava seguindo para a fronteira. Enviaram a mensagem em nome de Andras Zako, que servira como general no governo húngaro fascista em tempo de guerra e dirigira um grupo da Cruz de Ferro chamado Liga dos Veteranos Húngaros.

"Zako era o próprio modelo de empreendedor de inteligência", observou Richard Helms. Ele vendeu milhões de dólares em inteligência fabricada a cada grande serviço militar e de inteligência americano de 1946 a 1952. O general recebeu a rara distinção de "notícia queimada", uma ordem mundial da CIA para impedi-lo de fazer negócios com a agência.

Refletindo sobre a decisão da CIA de amplificar e enviar de volta transmissões em baixa voltagem de partidários húngaros — usando suas próprias freqüências para transmitir as promessas deles de lutar violentamente contra os soviéticos — John Richardson Jr., presidente da Rádio Europa Livre, disse: "Os combatentes da liberdade diziam às pessoas o que queriam e aquilo em que acreditavam. Então a REL pegava aquilo e retransmitia. Isso foi, eu acho, o erro mais sério que cometemos." Depoimento gravado de Richardson, FAOH.

158 *"O que aconteceu lá foi um milagre"*: Minuta do NSC, 1º de novembro de 1956, DDEL.

158 *"a promessa de que a ajuda viria"*: William Griffith, Rádio Europa Livre, "Policy Review of Voice for Free Hungary Programming" (5 de dezembro de 1956), em Bekes, Byrne e Rainer, *The 1956 Hungarian Revolution*, pp. 464-484. Esse documento constitui um reconhecimento oficial de um fato durante muito tempo negado pela CIA: a REL indicou ou afirmou a seus ouvintes húngaros que a ajuda estava a caminho. A seção húngara da REL passou por uma reformulação depois do relato detalhado porém auto-indulgente de Griffith. Dois anos depois, a voz da rádio havia mudado. Ela inaugurou um programa altamente popular e realmente subversivo que captou a imaginação popular: um programa de *rock and roll* chamado *Teenager Party*. Veja também Arch Puddington, *Broadcasting Freedom: The Cold War Triumph of Radio Free Europe and Radio Liberty* (Lexington: University Press of Kentucky, 2000), pp. 95-104; e George R. Urban, *Radio Free Liberty and the Pursuit of Democracy: My War Within the Cold War* (New Haven, Connecticut: Yale University Press, 1997), pp. 211-247.

158 *"a sede estava sendo acometida pela febre dos tempos"*: Peer de Silva, *Sub Rosa: The CIA and the Uses of Intelligence* (Nova York: Times Books, 1978), p. 128.

159 *uma informação fresca, mas falsa, de Allen Dulles de que os soviéticos estavam prontos para enviar 250 mil soldados ao Egito*: Diário de Eisenhower, 7 de novembro de 1956, DDEL.

159 *"à beira de um colapso nervoso"*: William Colby, *Honorable Men: My Life in the CIA* (Nova York: Simon and Schuster, 1978), pp. 134-135.

159 *"transtornado"*: John H. Richardson, *My Father the Spy: A Family History of the CIA, the Cold War and the Sixties* (Nova York: HarperCollins, 2005), p. 126.

159 *"Estamos bem equipados"*: Reunião do diretor, 14 de dezembro de 1956, CIA/CREST.

160 *Diários pessoais de Bruce*: Os diários pessoais de Bruce estão na Universidade de Virgínia. Mostram que, quando era embaixador americano em Paris, Bruce ouviu rumores em junho de 1950 — num dia em que almoçou com Allen Dules — sobre "a terrível possibilidade" de que fosse chamado para ser diretor da central de inteligência. Em vez dele, Walter Bedell Smith assumiu o cargo.

160  *Seu relatório ultra-secreto*: Embora o relatório do grupo de consultores de inteligência do presidente tenha ficado conhecido como o "relatório Bruce-Lovett", seu estilo mostra claramente que David Bruce o escreveu. A equipe de investigação era formada por Bruce; o ex-secretário de Defesa Robert Lovett; e um ex-subchefe de Operações Navais, o almirante reformado Richard L. Conolly. Até recentemente, a única prova da existência do relatório era uma série de notas tiradas pelo historiador Arthur Schlesinger de um documento que agora dizem ter desaparecido da Biblioteca Memorial John F. Kennedy. A versão liberada do documento — longos trechos de uma coleção de relatórios de inteligência da era Eisenhower reunidos para a Casa Branca de Kennedy depois da invasão da Baía dos Porcos — aparece aqui pela primeira vez em forma de livro, com abreviações explicadas para torná-la mais clara, erros de tipografia corrigidos e trechos apagados pela CIA apontados.

> A concepção, o planejamento e até mesmo ocasionalmente a própria aprovação [*apagado*] das operações secretas, imensamente significativos para nossas políticas militar e externa, estão se tornando cada vez mais um negócio exclusivo da CIA — respaldado intensamente por fundos da CIA não-declarados. (Isso é apenas o resultado inevitável da estrutura, do sistema e das personalidades relacionados à iniciação e à condução dessas operações.) A CIA, ocupada, endinheirada e privilegiada, gosta de sua responsabilidade de "fazer reis" (a intriga é fascinante — uma considerável auto-satisfação, às vezes com aplausos, deriva do sucesso — não é feita qualquer cobrança sobre "fracassos" — e o negócio todo é muito mais simples do que obter informações secretas sobre a URSS pelos métodos habituais da CIA!).
>
> Embora essas operações extremamente delicadas e custosas sejam justificáveis apenas na medida em que apóiam as políticas militar e externa dos EUA, parece faltar-lhes muito freqüentemente o planejamento responsável a longo prazo e a orientação permanente, o que deveria provir dos departamentos de Defesa e Estado. Estão sempre registrados, é claro, os objetivos gêmeos e batidos de "frustrar os soviéticos" e manter outros de orientação "pró-Ocidente". Sob esses objetivos, quase qualquer guerra psicológica e ação paramilitar pode ser e está sendo justificada [*apagado*].
>
> Na maioria das vezes, a iniciativa e o ímpeto contínuo para a guerra psicológica e operações militares residem na CIA. E, uma vez concebido, a aprovação final dada a qualquer projeto (em reuniões informais do Grupo de Coordenação de Operações interno) pode, na melhor das hipóteses, ser descrita como pro forma.
>
> Com a aprovação, os projetos na maioria dos casos passam a ser gerenciados pela CIA e ali permanecem até a conclusão. Como essas operações estão tão inextricavelmente entrelaçadas com nossas operações de política externa (e, por vezes, ditam seu curso), parece que elas deveriam ter não apenas a

aprovação prévia do Conselho de Segurança Nacional (em vez do OCB), mas a vigilância contínua daquele organismo.

De fato, na maioria dos casos, a aprovação de qualquer projeto novo parece consistir simplesmente no endosso de uma proposta do diretor da central de inteligência, geralmente sem objeções, por indivíduos preocupados com outros assuntos importantes particulares. É claro que há uma escalação preliminar (dentro da CIA) de pessoal para cada projeto e um relatório final (depois do fato) sobre seus resultados ao NSC — mas mesmo depois esse relatório é apresentado oralmente pelo Diretor da Central de Inteligência "extra-oficialmente" — e de maneira tendenciosa, naturalmente compreensível.

As guerras psicológicas e as operações paramilitares em si, em qualquer momento, seja através de uma combinação pessoal entre o secretário de Estado e o DCI (decidindo entre eles, em qualquer ocasião, usar o que consideram os melhores "bens" disponíveis) ou realizadas com a discrição pessoal do DCI, freqüentemente e em negociações diretas e contínuas entre representantes da CIA e os chefes dos Estados estrangeiros [*apagado*]. Muitas vezes, essas negociações são na verdade apenas a continuação de relações estabelecidas numa época em que as personalidades estrangeiras envolvidas podem ter sido "a oposição". (De certa forma é difícil entender por que ninguém menos que o principal representante dos EUA [ou seja, o embaixador] em cada país deva negociar diretamente com seu Chefe qualquer assunto que envolva as relações oficiais entre os dois países.) Um resultado óbvio e inevitável disso é dividir os recursos da política externa dos EUA e inclinar o estrangeiro — freqüentemente a antiga "oposição" agora no poder (e quem *sabe* com quem ele está lidando) — a jogar uma agência dos EUA contra outra ou usar o que quer que seja adequado a seu objetivo corrente [*apagado*].

Uma conseqüência disso é a exclusão de oficiais americanos responsáveis do conhecimento que eles deveriam ter para cumprir suas obrigações. (Tem sido relatado por pessoas da área de inteligência que há uma grande preocupação no Departamento de Estado com o impacto das guerras psicológicas e das atividades paramilitares da CIA sobre nossas relações exteriores. As pessoas do Departamento de Estado sentem que talvez a maior contribuição que esse grupo poderia ter seria chamar a atenção do presidente para as influências significativas, quase unilaterais, das guerras psicológicas e atividades paramilitares da CIA sobre a atual formação de nossa política externa e nossas relações com nossos "amigos".)

O apoio da CIA e a maneira como ela manobra a mídia de notícias local, grupos trabalhistas, figuras e partidos políticos e outras atividades o que pode ter, a qualquer momento, os mais significativos impactos sobre as responsabilidades do embaixador local, são às vezes completamente desconhecidos ou apenas vagamente reconhecidos por ele... Muito freqüentemente, diferenças de opinião sobre a atitude dos EUA em relação a figuras ou organizações locais se desenvolvem, especialmente entre a CIA e o Departamento de Estado... (Por vezes, a relação fraterna entre secretário de Estado e DCI pode arbitrariamente definir "a posição dos EUA")

... A CIA está em programas de propaganda [cinco linhas apagadas, provavelmente sobre o financiamento da agência a dezenas de revistas, jornais, editoras e ao Congresso de Liberdade Cultural] dificilmente identificáveis como parte das responsabilidades atribuídas a ela pelo Congresso e pelo Conselho de Segurança Nacional...

Os militares esperam que ela seja responsável pela condução de guerras não convencionais (e aqui há diferença de opiniões sobre até onde vai essa responsabilidade); não está bem certo quem será responsável por outras guerras psicológicas e operações paramilitares em tempo de guerra — ou como (ou quando) as responsabilidades por elas serão distribuídas.

As guerras psicológicas e as operações paramilitares (freqüentemente surgidas do envolvimento maior em assuntos internos de outras nações por funcionários jovens, inteligentes, altamente qualificados, que precisam fazer alguma coisa o tempo todo para justificar sua existência) são hoje conduzidas mundialmente por uma horda de representantes da CIA [*apagado*], muitos dos quais, pela própria natureza da situação do pessoal [*apagado*], são politicamente imaturos. (A partir de suas "negociações" com personagens enganosos, mutáveis, de suas aplicações de "temas" sugeridos pela sede ou desenvolvidos por eles em campo — às vezes por sugestão de oportunistas locais — coisas estranhas tendem a acontecer, e de fato acontecem.)

Felizmente em alguns casos e infelizmente em outros, os resultados de muitas dessas operações são relativamente efêmeros [*sete linhas apagadas*]. Se fossem expostos, essas operações não poderiam ser "plausivelmente negadas" — de fato, seria bastante ingênuo pensar que a mão americana nessas operações é não apenas bem conhecida pelo país local e por membros do Partido Comunista, mas por muitos outros (incluindo a imprensa) — e menosprezando a advertência específica contida no NSC [ordens para que o papel americano nas operações secretas permaneça escondido].

Alguém, em algum lugar, numa posição de autoridade em nosso governo, não deveria, continuamente, estar calculando o custo imediato de decepções (Jordânia, Síria, Egito etc.), calculando o impacto de nossa posição internacional e levando em conta a compreensão a longo prazo de atividades que exigiram o abandono virtual da "regra de ouro" internacional, e que, se foram bem-sucedidas no nível alegado por eles, são responsáveis, em grande parte, por provocar distúrbios e levantar dúvidas sobre nós existentes em muitos países no mundo de hoje? E os efeitos sobre nossas atuais alianças? Onde estaremos amanhã?

> Temos certeza de que os defensores da decisão de 1948 de lançar esse go-
> verno numa guerra psicológica positiva e num programa paramilitar não po-
> deriam ter previsto as ramificações das operações que têm resultado deles.
> Ninguém além das pessoas da CIA imediatamente envolvidas com o dia-a-dia
> das operações tem qualquer conhecimento detalhado sobre o que está aconte-
> cendo. Com a situação mundial no estado em que se encontra hoje, parece que
> agora é a hora de fazer uma reavaliação e um ajuste realista desse programa,
> talvez acompanhados de um "desembaraçamento" de nosso envolvimento e
> uma aplicação mais racional de nossas atividades do que aquela hoje aparente.

162 *"um tipo estranho de gênio"*: memorando de Ann Whitman, 19 de outubro de 1954, DDEL.

## Capítulo 14

163 *"Se você for até lá e viver com esses árabes"*: Minuta do NSC, 18 de junho de 1959, DDEL.

163 *"um alvo de ação política da CIA legalmente autorizado pelo estatuto"*: Archie Roosevelt, *For Lust of Knowing: Memoirs of an Intelligence Officer* (Boston: Little, Brown, 1988), pp. 444-448.

163 *poucos oficiais da CIA falavam a língua*: "Inspector General's Survey of the CIA Training Program", junho de 1960, liberado em 1º de maio de 2002, CIA/CREST; Matthew Baird, Diretor de Treinamento da CIA, "Subject: Foreign Language Development Program", 8 de novembro de 1956, liberado em 1º de agosto de 2001, CIA/CREST.

164 *"o aspecto de 'guerra santa'"* e *"uma força-tarefa secreta"*: Memorando de Goodpaster sobre conferência com o presidente, 7 de setembro de 1957, DDEL. As esperanças de Eisenhower em ações militares para proteger o Islã do ateísmo militante e suas reu-niões com Rountree para orquestrar a ajuda militar americana secreta a Arábia Saudita, Jordânia, Iraque e Líbano foram registradas por seu secretário general Andrew J. Goodpaster em memorandos datados de 23 e 28 de agosto de 1957, DDEL.

164 *"Esses quatro vira-latas"*: Depoimento gravado de Symmes, FAOH.

164 *proposta de Frank Wisner*: Frank G. Wisner, memorando para registro, "Subject: Resu-me of OCB Luncheon Meeting", 12 de junho de 1957, CIA/CREST. O memorando diz que "Wisner pressionou pela necessidade de assistência total à Jordânia", além de apoio da CIA. "A Agência é fortemente favorável a levar a Arábia Saudita e o Iraque a ofere-cer o máximo que puderem."

164 *"Vamos colocar da seguinte maneira"*: Depoimento gravado de Symmes, FAOH.

165 *"um transgressor agradável"*: Miles Copeland, *The Game Player* (Londres: Aurum, 1989), pp. 74-93.

165 *"pronto para um golpe de Estado militar"*: Dulles em minuta do NSC, 3 de março de 1955. A melhor descrição do trabalho da CIA na região é Douglas Little, "Mission Impossible: The CIA and the Cult of Covert Action in the Middle East", *Diplomatic*

*History,* vol. 28, n° 5, novembro de 2004. O ensaio de Little é um trabalho de mestre baseado em documentos básicos. As memórias de Copeland têm uma atmosfera forte, mas não são confiáveis no relato de detalhes a não ser quando confirmadas de maneira independente por estudos como o de Little.

165 *Um documento descoberto em 2003:* O documento britânico que descreve a conspiração conjunta CIA-SIS contra a Síria foi descoberto por Matthew Jones e detalhado em sua monografia "The 'Preferred Plan': The Anglo-American Working Group Report on Covert Action in Syria, 1957", *Intelligence and National Security,* setembro de 2004.

166 *"Os oficiais com os quais Stone estava lidando":* Depoimento gravado de Curtis F. Jones, FAOH. "Estávamos tentando conseguir mais do que o episódio de Rock Stone", disse Jones. "Por exemplo, financiamos compras de armas por armênios, que as enterraram na Síria" — até a inteligência síria descobrir os esconderijos de armas e dissolver o batalhão clandestino.

166 *"conspiração particularmente desajeitada da CIA":* Charles Yost, *History and Memory: A Statesman's Perceptions of the Twentieth Century* (Nova York: Norton, 1980), pp. 236-237.

167 *"algum exame de consciência"* e *"mexendo os pauzinhos":* Reunião de assessores, 14 de maio de 1958, CIA/CREST.

167 *"apanhados em total surpresa":* Depoimento gravado de Gordon, FAOH.

167 *"o lugar mais perigoso do mundo":* Minuta do NSC, 13 de maio de 1958, DDEL.

167-168 *"Não temos prova alguma de que Kassem é comunista":* Relato da CIA ao NSC, 15 de janeiro de 1959, CIA/CREST.

168 *"A única força eficiente e organizada no Iraque":* Reunião de assessores, 14 de maio de 1959, CIA/CREST.

168 *uma nova conspiração de assassinato fracassada:* Em 1960, Critchfield propôs o lenço envenenado. Helms endossou a idéia. Bissell também. Dulles aprovou. Todos acharam que estavam realizando o desejo do presidente dos Estados Unidos.

168 *"Chegamos ao poder num trem da CIA":* Sa'adi citado em Said Aburish, *A Brutal Friendship: The West and the Arab Elite* (Nova York: St. Martin's, 2001). Aburish era um ba'athista dedicado que rompeu com Saddam e descreveu a brutalidade do regime. Deu uma entrevista esclarecedora ao *Frontline,* publicada no site da série de documentários da PBS (http://www.pbs.org/wgbh/pages/frontline/shows/saddam/interviews/aburish.html). "O envolvimento dos EUA no golpe contra Kassem no Iraque em 1963 foi substancial", disse ele. "Há provas de que agentes da CIA estavam em contato com oficiais do exército envolvidos no golpe. Há provas de que um centro de comando eletrônico foi instalado no Kuwait para orientar as forças que combatiam Kassem. Há provas de que eles forneceram aos conspiradores listas de pessoas que tinham que ser eliminadas imediatamente para assegurar o sucesso. As relações entre os americanos e o Partido Ba'ath naquele momento eram de fato muito próximas. E assim continuaram por algum tempo depois do golpe. E havia uma troca de informações entre os dois lados. Por exemplo, foi uma das primeiras vezes em que os Estados

Unidos conseguiram obter certos modelos de caças MiG e certos tanques fabricados na União Soviética. Aquilo foi suborno. Era o que o Ba'ath tinha a oferecer aos Estados Unidos em troca de ajuda para eliminar Kassem." James Critchfield, que orquestrou a operação como chefe do serviço clandestino no Oriente Próximo, disse à Associated Press pouco antes de morrer, em abril de 2003: "Vocês têm que entender o contexto da época e a extensão da ameaça que estávamos enfrentando. É isso que respondo a pessoas que dizem, 'Vocês da CIA criaram Saddam Hussein'."

*Capítulo 15*

169   *"meaiaas desse governo que causem a queda do novo regime da Indonésia"*: Minuta do NSC, 9 de setembro de 1953, DDEL.

170   *"um tremendo controle sobre o povo; é completamente não-comunista"*: "Meeting with the Vice President, Friday, 8 January, 1954", CIA/DDRS.

170   *"Havia planos para essa possibilidade"*: Testemunho de Bissell, Comissão do Presidente para Atividades da CIA (Comissão Rockefeller), 21 de abril de 1975, confidencial, liberado em 1995, GRFL.

170   *"todos os meios secretos possíveis"*: NSC 5518, liberado em 2003, DDEL.

171   *"inúmeras figuras políticas"*: Depoimento gravado de Bissell, DDEL.

171   *"Meu Deus, nós nos divertíamos"*: Entrevista de Ulmer ao autor.

171   *telegramas inflamados*: Síntese de relatos da CIA, "NSC Briefing: Indonesia", 27 e 28 de fevereiro, 5 e 14 de março e 3 e 10 de abril, 1957; reunião de assessores da CIA, 4 de março de 1957; avaliação da CIA, "The Situation in Indonesia", 5 de março de 1957.

171   *"Habitantes de Sumatra preparados para lutar"*: "NSC Briefing: Indonesia", 17 de abril de 1957; cronologia da CIA, "Indonesian Operation", 15 de março de 1958, liberado em 9 de janeiro de 2002. Todos CIA/CREST.

172   *"tente novamente descobrir qual é a política do Departamento de Estado na Indonésia"* reunião do diretor, 19 de julho de 1957, CIA/CREST.

172   *"subversão pelo voto"*: F. M. Dearborn à Casa Branca, "Some Notes on Far East Trip", novembro de 1957, liberado em 10 de agosto de 2003, DDEL. Dearborn relatou pessoalmente sua viagem num encontro cara a cara com Einsenhower em 16 de novembro, de acordo com o diário do presidente. CIA, "Special Report on Indonesia", 13 de setembro de 1957, liberado em 9 de setembro de 2003, DDEL. "Indonesian Operation", 5 de março de 1958, CIA/CREST.

172   *Al Ulmer acreditava*: Entrevistas de Ulmer e Sichel ao autor. No verão de 1957, Ulmer enviou um pedido a oficiais do serviço clandestino para que monitorassem Sukarno durante sua viagem anual, num jato fretado da Pan Am, aos bordéis mais caros da Ásia. Os resultados da missão se limitaram a uma amostra de fezes de Sukarno para análise médica, obtida pelo chefe do posto de Hong Kong, Peter Sichel, com a ajuda de um tripulante patriota da Pan Am, pago pela CIA. Na falta de informações, qualquer prova era relevante.

173 *"a um ponto que não tem volta"*: Minuta do NSC, 1º de agosto de 1957, DDEL.

173 *"a máxima seriedade"*: Reunião de assessores, 2 de agosto de 1957, CIA/CREST.

174 *"o desmembramento da Indonésia"*: Comissão Cumming, "Special Report on Indonesia", 13 de setembro de 1957, liberado em 9 de julho de 2003, DDEL.

Naquela ocasião, o embaixador Allison atendeu a uma convocação ao palácio presidencial para uma conversa informal. Sukarno queria que Eisenhower fosse à Indonésia para ver o país com seus próprios olhos e para ser o primeiro chefe de Estado a visitar a adorável casa de hóspedes que ele estava construindo em Bali. Quando a fria rejeição de Washington chegou duas semanas depois, Allison a entregou com um calafrio: "Vi literalmente o queixo de Sukarno cair enquanto ele lia a carta do presidente Eisenhower. Ele não podia acreditar." As opiniões e citações de Allison nesse capítulo estão em John M. Allison, *Ambassador from the Prairie, or Allison Wonderland* (Boston: Houghton Mifflin, 1973), pp. 307-339.

174 *Eisenhower ordenou à agência*: A linguagem da ordem está impressa em cronologia da CIA, "Indonesian Operation", 15 de março de 1958, CIA/CREST.

174 *Wisner voou para o posto da CIA em Cingapura*: Registros da CIA mostram duas viagens à região, no outono de 1957 e na primavera de 1958. Wisner procurou se assegurar de que o Departamento de Estado soubesse o menos possível sobre seus planos de ação secreta. A minuta da reunião do diretor em 26 de dezembro de 1957 diz que ele tinha reuniões com oficiais do Departamento de Estado "sobre a situação da Indonésia" marcadas para 30 de dezembro. "O senhor Wisner deu voz à esperança de que essas discussões pudessem ficar razoavelmente limitadas a assuntos políticos e que não permitissem um exame de assuntos operacionais."

175 *O posto da CIA em Jacarta*: "Indonesian Operation", 15 de março de 1958, CIA/CREST. A operação paramilitar está detalhada em Kenneth Conboy e James Morrison, *Feet to the Fire: CIA Covert Operations in Indonesia, 1957-1958* (Annapolis, Maryland: Naval Institute Press, 1999), pp. 50-98. Os antecedentes dos programas de guerra política estão em Audrey R. Kahin e George M. T. Kahin, *Subversion as Foreign Policy: The Secret Eisenhower and Dulles Debacle in Indonesia* (Seattle: University of Washington Press, 1995).

175 *"filhos de Eisenhower"*: Escritório do adido do Exército dos EUA, Jacarta, ao Estado, 25 de maio de 1958, citado em Kahin e Kahin, *Subversion as Foreign Policy*, p. 178.

A CIA pediu ao Pentágono que ajudasse a encontrar mais indonésios versados em inglês que quisessem ocupar o poder com ajuda da CIA. Memorando a Allen W. Dulles feito pelo major-general Robert A. Schow, chefe da inteligência do exército, 5 de fevereiro de 1958.

As respostas deveriam ter levado os americanos a fazer uma reflexão. O general Nasution, oficial militar profissional que liderava o exército indonésio e permaneceu leal ao governo, assegurou ao adido do exército dos EUA em Jacarta, o major George Benson, que já estava afastando cada suspeito de comunismo de qualquer posição de influência. O tenente-coronel D. I. Pandjaitan, adido militar indonésio baseado em Bonn — e cristão, observaram seus correspondentes americanos — proclamou: "Se os

EUA sabem de algum comunista, que digam, e nós o afastaremos... Faremos qualquer coisa exceto atirar em Sukarno ou atacar os comunistas sem provas de ações ilegais da parte deles. Em nosso país, não podemos agora prender comunistas apenas porque são comunistas; vamos afastá-los" — e nesse momento o coronel fez um movimento com a mão, como se estivesse dando um golpe de faca no ar — "se eles saírem da linha". Memorando de conversa com oficiais do exército indonésio, data não esclarecida, mas provavelmente no início de 1958, liberado em 4 de abril de 2003, CIA/CREST.

176 *Foster disse que era "a favor de se fazer algo"*: Transcrição de telefonema de JFD, DDEL.

176 *"os Estados Unidos enfrentavam problemas muito difíceis*: Minuta do NSC, 27 de fevereiro de 1958, DDEL.

178 *"Foi uma guerra muito estranha"*: Minuta do NSC, 25 de abril de 1958, DDEL.

178 *"em qualquer operação de caráter militar na Indonésia"*: Minuta do NSC, 14 de abril de 1958, DDEL. John Foster Dulles, memorando de conversa com o presidente, 15 de abril de 1958, DDEL.

178 *"Eu gostava de matar comunistas"*: Entrevista de Pope ao autor.

178 *"quase eficientes demais"*: Minuta do NSC, 1º de maio de 1958, DDEL.

178 *"provocado uma grande ira"*: Minuta do NSC, 4 de maio de 1958, DDEL.

179 *"não pôde ser realizada como uma operação completamente secreta"*: "Indonesian Operation", 15 de março de 1958, CIA/CREST. Inacreditavelmente, Allen Dulles alegou que a pobreza era o motivo do fracasso da missão. A CIA precisava de pelo menos mais US$ 50 milhões em seu orçamento para missões secretas, disse ele a Eisenhower: "Nossos recursos eram bastante parcos para enfrentar situações como aquela na Indonésia." "Eles me condenaram por assassinato." Entrevista de Pope ao autor. Sukarno esperou dois anos para levar Pope a julgamento. O piloto da CIA foi mantido num refúgio na encosta do Monte Merapi, onde seus guardas o levavam para caçar e lhe davam muitas chances de escapar. Ele calculou que aquilo era uma conspiração, uma maneira de o governo entregar um prisioneiro americano forte, louro, de olhos azuis, ao Partido Comunista da Indonésia. Depois de quatro anos e dois meses em cativeiro, ele foi libertado em julho de 1962, a pedido pessoal do procurador-geral dos Estados Unidos, Robert F. Kennedy. Voltou a voar para a CIA no Vietnã durante todo o restante da década de 1960. Em fevereiro de 2005, aos 76 anos, Al Pope foi condecorado com a Legião de Honra do governo da França, por seu papel no reabastecimento de forças francesas sitiadas em Dien Bien Phu em 1954.

180 *"óbvia confusão"*: Reunião do diretor, 19 de maio de 1958, CIA/CREST.

180 *favorável aos Estados Unidos*: "NSC Briefing: Indonesia", 21 de maio de 1958, liberado em 15 de janeiro de 2004, CIA/CREST.

180 *"É claro que a operação foi um fracasso completo"*: Depoimento gravado de Bissell, DDEL.

180 *"Avião B-26 dissidente derrubado"*: "NSC Briefing: Indonesia", 21 de maio de 1958, CIA/CREST.

180 *Ele voltou do Extremo Oriente em junho de 1958 no limite de sua sanidade, e no fim do verão ficou louco*: Mas desde o fim de 1956 Wisner demonstrava estar enfermo, assim

como o serviço clandestino. Paul Nitze, um bom amigo que trabalhara intimamente com Wisner como sucessor de Kennan no Departamento de Estado, observou que "o resultado das tensões naquele episódio da Hungria e no episódio de Suez foram mais do que Frank poderia suportar e ele teve um colapso nervoso depois daquilo. Acho que as dificuldades [do serviço clandestino] começaram depois que Frank teve um colapso nervoso... Começaram depois que Frank já não tinha competência para dirigi-lo". Depoimento gravado de Nitze, HSTL. Wisner passou por "um período muito difícil" durante seu tratamento, escreveu Dulles a seu antigo vice-diretor, Bill Jackson, em dezembro de 1958. "Espero que dentro de algumas semanas ele esteja fora do sanatório." Documentos de Allen Dulles, liberados em 13 de fevereiro de 2001, CIA. Na época, o eletrochoque era "usado para diversos distúrbios, freqüentemente em altas doses e durante longos períodos... Muitos desses esforços provaram ser ineficientes, e alguns até prejudiciais." Vide "Report of the National Institute of Mental Health Consensus Development Conference on Electroconvulsive Therapy", *Journal of the American Medical Association,* vol. 254, 1985, pp. 2103-2108.

181 *"confuso"*: Reunião do diretor, 23 de junho de 1958, CIA/CREST.

181 *"Pintamos"*: Smith citado em Douglas Garthoff, "Analyzing Soviet Politics and Foreign Policy", em Gerald K. Haines e Robert E. Leggett (eds.), *Watching the Bear: Essays on CIA's Analysis of the Soviet Union* CIA/CSI, 2003.

181 *um relatório de seu grupo de consultores de inteligência*: "Subject: Third Report of the President by the President's Board of Consultants on Foreign Intelligence Activities" e memorando [do grupo] da conferência com o presidente, 16 de dezembro de 1958, CIA/DDEL. Nessa reunião com o presidente, o ex-secretário de Defesa Robert Lovett "reforçou as opiniões do Grupo de que a atual organização é fraca citando o exemplo da Indonésia", dizia a minuta confidencial da reunião. "O sr. Lovett salientou, por meio de um resumo geral, que temos duas maneiras básicas de obter informações confiáveis: através de aparelhos e através de agentes secretos individuais. É nesse último campo, dos agentes secretos, que ele acha que conseguiremos nossas melhores informações... Não somos bons nesse campo e deveríamos melhorar."

181 *"nossos problemas estavam aumentando a cada ano"*: Dulles, minuta da reunião com os principais assessores, 12 de janeiro de 1959, CIA/CREST.

## Capítulo 16

183 *Richard Bissell se tornou o chefe*: As ambições de Bissell para a CIA eram grandes; os obstáculos contra elas eram maiores. Ele disse a seus principais oficiais que sua ordem era combinar "os planos de Guerra Quente com a capacidade de Guerra Fria" dos Estados Unidos — tornar a CIA mais espada do que escudo na batalha contra os soviéticos. Criou uma nova divisão, Projetos de Desenvolvimento, que lhe permitiu realizar programas de ações secretas sem tirar dinheiro do bolso. Via a CIA como um instrumento do poder americano não menos potente — e muito mais útil

— do que o arsenal nuclear da 101ª Divisão Aerotransportada. "Mr. Bissell's Remarks, War Planners Conference", 16 de março de 1959, liberado em 7 de janeiro de 2002, CIA/CREST.

Bissell sabia que a agência era perigosamente pobre em talentos necessários para alcançar seus objetivos. Seu próprio "brilhantismo puro", disse um de seus principais assistentes, Jim Flannery, "não podia superar o fato de que o serviço clandestino é basicamente feito de gente". Flannery citado em Peter Wyden, *Bay of Pigs: The Untold Story* (Nova York: Simon e Schuster, 1979), p. 320.

Bissell ordenou imediatamente a seus chefes de divisões que "identificassem funcionários abaixo do padrão e se desfizessem deles". Queria uma seleção do rebanho "implacável e constante". "Examinem além dos casos de ineficiência e transgressões", instruiu ele a seus subordinados. "Identifiquem e demitam os empregados que não estão cumprindo, não podem cumprir ou não pretendem cumprir sua parte justa do trabalho." Richard Bissell, "Subject: Program for Greater Efficiency in CIA", 2 de fevereiro de 1959, liberado em 12 fevereiro de 2002, CIA/CREST.

Uma pesquisa interna detalhada sobre o serviço clandestino da CIA, de novembro de 1959, mostrou a origem das preocupações de Bissell: o recrutamento de jovens oficiais talentosos havia diminuído, enquanto o número de oficiais medíocres e de meia-idade aumentava. "Um percentual bastante considerável" de oficiais da CIA logo teria pelo menos 50 anos; eram da geração da Segunda Guerra Mundial e dentro de três curtos anos estariam começando a se aposentar em massa, depois de vinte anos de serviço militar e de inteligência. "Há um forte sentimento de frustração disseminado entre os melhores oficiais do Serviço Clandestino, que tem sua origem na aparente incapacidade da agência de resolver o problema de mão-de-obra", mostrou o estudo interno da CIA. Esse problema permanece sem solução até hoje. "Subject: A Manpower Control Problem for the Clandestine Services Career Program", 4 de novembro de 1959, liberado em 1º de agosto de 2001, CIA/CREST.

183 *Uma história secreta da CIA:* Exceto quando apontado em contrário, citações e trechos sobre a CIA e Cuba neste capítulo são extraídos da história clandestina da CIA sobre o planejamento da operação Baía dos Porcos: Jack Pfeiffer, *Evolution of CIA's Anti-Castro Policies, 1951-January 1961,* vol. 3 de *Official History of the Bay of Pigs Operation,* CIA, NARA (doravante citado como Pfeiffer). Pfeiffer foi nomeado historiador-chefe da CIA em 1976; aposentou-se em 1984 e passou a década seguinte processando a CIA sem sucesso para que esta liberasse seu trabalho. Sua história de trezentas páginas apareceu nos Arquivos Nacionais em junho de 2005, descoberta pelo professor David Barrett, da Universidade Villanova.

183 *Jim Noel:* Noel citado em Pfeiffer. O embaixador William Attwood, que no verão de 1963 serviu ao presidente Kennedy como canal para informações sobre Castro, relembrou: "Eu estava em Cuba, em 59, e lá encontrei pessoas da CIA cujas principais fontes eram membros do *country club* de Havana... Elas não saíam do meio do povo." Depoimento gravado de Attwood, FAOH.

183  *Al Cox*: Cox citado em Pfeiffer.

183  *Robert Reynolds*: Reynolds fez a observação ao autor e a vários outros repórteres que participavam de uma conferência sobre a Baía dos Porcos em Havana, em 2001.

184  *"um novo líder espiritual"*: Citado em Pfeiffer.

184  *"Embora nossos especialistas em inteligência tenham vacilado"*: Dwight D. Eisenhower, *Waging Peace: The White House Years: 1956-1961* (Garden City, Nova York: Doubleday, 1965), p. 524.

184  *"a eliminação de Fidel Castro"*: A autoria do memorando pode ser atribuída a J. C. King, que na época terminava seu nono ano como chefe da divisão Hemisfério Ocidental. A modificação feita por Dulles está em Pfeiffer.

184  *"qualquer pessoa com olhos podia ver"*: Exceto quando apontado em contrário, as citações de Jake Esterline neste livro provêm de entrevistas gravadas em vídeo com Peter Kornbluh, do Arquivo de Segurança Nacional, ou de observações de Esterline em transcrições de conferências sobre a Baía dos Porcos em Musgrove Plantation, na Geórgia, em 1996. A conferência de Musgrove está em James G. Blight e Peter Kornbluh (eds.), *Politics of Illusion: The Bay of Pigs Invasion Reexamined* (Boulder, Colorado: Lynne Rienner, 1998).

185  *"O Cubano Molhado"*: Helms e o cubano molhado estão em Pfeiffer. "Helms se distanciou completamente daquilo. Quero dizer, definitivamente!", Dick Drain, chefe de operações da força-tarefa para Cuba, relembrou. "Na terceira vez que ele disse, 'Você sabe que eu não tenho nada a ver com esse projeto', eu disse, 'Bem, sr. Helms, não quero ser estúpido em relação a isso, mas eu desejaria muito que o senhor tivesse a ver, porque poderíamos usar sua experiência'. Ele disse 'Ha ha ha... sim... bem, muito obrigado', e foi o fim da conversa. Ele evitava aquilo como uma praga."

186  *Tinha quatro*: Raymond L. Garthoff, "Estimating Soviet Military Intentions and Capabilities", em Gerald K. Haines e Robert E. Leggett (eds.), *Watching the Bear: Essays on CIA's Analysis of the Soviet Union*, CIA/CSI, 2003.

187  *"alfinetada provocativa"*: Memorando de Goodpaster, 30 de outubro de 1959, DDEL.

188  *"a mentira que dissemos sobre o U-2"*: Ike fez a observação ao jornalista David Kraslow; ela é citada em várias fontes, incluindo David Wise, *The Politics of Lying: Government Deception, Secrecy, and Power* (Nova York: Random House, 1973).

189  *"Bissell provavelmente acreditava"*: Michael Warner, "The CIA's Internal Probe of the Bay of Pigs Affair", *Studies in Intelligence*, inverno 1998-1999, CIA/CSI.

191  *deveria ser eliminado*: As provas de que Eisenhower queria Lumumba morto são definitivas. "O presidente queria se livrar de um homem que ele (assim como muitos outros, inclusive eu) considerava um patife completo e muito perigoso", disse Bissell mais tarde, num relato em entrevista à biblioteca presidencial de Eisenhower. "Não tenho a menor dúvida de que ele queria que Lumumba fosse eliminado, e queria muito e prontamente, como um assunto urgente e de importância muito grande. O telegrama de Allen refletiu esse senso de urgência e prioridade." O testemunho do secretário do NSC Robert Johnson sobre a ordem de Eisenhower para matar Lumumba, dada na reunião do NSC

em 18 de agosto de 1960, e o citado testemunho de Devlin sobre as ordens vindas "do presidente" foram dados a investigadores da Comissão Church. Devlin testemunhou em 25 de agosto de 1975; Johnson testemunhou em 18 de junho e 13 de setembro de 1975. Para o assassinato de Lumumba, veja "Conclusions of the Enquiry Committee", um relatório parlamentar de mil páginas publicado pelo governo da Bélgica em dezembro de 2001. Veja também minutas do NSC, 12 e 19 de setembro de 1960, DDEL. Steve Weissman, ex-diretor de equipe, subcomissão para África da Câmara dos Representantes, deu ao autor uma entrevista esclarecedora sobre a estrutura da operação secreta no Congo; veja também "Opening the Secret Files on Lumumba's Murder", de Weissman, *Washington Post*, 21 de julho de 2002. Depois do assassinato, Nikita Kruschev teve uma conversa com o embaixador americano em Moscou, que relatou num telegrama secreto a Washington: "Em relação ao Congo, K disse que o que aconteceu lá, particularmente o assassinato de Lumumba, ajudou o comunismo. Lumumba não era comunista e ele duvidava de que ele teria se tornado um." FRUS, 1961-1963, vol. X, documento 51. Entretanto, Moscou criou a Universidade da Amizade Patrice Lumumba para estudantes da África, da Ásia e da América Latina, e a KGB a usou como um fértil campo de recrutamento. Mas a inteligência soviética nunca voltaria ao Congo governado por Mobutu, que dirigiu pessoalmente a tortura do último oficial da inteligência soviética que ele expulsou da capital, na qual o oficial foi levado a crer que seria executado.

191　*a CIA deu a Mobutu US$ 250 mil*: O testemunho pessoal sobre os subornos a aliados da CIA no Congo é de Owen Roberts, mais tarde embaixador durante o governo do presidente Ronald Reagan. Roberts era o principal especialista em Congo no escritório de inteligência e pesquisa do Departamento de Estado em Washington, em 1960. Trabalhara dois anos na capital congolesa e foi o primeiro oficial americano do serviço diplomático que conhecia pessoalmente todos os novos líderes. Financiado pela CIA, trabalhou num extenso estudo sobre o país, em 1960, e foi o oficial que acompanhou o primeiro-ministro Lumumba, o presidente Joseph Kasavubu e dezoito de seus ministros em visita a Washington e às Nações Unidas, onde a assembléia-geral se reuniu em setembro de 1960. "A CIA fez alguns subornos, eu sei", à delegação congolesa nas Nações Unidas, disse o embaixador Roberts. Depoimento gravado de Roberts, FAOH.

193　*"Fizemos um grande esforço"*: Entrevista de Bissell em Piero Gleijeses, "Ships in the Night: The CIA, the White House, and the Bay of Pigs", *Journal of Latin American Studies*, vol. 27, 1995, pp. 1-42.

195　*"um velho cansado"*: Depoimento gravado de Lehman, "Mr. Current Intelligence", *Studies in Intelligence*, verão de 2000, CIA/CSI.

195　*"valeram o risco"*: "Report from the Chairman of the President's Board of Intelligence Consultants" e "Sixth Report of the President's Board of Consultants", 5 de janeiro de 1961, DDEL; "Report of the Joint Study Group", 15 de dezembro de 1960, DDEL; Lyman Kirkpatrick, memorando para o diretor da central de inteligência, "Subject: Summary of Survey Report of FI Staff, DDP", sem data, CIA/CREST; minutas do NSC, 5 e 12 de janeiro de 1961, DDEL.

196 *"Lembrei ao presidente"*: Gordon Gray, memorando de reunião com o presidente Eisenhower, 18 de janeiro de 1961, DDEL.

196 *"uma derrota de oito anos"* e *"um legado de cinzas"*: Memorando da discussão na 473ª reunião do NSC, 5 de janeiro de 1961, DDEL; memorando do Diretor da Central de Inteligência Dulles, 9 de janeiro de 1961 (Dulles alegando que havia "corrigido deficiências" no serviço clandestino e que agora tudo era "satisfatório"); memorando da discussão na 474ª reunião do NSC, 21 de janeiro de 1961, DDEL (Dulles dizendo que a inteligência americana estava "melhor do que nunca", que criar um diretor de inteligência nacional seria "ilegal" e que esse diretor seria "um corpo flutuando em lugar nenhum". As minutas do NSC liberadas, publicadas em 2002, não são anotações literais, mas conservam a ira e a frustração do presidente. Todas foram reunidas em FRUS, 1961-1963, vol. XXV, divulgado em 7 de março de 2002.

PARTE TRÊS

*Capítulo 17*

199 *"O senador Kennedy pediu uma avaliação do presidente"*: "Transfer: January 19, 1961, Meeting of the President and Senator Kennedy", liberado em 9 de janeiro de 1997, DDEL.

199 *"Ele tinha suas câmaras de tortura"*: Depoimento gravado de Dearborn, FAOH. Esta é uma entrevista extraordinariamente franca.

200 *"O grande problema agora"*: Anotações de RFK citadas em relatório da Comissão Church.

201 *O pior que poderia acontecer*: Exceto quando apontado em contrário, a reconstituição da invasão da Baía dos Porcos neste capítulo é extraída diretamente de *The Foreign Relations of the United States, 1961-1963*, vol. 10, *Cuba, 1961-1962*, liberado em 1997, e seus suplementos em microfilme, publicados em 1998, vol. 11; *Cuban Missile Crisis and Aftermath, 1962-1963*, liberado em 1996, e seus suplementos em 1998; e Jack Pfeiffer, *Evolution of CIA's Anti-Castro Policies, 1951-January 1961*, vol. 3 de *Official History of the Bay of Pigs Operation*, CIA, NARA. As citações de Jake Esterline são de transcrição da conferência de Musgrove, em James G. Blight e Peter Kornbluh (eds.), *Politics of Illusion: The Bay of Pigs Invasion Reexamined* (Boulder, CO: Lynne Rienner, 1998).

203 *uma outra operação*: O chefe do posto que tentou subornar o governo era Art Jacobs, amigo de Frank Wisner da escola de direito e guardião nos primeiros dias da CIA. Era um homem pequeno conhecido na época como Ozzard of Wiz.[41] "Tínhamos um bandido em Cingapura, um ministro do gabinete estava na folha de pagamento da CIA", relembrou o embaixador Sam Hart, na época oficial de política na embaixada

---

[41]Trocadilho com Wizard of Oz: Mágico de Oz. (*N. do T.*)

americana na Malásia. "Uma noite, eles o conectaram a um polígrafo num esconderi-jo... O M-5 de Cingapura estourou o esconderijo e lá estava o ministro de gabinete ligado ao polígrafo." Depoimento gravado de Hart, FAOH. A carta subseqüente de Rusk dizia: "Querido Senhor Primeiro-Ministro: estou profundamente abalado... lamento muito... incidente infeliz... atividades impróprias... muito sério... reavaliar atividades desses oficiais para possíveis ações disciplinares."

203 *não poderia lançar ataques aéreos*: Cabell e Bissell, memorando para o general Maxwell D. Taylor, "Subject: Cuban Operation", 9 de maio de 1961, JFKL, DDRS.

204 *O presidente disse que não tinha conhecimento de que haveria qualquer ataque aéreo na manhã do Dia D*: FRUS, vol. XI, 25 de abril de 1961 (Taylor Board).

205 *"Chegou a hora da decisão"*: Robert F. Kennedy ao presidente, 19 de abril de 1961, JFKL, citado em Aleksandr Fursenko e Timothy Naftali, *One Hell of a Gamble* (Nova York: Norton, 1997), p. 97.

205 *"Senhor Presidente, eu estava bem aqui"*: Os assessores eram Theodore Sorensen e Arthur Schlesinger, e seus relatos são, respectivamente, *Kennedy* (Nova York: Harper and Row, 1965) e *Robert Kennedy and His Times* (Boston: Houghton Mifflin, 1978).

206 *um instrumento do governo que ele havia desdenhado*: O presidente Kennedy arrancou da Casa Branca os fios usados para governar o uso do poder secreto. Eisenhower ha-via exercido o poder presidencial por meio de um rigoroso sistema de equipe, como o do exército. Kennedy o atirou para todo lado como se fosse uma bola. Dias depois de assumir o poder, ele aboliu o painel de consultores de inteligência do presidente e o Grupo de Coordenação de Operações. Eram instituições imperfeitas, mas melhores do que nada, que foi o que John Kennedy construiu em seu lugar. A reunião do NSC pós-Baía dos Porcos foi a primeira discussão séria sobre ações secretas em mesa-re-donda no governo Kennedy.

206 *"Sou o primeiro a reconhecer"*: Dulles citado em "Paramilitary Study Group Meeting" (Grupo de Taylor), 11 de maio de 1961, liberado em março de 2000 e disponível online em http://www.gwu.edu/nsarchiv/NSAEBB/NSAEBB29/06-01.htm.

207 *"pegar o balde com os restos"*: Smith citado em "Paramilitary Study Group Meeting" (Grupo de Taylor), 10 de maio de 1961, NARA.

207 *"Ele deixa um duradouro legado"*: Bissell, *Reflections of a Cold Warrior: From Yalta to the Bay of Pigs* (New Haven, Connecticut: Yale University Press, 1996), p. 204. Bissell passou a acreditar que deixara a CIA com "um legado que ainda não foi posto sob perspectiva histórica e talvez nunca seja". Em testemunho secreto liberado em 1996, Bissell fez sua avaliação do serviço clandestino da CIA: "Em parte devido a minhas próprias falhas e deficiências, no fim dos anos 60 a Agência já tinha, na minha opi-nião, uma atuação bastante lamentável... Revendo todo o espectro dos diferentes ti-pos de operação secreta — que envolviam operações de propaganda, operações paramilitares, operações de ação política e todo o âmbito — o Serviço Clandestino não é um lugar onde se poderia encontrar competência profissional." Bissell disse que a habilidade básica em questões militares, análise política e análise econômica não havia

sido desenvolvida na CIA. A agência se tornara nada mais do que uma burocracia se-creta — e "muito descuidada". Testemunho de Bissell, Comissão do Presidente para Atividades da CIA (Comissão Rockefeller), 21 de abril de 1975, GRFL.

208 *"e inconfundível autoconfiança"*: Richard Helms com William Hood, *A Look over My Shoulder: A Life in the Central Intelligence Agency* (Nova York: Random House, 2003), p. 195.

208 *"um homem que as pessoas amariam"*: James Hanrahan, "An Interview with Former CIA Executive Director Lawrence K. 'Red' White", *Studies in Intelligence,* vol. 43, no. 1, in-verno 1999-2000, CIA/CSI.

209 *McCone tentou fazer um grande retrato*: Em sua viagem pelo mundo para se reunir com os soldados — no retiro dos chefes de postos no Extremo Oriente, localizado em Baguio, nas montanhas das Filipinas, em outubro de 1961 — McCone escolheu um novo vice-diretor para atuar como analista-chefe de inteligência da CIA: Ray Cline, na época chefe do posto em Taipé.

210 *Foram várias as operações sobre as quais McCone e o Grupo Especial pouco ou nada sabiam*: Chefes de divisão como J. C. King, que trabalhara durante uma década sob o coman-do de Dulles, não viam qualquer problema em dirigir operações como bem queriam. McCone também nunca soube que sua nomeação havia provocado uma rebelião in-terna na agência. "Eu, por exemplo, subestimei a força da oposição no segundo e no terceiro nível da CIA", disse McGeorge Bundy ao presidente. "Alguns homens muito bons estavam inquietos." Robert Amory, vice-diretor de inteligência, considerou a nomeação de McCone "uma jogada política barata". Outros opositores dentro da CIA temiam que McCone sacrificasse a agência aos jovens leões da Casa Branca. Outros ainda, no serviço clandestino, estavam insatisfeitos com a chegada ao poder de alguém de fora.

210 *"O presidente explicou"*: Memorando de McCone, 22 de novembro de 1961, FRUS, vol. X.

210 *"uma unidade de espionagem"*: Memorando de McCone para o arquivo, 13 de janeiro de 1964: "Eu tenho sentido e expressado ao atual presidente Kennedy, ao presidente Johnson, ao secretário Rusk e a outros que a imagem do DCI e da CIA precisa ser mudada. Suas responsabilidades básicas e principais, por lei, são reunir toda a inteli-gência, analisar, avaliar, estimar e reportar essa inteligência em benefício de estrate-gistas. Essa função tem submergido e a CIA tem sido sistematicamente tratada como uma unidade de espionagem cujas atividades envolvem (quase exclusivamente) ope-rações planejadas para derrubar governos, assassinar chefes de Estado, envolver-se em assuntos políticos de Estados estrangeiros... Eu gostaria de tentar mudar essa imagem." FRUS, 1964-1968, vol. XXXIII, documento 184. McCone era "um homem que acredi-tava que tinha dois papéis: um deles era dirigir a Agência e o outro, ser um dos estra-tegistas do presidente". Depoimento gravado de Richard Helms, 16 de setembro de 1981, LBJL. McCone disse que argumentava regularmente que a CIA "ao longo dos anos ti-nha sido subordinada a atividades operacionais" e que "isso precisava mudar". Me-morando de McCone, "Discussion with Attorney General Robert Kennedy", 27 de

dezembro de 1961, CIA/CREST. Ele esboçou e obteve um entendimento por escrito de que seria "o principal oficial de inteligência do governo". JFK a McCone, 16 de janeiro de 1962, CIA/CREST.

211 *"Agora você está vivendo no olho do furacão"*: David S. Robarge, "Directors of Central Intelligence, 1946-2005", *Studies in Intelligence*, vol. 49, nº 3, 2005, CIA/CSI.

211 *"Berlim era uma farsa"*: Entrevista de Smith ao autor.

212 *"operações na Alemanha Oriental estavam fora de questão"*: Murphy, transcrição de conversa interativa na CNN, 1998, disponível online em http://www.cnn.com/SPECIALS/cold.war/guides/debate/chats/murphy/.

212 *A agência estava completamente inoperante*: Murphy a Helms, "Subject: Heinz Felfe Damage Assessment", 7 de fevereiro de 1963, liberado em junho de 2006, CIA.

212 *"a maior prioridade"*: Helms a McCone, 19 de janeiro de 1962, FRUS, vol. X.

213 *"Dos 27 ou 28 agentes"*: Memorando de McCone, "Discussion with Attorney General Robert Kennedy, 2:45 P.M., 27 December 1961", FRUS, Vol. X.

213 *a Igreja Católica e o submundo cubano*: Lansdale a McCone, 7 de dezembro de 1961, FRUS, vol. X.

213 *"Ed tinha uma aura em torno de si"*: Esterline, transcrição de Musgrove, *Politics of Illusion*, p. 113.

213 *"Vamos em frente com isso, diabos"*: Helms, *A Look over My Shoulder*, p. 205.

214 *"queria respostas rápidas"*: Declaração de Elder a investigadores da Comissão Church, 13 de agosto de 1975, liberada em 4 de maio de 1994.

215 *"o plano tinha a aprovação do presidente"*: A questão sobre se o presidente Kennedy autorizou a CIA a matar Castro pode ser respondida, pelo menos segundo meu entendimento. Em 1975, Bissell testemunhou diante da comissão presidencial liderada pelo vice-presidente Nelson Rockefeller sobre a questão da autorização do presidente a assassinatos cometidos pela CIA.

Rockefeller perguntou a Bissell:
P: Qualquer assassinato ou tentativa de assassinato teria que ter aprovação no mais alto nível?
R: Correto.
P: Do presidente?
R: Correto.

215 *"totalmente louco"*: Houston ao historiador Thomas Powers: "Kennedy ficou louco", disse Houston. "Ficou totalmente louco... Não estava irritado com a conspiração para assassinato, mas com nosso envolvimento com a Máfia." Powers, "Inside the Department of Dirty Tricks", *Atlantic Monthly*, agosto de 1979.

215 *"não tenho a menor dúvida em minha mente de que ele gostaria"*: Entrevista de Helms ao autor. Para mim, isso parece que resolve a questão da autorização de JFK, juntamente com o testemunho de Bissell e o peso esmagador das provas circunstanciais. O

contra-argumento é de que John Kennedy nunca teria feito uma coisa dessas, e esse argumento mostrou ser muito fraco.

216 *"por que eles não deveriam matar o seu?"*: Vale a pena reproduzir o contexto completo da observação de Helms, agora que a CIA está de volta ao negócio dos assassinatos direcionados. "Vamos deixar de lado apenas por um momento a noção da teologia e da moralidade de todos os homens de bem", disse ele em 1978. "Deixando isso de lado, esbarra-se no fato de que se você contrata alguém para matar alguém, imediatamente você está sujeito a chantagens, e isso inclui tanto indivíduos quanto governos. Em resumo, essas coisas inevitavelmente vêm à tona. Esta é a razão mais convincente para não se envolver. Mas aí existe uma consideração secundária. Se você se envolve no negócio de eliminação de líderes estrangeiros, e o recurso é cogitado por governos com mais freqüência do que se gostaria de admitir, há sempre a pergunta sobre quem será o próximo... Se você mata os líderes de outros, por que eles não deveriam matar o seu?" A pergunta pairou por longo tempo na mente de Helms depois de 22 de novembro de 1963. Entrevista de Helms a David Frost, 1978, transcrição completa reimpressa em *Studies in Intelligence,* setembro de 1993, CIA/CSI.

216 *"a CIA estava sofrendo" e "o moral estava bastante comprometido"*: Depoimento gravado de McCone, 19 de agosto de 1970, LBJL. McCone relembrou seu primeiro encontro com o presidente Kennedy, quando lhe foi oferecido o cargo de diretor da central de inteligência: "[JFK disse]: 'Agora, só há quatro pessoas além de Allen Dulles que sabem que estamos tendo essa discussão: Bob McNamara e seu vice Roswell Gilpatric, Dean Rusk e [o presidente da Comissão de Energia Atômica do Senado] o senador Clinton Anderson.' E ele disse, 'não quero que ninguém mais saiba disso, porque se esses f.d.ps. liberais que trabalham no porão desse prédio souberem que estou falando com você sobre isso, vão destruí-lo antes que eu possa confirmá-lo no cargo.'" Depoimento gravado de McCone, 21 de abril de 1988, Instituto de Estudos Internacionais, Universidade da Califórnia em Berkeley.

216 *"propensos a acidentes"... "viciados em álcool"... "algo deva ser feito imediatamente para restaurar o moral na agência"*: Lyman B. Kirkpatrick Jr., "Report of the Task Force on Personnel Management in CIA", 26 de julho de 1962, CIA/CREST; anotações a mão de Kirkpatrick numa reunião da Comissão Executiva, em 6 de agosto de 1962, sobre o relatório, CIA/CREST.

216 *1.300 refugiados cubanos*: Harvey a Lansdale, 24 de maio de 1962, CIA/DDRS.

216 *"45 homens"*: Lansdale ao Grupo Especial Ampliado, 5 de julho de 1962, FRUS, vol. X.

217 *"A CIA pode realmente gerar esses ataques?"*: Lansdale a Harvey, 6 de agosto de 1962, FRUS, vol. X.

## Capítulo 18

219 *John F. Kennedy entrou no Salão Oval e ligou o moderno sistema de gravação novo em folha*: As citações diretas neste capítulo são extraídas de fitas da Casa Branca de Kennedy

recentemente transcritas, exceto quando indicado em contrário. As fitas, memorandos de McCone recentemente liberados e mais de mil páginas de registros internos da CIA formam um rico mosaico da rotina diária da agência no verão e no outono de 1962. As fitas da Casa Branca, de 30 de julho a 28 de outubro de 1962, estão compiladas em Timothy Naftali, Philip Zelikow e Ernest May (eds.), *The Presidential Recordings: John F. Kennedy*, 3 vols. (Nova York: Norton, 2001), produzido pelo Miller Center of Public Affairs. Os memorandos de McCone citados provêm de três fontes: FRUS, CREST e DDRS. As gravações internas da CIA foram obtidas pelo autor em CREST.

220 *O retorno desses investimentos*: Dois anos depois dessa conversa no Salão Oval, Goulart foi derrubado e o Brasil estava a caminho de se tornar um Estado policial. Bobby Kennedy foi ao Brasil para ver a situação com seus próprios olhos: "Não gostei de Goulart", disse ele. O golpe de 1964 apoiado pela CIA resultou no primeiro de uma série de governos militares que comandaram o Brasil por quase vinte anos.

220 *McCone deu sinal verde*: O diretor fazia uma distinção entre um golpe no qual poderia haver um banho de sangue e uma tentativa direcionada de assassinar o chefe de Estado. Um das opções era moral, a outra não; um golpe em que o presidente fosse morto poderia ser deplorável, mas não repreensível.

220 *Em 10 de agosto... O assunto era Cuba*: Quase todos os registros dessa reunião foram destruídos, mas fragmentos foram cuidadosamente reunidos por historiadores do Departamento de Estado a partir de arquivos do diretor da central de inteligência: "McCone sustentou na reunião que a União Soviética tinha Cuba como um bem tão importante que 'os soviéticos não vão deixar que Cuba fracassasse'. Para impedir tal fracasso, McCone achava que a União Soviética daria ajuda econômica, técnica e militar convencional, com mísseis balísticos de médio alcance, que justificaria referindo-se às bases de mísseis americanas na Itália e na Turquia... A questão do assassinato de líderes políticos cubanos surgiu durante a discussão. De acordo com um memorando de 14 de agosto, de Harvey para Richard Helms, a questão foi levantada durante a reunião por McNamara... Em 14 de abril de 1967, McCone enviou de seu retiro um memorando para Helms, que se tornara diretor da central de inteligência, no qual abordava a discussão da reunião de 10 de agosto: 'Lembro-me de uma sugestão apresentada para liquidar pessoas do topo do regime de Castro, incluindo Castro. Imediatamente fui contra a sugestão, afirmando que o assunto estava completamente fora de cogitação, uma vez que o governo americano e a CIA estavam preocupados e a idéia não deveria ser discutida nem aparecer em qualquer documento, já que o governo não poderia considerar essas ações com base em argumentos morais ou éticos.'" FRUS, vol. X, nota editorial, documento 371. McCone levantou a questão das armas nucleares em Cuba pela primeira vez numa reunião do Grupo Especial em 12 de março de 1962: "Poderíamos agora desenvolver uma política de ação se bases militares forem instaladas em solo cubano?" FRUS, vol. X, documento 316. Mas em 8 de agosto de 1962, apenas dois dias antes de fazer sua primeira advertência de que mísseis soviéticos seriam enviados a Cuba, McCone dissera a um grupo de 26 senadores republicanos que

sabia "que não havia qualquer míssil ou base de mísseis em Cuba". "Reunião em almo-ço com o chefe da Comissão de Política Republicana do Senado", 8 de agosto de 1962, liberado em 12 de maio de 2005, CIA/CREST.

221 *"Se eu fosse Kruschev"*: Walter Elder, "John McCone, the Sixth Director of Central Intelligence", cópia de rascunho, CIA History Staff, 1987, liberado parcialmente e divulgado em 1998.

221 *"os soviéticos seriam o Número Um"*: Ford citado em John L. Helgerson, "CIA Briefings of Presidential Candidates", maio de 1996, CIA/CSI.

221 *"Eles tinham gráficos na parede"*: Ford citado pelo autor, *The New York Times*, 20 de julho de 1997.

222 *"Fui ver o presidente Kennedy"*: Entrevista de Jagan ao autor.

222 *"os Estados Unidos apóiam a idéia"*: "Interview Between President Kennedy and the Editor of *Izvestia*", 25 de novembro de 1961, FRUS, vol. V.

222 *"uma operação realmente secreta"*: Memorando de Schlesinger, 19 de julho de 1962, FRUS, vol. XII.

222 *era hora de agir*: Memorando a Bundy, 8 de agosto de 1962.

222 *O presidente lançou uma campanha de US$ 2 milhões*: O autor apresentou algumas das conseqüências disso em "A Kennedy-C.I.A. Plot Returns to Haunt Clinton", *The New York Times*, 30 de outubro de 1994. O artigo abordou a luta para liberação de registros do governo sobre a operação secreta. Em 2005, o Departamento de Estado publicou a seguinte 'nota editorial' em FRUS, 1964-1968, vol. XXXII: "Durante a administração de Johnson, o governo dos EUA deu continuidade à política da administração de Kennedy de trabalhar com o governo britânico para incentivar e apoiar os líderes pró-Ocidente e as organizações políticas da Guiana Britânica, enquanto a colônia que se autogovernava caminhava para a independência total. A Comissão 303/Grupo Especial aprovou aproximadamente US$ 2,08 milhões em programas de ação secreta entre 1962 e 1968 naquele país. A política dos EUA incluía oposição secreta a Cheddi Jagan, na época o líder pró-marxista da população indiana do leste da Guiana Britânica. Uma parte dos fundos autorizados pela Comissão 303/Grupo Especial para programas de ação secreta foi usada entre novembro de 1962 e junho de 1963 para melhorar as perspectivas de eleição de partidos políticos de oposição ao governo do Partido Progressista do Povo, de Jagan. O governo dos EUA exortou com sucesso os britânicos a impor um sistema de representação proporcional na Guiana Britânica (que favorecia as forças anti-Jagan) e a adiar a independência até que as forças anti-Jagan conseguissem se fortalecer."

A nota continuava: "Por meio da Agência Central de Inteligência, os Estados Unidos forneceram aos partidos políticos de Forbes Burnham e Peter D'Aguiar, de oposição a Jagan, dinheiro e orientação para a campanha, enquanto eles se preparavam para a disputa nas eleições parlamentares de dezembro de 1964. O financiamento e a ajuda técnica secretos do governo dos EUA visavam a desempenhar um papel decisivo no registro de eleitores que tendiam a votar contra Jagan. Foi registrado um grande número de aliados de Burnham e D'Aguiar, o que ajudou a eleger uma coalizão anti-Jagan. Os fundos da Comissão 303/Grupo Especial aprovados foram novamente usados entre julho de 1963 e abril de 1964 em conexão à greve geral de 1964 na Guiana Britânica. Quando aliados de Jagan e Burnham se enfrentaram num conflito trabalhista nas plantações de cana-de-açúcar naquele ano, os Estados Unidos se uniram ao governo britânico para exortar Burnham a não reagir com violência, e sim se comprometer com um fim mediado do conflito. Ao mesmo tempo, os Estados Unidos forneceram treinamento a certas forças anti-Jagan para capacitá-las a se defender quando atacadas e insuflar seu ânimo.

"Depois da greve geral, os fundos da Comissão 303 aprovados foram usados para apoiar a eleição de uma coalizão do Congresso Nacional do Povo, de Burnham, e da Força Unida, de D'Aguiar. Depois que Burnham foi eleito premiê, em dezembro de 1963, o governo dos EUA, novamente por meio da CIA, continuou a fornecer fundos substanciais tanto a Burnham quanto a D'Aguiar e a seus partidos. Em 1967 e 1968, os fundos da Comissão 303 aprovados foram usados para ajudar a coalizão de Burnham e D'Aguiar a disputar e vencer as eleições gerais de dezembro de 1968. Quando o governo dos EUA soube que Burnham usaria cédulas de votação fraudulentas de eleitores ausentes para continuar no poder nas eleições de 1968, advertiu-o a não lançar mão desse recurso, mas não tentou impedi-lo."

222  *"a área mais perigosa do mundo"*: Memorando de conversa, 30 de junho de 1963, Birch Grove, Inglaterra, "Subject: British Guiana". Os participantes incluíram o presidente Kennedy, Dean Rusk, o embaixador David Bruce, Mc-George Bundy, o primeiro-ministro Harold Macmillan, lorde Home, e sir David Ormsby-Gore. FRUS, vol. XII.

223  *"tudo sobre os truques sujos"*: Naftali, Zelikow e May, *The Presidential Recordings*. Mais tarde, naquele dia, o presidente leu em voz alta um trecho do documento da doutrina, um clássico do prolixo jargão geoestratégico: *No interesse da segurança nacional dos EUA, irá se buscar substituir a liderança local por líderes nativos mais receptivos e simpáticos à necessidade de eliminar as crescentes áreas de dissensão... procurando assegurar que a modernização da sociedade local evolua em direções que permitam um ambiente mundial apropriado à frutífera cooperação internacional e ao nosso modo de vida.* "Isso é um monte de bobagens", disse Kennedy, com desdém.

223  *Em 21 de agosto, Robert Kennedy perguntou a McCone*: RFK lembrou o incidente "Lembre-se do Maine" — um ataque orquestrado a Guantánamo — na reunião e continuou a defendê-lo durante a crise dos mísseis. Memorando de McCone, 21 de agosto de 1962, em "CIA Documents on the Cuban Missile Crisis", CIA/CSI, 1992; Memorando de McCone sobre a reunião McCone-JFK, 23 de agosto de 1962, FRUS, Vol. X, documento 385.

223  *"Como estamos indo com a preparação daquele negócio para Baldwin?"*: Naftali, Zelikow, e May, *The Presidential Recordings*. O FBI de J. Edgar Hoover interrogou Baldwin e grampeou seu telefone em casa. Baldwin era formado na academia naval, da qual se afastara em 1927. Trabalhava como analista militar para o *New York Times* desde 1937, ganhara o Prêmio Pulitzer por seus despachos em Guadalcanal e no Pacífico oeste em

1943 e era uma voz fielmente pró-militares nas páginas do jornal. Suas fontes no Pentágono eram de primeira linha. Depois de receber a visita do FBI, o jornalista do *Times*, abalado, disse a um colega numa conversa grampeada pelo FBI na noite de 30 de julho: "Acho que a verdadeira resposta para isso é Bobby Kennedy e o próprio presidente, mas particularmente Bobby Kennedy pressionando Hoover." Uma transcrição dessa conversa estava na mesa do procurador-geral no dia seguinte. O grupo de assessoria em inteligência externa do presidente se reuniu com John Kennedy na tarde do dia seguinte e lhe disse que o trabalho de Baldwin era um grave perigo para os Estados Unidos. "Sugeriríamos que o Diretor da Central de Inteligência seja incentivado a desenvolver um grupo de especialistas que ficaria permanentemente disponível para acompanhar vazamentos na segurança... uma equipe disponível a ele, atuando sob sua direção", disse James Killian, autor do relatório sobre o "ataque surpresa" de 1954, sob o governo Eisenhower. Clark Clifford, membro do grupo e redator do alvará da CIA na Lei de Segurança Nacional de 1946, quando era conselheiro da Casa Branca de Harry Truman, exortou o presidente Kennedy a criar na CIA "um grupo permanente que trabalhe nisso em tempo integral". "Eles podem descobrir quem são os contatos de Hanson Baldwin", disse Clifford. "Quando ele vai ao Pentágono, com quem se encontra? Ninguém sabe hoje. O FBI não sabe. Mas acho que seria bem interessante." Os muitos amigos de Clifford no sistema de Washington teriam ficado chocados com essa impostura. Audiências no Congresso em 1975 puseram a responsabilidade por aqueles grampos somente sobre o procurador-geral Kennedy e o FBI — e não sobre o presidente Kennedy e a CIA.

224 *"Ficaria bastante feliz"*: McCone a Kennedy, 17 de agosto de 1962, liberado em 20 de agosto de 2003, CIA/CREST.

225 *"relutância ou temor compreensível"*: McCone, "Memorandum for: The President/The White House", 28 de fevereiro de 1963, JFKL.

225 *"Ponha-o na caixa e feche-a com pregos"* e *"repugnância geral"*: "CIA Documents on the Cuban Missile Crisis", CIA/CSI, 1992.

225 *"que queira começar uma guerra?"*: "IDEALIST Operations over Cuba", 10 de setembro de 1962, CIA/CREST.

225 A falta de fotos: Os motivos para a "falta de fotos" estão em Max Holland, "The 'Photo Gap' That Delayed Discovery of Missiles in Cuba", *Studies in Intelligence*, vol. 49, no 4, 2005, CIA/CSI.

226 *"Eu nunca soube o nome dele"*: Halpern em James G. Blight e Peter Kornbluh (eds.), *Politics of Illusion: The Bay of Pigs Invasion Reexamined* (Boulder, Colorado: Lynne Rienner, 1998).

226 *"uma discussão considerável (um pouco acalorada)"*: "CIA Documents on the Cuban Missile Crisis", CIA/CSI, 1992.

226 *"atividades maciças'"*: "Minutes of Meeting of the Special Group (Augmented) on Operation Mongoose, 4 October 1962", liberado em 19 de fevereiro de 2004, CIA/ CREST; memorando de McCone, 4 de outubro de 1962, FRUS, vol. X.

227  *"A surpresa quase total na inteligência"*: O relatório sobrevive num trecho liberado de
     uma nota editorial em FRUS, 1961-1963, vol. XXV, documento 107, e numa versão de
     1992 em "CIA Documents on the Cuban Missile Crisis", CIA/CSI, 1992, pp. 361-371.

228  *"Aquelas coisas que nós temíamos"*: McGeorge Bundy, *Danger and Survival* (Nova York:
     Random House, 1988), pp. 395-396.

228  *"Que vá tudo para o inferno"*: Richard Helms com William Hood, *A Look over My Shoulder:
     A Life in the Central Intelligence Agency* (Nova York: Random House, 2003), p. 208.

228  *"também enganamos a nós mesmos"*: Robert Kennedy, *Thirteen Days* (Nova York:
     Norton, 1969), p. 27.

*Capítulo 19*

229  *O presidente apertou uma tecla e ligou seu gravador*: Até 2003, a questão sobre o que
     havia realmente nas fitas da Casa Branca ainda era motivo de forte discussão. Depois
     de quatro décadas, o que realmente aconteceu, e quem disse o que para quem, foi re-
     solvido por uma transcrição confiável, resultado de mais de vinte anos de trabalho de
     Sheldon Stern, historiador da Biblioteca Presidencial John F. Kennedy.
        O conhecimento convencional sustenta que a prova de fogo da crise dos mísseis
     cubanos transformou John e Robert Kennedy, tornando um comandante-em-chefe
     imaturo num líder brilhante, transformando o jovem Bobby de falcão em pomba, e
     fazendo a Casa Branca deixar de ser um seminário de Harvard para se tornar um templo
     de sabedoria. Em parte, isso é um mito, fundamentado em registros históricos impreci-
     sos e falsificados. O presidente Kennedy alimentou jornalistas favoráveis a ele com his-
     tórias poéticas mas claramente falsas. O livro de Robert Kennedy sobre a crise,
     publicado postumamente, contém invenções e diálogos fictícios, repetidos por historia-
     dores em outros casos confiáveis e pelo ciclo leal de acólitos de Kennedy.
        Agora sabemos que os Kennedy distorceram os registros históricos e esconderam a
     maneira como a crise foi resolvida. E agora podemos ver que quando eles fizeram um
     caminho para sair da crise, estavam, na maioria das vezes, seguindo um curso traçado
     por John McCone. Vide Sheldon Stern, *Averting "The Final Failure": John F. Kennedy and
     the Secret Cuban Missile Crisis Meetings* (Stanford, Califórnia: Stanford University Press,
     2003). Este capítulo se baseia em transcrições de Stern e em memorandos de McCone
     liberados, exceto onde indicado em contrário.

230  *Pensando nas missões da Mongoose*: Carter, "16 October (Tuesday)/(Acting DCI)", li-
     berado em 19 de fevereiro de 2004, CIA/CREST; "Mongoose Meeting with the Attorney
     General", 16 de outubro de 1962; "CIA Documents on the Cuban Missile Crisis", CIA/
     CSI, 1992; Aleksandr Fursenko e Timothy Naftali, *One Hell of a Gamble* (Nova York:
     Norton, 1997), pp. 227-228.

232  *As seis páginas de anotações*: McCone, "Memorandum for Discussion Today", CIA/
     CREST; memorando de McCone sem título; e "Talking Paper for Principals", todos
     datados de 17 de outubro de 1962, liberados em 5 de março de 2003.

233 *"as opiniões obviamente mudaram"*: Gravações presidenciais, 19-22 de outubro, JFKL.

233 *"o curso que eu recomendava"*: Memorandos de McCone, 19-22 de 1962, CIA/CREST. Uma reunião formal do Conselho de Segurança Nacional foi realizada no Salão Oval da Mansão do Executivo às 14h30 de sábado, 20 de outubro. A reunião não foi gravada, mas informes e anotações a mão de Cline sobrevivem, assim como o registro formal do secretário do NSC, Bromley Smith. As notas de Cline estão em "CIA Documents on the Cuban Missile Crisis", CIA/CSI, 1992.

237 *"nunca houve esse tipo de acordo"*: Depoimento gravado de McCone, 21 de abril de 1988, Instituto de Estudos Internacionais, Universidade da Califórnia em Berkeley.

237 *"ele é um verdadeiro idiota, esse John McCone"*: Essa reclamação foi registrada em fita em 4 de março de 1963, gravações presidenciais, JFKL. Foi relatada pela primeira vez pelo historiador Max Holland, autor de *The Kennedy Assassination Tapes* (Nova York: Knopf, 2004), e relembrada em sua monografia "The 'Photo Gap' That Delayed Discovery of Missiles in Cuba", *Studies in Intelligence,* vol. 49, nº 4, 2005, CIA/CSI.

237 *McCone tentara pôr um freio na Mongoose*: As ações de McCone estão refletidas nas fitas da reunião das 10h de 26 de outubro, em seus memorandos e no registro da reunião feito pelo FRUS. A transcrição da fita é fragmentada. Em 30 de outubro, "o sr. McCone declarou que todas as operações MONGOOSE precisam ser mantidas em suspenso até o término desta semana de negociações". Marshall Carter, memorando para registro, 30 de outubro de 1962, liberado em 4 de novembro de 2003, CIA/CREST. Operações secretas planejadas e conduzidas contra Cuba durante e depois da crise dos mísseis estão detalhadas em FRUS, vol. XI, documentos 271, 311, 313 e 318-315.

238 *a última missão para matar Fidel Castro*: O plano está descrito no relatório do inspetor-geral da CIA a Helms, de 1967, liberado em 1993. J. S. Earman, Inspetor-Geral, "Subject: Report on Plots to Assassinate Fidel Castro, 23 May 1967", CIA. As citações nos parágrafos seguintes são extraídas do relatório.

John McCone nunca descobriu sobre o último plano até que este foi revelado. Mas chegou perto. Em 15 de agosto de 1962, um repórter do *Chicago Sun-Times* telefonou para a sede da CIA, perguntando sobre ligações entre o notório chefe da Máfia Sam Giancana, a CIA e os cubanos anti-Castro. Suas palavras chegaram a McCone, que perguntou a Helms se havia possibilidade de ser verdade. Em resposta, Helms lhe passou um memorando de três páginas do chefe de segurança da CIA, Sheffield Edwards. O documento registrava que RFK fora informado, em 14 de maio de 1962, sobre "uma delicada operação da CIA" realizada contra Fidel Castro entre agosto de 1960 e maio de 1961, envolvendo "certos interesses em jogos de azar" representados por "um John Rosselli de Los Angeles" e um "Sam Giancana de Chicago". O procurador-geral conhecia muito bem aqueles nomes. O memorando nunca mencionava assassinato, mas seu significado estava claro. Helms o entregou a McCone com um bilhete de próprio punho: "Suponho que você esteja consciente da natureza da operação discutida em anexo." McCone se tornou intensamente consciente durante os quatro minutos que levou para ler o memorando. Ficou indescritivelmente furioso.

Pode ser por isso que Helms nunca tenha se importado em lhe dizer sobre o novo plano de assassinato que FitzGerald estava liderando — ou sobre quem estava encarregado do plano. Em 1975, Helms disse a Henry Kissinger que Bobby Kennedy tinha "coordenado pessoalmente" mais de uma tentativa de assassinato contra Fidel Castro. Kissinger e Ford, memorando de conversa, 4 de janeiro de 1975, GRFL.

## Capítulo 20

241 *"Precisamos assumir uma boa parte da responsabilidade por isso"*: Fitas de JFK, 4 de novembro de 1963, JFKL. A gravação, que vale a pena ouvir, está disponível online em http://www.whitehousetapes.org/clips/1963_1104_jfk_vietnam_memoir.html.

241 *"Eu era uma parte importante de toda a conspiração"*: O testemunho de Conein a investigadores do Senado, em 1975, foi liberado em setembro de 1998. Todas as citações dele nesse capítulo são retiradas dessa transcrição. Nascido em Paris em 1919, Conein foi enviado a Kansas City para viver com uma tia, uma noiva francesa durante a guerra, em 1924. Correu para se alistar no exército francês quando a Segunda Guerra Mundial estourou, em 1939. Quando a França caiu, em 1940, foi para os Estados Unidos e ingressou no OSS. Em 1944, baseado em Argel, foi jogado na França ocupada para se juntar à Resistência. Depois que a França foi libertada, o OSS o enviou para o sul da China para se unir a uma equipe de comando franco-vietnamita designada para atacar um porto japonês no norte do Vietnã. Ele criou uma conexão com o Vietnã. A ligação terminou mal para ambos.

Conein aguarda um biógrafo. Stanley Karnow, historiador e autor de *Vietnam: A History* (Nova York: Viking, 1983), passou setenta horas entrevistando-o, mas abandonou o projeto depois de decidir que seu tema estava começando a se parecer com Ashenden, espião ficcional de Somerset Maugham, um homem tão consumido pela espionagem que não consegue separar suas histórias de fachada da história de sua vida. "Ele era um homem fora de seu tempo", disse Karnow. "Era o mercenário fanfarrão — o sujeito que deixou de existir exceto na ficção. Um contador de histórias maravilhoso. Se as histórias eram verdadeiras ou não, é algo que não estava em questão. Quase sempre eram completamente verdadeiras."

O autor escreveu o obituário de Conein "Lucien Conein, 79, Legendary Cold War Spy", *The New York Times*, 7 de junho de 1998.

242 *"faça o que puder para salvar o Vietnã do Sul"*: Depoimento gravado de Rufus Phillips, FAOH.

242 *"um lugar à beira da ebulição"*: Depoimento gravado de John Gunther Dean, FAOH.

242 *um novo governo laociano*: A decisão de tentar comprar um novo governo foi tomada depois de Allen Dulles advertir o presidente Eisenhower de que "tínhamos muita coisa a temer nas eleições gerais de 1959" no Laos. O presidente respondeu que "seria um assunto sério se um país como o Laos se tornasse comunista pelo voto legal de seu povo". Minuta do NSC, 29 de maio de 1958, DDEL. Os próprios analistas da CIA relataram: "O recomeço da guerra de guerrilha comunista no Laos foi principalmente

uma reação a uma postura anticomunista do governo laociano e a recentes iniciativas dos EUA de apoio ao Laos", 18 de setembro de 1959, liberado em maio de 2001, CIA/ CREST.

242 *"A mala continha dinheiro"*: Depoimento gravado de John Gunther Dean, FAOH.

243 *uma roleta*: Entrevista de James ao autor.

243 *"Foi o verdadeiro sinal verde"*: Depoimento gravado de William Lair, Vietnam Archive Oral History Project, Texas Tech University, entrevista conduzida por Steve Maxner, 11 de dezembro de 2001. Usada com a gentil permissão do sr. Maxner e do arquivo.

244 *duplicar suas forças tribais no Laos e "fazer todo esforço possível para lançar operações de guerrilha no Vietnã do Norte"*: A segunda ordem referida está em Pentagon Papers, *United States-Vietnam Relations, 1945-1967*, vol. 2 (Washington: U.S. Government Printing Office, 1972), p. 18. A primeira está num memorando do Grupo Especial reimpresso em FRUS, vol. XXVIII: "A gênese desse programa está na aprovação em alto escalão do governo dos EUA, no fim de 1960 e no início de 1961, de que a CIA recrutasse apoio tribal ao combate ao comunismo. O principal esforço desse programa tem sido o desenvolvimento do Meo, o maior grupo étnico não-laociano no Laos... Conforme autorizado pelo Grupo Especial em junho de 1963, esse programa se expandiu para se tornar uma força atual de aproximadamente 19 mil guerrilheiros Meo armados (23 mil autorizados) engajados na defesa de vilas e em atividades de guerrilha contra o Pathet Lao."

244 *"a ignorância e a arrogância"*: Richard L. Holm, "Recollections of a Case Officer in Laos, 1962 to 1964", *Studies in Intelligence*, vol. 47, nº. 1, 2003, CIA/CSI.

244 *"os ativistas eram todos a favor de uma guerra no Laos"*: Houve um grande debate na sede da CIA sobre a conveniência de uma guerra no Laos. "A Agência estava bastante dividida", disse Robert Amory Jr., vice-diretor de inteligência de 1953 a 1962. "Os ativistas eram todos a favor de uma guerra no Laos. Achavam que era um ótimo lugar para uma guerra... FitzGerald era fortemente a favor." Amory não era, e logo renunciou, mas não sem antes ajudar a preparar o primeiro grande discurso nacional do presidente Kennedy na televisão, em que o assunto era o Laos, em 23 de março de 1961. O presidente não conseguiu ou não quis pronunciar o nome da nação corretamente; achou que ninguém se importaria com um país chamado "Louse".[42] Disse que o LAY-os[43] estava ameaçado por forças comunistas internas e externas, incluindo especialistas em combate do Vietnã do Norte. "Sua segurança caminha junto com a segurança de todos nós", disse ele à nação. "Na verdadeira neutralidade, observada por todos. Tudo o que queremos no Laos é paz, e não guerra."

244 *Os americanos enviados ao Vietnã eram profundamente ignorantes tanto em relação à história quanto à cultura do Laos*: Ronald H. Spector, *Advice and Support: The Early Years of the United States Army in Vietnam, 1941-1960*, rev. ed. (Nova York: Free Press,

---

[42] Em inglês, a palavra Laos soa como *louse* (piolho). (*N. do T.*)
[43] Em português, a pronúncia soaria como "leios". (*N. do T.*)

1985), pp. x, xi. "Além da propensão a tentar fazer alguma coisa do nada, havia uma ignorância americana em relação à história e à sociedade vietnamita tão maciça e geral que duas décadas de associação com apoio federal, programas de língua intensivos, especiais na televisão e seminários em universidades representaram um progresso muito pequeno", escreveu Spector. "Antes que os Estados Unidos comecem a fazer alguma coisa do nada em outro canto do planeta, líderes americanos devem considerar os fatores históricos e sociais envolvidos."

244 *"Tinham tudo o que queriam"*: Depoimento gravado de Neher, FAOH.

244 *Projeto Tiger*: O autor descreveu o destino dos agentes vietnamitas da CIA em "Once Commandos for U.S., Vietnamese Are Now Barred", *The New York Times,* 14 de abril de 1995. Detalhes definitivos sobre como Hanói enganou a CIA de 1961 a 1963 estão em Richard H. Schultz Jr., *The Secret War Against Hanoi: Kennedy's and Johnson's Use of Spies, Saboteurs, and Covert Warriors in North Vietnam* (Nova York: HarperCollins, 1999). Schultz, diretor de estudos de segurança internacional na Fletcher School of Law and Diplomacy, realizou longas entrevistas para histórias orais e analisou documentos liberados para escrever seu livro.

245 *"Colhemos muitas mentiras"*: Depoimento gravado de Barbour, FAOH.

245 *Em outubro de 1961, o presidente Kennedy enviou*: A concentração de forças paramilitares da CIA na região na época era impressionante, conforme detalhou o general Lansdale num relatório à Casa Branca. No Vietnã, oficiais da CIA comandavam 340 soldados sul-vietnamitas do Primeiro Grupo de Observação, criado pela agência em 1956 e treinado para matar infiltradores vietcongues no sul, no norte e no Laos. De Taiwan, o Transporte Aéreo Civil — empresa aérea da CIA — realizava centenas de missões a cada ano no Laos e no Vietnã; e o exército nacionalista chinês e a CIA treinavam centenas de vietnamitas para servir como oficiais paramilitares. Na Tailândia, as forças paramilitares de Bill Lair consistiam em 550 oficiais tailandeses treinados. Em Fort McKinley, nos arredores de Manila, a CIA dirigia uma escola para soldados filipinos em combate ao comunismo na Ásia. Outras centenas de soldados em treinamento de toda a região estavam sendo enviados para a base da CIA na ilha de Saipan.

245 *"o envio ao Vietnã de algumas forças militares dos EUA"*: Esse segredo de fato era muito grande. O autor obteve uma única cópia do relatório completo e sem censuras de Taylor ao presidente nos arquivos da CIA, em setembro de 2005. Era uma cópia pessoal do vice-diretor da Central de Inteligência Charles Pearre Cabell. Cabell assinalara a frase escrita na margem de sua cópia: *Aos leitores da CIA: Esse conceito precisa ser mantido em grande segurança. CPC.*

246 *"Ninguém gostava de Diem"*: Depoimento gravado de Robert F. Kennedy, JFKL, colhida em Edwin O. Guthman e Jeffrey Shulman (eds.), *Robert Kennedy, in His Own Words: The Unpublished Recollections of the Kennedy Years* (Nova York: Bantam, 1988), p. 396.

247 *"Diem não possa ser preservado"*: Telegrama do Departamento de Estado para a embaixada no Vietnã, Washington, 24 de agosto de 1963, 21h36, FRUS, vol. III.

247 *"Eu não deveria ter dado meu consentimento a isso"*: Fitas de JFK, 4 de novembro de 1963, JFKL.

247 *o presidente havia ordenado que Diem fosse deposto do poder*: Na noite de sábado, 23 de agosto de 1963, quando JFK decidiu derrubar Diem, a notícia vinda do Vietnã era amarga. Comandos sul-vietnamitas treinados pela CIA estavam matando manifestantes budistas, observou o boletim diário da CIA ao presidente naquela manhã, e "Nhu disse a uma fonte dos EUA ontem que os generais recomendaram a imposição da lei marcial. [Nhu] negou que chegasse a ser um golpe, mas advertiu que poderia se tornar se Diem vacilasse ou se comprometesse na questão budista". FRUS, 1961-1963, vol. III, documento 271. Se Kennedy lesse isso, ele teria sido encorajado a aprovar o telegrama de Hilsman autorizando uma ação contra Diem. A história do telegrama de Hilsman foi bem esclarecida por registros do Departamento de Estado liberados na série de Vietnã do FRUS. McCone disse a Dwight Eisenhower que a aprovação casual do presidente ao telegrama descoordenado foi "um dos maiores erros do governo" até hoje — um padrão alto. O ex-presidente ficou furioso. Onde estava o Conselho Nacional de Segurança? O que o Departamento de Estado estava fazendo ao dirigir golpes? McCone respondeu que Kennedy estava cercado de "liberais em seu governo que querem reformar cada país" do mundo. Bem, rebateu Eisenhower, quem nomeou esses malditos liberais? O velho general "expressou muita preocupação com o futuro dos Estados Unidos". Memorando de McCone, "Conference with Former President Eisenhower", 19 de setembro de 1963, DDEL.

247 *Helms entregou a tarefa a Bill Colby, o novo chefe da divisão da CIA para o Extremo Oriente*: É uma terrível ironia que Colby — que, num depoimento gravado de 1982 para a Biblioteca LBJ, disse que "a derrubada de Diem foi o maior erro que cometemos" — possa ter plantado uma semente para isso em 16 de agosto de 1963, memorando a Helms e Roger Hilsman no Departamento de Estado, e Michael Forrestal no NSC. O documento pesou as chances de "um golpe de estado bem-sucedido" e observou que "o assassinato pode ser parte integrante de golpes planejados ou pode ser realizado na esperança de que algo melhor surja de alguma maneira da situação caótica resultante".

247 *"canções que eles talvez cantem"*: Colby citado em Harold Ford, *CIA and the Vietnam Policymakers*, 1996, CIA/CSI, disponível em http://www.cia.gov/csi/books/vietnam/epis1.hmtl. Durante muitos anos, Ford foi um importante analista do Vietnã da CIA.

247 *Na Casa Branca, Helms ouviu*: Helms estava na reunião na Casa Branca em 29 de agosto de 1963 com o presidente, McNamara, Rusk e mais uma dúzia de outros importantes oficiais. O secretário registrou que o embaixador Lodge já havia instruído Rufus Phillips, da CIA, "a dizer aos generais vietnamitas que o embaixador dos EUA está por trás da atitude da CIA". A mensagem aos generais era de que a CIA, a embaixada e a Casa Branca falavam com uma única voz. "O presidente perguntou se alguém fazia alguma ressalva ao curso da ação que estávamos seguindo", e Rusk e McNamara faziam. O presidente decidiu então que "o embaixador Lodge terá autoridade sobre todas as operações públicas e secretas" no Vietnã. Um telegrama pessoal, confidencial,

foi enviado a Lodge, reservando comando presidencial sobre tais operações. Memorando da conferência com o presidente, 29 de agosto de 1963, arquivo de Segurança Nacional, JFKL. O trabalho de Lodge era assegurar que o dedo dos EUA não apareceria. "Recebi minhas instruções do embaixador Lodge", testemunhou Conein. "Se eram instruções telegrafadas, ele tinha um hábito muito bom de deixar de ler alguma coisa. Dobrava a folha de papel e o que era instrução para você ele permitia que você lesse, mas só aquilo, então você não sabia quem estava enviando aquilo ou de onde vinha... 'Essas são as instruções, você entendeu?' 'Sim, senhor.' 'Está bem, vá cumpri-las.'" Para o desejo de sigilo do presidente, veja Bundy a Lodge, 5 de outubro de 1963, FRUS, vol. IV.

248  *"a CIA tem mais dinheiro; casas maiores que as dos diplomatas; salários maiores; mais armas; mais equipamentos modernos"*: O choque entre Lodge e Richardson está registrado de maneira incisiva em John H. Richardson, *My Father the Spy: A Family History of the CIA, the Cold War, and the Sixties* (Nova York: Harper-Collins, 2005).

248  *Lodge decidiu que queria um novo chefe para o posto*: Ele queria especificamente o general Ed Lansdale, o americano feio. Absolutamente não, disse McCone, que não tinha "a menor confiança nele. Eles poderiam substituir Richardson se Lodge quisesse, mas não com alguém de fora". Memorando de conversa ao telefone entre o secretário de Estado e o diretor da central de inteligência, 17 de setembro de 1963, FRUS, 1961-1963, vol. IV, documento 120.

248  *"ele o expôs e deu seu nome publicamente aos jornais"*: Depoimento gravado de RFK, JFKL; Guthman e Shulman, *Robert Kennedy, in His Own Words*, p. 398. A atitude de um embaixador de queimar um chefe de posto não tinha precedentes na história da CIA. McCone enviou um informe de quatro páginas ao presidente Kennedy na véspera de uma entrevista coletiva do presidente, em 9 de outubro de 1963, defendendo a CIA contra a fúria que os vazamentos de Lodge tinham causado. "Não há dúvida de que lhe perguntarão sobre o papel da CIA no Vietnã", escreveu McCone. "As críticas em centenas de artigos jornalísticos e editoriais estão corroendo seriamente o espírito de organização que há dois anos estou tentando recuperar." O presidente aderiu ao informe de McCone em suas respostas à imprensa.

248  *"Tivemos sorte"*: Tran Van Don, *Our Endless War* (São Francisco: Presidio, 1978), pp. 96-99.

248  *"contra o plano de assassinato"*, *"apoiar assassinatos"* e *se eu fosse técnico de um time de beisebol*: Comissão Church, *Alleged Assassination Plots Involving Foreign Leaders*, Interim Report, Senado dos EUA, 94º Congresso, 1ª Sessão, 1975.

249  *"uma completa falta de inteligência"*, *"extremamente perigosa"* e *"desastre absoluto para os Estados Unidos"*: Memorandos de McCone, "Special Group 5412 Meeting", 18 de outubro de 1963, e "Discussion with the President-October 21", CIA/CREST. Veja também Ford, *CIA and the Vietnam Policymakers*.

249  *"Não deveríamos frustrar um golpe"*: Lodge para Bundy e McCone, 25 de outubro de 1963, FRUS, 1961-1963, vol. IV, documento 216. Àquela altura era tarde demais. Em

29 de outubro, McCone, Helms e Colby chegaram à Casa Branca para uma reunião às 16h20 com o presidente, seu irmão e toda a equipe de segurança nacional. Colby apresentou um mapa militar detalhado mostrando que o poder de Diem e as forças dos líderes do golpe estavam igualmente divididas. Assim também estavam os homens do presidente. O Departamento de Estado era a favor; os militares e McCone eram contra. Mas a Casa Branca pusera em movimento uma força que não conseguia conter.

249 *"dinheiro e armas"*: Don, *Our Endless War*, pp. 96-99.

249 *"Diem olhou estranhamente para mim e disse, 'Vai haver um golpe contra mim?'"*: Depoimento gravado de Phillips, FAOH.

249 *O golpe estourou em 1º de novembro*: O relato de Conein aqui provém de seu testemunho à Comissão Church; o tráfego de telegramas é reproduzido em FRUS. Conein disse que Nhu havia combinado com o comandante militar do distrito militar de Saigon de encenar uma falsa revolta vietcongue em Saigon. O plano incluía o assassinato de oficiais americanos importantes. Depois Nhu planejava enviar soldados do contingente do comandante para sufocar a falsa revolta e salvar o Vietnã. Mas o comandante contou aos conspiradores do golpe sobre os planos de Nhu. Conforme Conein explicou, os generais rebeldes "enrolaram Nhu duas vezes": quando o verdadeiro golpe começou, Nhu achou que era seu falso golpe. De acordo com a Comissão Church, Conein deu três milhões de piastras (US$ 42 mil) a um assessor do general Don no fim da manhã de 1º de novembro para que ele fornecesse comida para as forças do golpe e pagasse indenizações por aqueles que haviam sido mortos durante o golpe. Conein disse em seu testemunho que a quantia que levou de sua casa era de cinco milhões de piastras, ou cerca de US$ 70 mil. Colby disse que eram US$ 65 mil.

252 *o presidente se levantou rapidamente e "saiu correndo da sala com uma expressão no rosto de choque e pavor"*: General Maxwell D. Taylor, *Swords and Plowshares: A Memoir* (Nova York: Da Capo, 1990), p. 301. Os telegramas Casa Branca-Saigon citados nesse trecho foram publicados integralmente em FRUS, vol. IV.

252 *"Oi, chefe, fizemos um bom trabalho, não?"*: Depoimento gravado de Rosenthal, FAOH.

## Capítulo 21

Em 1975, a Comissão Seleta do Senado para Estudos de Operações do Governo Relacionadas a Atividades de Inteligência (doravante "Comissão Church") se reuniu sob a presidência do senador Frank Church. Seus investigadores exigiram e receberam depoimentos tomados em segredo e mais tarde tomaram testemunhos públicos limitados. O trabalho de valor duradouro estava em arquivos secretos.

Este capítulo se baseia parcialmente em testemunhos recentemente liberados e disponibilizados por altos oficiais da CIA — entre eles Richard Helms, John Whitten (identificado pelo pseudônimo "John Scelso") e James J. Angleton. Eles deram depoimentos secretos à Comissão Church em 1976 e a uma investigação seguinte, da Comissão Seleta da Câmara para Assassinatos, em 1978 (doravante "HSCA"). Helms, McCone, Angleton e outras pessoas também testemunharam diante da Comissão Rockefeller, criada pelo presidente Ford em 1975. A divulgação dessas transcrições 20 e 25 anos depois do fato lança novas luzes sobre o que a CIA estava pensando depois do assassinato, sobre sua própria investigação do assassinato e sobre seu fracasso por não informar completamente a Comissão Warren.

Os depoimentos foram liberados entre 1998 e 2004, sob a Lei de Coleção de Registros sobre o Assassinato de JFK aprovada pelo Congresso em 1992. Muitos foram publicados em CD-ROM como *Assassination Transcripts of the Church Committee,* disponível online em http://www.history-matters.com. O trabalho de investigação para a agência de John Whitten, da CIA, sobre o assassinato de Kennedy foi localizado na Biblioteca JFK pelo jornalista Jefferson Morley em sua pesquisa para uma biografia, a ser lançada, do chefe do posto na Cidade do México, Win Scott. Ele gentilmente compartilhou cópias com o autor em 2006. Doravante esse trabalho é citado como "relatório Whitten".

253 *"Estou feliz que o Serviço Secreto não nos tenha apanhado":* Richard Helms com William Hood, *A Look over My Shoulder: A Life in the Central Intelligence Agency* (Nova York: Random House, 2003), pp. 227-229.

254 *"O que passou pela* minha *cabeça":* LBJ, conversa ao telefone com Bill Moyers, 26 de dezembro de 1966, LBJL. Muitas das fitas da Casa Branca de Lyndon Johnson relacionadas ao assassinato de Kennedy foram reunidas, editadas, anotadas e publicadas por Max Holland em *The Kennedy Assassination Tapes* (Nova York: Knopf, 2004). Citações retiradas desse trabalho doravante são "Fitas de LBJ/Holland".

254 *"A morte trágica do presidente Kennedy":* Helms, *A Look over My Shoulder,* p. 229.

254 *"O México tinha as maiores e mais ativas operações de interceptação de telefonemas em todo o mundo":* Depoimento de Whitten, 1978.

255 *"A CIA não tinha qualquer fonte":* Relatório de Whitten, sem data, mas dezembro de 1963, CIA/JFKL.

255 *ficou irado:* A reunião de McCone às 23h30 de 22 de novembro de 1963 incluiu o vice-diretor Carter, Richard Helms e o chefe administrativo, Red White, que registrou em seu diário oficial que McCone se dirigiu ao general Carter e "o 'espinafrou' profundamente, e expressou sua grande insatisfação com a maneira como a agência estava sendo dirigida". Diário de L. K. White, 23 de novembro de 1963, CIA/CREST.

256 *"os mais amargos sentimentos":* Whitten deu sua biografia profissional e descreveu suas discussões com Angleton em seus dois depoimentos, em 1976 e 1978; a citação é do segundo.

256 *"Suas visitas às embaixadas cubana e soviética":* Depoimento de Helms, 9 de agosto de 1978, Comissão Especial da Câmara para Assassinatos. Confidencial, liberado em 1º de maio de 2001.

256 *McCone... deu a notícia sobre a conexão cubana:* Memorando de McCone, 24 de novembro de 1963, CIA/CREST; conversa de LBJ e Eisenhower, 27 de agosto de 1965, Fitas de LBJ/Holland.

257 *"esse assassino":* LBJ a Weisl, 23 de novembro de 1963, fitas de LBJ/Holland.

257 *Ele tinha conversado cara a cara*: A inocente explicação era de que oficiais da inteligência soviética na Cidade do México estavam cumprindo seus papéis de oficiais responsáveis por vistos durante o dia, exatamente como faziam os oficiais da CIA em
embaixadas no mundo inteiro. Numa autobiografia, o oficial da inteligência soviética
Oleg Nechiporenko disse que primeiramente ouviu falar e depois testemunhou Oswald
pedindo um visto falando russo precariamente. Ao que parece, ele queria ir a Cuba
para salvar tanto a si mesmo quanto Fidel Castro das forças da inteligência americana-
na: "Oswald estava extremamente agitado e claramente nervoso, principalmente quando mencionou o FBI, mas de repente ficou histérico, começou a chorar e, em meio às
lágrimas, gritou, *'Estou com medo... eles vão me matar. Deixe-me ir!'.* Repetindo várias
vezes que estava sendo perseguido e que estava sendo seguido até mesmo aqui no
México, ele meteu a mão direita no bolso esquerdo de seu casaco e tirou um revólver, dizendo, 'Está vendo? Agora eu tenho que carregar isso para me proteger'."
Nechiporenko, *Passport to Assassination: The Never-Before-Told Story of Lee Harvey
Oswald by the KGB Colonel Who Knew Him* (Secaucus, Nova Jersey: Birch Lane, 1993).

257 *O posto enviou à sede uma lista*: A seqüência de acontecimentos, levantando pela primeira vez a questão sobre se Cubela poderia ser um agente duplo, é reconstituída em
"The Investigation of the Assassination of President John F. Kennedy: The Performance
of the Intelligence Agencies", relatório da equipe da Comissão Church, 1975, liberado
em 2000.

258 *Imediatamente Dulles telefonou para James Angleton*: Depoimento de Angleton,
1978, HSCA.

259 *"Helms percebeu que a revelação dos planos de assassinato refletiria muito mal na agência"*: Testemunho de Whitten, 1976.

259 *"Estávamos pisando com muito cuidado"*: Testemunho de Helms, agosto de 1978, HSCA.

260 *"uma admissão direta"*: Hoover e DeLoach citados em "The Investigation of the
Assassination of President John F. Kennedy". Esse relatório secreto da equipe do Senado, liberado em 2000, 25 anos depois de ser realizado, descobriu que as provas "tendem a impedir o processo pelo qual a comunidade de inteligência fornecia informações
à Comissão Warren". E concluiu: "Há dúvidas sobre se é de fato possível confiar nessas
agências para investigar suas próprias operações e seu próprio desempenho em situações críticas."

260 *"Dezenas de pessoas alegavam que tinham visto Oswald aqui, ali e em todo lugar"*: Testemunho de Whitten, 1976.

261 *"Teríamos enxergado de uma forma mais afiada"*: Esta e todas as outras citações de
Angleton neste capítulo provêm de seu depoimento diante da HSCA, 5 de outubro de
1978, liberado em 1998.

262 *"Gostaria de falar com você"*: Mark contou sobre seu encontro com Nosenko — um
relato até então não publicado — num depoimento gravado do Departamento de Estado, FAOH.

262 *Grande parte se perdeu na tradução*: Por exemplo, Nosenko disse que um sargento do exército na embaixada americana em Moscou que identificou como espião da KGB trabalhava como "reparador de máquinas de códigos". Mais tarde isso apareceu em inglês como "mecânico" de oficina. Quando Nosenko tentou corrigir o registro, foi acusado de mudar sua história.

263 *muita coisa deu errado sob sua vigilância*: Um reconhecimento formal desse fato final-mente apareceu em 2006. Veja "The Angleton Era in CIA", em *A Counterintelligence Reader*, Vol. 3, cap. 2, pp. 109-115, disponível online em http://www.ncix.gov/history/index.html.

264 *a CIA pôs Nosenko em confinamento solitário*: O caso foi narrado anos depois por dois importantes oficiais da CIA: Richards J. Heuer Jr., "Nosenko: Five Paths to Judgment", *Studies in Intelligence*, outono de 1987, CIA/CSI; e John Limond Hart, *The CIA's Russians* (Annapolis, Maryland: Naval Institute Press, 2002), pp. 128-160.

265 *"Reconheci que não podíamos mantê-lo preso em condições deploráveis"*: Entrevista de Helms, *Studies in Intelligence*, dezembro de 1993, CIA/CSI.

265 *sete grandes estudos sobre o caso*: Em 1976, John Limond Hart, da CIA, foi retirado da aposentadoria para reinvestigar o caso Nosenko. Hart descobrira as mentiras de seu predecessor na chefia do posto em Seul, Al Haney, quase um quarto de século antes. Continuara uma carreira de destaque — chefe do posto em Saigon, chefe de obtenção de inteligência estrangeira na China e em Cuba, e chefe de operações para a Europa Ocidental. Conhecia Angleton desde 1948, quando ambos trabalharam juntos em Roma — quando a CIA venceu as eleições italianas, a guerra fria era nova e Angleton ainda era mentalmente são. Em 1976, os dois se reuniram para conversar durante quatro horas sobre o caso de Yuri Nosenko. Quando Hart leu a transcrição no dia seguinte, as palavras não faziam qualquer sentido. "Talvez por sua bebedeira lendá-ria", escreveu Hart, "a mente confusa de Angleton na época se tornou uma caixinha de surpresas cheia de detalhes aleatórios, na maioria totalmente irrelevantes." Hart con-siderou o caso Nosenko "uma abominação", a pior coisa que já havia encontrado du-rante uma vida inteira dedicada ao trabalho de inteligência. Hart, *The CIA's Russians*.

## Capítulo 22

265 *"um maldito bando de marginais"*: LBJ ao senador Eugene McCarthy, 1º de feve-reiro de 1966, disponível online em http://www.whitehousetapes.org/clips/1966_0201_lbj_mccarthy_vietnam.html. LBJ manifestou sua teoria do "castigo divino" — "pois como o presidente Kennedy era visto num certo sentido como responsável pela morte de Diem, em troca ele próprio foi assassinado", confor-me relembrou Richard Helms — numa reunião em 19 de dezembro de 1963 com McCone, Helms e Desmond FitzGerald. LBJ repetiu isso a Hubert Humphrey, que seria seu vice-presidente; Ralph Duggan, um assessor na Casa Branca; e Pierre Salinger, secretário de Imprensa de Kennedy.

267 *"o procurador-geral pretendia permanecer"*: Memorando de McCone, "Discussion with the President, 13 December — 9:30 a.m.", liberado em outubro de 2002, CIA/CREST. O memorando de McCone continuava: "Expliquei ao presidente que eu dissera a Bobby que ele não poderia ter novamente a relação íntima com o presidente que ele tinha com seu irmão, porque aquela era uma relação de sangue, e não uma relação oficial. Um tipo de relação raramente encontrado entre irmãos e nunca encontrado entre oficiais, nem nos negócios nem no governo." Não foi encontrado esse tipo de relação entre o novo presidente e seu procurador-geral. Bobby não tolerava ficar na Casa Branca com Johnson. "Ele é perverso, amargo, cruel — de certa forma um animal", disse ele alguns meses depois, no depoimento gravado de abril de 1964 para a Biblioteca Kennedy.

267 *"'mudar a imagem da CIA'"*: Memorandos de McCone, 28 de dezembro de 1963, 13 de janeiro de 1964 e 20 de fevereiro de 1964. O presidente estava preocupado com sua imagem. Ficou perplexo com a publicação de *The Invisible Government,* o primeiro best-seller sério a analisar a CIA e sua relação com a Casa Branca. O livro revelou a existência do Grupo Especial — a comissão de homens importantes da CIA, do Departamento do Estado, do Pentágono e da Casa Branca que aprovava ações secretas — e deixou claro que no fim das contas eram os presidentes que controlavam essas missões secretas. O presidente do Grupo Especial, o assessor de Segurança Nacional McGeorge Bundy, achou que talvez fosse melhor mudar o nome do grupo. Depois de rejeitar sugestões de sua equipe — entre elas "o Grupo Invisível" — ele publicou o Memorando 303 de Ação de Segurança Nacional, mudando o nome para Comissão 303.

Os registros da comissão liberados mostram que a CIA realizou 163 grandes operações secretas — um pouco menos de cinco a cada mês — durante o governo de Kennedy. No governo do presidente Johnson, foram lançadas 142 novas grandes operações secretas até fevereiro de 1967, um pouco menos de quatro por mês. As deliberações dos membros da comissão freqüentemente eram pro forma. Num período de alguns dias na primavera de 1964, eles aprovaram o envio de armas para o golpe militar que derrubou o governo do Brasil — "não queremos ver o Brasil escoando pelo ralo enquanto permanecemos de lado esperando a próxima eleição" — e enviaram uma ajuda extra de US$ 1,25 milhão para influenciar a eleição presidencial no Chile — "sem problemas, uma vez que podemos conseguir mais se for necessário". O presidente Johnson raramente procurava saber os detalhes dessas decisões, embora elas tivessem a aprovação de seu escritório.

268 *"extremamente preocupado"*: Memorando de McCone, "DCI Briefing of CIA Subcommittees of Senate Armed Services and Senate Appropriations Committees, Friday, 10 January 1964", liberado em 15 de dezembro de 2004, CIA/CREST; Harold Ford, *CIA and the Vietnam Policymakers,* 1996, CIA/CSI, disponível online em http://www.cia.gov/csi/books/vietnam/epis1.html.

268 *"O presidente deveria ser informado de que essa não é uma idéia extraordinária"*: McCone, Helms e Lyman Kirkpatrick citados em William Colby, memorando para registro, "Meeting on North Vietnam", 9 de janeiro de 1964, CIA/CREST.

269 *"bastante insatisfeito"*: Memorandos de McCone, 22 e 29 de abril de 1964 e 22 de outubro de 1964, CIA/CREST; o segundo aparece também em FRUS, vol. XXXIII, documento 219. Vale a pena citá-lo, porque ele mostra que o presidente Johnson e John McCone nunca haviam tido uma conversa substancial sobre a CIA: "Em 22 de outubro, eu me preparava para sair com a senhora McCone, para ir ao funeral de Herbert Hoover. A Casa Branca telefonou e avisou que o presidente requisitava especificamente que o acompanhássemos... Enquanto eu seguia com o presidente, pude discutir vários assuntos com ele. Os itens principais foram: *O presidente afirmou que não sabia muito sobre a organização da CIA...* Enfatizei a objetividade da organização, o fato de que ela não tinha interesse particular limitado a campo algum, mais particularmente aqueles relacionados a política externa e política de defesa. A agência considerava que sua responsabilidade era obter inteligência usando todos os meios possíveis e avaliar nossa própria inteligência bem como aquela obtida por todos os outros membros da comunidade com cuidado e objetividade. *O presidente perguntou qual era o tamanho da organização.* Eu lhe disse que nosso orçamento era de cerca de [*apagado*] e disse que tínhamos cerca de [*apagado*] funcionários. Ele me perguntou sobre as perspectivas futuras. Eu disse que a organização estava bastante abalada, a previsão para os próximos cinco anos não indicava qualquer aumento de pessoal e os aumentos no orçamento eram mínimos e atribuídos em grande parte a aumentos de salário e de recompensas e a outras escaladas. Eu disse que isso era resultado de uma administração bastante cuidadosa e que esperávamos "manter aquela situação", a não ser que novas tarefas fossem determinadas para a agência. Isso exigiria mais pessoas e mais dinheiro. *O presidente perguntou qual a parcela de nosso orçamento que ia para atividades operacionais como ações políticas, paramilitares etc.*, e eu respondi que era cerca de [*apagado*]. *Esta foi a primeira oportunidade que eu tive de discutir a agência com o presidente.* Achei que ele estava interessado e bem impressionado." Memorando de McCone, "Discussion with the President — 22 October 1964", itálicos acrescentados pelo autor.

McCone tentou fazer o presidente prestar atenção ao fato de que o destino de nações poderia mudar com um bem-sucedido truque de espionagem. Ele tinha algumas histórias para contar, e a melhor delas era: um jovem chefe de posto chamado Clair George, designado para Bamako, Mali, uma das capitais mais obscuras do mundo, recebeu uma pista de um membro do governo daquele país em 1964. O oficial africano disse que tinha ouvido um diplomata falar na embaixada chinesa que Pequim poderia realizar seu primeiro teste nuclear em questão de semanas. O relato foi diretamente para a sede da CIA. Um satélite espião já observava as preparações no local do teste chinês. McCone se encarregou pessoalmente da análise. "Sabíamos o que eles estavam fazendo", relembrou ele num depoimento gravado para a Biblioteca LBJ. "Inteligência pesada."

McCone disse à Casa Branca e aos aliados americanos que os chineses testariam uma arma nuclear dentro de 30 a 60 dias: "E no 31º dia eles explodiram a bomba. Fizeram de mim um profeta." Esse golpe da inteligência começou com notícias de um lugar imprevisto — a capital de Mali. Depois disso, Clair George se tornou um homem de sucesso. Vinte anos depois, ele se tornou chefe do serviço clandestino. Mas McCone tinha muito poucas histórias de sucesso.

270  *a nova Agência de Inteligência de Defesa*: A DIA era "um exemplo perfeito de como não criar uma agência do governo", disse o almirante Bobby Ray Inman, que trabalhou como seu vice-diretor em meados de 1970, antes de dirigir a NSA e atuar por um breve período como vice-diretor da central de inteligência. Bobby R. Inman, "Managing Intelligence for Effective Use", Center for Information Policy Research, Universidade de Harvard, dezembro de 1980.

270  *"pegar o NRO e mantê-lo naquele lugar"*: Transcrição de conversa ao telefone entre o diretor da central de inteligência, McCone, e o secretário-assistente de Defesa, 13 de fevereiro de 1964, FRUS, vol. XXXIII, liberado em 2004.

271  *numa confissão bastante detalhada*: Robert J. Hanyok, "Skunks, Bogies, Silent Hounds, and the Flying Fish: The Gulf of Tonkin Mystery, 2-4 August 1964", *Cryptologic Quarterly,* vol. 19, nº 4/vol. 20, nº 1, inverno de 2000/primavera de 2001, liberado em novembro de 2005. A *Cryptologic Quarterly* é uma publicação trimestral oficial e altamente secreta da NSA.

272  *os contratorpedeiros americanos enviaram uma mensagem de emergência avisando que estavam sob ataque*: Oito horas depois, o presidente Johnson perguntou a McCone: "Eles querem uma guerra atacando nossos navios no meio do Golfo de Tonkin?" McCone respondeu: "Não. Os norte-vietnamitas estão reagindo defensivamente a nossos ataques a suas ilhas costeiras. Eles estão respondendo por orgulho."

273  *"McNamara se apossou da Sigint crua"*: Depoimento gravado de Ray Cline, LBJL.

274  *"atirando em peixes-voadores"*: Hanyok, "Skunks, Bogies, Silent Hounds, and the Flying Fish."

*Capítulo 23*

275  *"O Vietnã foi meu pesadelo"*: Richard Helms com William Hood, *A Look over My Shoulder: A Life in the Central Intelligence Agency* (Nova York: Random House, 2003), pp. 309-311.

275  *"nossa ignorância — ou inocência"*: Depoimento gravado de Helms, 16 de setembro de 1981, LBJL.

276  *"'Covarde! Traidor! Fraco!'"*: LBJ citado em Doris Kearns, *Lyndon Johnson and the American Dream* (Nova York: Harper and Row, 1976), pp. 251-252.

276  *"A contra-insurgência se tornou um grito de guerra quase ridículo"*: Depoimento gravado de Amory, JFKL.

276  *"O que precisávamos... era de pessoas que pudessem disparar armas"*: Depoimento gravado de Robert F. Kennedy 14 de maio de 1964, JFKL, colhida em Edwin O. Guthman e Jeffrey Shulman (eds.), *Robert Kennedy, in His Own Words: The Unpublished Recollections of the Kennedy Years* (Nova York: Bantam, 1988), p. 310. O presidente Kennedy criou o Grupo Especial (Contra-insurgência) em 18 de janeiro de 1962, no Memorando de

Ação de Segurança Nacional 124. RFK o liderava — apesar da advertência de McCone de que seria "um constrangimento para Bobby se descobrissem que o procurador-geral estava coordenando truques sujos em favor da comissão de contra-insurgência" — e criou uma grande caixinha de surpresas de programas em todo o mundo em seu nome.

276   *"Nossa Experiência em Contra-Insurgência e suas Implicações"*: De Silva para Colby, sem data, enviado de Colby para McCone via Helms ("Subject: Saigon Station Experiment in Counterinsurgency"), 16 de novembro de 1964; com memorando secreto de Marshall Carter ("McCone's War"), liberado em 29 de maio de 2003, CIA/CREST.

277   *"se o Vietnã do Sul cair"*: "DCI Briefing for CIA Subcommittee of House Appropriations Committee, December 5, 1963", liberado em 15 de março de 2004, CIA/CREST.

277   *"os vietcongues pudessem ser a onda do futuro"*: McCone citado em Harold Ford, *CIA and the Vietnam Policymakers*, 1996, CIA/CSI, disponível online em http://www.cia.gov/csi/books/vietnam/epis1.html.

277   *"O uso do terror pelos vietcongues"*: Peer de Silva, *Sub Rosa: The CIA and the Uses of Intelligence* (Nova York: Times Books, 1978), pp. 220-254.

278   *A corrupção da inteligência*: George W. Allen, *None So Blind: A Personal Account of the Intelligence Failure in Vietnam* (Chicago: Ivan R. Dee, 2001), pp. 188-194.

278   *"Meu mundo passou a girar em câmera lenta"*: De Silva, *Sub Rosa*, p. 256.

278   *"Tem que haver alguém com cérebro suficiente"*: Fitas de LBJ, 30 de março de 1965, 9h12, LBJL.

279   *"crescente pressão para interromper os bombardeios"* e *"atolados em combates na selva"*: Memorandos de McCone, 2 e 20 de abril de 1965, LBJL. Vide também Ford, *CIA and the Vietnam Policymakers*.

279   *"Deixe-me falar sobre esses sujeitos da inteligência"*: Robert M. Gates, *From the Shadows: The Ultimate Insider's Story of Five Presidents and How They Won the Cold War* (Nova York: Simon e Schuster, 1996), p. 566. A fonte dessa história é Richard Helms. Helms se lembrou dela vividamente sendo contada por Johnson a John McCloy num jantar na residência da Casa Branca. Certamente soa como LBJ.

## Capítulo 24

281   *"acender a espoleta"*: Fitas de LBJ/Holland, 2 de abril de 1965.

281   *"fechar o lugar e dá-lo aos índios"*: Carter, memorando para registro, 2 de abril de 1965, CIA, FRUS, 1964-1968, vol. XXXIII, liberado em 2004.

281   *"Agora, preciso de você", disse Lyndon Johnson*: Transcrição de conversa ao telefone entre o presidente Johnson e o almirante Raborn, 6 de abril de 1965, 16h26, FRUS, Vol. XXXIII, liberado em 2004, LBJL.

283   *"Nossa CIA diz"*: Fitas de LBJ, 30 de abril de 1965, 10h50 e 11h30.

283   *"Você acha que a CIA não consegue documentar isso?"*: Fitas de LBJ, 30 de abril de 1965, 17h05.

283 *"Foi trágico"*: Ray Cline, *Secrets, Spies, and Scholars: Blueprint of the Essential CIA* (Washington, DC: Acropolis, 1976), pp. 211-212.

283 *"Pobre velho Raborn"*: James Hanrahan, "An Interview with Former CIA Executive Director Lawrence K. 'Red' White", *Studies in Intelligence*, Vol. 43, nº1, inverno 1999/2000, CIA/CSI.

284 *"Se o senhor algum dia decidir se livrar dele, simplesmente ponha o colega Helms ali"*: Transcrição de conversa ao telefone entre o presidente e Russell, 20h, 14 de setembro de 1965, FRUS, Vol. XXXIII, liberado em 2004, LBJL.

284 *"Você acha realmente que podemos vencer os vietcongues lá?"*: Fitas de LBJ, 2 de julho de 1965.

285 *"tão invisível quanto possível"*: Depoimento gravado de William, Vietnam Archive Oral History Project, Texas Tech University, entrevista conduzida por Steve Maxner, 11 de dezembro de 2001. Usada com a gentil permissão do senhor Maxner e do arquivo.

285 *"Vimos alguns de nossos jovens morrendo"*: Depoimento gravado de Lilley, FAOH.

286 *Colby estava desanimado*: Colby para Helms, 16 de agosto de 1966, FRUS, 1964-1968, Vol. XXVIII. O memorando descreve as impressões de Colby durante sua viagem em outubro de 1965.

288 *"Ninguém está teorizando aqui"*: O relato de Shackley é extraído de suas memórias póstumas, escritas por Richard A. Finney, *Spymaster: My Life in the CIA* (Dulles, Virgínia: Potomac, 2005).

289 *"uma história de sucesso exemplar"*: Memorando da Agência Central de Inteligência à Comissão 303, 8 de setembro de 1966, FRUS, 1964-1968, Vol. XXVIII, documento 248.

289 *Wild Bill Donovan*: Donovan iniciou seu período como embaixador revivendo a desastrosa operação Li Mi. As forças nacionalistas chinesas derrotadas se haviam instalado no Triângulo de Ouro: nas montanhas do leste da Birmânia, perto da fronteira com a Tailândia e no extremo oeste do Laos. Tornaram-se uma força de ocupação agressiva que comandava o comércio internacional de ópio. Donovan as via como guerreiras da liberdade e as apoiou, "fornecendo suprimentos enquanto negava publicamente que houvesse qualquer envolvimento dos EUA", disse Kempton B. Jenkins, na época funcionário político do Departamento de Estado em Bangcoc. Uma falsa retirada das forças de Li Mi, supervisionada por Donovan, pareceu impressionante — pilotos da CIA removeram 1.925 homens e meninos do Triângulo de Ouro para Taiwan — mas milhares de homens permaneceram. Em vez de combater os comunistas, eles começaram a dominar o comércio de ópio, construindo refinarias para fabricar morfina e enviando a droga para Bangcoc. Jenkins fornece um quadro detalhado sobre as ligações de Donovan com a polícia e os militares tailandeses. Depoimento gravado de Jenkins, FAOH. Veja também Frank C. Darling, *Thailand and the United States* (Washington, DC: Public Affairs, 1965), para observar o início do envolvimento da CIA na região depois da Guerra da Coréia. O poder em expansão do posto da CIA no Laos nos anos 1950 está bem descrito nas histórias orais — de FAOH — de John Gunther Dean, L. Michael Rives e Christian A. Chapman, que trabalharam na embaixada americana local.

290 *"Dinheiro não era empecilho"*: Depoimento gravado de Thomas, FAOH.

290 *"financiamento de um partido político, apoio eleitoral a esse partido e apoio aos candidatos escolhidos do partido ao parlamento"...* dar continuidade à *"liderança e controle do atual grupo governante" e "assegurar que o partido criado consiga vencer as eleições com uma maioria confortável e dominante"*: Esses objetivos são estabelecidos num memorando da CIA preparado para a Comissão 303, 28 de setembro de 1965, e minuta da Comissão 303, 8 de outubro de 1965. FRUS, Vol. XXVII.

291 *A CIA advertiu*: Em 5 de março de 1965, numa discussão sobre a ação secreta em andamento na Indonésia, um alto funcionário da CIA disse à Comissão 303 que "a perda de uma nação de 105 milhões de pessoas para 'o campo comunista' tornaria uma vitória no Vietnã pouco significativa". Minuta da Comissão 303, 5 de março de 1965. Um outro memorando da CIA para a Comissão 303, datado de 23 de fevereiro de 1965, descreve o programa de ação secreta em desenvolvimento na Indonésia: "Desde o verão de 1964, [*apagado, mas provavelmente o posto na Indonésia e/ou a divisão Extremo Oriente de Colby*] tem trabalhado com o Departamento de Estado na formulação de conceitos e no desenvolvimento de um programa operacional de ação política na Indonésia... Os principais objetivos desse programa são explorar o partidarismo dentro do próprio PKI, enfatizar a tradicional desconfiança da Indonésia em relação à China e retratar o PKI como um instrumento do imperialismo da China vermelha. Os tipos específicos de atividades previstas incluem contatos secretos com grupos anticomunistas existentes e apoio a eles... [Programas secretos em andamento incluem] ações políticas com organizações e instituições indonésias existentes [e] treinamento secreto de funcionários e civis selecionados, que serão postos em posições-chave... [Entre os objetivos estão] cultivar potenciais líderes políticos dentro da Indonésia com o propósito de assegurar uma sucessão não-comunista organizada após a morte de Sukarno ou sua retirada do poder." Os registros da Comissão 303 estão em FRUS, Vol. XXVI.

291 *"Recrutei e dirigi Adam Malik"*: Entrevista de McAvoy ao autor. A documentação sobre o papel da CIA na Indonésia — incluindo o telegrama de 2 de dezembro de 1965 de Green para Bundy detalhando um pagamento da CIA a Adam Malik — está em FRUS, 1964-1968, Vol. XXVI, pp. 338-380. O volume foi suprimido oficialmente pela CIA e retirado de circulação — mas antes algumas cópias foram impressas, encadernadas e enviadas. O Arquivo de Segurança Nacional publicou as páginas relevantes em julho de 2001. A entrevista do autor com McAvoy foi feita numa ligação telefônica para a casa de McAvoy, no Havaí. O papel crucial de McAvoy como agente da CIA na Indonésia foi confirmado por três de seus contemporâneos na agência.

292 *"num local clandestino"*: Depoimento gravado de Green, FAOH.

292 *"Certamente não era uma lista de morte"*: Depoimento gravado de Martens, FAOH.

293 *O embaixador Green disse mais tarde ao vice-presidente Hubert H. Humphrey... que "300 mil a 400 mil pessoas foram mortas"*: Memorando de conversa, 17 de fevereiro de 1967; encontro no Salão Oval de LBJ e Adam Malik, memorando de conversa, 27 de setembro de 1966; ambos em FRUS, 1964-1968, Vol. XXVI.

294 *"Acho que aumentamos aquela estimativa talvez para quase 500 mil pessoas"*: Testemunho de Green, Comissão de Relações Exteriores do Senado, 30 de janeiro de 1967, liberado em março de 2007.

294 *"Não criamos as ondas"*: Depoimento gravado de Green, FAOH.

295 *"profundamente em apuros devido ao problema de liderança na CIA"*: Bundy a LBJ, "Subject: The CIA", citando uma conversa com Clifford, 26 de janeiro de 1966.

296 *uma longa lista de suas realizações*: Raborn a Moyers, 14 de fevereiro de 1966.

296 *"totalmente inconsciente"*: LBJ a Bundy, 22 de fevereiro de 1966, Fitas de LBJ, todas citadas em FRUS, Vol. XXXIII, e liberadas em 2004.

296 *A comissão voltou a trabalhar em maio*: memorando do NSC a LBJ, 24 de março de 1966; memorando sem data ao vice-diretor da central de inteligência, "The 303 Committee, Senior Interdepartmental Group and the Interdepartmental Regional Groups"; "Coordination and Policy Approval of Covert Operations", 23 de fevereiro de 1967, CIA. Todos citados em FRUS, Vol. XXXIII, e liberados em 2004. O documento de 1967 sobre ações secretas é um registro detalhado de forma única. Lista as principais ações secretas até aquela data, mostrando o refinamento do controle executivo sobre a CIA:

    a. Projetos aprovados pelo DCI sobre autoridade interna:
      (1949-1952) — 81 — Governo Truman
    b. Projetos aprovados pelo DCI em coordenação com o Grupo de Coordenação de Operações ou Grupo de Estratégia Psicológica:
      (1953-1954) — 66 — Governo Eisenhower
    c. Projetos aprovados ou reconfirmados pelo Grupo de Coordenação de Operações, pelo Grupo Especial ou pela Comissão 303:
    Governo Eisenhower — 104
    Governo Kennedy — 163
    Governo Johnson — 142

*Capítulo 25*

297 *"um cavaleiro circense"*: Richard Helms com William Hood, *A Look over My Shoulder: A Life in the Central Intelligence Agency* (Nova York: Random House, 2003), p. 311.

298 *"Sabíamos então... que não conseguiríamos vencer a guerra"*: Gates, *From the Shadows: The Ultimate Insider's Story of Five Presidents and How They Won the Cold War* (Nova York: Simon e Schuster, 1996), pp. 20-22.

298 *"A Agência está se esforçando ao máximo"* e *"a guerra não tenha de modo algum acabado"*: Memorando do chefe da Divisão Extremo Oriente, Agência Central de Inteligência, 25 de julho de 1967, FRUS, Vol. V.

299 *"Pare de aumentar"*: George W. Allen, *None So Blind: A Personal Account of the Intelligence Failure in Vietnam* (Chicago: Ivan R. Dee, 2001), pp. 213-219. Allen escreveu que o obje-

tivo do governo era usar a inteligência fabricada para a "manipulação da opinião e a persuasão política, com o objetivo de alterar as percepções e fazer com que coincidam com certas noções, fossem essas noções apoiadas por provas ou não". As práticas que ele identificou — a falsificação de informações secretas para controlar a percepção do público e a fabricação de apoio político — podem soar familiares a muitos americanos hoje. É claro que havia relatos tendenciosos da agência vindos de Saigon, e estes não passaram despercebidos. No verão de 1967, a questão era se Thieu ou Ky seria o próximo presidente do Vietnã do Sul. A escolha final cabia ao comando militar vietnamita. A CIA sustentou que os comandantes escolheriam Ky. Oficiais do Departamento de Estado em Saigon, incluindo John Negroponte, o futuro czar da inteligência americana, estavam certos de que seria Thieu. "John me disse mais tarde que o último relatório da CIA — ainda prevendo Ky — foi arquivado exatamente na hora em que o embaixador Lodge foi chamado para um encontro com o comando militar no qual foi informado de que o candidato do comando seria Thieu", recordou Robert Oakley, do Departamento de Estado. "A CIA tinha uma relação muito íntima com Ky havia muito tempo; portanto tinha uma tendência a seu favor que sem dúvida influenciou seus relatos." Depoimento gravado de Oakley, FAOH.

299  *Em 19 de setembro, McNamara telefonou para o presidente*: Fitas de LBJ, 19 de setembro de 1966, transcrito em FRUS, Vol. IV.

300  *"Vocês simplesmente têm que se afastar", disse Komer a Carver*: Os comentários de Komer e a correspondência entre Helms e Carver estão numa série completa de telegramas — liberados — entre a sede da CIA e o posto de Saigon, cobrindo a controvérsia da ordem de batalha quando ela aconteceu, em setembro de 1967, CIA/CREST.

301  *"Acreditamos que o progresso comunista*: NIE 53-63, citado em Harold P. Ford, "Why CIA Analysts Were So Doubtful About Vietnam", *Studies in Intelligence,* 1997, CIA/CSI.

301  *"A proposição obrigatória"*: John Huizenga, "Implications of an Unfavorable Outcome in Vietnam", 11 de setembro de 1967, CIA/CREST, com memorando secreto de Helms, liberado em 2004. Huizenga era chefe da equipe do Escritório de Estimativas Nacionais da CIA, e mais tarde foi diretor do escritório.

## *Capítulo 26*

303  *"envolvimento da CIA"*: "Problem of Exposé of CIA Clandestine Youth and Student Activities", sem data, mas fevereiro de 1967, CIA/FOIA.

303  *"LBJ deixou comigo a responsabilidade de tirar do fogo aqueles oficiais da agência que estavam queimados"*: Richard Helms com William Hood, *A Look over My Shoulder: A Life in the Central Intelligence Agency* (Nova York: Random House, 2003), p. 345. Um memorando de 19 de maio de 1966, de Helms para Moyers, na Casa Branca, detalhando a vida pessoal e profissional dos editores e repórteres da *Ramparts* foi liberado em 13 de novembro de 2006. Esse relatório evidentemente ignorava a carta de direitos da CIA.

304 *Desde 1961, o secretário de Estado Dean Rusk vinha advertindo*: Num memorando de 9 de dezembro de 1961, Rusk pediu ao Grupo Especial que cuidasse dos seguintes problemas: "1. A CIA agora fornece certo apoio a organizações privadas de natureza educacional ou filantrópica. 2. Esses fundos secretos se tornam objeto comum de fofocas, ou informações, tanto aqui quanto no exterior. 3. Fundos secretos atraem suspeitas sobre organizações envoividas e, de fato, podem impedi-las de entrar em certos países. 4. Fundos secretos afastam fundos de outras fontes que não querem se envolver com o tipo de atividade ou propósito da CIA. 5. Na maioria dos casos, não há necessidade alguma de esconder que os fundos estão sendo fornecidos pelo governo dos EUA. 6. Deve ser feito todo esforço para tornar público o apoio secreto... 7. O que pode ser feito em relação a essa conexão com organizações como (a) Fundação Ásia, (b) atividades de estudantes africanos e (c) possivelmente outros?" FRUS, Vol. XXV.

Em reunião em 21 de junho de 1968 para tratar do problema da Fundação Ásia, a Comissão 303 observou que "ninguém pode prever com precisão que dinheiro federal, se é que algum, será alocado" para substituir o subsídio da CIA. Entretanto, "se havia suspiros profundos de saudade dos bons e velhos dias de financiamento totalmente secreto, eles não eram ouvidos devido ao ruído do ar-condicionado na Sala de Situação da Casa Branca". FRUS, Vol. X.

304 *"Não temos detalhes adequados"*: Memorando do vice-diretor do Escritório de Inteligência e Pesquisa do vice-subsecretário para Assuntos Políticos, 15 de fevereiro de 1967, FRUS, Vol. XXXIII, liberado em 2004.

305 *uma conversa não-registrada de uma hora*: Os documentos de Pearson estão na Biblioteca LBJ. Seu trabalho apareceu em mais de seiscentos jornais americanos que possuíam um total de 50 milhões de leitores. Lyndon Johnson tinha um lugar reservado em seu coração para Pearson, que o apoiara publicamente em sua disputa para a nomeação democrata para a presidência em 1960.

305 *"Essa história que saiu sobre a CIA"*: Fitas de LBJ/Holland, 20 de fevereiro de 1967.

306 *"um mínimo irredutível"*: Thomas Hughes, revisão de rascunho de NSC 5412, datado de 17 de abril de 1967 e discutido em 5 de maio de 1967, FRUS, Vol. XXXIII.

307 *"a capacidade" da CIA "de manter ex-funcionários em silêncio"*: Russell citado em "Briefing by the Director of CIA Subcommittees of the Senate Armed Services and Appropriations", 23 de maio de 1967, liberado em 4 de março de 2001, CIA/CREST.

307 *o que fazer com Harvey*: James Hanrahan, "An Interview with Former CIA Executive Director Lawrence K. 'Red' White", *Studies in Intelligence*, Vol. 43, nº 1, inverno 1999/2000, CIA/CSI.

307 *"sua extrema amargura em relação à agência"*: Osborn a Earman, memorando para registro, 4 de outubro de 1967, CIA/FOIA.

308 *"Em meados dos anos 1960, Angleton"*: Robert M. Hathaway e Russell Jack Smith, "Richard Helms as Director of Central Intelligence", 1993, CIA/CSI, liberado em fevereiro de 2007.

308 *"um homem de pensamentos frouxos e desconexos"*: John L. Hart, "The Monster Plot: Counterintelligence in the Case of Yuri Ivanovich Nosenko", dezembro de 1976, CIA/CSI.

309 *"Funcionários leais à agência tornaram-se suspeitos"*: Hathaway e Smith, "Richard Helms as Director of Central Intelligence", p. 124.

309 *"estamos iludindo a nós mesmos"* e *"paralisia de nossos esforços contra os soviéticos"*: Memorandos de McCoy a Helms citados em Hathaway e Smith, "Richard Helms as Director of Central Intelligence", p. 108.

309 *"uma única prova"*: Entrevista para depoimento gravado de Kingsley, 14 de junho de 1984, CIA, citada em Hathaway e Smith, "Richard Helms as Director of Central Intelligence", p. 123.

309 *"Jim era um homem obcecado"*: Entrevista de Taylor a Hart, em "The Monster Plot", CIA/CSI.

310 *"A subseqüente acurácia dessa previsão"*: Hathaway e Smith, "Richard Helms as Director of Central Intelligence", p. 127.

310 *"a inteligência tinha um papel em sua vida"*: Entrevista de depoimento gravado de Helms, 21 de abril de 1982, citada em Hathaway e Smith, "Richard Helms as Director of Central Intelligence", p. 143. A história da CIA fornece uma nota de rodapé fascinante sobre a Guerra dos Seis Dias em 1967: "James Angleton se sentia cada vez mais incomodado com a perspectiva de um ciclo de guerra interminável e mais guerra no Oriente Médio. Com isso em mente, ele compôs o que testemunhas recordam como sendo um apelo eloqüente por uma mudança dramática para romper aquele padrão de destruição. Num memorando oculto [a Helms, Angleton propôs] uma aliança anti-soviética formada por Israel e alguns estados árabes conservadores, como Jordânia e Arábia Saudita. Tudo dependia de urgência, continuou Angleton; quanto mais tempo Israel ocupasse os territórios capturados dos árabes, menos disposição Tel Aviv teria de desistir deles. [Uma parte apagada da história discute evidentemente o papel cripto-diplomático desempenhado por Angleton e o chefe da divisão Oriente Próximo, James Critchfield, na tentativa de criar essa aliança.] Nesse momento, o Departamento de Estado americano se inteirou sobre o esquema e vetou qualquer outra participação dos EUA nos procedimentos. Sem os americanos como intermediários, o arranjo foi por água abaixo. Nas opiniões amarguradas de Angleton e Critchfield, permitiu-se que uma oportunidade de proporções possivelmente históricas fosse perdida." Ibid., pp. 146-147.

311 *uma operação extremamente delicada... com o codinome Buttercup*: A operação Buttercup é descrita extensamente em FRUS, Vols. IV and V.

311 *A CIA criou e dirigiu o Partido Comunista local*: Esta operação até agora desconhecida foi descrita por Tom Polgar numa entrevista ao autor.

312 *O programa, com o codinome Globe*: A operação Globe foi descrita em entrevistas com oficiais da CIA, incluindo Gerry Gossens.

312 *"Você tem que ter a infra-estrutura"*: Testemunho de Helms, Comissão do Presidente para Atividades da CIA (Comissão Rockefeller), pp. 2497-2499.

LEGADO DE CINZAS

312 *"Tem havido acusações de que é moralmente errado"*: Albert R. Haney, "Observations and Suggestions Concerning the Overseas Internal Security Program", 14 de junho de 1957, Documentos do Equipe do NSC, pp. 11-12, DDEL.

312 *"Pode acabar adotando táticas dos tipos da Gestapo"*: Depoimento gravado de Amory, JFKL.

313 *"Castro era o catalisador"*: Entrevista de Polgar ao autor.

313 *as juntas militares latino-americanas eram boas para os Estados Unidos:* Memorando para o diretor, "The Political Role of the Military in Latin America", Escritório de Estimativas Nacionais (ONE, na sigla em inglês), 30 de abril de 1968, LBJL. Esta era uma declaração formal de 29 páginas do presidente do ONE, Abbot Smith, dando uma visão geral sobre as oito ditaduras militares mais recentes na região, seis das quais eram consideradas boas para os interesses americanos.

314 *"Mobutu me deu uma casa"*: Entrevista de Gossens ao autor.

314 *Numa batalha clássica da guerra fria*: A captura do chefe da base da CIA, David Grinwis, é descrita numa entrevista de Grinwis, não publicada, ao Instituto Hoover, da Universidade de Stanford. Grinwis, o cônsul americano Mike Hoyt e dois comunicadores da CIA foram mantidos presos por 114 dias até que pára-quedistas belgas os libertaram. A batalha entre os cubanos de Che e os cubanos da CIA é mais bem contada em Piero Gleijeses, *Conflicting Missions: Havana, Washington, and Africa, 1959-1976* (Chapel Hill: University of North Carolina Press, 2002), pp. 137-159.

314 *Um general de direita, René Barrientos, havia tomado o poder*: Os detalhes das ações secretas da CIA em apoio a Barrientos de 1962 a 1966 estão em FRUS, Vol. XXXI, documentos 147-180, liberado em 2004.

315 *"Não pode ser Che Guevara"*: Depoimento gravado de Henderson, FAOH.

315 *"Estou manobrando para mantê-lo vivo"*: O relato de Rodriguez na Bolívia é reproduzido integralmente em dois memorandos que Helms entregou à Casa Branca em 11 e 13 de outubro de 1967, liberados em 2004 e reimpressos em FRUS, Vol. XXXI, documentos 171 e 172.

316 *"Você pode enviar impressões digitais?"... "Posso enviar os dedos"*: Entrevista de Polgar ao autor.

316 *"Mais uma vez as operações da CIA"*: escritório RAU (República Árabe Unida) a Lucius D. Battle, 16 de março de 1967, FRUS, Vol. XVIII.

316 *"Ele estava na folha de pagamento dos EUA"*: Depoimento gravado de Battle, FAOH.

317 *"Vocês serão criticados"*: Discurso de Humphrey citado em transcrição de Helms, *Studies in Intelligence*, setembro de 1993.

317 *"Analisem todos os projetos politicamente sensíveis"*: Memorando do vice-diretor de Planos da Agência Central de Inteligência (Karamessines) para todos os chefes de equipes e de divisões, 30 de setembro de 1967, liberado em 2004, FRUS, Vol. XXXIII.

*Capítulo 27*

319 *"Estou bem consciente disso"*: Richard Helms com William Hood, *A Look over My Shoulder: A Life in the Central Intelligence Agency* (Nova York: Random House, 2003), p. 280.

320 *"A subcomissão está bastante interessada nas operações de diversas organizações militantes neste país"*: Carta de McClellan a Helms, 25 de outubro de 1967, liberada em 2004, CIA/CREST.

320 *"Um campo de treinamento de negros"*: Memorando de Karamessines à Casa Branca, 31 de outubro de 1967, liberado em 2004, CIA/CREST.

321 *"Não vou deixar que os comunistas tomem esse governo"*: "Luncheon Meeting with Secretaries Rusk and McNamara, Walt Rostow, CIA Director Richard Helms", 4 de novembro de 1967, LBJL.

321 *"qualquer orientação que não seja própria"*: "International Connections of U.S. Peace Groups" e carta secreta de Helms ao presidente, 15 de novembro de 1967, liberada em abril de 2001, CIA/CREST.

321 *quase nenhuma informação sobre a intenção do inimigo*: Em 16 de fevereiro de 1968, Helms se encontrou com o Grupo de Assessoria em Inteligência Externa do Presidente. Disse que a inteligência americana para a ofensiva Tet havia falhado em primeiro lugar "devido à falta de infiltração no Vietcongue". FRUS, Vol. VI.

322 *"Westmoreland não sabe quem é o inimigo*: "Notes of the President's Luncheon Meeting with Foreign Policy Advisors", 20 de fevereiro de 1968, FRUS, Vol. VI. Embora alguns historiadores e memorialistas tenham dado ao analista George Carver um grande crédito por mudar a cabeça de LBJ em relação à guerra nas semanas e dias que antecederam sua decisão de retirar sua candidatura, o principal historiador da CIA para o Vietnã, Harold Ford, escreveu que as influências de Carver e da CIA "foram claramente menores que as de muitas outras forças que estavam acima e além dos dados da inteligência da CIA: o próprio choque da ofensiva Tet; a forte e crescente onda de sentimento antiguerra no Congresso e na opinião pública; as avaliações francas e bastante sinistras pós-Tet feitas pelo chefe do Estado-Maior Conjunto Earle Wheeler, Paul Nitze e Paul Warnke; e os repentinos afastamentos de Clark Clifford e da maioria dos outros 'Especialistas' que antes apoiavam o esforço de guerra de Johnson. Entretanto, a essas causas da mudança de opinião do presidente devem ser acrescentadas avaliações apresentadas a ele por oficiais do Departamento de Estado e da CIA."

PARTE QUATRO

*Capítulo 28*

325 *teria criado uma nova organização fora da CIA*: Richard M. Nixon, *Six Crises* (Nova York: Doubleday, 1962), p. 454. Nixon escreveu que declarou sua intenção a JFK em 1960.

325 *Nixon e Helms se encontraram para sua primeira longa conversa*: Registrado em "Notes of Meeting, Johnson City, Texas", 10 de agosto de 1968, 12h25. FRUS, Vol. VI. Helms

se encontrou com Nixon pela primeira vez em novembro de 1956, quando ele e Allen Dulles informaram o vice-presidente sobre a revolução húngara esmagada. Em suas memórias póstumas, Helms omite a visita ao rancho de LBJ aqui descrita, que obviamente foi o segundo encontro cara a cara entre os dois.

326 *"O que você acha de Helms?"*: Conversa ao telefone entre o presidente Johnson e o presidente eleito Nixon, 8 de novembro de 1968, 21h23, Fitas de LBJ, FRUS, Vol. VII.

326 *"Richard Nixon nunca confiou em ninguém"*: Entrevista de Helms a Stanley I. Kutler, 14 de julho de 1988, Arquivos Históricos de Wisconsin, caixa 15, pasta 16, citada com a gentil permissão do professor Kutler.

327 *"Não tenho a menor dúvida... de que as críticas de Nixon influenciaram Kissinger"*: Helms citado em John L. Helgerson, "CIA Briefings of Presidential Candidates", maio de 1996, CIA/CSI.

327 *"Ambos eram incorrigivelmente dissimulados"*: Thomas L. Hughes, "Why Kissinger Must Choose Between Nixon and the Country", *The New York Times,* 30 de dezembro de 1973.

327 *"deixar bem claro ao diretor"*: Relatório do Grupo de Estudos de Operações Secretas, 1º de dezembro de 1968, CIA/CREST. O estudo se encaixava parcialmente no relatório final do Grupo de Assessoria em Inteligência Externa do Presidente, feito para LBJ, em dezembro de 1968. Esse estudo considerou os resultados da espionagem americana "inadequados". Requisitou "uma intensificação dos esforços para obter informações significativas sobre alvos prioritários por meio de operações de coleta de agentes clandestinos". Recomendou fortemente que a Comissão 303 analisasse "todos os programas secretos aprovados com o objetivo de avaliar o progresso feito e, em casos apropriados, cancelar projetos improdutivos". FRUS, Vol. X, documento 222.

329 *"Dr. Kissinger — Requisição de Informação"*: O memorando de um parágrafo apareceu nos arquivos de Red White, que em 1969 ocupava o cargo de vice-diretor da central de inteligência para apoio — administrador-chefe da agência. Liberado em 15 de maio de 2003, CIA/CREST.

330 *"Não quero dizer que eles estão mentindo"*: Memorando de [*apagado*] para Helms, 18 de junho de 1969, FRUS, 1969-1972, Vol. II, documento 191, liberado em 21 de dezembro de 2006.

330 *"Inútil"*.... *"Uma repetição descuidada e superficial"*: Kissinger a Nixon, "Subject: NIE 11-8-69, 'Soviet Strategic Attack Forces'" com memorando de Helms anotado por Nixon em 8 de dezembro de 1969, FRUS, 1969-1972, Vol. II, documento 198.

330 *"De que lado está a agência?"*: Helms, *A Look over My Shoulder: A Life in the Central Intelligence Agency* (Nova York: Random House, 2003), pp. 382-388.

331 *Helms sempre acreditara que os aparelhos não substituíam os espiões*: Mesmo as melhores interceptações de escuta eletrônica não eram inteligência. Em 1968, a CIA e a NSA tinham um programa de codinome Guppy, que interceptava as linhas de telefones móveis dos lideres russos em Moscou. Em setembro de 1968, na véspera da invasão da Tchecoslováquia, o chefe do Pacto de Varsóvia telefonou para o líder soviético,

Leonid Brejnev, do aeroporto de Moscou. A CIA ouviu a ligação. "O problema é que eles não eram bobos e falaram em código — você sabe, 'a lua está vermelha', ou alguma outra frase boba — e não tínhamos a menor idéia se aquilo significava que a invasão aconteceria ou não", disse um oficial de inteligência do Departamento de Estado, David Fischer. Depoimento gravado de Fischer, FAOH.

331 *o Tratado de Limitação de Armas Estratégicas, que estavam acontecendo em Helsinki*: O residente da KGB em Helsinki e o chefe do posto da CIA concordaram que nenhum dos dois lados tentaria se infiltrar na delegação do outro. "As conseqüências de ser apanhado certamente superariam qualquer informação que pudesse ser obtida", disse David Fischer, do Departamento de Estado. "Até onde eu sei, os dois lados honraram o acordo. Deus sabe que houve oportunidades suficientes para enlaçar algum pobre delegado americano com uma loura finlandesa de seios fartos." Depoimento gravado de Fischer, FAOH.

331 *forças nucleares estratégicas soviéticas*: Em 1979, Howard Stoertz Jr., da CIA, na época oficial da inteligência nacional para programas estratégicos, relatou "uma série de superestimativas grosseiras no fim dos anos 1950 e uma série de subestimativas grosseiras em meados e fins dos anos 1960" nas análises da CIA sobre as forças estratégicas soviéticas. Stoertz, Memorando para Diretor, National Foreign Assessment Center, liberado em julho de 2006. Em março de 2001, o diretor da central de inteligência, George J. Tenet, disse, "Cada Estimativa da Inteligência Nacional escrita sobre o assunto de 1974 a 1986... superestimou o ritmo com que Moscou modernizava suas forças estratégicas". Observações de Tenet, Conferência sobre Análises da CIA sobre a União Soviética, Universidade de Princeton.

331 *"O presidente chamou Henry Kissinger e a mim no Salão Oval"*: Helms, memorando para registro, "Talk with President Nixon", 25 de março de 1970, FRUS, janeiro de 1969-outubro de 1970, Vol. XII, documento 147, liberado em 19 de dezembro de 2006. Numa ação secreta contra Moscou proposta em seguida, em 13 de maio de 1970, Helms apresentou um plano de cinco pontos:

- Tensões sino-soviéticas. O conflito na fronteira sino-soviética e a luta mundial pelo controle de partidos comunistas tornam os soviéticos altamente suscetíveis [*uma linha do texto não liberada*].
- Envolvimento soviético no Oriente Médio. Como a presença soviética no Oriente Médio envolve muitos fatores voláteis, haverá oportunidades para introduzir tensão entre os árabes e os soviéticos.
- Relações soviéticas com a Europa Oriental. O firme crescimento do nacionalismo na Europa Oriental, em face da intervenção militar e exploração econômica dos soviéticos, torna essa área um terreno fértil para [*menos de uma linha do texto não liberada*] operações para aumentar a tensão entre a URSS e seus estados vassalos.

- Relações entre soviéticos e cubanos. A bem-fundamentada suspeita de Castro relacionada a manobras soviéticas para dominar a vida política e econômica de Cuba, possivelmente afetando a própria liderança futura de Castro, cria uma situação que convida [*menos de uma linha do texto não liberada*] manipulação.
- Dissidência interna e estagnação econômica soviética. Fomentando a inquietação na elite intelectual soviética pode ser possível criar pressões que induzam o Kremlin a cortar seus investimentos estrangeiros para se concentrar em situações internas críticas.

332 *"diante da ameaça de uma vitória de um Partido Comunista ou uma frente popular"*: Helms, "Tensions in the Soviet Union and Eastern Europe: Challenge and Opportunity", sem data, mas início de abril de 1970, FRUS, janeiro de 1969-1970, Vol. XII, documento 149.

333 *Guy Mollet da França*: Wells Stabler, que foi chefe da seção política da embaixada americana em Paris de 1960 a 1965, disse, "Guy Mollet [e outros líderes franceses da Quarta República] tinham o que se poderia chamar de relação fiduciária com os Estados Unidos e realmente recebiam algum apoio financeiro do governo dos EUA. Eu ia visitar Guy Mollet para ter uma conversa agradável. O telefone então tocava, ele erguia os olhos, sorria para mim e dizia, 'Bem, um de seus colegas está aqui para me ver'. Acontecia esse vaivém entre mim e alguém do posto da CIA em Paris... Francamente, eu achava situação bastante embaraçosa." Depoimento gravado de Stabler, FAOH.

333 *pelo menos US$ 65 milhões*: O programa iniciado em 1948, conforme detalhado no Capítulo 3, custou pelo menos US$ 65 milhões, de acordo com um relatório de 1976 da recém-formada Comissão de Inteligência da Câmara. A minuta da reunião da Comissão 303 de 25 de junho de 1965 afirma: "A proposta italiana foi vista em geral como um 'mal necessário' e aprovada com a seguinte condição: O senhor [McGeorge] Bundy, deplorando o fracasso crônico dos partidos políticos democráticos italianos em utilizar seus próprios recursos, usou o termo 'vergonha anual'."

Em 4 de agosto de 1965, Bundy enviou o seguinte memorando ao presidente Johnson: "Ao longo dos anos, os EUA têm ajudado com afinco os partidos políticos democráticos e sindicatos italianos. Durante o período 1955-1965, a quantidade total de auxílio chegou a quase [*apagado*]. Nos últimos anos, cortamos essa ajuda, principalmente porque os profissionais ligados intimamente à operação concluíram que não tivemos retorno digno de nosso investimento, e que os partidos políticos italianos precisam não tanto do dinheiro dos EUA, mas de uma liderança administrativa enérgica. O presidente Kennedy tem uma percepção pessoal de que os subsídios políticos nesse nível foram excessivos... Enquanto isso, através de canais separados e de alguma forma incomuns, [*apagado*] nos informaram de que gostariam de muito mais dinheiro... Continua sendo verdade que a batalha anticomunista na Itália é uma batalha de política e recursos; mas simples donativos e recursos aplicados de maneira inteligente são duas coisas completamente diferentes." A minuta da Comissão 303 e o memorando de Bundy estão em FRUS, Vol. XII, liberado em abril de 2001.

333 *"recursos financeiros, recursos políticos, amigos, habilidade para chantagear"*: Depoimento gravado de Fina, FAOH.

333 *"aquele sujeito de sangue-frio"*: Depoimento gravado de Robert Barbour, FAOH. O predecessor de Barbour, Samuel Gammon, disse, "Graham seria capaz de praticar atos sádicos com prazer se isso fosse necessário numa ação de poder". Esses eram homens que admiravam Martin.

333 *obscuro e estranho*: Depoimento gravado de Michael E. C. Ely, FAOH.

333 *"escorregadio como uma enguia"*: Depoimento gravado do embaixador James Cowles Hart Bonbright, FAOH.

333 *Martin havia convertido fundos do Plano Marshall*: Depoimento gravado de Benson E. L. Timmons, III, HSTL. Timmons era subchefe da missão do Plano Marshall em Paris.

333 *"Tenho grande confiança pessoal em Graham Martin"*: Nixon a Kissinger, 14 de fevereiro de 1969, FRUS, Vol. II, documento 298.

334 *Talenti encontrou-se*: De acordo com Richard Gardner, embaixador americano na Itália de 1977 a 1981; observações de Gardner, Carnegie Council, 19 de janeiro de 2006. Vide também as memórias de Gardner, *Mission Italy: On the Front Lines of the Cold War* (Lanham, Maryland: Rowman & Littlefield, 2005). Em 1981, Talenti passou a integrar a equipe de Reagan na Casa Branca como assessor político sem pagamento. Tornou-se parte de um caso de tráfico de influência hoje esquecido, conhecido como o escândalo Wedtech, que acabou levando à renúncia do procurador-geral dos Estados Unidos, Ed Meese.

334 *"era o homem certo"*: Depoimento gravado de Wells Stabler, FAOH, e entrevista ao autor.

335 *Nixon e Kissinger fizeram a CIA se concentrar*: Minutas selecionadas da Comissão 303 cobrindo os primeiros dezoito meses do governo Nixon foram liberadas em abril de 2006. O apoio secreto da CIA à Aliança Nacional para a Revolução Social, de Thieu, teve início em setembro de 1968, quando a Comissão 303 autorizou a primeira verba de US$ 725 mil em dinheiro. Metade dessa quantia foi entregue a Thieu em incrementos de setembro de 1968 a março de 1969. Registros citados: Memorando para a Comissão 303, 29 de agosto de 1968, FRUS, janeiro-agosto de 1968, Vol. VI; Kissinger a Nixon, "Covert Support for the Lien Minh (National Alliance for Social Revolution)", 27 de março de 1969; Kissinger a Nixon; "Operations Against Barracks and Storage Facilities in Dien Bien Phu in North Vietnam", 18 de julho de 1969; Kissinger a Nixon, "Operations to Undermine Enemy Morale in Vietnam", 9 de dezembro de 1969; memorando para a Comissão 303, 11 de dezembro de 1969; e "Minutes of the Meeting of the 303 Committee, 23 December 1969", em FRUS, janeiro de 1969-julho de 1970, Vol. VI, documentos 47, 98, 156, 157 e 165.

335 *"o presidente especulou"*: Memorando para registro, "Subject: Discussion with the President on Tibet", 4 de fevereiro de 1960, CIA/CREST.

336  *a agência requisitou mais US$ 2,5 milhões em apoio aos insurgentes do Tibete*: FRUS, Vol.
     XVII, 1969-1976, documentos 273-280, citando a reunião da Comissão 303 em 30 de
     setembro de 1969 e a reunião da Comissão 40 em 31 de março de 1971. (A Comissão
     303 foi rebatizada de Comissão 40 em fevereiro de 1970.)

336  *"A CIA não teve nenhuma participação nisso?"*: Memorando de conversa Kissinger-Chou,
     FRUS, Vol. XVII, 1969-1976, documento 162, liberado em setembro de 2006

337  *A CIA ficaria afastada de negócios na China durante anos a fio*: Não *completamente.*
     Um ano depois da visita de Nixon à China, Jim Liley, da CIA — nascido na China e
     durante vinte anos espião americano na Ásia — propôs-se a trabalhar no Escritório
     de Contato Estados Unidos, que logo seria aberto em Pequim. Seria a primeira mis-
     são diplomática americana desde que Mao assumira o poder, quase um quarto de
     século antes.

     Lilley recebeu sinal verde, e serviu durante dois anos como primeiro chefe do posto
     em Pequim, cargo mais tarde ocupado por George H. W. Bush. Isso foi antes de Bush se
     tornar diretor da central de inteligência, em 1976. A posição de Lilley como funcionário
     da CIA foi declarada abertamente ao governo comunista chinês, e este o aceitou com
     uma condição: nenhuma espionagem. Lilley não poderia recrutar agentes de espiona-
     gem nem realizar operações secretas.

     Lilley arquivou uma lista codificada de futuros alvos de oportunidade para o dia
     em que a CIA pudesse abrir um posto de verdade em Pequim. Mas permaneceu impedi-
     do até a chegada de Bush. O sociável diplomata que atuava secretamente pôs Lilley sob
     suas asas, levou-o a recepções para conhecer altos oficiais chineses e o apresentou ao
     resto do corpo diplomático. Bush disse: "Quero que você faça parte do meu trabalho",
     relembrou Lilley. "Quero trabalhar com você e torná-lo parte da equipe." Assim, Lilley
     fez amizade com futuros líderes dos Estados Unidos e da China. Bush e Lilley se aproxi-
     maram do vice-premiê Deng Xiaoping, que se tornaria o chefe do regime que assumiria
     o poder após a morte de Mao. (Deng costumava dizer que não importa se o gato é
     branco ou preto, contanto que pegue o rato. Teria sido um bom chefe de posto.) Deng,
     Bush e Lilley começaram a trabalhar juntos. Os novos amigos concordavam em princí-
     pio em coletar informações militares, estratégicas e tecnológicas contra a União Soviéti-
     ca quando o momento era oportuno. Bush e Lilley voltaram à China como cidadãos e
     convenceram Deng a abrir a China às empresas de petróleo americanas. O acordo de
     inteligência foi consumado em 1989, depois que o presidente Bush tornou Jim Lilley
     embaixador americano na China.

337  *O homem da CIA que distribuía o dinheiro era Pote Sarasin*: Os registros da Lotus, libe-
     rados em dezembro de 2006, estão em FRUS, Vol. XX, documentos 2, 120 e 129. O
     documento 2 — memorando de conversa, "Subject: Lotus", Bangcoc, 16 de janeiro de
     1969 — descreve a cena.

338  *"a democracia não funciona"* e *"Não deverá haver mudança alguma"*: FRUS, Vol. XX,
     documentos 142 e 143 (Relato do embaixador Len Unger sobre o golpe e análise de
     Kissinger sobre o golpe para Nixon, 17 de novembro de 1971).

338 *"Coloque esses imbecis da CIA"*: Transcrição de conversa ao telefone entre o presidente Nixon e Henry Kissinger, 17 de abril de 1970, FRUS, Vol. VI, janeiro de 1969-julho de 1970.

338 *"Mande o dinheiro para Lon Nol"*: Nixon a Kissinger, 20 de abril de 1970, FRUS, Vol. VI, janeiro de 1969-julho de 1970.

339 *"a CIA descreveu o fluxo de material através de Sihanoukville"*: "Record of President's Meeting with the Foreign Intelligence Advisory Board", 18 de julho de 1970, FRUS, janeiro de 1969-julho de 1970, Vol. VI, liberado em abril de 2006.

339 *"US$ 6 bilhões por ano em inteligência"*: Ibid.

339 *"pessoas mentindo para ele sobre inteligência"*: "Record of President's Meeting with the Foreign Intelligence Advisory Board", 18 de julho de 1970, FRUS, 1969-1972, Vol. II, liberado em dezembro de 2006. Aqui temos um exemplo da inutilidade do sigilo oficial. O registro foi liberado duas vezes, de maneiras diferentes. A primeira revelou o orçamento da Inteligência de 1970 — US$ 6 bilhões. A segunda o escondeu por motivo de segurança nacional, mas revela mais sobre a crítica de Nixon que a primeira. O autor chama atenção para a incoerência dos censores do governo neste exemplo.

*Capítulo 29*

341 *Poucas nações latino-americanas faziam mais do que apenas retórica sobre os ideais de democracia*: Uma delas era a Costa Rica, cuja democracia foi estabelecida em 1949 por José Figueres Ferrer, conhecido como "Don Pepe". Ele acabava de ser eleito presidente pela terceira vez em 1970. Era casado com uma americana, falava inglês muito bem e algumas vezes ao longo dos anos aceitara dinheiro da CIA, o que reconheceu abertamente mais tarde em sua vida.

"Eu conspirava contra as ditaduras latino-americanas e queria ajuda dos Estados Unidos", disse ele ao *New York Times*. "Eu era um bom amigo de Allen Dulles." A agência achou que tinha comprado Figueres. Mas só o alugara.

No início de 1970, o embaixador americano era um diplomata de carreira chamado Clarence Boonstra e o recém-chegado chefe do posto da CIA era um cubano de 60 anos que bebia muito chamado Earl Williamson. "Earl havia trabalhado comigo em Cuba anos antes", disse o embaixador Boonstra num depoimento gravado. "Quando propuseram seu nome para ser o chefe do posto, eu me opus, a não ser que Williamson trabalhasse sob ordens minhas e não fizesse o que era conhecido por fazer, atrapalhar as coisas com ações secretas desnecessárias — negócios suspeitos." Então Nixon nomeou um novo embaixador, Walter Ploeser, que era um congressista republicano derrotado e um grande arrecador de fundos políticos. De repente a ameaça vermelha aumentou. "Pela primeira vez, a Costa Rica vinha planejando permitir que a União Soviética estabelecesse uma embaixada", disse o embaixador Boonstra. "Era o que a Costa Rica defendia, democracia e abertura para todos."

O novo enviado e seu chefe de posto tinham a impressão errada de que havia "um grande esquema comunista transformando a Costa Rica no ponto central para subversão no hemisfério", disse o embaixador Boonstra. "E eles deram início a todo tipo de ação, embarcando numa cruzada." Trabalharam para subverter o recém-empossado presidente da Costa Rica, mas fracassaram lamentavelmente. O chefe do posto, num encontro em que bebeu muito com seus amigos costa-riquenhos, proclamou que os dias de Don Pepe no poder estavam contados. Suas palavras rapidamente chegaram ao presidente. Ele denunciou publicamente uma conspiração para derrubá-lo, identificou publicamente o chefe do posto da CIA, declarou-o *persona non grata* e muito publicamente expulsou-o do país.

Os "negócios suspeitos" de chefes de postos da CIA como Earl Williamson dificilmente eram ações secretas. "Existe em toda a América Latina uma crescente sensibilidade... a alegações de intervenção da CIA em assuntos latinos", escreveu um analista de inteligência do Departamento de Estado em março de 1970. "A sensibilidade é especialmente aguda no Chile."

Se a agência entregava dinheiro, armas e informações nas mãos de planejadores de golpes durante a guerra fria, os soviéticos faziam a mesma coisa. Se a agência montava operações secretas que levavam a mortes, prisões e tortura de civis inocentes, o inimigo fazia a mesma coisa. O dinheiro americano comprava eleições em todo o mundo, e o Kremlin tinha também suas bolsas pretas cheias de dinheiro. Mas o quintal dos Estados Unidos era um terreno duro para Moscou. "A América Latina é uma esfera de interesses especiais dos EUA", escreveu o chefe da KGB e futuro líder soviético Yuri Andropov durante o governo Nixon. "É preciso lembrar isso. Nossa política na América Latina precisa ser cautelosa." Andropov citado em Christopher Andrew e Vasili Mitrokhin, *The World Was Going Our Way: The KGB and the Battle for the Third World* (Nova York: Basic Books, 2005), p. 77.

341 *Uma dessas poucas era o Chile, onde a CIA via uma ameaça vermelha surgindo*: Salvo quando indicado em contrário, as menções e citações sobre a operação neste capítulo são extraídas de um conjunto de registros da CIA liberados entre 1999 e 2003, disponíveis online em http://foia.state.gov/SearchColls/CIA.asp. Vide também Peter Kornbluh, *The Pinochet File: A Declassified Dossier on Atrocity and Accountability* (Nova York: New Press, 2004).

341 *um programa de guerra política*: Os arquivos da CIA dão uma idéia de parte da campanha secreta para interferir nas eleições de 1964. Num memorando de 21 de julho de 1964 à Comissão 303, a CIA propôs uma ajuda adicional de US$ 500 mil para derrotar Allende. O dinheiro permitiria a Eduardo Frei Montalva, o democrata cristão, "manter o passo e o ritmo de seu esforço de campanha" — e à CIA lidar com qualquer "eventualidade de última hora". Em 23 de julho de 1964, a Comissão 303 aprovou a proposta. Num memorando a McGeorge Bundy, Peter Jessup, da CIA, disse, "Não podemos nos permitir perder essa, portanto acho que deve haver algum cofre a ser raspado nesse caso. Supomos que os comunistas estão nadando em dinheiro, não tempos prova alguma. Eles com certeza supõem que estamos nadando em dinheiro; eles não têm prova alguma. Vamos pôr dinheiro." O secretário de Estado Rusk informou

LBJ sobre a eleição chilena numa reunião do NSC em 1º de setembro no Chile: "Parecia que haveria uma vitória das forças não comunistas na eleição de 4 de setembro, em parte como resultado de bom trabalho da CIA; e esse acontecimento seria um triunfo para a democracia e um golpe para o comunismo na América Latina." Com US$ 300 mil alocados para a derrota de Allende em 1970, a CIA estava provavelmente superando os gastos da KGB no Chile numa proporção de dois para um. Os arquivos da inteligência soviética sugerem que Allende recebeu pelo menos US$ 50 mil de Moscou e US$ 100 mil em fundos soviéticos lavados através do Partido Comunista chileno. O problema de Allende, aos olhos do Kremlin, era ser um socialista burguês, um comunista cor-de-rosa, e não verdadeiro.

342 *importantes representantes do Vaticano*: A relação entre a CIA e a Santa Sé é profunda desde 1947, mas permanece bastante obscura. O singular "Report on CIA Chilean Task Force Activities, 15 September to 3 November 1970", cometeu um deslize e iluminou essa pequena faceta.

342 *"cartazes foram impressos, notícias plantadas"*: Richard Helms com William Hood, *A Look over My Shoulder: A Life in the Central Intelligence Agency* (Nova York: Random House, 2003), p. 400. Em suas memórias, Helms chama o Chile (antes de 1970) de "um pequeno país democrático". Uma velha piada do jornalismo britânico dizia que a manchete mais entediante do mundo seria "Pequeno Terremoto no Chile, Não Muitos Mortos".

343 *"Eu nunca tinha visto uma propaganda tão terrível"*: Observações de Edward M. Korry, Centro de Estudos Públicos, Santiago, Chile, 16 de outubro de 1996. Publicado em *Estudios Publicos*, Primavera de 1998.

343 *"Kendall se dirigiu a Nixon"*: Entrevista de Helms a Stanley I. Kutler, 14 de julho de 1988, Arquivos Históricos de Wisconsin, caixa 15, pasta 16, citada com a gentil permissão do professor Kutler.

344 *"Senhor Helms", disse ele, "o senhor já tem seu Vietnã"*: Entrevista de Polgar ao autor.

344 *A Trilha Um era guerra política*: E foi complementada por centenas de milhares de dólares da multinacional americana ITT, que tinha grandes empresas no Chile. O dinheiro foi entregue com orientação da CIA e por sugestão de um membro do grupo de diretores da ITT — John McCone.

345 *"Qualquer pessoa que tivesse vivido no Chile"*: Testemunho de Phillips. Comissão Church, 13 de julho de 1975, liberado em 1994.

348 *"interferissem em suas avaliações finais"*: Haig a Kissinger, 7 de dezembro de 1970, FRUS, 1969-1976, Vol. II, documento 220.

348 *"as cruciais áreas dominadas pela esquerda sob o comando de Helms"*: Nixon a Kissinger, 30 de novembro de 1970 [Haig citado em nota de rodapé], FRUS, 1969-1976, Vol. II, documento 216, liberado em 21 de dezembro de 2006.

348 *"uma grande renovação"*: Haig a Kissinger, 7 de dezembro de 1970, FRUS, 1969-1976, Vol. II, documento 220.

348 *"Nixon criticou duramente a CIA"*: Depoimento gravado de Shultz em Gerald S. Strober e Deborah Hart Strober, *Nixon: An Oral History of His Presidency* (Nova York: Har-

perCollins, 1994), p. 83. Esse livro é um recurso inestimável, assim como o depoimento gravado de Strober sobre o governo Reagan.

348 *"Um corte profundo pode ser desastroso"*: K. Wayne Smith a Kissinger, "Presidential Meeting with OMB on Intelligence Budget", 21 de dezembro de 1970, FRUS, Vol. II, documento 221. Nixon continuou a pressionar por cortes profundos e mudanças radicais na agência. "Eu quero uma verdadeira reformulação, e não apenas simbolismo", disse ele a Kissinger em 21 de janeiro de 1971, numa nota. FRUS, Vol. II, documento 224.

349 *Ele havia conquistado fama na Casa Branca de Nixon*: Schlesinger foi um dos membros do quarteto de homens que subiu ao poder retalhando o governo a mando de Nixon:

- Caspar Weinberger, chefe de Schlesinger no escritório de orçamento, perseguiu o estado do bem-estar social no governo Nixon. Uma década depois, duplicou os gastos do Pentágono como secretário de Defesa de Ronald Reagan.
- Donald Rumsfeld cortou verbas da guerra contra a pobreza no Escritório de Oportunidades Econômicas a mando de Nixon. Em 1975, sucedeu Schlesinger no Pentágono, tornando-se o mais jovem secretário de Defesa da história.
- Dick Cheney, congressista que cortava orçamentos em sua época, sucedeu Rumsfeld como chefe de gabinete do presidente Ford na Casa Branca, e depois sucedeu Weinberger como secretário de Defesa, em 1989. No momento em que este livro é escrito, ele é vice-presidente dos Estados Unidos e responsável pelas operações secretas do governo.
- Rumsfeld voltou à secretaria de Defesa no governo do segundo Bush — o mais velho secretário de defesa da história, presidindo um sistema que gastou meio trilhão de dólares em um ano.

Esse foi o caminho para o poder dos quatro homens de Nixon que lideraram o Pentágono durante 22 dos 33 anos do período de 1973 a 2006. Todos os quatro compartilharam o desprezo do presidente pela Agência Central de Inteligência.

349 *encerrar a Guerra do Vietnã nos termos americanos*: Uma típica análise de Nixon sobre o desempenho da CIA nesse campo foi feita depois que ele ordenou uma campanha mundial de propaganda em apoio à retomada dos bombardeios no Vietnã do Norte. O "desempenho" da agência "no campo da guerra psicológica não passa de deplorável", escreveu Nixon num memorando a Kissinger e Haig em 19 de maio de 1972. "Ela não conseguiu muito mais do que um camundongo. Ou, para ser mais honesto, produziu um rato... Eu simplesmente não culpo Helms e a CIA. Afinal de contas, eles não apóiam minhas políticas."

349 *"Não há indício algum de que a comunidade da inteligência"*: James R. Schlesinger, "A Review of the Intelligence Community", confidencial, 10 de março de 1971, liberado com trechos apagados em 1998, CIA/NARA. O relatório enfatizava idéias que foram centrais para a eliminação do cargo do diretor da central de inteligência depois do 11 de Setembro: o diretor presidia sobre repúblicas em guerra, e não sobre uma confederação de estados. Sua

autoridade sobre o império da inteligência além da CIA era inexistente. Schlesinger sugeriu a criação de um novo cargo: um diretor de inteligência nacional, com real autoridade sobre todas as tribos e feudos. O momento não era oportuno para um debate aberto sobre a CIA. Demoraria 33 anos para que a idéia fosse adotada e aplicada.

349  *"a mais controversa briga de foice"*: Haig a Kissinger, com acréscimo de Kissinger e Shultz a Nixon, "Review of the Intelligence Community", 27 de março de 1971, FRUS, Vol. II, documento 229. A briga levou à criação da Comissão de Inteligência do Conselho de Segurança Nacional — liderada, é claro, por Kissinger — que deveria assumir a administração da inteligência americana. A comissão se reuniu pela primeira vez em 3 de dezembro de 1971. Não voltou a se reunir em 1971 nem em 1972.

350  *O presidente ordenou diretamente a Helms que entregasse o controle*: Memorando do presidente Nixon, "Organization and Management of the U.S. Foreign Intelligence Community", 5 de novembro de 1971, FRUS, Vol. II, documento 242. Helms forçou o vice-diretor Cushman a sair por dois motivos. Primeiro, para proteger a agência contra Richard Nixon; segundo, por causa do inconveniente apoio que Cushman dera a E. Howard Hunt, veterano da CIA que logo seria um dos "encanadores" presos em Watergate. Helms enviou uma mensagem fria a Nixon em 3 de dezembro de 1971, dia em que a acima mencionada Comissão de Inteligência do NSC se reuniu. "Envio em anexo uma cópia do tipo de delegação de autoridade ao vice-diretor da central de inteligência que parece estar de acordo com sua diretriz", dizia a nota. "Quando a necessidade da substituição do general Cushman estiver suficientemente evidente, assinarei esse documento para ele." A substituição, pelo general Vernon Walters, foi efetivada seis meses depois — em 2 de maio de 1972. A questão logo seria superada pelos acontecimentos provocados por Howard Hunt e o caso Watergate.

350  *"A CIA não vale um tostão"*: Comentários de Nixon em 23 de julho de 1971, reunião de orçamento na Casa Branca, citada em *The Haldeman Diaries: Inside the Nixon White House, The Complete Multimedia Edition*, CD-ROM, Sony Electronic Publishing, 1994, registro de 25 de julho de 1971. Nixon manteve a pressão para uma limpeza na agência durante o ano seguinte. "Um departamento que precisa particularmente de uma faxina é a CIA", escreveu ele a Haldeman em 18 de maio de 1972. "Um problema da CIA é a burocracia inchada que paralisou completamente seu cérebro, e outro é o fato de que seus funcionários, assim como os do Departamento de Estado, saem principalmente da Ivy League e de Georgetown, e não são como o pessoal que colocamos nas forças armadas e no FBI. Quero um estudo imediato sobre quantas pessoas da CIA poderiam ser removidas com uma ação presidencial... Quero que a ação seja iniciada imediatamente, por meio de [Caspar] Weinberger [diretor de orçamento], para uma redução maciça de 50% de todas as posições na CIA nos grupos executivos. Essa redução maciça deve ser concluída até o fim do ano, de modo que possamos agir para colocar pessoas melhores. É claro que a redução maciça deve ser justificada somente com base em sua necessidade por motivos orçamentários, mas vocês dois saberão o verdadeiro motivo e eu quero alguma ação para lidar com o problema."

352 *"controlar os botões de parar e avançar da máquina"*: Testemunho de Phillips, Comissão Church.

## Capítulo 30

353 *Nixon instalou na Casa Branca*: Entre 16 de fevereiro de 1971 e 12 de julho de 1973, o presidente Nixon registrou secretamente mais de 3.700 horas de seus encontros e conversas com microfones ativados por voz escondidos na Casa Branca e em Camp David. Tomou a decisão em parte para preservar um registro que o protegesse das inevitáveis memórias de Henry Kissinger.

Nixon culpou Kissinger pela decisão de grampear assessores da Casa Branca para interromper os vazamentos para a Imprensa. "Henry ordenou toda aquela maldita coisa", disse o presidente a seu secretário de imprensa, Ronald L. Ziegler, em 14 de maio de 1973. "Ele ordenou aquilo tudo, acredite em mim. Era ele quem estava no meu escritório para cima e para baixo, 'Esse e aquele saem'. Eu disse, está bem, investigue os filhos da puta", disse o presidente, sua voz se elevando a ponto de gritar. "E ele leu cada um daqueles grampos. Ele se deliciou com aquilo, chafurdou naquilo, se emporcalhou com aquilo."

353 *tentando impedir vazamentos para a imprensa*: É claro que nenhum presidente estava acima de um pequeno vazamento quando este era adequado, conforme mostra a seguinte conversa. O tema do "relatório Helms" era a primeira-ministra da Índia, Indira Ghandi, a quem Nixon se referia como "aquela cadela", e cuja liderança foi assunto de um estudo confidencial que Helms entregou à Casa Branca:

> Nixon: A propósito, esse relatório Helms — me dê uma cópia disso. Eu vou enviá-lo para a imprensa. Publiquem toda essa maldita coisa... Quero que o relatório de Helms seja posto nas mãos de um colunista que publique a coisa toda. Agora quero que você o envie... É assim que eles jogam. É assim que temos que jogar. Você não concorda?
>
> Kissinger: Sim, eu concordo.
>
> Nixon: Apenas se assegure de fazer isso a quilômetros de distância da Casa Branca.
>
> Kissinger: Certo. Vou fazer isso hoje.

Transcrição de conversa, 6 de dezembro de 1971, 18h14-18h38, FRUS, 1969-1972, Vol. E-7, liberada em junho de 2005.

353 *"uma figura única"*: Depoimento gravado de Sam Hart, FAOH.

354 *"Ele descreveu a missão como sendo de segurança nacional"*: Depoimento gravado de Barker em Gerald S. Strober e Deborah Hart Strober, *Nixon, An Oral History of His Presidency* (Nova York: HarperCollins, 1994), p. 217.

354 *"que ele estava de fato fazendo algumas coisas para o presidente"*: A conversa foi gravada na sede da CIA; a fita foi obtida mais tarde pela Promotoria Especial de Watergate, e a transcrição está nos Arquivos Nacionais.

355 *"uma operação sobre a qual a CIA nada sabia"*: Depoimento gravado de Walters em Strober e Strober, *Nixon: An Oral History*, p. 60. Walters, que falava nove línguas, trabalhara como assistente de equipe para o presidente Einsenhower e como intérprete para Ike, o vice-presidente Nixon e altos funcionários dos departamentos de Estado e Defesa nos anos 1950. Foi adido militar e contato da CIA na Itália de 1960 a 1962 e no Brasil, onde ajudou a fomentar um golpe militar, de 1962 a 1967. Adido de defesa na França de 1967 a 1972, ele foi útil nas negociações antes e durante o diálogo de paz em Paris. Nixon passou a admirá-lo depois que Walters ajudou a salvá-lo de uma multidão furiosa durante uma viagem a Caracas em 1958.

355 *"Dick, você ainda está acordado?"*: Richard Helms com William Hood, *A Look over My Shoulder: A Life in the Central Intelligence Agency* (Nova York: Random House, 2003), pp. 3-5.

356 *"Vamos enfrentar um inferno"*: Colby citado em Strober e Strober, *Nixon: An Oral History*, p. 312.

356 *"Nós podíamos conseguir o dinheiro em qualquer lugar do mundo"*: Entrevista de Helms a Stanley I. Kutler, 14 de julho de 1988, Arquivos Históricos de Wisconsin, caixa 15, pasta 16, citada com a gentil permissão do professor Kutler. Nessa entrevista, Helms recordou uma conversa que mostra como seu novo vice-diretor quase chegou a cooperar com o pedido de dinheiro para o suborno. Antes de seu terceiro e último encontro com Dean na Casa Branca, Vernon Walters se virou para Helms e disse, "Olhe, suponha que eu ceda. O pior que pode acontecer é que eu seja demitido, ou que precise renunciar." Walters não compreendia a situação, não entendia o fato de que a agência estava em perigo extremo. "Ele estava ali havia seis semanas. Não sabia o que estava acontecendo", disse Helms. "Provavelmente sequer sabia que a agência tinha fundos não-declarados."

O biógrafo de Helms, Thomas Powers, escreveu no fim dos anos 1970 que "o papel da CIA em Watergate será assunto de debate pelo resto dos dias". O principal cronista de Watergate, Stanley Kutler, escreveu no início dos anos 1990 que o papel da agência "parece destinado a permanecer obscuro". A atuação agora é bastante clara. A contratação de seis ex-funcionários da CIA para o arrombamento no Watergate foi parte do hábito do governo Nixon de realizar operações clandestinas por meio da Casa Branca. Nixon tentou usar a CIA para conter o FBI. Conseguiu por pouquíssimo tempo. Helms e Walters obedeceram à ordem do presidente de continuar escondendo a verdade por dezesseis dias no máximo. O encobrimento teria funcionado se Helms tivesse arriscado tudo. Fracassou porque ele prezava a CIA mais do que prezava Richard Nixon.

357 *Kissinger propôs substituir Helms por James Schlesinger*: FRUS, Vol. II, documento 284, nota editorial.

357 *"Muito boa idéia"*: 10 de novembro de 1972, registro em *The Haldeman Diaries: Inside the Nixon White House, The Complete Multimedia Edition*, CD-ROM, Sony Electronic Publishing, 1994.

357 *"arruinar o Serviço Diplomático"*: Fitas da Casa Branca, conversa entre Nixon e Kissinger, Salão Oval, 13 de novembro de 1972, Arquivos Nacionais.

358 *"estraçalhar o Departamento"*: 21 de novembro de 1972, registro em *The Haldeman Diaries*.

358 *"Olhe, senhor presidente"*: Entrevista de Helms a Kutler.

358 *"uma conspiração da CIA para afastá-lo do cargo?"*: Transcrição de entrevista de Nixon a Frank Gannon, Walter J. Brown Media Archives, Universidade da Geórgia, disponível online em http://www.libs.uga.edu/media/collections/nixon. Gannon entrevistou Nixon durante nove dias em 1983; as transcrições completas foram publicadas em 2002.

358 *"alguém que realmente tinha as iniciais R. N. tatuadas na carne"*: Entrevista de Helms a Kutler.

359 *"Possuem 40 mil pessoas lá que ficam lendo jornais"*: John L. Helgerson, *Getting to Know the President: CIA Briefings of Presidential Candidates, 1952-1992* (Washington, DC: Center for the Study of Intelligence, CIA, 1995). Nixon elevou o número de funcionários na sede para mais que o dobro.

359 *"Schlesinger tem que ser o homem encarregado"*: Fitas da Casa Branca, Salão Oval, 27 de dezembro de 1972. Nesse memorando gravado, Nixon enfatizou "a necessidade de melhorar a *qualidade*, bem como de reduzir a *quantidade* das principais pessoas da inteligência na própria CIA. A CIA, assim como o Departamento de Estado, é basicamente um estabelecimento burocrático liberal. Eu quero que o quadro de funcionários de lá seja cortado pelo menos à metade — não, pelo menos em 35% a 40% — e quero uma melhoria definitiva na atitude das pessoas da CIA no que diz respeito a nossa política externa."

359 *"Não havia um olho seco na casa"*: Depoimento gravado de Halpern em Ralph E. Weber, ed., *Spymasters: Ten CIA Officers in Their Own Words* (Wilmington, Delaware: Scholarly Resources, 1999), p. 128.

*Capítulo 31*

361 *"mudar o conceito de 'serviço secreto'"*: William Colby, *Honorable Men: My Life in the CIA* (Nova York: Simon and Schuster, 1978). Meu retrato desse período da história da CIA é influenciado por entrevistas com Bill Colby realizadas pessoalmente e por telefone entre 1988 e a semana anterior a sua morte, em 1996.

362 *o inimigo havia rompido a defesa da CIA*: Hoje sabemos que havia algumas infiltrações em níveis baixos da CIA naquela época. Um analista chamado Larry Wu-tai Chin espionou para a China durante anos sem ser descoberto. As melhores provas que temos hoje sugerem que nenhum dos agentes duplos era soviético. Mas na opinião de Angleton, ausência de prova não era prova de ausência.

363 *"a agência central de inteligência — "c" minúsculo, "i" minúsculo, "a" minúsculo"*: Schlesinger citado em Douglas F. Garthoff, "Directors of Central Intelligence as Leaders of the U.S. Intelligence Community, 1946-2005", 2006, CIA/CSI.

363 *uma das decisões mais perigosas que um diretor da central de inteligência já havia toma-do*: Schlesinger afirma hoje que ordem não significava que as pessoas deveriam con-tar tudo literalmente, e que nunca lhe havia ocorrido que alguém realmente obedeceria. Mas é inconcebível que os oficiais da CIA ignorassem uma ordem legal de um diretor.

364 *A carta de direitos extremamente vaga da CIA*: A base legal da agência para realizar ações secretas dependia de instrução legal do Conselho de Segurança Nacional, um enten-dimento claro entre o presidente e o diretor da central de inteligência, e uma módica supervisão do Congresso. A relação tripartite era completamente deficiente em 1973. Os poderes do assessor de segurança nacional — um cargo puramente administrati-vo que não tinha base alguma em lei ou estatuto — eram na época o que quer que ele conseguisse fazer em segredo.

365 *Colby os trancou*: Ele contou o segredo aos quatro membros do Congresso aos quais tinha que se reportar: os presidentes das subcomissões do Senado e da Câmara que lidavam com o orçamento da CIA. Não tinha nada a temer em relação a eles. A subcomissão do Senado se reunira exatamente uma vez desde o outono de 1970.

365 *"Não nos cobrimos de glória"*: Declaração de Colby, Comissão Seleta da Câmara para Inteligência, 4 de agosto de 1975. A CIA relatou: "nenhum indicador militar ou polí-tico de intenções egípcias ou preparação para reiniciar hostilidades contra Israel".

365 *"Mas não haverá guerra alguma"*: Citado em Mary O. McCarthy, "The Mission to Warn: Disaster Looms", *Defense Intelligence Journal*, Vol. 7, nº 2, 1998. Na época da publica-ção, McCarthy era diretora-geral para programas de inteligência na Equipe do Con-selho de Segurança Nacional; de 1994 a 1996, ela foi oficial da inteligência nacional para advertências.

## *Capítulo 32*

367 *Pappas doara US$ 549 mil em dinheiro vivo à campanha de Nixon em 1968*: A declaração seguinte foi colocada no *Congressional Record* em 1993 pelo deputado Don Edwards, membro da Comissão Judiciária da Câmara que aprovou os artigos do impeachment contra o presidente Nixon: "A ditadura grega, através de sua agência de inteligência, KYP (que fora fundada e subseqüentemente subsidiada pela CIA), transferiu três pagamen-tos em dinheiro vivo, totalizando US$ 549 mil, para os fundos de campanha de Nixon em 1968. O canal foi Thomas Pappas, um proeminente empresário greco-americano com íntimas ligações com a CIA, os coronéis e a campanha de Nixon."

367 *"Estou consciente do que você está fazendo"*: Fitas da Casa Branca de Nixon, 7 de março de 1973, liberadas e transcritas em 1998, Arquivos Nacionais. Nixon disse a sua secre-tária, Rose Mary Woods, para assegurar que não houvesse qualquer registro sobre a visita de Pappas. "Não quero ter nada indicando que eu estava agradecendo a ele por levantar dinheiro para os acusados de Watergate", disse ele. Até hoje, ninguém sabe por que a Casa Branca enviou arrombadores ao Watergate. O grupo poderia muito bem estar procurando indícios de que o chefe do Comitê Nacional Democrata, Larry

O'Brien, tinha provas sobre a conexão Nixon-Pappas — coisa que ele tinha. Pappas foi útil na escolha do vice-presidente Spiro Agnew como vice de Nixon na campanha de 1968 e contribuiu pessoalmente com pelo menos US$ 100 mil para a campanha de reeleição de Nixon em 1972. Em troca por essa última doação, Pappas queria que o embaixador Henry Tasca permanecesse na Grécia. Tasca era talvez o único americano fora do círculo interno de Nixon que sabia que Pappas havia sido o portador dos fundos de campanha de Nixon provenientes da junta grega. Pappas nunca foi acusado no escândalo Watergate: as investigações do Congresso sobre a conexão grega foram canceladas por motivo de segurança nacional. Ele morreu em sua propriedade em Palm Beach, Flórida, em 1988.

367  *"Esses coronéis vinham conspirando havia anos e anos"*: Depoimento gravado de Keeley, FAOH.

368  *sete sucessivos chefes do posto de Atenas*: Estes incluíram Al Ulmer, John Richardson e Tom Karamessines, chefe do serviço clandestino na gestão de Richard Helms, e que chegou a Atenas pela primeira vez em 1947. Durante os anos 1950, Allen Dulles cuidou pessoalmente do rei e da rainha da Grécia e de sua guarda palaciana, enquanto seus chefes do posto compravam os serviços de soldados e espiões gregos. "Estávamos dirigindo a Grécia", disse Herbert Daniel Brewster, diplomata americano que dedicou sua carreira ao país do início dos anos 1950 em diante. "O controle era total."

368  *"a Agência Central de Inteligência"*: Depoimento gravado de Anschutz, FAOH.

368  *"A única vez em que vi Helms realmente irritado"*: Entrevista de depoimento gravado de Lehman, "Mr. Current Intelligence", *Studies in Intelligence,* verão de 2000, CIA/CSI.

368  *"a CIA explodiria de raiva"*: Depoimento gravado de Blood, FAOH.

368  *"O chefe do posto da CIA"*: Depoimento gravado de Kennedy, FAOH.

368  *"um grande poder em Atenas"*: Depoimento gravado de Boyatt, FAOH.

369  *"Fui para Atenas"*: Depoimento gravado de Crawford, FAOH. Os coronéis gregos tinham motivos para odiar o arcebispo Makarios. Crawford explicou que Makarios havia "ajudado um jovem, um grego continental, que subseqüentemente tentou assassinar o primeiro-ministro da Grécia. Makarios lhe deu um refúgio seguro, o uso dos canais diplomáticos do Chipre e um passaporte falso para permitir-lhe voltar à Grécia depois de um ano executando planos clandestinos em Chipre."

371  *"o preço terrível"*: Depoimento gravado de Kubisch, FAOH.

## Capítulo 33

373  *"relacionado ao uso de material confidencial"*: Ford em minuta de reunião do Conselho Nacional de Segurança, 7 de outubro de 1974, GRFL.

373  *"Não temos os instrumentos de que precisamos"*: Schlesinger em ibid.

374  *"tudo o que o presidente sabia"*: Colby citado em John L. Helgerson, *Getting to Know the President: CIA Briefings of Presidential Candidates, 1952-1992,* CIA/CSI.

374  *"É inconcebível"*: Testemunho de Angleton, audiência da Comissão Church, 23 de setembro de 1975.

375  *"Ford me pediu para ir à Casa Branca"*: Depoimento gravado de Silberman, FAOH.

376  *"O senhor Helms pode ter cometido perjúrio"*: Helms ficara dividido entre a verdade e o
       sigilo. Em testemunho ao Congresso antes de ser designado embaixador para o Irã
       em 1973, ele mentiu sobre o que a CIA fizera e deixara de fazer para derrubar o gover-
       no eleito do Chile. Durante os quatro anos em que foi embaixador, recebera contínu-
       as ordens de voltar para Washington de comissões do Congresso, investigadores
       criminais e altos conselhos da Casa Branca. Humilhado mas desafiador, Helms pos-
       tou-se diante de um juiz federal em Washington em 4 de novembro de 1977, e rece-
       beu uma sentença de dois anos em condicional e uma multa de US$ 2 mil, em vez de
       uma acusação por oito crimes capitais. Aceitou a acusação menor de não testemu-
       nhar toda a verdade ao Congresso — uma mentira inofensiva, um pecado de omis-
       são. Helms argumentou que fizera um juramento maior, como diretor, de proteger os
       segredos da nação. O governo Carter avaliou o processo e decidiu que deveria conti-
       nuar. O tribunal disse que as determinações da Constituição e das leis dos Estados
       Unidos eram mais fortes do que o poder do sigilo.

376  *"a CIA seria destruída"*: Memorando de conversa, 3 de janeiro de 1975, GRFL.

376  *"Francamente, estamos numa confusão"*: Memorando de conversa, 4 de janeiro de 1975,
       GRFL. As notas dessa reunião foram liberadas em dezembro de 2002:

> Ford: Colby procurou Silberman não apenas com seu relatório, mas com
> inúmeras outras acusações.
> Rockefeller: A seu pedido?
> Ford: Sem meu conhecimento...
> [O doutor Kissinger descreveu o livro "dos horrores".]
> Ford: Estamos preocupados de que a CIA seja destruída... E Helms acha que
> Colby o prejudicou; Helms deixou claro que se houver esqueletos a serem
> relevados, ele mostraria alguns dos seus.
> Kissinger: E Colby levou ao juiz a questão de possível perjúrio por Helms.
> Rockefeller: Isso levanta verdadeiras questões sobre o bom-senso de Colby.
> Ford: Debatemos isso e decidimos que não poderíamos retirá-lo agora.

376  A CIA *"cometeu um erro"*: Depoimento gravado de Gerald R. Ford, 8 de julho de 2003, JFKL.

377  *"a investigação da CIA"*: Memorando de conversa, 21 de fevereiro de 1975, GRFL.

377  *"Dentro da CIA há uma amarga dissensão"*: Memorando de conversa, 28 de março de
       1975, GRFL.

*Capítulo 34*

379  *"Deixe-me entender a situação"*: Minuta do Grupo de Ações Especiais de Washington,
       2 de abril de 1975, liberada em setembro de 2004. Dias depois dessa conversa, o go-
       verno do Camboja caiu. O embaixador americano, John Gunther Dean, e o chefe do

posto da CIA, David Whipple, compreendiam a situação ao redor melhor do que seus colegas em Saigon. "A CIA tinha uma boa idéia sobre a estrutura e a liderança do Khmer Vermelho", recordou Dean. "David Whipple... nos deu uma documentação sobre alguns dos atos bárbaros cometidos pelo Khmer Vermelho antes de abril de 1975". Depoimento gravado de Dean, FAOH.

380 *Polgar acordou ao som de foguetes*: Entrevista de Polgar ao autor. Quando assumiu o cargo no lugar de Ted Shackley em janeiro de 1972, Polgar comandava 550 oficiais da CIA, duzentos deles atuando em operações secretas. As instruções que ele recebia de Nixon e Kissinger continuaram depois da assinatura dos Acordos de Paz de Paris, em 1973: "Continue a guerra por outros meios para manter o Vietnã não-comunista." Polgar testemunhara em primeira mão parte da diplomacia pela qual Henry Kissinger recebera o Prêmio Nobel da Paz. O grande estrategista negociou os termos do acordo de paz e de um cessar-fogo com o Vietnã do Norte semanas antes da eleição presidencial americana de 1972 — sem a aprovação do presidente do Vietnã do Sul, o corrupto Nguyen Van Thieu. Em Saigon, num jantar do qual participaram o embaixador americano Ellsworth Bunker e John Negroponte, assistente de Kissinger, Kissinger instruiu pessoalmente Polgar a "pressionar Thieu" por meio de aliados da CIA entre os militares sul-vietnamitas. Polgar respondeu que a ordem de Kissinger não fazia sentido algum; que já não era assim que as coisas funcionavam em Saigon. Isso fez ainda menos sentido depois que Kissinger vazou a história sobre as negociações secretas para um repórter favorito na *Newsweek*. O repórter enviou sua história por telegrama de Saigon, e o serviço de inteligência do Vietnã do Sul a interceptou e encaminhou cópias ao presidente Thieu e a Tom Polgar. O chefe do posto mostrou sua cópia a Kissinger, que reagiu: "Isso tem o cheiro desagradável da verdade."

O orçamento do posto da CIA permaneceu regularmente em US$ 30 milhões por ano enquanto a presença militar americana diminuía em 1973 e 1974. Polgar realizava operações de obtenção de inteligência, e não missões paramilitares. Interrogadores da CIA questionavam soldados comunistas capturados e pessoas suspeitas de espionagem. Analistas da CIA se debruçavam sobre pilhas de relatórios vindos de campo. Chefes de braços da CIA em cada um quatro setores militares do Vietnã do Sul coordenavam centenas de oficiais americanos e sul-vietnamitas. E o inimigo avançava.

A CIA continuou tentando localizar um quartel-general no campo inimigo — o Pentágono de Bambu, como os militares americanos o chamavam — mas não havia nada na selva além de barracas, túneis e um inimigo determinado. Depois da queda de Richard Nixon em agosto de 1974, o Congresso se revoltou contra a guerra e começou a cortar centenas de milhões de dólares do orçamento que evitava que os militares sul-vietnamitas afundassem. Em março de 1975, soldados norte-vietnamitas estavam exterminando divisões sul-vietnamitas e avançando sobre Saigon. O fracasso em criar um plano coerente para a evacuação de Saigon levou à morte e à prisão de milhares de vietnamitas que trabalharam para os Estados Unidos. O embaixador Martin voltou para Washington e se tornou assistente especial de Henry Kissinger.

383 *"imperativo que a evacuação acontecesse sem demora"*: Depoimento gravado de Arnold, registrada por Gayle L. Morrison. Morrison, uma etnógrafa, passou nove anos registrando relatos testemunhais, na primeira pessoa, de *hmongs* e americanos que se lembravam da queda de Long Tieng. Seu extraordinário livro é *Sky Is Falling: An Oral History of the CIA's Evacuation of the Hmong from Laos* (Jefferson, Carolina do Norte: McFarland, 1999). Minha reconstituição se baseia no trabalho dela, inclusive suas histórias orais do general Aderholt e do capitão Knotts.

384 *forçaram um arranjo político*: Richard L. Holm, "No Drums, No Bugles: Recollections of a Case Officer in Laos, 1962-1965", *Studies in Intelligence,* Vol. 47, nº. 1, primavera de 2003, CIA/CSI.

## Capítulo 35

386 *"Enterrar Bush"...* *"um cemitério de políticos"...* *"o fim total de qualquer futuro político"*: George Bush, *All the Best, George Bush: My Life in Letters and Other Writings* (Nova York: Scribner, 1999), pp. 195-196, 239-240; Herbert S. Parmet, *George Bush: The Life of a Lone Star Yankee* (Nova York: Scribner, 1999), pp. 189-194.

386 *"Este é o emprego mais interessante que eu já tive"*: Bush, *All the Best*, p. 255.

386 *Bush disputou com o secretrário de Defesa Rumsfeld*: Douglas F. Garthoff, "Directors of Central Intelligence as Leaders of the U.S. Intelligence Community, 1946-2005", 2006, CIA/CSI.

386 *Rumsfeld era "paranóico"*: Entrevista de depoimento gravado de Carver, 13 de maio de 1982, CIA/CSI.

387 *"um período turbulento e problemático"*: Carta de George Bush ao presidente, 1º de junho de 1976, liberada em 9 de agosto de 2001, CIA.

388 *"Tínhamos sido forçados a sair do Vietnã"*: Frank G. Wisner Jr., depoimento gravado, FAOH. Ele relembrou no início, "Cresci na Segunda Guerra Mundial e tenho lembranças vívidas de um pai indo para a guerra... Quando criança, conheci o general Marshall, Allen Dulles e conheci de passagem muitos secretários de Estado e Defesa... Tenho lembranças muito, muito fortes do fim da guerra, da chegada do período pós-guerra, do início da própria guerra fria, reflexões agudas da época... Meu pai foi durante vários anos o chefe dos serviços clandestinos da CIA. Eu me lembro de quando a Guerra da Coréia estourou, sua passagem, a crise em Washington durante os anos McCarthy, o surgimento da Otan e a Guerra de Suez. Eu estava na Inglaterra, na escola, e me sentia quase como se estivesse na frente de batalha... Quando cheguei a Washington no início do governo Kennedy para entrar para o serviço diplomático, eu já tinha, num sentido bastante real, vivido uma trajetória de assuntos externos."

388 *Bush se preparou para encontrar o governador da Geórgia*: As conversas entre Bush e Carter estão detalhadas em documentos do CRES e em John L. Helgerson, *Getting to Know the President: CIA Briefings of Presidential Candidates, 1952-1992*, CIA/CSI.

389-390 *da Comissão Church, o grupo do Senado que investigava a CIA*: A comissão entrou em becos sem saída tentando investigar os "alegados planos de assassinato" sem enfrentar o fato de que presidentes haviam autorizado esses planos. Suas contribuições dura-douras foram uma história altamente competente sobre a CIA e as transcrições dos de-poimentos que tomou, a maioria das quais só foi liberada depois do fim da guerra fria. A comissão da Câmara se dissolveu em rancor; um texto final de seu relatório foi vaza-do, mas nunca publicado formalmente. A primeira verdadeira tentativa de supervisão do Congresso não foi um sucesso. "Quando entramos naquilo, o que significou além de um circo da mídia?", disse sobre a Comissão Church, em 1987, John Hurton, veterano da CIA de 41 anos e um homem de mente bastante aberta. "Quem a CIA assassinou? Ninguém, até onde posso dizer. Mas você pensaria que era tudo o que fazíamos."

390 *"Bush queria ser mantido"*: Helgerson, *Getting to Know the President*.

390 *ele revelou... várias operações em andamento*: George Bush, "Subject: Meeting in Plains, Georgia, 19 November 1976", CIA/FOIA. Bush contou a Carter sobre a "vigilância ele-trônica não-autorizada" de cidadãos americanos, os contatos da CIA com a Organi-zação para Libertação da Palestina e o caso não resolvido de Nicholas Shadrin, desertor soviético que trabalhava para a CIA — ou talvez um agente duplo — que fora assas-sinado em Viena onze meses antes. Havia outro aspecto das operações da CIA em Viena que Bush não mencionou. Depois do assassinato de Richard Welch em Atenas em de-zembro de 1975, Bill Colby, em um de seus últimos atos como diretor, ordenou um diálogo direto e secreto entre a CIA e oficiais da inteligência soviética em Viena. Ele queria saber se Moscou tinha alguma participação no assassinato, o que teria sido uma violação das regras tácitas da guerra fria. Queria também o diálogo pelo benefício do diálogo entre si. Os dois lados nunca haviam tido um canal de comunicação nos ní-veis mais elevados. Ambos acharam a conversa útil. A linha permaneceu aberta até o fim da guerra fria.

390 *"direitistas escandalosos"*: Entrevista de depoimento gravado de Lehman, "Mr. Current Intelligence", *Studies in Intelligence,* verão de 2000, CIA/CSI.

391 *"Deixe-a voar"*: Anotação de Bush, memorando de George Carver, 26 de maio de 1976, CIA/CREST.

391 *a agência testou as descobertas da Equipe B*: Raymond L. Garthoff, "Estimating Soviet Military Intentions and Capabilities", Gerald K. Haines e Robert E. Leggett (eds.), *Watching the Bear: Essays on CIA's Analysis of the Soviet Union*, CIA/CSI.

392 *Em retrospecto, veja você*: Robert M. Hathaway e Russell Jack Smith, "Richard Helms as Director of Central Intelligence", 1993, CIA/CSI, liberado em fevereiro de 2007.

392 *"a grandeza que a CIA é"*: Discurso de Bush, sede da CIA, 19 de janeiro de 1977.

## Capítulo 36

397 *Carter... acabou assinando quase tantas ordens para ações secretas quanto Nixon e Ford*: Embora nenhum número preciso tenha sido liberado, "o governo Carter se beneficia-va freqüentemente de programas de ações secretas", disse o vice-diretor da central de inteligência de Carter, Frank Carlucci. Depoimento gravado de Carlucci, FAOH.

397 *"Eu tinha um irmão que havia trabalhado para a CIA secretamente"*: entrevista de Sorensen ao autor. Seu irmão Thomas Sorensen trabalhou para a CIA nos anos 1950. Thomas foi o número três da Agência de Informação dos Estados Unidos sob a liderança de JFK e Edward R. Murrow; era o contato dessa agência com Richard Helms, misturando notícia com propaganda, enquanto Ted escrevia discursos na Casa Branca de Kennedy.

398 *"o presidente Carter me chamou"*: Entrevista de Turner ao autor.

398 *"Eu era encarregado de reunir a inteligência humana"*: Depoimento gravado de Holdridge, FAOH.

400 *"estava tentando derrubar o sistema deles"*: Robert M. Gates, *From the Shadows: The Ultimate Insider's Story of Five Presidents and How They Won the Cold War* (Nova York: Simon and Schuster, 1996), p. 95.

400 *uma boa noção*: Brzezinski disse, "O coronel Kuklinski se dispôs voluntariamente a colaborar com os EUA, enfatizando que gostaria de colaborar com os militares americanos como oficial polonês. Ele foi muito útil fornecendo aos Estados Unidos uma compreensão muito melhor do que aquela que até então havia sobre os planos de guerra do Pacto de Varsóvia, os planos soviéticos de lançar um ataque maciço repentino contra a Europa Ocidental — incluindo, a propósito, um plano pouco conhecido de usar armas nucleares desde o primeiro dia do ataque à Europa Oriental. Vou lhe dar um exemplo específico. No segundo dia do ataque à Europa Ocidental os planos de guerra soviéticos determinavam o uso de quarenta armas nucleares táticas somente contra Hamburgo, na Alemanha Ocidental. Então aquela era uma contribuição extremamente importante para preencher grandes lacunas em nossa compreensão sobre o planejamento de guerra soviético. E na medida em que a agência era o canal que fornecia a linha de comunicação com ele, aquilo era um sucesso para a agência, embora o coronel Kuklinski nunca tenha sido, num sentido estrito, um agente da CIA. Era um voluntário. Atuava por conta própria. Não recebia realmente instruções." Entrevista de Brzezinski ao autor.

360 *"Por Deus"*: Entrevista de Smith ao autor. Recrutado em Dartmouth no início da Guerra da Coréia e treinado na língua russa pelo exército, Smith se concentrou em alvos soviéticos nos postos da CIA em Praga, Berlim e Beirute no fim dos anos 1950 e nos anos 1960. Recrutou e dirigiu pessoalmente seis europeus orientais e treinou centenas de jovens oficiais da CIA nos fundamentos da espionagem em capitais da guerra fria sem ser apanhado. Em 1975, quando Angleton foi forçado a se aposentar, Smith e seus colegas começaram a recrutar seus primeiros soviéticos.

Seu maior recrutamento foi o de Sergei Federenko, um diplomata designado para questões de controle de armas no secretariado das Nações Unidas em Nova York. Engenheiro por formação e membro da elite soviética por nascença, Federenko era jovem e ambicioso. Gostava de beber. Tinha uma bela mulher e uma namorada paralelamente, nos subúrbios do norte de Nova York.

"Bem, sou um homem clandestino", disse Smith. "Essa é minha natureza e minha formação. Você não (recruta) um soviético. O soviético tem que recrutar a si mesmo. É como quando você conquista uma mulher. Cada um precisa encontrar algo atraente no outro. Em muitos aspectos, é uma sedução... Então eu recrutei o sujeito. E... adivinha o quê? Ele era formado como cientista e trabalhara na construção de foguetes soviéticos."

Federenko informou quem era quem na delegação soviética nas Nações Unidas em Nova York, incluindo uma lista com os nomes e pontos fracos dos oficiais da KGB que posavam de diplomatas. Por seu trabalho brilhante, Smith foi promovido a chefe de uma divisão da CIA que se dedicava a contraterrorismo. Mas quando chegou a hora de escolher um funcionário de inteligência para lidar com Federenko em Nova York, a CIA teve pouquíssimas opções. A oferta de pessoas que falavam russo fluentemente na divisão soviética/Europa Oriental do serviço clandestino era muito pequena. A sede escolheu um alcoólatra de 34 anos que se tornou um traidor da CIA. Em 1954, ele era um menino que descia flutuando o Rio Irrawady, na Birmânia, com seu pai quando descobriu que o velho trabalhava para a agência. Foi arquivista da CIA durante cinco anos, nos anos 1960, enquanto tentava terminar um curso universitário. Finalmente se tornou membro do serviço clandestino em 1967. Casou-se com uma agente da CIA e, em todos os sentidos, casou-se com a CIA. Seu nome era Aldrich Ames.

401 *"Estão lá as possibilidades de transformar um conflito de brancos e negros num conflito de brancos e vermelhos"*: "Subject: South Africa and Rhodesia", Special Coordination Committee Meeting, 8 de fevereiro de 1977, e minuta de reunião do Conselho de Segurança Nacional, 3 de março de 1977, JCL.

402 *"ninguém queria prestar atenção na África"*: Depoimento gravado de Carlucci, FAOH.

402 *Gerry Gossens, que foi chefe de posto*: Entrevista de Gossens ao autor. Nascido no Texas e criado em Beirute, Gossens entrou para a CIA em 1960 e trabalhou no Oriente Médio sob intenso sigilo como negociante de motores de popa da Evinrude antes de entrar para a divisão África. Centenas de homens da CIA jovens e ambiciosos — e algumas mulheres — lutavam por vantagens sobre espiões soviéticos, chineses e alemães orientais na África durante os anos 60 e 70. "Éramos jovens dispostos a ir para buracos do inferno", disse Grossens. "Estávamos direcionados para a espionagem muito antes do resto da agência aparecer. Nosso chefe de seção costumava dizer: 'Dê-me US$ 25 mil e eu consigo um presidente africano.' Mas esse não era o nosso negócio. Nosso negócio era espionagem. E a África ainda era um lugar tão fluido, que você estava dentro da história enquanto ela acontecia. Você podia começar uma operação por acaso. Você vai visitar o presidente com o embaixador. Um membro da equipe do presidente diz, 'Sabe, tenho uma câmera Pentax quebrada. Não consigo encontrar peças.' Você lhe faz um favor. E acaba olhando os arquivos do presidente."

403 *"Minha única grande crise"*: Depoimento gravado de Wisner, FAOH.

403 *"Perguntei a meu chefe no posto se era verdade"*: Depoimento gravado de Eagleburger, FAOH.

403 *"uma das habilidades básicas deles"*: Stansfield Turner, *Burn Before Reading: Presidents, CIA Directors, and Secret Intelligence* (Nova York: Hyperion, 2005), p. 187.

404 *"Eles têm uma cultura única"*: Entrevista de McMahon ao autor.

404 *"Eles tiveram um ataque. Ficaram loucos"*: Entrevista de McMahon ao autor.

404 *"Apesar de seus atuais (e cada vez piores) problemas morais"*: Memorando para Zbigniew Brzezinski, "Subject: Covert Action Possibilities in Selected [*apagado*] Areas", 5 de fevereiro de 1979, NSC, JCL. Houve, porém, uma outra operação secreta que começou no governo Carter e deu frutos quinze anos depois. Seu objetivo era descobrir as ligações entre traficantes de cocaína e o governo da Colômbia. Em 1977, "o chefe do posto da CIA me procurou com um plano para o envolvimento da CIA no trabalho antinarcóticos", disse Robert W. Drexler, na época subchefe da missão na embaixada americana em Bogotá. "Aquilo não podia chegar ao conhecimento da DEA. Então eu aprovei, e começamos. Foi essencialmente uma boa operação, na qual usamos um número muito pequeno de oficiais confiáveis da polícia colombiana, que podíamos monitorar de perto, para assegurar que eles não estavam se voltando contra nós ou se corrompendo, ou que saberíamos se estivessem; e na qual coletamos informações sobre contatos entre os traficantes de drogas e altos funcionários colombianos. O programa funcionou muito bem. As informações que obtivemos foram assustadoras, porque detalhavam a rápida disseminação da corrupção." Em 1994 e 1995, essa operação chegou ao clímax com a destruição, apoiada pela CIA, de um dos maiores círculos de cocaína da Colômbia, o cartel de Cali, o que foi conseguido em conjunto com a DEA*.

405 *a CIA falhou em advertir o presidente dos Estados Unidos*: Embora quase todos os registros sobre a falha em advertir para a invasão soviética no Afeganistão permaneçam secretos, Douglas MacEachin, vice-diretor da inteligência de 1993 a 1995, publicou em 2002 uma avaliação do desempenho da CIA, baseando seu trabalho em registros secretos bem como em sua experiência direta como um dos melhores analistas de assuntos soviéticos da agência. Douglas MacEachin, "Predicting the Soviet Invasion of Afghanistan: The Intelligence Community's Record", Center for the Study of Intelligence, 2002, CIA/CSI. Meu relato sobre a falha se baseia em grande parte em seu trabalho, bem como em entrevistas com Brzezinski e Gates.

406 *"a situação em deterioração"*: Gates, *From the Shadows*, p. 132. Embora Gates não diga isso, essa passagem evidentemente apareceu no informe diário do presidente.

406 *"A CIA não considera isso uma mobilização drástica"*: "Subject: Iran", Comissão de Coordenação Especial, 17 de dezembro de 1979, coleção do Arquivo de Segurança Nacional.

407 *"O ritmo dos deslocamentos soviéticos"*: O relatório de 19 de dezembro de 1979 ao presidente é citado em *The Soviet Invasion of Afghanistan*, uma história secreta da CIA citada em "Predicting the Soviet Invasion", MacEachin.

407 *"um esporte para espectadores"*: MacEachin, "Predicting the Soviet Invasion".

---

*DEA: "Drug Enforcement Administration"; Força Administrativa de Narcóticos.

*Capítulo 37*

409 *"uma quase ditadura"*: Nixon a Haig e ao embaixador Douglas MacArthur II, 8 de abril de 1971, FRUS 1969-1976, Vol. E-4, Documentos sobre Irã e Iraque, liberados em 12 de setembro de 2006.

409 *"confirmar que o xá era nosso fantoche"*: Depoimento gravado de Precht, FAOH. Em setembro de 1979, Precht estava num hospital em Washington esperando para ser operado: "Antes de ir para a sala de cirurgia, eu olhei em volta e havia uma outra pessoa deitada ali, esperando sua vez. Era Loy Henderson, que tinha sido embaixador em 1953, quando Mossadeq foi derrubado. Eu pensei, 'presente na criação e presente na destruição'. Depois que eu consegui caminhar, fui até seu quarto... Perguntei-lhe como era [o xá] na sua época no Irã. Ele disse, 'Ele não contava. Era insignificante. Era uma pessoa fraca. Mas tínhamos que lidar com ele'. Portanto, ele confirmou o que eu suspeitava — que o xá fora inflado pelo poder que chegara ao Irã com a injeção de rendimentos em petróleo mais a adulação de Nixon, Kissinger e outros líderes estrangeiros."

409 *"uma ilha de estabilidade"*: A frase que o presidente Carter usou tinha uma procedência iraniana. Kissinger disse a Nixon num memorando de outubro de 1969 que o xá "está genuinamente comprometido com o Ocidente e acha que o bom trabalho que está fazendo no Irã — 'uma ilha de estabilidade', como ele chama — é um serviço importante para o Mundo Livre". Kissinger a Nixon, 21 de outubro de 1968, FRUS, 1969-1976, Vol. E-4, liberado em 12 de setembro de 2006.

410 *o testemunho de Howard Hart nas ruas*: Observações de Hart, Miller Center of Public Affairs, Universidade de Virgínia, 7 de setembro de 2005.

410 *"conversas confidenciais muito, muito delicadas"*: Depoimento gravado de Laingen, FAOH.

411 *"Nós pagamos o preço"*: Depoimento gravado de Laingen, FAOH.

411 *"Estávamos simples e profundamente adormercidos"*: Turner, *Burn Before Reading: Presidents, CIA Directors, and Secret Intelligence* (Nova York: Hyperion, 2005), p. 180.

411 *"Como nação, não temos nenhuma idéia"*: Comentários de Hart, Miller Center, 7 de setembro de 2005. Greg Miller, "In from the Cold, to a Cold Shoulder", *Los Angeles Times*, 19 de maio de 2005.

412 *"Eu sabia pouco sobre o Irã"*: William J. Daugherty, "A First Tour Like No Other", *Studies in Intelligence*, primavera de 1998, CIA/CSI.

412 *"Não se preocupem com outro ataque à embaixada"*: William J. Daugherty, *In the Shadow of the Ayatollah: A CIA Hostage in Iran* (Annapolis, Maryland: Naval Institute Press, 2001), p. 3.

412 *"Barrem o xá!"*: Entrevista de Jimmy Carter, Jimmy Carter Oral History Project, Miller Center, 29 de novembro de 1982.

413 *"ignorante em relação à cultura e à língua locais"*: Daugherty, "A First Tour Like No Other".

413 *a operação foi idealizada por Tony Mendez, da CIA*: Entrevista de Mendez ao autor; Tim Weiner, "Master Creator of Ghosts Is Honored by C.I.A.", *The New York Times*, 19 de

setembro de 1997. Veja também Antonio J. Mendez, "A Classic Case of Deception", *Studies in Intelligence,* inverno 1999-2000, CIA/CSI.

414 *"O esforço se valeu bastante da CIA"*: Depoimento gravado de Quainton, FAOH.

415 *"um cadáver sombrio"*: Daugherty, "A First Tour Like No Other".

415 *"um ato de vingança"*: Kenneth M. Pollack, *The Persian Puzzle: The Conflict Between Iran and America* (Nova York: Random House, 2004), pp. 128-180.

## Capítulo 38

417 *"Sua visão sobre como lutar uma guerra"*: Entrevista de Gates ao autor.

418 *"Não acho que ele quis dizer 'jogar fora a Constituição'"*: Entrevista de Webster ao autor.

418 *"não era qualificado para ser o chefe da CIA"*: Depoimento gravado de Ford em Deborah Hart Strober e Gerald S. Strober, *Reagan: The Man and His Presidency* (Boston: Houghton Mifflin, 1998), p. 72.

418 *"Casey foi uma escolha inapropriada"*: Bush citado em John Helgerson, "CIA Briefings of Presidential Candidates", maio de 1996, CIA/CSI. Duas outras visões sobre o homem e o cargo: Laurence Silberman — juiz federal que liderou a investigação de 2005 sobre o trabalho da CIA sobre armas de destruição em massa no Iraque — co-presidiu o grupo de política externa de Reagan em 1980. "Eu sinceramente teria aceitado ser diretor da CIA, o que estava sendo discutido", disse Silberman. "Mas Casey... tinha um apelo maior, embora eu tenha achado insensato pôr um presidente de campanha naquele cargo." Lawrence Eagleburger, que foi secretário de estado no governo Bush em 1992, explicou de maneira mais direta: "Ou você acaba com o lado clandestino da CIA, o que eu não gostaria de ver acontecer, ou você simplesmente tem que ser muito, muito cuidadoso com o tipo de pessoa que você torna diretor, e isso significa que você não nomeia Bill Casey." Entrevistas de FAOH.

419 *"Quem ficaria responsável pela política externa?"*: Depoimento gravado de Poindexter em Strober e Strober, *Reagan: The Man and His Presidency,* p. 111.

419 *"Era uma idéia temerária"*: George P. Shultz, *Turmoil and Triumph: My Years as Secretary of State* (Nova York: Scribner, 1993), pp. 294-297.

419 *"completamente independentes"*: Ibid., p. 84.

420 *"um pirata freelance"*: Entrevista de Inman ao autor.

420 *"não queria ser o diretor tradicional da Central de Inteligência"*: Testemunho de Inman, Indicação de Robert M. Gates para ser Diretor da Central de Inteligência, Senado dos EUA, Comissão Seleta para Inteligência, 102º Congresso, 1ª Sessão, 20 de setembro de 1991, Vol. I, p. 926.

420 *"uma fraternidade que ficara cega"*: Robert M. Gates, *From the Shadows: The Ultimate Insider's Story of Five Presidents and How They Won the Cold War* (Nova York: Simon e Schuster, 1996), p. 209.

420 *"eu não tinha determinação"*: Entrevista de McMahon ao autor. Quando McMahon foi designado para dar uma sacudida nos analistas da diretoria de inteligência, ele desco-

briu que toda a estrutura precisava ser reformulada. "Se eu quisesse saber o que estava acontecendo num país, tinha que pedir a três escritórios diferentes", disse McMahon. "Havia um escritório para inteligência militar, um escritório para inteligência econômica, um escritório para inteligência política. Então, se eu dissesse, 'O que está acontecendo no México?', eu tinha informações de três escritórios diferentes, e tinha que integrá-las e fazer a análise."

421 *"a CIA está lentamente se tornando o Departamento de Agricultura"*: Gates, *From the Shadows*, pp. 223-224.

421 *"de mente fechada, convencidos, arrogantes".... "simplesmente equivocado"... "fingiam ser especialistas"*: Indicação de Robert M. Gates, 1991, Vol. III, pp. 7-23.

421 *"Trabalhar com Casey foi um teste para todo mundo"*: Depoimento gravado de Lehman, "Mr. Current Intelligence", *Studies in Intelligence*, verão de 2000, CIA/CSI.

421 *"A inteligência da CIA"*: Entrevista de Shultz ao autor. No verão de 1982, o secretário de Estado Shultz instituiu um almoço semanal com Bill Casey. Depois de mais de seis meses, Casey e Shultz, que tinham uma relação amigável havia uma década, descobriram que já não agüentavam um ao outro. "Ele seguia muito uma pauta", disse Shultz. "É um erro que a CIA tenha uma pauta. Espera-se que eles produzam inteligência. Se eles têm uma pauta, a inteligência fica tendenciosa." De 1985 a 1987, o subsecretário de Estado John Whitehead e Bob Gates, da CIA, continuaram com essas reuniões. Whitehead ficou chocado com "a ajuda insignificante que tive da CIA para saber o que estava acontecendo nos países onde tínhamos interesses e onde havia problemas... As análises eram rasas, continham pouquíssimo do que eu chamaria de informações consistentes, e freqüentemente eram incorretas... Eu achei que a própria organização de alguma maneira se havia deteriorado, de modo que a informação que recebia e o sistema de obtenção de informação já não eram muito produtivos". Depoimento gravado de Whitehead, FAOH. Os buracos abertos estavam aumentando no mapa-múndi da agência. "A principal preocupação que eu tenho neste ponto tem a ver com a adequação de nosso esforço de inteligência... em todo o mundo", disse o almirante Inman, previdente, um pouco antes de se juntar a Casey na sede da CIA, em 1981. "Falta-nos uma base de dados sobre áreas do mundo que foram negligenciadas nos anos 1960, quando estávamos concentrados totalmente no sudeste da Ásia. Não havia muita preocupação com países da América Central, do Caribe, da América Latina e da África. Acredito que são muito grandes as chances de enfrentarmos desafios esta década nessas áreas." Bobby R. Inman, "Managing Intelligence for Effective Use", Center for Information Policy Research, Universidade de Harvard, dezembro de 1980.

422 *"Em algum momento no escuro da noite"*: Testemunho de Clair George, Nomeação de Robert M. Gates, 1991, Vol. II, p. 96.

422 *uma artimanha calculada*: Embaixador americano na Nicarágua de 1982 a 1984, Anthony Quainton sabia que a operação era um blefe. "A Casa Branca desistiu das perspectivas de qualquer diálogo. Incentivada por Bill Casey, da CIA, acreditava que a única maneira de resolver o problema era afastar os sandinistas. O meio para fazer

isso foi um elaborado programa de ações secretas. De início, este foi apresentado ao Congresso de uma maneira extremamente falsa. O governo argumentou que a importunação tornaria a vida desconfortável para os sandinistas, impediria que consolidassem seu poder e os levaria à mesa de negociação. Eles perceberiam que haveria custos inaceitáveis para sua economia se não negociassem. A CIA argumentou que esta era a única maneira de convencê-los a mudar suas políticas. Assim como em outras operações secretas em outras partes do mundo, não parece ter tido o efeito imediato prometido." Depoimento gravado de Quainton, FAOH.

423 *"fez um escândalo com Casey"*: Gates, *From the Shadows*, pp. 242-248.

423 *"'descubra o que fazer com a América Central'"*: Entrevista de Clarridge para a série da CNN *Cold War*, 1998. Transcrição do Arquivo de Segurança Nacional disponível online em http://www2.gwu.edu/~nsarchiv/coldwar/interviews/episode18/clarridge1.html. "A divisão latino-americana sempre foi uma divisão isolada dentro da agência; era quase um baronato", disse Clarridge em outro depoimento gravado. "Então o principal era levar a divisão comigo. Depois de algumas semanas, eu voltei e disse a Casey, 'Isso é o que temos que fazer: Por que não levamos a guerra para a Nicarágua...?' Era exatamente o que Casey queria ouvir." Strober e Strober, *Reagan: The Man and His Presidency,* p. 165.

423 *"A guerra secreta começou"* e *"A CIA tinha seu próprio processo de planejamento"*: Depoimento gravado de Quainton, FAOH. Nos anos Reagan, os embaixadores raramente falavam em público quando a CIA criava problemas de política externa. Num dos muitos exemplos de desastres de relações públicas na guerra na América Central, a CIA discretamente ofereceu ao Departamento de Estado uma oportunidade de relações públicas. A agência havia interrogado um nicaragüense de 19 anos capturado em El Salvador. Ele disse que fora treinado para a insurreição por soldados cubanos na Etiópia. Tinha uma ótima história para contar. O Departamento de Estado estaria interessado em apresentá-lo ao público em Washington? A pedido da CIA, o Departamento de Estado organizou uma conversa privada com quatro repórteres confiáveis. Um assessor de imprensa escoltou os repórteres até uma pequena sala e em seguida trouxe o nicaragüense capturado, que disse, com todas as letras: "Fui torturado pela CIA. Tentaram me obrigar a dizer que eu fui enviado para El Salvador. Sou um nicaragüense patriota. Nunca estive na Etiópia." A CIA foi enganada por um adolescente astuto.

O "processo de planejamento" único da agência quase acabou com as carreiras dos senadores Gary Hart e William Cohen, futuro secretário de Defesa. Eles quase foram mortos numa missão para levantamento de dados na Nicarágua, quando um avião da CIA que acabara de lançar duas bombas de 226 quilos bateu numa sala vip do aeroporto internacional de Manágua. "Aquilo gerou uma postura muito negativa dos dois senadores em relação à qualidade das operações secretas da CIA", disse o embaixador Quainton.

423 *A guerra secreta não continuou secreta*: A CIA não conseguiria vencer aquela guerra, quer o Congresso a tivesse aprovado ou não. "Nunca tivemos habilidade para construir a capacidade paramilitar que precisávamos para conduzir uma guerra na Nica-

rágua", disse John McMahon. "A agência não estava preparada — particularmente em termos de pessoal — para lutar uma guerra ou para treinar outros para lutar uma guerra." Entrevista de McMahon ao autor.

424 *"espiões almofadinhas":* Duane R. Clarridge com Digby Diehl, *A Spy for All Seasons: My Life in the CIA* (Nova York: Scribner, 1997), pp. 303-318.

424 *O Congresso apoiou fortemente uma CIA maior, melhor, mais forte e mais inteligente:* O Senado confirmou Casey no cargo por 95 votos a zero, e o Congresso lhe deu centenas de milhões de dólares em novos fundos no fim de 1981. "Eles queriam que tivéssemos uma capacidade clandestina mundial, de modo que pudéssemos fornecer inteligência sobre intenções e advertências", disse John McMahon. "Eles queriam que tivéssemos uma boa infra-estrutura para ações secretas. A beleza de ter uma boa operação secreta é que freqüentemente o indivíduo que você recrutou para lhe fornecer informações sobre o que está acontecendo no governo dele é também influente, e você pode usá-lo como um instrumento para a ação secreta. Se é o ministro do Exterior, você pode sutilmente influenciar aquele país a apoiar um voto na ONU ou a dizer coisas boas sobre os Estados Unidos. Então nossa capacidade para ações secretas começou a se recuperar muito fortemente." Entrevista de McMahon ao autor.

424 *"pecou por desprezar o Congresso desde o dia em que prestou juramento":* Gates, *From the Shadows,* p. 213.

424 *"Espero que isso contenha esses bastardos!":* Barry Goldwater, do Arizona, candidato republicano à presidência derrotado em 1964, foi presidente da comissão de inteligência do Senado de 1981 a 1984. Casey era tão refratário à verdade que Goldwater pediu que acompanhantes do Pentágono o levassem até a mesa de depoimento para que atuassem como testemunhas. Um desses acompanhantes, o embaixador Dennis Kux, ouviu Casey murmurar essa frase ao deixar a sala de audiência. Depoimento gravado de Kux, FAOH.

424 *"especificamente evasiva":* Testemunho de Fiers, Audiências Conjuntas, Investigação Irã-Contras, Washington, D.C., 1988.

424 *" 'Eu o peguei mentindo para mim' ":* Entrevista de Inman em Stansfield Turner, *Burn Before Reading: Presidents, CIA Directors, and Secret Intelligence* (Nova York: Hyperion, 2005), pp. 196-201.

425 *Se o Congresso não financiava as operações da CIA na América Central:* Em 1984, quando o Congresso cortou os fundos para os contras da CIA, a guerra foi interrompida e as eleições realizadas. A CIA forneceu dinheiro e propaganda a Arturo Cruz (pai), ex-embaixador para os Estados Unidos e líder legítimo da oposição política aos sandinistas. Mas o líder dos sandinistas, Daniel Ortega, derrotou-o com o dobro de votos. Enquanto este livro era escrito, Ortega foi reeleito e a Nicarágua continuava sendo uma das nações mais pobres e com menos educação do hemisfério ocidental. "A guerra foi desnecessária, desumana e insensata", disse Cruz depois que Reagan e Casey morreram. "Temos que admitir que todos nós cometemos erros tremendos."

425 *Apesar do desdém aberto de Casey:* Depoimento gravado de Kux, FAOH.

425 *"A CIA estava profundamente envolvida"*: Depoimento gravado de Norland, FAOH.

425 *A política externa oficial dos Estados Unidos*: "Gostaríamos de ver uma solução pacífica para a luta entre facções no Chade", disse um informe do Departamento de Estado em 17 de novembro de 1981. Difícil era ver como a atitude da CIA de armar uma facção até os dentes promovia esse objetivo. "Libyan Threat to Sudan", Departamento de Estado, liberado em 30 de julho de 2002.

425 *"'Foda-se o Congresso'"*: Depoimento gravado de Blakemore, FAOH.

426 *"Diabos, para que demos mísseis Stinger ao Chade?"*: Depoimento gravado de Richard Bogosian, FAOH. Bogosian, embaixador americano no Sudão durante a Guerra do Golfo, em 1991, testemunhou a pergunta de Baker. A resposta, disse James K. Bishop, o principal oficial do Departamento de Estado para assuntos militares e de inteligência na África, foi que Habré era "inimigo de nosso inimigo... Só fomos saber sua história completa mais tarde." Depoimento gravado de Bishop, FAOH. "Nossa inteligência sobre partes da África que são de preocupação primordial para nós não era boa" ao longo dos anos 1980, disse Bishop. "A inteligência obtida com recursos humanos particularmente não era boa em toda a África. Os recursos da inteligência eram empregados principalmente contra o 'principal inimigo' — os soviéticos — em jogos de gato e rato para recrutamento, de interesse nacional dúbio."

426 *A maior missão de envio de armas da CIA*: Poucos americanos — pouquíssimos — previram a invasão soviética. "Eu me lembro de escrever relatórios para Brzezinski já em agosto de 1979 dizendo que o nível do pessoal de apoio militar soviético no Afeganistão na época indicava algum tipo de grande envolvimento militar ali", disse William Odom, na época principal assessor militar da Casa Branca, numa entrevista ao autor (Mais tarde Odom seria um general de três estrelas que dirigiu a Agência de Segurança Nacional no governo Reagan). "Agora, quanto ao momento exato e o dia exato em que aconteceu, isso é outra questão. Foi realmente uma surpresa para o mundo e para muitas pessoas do governo Carter." A invasão soviética do Afeganistão começou durante a semana do Natal de 1979, e a CIA não fez quase nenhuma advertência ao presidente dos Estados Unidos. Incapaz de libertar os americanos encurralados no Irã, Carter aprovou um plano para ajudar os afegãos a lutar contra a brutal invasão soviética. Em janeiro de 1980, ele ordenou que a CIA enviasse ao Paquistão armas do bloco soviético que estavam em depósitos de armas de aliados americanos. O serviço de inteligência paquistanês as transferiria para um punhado de líderes rebeldes afegãos. "Dois dias depois da invasão soviética do Afeganistão, dei um memorando ao presidente dos Estados Unidos que, se lembro bem, começava com as seguintes palavras: 'Agora temos a oportunidade de dar à União Soviética seu Vietnã'", disse Brzezinski numa entrevista ao autor. "E continuava argumentando que aquele era um ato de agressão que representava uma ameaça à estabilidade daquela região, e potencialmente à nossa posição até mesmo no Golfo Pérsico, e que deveríamos fazer o que pudéssemos para atolar os soviéticos ajudando os mujahedin. E o presidente o aprovou. Foi criada uma silenciosa coalizão envolvendo os EUA, os paquistaneses, os sauditas, os chine-

ses, os egípcios e os britânicos, para fornecer apoio. E o objetivo disso era essencialmente cumprir as primeiras palavras daquele memorando ao presidente." Os comentários de Howard Hart estão em seu discurso no Miller Center of Public Affairs,
Universidade de Virgínia, 7 de setembro de 2005.

427 *"você sempre tem que pensar no fim do jogo"*: Entrevista de McMahon ao autor.

427 *"o desespero crescente dos homens do Kremlin"*: Gates, *From the Shadows*, p. 258. O que
estava realmente acontecendo em Moscou? Casey queria entregar informações sobre
os personagens do Politburo, sobre o povo soviético, sobre as minorias e os dissidentes soviéticos, sobre o dia-a-dia dentro do império do mal. Mas como a CIA por meio
da espionagem, ele se apegou a suas pressuposições. O embaixador Warren Zimmerman foi subchefe da missão na embaixada americana em Moscou de 1981 a 1984, e
durante esses quatro anos, Casey e a CIA descartaram seus relatos Crus sobre um
império soviético que desmoronava. Quando chegou, relembrou o próprio Zimmerman, o líder soviético, Leonid Brejnev, "estava senil, trocava palavras, adormecia,
ficava bêbado". Quando Brejnev morreu, a nação foi comandada por um breve período por Yuri Andropov, o chefe da inteligência soviética, que também estava morrendo, e depois por Konstantin Tchernenko, outro líder à beira da morte. O Politburo —
a máquina de decisões políticas de Moscou — era "um aparelho político absolutamente paralisado e ineficiente" liderado por "um grupo de homens de 70, 80 anos,
alguns dos quais nunca haviam saído da União Soviética", disse Zimmerman. "Sua visão
dos Estados Unidos era completamente estereotipada, baseada no que eles liam em
seus jornais e revistas horríveis." A compreensão americana sobre o que estava acontecendo na União Soviética não era muito melhor. Generais geriátricos e burocratas
comunistas corruptos da velha guarda se debilitavam ao longo de seus últimos dias, a
economia soviética desmoronava sob o custo de sustentar forças armadas de nível
internacional, as colheitas apodreciam nos campos à espera de combustível para alimentar os caminhões que levavam a comida das fazendas para os mercados — e poucos desses fatos entravam na consciência coletiva da CIA. A agência também não fazia
bem o cálculo do equilíbrio do terror. Cada estimativa da inteligência nacional sobre
as forças estratégicas soviéticas enviada à Casa Branca de 1974 a 1986 exagerou a velocidade com que Moscou modernizava seu poder de fogo nuclear.

O auge da crise nuclear invisível de 1982 e 1983 aconteceu quando Reagan anunciou que os Estados Unidos construiriam um sistema de defesa de mísseis — "Star
Wars" — que atingiria e destruiria armas nucleares soviéticas no espaço. Os EUA não
tinham — e 25 anos depois ainda não têm — a tecnologia que Reagan vislumbrava. O
governo Reagan impulsionou a Iniciativa de Defesa Estratégica com uma rigorosa campanha de contrapropaganda para convencer os soviéticos de que o "Star Wars" se baseava em ciência de verdade e para conter a crítica mundial ao plano visionário. O
programa de guerra de informação provocou calafrios nos soviéticos. "Eles estavam
realmente assustados", disse Zimmerman. "Eles supuseram, comicamente, que pudéssemos construir aquilo. Como se viu depois, nós falsificamos nossos testes e eles acredita-

ram nisso." Em troca, os soviéticos falsificaram sua própria força — em mentiras políticas a seu povo, em pronunciamentos públicos do Politburo — e a CIA acreditou. Depoimento gravado de Zimmerman, FAOH.

Na época, a linha de pesquisas da agência sobre armas e defesa nuclear soviética foi
intensificada por uma operação dirigida por Jim Olson, mais tarde chefe da contra-
inteligência da CIA. Durante o governo Carter, conforme Olson relembrou, os novos
satélites Keyhole de reconhecimento fotográfico registraram quando os soviéticos cava-
ram uma vala ao longo de uma avenida na periferia de Moscou e instalaram cabos de
telecomunicações nela. A linha levava a um centro de pesquisa e desenvolvimento de
armas nucleares nos arredores de Moscou. Tampas de bueiros marcavam a linha. Olson
foi a Moscou depois de um elaborado treinamento em modelos de subterrâneos, livrou-
se da equipe da KGB que o vigiava, pôs um disfarce, abriu um bueiro e grampeou a
linha. A escuta durou quase cinco anos — e depois as fitas silenciaram. James M. Olson,
*Fair Play: The Moral Dilemmas of Spying* (Washington, D.C.: Potomac, 2006), pp. 9-11.

428 *Dossiê Farewell*: Gus W. Weiss, "The Farewell Dossier", *Studies in Intelligence,* Vol. 39,
Nº. 5, 1996, CSA/CSI. Weiss foi o funcionário do Conselho de Segurança Nacional que
desenvolveu elementos-chave do plano de ataque.

428 *"Foi um plano brilhante"*: Richard Allen, Miller Center of Public Affairs, Universidade
de Virgínia, Ronald Reagan Oral History Project, 28 de maio de 2002.

## Capítulo 39

431 *"Depois de comer algumas jujubas, o presidente cochilou"*: Depoimento gravado de
Quainton, FAOH.

431 *os soviéticos estavam secretamente direcionando o trabalho sujo dos piores terroristas do
mundo*: Depois da guerra fria, surgiram provas do apoio direto dos soviéticos a Wadi
Haddad, um terrorista palestino renegado que morreu em 1978. A acusação de Haig
permanece sem provas.

432 *Ali Hassan Salameh, chefe de inteligência da Organização para Libertação da Palestina*:
Em 2 de março de 1973 — dia em que Bill Colby assumiu o comando do serviço clandestino da CIA — a OLP, que irrompera na consciência dos EUA seis meses antes ao
assassinar onze atletas israelenses nas Olimpíadas de Munique, seqüestrou o embaixador americano no Sudão e seu segundo no comando. Os americanos foram seqüestrados numa recepção na embaixada saudita em Cartum, capital do Sudão. O ataque
foi conseqüência de um golpe contra o primeiro-ministro do Sudão, cuja relação paga
com a CIA havia acabado de ser exposta. "Pôr o primeiro-ministro em nossa folha de
pagamento foi simplesmente um convite a problemas e algo totalmente desnecessá-
rio", disse Robert Oakley, do Departamento de Estado, coordenador de contraterrorismo de Reagan. "Ao pô-lo na folha de pagamento da CIA, nós o corrompemos
politicamente e o tornamos extremamente vulnerável." Os seqüestradores em Cartum
exigiram que os Estados Unidos libertassem o assassino condenado de Bobby Kennedy,

um palestino chamado Sirhan Sirhan. Respondendo de improviso a uma pergunta de um repórter naquele dia, o presidente Nixon disse que os Estados Unidos não negociariam com terroristas. Sob ordens de Yasser Arafat, os palestinos assassinaram os dois diplomatas americanos a sangue frio.

A CIA não pôde responder porque o governo dos EUA não tinha política para orientá-la. A OLP estava em ação havia nove anos, financiada principalmente pelo governo da Arábia Saudita e pelos emïres do Kuwait. A fixação da CIA e de todo o governo dos EUA na idéia de um terrorismo patrocinado por um estado continuou depois da guerra fria. Vinte anos depois, tornou muito mais difícil que os americanos entendessem a ascensão de um saudita rico que vivera no Sudão, um autoconsagrado príncipe chamado Osama bin Laden — não um terrorista patrocinado por um estado, mas um terrorista que patrocinava um estado.

As primeiras manobras do processo de paz no Oriente Médio depois da Guerra do Yom Kippur, em 1973, levaram a CIA a um território novo e desconhecido. Em segredo, o vice-diretor da central de inteligência, Vernon Walters, voou para o Marrocos para se encontrar com Ali Hassan Salameh. A reunião foi iniciada por Yasser Arafat; ele estava enviando um sinal de que queria ser tratado como líder nacional, e não como um terrorista sem estado. Queria que a OLP negociasse para a Cisjordânia depois da Guerra do Yom Kippur. Queria estabelecer uma Autoridade Nacional Palestina. Estava tentando se firmar como a voz moderada das aspirações palestinas. Walters recordou: "Kissinger disse, 'Não posso enviar mais ninguém, porque isso seria negociação, e a comunidade judaica americana enlouqueceria. Mas você é um contato da inteligência'. Eu disse, 'Doutor Kissinger, sou vice-diretor da CIA. Provavelmente sou o número seis ou sete na lista deles de pessoas a serem eliminadas'. Ele respondeu: 'Sou o número um. É por isso que você está indo.'" O encontro rendeu frutos. A CIA abriu um canal de comunicação de alto nível com a OLP. Depois que Salameh voltou do Marrocos para sua base no Líbano e fez contato com o posto da CIA em Beirute, o chefe da inteligência da OLP começou a se encontrar regularmente com Bob Ames, da CIA. Depoimento gravado de Walters, FAOH.

Nem todo mundo acreditou na informação de que a CIA estava fazendo negócios em Beirute. "Eles eram prisioneiros de seus relatórios ruins", disse Talcott Seelye, que chegou ao Líbano como embaixador americano depois que seu predecessor, Francis Meloy, foi assassinado quando tentava apresentar suas credenciais diplomáticas, em 1976. O canal de Salameh durou cinco anos, seu assassinato pela inteligência israelense em 1978. Isso representou um grande divisor de águas na compreensão da CIA sobre as raízes da ira no mundo árabe, um vislumbre de quem eram os palestinos e o que eles queriam — o único e extraordinário triunfo dos tempos de Bill Colby como diretor da central de inteligência. Depoimento gravado de Seelye; FAOH; entrevista de Colby ao autor.

432 *Seu oficial de inteligência era Bob Ames*: Ames tinha "um talento único", disse Bob Gates numa entrevista ao autor. "Eu sempre considerei que o maior recrutamento em toda a minha vida foi o recrutamento de Bob Ames no serviço clandestino para ser o chefe

do escritório analítico da CIA, trabalhando no Oriente Médio. E ironicamente, depois de todos os seus anos na agência, trabalhando no Oriente Médio em operações perigosas, arriscando sua vida, estava em Beirute como chefe do escritório analítico, visitando a embaixada, quando foi morto. Portanto ele estava trabalhando para mim quando foi morto, e não para o serviço clandestino. Freqüentemente eu pensava que se Bob Ames tivesse sobrevivido, os Estados Unidos poderiam não ter intervindo no Líbano e o curso da história poderia ter mudado de alguma maneira."

432  "*a onda do futuro*": Timothy Naftali, *Blind Spot: The Secret History of American Counterterrorism* (Nova York: Basic, 2005), p. 85.

433  "*as pessoas da agência estavam ocupadas*": Depoimento gravado de Dillon, FAOH.

434  "*Estava radiante por voltar*": Susan M. Morgan, "Beirut Diary", *Studies in Intelligence,* verão de 1983, CIA/CSI. O relato em primeira mão de Morgan, recentemente liberado, contradiz conclusivamente várias versões publicadas do atentado a bomba contra a embaixada americana, especialmente a de Bob Baer, da CIA, que descreve a mão de Ames sendo recuperada a centenas de metros, no porto de Beirute.

434  "*deixando-nos com pouquíssima inteligência*": Depoimento gravado de Lewis, FAOH.

435  "*Nossas informações sobre Granada eram fracas*": Entrevista de Clarridge a *Cold War Series*, da CNN, 1998, transcrição do Arquivo de Segurança Nacional disponível online em http://www2.gwu.edu/~nsarchiv/coldwar/interviews/episode-18/ clarridge1.html.

435  "*A CIA tinha um plano de formar um governo*": Depoimento gravado de Gillespie, FAOH.

## Capítulo 40

437  "*Havia uma decisão presidencial assinada por Ronald Reagan*": Entrevista de Wells ao autor.

438  "*Para salvar sua própria pele*": Depoimento gravado de O'Neill, FAOH.

439  "*O governo Reagan assumiu uma operação secreta*": Entrevista de Korn ao autor e depoimento gravado, FAOH.

440  "*a recomendação do diretor da central de inteligência, Casey, de seqüestrar Mughniyah*": Depoimento gravado de Oakley, FAOH.

441  "*Reagan estava preocupado com o destino dos reféns e não entendia por que a CIA não conseguia localizá-los e resgatá-los*": Robert M. Gates, *From the Shadows: The Ultimate Insider's Story of Five Presidents and How They Won the Cold War* (Nova York: Simon and Schuster, 1996), p. 397.

442  "*a agência tinha que buscar fora de seus quadros*": Entrevista de McMahon ao autor.

442  "*as minas têm que ser a solução!*": Entrevista de Clarridge a *Cold War Series*, da CNN, 1998, transcrição do Arquivo de Segurança Nacional disponível online em http://www2.gwu.edu/~nsarchiv/coldwar/interviews/episode-18/clarridge1.html. O falecido senador Daniel Patrick Moynihan, na época o principal democrata na comissão de inteligência, descreveu a difamação do senador Goldwater pela CIA numa entrevista ao autor. Em 1984, enquanto cortava os fundos para os *contras*, o Congresso

aprovou uma operação secreta da CIA para gastar mais de US$ 2 milhões com o obje-
tivo de assegurar que o democrata-cristão José Napoleon Duarte fosse eleito presidente de El Salvador e enfraquecer a candidatura do líder do esquadrão da morte
Roberto d'Aubuisson.

443 *"Ele estava correndo um grande risco"*: Gates, *From the Shadows*, p. 315.

## Capítulo 41

445 *"Isso pode ser um grande avanço"*: Ronald Reagan, *An American Life* (Nova York: Simon
and Schuster, 1990), pp. 501-502. Exceto quando indicado em contrário, os fatos, os
números e as citações referentes à questão Irã-*contra* neste capítulo são extraídos de
registros da comissão conjunta do Congresso e do relatório final da equipe de
consultoria independente que investigou o fiasco.

447 *"Recebemos um rascunho de ordem executiva secreta dizendo-nos para eliminar terroristas em ataques preventivos"*: Entrevista de McMahon ao autor.

450 *"O raciocínio de North"*: Depoimento gravado de Kelly, FAOH.

450 *"a CIA estava corrompida"*: Depoimento gravado de Wilcox, FAOH.

451 *"Tire esse diabo de avião da Costa Rica!"*: Entrevista da CIA a Joseph Fernandez, Escritório do Inspetor Geral na CIA, 24 de janeiro de 1987.

452 *"A inteligência que passamos a eles"*: Depoimento gravado de Oakley, FAOH.

452 *"A pessoa que controlava a coisa toda era Casey"*: Depoimento gravado de Sofaer em
Deborah Hart Strober e Gerald S. Strober, *Reagan: The Man and His Presidency* (Boston:
Houghton Mifflin, 1998), p. 500.

453 *"A reunião foi um desastre absoluto"*: James McCullough, "Personal Reflections on Bill
Casey's Last Month at CIA", *Studies in Intelligence,* verão de 1995, comentário de David
Gries, CIA/CSI.

454 *"Nenhum escândalo e uma grande série de sólidos sucessos"*: Os incríveis pontos de discussão de Casey são citados em Douglas F. Garthoff, "Directors of Central Intelligence
as Leaders of the U.S. Intelligence Community, 1946-2005", 2006, CIA/CSI. Essas palavras são parte das fortes provas circunstanciais que sugerem que o tumor cerebral
de Casey foi responsável por uma conduta que de outro modo seria inexplicável durante seus últimos dezoito meses como diretor da central de inteligência. Sua aliena-
ção da realidade naqueles dias tem como exemplo seu romance com o Renamo, o
Movimento de Resistência Nacional de Moçambique. O Renamo era um exército de
guerrilheiros negros criado pelos brancos racistas da África do Sul e da Rodésia e a
mais violenta força rebelde que marchava na região. Treinado, armado e financiado
pelo Boss, o serviço de inteligência sul-africano, o Renamo usava táticas que incluíam
"arrancar orelhas, decepar membros e seios, e mutilação geral", disse o embaixador
Chas W. Freeman Jr., que supervisionava assuntos africanos no governo Reagan. "Essas mutilações se tornaram regra, e talvez meio milhão de pessoas tenham morrido."
O Renamo era "reminiscente do Khmer Vermelho do Camboja", disse James Bishop,

principal oficial do Departamento de Estado para assuntos políticos e militares, "cruel e excessivo no uso do terrorismo".

Casey disse ao presidente Reagan que o Renamo merecia o apoio da CIA porque reunia guerreiros da liberdade na guerra global contra o comunismo. As práticas de Casey incluíam "cozinhar inteligência para exagerar o impacto do Renamo", disse o embaixador Freeman. Impedido de apoiar diretamente os rebeldes, Casey usou outra tática. Em 1986, depois de dez anos de proibição, o Congresso aceitou seus argumentos e ressuscitou a ajuda militar secreta aos exércitos favorecidos pela CIA em Angola, incluindo mísseis Stinger, armas antitanque e toneladas de armas automáticas. A agência vinha apoiando uma ou outra facção angolana de vez em quando, por 30 anos. A retomada do programa para a Angola abriu um canal de armas da agência que atravessava a África do Sul e dependia do apoio do regime de apartheid. Os mais poderosos diplomatas americanos envolvidos na região suspeitaram fortemente que Casey tinha aberto um canal de ajuda letal aos renegados do Renamo. "Casey, que tendia a seguir sua própria política externa, de fato e até certo ponto envolveu-se com o Renamo, contra a política declarada e contra a forte política interna do governo", disse o embaixador Freeman.

"Casey começou a destruir nossa diplomacia" no sul da África, disse Frank G. Wisner Jr. "E quase conseguiu." Entrevistas do FAOH.

455 *"Bill Casey tinha muita coisa a responder"*: McCullough, "Personal Reflections".

455 *"um emprego que ninguém mais parecia querer"*: Robert M. Gates, *From the Shadows: The Ultimate Story of Five Presidents and How They Won the Cold War* (Nova York: Simon and Schuster, 1996), p. 414. Gates teve que ir ao Capitólio para responder por sua nomeação. "O que o senhor está achando desse emprego até o momento?", perguntou um fotógrafo de um jornal. Gates respondeu com o título vibrante de um sucesso de música *country*: "Pegue Esse Emprego e Meta". Um microfone aberto o apanhou. Todos conheciam o verso seguinte da canção: "Não vou mais trabalhar aqui."

456 *"Logo ficou claro que ele estava perto demais"*: Entrevista de Webster ao autor.

456 *"O serviço clandestino é o coração e a alma da agência"*: Entrevista de Gates ao autor.

*Capítulo 42*

457 *"Demorei meses para compreender claramente"*: Entrevista de Webster ao autor.

458 *"Ninguém mais consegue compreender isso"*: Entrevista de Thompson ao autor.

458 *"Provavelmente poderíamos ter driblado o ego de Webster"*: Duane R. Clarridge com Digby Diehl, *A Spy for All Seasons: My Life in the CIA* (Nova York: Scribner, 1997), p. 371.

458 *"Um argumento que Dick Helms discutiu"*: Entrevista de Webster ao autor.

459 *"o Congresso não acredita em você"*: Entrevista de Webster ao autor.

459 *Por um momento Clarridge pensou em reagir*: Clarridge, *A Spy for All Seasons*, pp. 381-386.

460 *"A inteligência americana foi generosa com ele", observou Gorbachev*: Minuta do Politburo, 28 de setembro de 1986, Cold War International History Project, Woodrow Wilson Center.

461 *"um exercício, nada mais que isso"*: Entrevista de Webster ao autor.

461 *Florentino Aspillaga Lombard*: É difícil exagerar o quanto foi devastadora a descoberta de que o serviço de inteligência de Castro foi mais astuto que a CIA durante vinte anos seguidos. E a deserção de Aspillaga, em 1987, não foi o fim do processo. Em 21 de setembro de 2001, o FBI prendeu Ana Belen Montes, analista-chefe para Cuba na Agência de Inteligência de Defesa, que confessou seis meses depois que vinha espionando para Cuba desde 1985. Centenas de espiões da Direção Geral de Inteligência, a DGI, de Cuba, moraram e trabalharam nos Estados Unidos desde a Baía dos Porcos, de acordo com ex-membros do serviço cubano que desertaram. Eles atuaram como diplomatas, motoristas de táxi e negociantes de armas, drogas e informações. O serviço de inteligência cubano, que se reporta ao ministro de Defesa Raúl Castro, irmão de Fidel, infiltrou-se em grupos de exilados cubanos e agências do governo dos EUA com notável sucesso. Tome o caso de José Rafael Fernández Brenes, que pulou de um navio mercante cubano em 1988. Adotado pela inteligência americana, ele ajudou a montar e dirigir a TV Marti, estação financiada pelo governo dos EUA que difundiu informações e propaganda anti-Castro em Cuba, de 1988 a 1991. O governo cubano interferiu no sinal da TV Marti no momento em que ela foi ao ar, em março de 1990, graças a dados fornecidos por Fernández Brenes. Depois houve Francisco Avila Azcuy, que dirigia operações para o Alpha 66, um dos mais violentos grupos de exilados anti-Castro, o tempo todo se reportando secretamente ao FBI e à inteligência cubana. Avila planejou uma invasão a Cuba em 1981, contando sobre ela tanto ao FBI quanto à DGI. Suas informações ajudaram a condenar sete membros do Alpha 66 por violação da Lei de Neutralidade ao planejarem o ataque a uma nação estrangeira a partir do território dos EUA. Tim Weiner, "Castro's Moles Dig Deep, Not Just into Exiles", *The New York Times*, 1º de março de 1996.

463 *"eles realmente fizeram algo certo"*: Entrevista de Lilley ao autor.

463 *um plano brilhante contra a Organização Abu Nidal*: Entrevista de Tom Twetten ao autor. O melhor resumo da operação é Timothy Naftali, *Blind Spot: The Secret History of American Counterterrorism* (Nova York: Basic, 2005), pp. 196-198.

464 *insurgência mal organizada*: Depoimento gravado de John H. Kelly, FAOH. Kelly se tornou secretário-assistente de Estado para Assuntos de Oriente Próximo em junho de 1989.

464 *luta rancorosa*: Numa carta de 1º de maio de 1987 ao presidente Reagan, Son Sann, presidente da Frente para Libertação Nacional do Povo Khmer, o destinatário pretendido da ajuda da CIA, advertiu contra "as relações melhoradas entre EUA e Vietnã" e preveniu Reagan contra a "moderação" em relação aos "principais substitutos dos soviéticos no sudeste da Ásia". A carta de Son Sann e o memorando de Powell a Reagan advertindo contra um ressurgente Khmer Vermelho foram liberados em 29 de maio de 1999.

464 "*Nós os matamos um a um*": Observações de Howard Hart, Miller Center of Public Affairs, Universidade de Virgínia, 7 de setembro de 2005.

465 "*não tínhamos plano algum*": Entrevista de Twetten ao autor.

465 "*reduzir drasticamente nossa assistência aos verdadeiros radicais*": Depoimento gravado de Oakley, FAOH.

**Capítulo 43**

467 "*Casey o considerava um protegido*": Depoimento gravado de Davis, FAOH.

467 "*A CIA, que lidara com ele por tanto tempo*": Depoimento gravado de Pastorino, FAOH.

468 "*Como ex-vice-diretor da CIA*": Depoimento gravado de Dachi, FAOH.

469 *Don Winters, da CIA, testemunhou*: Transcrições do julgamento *Estados Unidos versus Manuel Noriega*.

469 "*Saddam Hussein era conhecido como um ditador brutal*": Depoimento gravado de Wilcox, FAOH.

470 "*Os agentes presos foram torturados até a morte*": Entrevista de Giraldi, Balkananalysis.com, 30 de julho de 2006. O autor entrevistou Giraldi em 1994 e 1995. À parte a tragédia humana da morte dos agentes, os relatos e as análises da CIA sobre o Irã estavam constantemente equivocados ao longo daquele período. No verão de 1987, durante a agonia final da Guerra Irã-Iraque, o Irã estava ameaçando petroleiros kuwaitianos no mar. Os navios foram então colocados sob bandeira americana e protegidos por navios de guerra da Marinha. A CIA avaliou a situação no Golfo Pérsico e aconselhou fortemente o fim da operação de mudança de bandeira. A questão foi encaminhada ao assessor de Segurança Nacional, Frank Carlucci, ex-vice-diretor da central de inteligência. "A agência produziu um relatório que dizia essencialmente que nenhum confronto militar como o Irã funcionaria", disse Carlucci. "Os iranianos nos provocaram e afundamos metade de sua Marinha em 24 horas. Eles recuaram e puseram seus navios no porto, de modo que conseguimos navegar impunemente no Golfo. A CIA estava errada." Depoimento gravado de Carlucci, FAOH.

470 "*O Iraque está blefando?*": Richard L. Russell, "CIA's Strategic Intelligence in Iraq", *Political Science Quarterly*, verão de 2002. Russell trabalhou durante dezessete anos como analista político-militar da CIA.

470 "*Eu realmente dei alerta*": Comentário de Charles Allen, "Intelligence: Cult, Craft, or Business?" Program on Information Resources Policy, Universidade de Harvard, 6 de abril de 2000.

471 *O rei Hussein da Jordânia disse ao presidente*: Memorando de conversa ao telefone com o rei Hussein, 31 de julho de 1990, GHWBL.

471 "*não havia muita inteligência*": James A. Baker III com Thomas M. DeFrank, *The Politics of Diplomacy: Revolution, War and Peace, 1989-1992* (Nova York: Putnam, 1995), p. 7.

471 "*de maneira infelizmente bastante típica*": Depoimento gravado de Freeman, FAOH. Em 10 de janeiro de 1991, a CIA advertiu a Casa Branca e o Pentágono de que "Saddam Hussein

quase certamente vai lançar uma grande campanha terrorista contra os interesses ocidentais — particularmente os dos EUA. Ataques múltiplos, simultâneos, provavelmente ocor-
rerão em várias regiões geográficas — possivelmente incluindo os Estados Unidos — num
esforço para obter o máximo de publicidade e espalhar amplamente o pânico." Nunca houve
qualquer prova de que células da inteligência iraquiana haviam penetrado nos Estados
Unidos, mas a CIA e o FBI perseguiram pelo menos três grupos de oficiais militares
iraquianos no Oriente Médio e na Ásia e os capturou nos últimos dias antes do ataque
americano ao Iraque, "Terrorism Review", 10 de janeiro de 1991, CIA/FOIA.

473  " 'a CIA não tinha a menor idéia' ": Entrevista de Clarke, *Frontline*, "The Dark Side", 23
de janeiro de 2006, transcrição editada disponível online em http://www.pbs.org/wgbh/
pages/frontline/darkside/interviews/clarke.html.

473  "*uma enorme onda da história*": Robert M. Gates, *From the Shadows: The Ultimate
Insider's Story of Five Presidents and How They Won the Cold War* (Nova York: Simon
and Schuster, 1996), p. 449. No governo Bush, Gates supervisionou uma equipe do
Conselho de Segurança Nacional cheia de especialistas que desdenhavam o trabalho
dos analistas que Gates liderara na CIA. O embaixador Robert D. Blackwill foi o homem do NSC para assuntos soviéticos e europeus em 1989 e 1990. "A agência ainda
estava lançando uma grande quantidade de produtos analíticos que eu nunca li", disse ele. "Durante os dois anos eu não li uma única Estimativa [de Inteligência Nacio-
nal]. Nem uma. E, exceto por Gates, não sei de ninguém no NSC que tenha lido."
Blackwill citado em Jack Davis, "A Policymaker's Perspective on Intelligence Analysis",
*Studies in Intelligence,* Vol. 38, No. 5, 1995, CIA/CSI.

473  "*os elementos básicos da política e da prática de defesa soviética*": NIE 11-3/8-88, "Soviet
Forces and Capabilities for Strategic Nuclear Conflict Through the Late 1990s", 1º de
dezembro de 1988, CIA/CSI.

474  "*as pessoas teriam pedido minha cabeça*": MacEachin citado em Kirsten Lundberg, "CIA
and the Fall of the Soviet Empire: The Politics of 'Getting It Right'", Case Study C16-
94-1251.0, Universidade de Harvard, 1994, pp.30-31.

474  "*Nunca tinha ido lá uma única vez*": Depoimento gravado de Palmer, FAOH.

474  "*Falavam da União Soviética*": Depoimento gravado de Crowe, FAOH.

474  "*O que vamos fazer quando o Muro cair?*": Walters citado em depoimento gravado de
David Fischer, FAOH.

474  *não havia nenhum espião soviético*: Se houve um tempo em que a CIA se esforçou muito
para compreender por que aqueles espiões morreram, foi durante o colapso da União
Soviética, em 1990 e 1991. "Quando fui indicado [pela primeira vez] para ser diretor,
em 1987, tive um almoço com Dick Helms", disse-me Bob Gates. "E me lembro de
Helms apontando o dedo para mim no almoço, na sala de jantar do diretor, só estávamos nós dois, estávamos completamente sozinhos, e ele me disse, *nunca vá para casa
à noite sem imaginar onde está o agente duplo*." Em 1992, nos últimos meses do curto
mandato de Bob Gates como diretor da central de inteligência, o caso começou a ser
resolvido. Aldrich Ames foi preso em fevereiro de 1994. Entrevista de Gates ao autor.

475   *"Houve um tempo em que era fácil para a CIA ser única"*: Entrevista de Bearden ao autor.

475   *"A tragédia final é espiritual"*: Entrevista de Giraldi ao autor.

475   *"aquilo estava rapidamente se tornando uma situação muito ruim"*: Arnold Donahue, "Perspectives on U.S. Intelligence", Program on Information Resources, Universidade de Harvard, abril de 1998.

477   *"Sentar-me sozinho no gabinete do vice-presidente foi algo surrealista"*: Michael J. Sulick, "As the USSR Collapsed: A CIA Officer in Lithuania", *Studies in Intelligence,* Vol. 50, n°. 2, 2006, CIA/CSI.

477   *"Adapte-se ou morra"*: Anotação e anúncio de Gates a funcionários da CIA, citado em Douglas F. Garthoff, "Directors of Central Intelligence as Leaders of the U.S. Intelligence Community, 1946-2005", 2006, CIA/CSI. Garthoff trabalhou na CIA de 1972 a 1999, atuando durante muitos anos como analista de assuntos soviéticos sob o comando de Gates.

478   *"Perdemos"*: Richard Kerr, "The Evolution of the U.S. Intelligence System in the Post-Soviet Era", Program on Information Resources, Universidade de Harvard, primavera de 1992.

478   *"jovens de 19 anos com rotatividade de dois anos"*: MacEachin citado em Robert Steele, "Private Enterprise Intelligence: Its Potential Contribution to National Security", artigo apresentado na conferência sobre Análise e Avaliação sobre Inteligência, Ottawa, Canadá, 22-29 de outubro de 1994. Steele é um veterano da CIA que defende a análise em caráter aberto.

478   *"Tensões aumentando enquanto orçamento aperta"*: Anotação de Gates citada em Garthoff, "Directors of Central Intelligence".

## Capítulo 44

483   *"imensas oportunidades democráticas e empreendedoras"*: Anthony Lake, "From Containment to Enlargment", Johns Hopkins University School of Advanced International Studies, 21 de setembro de 1993.

484   *seria o próximo diretor da central de inteligência*: Bill Clinton encantou a maioria dos enviados da CIA, que chegavam a Little Rock, escondiam-se em quartos de hotel de US$ 38,50 a diária, no Confort Inn, perto do aeroporto, e eram mandados para a mansão do governante, para instruí-lo. Mas eles nunca tinham certeza do quanto ele estava entendendo. John L. Helgerson. *Getting to Know the President: CIA Briefings of Presidential Candidates, 1952-1992*, CIA/CSI.

484   *"Almirante, eu não sabia"* e *"Eu não tinha uma relação ruim"*: Comentários de Woolsey, Council on Foreign Relations, 12 de maio 2004; entrevista de Woolsey ao autor.

485   *"ninguém tinha visto o presidente"*: Entrevista de Twetten ao autor.

485   *dezenas de propostas de ações secretas durante seus primeiros dois anos no cargo*: Embora o número preciso permaneça em segredo, "o governo Clinton requisitou um número impressionante de propostas de ações secretas para lidar com uma série de proble-

mas incômodos que enfrentava no começo dos anos 1990, apenas para concluir que ações secretas não salvariam os Estados Unidos de intervenções militares abertas", nas palavras de John MacGaffin, o número dois do serviço clandestino no governo Clinton e vizinho no andar de baixo do autor depois de deixar a CIA. Aliás, MacGaffin nunca vazou. Vide seu "Spies, Counterspies, and Covert Action", em Jennifer E. Sims e Burton Gerber (eds.) *Transforming U.S. Intelligence* (Washington, DC: Georgetown University Press, 2005), pp. 79-95.

485 *"Não houve teste mais duro do que a Somália"*: Depoimento gravado de Wisner, FAOH.

486 *"a falha da inteligência na Somália"*: Depoimento gravado de Crowe, FAOH. Antes de assumir o Grupo de Assessoria em Inteligência Externa do Presidente [PFIAB na sigla em inglês], o almirante teve de dizer ao presidente Clinton o que era o grupo: "No início do governo, o presidente e eu conversamos sobre o que eu gostaria de fazer", recordou Crowe. "Eu respondi, 'PFIAB', e ele perguntou, 'O que é PFIAB?' Então eu tive que contar a ele o que era."

487 *Pouco depois do amanhecer de 25 de janeiro*: Os acontecimentos de 25 de janeiro de 1993 são reconstituídos a partir de um relatório que Nick Starr fez para um informe interno da CIA e a partir de registros judiciais. Quatro anos e meio depois, o matador, Mir Amal Kansi, foi preso no Paquistão numa operação de rendição coordenada pela CIA e apoiada por uma recompensa de US$ 2 milhões. Ele disse que os assassinatos foram um ato de vingança contra a política externa americana no Oriente Médio. O estado de Virgínia o condenou e o executou com injeção letal.

488 *"um membro da Agência Central de Inteligência em Cartum"*: Depoimento gravado de O'Neill, FAOH.

488 *Mas a CIA acabou concluindo"*: Memorando da inteligência, "Iraq: Baghdad Attempts to Assassinate Former President Bush", CIA Counterterrorist Center, 12 de julho de 1993, CIA/FOIA.

488 *"proporcional ao ataque ao presidente Bush"*: Tim Weiner, "Attack Is Aimed at the Heart of Iraq's Spy Network", *The New York Times,* 27 de junho de 1993.

488 *"Saddam tenta assassinar"*: Comentários de Woolsey, Restoration Weekend, Palm Beach, Flórida, 16 de novembro de 2002.

489 *Muitos dos líderes da junta figuraram na folha de pagamento da CIA durante anos*: Tim Weiner com Steve Engelberg e Howard French, "CIA Formed Haitian Unit Later Tied to Narcotics Trade", *The New York Times,* 14 de novembro de 1993. Um breve retrato de um dos homens da CIA no Haiti, extraído desse artigo: Entre os oficiais militares que recebiam dinheiro da agência e lideravam o serviço de inteligência haitiano estava o coronel Ernst Prudhomme, membro da junta anti-Aristide que tomou o poder no Haiti. Em 2 de novembro de 1989, enquanto mantinha o título de chefe da segurança nacional e recebia donativos da CIA, ele liderou um brutal interrogatório de Evans Paul, prefeito da capital do Haiti, Porto Príncipe. O interrogatório deixou o prefeito com cinco costelas quebradas e ferimentos internos. "O próprio Prudhomme nunca me tocou", disse Paul. "Ele desempenhava o papel de intelectual, o homem que

procurava cuidadosamente contradições em nossos relatos — o homem que parecia dar direção a toda a iniciativa. Ele queria me apresentar ao mundo como terrorista... Parecia ter muitas informações sobre a minha vida, desde a minha infância. Era como se tivesse me seguido passo a passo."

489   *"o Thomas Jefferson do Haiti"*: Comentários de Woolsey, Council on Foreign Relations, 12 de maio de 2004.

489   *um estudo da CIA dizendo que meio milhão de pessoas poderiam morrer*: Tim Weiner, "Critics Say U.S. Ignored C.I.A. Warnings of Genocide in Rwanda", *The New York Times*, 26 de março de 1998. Foi difícil ver o que a CIA poderia ter feito para impedir o massacre mesmo se a Casa Branca tivesse vontade de fazê-lo, porque a agência não tinha ninguém em Ruanda. "A CIA não foi muito útil em termos de política interna africana. Nunca havia sido", disse o embaixador de Clinton em Ruanda, Robert E. Gribbin III, um diplomata profissional com longo tempo de serviço no continente. "Eles não estavam particularmente interessados nisso."

490   *A reação do presidente a Ruanda*: Essa resposta veio numa grande ordem de política externa chamada Diretriz de Decisão Presidencial 25. Datada de 3 de maio de 1994, e ainda em grande parte confidencial, ela visava fazer as Nações Unidas assumirem a liderança das operações de manutenção da paz.

491   *"criatura de Frankenstein"*: James Monnier Simon Jr., "Managing Domestic, Military, and Foreign Policy Requirements: Correcting Frankenstein's Blunder", em Sims e Gerber, *Transforming U.S. Intelligence*, pp. 149-161.

## Capítulo 45

494   *"Eu sei o que a União Soviética de fato pretende"*: Entrevista de Ames ao autor.

494   *"Seus nomes foram dados ao serviço de inteligência soviético"*: Entrevista de Hitz ao autor.

496   *"Você fica imaginando se a CIA se tornou idêntica a qualquer outra burocracia"*: Entrevista de Glickman ao autor.

496   *"Eu estriparia a CIA"*: Entrevista de Odom ao autor.

496   *"O lugar precisa apenas de uma reforma geral"*: Entrevista de Specter ao autor.

497   *"O que isso tudo significa agora?"*: Entrevista de Aspin ao autor.

497   *"Nosso objetivo é vender inteligência"*: Snider citado em Loch K. Johnson, "The Aspin-Brown Intelligence Inquiry: Behind the Closed Doors of a Blue Ribbon Commission", *Studies in Intelligence*, outono de 2004, CIA/CSI.

498   *"O contraterrorismo recebeu pouca atenção"*: Johnson, "The Aspin-Brown Intelligence Inquiry".

498   *"números inadequados de pessoas na linha de frente"*: Entrevista de Hitz ao autor.

*Capítulo 46*

499 *"O presidente me perguntou se eu estava interessado em ser o diretor da central de inteligência"*: Entrevista de Deutch ao autor.

500 *"Acometida por uma liderança fraca, a agência está à deriva"*: John A. Gentry, "A Framework for Reform of the U.S. Intelligence Community", disponível online em http://www.fas.org/irp/gentry/. Gentry foi analista da CIA durante doze anos.

501 *"vendo-o como nada mais do que problemas"*: Entrevista de Helms ao autor.

502 *Oito mil pessoas morreram, e a agência não viu*: Stephen Engelberg e Tim Weiner com Raymond Bonner e Jane Perlez, "Srebrenica: The Days of Slaughter", *The New York Times,* 29 de outubro de 1995.

502 *o posto da CIA em Paris realizava uma elaborada operação*: Tim Weiner, "C.I.A. Confirms Blunders During Economic Spying on France", *The New York Times,* 13 de março de 1996.

503 *A divisão era um mundo à parte na CIA:* Tim Weiner, "More Is Told About C.I.A. in Guatemala", *The New York Times,* 25 de abril de 1995.

504 *"O posto da CIA na Guatemala tinha mais ou menos o dobro do tamanho que precisava ter"*: Entrevista de Stroock ao autor.

504 *"O chefe do posto veio ao meu escritório"*: Entrevista de McAfee ao autor.

506 *"Deixem-me explicar a vida para vocês"*: Entrevista de Tenet ao autor.

506 *"Dick Clarke me procurou e disse, 'Vão explodir você'"*: Entrevista de Lake ao autor.

508 *a agência conspirava com um exilado iraquiano chamado Ayad Alawi*: Em maio de 2004, um ano depois da ocupação americana no Iraque, os Estados Unidos empurraram Alawi para o cargo de primeiro-ministro. Apesar de sua eloqüência e ambição, ele não foi um sucesso político. O conhecimento quase universal de suas antigas relações com a CIA não contou pontos a seu favor.

508 *um romance antigo e turbulento*: No verão de 1972, a agência entregou um pacote de US$ 5,38 milhões em ajuda e armas, pessoalmente aprovado por Nixon e Kissinger, "para assistir... os curdos iraquianos em sua resistência ao regime iraquiano ba'athista", nas palavras de Kissinger. Dois anos depois, Kissinger enganou os curdos, abandonando o apoio americano à causa deles com o objetivo de pacificar o xá do Irã, cujo medo de um estado curdo independente aumentara. Memorando de Kissinger, sem data, mas em 31 de julho de 1971, ou em torno desse dia, em FRUS, 1969-1972. Vol. E-4, documento 322, liberado em setembro de 2006.

508 *"O caso Saddam foi um acontecimento interessante"*: Entrevista de Lowenthal ao autor.

509 *"Teria sido um grande desafio"*: Entrevista de Lake ao autor.

509 *"um urso dançarino num circo político"*: Entrevista de Lake ao autor.

509 *"É impossível exagerar a turbulência"*: Entrevista de Hitz ao autor.

509 *Sua capacidade de coletar e analisar segredos estava se desintegrando*: Um forte programa de codificação chamado PGP, sigla para Pretty Good Privacy [Privacidade Muito Boa (*N. do T.*)], estava disponível gratuitamente na Internet desde o fim da guerra fria.

Em 20 de março de 1997, o vice-diretor da Agência de Segurança Nacional, William Crowell, disse ao Congresso: "Se todos os computadores pessoais do mundo — 260 milhões de computadores — fossem colocados para trabalhar numa única mensagem codificada no PGP, ainda assim seria preciso um tempo estimado em 12 milhões de vezes a idade do universo, em média, para decifrar uma única mensagem." Como a inteligência americana resolveria isso? Testemunho de Crowell, Subcomissão Judiciária para Tribunais e Propriedade Intelectual, 20 de março de 1997.

509-510   *"grandes sucessos são raros e o fracasso é uma rotina"*: "IC21: The Intelligence Community in the 21st Century", Estudo de Equipe, Comissão para Inteligência Seleta Permanente da Câmara, 1996.

510   *As carreiras de recrutas que representavam três anos de treinamento estavam destruídas*: Completar o curso de treinamento da CIA não era garantia alguma de sucesso quando se estava no exterior. Jim Olson, que foi chefe de posto em Moscou, Viena e Cidade do México, contou a história de um jovem e brilhante casal que se reportava a ele. Os dois eram oficiais recém-graduados. Ela era advogada e ele, engenheiro. "Eu tinha grandes esperanças neles", relembrou Olson. Mas menos de uma semana depois eles lhe disseram que tinham escrúpulos éticos quanto a recrutar agentes "sob falsas afirmações. Disseram que simplesmente não conseguiam enganar e manipular pessoas inocentes daquela maneira." É claro, é isso que os oficiais da CIA no exterior fazem para viver. Não foi possível salvar o casal. Eles se demitiram e acabaram dirigindo uma carreta juntos. Olson ficou "muito curioso" para saber "por que as restrições morais deles não apareceram durante o treinamento". Acontece que eles haviam realmente manifestado seus temores, mas seus instrutores lhes disseram para não se preocuparem — que "tudo ficaria bem quando eles recebessem sua primeira missão". Mas tudo não ficou bem. Olson, *Fair Play: The Moral Dilemmas of Spying* (Washington, DC: Potomac, 2006), pp. 251-252. Formado em 2003 na escola de treinamento da CIA, T. J. Waters relatou uma negligência semelhante de seus instrutores. Parece que há um um problema na Farm. T. J. Waters, *Class 11: Inside the Largest Spy Class in CIA History* (Nova York: Dutton, 2006).

510   *"profundidade, amplitude e especialização"*: Relatório da Comissão para Inteligência Seleta Permanente da Câmara, deputado Porter J. Goss, presidente, 18 de junho de 1997.

511   *"Do ponto de vista de 2001... o fracasso da inteligência é inevitável"*: Russ Travers, "The Coming Intelligence Failure", *Studies in Intelligence,* 1997, CIA/CSI. Travers escreveu: "As falhas podem ser do tipo tradicional: não conseguimos prever a queda de um governo amigável; não fornecemos suficientes advertências sobre um ataque surpresa a nossos aliados ou interesses; somos completamente surpreendidos por um ataque terrorista patrocinado por um estado; ou não conseguimos detectar uma inesperada aquisição de uma arma de destruição em massa por um país. Ou podem assumir uma forma menos tradicional: superestimamos inúmeras ameaças o que leva a gastos desnecessários de dezenas de bilhões de dólares; erros de bases de dados levam a um número politicamente inaceitável de baixas numa operação de pacificação; ou uma operação

não vai bem... No fim, podemos não sofrer um Pearl Harbor, mas simplesmente sucumbir a uma série de erros que levantam questões sobre um orçamento de inteligência que faz parecer irrisório o orçamento total de defesa da maioria dos países. A Comunidade tentará explicar as falhas, e legitimamente indicará circunstâncias atenuantes. Mas vamos começar a cometer mais e maiores erros com mais freqüência. É só uma questão de tempo para que os resultados cheguem ao nível de falha de inteligência reconhecida... Os motivos serão simples: nós nos afastamos do básico — a coleta e a análise imparcial de fatos."

*Capítulo 47*

513 *"Estávamos quase falidos"*: Testemunho de Tenet, Comissão do 11 de Setembro, 14 de abril de 2004; comentários de Tenet, Universidade de Kutztown, 27 de abril de 2005. Tenet testemunhou que herdou uma CIA "cujos dólares estavam diminuindo e cuja habilidade estava decaindo... A infra-estrutura para recrutar, treinar e manter oficiais para nosso serviço clandestino — a capacidade de inteligência humana da nação — estava desordenada... Nossos sistemas de informação se tornavam obsoletos durante a maior revolução de tecnologia de informação de nossas vidas."

513 *dos cinqüenta maiores*: A lista dos pioneiros incluía Robert Ames, morto no atentado à embaixada em Beirute em 1983; Dick Bissel, progenitor do U-2 e de Baía dos Porcos; Jamie Critchfield, que dirigira a organização Gehlen; Allen Dulles, o Grande Tubarão da Inteligência; Richard Lehman, cujas informações Dulles avaliara pelo peso; Art Lundahl, o intérprete de fotos na crise dos mísseis cubanos; Tony Mendez, o mestre do disfarce; e, é claro, Frank Wisner, o avatar das ações secretas.

513 *"A única superpotência restante"*: Entrevista de Helms ao autor.

513 *"A confiança que era depositada na CIA desapareceu"*: Entrevista de Schlesinger ao autor.

514 *"A inteligência não é apenas algo para a guerra fria"*: Entrevista de Goss ao autor.

514 *"um acontecimento bastante perturbador"*: Comentários de Charles Allen, "Intelligence: Cult, Craft, or Business?" Program on Information Resources Policy, Universidade de Harvard, 6 de abril de 2000.

514 *"A possibilidade de uma falha de advertência cataclísmica está aumentando"*: Mary O. McCarthy, "The Mission to Warn: Disaster Looms", *Defense Intelligence Journal*, Vol. 7, nº 2, 1998.

515 *Tenet decidiu cancelar a operação*: Os detalhes estão no relatório da Comissão do 11 de Setembro.

515-516 *"Precisaremos de informações muito melhores sobre essa instalação"*: McCarthy citada em relatório da Comissão do 11 de Setembro.

516 *"Foi um erro"*: Depoimento gravado de Petterson, FAOH.

516 *"A decisão de usar al-Shifa como alvo"*: Entrevista de Carney ao autor. Eu cobri o atentado em Nairóbi e as conseqüências em al-Shifa para o *New York Times*; as entrevistas para a segunda cobertura incluíram oficiais da CIA, do NSC e dos departamentos de

Estado e Defesa. Foram publicadas sem citar as fontes, e infelizmentemente devem permanecer assim. Mas duas delas foram feitas com membros do "Pequeno Grupo", o mais alto círculo de segurança nacional, cujos seis membros incluíam o assessor de segurança nacional e o diretor da central de inteligência. O envolvimento de Clinton com uma estagiária acabara de se tornar público, e os oficiais que entrevistei já não estavam bem certos sobre em que acreditavam. Mas fingiram bem.

516 *"um fracasso catastrófico e sistêmico da inteligência"*: Citado em "Counterterrorism Intelligence Capabilities and Performance Prior to 9/11," audiência da comissão de inteligência da Câmara, 5 de setembro de 2002. A sensação de que algo terrível estava para acontecer era insuportável para alguns membros da comunidade de inteligência. Três semanas depois daquela advertência em 11 de setembro de 1998, John Millis, um veterano do serviço clandestino que era diretor da comissão de inteligência da Câmara presidida por Porter Goss, fez um discurso para aposentados da CIA. Millis disse que a agência estava mergulhando em dados sem sentido, tinha pouca capacidade de raciocínio e se aproximava de um colapso. "As pessoas chegavam para nós e alardeavam que a CIA era o 911 do governo", refletiu ele. "Bem, se você disca 911, é porque a inteligência já se foi." Millis explodiu sua cabeça com um tiro num hotel barato nos arredores de Washington em 4 de junho de 2000.

516 *"em dez anos não teremos relevância"*: Entrevista de Tenet ao autor.

517 *"enganar, manipular e usar, para ser franco, a desonestidade"*: Entrevista de Smith ao autor.

517 *"pessoas que são um pouco diferentes"*: Entrevista de Gates ao autor.

519 *o entusiasmo se transformou em moderação*: Explicações de Gary Schroen sobre os fracassos contra bin Laden estão em seu testemunho à Comissão do 11 de Setembro. Anos mais tarde, ele resumiu: "Não fizemos o suficiente. Não penetramos no círculo interno de Bin Laden; e ainda não o fizemos. Então, sim, houve uma falha." Entrevista de Schroen, *Frontline,* "The Dark Side", 20 de janeiro de 2006, transcrição editada disponível online em http://www.pbs.org/wgbh/pages/frontline/darkside/interviews/schroen.html.

519 *"os Estados Unidos tinham a capacidade de retirar Osama bin Laden"*: MacGaffin, "Spies, Counterspies, and Covert Action", em Jennifer E. Sims e Burton Gerber (eds.), *Transforming U.S. Intelligence* (Washington, DC: Georgetown University Press, 2005).

519 *Os afegãos continuaram acompanhando as viagens de Bin Laden*: A perseguição a Bin Laden e a hesitação da CIA, do Pentágono e da Casa Branca são detalhadas no relatório da Comissão do 11 de Setembro.

520 *"O bombardeio contra a embaixada chinesa"*: Vice-almirante Thomas R. Wilson, Harvard Seminar on Intelligence, Command, and Control, Program on Information Resources Policy, novembro de 2001.

521 *"Vocês americanos são loucos"*: Relatório da Comissão do 11 de Setembro, "Intelligence Policy", Staff Statement nº 7.

521 *"A ameaça não poderia ser mais real"*: Tenet citado em relatório da Comissão do 11 de Setembro.

522 *"um bocado de dinheiro"*: Testemunho de Clarke em relatório da Comissão do 11 de Setembro.

522 *O suspeito óbvio era a al-Qaeda*: As conversas da CIA com George Bush e Bill Clinton antes e depois das eleições estão no relatório da Comissão do 11 de Setembro. O aten-tado contra o *USS Cole* levou a uma rara crítica veemente de John Lehman, secretário da Marinha durante o governo Reagan. Ele se enfureceu contra "a falha obscena da inteligência" no ataque, num artigo de opinião publicado no *Washington Post* três dias depois. "Mas é claro que ninguém poderia ficar surpreso com a falha da inteligência. Em quatorze anos de serviço ao governo em três administrações, observei muitas cri-ses históricas, e em cada uma delas o produto final da burocracia da inteligência dei-xou de fornecer advertências, como no caso do Kuwait, ou estava grosseiramente errado em sua avaliação... Mas nunca se faz nada. O *Cole* é a vítima mais recente de um pro-grama de US$ 30 bilhões em empregos que pega os mais maravilhosos produtos de tecnologia espacial e eletrônica e os transforma numa massa inútil."

## Capítulo 48

523 *"por que um desastre previsível não foi previsto"*: James Monnier Simon Jr., Seminar on Intelligence, Command, and Control, Program of Information Resources Policy, Uni-versidade de Harvard, julho de 2001.

524 *isolada da realidade do mundo externo por suas tecnologias de informação antiquadas*: Eu ouvia histórias sobre o quanto eram ruins os postos de trabalho da CIA e as tecnologias de informação, mas nunca as entendi completamente até Bruce Berkowitz, ex-agente da CIA e consultor altamente respeitado da agência, publicar os duros fatos em *Studies in Intelligence*, em 2003. "Os analistas sabem muito menos sobre novas tec-nologias de informação e serviços do que seus colegas no setor privado e em outras organizações do governo", escreveu ele depois de passar um ano na agência como es-tudioso residente da CIA. "Em média, eles parecem estar atrasados cerca de cinco anos ou mais. Muitos analistas parecem não conhecer dados que estão disponíveis na Internet e em outras fontes que não são da CIA." Ele disse que a mensagem dos geren-tes da CIA era "que a tecnologia é uma ameaça, e não um benefício; que a CIA não dá grande prioridade a analistas que usam tecnologia de informação em facilidade ou criatividade; e, pior de tudo, que os dados fora da própria rede da CIA são secundários para a missão da inteligência." Bruce Berkowitz, "Failing to Keep Up with the Infor-mation Revolution", *Studies in Intelligence*, Vol. 47, No. 1, 2003, CIA/CSI.

525 *"Quando esses ataques acontecerem, como provavelmente acontecerão"*: E-mail de Clarke citado na Comissão do 11 de Setembro.

525 *"Ou a al-Qaeda é uma ameaça que justifica uma ação contra ela ou não é"*: Clarke cita-do em relatório da Comissão do 11 de Setembro.

525 *"A esperança é de que não sejam fatais"*: Garrett Jones, "Working with the CIA", *Para-meters* (U.S. Army War College Quarterly), Vol. 31, nº 4, inverno 2001-2002. Entre as

conseqüências fatais do 11 de Setembro e mal notada no mundo civil, estava esta: por puro acaso, o avião que atingiu o Pentágono matou a maior parte da equipe de inteligência naval da Agência de Inteligência de Defesa, se não toda.

527 *"o lado escuro"*: Falando de Camp David para o *Meet the Press* no domingo, 16 de setembro de 2001, Cheney disse, "Entretanto, também temos que trabalhar no lado negro, de certa forma. Temos que passar um tempo nas sombras do mundo da inteligência. Muito do que precisa ser feito aqui terá que ser feito em silêncio, sem qualquer discussão, usando fontes e métodos disponíveis a nossas agências de inteligência, se quisermos ter sucesso".

527 *O presidente Bush emitiu uma diretriz ultra-secreta de quatorze páginas para Tenet e a CIA:* em 10 de janeiro de 2007, a existência da diretriz foi reconhecida pela CIA num registro jurídico. A ordem secreta autorizava a CIA "a deter terroristas" e "criar instalações de detenção fora dos Estados Unidos". Declaração de Marilyn A. Dorn, *ACLU versus Department of Defense.*

528 *"O que eles terão? Bem, uma impressão digital do polegar"*: James M. Simon Jr., "Analysis, Analysts, and Their Role in Government and Intelligence", seminário em Harvard, Program on Information Resources Policy, julho de 2003.

529 *"Eu* não *podia não fazer"*: Testemunho de Hayden, comissão de inteligência do Senado, 18 de maio de 2006. No momento em que este livro é escrito, Hayden está dirigindo a CIA. Ele tem expressado o quanto está disposto a se aproximar do limite da lei. "Vamos viver no limite", disse ele. "Meus pés ficarão em cima do giz da marca de limite."

531 *"Nem todos os presos eram terroristas"*: Comentários de Tenet, Nixon Center Distinguished Service Award Banquet, 11 de dezembro de 2002. A agência reconheceu em dezembro de 2006 que mantinha quatorze prisioneiros de "grande valor" em suas prisões secretas e que os estava transferindo para Guantánamo.

## Capítulo 49

533 *Ele baseou sua declaração em confissões de uma única fonte:* "Postwar Findings", comissão de inteligência do Senado, 8 de setembro de 2006.

534 *"Era a coisa errada a fazer"*: Testemunho de Tenet, 26 de julho de 2006, citado em "Postwar Findings", 8 de setembro de 2006.

534 *"Não tínhamos muitas fontes iraquianas"*: Comentários de James L. Pavitt, Foreign Policy Association, 21 de junho de 2004. A melhor fonte da CIA foi fornecida pelo serviço de inteligência francês, que cultivara Naji Sabri — ministro do Exterior do Iraque — como seu agente. Sabri disse que Saddam não tinha um programa ativo de armas nucleares ou biológicas. Evidentemente seus relatos foram rejeitados. Sabri foi o homem ao qual Tenet se referiu num discurso em 5 de fevereiro de 2004, quando disse que a CIA possuía "uma fonte que tinha acesso direto a Saddam e a seu círculo interno". A CIA não tinha quase nenhuma capacidade para analisar com precisão as poucas informações que conseguia. Seus especialistas eram poucos e dispersos, e eram ajudados por um

monte de novatos. Depois do 11 de Setembro, "analistas não familiarizados com o terrorismo, a al-Qaeda ou o sudoeste da Ásia estavam se organizando para acelerar suas novas missões", observou o veterano da CIA Bruce Berkowitz. "Meses depois, as pessoas ainda estavam rearrumando móveis, redecorando escritórios e reinstalando computadores." Berkowitz, "Failing to Keep Up with the Information Revolution", *Studies in Intelligence,* Vol. 47, nº 1, 2003, CIA/CSI.

535 *"Se não acreditam em nós, não temos propósito algum"*: Richard Helms, "Intelligence in American Society," *Studies in Intelligence,* Vol. 11, nº 3, verão de 1967, CIA/CSI. O artigo foi adaptado de um discurso de Helms ao Conselho de Relações Exteriores em 17 de abril de 1967.

536 *"No fim das contas, acho que os iraquianos estavam certos"*: Comentários de Duelfer, Miller Center of Public Affairs, Universidade da Virgínia, 22 de abril de 2005.

536 *"Estávamos desprovidos de qualquer inteligência humana"*: David Kay, "Weapons of Mass Destruction: Lessons Learned and Unlearned," *Miller Center Report,* Vol. 20, nº 1, primavera/verão de 2004.

538 *Tenet olhou em seus olhos*: O coronel Larry Wilkerson, principal assistente militar de Colin Powell, estava lá quando isso aconteceu. "Ainda consigo ouvir George Tenet me dizendo, e dizendo a meu chefe, nas profundezas da CIA", que a informação era sólida como pedra, disse o coronel Wilkerson. "Eu estava sentado na sala olhando em seus olhos, assim como o secretário de Estado, e ouvi aquilo ser dito com uma firmeza que só George poderia dar... George Tenet assegurando a Colin Powell que as informações que ele estava apresentando na ONU eram firmes, só para depois ver aquele mesmo indivíduo telefonar para o secretário em mais de uma ocasião nos meses seguintes à apresentação e lhe dizer que os pilares centrais de sua apresentação eram na verdade falsos." Comentários de Wilkerson, New American Foundation, 19 de outubro de 2005; entrevista de Wilkerson, *Frontline,* "The Dark Side", 13 de dezembro de 2005, transcrição editada disponível online em http://www.pbs.org/wgbh/pages/frontline/darkside/interviews/wilkerson.html.

538 *"Acho que realmente pegamos Saddam Hussein"*: *Off Target: The Conduct of the War and Civilian Casualties in Iraq,* Human Rights Watch, dezembro de 2003. O relatório concluiu: "A inteligência para 50 ataques contra 55 membros da liderança iraquiana era perfeita: nenhum líder foi morto, mas dezenas de civis morreram."

539 *A agência previu que milhares de soldados iraquianos e seus comandantes se renderiam*: Aquela era a última palavra às vésperas do ataque terrestre, disse o major-general do Exército James Thurman, diretor-geral de operações para a invasão. "Fomos informados sobre aquilo pela CIA", disse o general Thurman. "E não foi o que aconteceu. Tivemos que lutar para abrir caminho em cada cidade." Thurman citado em Thomas Ricks, *Fiasco: The American Military Adventure in Iraq* (Nova York: Penguin, 2006), p. 118.

539 *O major-general Abed Hamed Mowhoush, que... se entregara voluntariamente às forças americanas: Command's Responsibility: Detainee Deaths in U.S. Custody in Iraq and Afghanistan,* Human Rights First, 22 de fevereiro de 2006.

540   *"a causa célebre para os jihadistas"*: trecho liberado em "Trends in Global Terrorism Implications for the United States", abril de 2006, CIA.

540   *"Todo exército de libertação"*: Tenente-general David H. Petraeus, "Learning Counterinsurgency: Observations from Soldiering in Iraq", *Military Review,* janeiro-fevereiro de 2006. O artigo está publicado em U.S. Army Professional Writing Collection, disponível online em http://www.army.mil/professionalwriting/volumes/volume4/april_2006/.

540   *"Enquanto o Iraque passa da tirania à autodeterminação"*: Comentários de Pavitt, Foreign Policy Association, 21 de junho de 2004.

541   *horas demais bebendo no bar Babylon*: Lindsay Moran, que se demitiu do serviço clandestino em 2003 e baseou sua declaração em relatos de amigos e colegas do posto de Bagdá, disse: "O clima lá é tal que você simplesmente não consegue realizar operações básicas de investigação. Um colega o descreveu para mim como uma espécie de festa permanente de organização de estudantes acima da idade em Bagdá; ou seja, como não conseguem realizar operações, os oficiais de investigação simplesmente são obrigados a ficar no complexo e fazer festas." Observações de Moran, "U.S. Intelligence Reform and the WMD Commission Report," American Enterprise Institute, 4 de maio de 2005.

541   *"Eles tiveram seriíssimas dificuldades para encontrar um indivíduo competente"*: Depoimento gravado de Crandall, Association for Diplomatic Studies and Training, Iraq Experience Project, 20 de setembro de 2004.

541   *"mal informadas, enganadoras e simplesmente erradas"*: Declaração de Tenet, CIA Office of Public Affairs, 11 de agosto de 2003.

541   *não importava mais o que a agência tinha a dizer*: Em 2004, estava claro que não se confiava na análise da inteligência sequer para tomar as decisões de segurança nacional mais importantes, escreveu Paul Pillar, oficial da inteligência nacional para o Oriente Médio de 2000 a 2005. "O que é mais impressionante sobre a inteligência dos EUA pré-guerra não é que ela se equivocou e orientou mal os estrategistas; é que ela desempenhou um papel muito pequeno numa das mais importantes decisões políticas dos EUA nas últimas décadas." Paul Pillar, "Unheeded Intelligence", *Foreign Affairs,* março/abril de 2006.

541   *"apenas supondo"*: Entrevista coletiva de Bush, 21 de setembro de 2004. O presidente fez pouco caso dos relatos pessimistas do chefe do posto em Bagdá, considerando-os besteiras derrotistas.

542   *"Estamos em guerra"*: Comentários de Silberman, "U.S. Intelligence Reform and the WMD Commission Report", American Enterprise Institute, 4 de maio de 2005.

542   *"ainda mais enganosos"*: Commission on the Intelligence Capabilities of the United States Regarding Weapons of Mass Destruction, 31 de março de 2005.

543   *"Aquelas foram as duas palavras mais estúpidas que eu já disse"*: Comentários de Tenet, Universidade de Kutztown, 27 de abril de 2005.

543 *"queda de meteoros sobre os dinossauros"*: Richard Kerr, Thomas Wolfe, Rebecca Donegan e Aris Pappas, "Collection and Analysis on Iraq: Issues for the US Intelligence Community", *Studies in Intelligence,* Vol. 49, nº 3, 2005, CIA/CSI.

544 *"Não fizemos o trabalho"*: Observações de Tenet, Universidade de Kutztown, 27 de abril de 2005.

544 *"Achamos que a inteligência é importante para vencer guerras"*: Kay, "Weapons of Mass Destruction".

*Capítulo 50*

498 *Em sua despedida na sede da CIA*: Comentários de Tenet, CIA Office of Public Affairs, 8 de julho de 2004. Diferentemente de Tenet, Nixon, em seu discurso de despedida, teve a consciência tranqüila para citar o trecho completo sobre o homem na arena, "cuja face está desfigurada por poeira, suor e sangue, que se esforça bravamente, que erra e falha uma e outra vez, porque não há esforço sem erros e falhas, mas que realmente luta para realizar a proeza, que conhece os grandes entusiasmos, as grandes devoções, que se dedica a uma causa valiosa, que, na melhor das hipóteses, conhece no fim os triunfos das grandes conquistas e que, na pior da hipóteses, se fracassar pelo menos fracassa ousando corajosa."

498 *uma dolorosa biografia pessoal:* George Tenet com Bill Harlow, *At the Center of the Storm: My Years at the CIA* (Nova York: HarperCollins, 2007). Os trechos citados estão nas páginas 110 e 232. Tenet não fez favor algum a si próprio ao abrir o livro com uma história dramática sobre seu confronto com o mandarim neoconservador Richard Perle no exterior da Ala Oeste da Casa Branca em 12 de setembro de 2001, e com Perle dizendo: "O Iraque tem que pagar um preço pelo que aconteceu ontem." Perle estava na França naquele dia; a citação foi, na melhor das hipóteses, um erro enorme. A confissão de Tenet sobre os erros da CIA foi admirável até onde chegou. Mas ele chamou a si próprio de "membro de um coro grego" e "um pilar no cenário" no discurso de Colin Powell nas Nações Unidas — discurso que ele havia defendido em cada trecho. Mais adiante, ele tentou explicar as provas "praticamente definitivas", mas não conseguiu. Ao ser publicado, o livro de Tenet foi atacado pela direita, pela esquerda e pelo centro. Entre seus poucos defensores estavam seis antigos oficiais que trabalharam para Tenet. Eles escreveram uma carta aberta descrevendo-o como um homem com "coragem para reconhecer erros cometidos e para aceitar a responsabilidade que pertence a ele e à comunidade de inteligência que liderou."

499 *"Eu não conseguiria um emprego na CIA hoje"*: Goss disse isso a um entrevistador, diante de uma câmera, num vídeo transcrito e apresentado pelo cineasta de esquerda Michael Moore. "Fiquei na CIA aproximadamente do fim dos anos 50 até o início dos anos 70. E é verdade que eu era um oficial de investigação, um oficial do serviço clandestino, e, sim, eu entendo a missão central desse trabalho. Eu não conseguiria um emprego na CIA hoje. Não sou qualificado. Não tenho habilidade com línguas. Você

sabe, minha habilidade com línguas era a linguagem de romances e coisas assim. Hoje estamos procurando especialistas em árabe. Provavelmente não tenho a bagagem cultural. E certamente não tenho as habilidades técnicas."

546 *"uma burocracia rígida, incapaz de obter até mesmo um minúsculo sucesso"*: Declaração impressa de Goss, Comissão Seleta Permanente da Câmara para Inteligência, 21 de junho de 2004.

546 *"precisaremos de mais cinco anos de trabalho para ter o tipo de serviço clandestino de que nosso país precisa"*: Declaração de Tenet para registro, Comissão do 11 de Setembro, 14 de abril de 2004.

547 *"Não produzimos inteligência estratégica há tanto tempo"*: Entrevista de Ford ao autor.

548 *"Esta é uma organização que progride enganando"*: Entrevista de Hamre ao autor.

549 *"A CIA consegue responder à ameaça atual?"* Comentários de Hart, Miller Center of Public Affairs, Universidade de Virgínia, 3 de dezembro de 2004.

549 *"Não conseguimos pessoas qualificadas"*: Smith citado em *CIA Support Functions: Organization and Accomplishments of the DDA-DDS Group, 1953-1956,* Vol. 2, capítulo 3, p. 128, Director of Central Intelligence Historical Services, liberado em 6 de março de 2001, CIA/CREST.

549 *"Não quero dar ajuda e conforto ao inimigo dizendo a vocês o quanto eu acho que o problema é difícil"*: Testemunho de Goss, comissão de inteligência do Senado, 14 de setembro de 2004.

549 *"Nunca, nem em meus sonhos mais loucos, eu esperei estar de volta aqui"*: Transcrição de Goss, CIA Office of Public Affairs, 24 de setembro de 2004, liberado em julho de 2005.

550 *Ele não usaria dois chapéus, como seus predecessores. Usaria cinco*: Poucos meses depois, Goss — que preferia não trabalhar cinco dias por semana — reclamava que estava exausto. "Os trabalhos que me pedem para fazer, os cinco chapéus que eu uso, são demais para esse mortal", afirmou em comentários na Biblioteca Presidencial Ronald Reagan em 2 de março de 2005.

550 *Forçou a saída de quase todos os mais antigos oficiais da CIA*: Goss afastou o número dois, o vice-diretor da central de inteligência, John McLaughlin; o número três, o diretor-executivo Buzzy Krongard; o chefe e o subchefe do serviço clandestino, Stephen Kappes e Michael Sulick; o chefe da análise de inteligência, Jami Miscik; o chefe do centro de contraterrorismo, Robert Grenier; e os barões que dirigiam operações em Europa, Oriente Próximo e Ásia. Ao todo, Goss se livrou de três dúzias de altos funcionários da CIA em questão de meses.

552 *John D. Negroponte*: Nascido em Londres em 1939, filho de um magnata da navegação grega, Negroponte estudou em Yale com Goss, mas se moveu na direção do Departamento de Estado, e não da CIA. Depois de uma viagem a Saigon, aterrissou na equipe do Conselho de Segurança Nacional de Henry Kissinger, sendo encarregado da pasta do Vietnã. Foi embaixador de Reagan em Honduras, onde trabalhou intimamente com a CIA e as brutais forças armadas hondurenhas. Negroponte trabalhou por dezenove meses como diretor nacional de inteligência antes de sair para assumir o cargo de número dois do Departamento de Estado. Deixou para trás poucos progressos visíveis.

552 *"Isso provocou abalos sísmicos em toda a comunidade de inteligência"*: Joan A. Dempsey, "The Limitations of Recent Intelligence Reforms", seminário em Harvard, Program on Information Resources Policy, 23 de fevereiro de 2006. "Estamos lutando a última guerra", disse Dempsey. Os homens e as mulheres da inteligência americana "fazem um grande esforço tentando cumprir o que se espera deles, mas na minha opinião eles simplesmente não têm a seu redor os recursos que realmente permitem que tenham sucesso."

553 *"ninguém tinha a menor idéia de quem estava fazendo o quê e onde"*: Entrevista de Fingar ao autor.

553 *"E não vivemos no melhor dos mundos"*: *Commission on the Intelligence Capabilities of the United States Regarding Weapons of Mass Destruction*, 31 de março de 2005.

554 *"o funeral"*: Entrevista de Goss a Mark K. Matthews, *Orlando Sentinel*, 8 de setembro de 2006.

556 *"O Sujeito da Ética"*: *U.S. vs. Kyle Dustin Foggo*, United States District Court, San Diego, 13 de fevereiro de 2007.

557 *"A desconfiança em relação aos americanos aumentou"*: *U.S. vs. David Passaro*, United States District Court, Raleigh, Carolina do Norte, 13 de fevereiro de 2007.

557 *Arar, que fora detido pela CIA*: Em 2003, durante os meses da difícil experiência de Arar, o presidente Bush observou de passagem que os governantes sírios deixaram "um legado de tortura" a seu povo.

562 *"A única superpotência restante"*: Helms em entrevista ao autor.

# ÍNDICE

Este livro foi composto na tipologia
Minion, em corpo 11/15, e impresso em
papel off-white 80g/m² no Sistema Cameron da
Divisão Gráfica da Distribuidora Record.